Philip Burton &
Peter Hayman

Het vogelboek

Het herkennen van de vogels
van onze weiden en wadden, stranden en duinen,
rivieren en meren, bossen en tuinen

Zesde editie

Zomer & Keuning - Ede / Antwerpen

ISBN 90 210 0145 4

Oorspronkelijke titel: The Birdlife of Britain & Europe
Geschreven door: Dr. Philip Burton
Geïllustreerd door: Peter Hayman, Robert Morton (eenden, ganzen, zeldzame waadvogels, de vogels van het Iberisch schiereiland, de bergen, venen en moerassen), John Davis (speciale onderwerpen) en Brian Delf
Kaarten samengesteld door: John Parslow
Adviseur: Ian S. MacPhail
Aan de herziene uitgave werkten mee: Chris Mead (tekst) en Kevin Richardson en Paul Williams (illustraties)

De Nederlandstalige editie kwam tot stand onder eindredactie van G.J. Oreel
Vertaling door: Drs. A.B. van den Berg, Drs. C.A.W. Bosman, Drs. C.L. Deeleman-Reinhold, Drs. S. Gardeslen, Drs. D.J. Moerbeek, Drs. L.H. Mosk-Stoets, Drs. W.J. van der Plas-Haarsma en H. Schroevers-Kommandeur
Tekst blz. 266-267: Drs. A.B. van den Berg
Met dank aan: Dr. J. Wattèl

CIP-GEGEVENS KONINKLIJKE BIBLIOTHEEK, DEN HAAG

Burton, Philip

Het vogelboek : het herkennen van de vogels van onze weiden en wadden, stranden en duinen, rivieren en meren, bossen en tuinen / [tekst] Philip Burton ; & [ill.] Peter Hayman ... [et al. ; vert. uit het Engels door G.J. Oreel]. – Ede [etc.] : Zomer & Keuning. – Ill.
Vert. van: The birdlife of Britain. – Londen : Mitchell Beazley, 1976. – Met reg.
ISBN 90-210-0145-4
SISO eu.w 598.33 UDC 598.2(4-15) NUGI 823
Trefw.: vogels ; West-Europa.
Printed and bound in Hong Kong

Het vogelboek

Inhoud

Woord vooraf

Dit is een boek voor hen die thuis willen raken in de vogelwereld om zich heen en die niet tevreden zijn met alleen de naam van de vogels te weten. Terwijl de verschillende algemeen bekende 'vogelgidsen' zelfs voor de ernstige beginner vaak verwarrend zijn door de geboden veelheid van vormen en soorten, is dit boek van een weldadig aandoende eenvoud van opzet. Geholpen door didactische degelijkheid en vindingrijkheid kan men hier zijn kennis van de grond af opbouwen. Grote zeldzaamheden zal men er daarom tevergeefs in zoeken. Daarentegen treft men er van de gewone soorten een uitstekend gekozen verscheidenheid van afbeeldingen in aan, die de vogels tonen in even zovele houdingen en verenkleden. De meeste van de figuren zijn groot en opvallend; andere zó klein, dat men de vogels haast moet zoeken. Juist dat laatste komt in het vrije veld vaak voor en wie geregeld en met aandacht dit boek doorkijkt, zal geleidelijk aan meer van zijn gevederde buren herkennen en hun levenswijze leren begrijpen en bewonderen. De schilder Peter Hayman legt er op elke bladzijde getuigenis van af, dat hij zelf een enthousiast vogelwaarnemer is. Daardoor zijn niet alleen de verenkleden, maar vooral ook de houdingen van de afgebeelde vogels uitzonderlijk goed getroffen.
De auteur Philip Burton is een bekende Britse veldwaarnemer; zijn tekst is een levendige aanvulling op de platen.

De Nederlandse bewerker Gerald Oreel, een van de zeer goede veldornithologen, is er met zijn team van vertalers op uitstekende wijze in geslaagd om van dit boek een uitgave te maken die velen zal kunnen helpen bij hun eerste schreden op het boeiende terrein van de veldornithologie, waarbij hij zich gelukkig niet heeft beperkt tot de herkenning van de soorten, maar daarenboven en vooral wijst op de voor elk van deze soorten karakteristieke, eigen levenswijze.

Prof. dr. K.H. Voous

Inleiding

De eerste editie van dit boek maakten we in 1976. De conventionele veldgidsen uit die tijd concentreerden zich op het verenkleed alsof dit de enige sleutel tot herkenning van vogels zou zijn. Ons boek daarentegen behandelt de vogel in zijn *bewegingsvrijheid,* zoals men hem in werkelijkheid ziet. Het is per slot van rekening deze bewegingsvrijheid die het kijken naar vogels zo fascinerend maakt.
Het vogelboek was, en is ook in deze nieuwe druk zodanig opgezet dat het zowel de beginnende als de doorgewinterde vogelkenner gelegenheid geeft het plezier in het herkennen van vogels te ontwikkelen en uit te breiden. Het verschaft de leek de sleutel tot identificatie via gedrag en voor de kenner illustreert het een enorm scala aan variaties in verenkleden.
De soorten in dit boek zijn soorten die iedereen wel eens ooit zal tegenkomen in Nederland of elders in Europa. Sommige opgenomen soorten zijn zeldzaam in die zin dat ze weinig voorkomen, maar vogels die men onder normale omstandigheden nooit zal zien, zijn niet opgenomen.
De vogelsoorten zijn naar hun onderlinge grootte en gelijkenis gerangschikt en gegroepeerd, in plaats van naar de meer gebruikelijke taxonomische of wetenschappelijke volgorde. Ook dit beantwoordt aan de feitelijke behoeften van de waarnemer. Een Huismus en een Heggemus lijken op elkaar, maar behoren tot verschillende families. In een traditionele veldgids vinden we de twee soorten vaak gescheiden door een groot aantal pagina's. In dit boek staan ze hoogstens drie bladzijden van elkaar. Achterin het boek is een lijst met de Nederlandse vogelnamen opgenomen en ernaast hun wetenschappelijke (Latijnse) naam, gebaseerd op *The Birds of the Palearctic Fauna* door Charles Vaurie.
Fonetische weergave van vogelgeluiden is over het algemeen zonder betekenis voor niet-ingewijden. Want wie kan zeggen hoe 'dwiejie' in de vrije natuur klinkt? Om deze bron van verwarring uit te sluiten, is fonetische weergave beperkt tot de iedereen bekende geluiden (bv. 'koe-koek') of als het geluid zeer essentieel is voor de herkenning van de vogel.
Het Vogelboek blijft baanbrekend waar het accurate illustraties betreft. Elke hoofdillustratie van een soort is gemaakt naar een dood exemplaar of een balg – een opgezette vogel. Gemiddeld waren 38 verschillende metingen noodzakelijk om de basisvorm te bepalen.
De oorspronkelijke opzet van het boek weerspiegelde ongetwijfeld de behoeften en vragen van vogelkenners in Nederland en verder in Europa. Dit is bewezen door het succes, zowel in recensies als in de verkoop van de eerste editie die tien jaar achtereen in drukvorm is verschenen.
Deze nieuwe, herziene en uitgebreide editie toont aan dat het oorspronkelijke concept niet is achterhaald: het hart van het boek – de herkenningsfiguren – is gehandhaafd en daarmee tevens de meest originele en bruikbare gids voor vogelherkenning. De enorm gegroeide belangstelling en betrokkenheid – niet alleen wat de vogelobservatie betreft, maar ook het vogelgedrag en de vogelbescherming – heeft de laatste tien jaar een behoefte doen ontstaan aan meer informatie over alle praktische aspecten van vogelwaarneming – welke uitrusting is er nodig en waarvoor, nieuwe registratiesystemen, een beter inzicht in de fundamentele vogelbiologie en hoe vogels communiceren. Al deze, en meer aspecten zijn nu dan ook opgenomen, zodat u met deze gids een ter zake kundige en allesomvattende leidraad heeft voor een van de meest populaire en lonende hobby's.
Ten aanzien van de nieuwe gedeelten danken wij en de Uitgevers, Chris Mead van de British Trust for Ornithology voor de produktie van het materiaal, dat haarscherp is afgestemd op de sfeer van het boek en de behoeften van de lezer. Hieraan toegevoegd onze niet-aflatende waardering voor Dr. J.J.M. Flegg, tot 1975 directeur van de British Trust for Ornithology, voor zijn hulp bij het samenstellen van het oorspronkelijke boek. Aan hem en allen die verder op welke wijze dan ook hebben meegewerkt aan zowel de oorspronkelijke als de nieuwe editie onze grote dank.

Peter Hayman en Philip Burton

Wegwijzer voor het gebruik van dit boek

Zelfs deskundigen determineren zelden een vogel aan het verenkleed alleen. Ze combineren een aantal aanwijzingen, zoals globale kleur, habitat, seizoen, baltsgedrag, vliegen in troepen enzovoort. Op deze manier kan een zwartachtige vogel die met open snavel een grasveld afzoekt, alleen maar een Spreeuw zijn.

Elke illustratie, ook de kleinste, is bedoeld om het meest karakteristieke kenmerk te laten zien. Zelfs de gelaatsuitdrukking – algemeen bekend als moeilijk weer te geven kenmerk – is gewetensvol vastgelegd, zodat een Glanskop van de bijna identieke Matkop te onderscheiden is aan de blik in zijn ogen.

Prent niet alleen de details van het verenkleed in het geheugen. Vorm in plaats daarvan een complex geheugenbeeld, waarbij de gehele afbeelding van de vogels in actie gebruikt wordt. Vergeet niet dat de symbolen staan voor habitats die elkaar vaak overlappen.

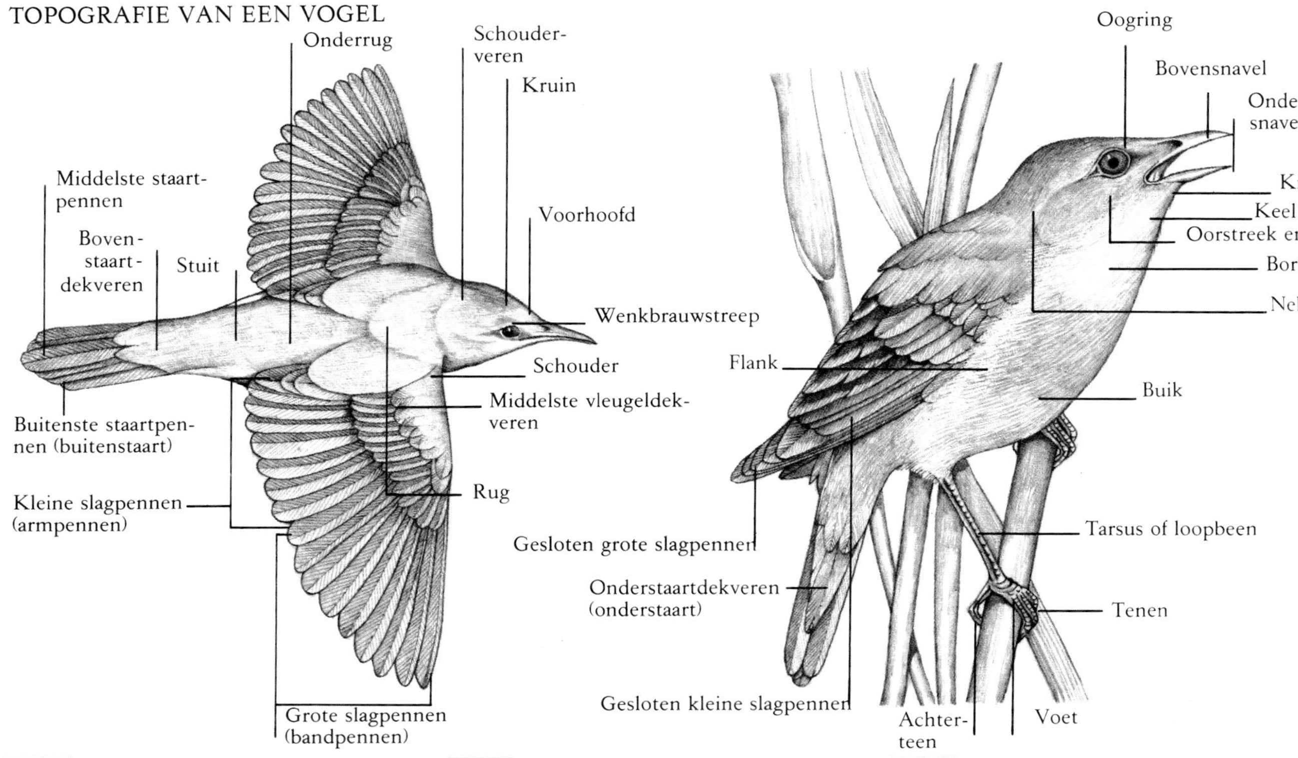

Elke bebouwde oppervlakte, of het nu een grote stad met voorsteden, een provinciestad of een dorp is; ook stadsparken en -tuinen, industriegebieden en landgoederen.

Meren en vijvers; rivieren, beken en kanalen; dijken en drooggelegd of tijdelijk ondergelopen land; waterbekkens; moerassen en trilvenen.

De kust. Zandstrand of slikstrand; een rotsachtige kust; riviermondingen; kliffen; schorren en kreken; havengebieden; open zee.

Alle cultuurgrond, landbouw- of weidegebied, inclusief boomgaarden en de citrusplantages aan de Middellandse Zee; kleine bosjes en kreupelhout in het boerenland; tuinen van boerderijen en boerenbehuizingen.

Bos – naaldhout, loofhout of gemengd bos, bosaanplant; uitgestrekte parken of open boslandschap met verspreide bomen.

Zeer lage vegetatie, in de regel niet hoger dan 1 meter, of kale bodem. Venen, moerassen, stuifzanden, maquis-begroeiing.

Lage ondergroei; in de regel niet meer dan één meter, maar met kleine verspreide boompjes (berk, hagedoorn), in de regel niet hoger dan 10 m.

Jaarvogel: regelmatige broedvogel die als soort gedurende het gehele jaar in Nederland voorkomt.

Zomervogel: regelmatige broedvogel die in de winter niet of slechts incidenteel in Nederland voorkomt.

Jaargast: regelmatige, gedurende het gehele jaar voorkomende vogel die niet of slechts incidenteel in Nederland broedt.

Wintergast: regelmatige, in Nederland doortrekkende en overwinterende vogel die buiten zijn trektijden in de zomer niet of slechts incidenteel voorkomt.

Doortrekker: regelmatige, in Nederland doortrekkende vogel die buiten zijn trektijden in de zomer en de winter niet of slechts incidenteel voorkomt.

Onregelmatige gast en dwaalgast: niet in Nederland regelmatig voorkomende of broedende vogel.

SLEUTEL TOT DE AFBEELDINGEN

De niet-wetenschappelijke soortnamen: voor de waarnemer doet de wetenschappelijke indeling niet ter zake. In plaats daarvan zijn de vogels naar gelijkenis gerangschikt. De soorten die het makkelijkst te verwarren zijn, zijn op tegenoverliggende bladzijden geplaatst om makkelijk te vergelijken. Blader door het boek en zoek een vogel die lijkt op de gezochte soort, weinig bladzijden daarvandaan zal de laatste te vinden zijn. Een lijst met wetenschappelijke namen is te vinden op de bladzijden 268 en 269.

Van iedere vogel wordt tenminste één zijaanzicht gegeven in vergelijking met een aangegeven schaal. Deze standaardillustratie laat de vogel in karakteristieke houding zien. In de meeste gevallen wordt ook een illustratie van de vogel in vlucht, in een kleinere schaal, gegeven.

Een volledige verklaring van de symbolen staat op bladzijde 8. Als twee soorten op één bladzijde staan, is in de regel het habitat en de status hetzelfde. Het is echter ook mogelijk dat de status verschilt; in dat geval slaat de tweede rij symbolen aan het eind van de rij op de laatste soort die in het opschrift genoemd wordt.

Koolmees

De balts, het broeden en andere gewoonten gaan gepaard met specifieke gedragspatronen, die in het veld meestal zeer opvallend zijn; de meeste in het oog vallende vormen daarvan zijn uitgebreid geïllustreerd.

Elke variatie in de verschijningsvorm van een soort is opgenomen, of het nu tussen mannetje en vrouwtje of tussen volwassen of jong is; tussen ondersoorten of tussen ruistadia.

Als een vogel om een speciale bekwaamheid of fysieke aanpassing bekend staat, is dat afgebeeld.

Het formaat is een belangrijke aanwijzing voor de determinatie van de soort. Elk standaardsilhouet is gegeven in vergelijking met steeds dezelfde afbeelding van de Huismus als schaal. Met een beetje ervaring kan het vliegbeeld als herkenningspunt gebruikt worden.

Het gedrag op zichzelf is zo vaak de sleutel tot het bepalen van de soort, dat de meeste illustraties gewijd zijn aan het uitbeelden van de meest karakteristieke gewoonten van de soort in kwestie.

Ook het in troepen vliegen, de afmeting en vorm van de troep zijn soms beslissende aanwijzingen tot de determinatie van de soort.

Het gedrag op de grond kan de identiteit van een soort verraden. Sommige soorten, die er van boven af gezien ongewoon uitzien, zijn speciaal van deze kant afgebeeld. Bruikbare kenmerken die alleen aan de vogel in vlucht waarneembaar zijn, zijn ook weergegeven.

De hoofdtekst beschrijft de biologische bijzonderheden van een vogel, de broedgewoonten en zijn kansen op overleving.

VERSPREIDINGSKAART	AANWEZIG, BROEDTIJD
Gebied waar de vogel het gehele jaar voorkomt.	Maanden waarin de vogel niet aanwezig is.
Gebied waar de vogel 's zomers voorkomt.	Maanden waarin de vogel aanwezig is, maar niet broedt.
Gebied waar de vogel 's winters voorkomt.	Maanden waarin de vogel aanwezig is en broedt.

Opmerking: de oranje balk geeft de vroegste aankomstdatum en het begin van de broedtijd aan; op dezelfde manier de laatste broeddatum en het begin van het vertrek. Hoe noordelijker, hoe later dit plaatsvindt; hoe verder zuidelijk, hoe vroeger. Bijvoorbeeld: een Boerenzwaluw uit Afrika komt ongeveer op 1 juni in Noord-Zweden aan en in Noord-Spanje al op 15 maart.

HERKENNING VAN VOGELS

Soortenlijst
In plaats van de traditionele indeling te volgen, zijn de afgebeelde vogelsoorten gerangschikt naar onderlinge gelijkenis. Om een onbekende vogel te kunnen benoemen, bladert u gewoon door het boek totdat u bij de vogelgroep komt waar hij het meest op lijkt. Het zal dan weinig moeite kosten de vogel die u zoekt in die groep te vinden. Deze lijst geeft de volgorde waarin de vogelsoorten staan gerangschikt met de bijbehorende paginanummers.

Winterkoning

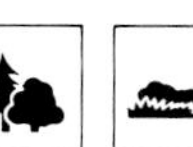

JV

(× 3/5)

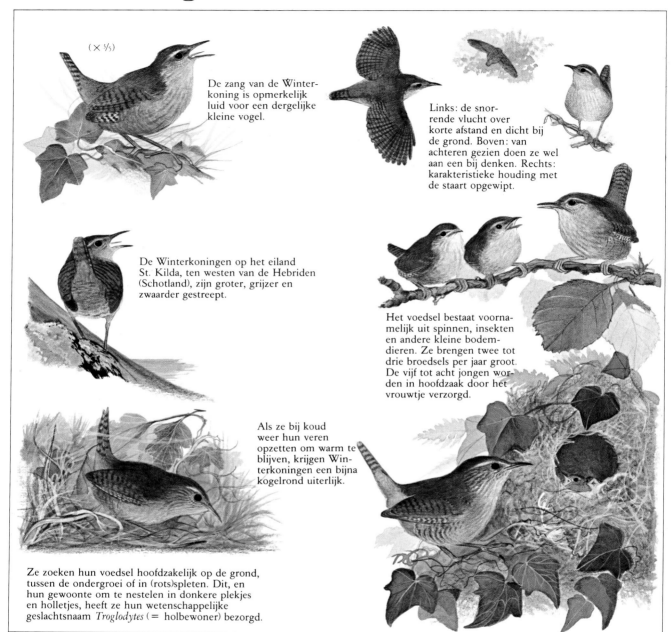

De zang van de Winterkoning is opmerkelijk luid voor een dergelijke kleine vogel.

Links: de snorrende vlucht over korte afstand en dicht bij de grond. Boven: van achteren gezien doen ze wel aan een bij denken. Rechts: karakteristieke houding met de staart opgewipt.

De Winterkoningen op het eiland St. Kilda, ten westen van de Hebriden (Schotland), zijn groter, grijzer en zwaarder gestreept.

Het voedsel bestaat voornamelijk uit spinnen, insekten en andere kleine bodemdieren. Ze brengen twee tot drie broedsels per jaar groot. De vijf tot acht jongen worden in hoofdzaak door het vrouwtje verzorgd.

Als ze bij koud weer hun veren opzetten om warm te blijven, krijgen Winterkoningen een bijna kogelrond uiterlijk.

Ze zoeken hun voedsel hoofdzakelijk op de grond, tussen de ondergroei of in (rots)spleten. Dit, en hun gewoonte om te nestelen in donkere plekjes en holletjes, heeft ze hun wetenschappelijke geslachtsnaam *Troglodytes* (= holbewoner) bezorgd.

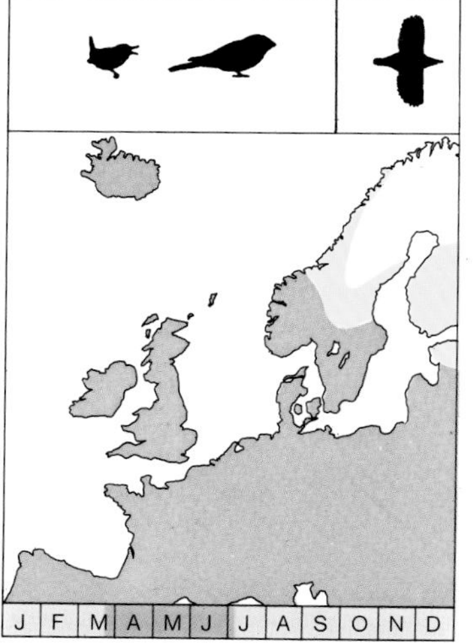

De Winterkoning is de enige Europese vertegenwoordiger van een familie die verder alleen in de Nieuwe Wereld voorkomt. De Winterkoning moet gedurende één van de periodes met een milder klimaat vanuit Amerika zijn overgestoken. Hij is nu een van de meest algemene vogelsoorten in Europa. Recente tellingen hebben aangetoond dat de Winterkoning in veel bosrijke streken tot de meest talrijke soorten behoort. Doordat hij zich zowel aan bosrijke als aan open gebieden heeft aangepast, komt de Winterkoning zelfs voor op oceanische rotseilanden waar aparte ondersoorten zijn ontstaan, zoals op St. Kilda.

In het voorjaar maakt het mannetje verschillende nesten in zijn territorium. Het vrouwtje zoekt er één van uit voor het broedsel en bekleedt het met veertjes. Sommige slaap- en speelnesten zijn makkelijk te vinden, maar het eigenlijke nest is gewoonlijk goed verborgen. Soms gebruiken ze nestkasten, maar meestal alleen om erin te slapen bij slecht weer en in koude winternachten. Men heeft er wel eens 61 geteld, tegen elkaar aangedrukt als een bal veren, met de staarten naar buiten gericht. De strenge winter van 1962-63 heeft naar schatting 75 % van de Winterkoningen het leven gekost. Maar met twee tot drie broedsels van elk vijf tot acht jongen per jaar was de populatie na drie jaar weer op het oude niveau. De eieren lijken op die van mezen en de jongen blijven 15 tot 20 dagen in het nest.

Goudhaantje/Vuurgoudhaantje

  J V

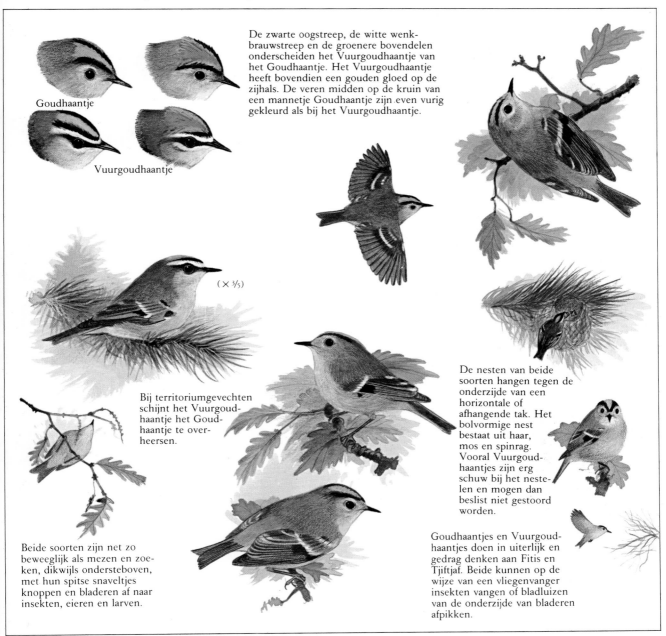

De zwarte oogstreep, de witte wenkbrauwstreep en de groenere bovendelen onderscheiden het Vuurgoudhaantje van het Goudhaantje. Het Vuurgoudhaantje heeft bovendien een gouden gloed op de zijhals. De veren midden op de kruin van een mannetje Goudhaantje zijn even vurig gekleurd als bij het Vuurgoudhaantje.

Goudhaantje

Vuurgoudhaantje

(× 3/5)

Bij territoriumgevechten schijnt het Vuurgoudhaantje het Goudhaantje te overheersen.

De nesten van beide soorten hangen tegen de onderzijde van een horizontale of afhangende tak. Het bolvormige nest bestaat uit haar, mos en spinrag. Vooral Vuurgoudhaantjes zijn erg schuw bij het nestelen en mogen dan beslist niet gestoord worden.

Beide soorten zijn net zo beweeglijk als mezen en zoeken, dikwijls ondersteboven, met hun spitse snaveltjes knoppen en bladeren af naar insekten, eieren en larven.

Goudhaantjes en Vuurgoudhaantjes doen in uiterlijk en gedrag denken aan Fitis en Tjiftjaf. Beide kunnen op de wijze van een vliegenvanger insekten vangen of bladluizen van de onderzijde van bladeren afpikken.

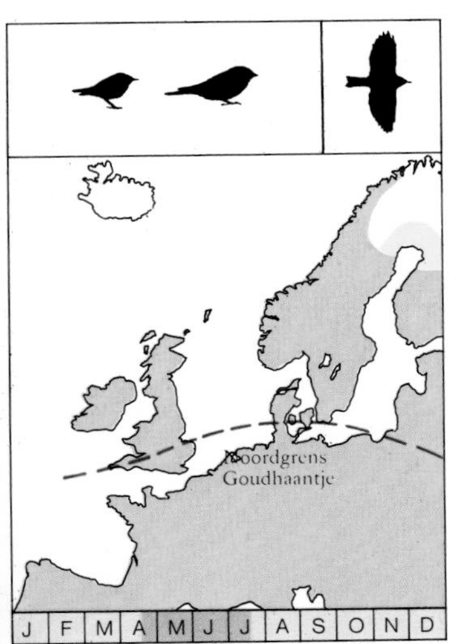

Vuurgoudhaantje en Goudhaantje zijn de kleinste vogelsoorten in Europa; ze wegen maar de helft van een Pimpelmees. Alhoewel ze zich tot op korte afstand laten benaderen (van Goudhaantjes is bekend dat ze wel eens op je schouder gaan zitten), zijn ze vaak moeilijk waar te nemen als ze rusteloos heen en weer vliegen in het gebladerte. Ze verraden hun aanwezigheid meestal door hun geluid, dat uit zachte en hoge toontjes bestaat. De zang van het Goudhaantje bestaat uit een aantal snel herhaalde tonen en eindigt met een kort aflopend tierelantijntje dat bij het Vuurgoudhaantje ontbreekt. Heeft men ze goed in het oog, dan ziet men aan de koptekening onmiddellijk met welke soort men te doen heeft.

De nesten zijn 'hangmatjes' van haar en mos, met elkaar verbonden door spinrag, en opgehangen aan de tak van een naaldboom of tussen klimop. Er worden zeven tot tien eieren gelegd die grijs- tot geelachtig wit van kleur zijn; twee, soms drie broedsels per jaar. Deze hoge produktiviteit is wel nodig voor deze soorten die erg gevoelig zijn voor strenge winters, wanneer hun voedsel, dat uit insekten bestaat, vrijwel onbereikbaar is.

Goudhaantjes hebben een groter verspreidingsgebied maar zijn meer gebonden aan naaldhout. Vuurgoudhaantjes bewonen ook kurkeikbossen in het zuidelijk deel van hun verspreidingsgebied. Ze broeden pas sinds 1928 in Nederland. In het winterhalfjaar vormen Goudhaantjes vaak troepen samen met mezen, iets wat Vuurgoudhaantjes maar zelden doen.

Koolmees

JV

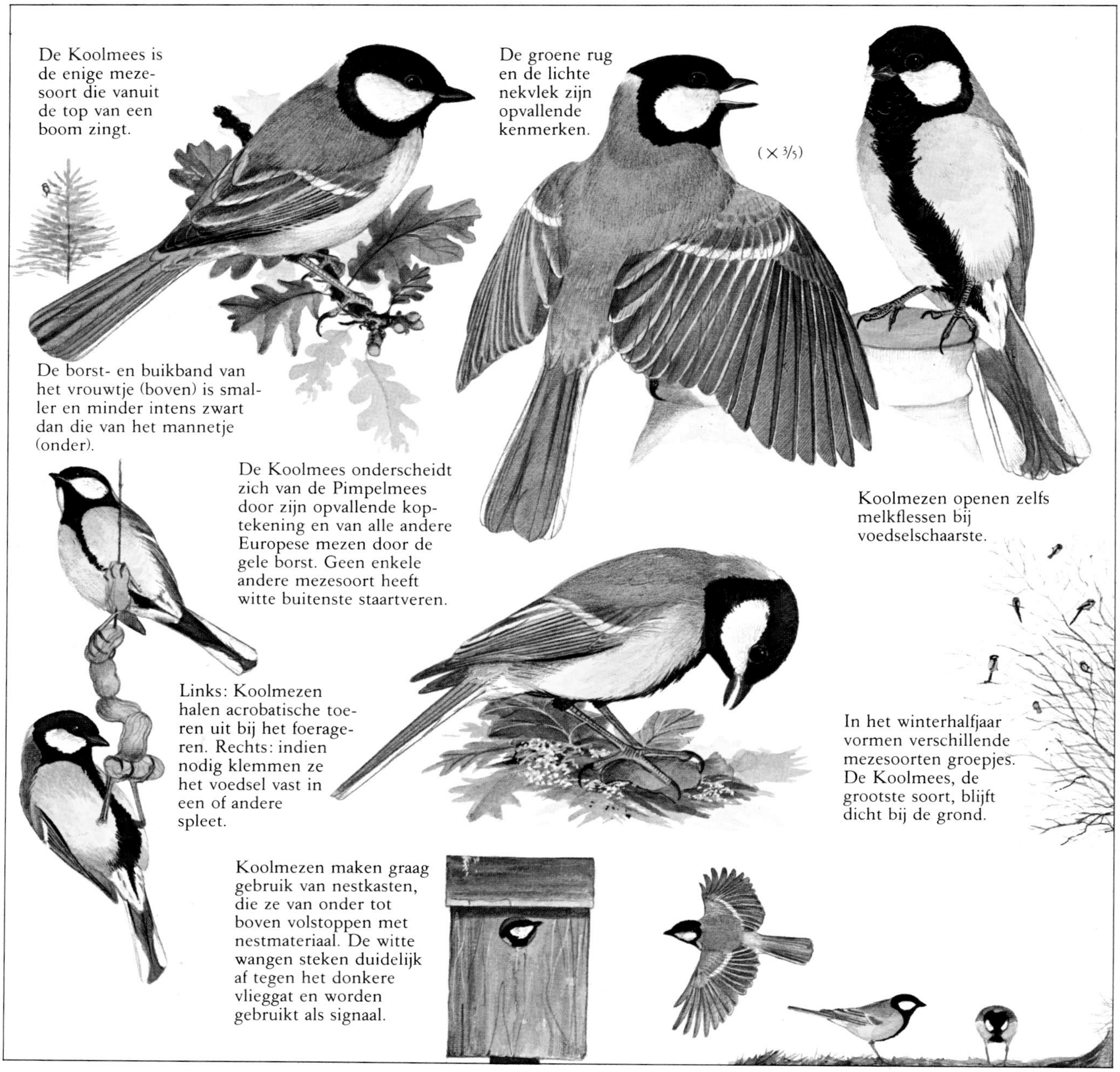

De Koolmees is de enige mezesoort die vanuit de top van een boom zingt.

De groene rug en de lichte nekvlek zijn opvallende kenmerken.

(× 3/5)

De borst- en buikband van het vrouwtje (boven) is smaller en minder intens zwart dan die van het mannetje (onder).

De Koolmees onderscheidt zich van de Pimpelmees door zijn opvallende koptekening en van alle andere Europese mezen door de gele borst. Geen enkele andere mezesoort heeft witte buitenste staartveren.

Koolmezen openen zelfs melkflessen bij voedselschaarste.

Links: Koolmezen halen acrobatische toeren uit bij het foerageren. Rechts: indien nodig klemmen ze het voedsel vast in een of andere spleet.

In het winterhalfjaar vormen verschillende mezesoorten groepjes. De Koolmees, de grootste soort, blijft dicht bij de grond.

Koolmezen maken graag gebruik van nestkasten, die ze van onder tot boven volstoppen met nestmateriaal. De witte wangen steken duidelijk af tegen het donkere vlieggat en worden gebruikt als signaal.

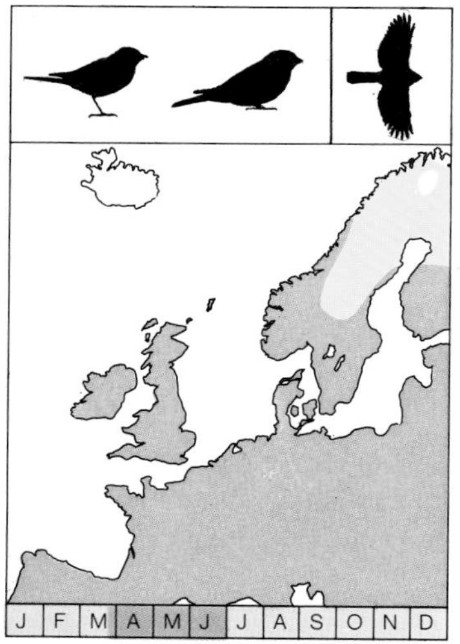

De Koolmees is een algemene broedvogel van bossen, maar komt ook voor in landbouwgebieden, dorpen en steden. Vooral deze mezesoort heeft geprofiteerd van de aanwezigheid van de mens. Koolmezen zijn de voornaamste bewoners van nestkasten. Ze bezoeken regelmatig tuinen en tonen een sterke voorliefde voor pinda's; deze eten ze overigens liever van een voertafel dan opgehangen. Dit is een gevolg van het feit dat Koolmezen minder behendig zijn dan de kleinere mezesoorten zoals de Pimpelmees. Koolmezen leven 's winters in hoofdzaak van zaden, terwijl de jongen uitsluitend met insekten worden gevoerd.
Het legsel bestaat meestal uit acht tot dertien eieren en evenals bij andere mezen worden de eieren bedekt met nestmateriaal als het vrouwtje het nest verlaat – een raadselachtige gewoonte voor een holenbroeder. De vrouwtjes zijn onverschrokken bij het verdedigen van het nest; de mannetjes gebruiken de zwarte borst- en buikband om zo groot mogelijk te lijken bij territoriumgevechten. Koolmezen hebben een uitgebreid vocabulaire: er zijn meer dan 80 verschillende geluiden vastgesteld.
Tijdens periodes van strenge vorst en voedselschaarste trekken Koolmezen weg in westelijke of zuidwestelijke richting. Als na een reeks zachte winters en succesvolle zomers ergens de aantallen te groot worden, kunnen er eveneens trekbewegingen optreden.

Pimpelmees

JV

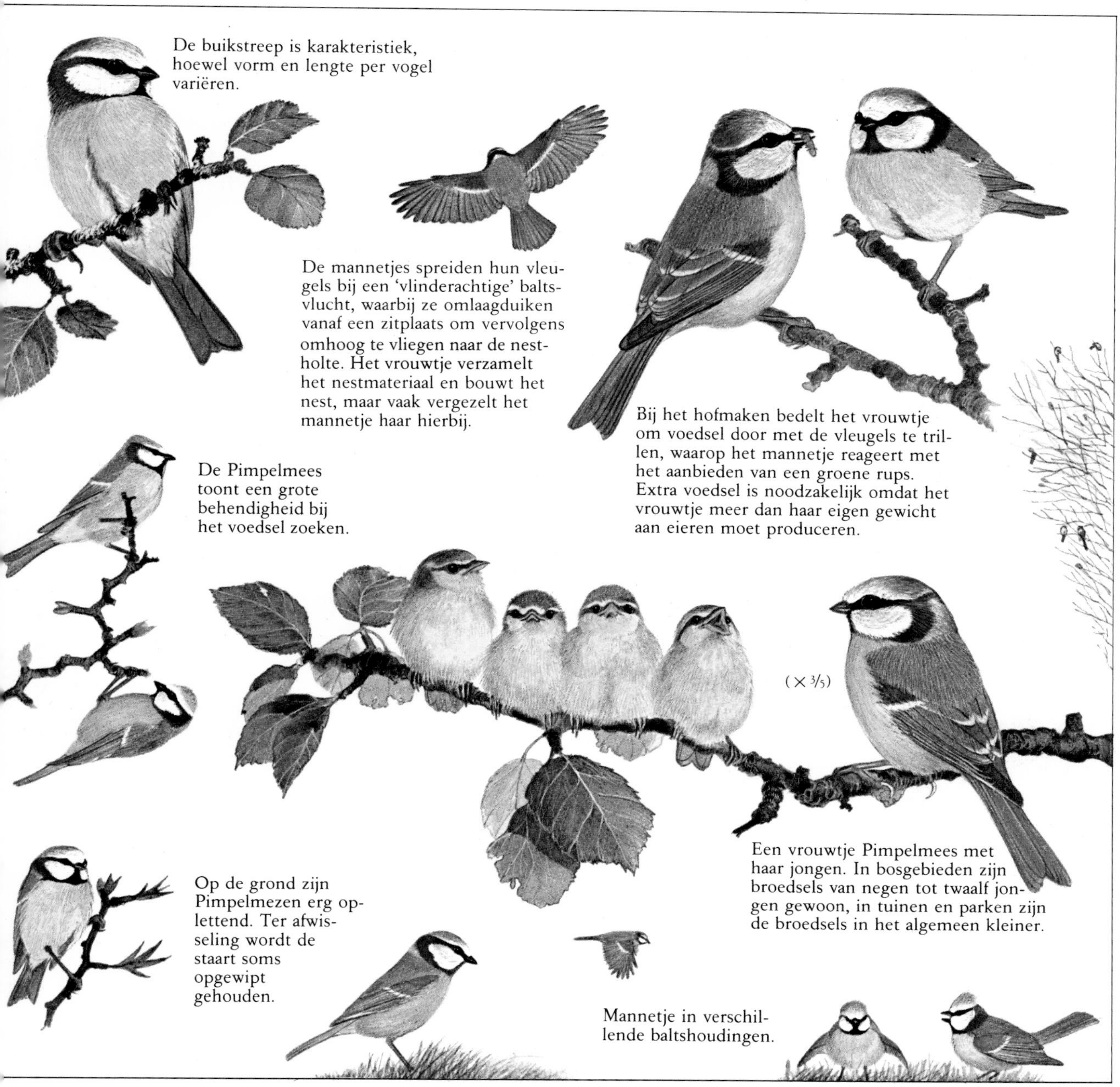

De buikstreep is karakteristiek, hoewel vorm en lengte per vogel variëren.

De mannetjes spreiden hun vleugels bij een 'vlinderachtige' baltsvlucht, waarbij ze omlaagduiken vanaf een zitplaats om vervolgens omhoog te vliegen naar de nestholte. Het vrouwtje verzamelt het nestmateriaal en bouwt het nest, maar vaak vergezelt het mannetje haar hierbij.

Bij het hofmaken bedelt het vrouwtje om voedsel door met de vleugels te trillen, waarop het mannetje reageert met het aanbieden van een groene rups. Extra voedsel is noodzakelijk omdat het vrouwtje meer dan haar eigen gewicht aan eieren moet produceren.

De Pimpelmees toont een grote behendigheid bij het voedsel zoeken.

(× 3/5)

Een vrouwtje Pimpelmees met haar jongen. In bosgebieden zijn broedsels van negen tot twaalf jongen gewoon, in tuinen en parken zijn de broedsels in het algemeen kleiner.

Op de grond zijn Pimpelmezen erg oplettend. Ter afwisseling wordt de staart soms opgewipt gehouden.

Mannetje in verschillende baltshoudingen.

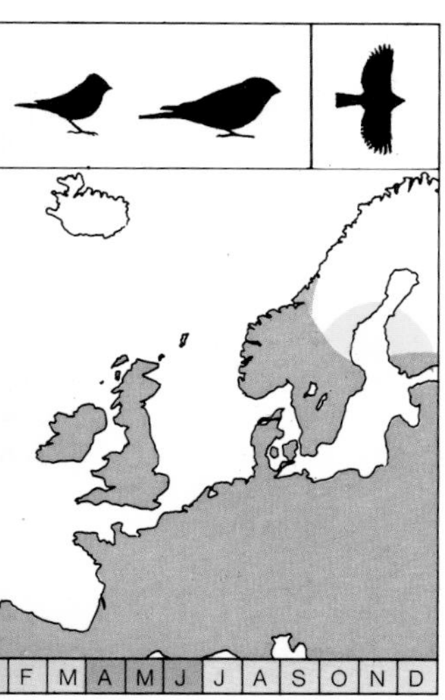

Evenals de Koolmees is de Pimpelmees een bosvogel die zich heeft aangepast aan het leven in door de mens gecreëerde gebieden. De Pimpelmees is erg behendig en zoekt zijn voedsel aan de uiteinden van takken. In het zomerhalfjaar bestaat het voedsel uit kleine insekten. De broedtijd en de legselgrootte worden zo gekozen dat de jongen uitkomen gedurende de korte tijd dat er een overvloed is aan een bepaalde soort rups. Pimpelmezen eten verder ook knoppen en sporenkapsels van mossen; ze zijn trouwens de enige mezen die regelmatig brood eten.

Veel Pimpelmezen komen bij voedselschaarste en slecht weer naar dorpen en steden. Ringonderzoek heeft aangetoond dat er wel meer dan 1000 Pimpelmezen in een jaar een tuin kunnen bezoeken, ook daar waar men er gewoonlijk niet meer dan een stuk of zes tegelijk ziet.

Mannetjes Pimpelmezen tonen bij het hofmaken de kobaltblauwe kruin en vleugels aan het vrouwtje. Bij opwinding zetten ze hun kruinveren op.

De gemiddelde legselgrootte bedraagt zeven tot twaalf eieren. Over het algemeen broeden mezen maar een maal per jaar. Dat het sterftecijfer hoog is, blijkt uit het feit dat van een twaalf leden tellende mezenfamilie na één jaar gemiddeld slechts één volwassen en één jonge vogel over zijn.

Glanskop/Matkop

JV

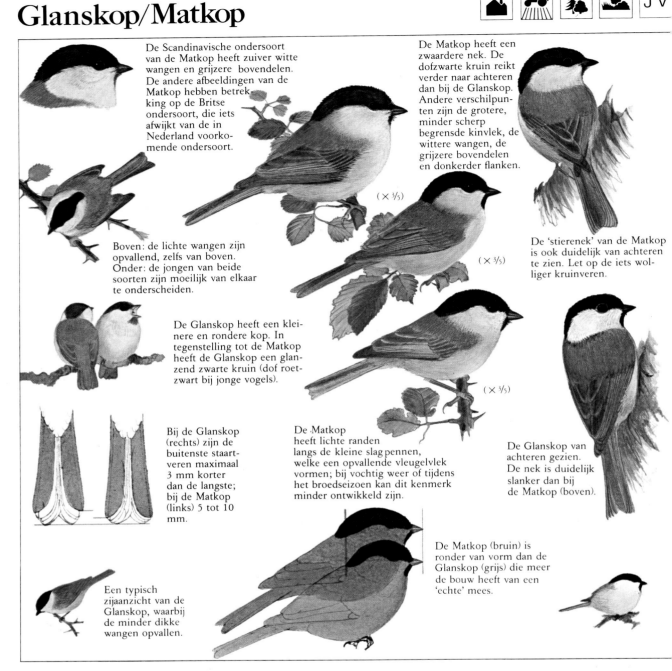

De Scandinavische ondersoort van de Matkop heeft zuiver witte wangen en grijzere bovendelen. De andere afbeeldingen van de Matkop hebben betrekking op de Britse ondersoort, die iets afwijkt van de in Nederland voorkomende ondersoort.

De Matkop heeft een zwaardere nek. De dofzwarte kruin reikt verder naar achteren dan bij de Glanskop. Andere verschilpunten zijn de grotere, minder scherp begrensde kinvlek, de wittere wangen, de grijzere bovendelen en donkerder flanken.

(× 3/5)

Boven: de lichte wangen zijn opvallend, zelfs van boven. Onder: de jongen van beide soorten zijn moeilijk van elkaar te onderscheiden.

(× 3/5)

De 'stierenek' van de Matkop is ook duidelijk van achteren te zien. Let op de iets wolliger kruinveren.

De Glanskop heeft een kleinere en rondere kop. In tegenstelling tot de Matkop heeft de Glanskop een glanzend zwarte kruin (dof roetzwart bij jonge vogels).

(× 3/5)

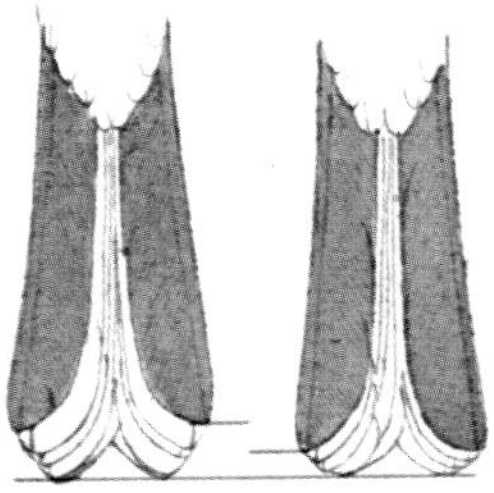

Bij de Glanskop (rechts) zijn de buitenste staartveren maximaal 3 mm korter dan de langste; bij de Matkop (links) 5 tot 10 mm.

De Matkop heeft lichte randen langs de kleine slagpennen, welke een opvallende vleugelvlek vormen; bij vochtig weer of tijdens het broedseizoen kan dit kenmerk minder ontwikkeld zijn.

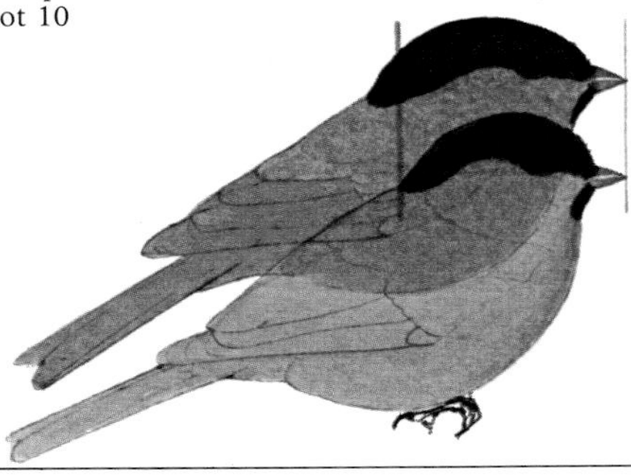

De Glanskop van achteren gezien. De nek is duidelijk slanker dan bij de Matkop (boven).

De Matkop (bruin) is ronder van vorm dan de Glanskop (grijs) die meer de bouw heeft van een 'echte' mees.

Een typisch zijaanzicht van de Glanskop, waarbij de minder dikke wangen opvallen.

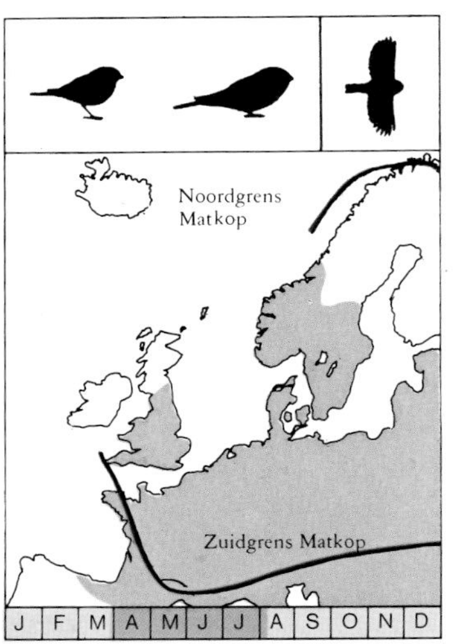

Pas in 1900 werd de Matkop als een aparte soort beschouwd en voor veel veldornithologen blijft het een probleem om de Glanskop en de Matkop van elkaar te onderscheiden. In een groot deel van Europa overlappen hun verspreidingsgebieden elkaar. De eisen die beide soorten aan de biotoop stellen, verschillen weinig, maar de Matkop heeft een sterkere voorkeur voor vochtige terreinen.

De karakteristieke roep van de Glanskop, een luid 'pitsjè', ontbreekt bij de Matkop. In tegenstelling tot de Glanskop nestelt de Matkop in zelfgemaakte holtes in (half)-vermolmd hout, bij voorkeur in elzen, berken en wilgen. Soms gebruikt de Matkop ook nestkasten die speciaal voor hen gevuld zijn met zacht materiaal. Het vrouwtje hakt de holte uit en bekleedt het nest met gras, schors en houtspaanders.

Het gewoonlijk uit zes tot negen eieren bestaande legsel is kleiner dan dat van andere mezesoorten en betrekkelijk veel nesten van Matkoppen vallen ten prooi aan roofdieren.

Buiten het broedseizoen komen deze vogels minder in troepjes voor dan andere mezen. Glanskoppen ziet men regelmatig in tuinen, waar ze zich te goed doen aan zaden en bessen van bepaalde plantesoorten. Matkoppen zoeken meer voedsel in lage begroeiing en eten in de herfst zaden van de hennepnetel.

Beide soorten zijn uitgesproken standvogels in West-Europa.

Zwarte Mees

J V

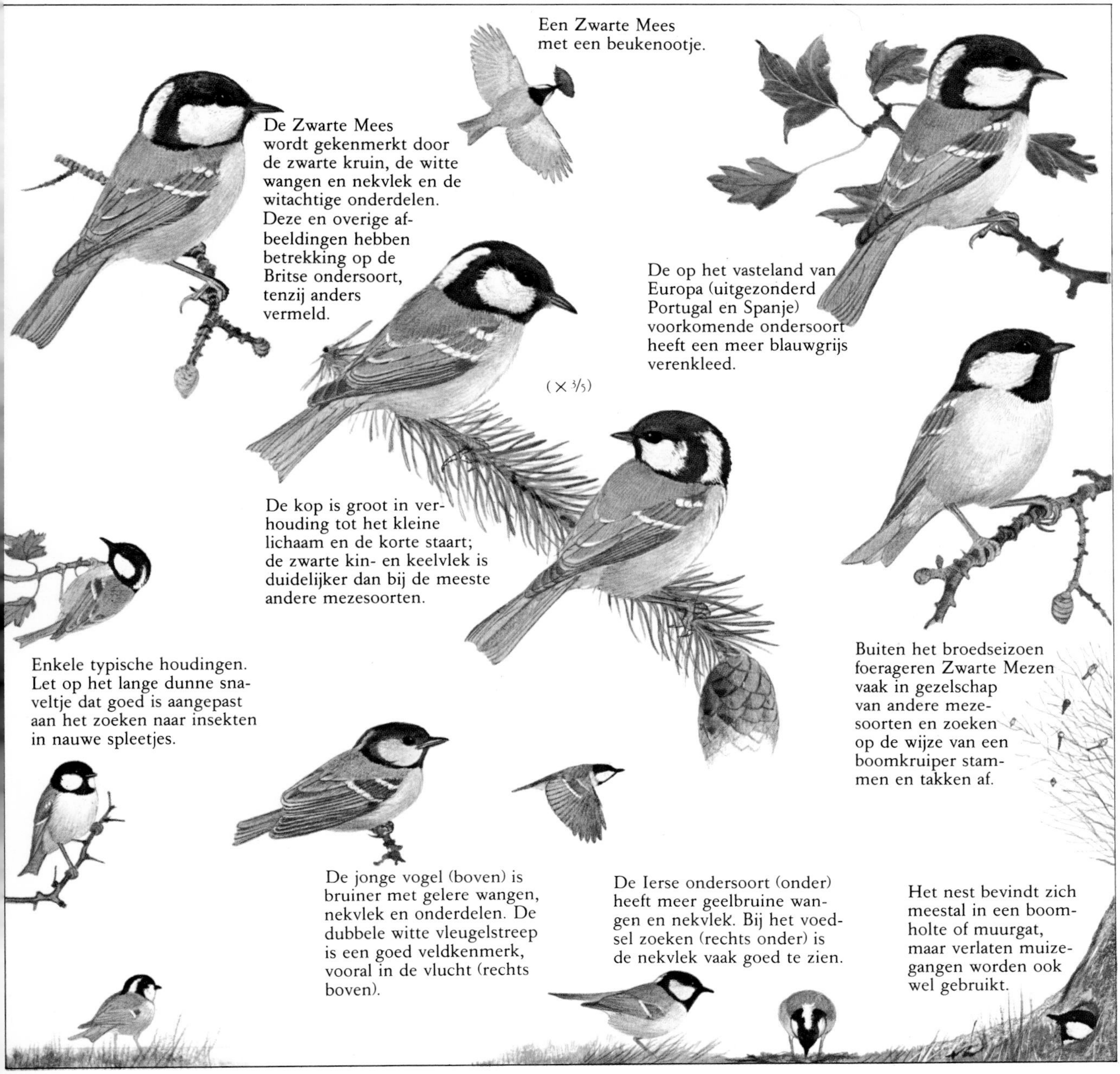

Een Zwarte Mees met een beukenootje.

De Zwarte Mees wordt gekenmerkt door de zwarte kruin, de witte wangen en nekvlek en de witachtige onderdelen. Deze en overige afbeeldingen hebben betrekking op de Britse ondersoort, tenzij anders vermeld.

De op het vasteland van Europa (uitgezonderd Portugal en Spanje) voorkomende ondersoort heeft een meer blauwgrijs verenkleed.

(× 3/5)

De kop is groot in verhouding tot het kleine lichaam en de korte staart; de zwarte kin- en keelvlek is duidelijker dan bij de meeste andere mezesoorten.

Enkele typische houdingen. Let op het lange dunne snaveltje dat goed is aangepast aan het zoeken naar insekten in nauwe spleetjes.

Buiten het broedseizoen foerageren Zwarte Mezen vaak in gezelschap van andere mezesoorten en zoeken op de wijze van een boomkruiper stammen en takken af.

De jonge vogel (boven) is bruiner met gelere wangen, nekvlek en onderdelen. De dubbele witte vleugelstreep is een goed veldkenmerk, vooral in de vlucht (rechts boven).

De Ierse ondersoort (onder) heeft meer geelbruine wangen en nekvlek. Bij het voedsel zoeken (rechts onder) is de nekvlek vaak goed te zien.

Het nest bevindt zich meestal in een boomholte of muurgat, maar verlaten muizegangen worden ook wel gebruikt.

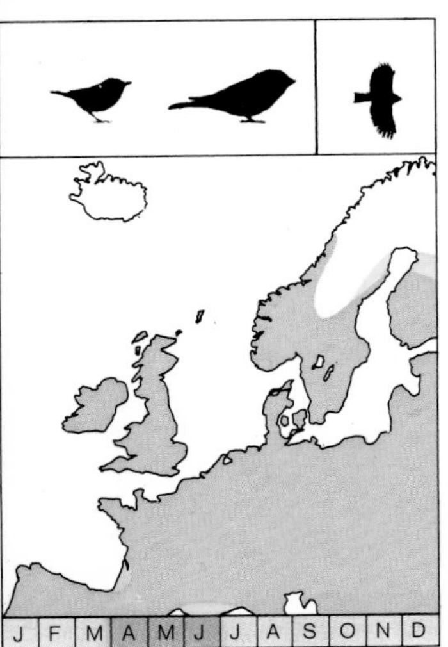

De Zwarte Mees is de kleinste van de in Europa voorkomende mezesoorten. Het is een buitengewoon behendige vogel die rusteloos de takken afzoekt naar voedsel. Zwarte Mezen komen voornamelijk in naaldhout voor. De zang lijkt op die van de Koolmees, maar is vlugger en minder schel. Het naar verhouding lange en dunne snaveltje van de Zwarte Mees is meer dan dat van Kool- en Pimpelmees geschikt voor het oppikken van insekten uit dennekegels of boomschors.

Zwarte Mezen zijn ijverige hamsteraars – een gewoonte die alleen van nut is voor echte standvogels en daarom nauwelijks voorkomt bij Kool- en Pimpelmees. Meestal verstoppen ze hun voorraden op plekjes waar ze gewoonlijk ook hun voedsel zoeken, tussen dennenaalden, stukjes korstmos of in spleten achter denneschors.

In het algemeen maken ze hun nest laag bij de grond in een vermolmde boomstomp. Wanneer dergelijke gelegenheden ontbreken, gebruiken Zwarte Mezen holen van knaagdieren. Het vrouwtje bouwt het nest en bebroedt de eieren, maar beide ouders verzorgen de jongen; deze worden gevoerd met spinnen, bladluizen en andere kleine insekten. Net als bij andere mezen blijven de jongen van de Zwarte Mees langer in het nest dan bij andere vogelsoorten van dezelfde grootte.

Kuifmees

JV

De baltsvlucht van de Kuifmees lijkt op die van de Groenling.

De zwart en wit gevlekte kuif (valer en minder ontwikkeld bij jonge vogels) en het witte gezicht met de zwarte gebogen streep achter het oog zijn onmiskenbare veldkenmerken. De Kuifmees komt minder in troepjes voor dan de meeste andere mezesoorten.

(× 3/5)

Het voeren van het vrouwtje door het mannetje bij het hofmaken begint zo vroeg mogelijk, om het vrouwtje in een zo goed mogelijke conditie voor het broeden te brengen.

Het nest ligt vaak in een holte van een oude den.

Kuifmezen zoeken vaak voedsel op boomstammen op de wijze van een boomkruiper.

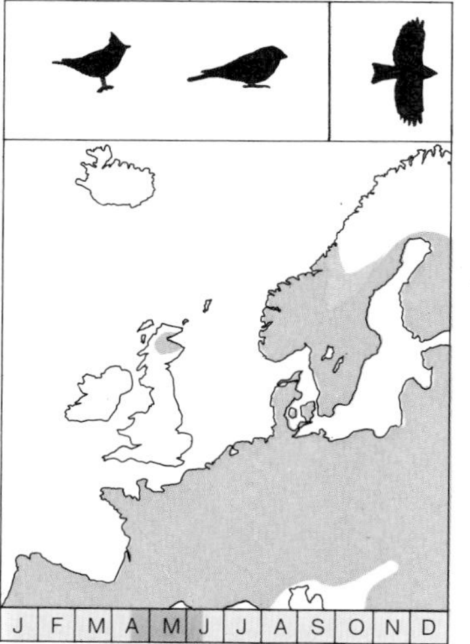

De Kuifmees komt in grote delen van Europa voor en broedt bij voorkeur in naaldhout, maar in Zuid-Europa ook in loofbossen met verspreid staande dennen en in kurkeikbossen. Kuifmezen zoeken hun voedsel op verschillende hoogtes in de boomkruin, op de stam en op de grond. Het dunne snaveltje is zeer geschikt om insekten tussen dennenaalden uit te pikken. Ook bestaat de gewoonte om voorraden aan te leggen.

Net als de Matkop hakt de Kuifmees de nestholte uit in een vermolmde stronk. Harde stukken hout worden niet verwijderd, zodat de nestholte veel onregelmatiger van vorm is dan die van de Matkop. Soms gebruiken ze nestkasten. Van het nest wordt niet veel werk gemaakt; de nestholte wordt bekleed met haar, stukjes vacht en dergelijke zachte materialen.

Het legsel, dat gewoonlijk uit vier tot acht eieren bestaat, is klein voor een mees; de eieren zijn ook meer gekleurd. De broedduur (zes tot zeven dagen) en de tijd die de jongen in het nest blijven (17 tot 21 dagen) komen overeen met die van andere mezesoorten.

De Kuifmees heeft een kenmerkende roep, een kort 'tsie-tsie-trrr'; de weinig opgemerkte zang is een zacht en hoog liedje. Het is een uitgesproken standvogel, die zich af en toe wel eens aansluit bij mezentroepjes.

Staartmees

   J V

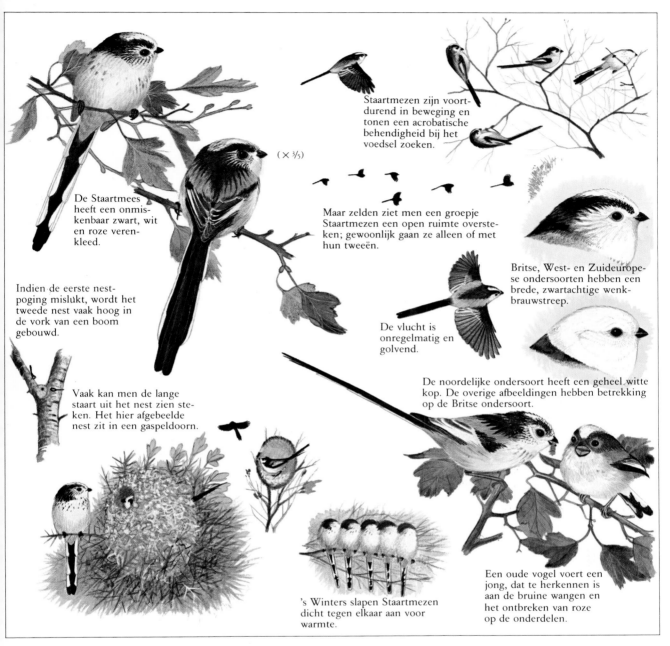

Staartmezen zijn voortdurend in beweging en tonen een acrobatische behendigheid bij het voedsel zoeken.

(× ³⁄₅)

De Staartmees heeft een onmiskenbaar zwart, wit en roze verenkleed.

Maar zelden ziet men een groepje Staartmezen een open ruimte oversteken; gewoonlijk gaan ze alleen of met hun tweeën.

Indien de eerste nestpoging mislukt, wordt het tweede nest vaak hoog in de vork van een boom gebouwd.

Britse, West- en Zuideuropese ondersoorten hebben een brede, zwartachtige wenkbrauwstreep.

De vlucht is onregelmatig en golvend.

De noordelijke ondersoort heeft een geheel witte kop. De overige afbeeldingen hebben betrekking op de Britse ondersoort.

Vaak kan men de lange staart uit het nest zien steken. Het hier afgebeelde nest zit in een gaspeldoorn.

Een oude vogel voert een jong, dat te herkennen is aan de bruine wangen en het ontbreken van roze op de onderdelen.

's Winters slapen Staartmezen dicht tegen elkaar aan voor warmte.

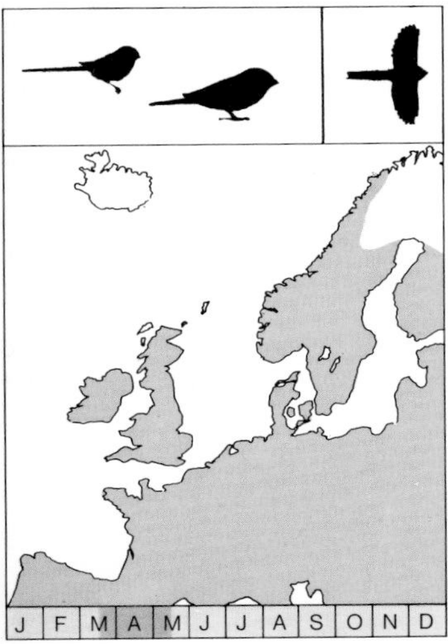

De Staartmees nestelt graag in lage heggen en struiken (vooral gaspel- en meidoorn zijn in trek) maar ook wel hoog in bomen. Het ovaal- tot kogelvormige nest is een kunstig bouwwerk. De binnenkant is bekleed met veertjes en hiervoor zijn al meer dan 2000 vliegtochten nodig. De buitenkant bestaat uit korstmossen; in de buurt van grote steden en industriecentra, waar door de luchtverontreiniging de korstmossen zijn verdwenen, gebruiken Staartmezen ook wel papier en zelfs schuimplastic. Begin april worden de acht tot twaalf eieren gelegd. In de vaak nog kale heggen en struiken zijn de nesten opvallend en lopen groot gevaar geplunderd te worden. Alhoewel Staartmezen en mezen in een aantal opzichten sterk op elkaar lijken, zijn ze niet erg verwant; ze behoren zelfs tot verschillende families.

De Staartmees is zeer behendig bij het voedsel zoeken, en heeft een bijzondere methode ontwikkeld om harde stukjes te verorberen – hij hangt aan één poot aan een takje, houdt het stukje in de andere en knabbelt er net als een mens aan. Ze eten kleine insekten, zaden en knoppen.
Staartmezen zijn erg gevoelig voor strenge winters. Bij slecht weer en in winternachten slapen ze in groepjes van vijf tot tien tegen elkaar aangedrukt om warm te blijven – iets wat echte mezen niet doen. Hoewel de Staartmees een standvogel is, vertoont hij regelmatig flinke zwerfbewegingen, zoals uit terugmeldingen van geringde vogels blijkt. In sommige winters steken vogels de Noordzee over naar Groot-Brittannië.

Heggemus

JV

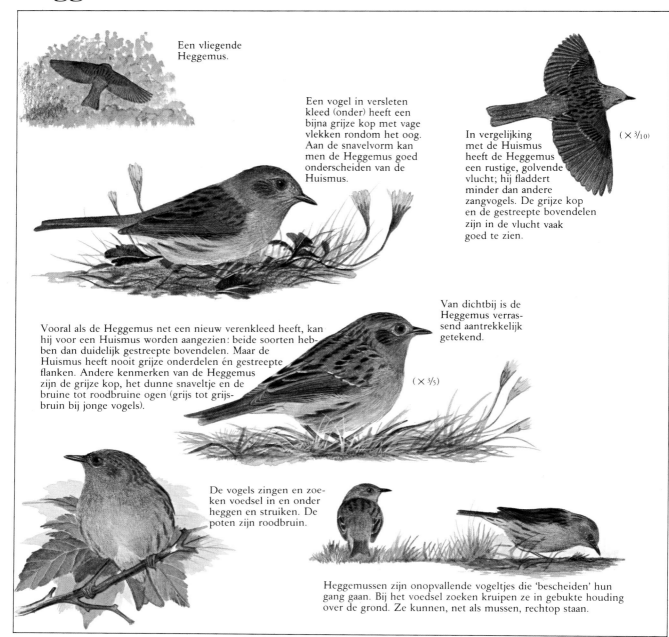

Een vliegende Heggemus.

Een vogel in versleten kleed (onder) heeft een bijna grijze kop met vage vlekken rondom het oog. Aan de snavelvorm kan men de Heggemus goed onderscheiden van de Huismus.

In vergelijking met de Huismus heeft de Heggemus een rustige, golvende vlucht; hij fladdert minder dan andere zangvogels. De grijze kop en de gestreepte bovendelen zijn in de vlucht vaak goed te zien.

(× 3/10)

Van dichtbij is de Heggemus verrassend aantrekkelijk getekend.

Vooral als de Heggemus net een nieuw verenkleed heeft, kan hij voor een Huismus worden aangezien: beide soorten hebben dan duidelijk gestreepte bovendelen. Maar de Huismus heeft nooit grijze onderdelen én gestreepte flanken. Andere kenmerken van de Heggemus zijn de grijze kop, het dunne snaveltje en de bruine tot roodbruine ogen (grijs tot grijsbruin bij jonge vogels).

(× 3/5)

De vogels zingen en zoeken voedsel in en onder heggen en struiken. De poten zijn roodbruin.

Heggemussen zijn onopvallende vogeltjes die 'bescheiden' hun gang gaan. Bij het voedsel zoeken kruipen ze in gebukte houding over de grond. Ze kunnen, net als mussen, rechtop staan.

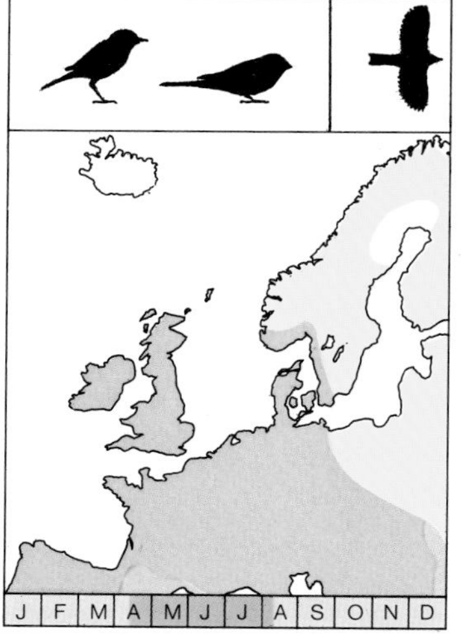

De Heggemus is een algemene broedvogel van heggen en struiken. Het is een 'bescheiden' vogeltje dat onopvallend zijn gang gaat. Zijn roep, een hoog en piepend 'tsiep', verraadt vaak zijn aanwezigheid. Heggemussen zoeken hun voedsel op de grond, maar altijd in de buurt van dekking. Het voedsel bestaat 's zomers uit insekten en 's winters vrijwel geheel uit zaden. Ze bezoeken 's winters ook voertafels en eten dan wel brood. Omdat Heggemussen de bladluizen van de kool zoeken, worden ze ook wel Koolpiepers genoemd.
De zang is een haastig liedje dat wel wat op dat van de Winterkoning lijkt; het is echter korter, zachter en zonder trillers en lijkt 'plotseling' te eindigen.
Zowel mannetje als vrouwtje kan men op de grond zien baltsen, waarbij het mannetje het vrouwtje achtervolgt.

Het nest is gemaakt van droog gras en is bekleed met haar en groen mos. Het legsel bestaat gewoonlijk uit vier tot vijf helderblauwe eieren.
Over de trek van de Heggemus is weinig bekend. In West-Europa is hij standvogel, maar als de bevolkingsdichtheid ergens te groot is, trekt de Heggemus naar aangrenzende gebieden.

Roodborst

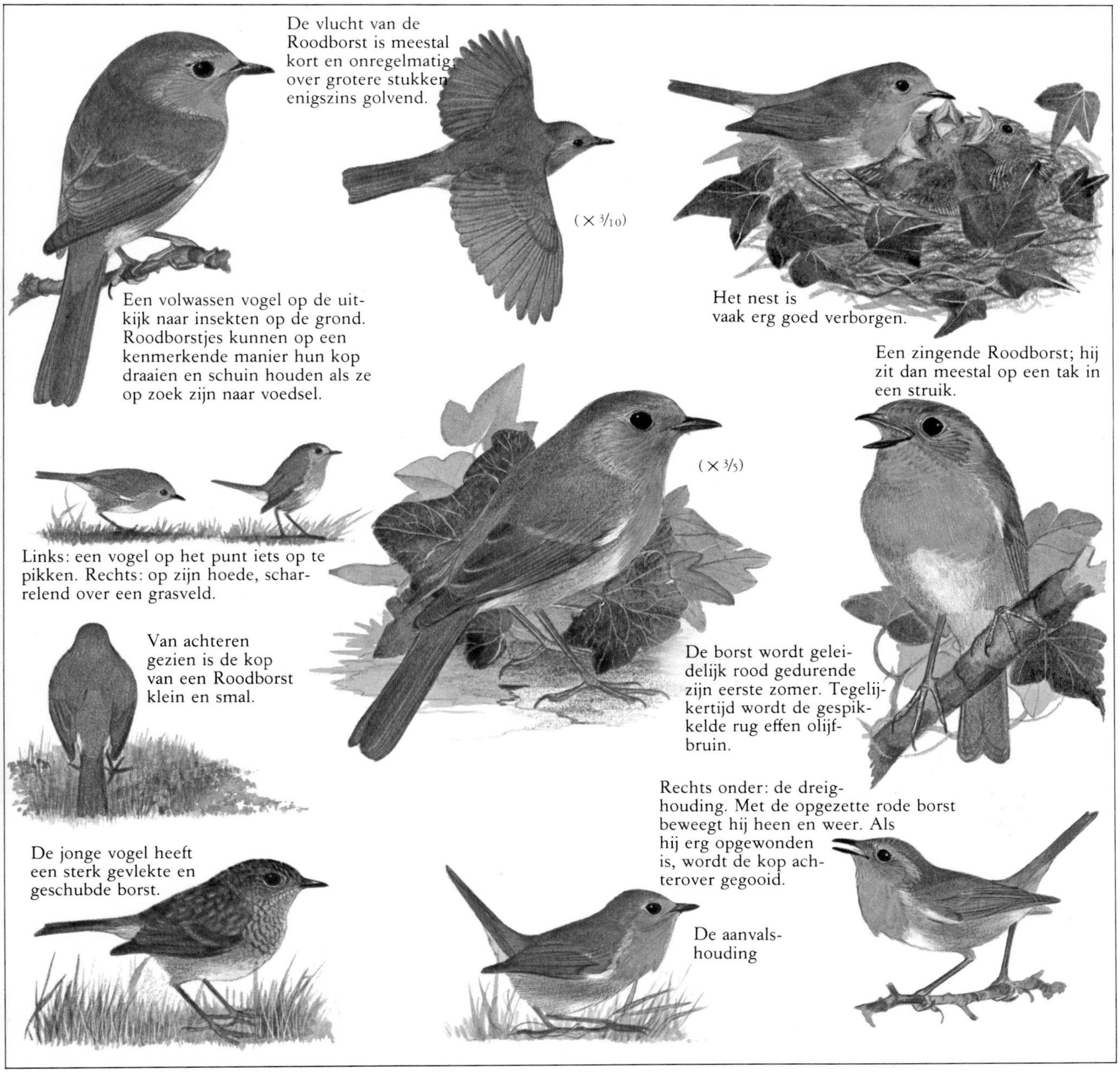

De vlucht van de Roodborst is meestal kort en onregelmatig; over grotere stukken enigszins golvend.

(× 3/10)

Een volwassen vogel op de uitkijk naar insekten op de grond. Roodborstjes kunnen op een kenmerkende manier hun kop draaien en schuin houden als ze op zoek zijn naar voedsel.

Het nest is vaak erg goed verborgen.

Een zingende Roodborst; hij zit dan meestal op een tak in een struik.

(× 3/5)

Links: een vogel op het punt iets op te pikken. Rechts: op zijn hoede, scharrelend over een grasveld.

Van achteren gezien is de kop van een Roodborst klein en smal.

De borst wordt geleidelijk rood gedurende zijn eerste zomer. Tegelijkertijd wordt de gespikkelde rug effen olijfbruin.

Rechts onder: de dreighouding. Met de opgezette rode borst beweegt hij heen en weer. Als hij erg opgewonden is, wordt de kop achterover gegooid.

De jonge vogel heeft een sterk gevlekte en geschubde borst.

De aanvalshouding

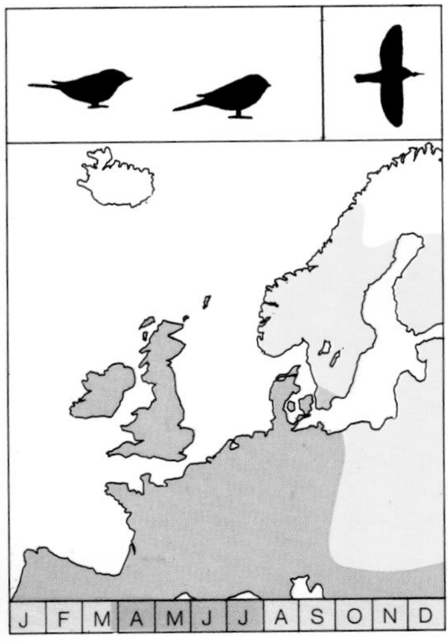

De Roodborst dankt zijn populariteit (de nationale vogel van Engeland!) vooral aan zijn zeer vertrouwelijk en nieuwsgierig gedrag. Toch is hij in een groot deel van zijn verspreidingsgebied een schuwe bosvogel, beter bekend van zijn 'tsikkende' roep. De mannetjes zijn agressief en verdedigen op felle wijze hun territorium. Hierbij zetten ze de rode borstveren op om de indringer te imponeren. Vrouwtjes verdedigen 's winters een eigen territorium en zingen ook. In het voorjaar veranderen de grenzen van de territoria. De zang van het mannetje wordt voller en luider en is dan op het mooist. Bij een dergelijke agressiviteit en zulke overeenkomsten in het verenkleed moeten vrouwtjes die het territorium van een mannetje binnengaan, zich 'onderworpen' gedragen om niet weggejaagd te worden.

Met het bouwen van het nest beginnen ze al vroeg en ze brengen gewoonlijk twee, soms drie broedsels per jaar groot. Ze zijn bekend om de vreemde plekjes die ze kunnen uitkiezen voor hun nest; soms broeden ze ook wel in nestkasten met een open voorzijde. In de 'vrije' natuur ligt het nest vaak goed verborgen op de grond of in een boomspleet. Het dikke fundament van dorre bladeren is even kenmerkend als de vijf tot zes roomkleurige eieren met de roodbruine vlekjes. De uitgevlogen jongen hebben een bruin gespikkeld verenkleed; dit dient ter camouflage én voorkomt dat ze agressie opwekken bij hun roodgevoelige ouders.

Ringmus

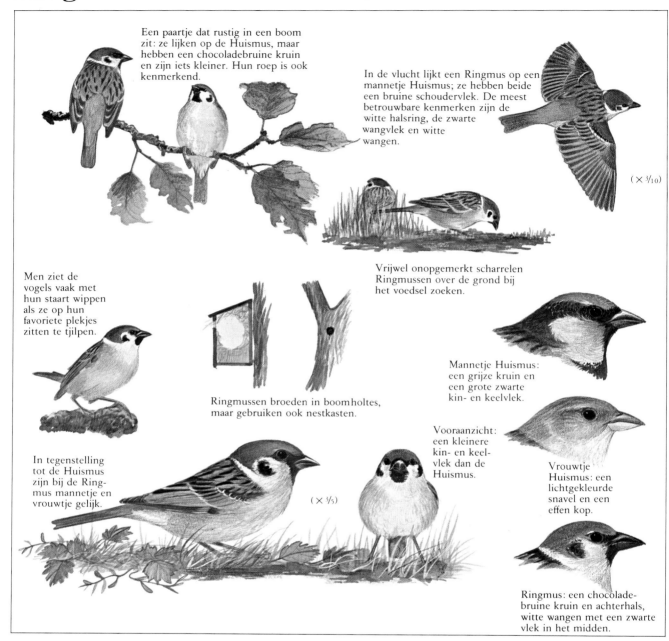

Een paartje dat rustig in een boom zit: ze lijken op de Huismus, maar hebben een chocoladebruine kruin en zijn iets kleiner. Hun roep is ook kenmerkend.

In de vlucht lijkt een Ringmus op een mannetje Huismus; ze hebben beide een bruine schoudervlek. De meest betrouwbare kenmerken zijn de witte halsring, de zwarte wangvlek en witte wangen.

(× 3/10)

Vrijwel onopgemerkt scharrelen Ringmussen over de grond bij het voedsel zoeken.

Men ziet de vogels vaak met hun staart wippen als ze op hun favoriete plekjes zitten te tjilpen.

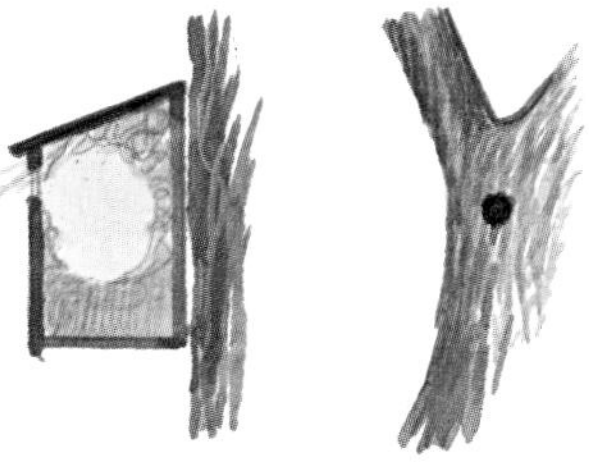

Ringmussen broeden in boomholtes, maar gebruiken ook nestkasten.

Mannetje Huismus: een grijze kruin en een grote zwarte kin- en keelvlek.

Vooraanzicht: een kleinere kin- en keelvlek dan de Huismus.

In tegenstelling tot de Huismus zijn bij de Ringmus mannetje en vrouwtje gelijk.

(× 3/5)

Vrouwtje Huismus: een lichtgekleurde snavel en een effen kop.

Ringmus: een chocoladebruine kruin en achterhals, witte wangen met een zwarte vlek in het midden.

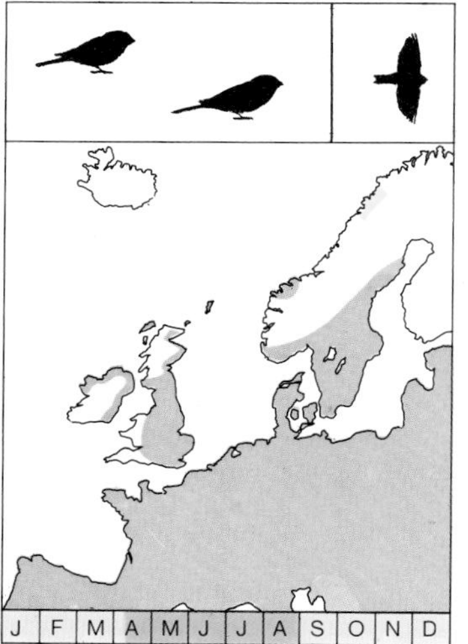

In Europa is de Ringmus overal minder talrijk en meer beperkt in zijn voorkomen dan de Huismus, maar in Oost-Azië, waar de Huismus niet voorkomt, schijnt hij plaatselijk zelfs een plaag te vormen.
In het algemeen zijn ze beperkt tot bosranden, parken en tuinen waar ze bomen hebben om in te broeden en bouwland of boerenerven om voedsel te zoeken. Gewoonlijk maken ze een nest in een boomholte, maar soms betrekken ze gebouwen of hooibergen. Ze gebruiken ook vaak nestkasten, waar ze nogal eens andere bewoners, zoals Pimpelmezen, uitwerken.
Het nest is slordig, evenals dat van de Huismus, en de eieren lijken op die van de Huismus maar zijn kleiner en glanzender. Het legsel bestaat gewoonlijk uit vier tot zes eieren en ze brengen twee, vaak drie broedsels per jaar groot. Beide vogels broeden en de broedduur bedraagt 12 tot 14 dagen. De jongen blijven ongeveer even lang in het nest en worden door beide ouders verzorgd.
Ringmussen vormen in ieder jaargetijde troepen, maar deze zijn het grootst en opvallendst in de nazomer. Vaak vermengen ze zich in het veld met Huismussen. Ze zijn dan het best te onderscheiden door hun kleiner en slanker postuur en het frissere voorkomen. Ringmussen hebben een karakteristieke roep, een kort metaalachtig ‘tsjik’, hoger en scherper dan van de Huismus.

Huismus

In behendige en scherpe zwenkingen wordt een duif nagezeten.

Grote zwermen mussen op een rijpend graanveld.

(× 3/10)

Een volwassen mannetje heeft een roodbruine schoudervlek en een witte vleugelstreep.

Pogingen om een vlinder te grijpen, mislukken gewoonlijk – met motten hebben mussen meestal meer succes.

Mannetjes vormen vaak luidruchtige, agressieve groepjes en vliegen dan plotseling weer naar alle kanten.

Volwassen vrouwtje. De jonge vogel ziet er net zo uit.

Een jonge vogel (onder links) krijgt in augustus of september het volwassen verenkleed.

De Huismus bouwt zijn nest meestal in een holle ruimte in een gebouw; nesten in struiken zijn te herkennen door hun slordigheid en koepelvorm.

Verandering van houding geeft ook een wat andere verentekening.

Altijd wat saaier van kleur dan het mannetje, heeft het vrouwtje geelachtige, zwart doorstreepte vleugelveren.

Een Huismus van het platteland is veel lichter en schoner dan een stadsmus. Dit mannetje is in herfstkleed – de zwarte kin- en keelvlek is niet zo duidelijk als in de winter.

(× 3/5)

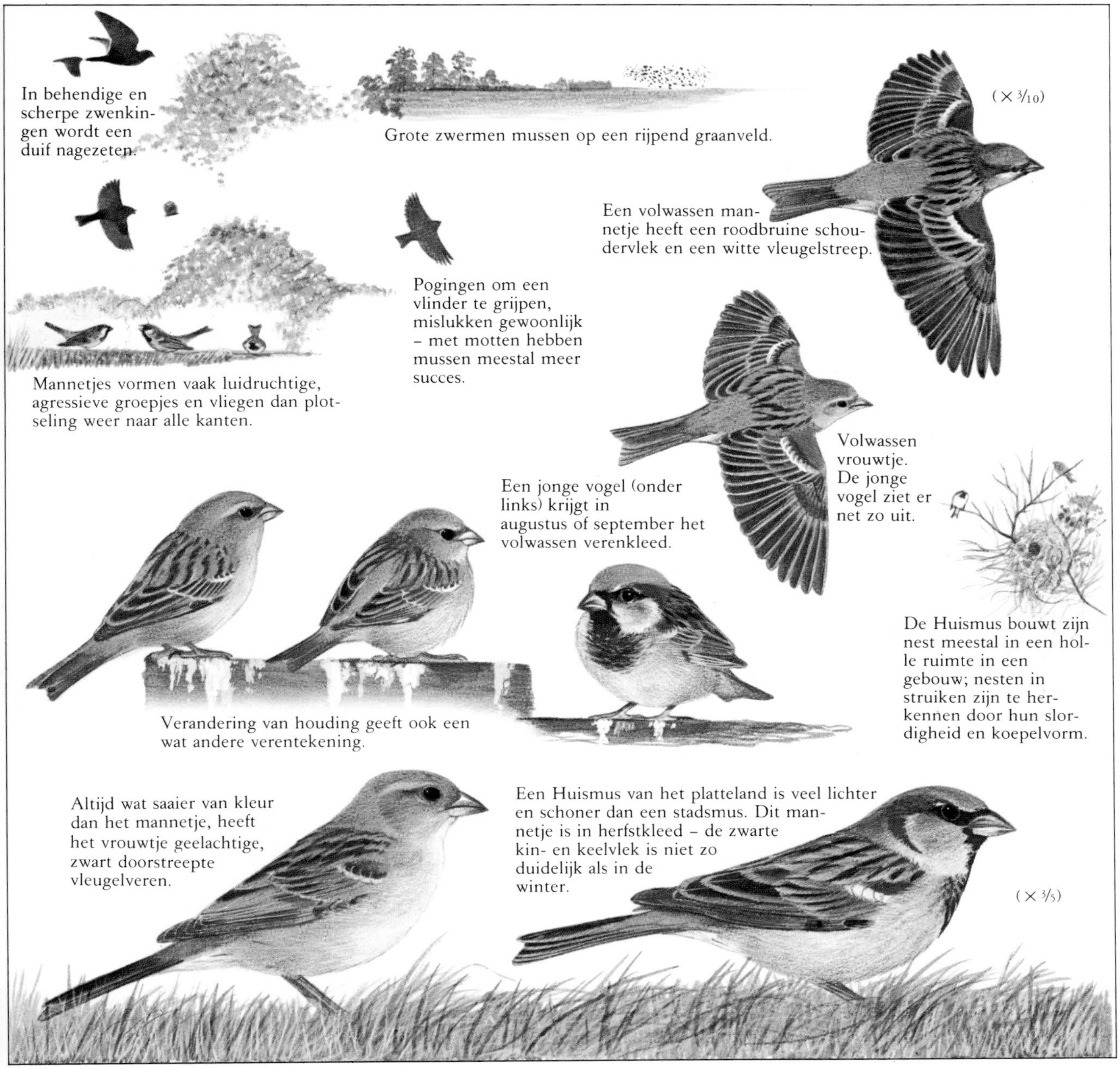

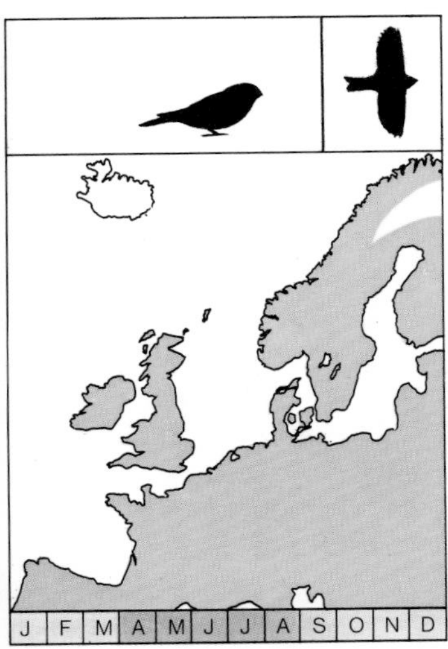

Sommigen mogen sympathie voelen voor de Huismus vanwege zijn brutaliteit, anderen mogen hem verfoeien om al het zaad dat hij eet en de goten die hij verstopt: bekend is hij bij iedereen. Het is een sluwe en ook taaie vogel die niet alleen geheel Eurazië bewoont, maar ook algemeen is in andere werelddelen waar hij ingevoerd is – met name Noord-Amerika. De zang bestaat uit verscheidene tjilpende en kwetterende geluiden. Mannetjes op zoek naar een vrouwtje maken een nest en zitten dan onophoudelijk bij het nest te tjilpen. Mussen bezoeken bijna het gehele jaar hun nestplaatsen – het minst in de ruitijd, die in de nazomer of het begin van de herfst valt; de broedactiviteiten zijn beperkt tot het voorjaar en de voorzomer.

Het nest ligt in spleten en holle ruimtes in huizen of in bomen en klimop; het zijn bijzonder slordige bouwsels van gras en stro, gevoerd met veren, vaak koepelvormig. Het legsel bestaat gewoonlijk uit vijf tot zes eieren. Jonge vrouwtjes leggen minder eieren dan oudere vrouwtjes. Mannetje en vrouwtje broeden; het aandeel van het mannetje neemt geleidelijk toe. De broedduur bedraagt 11 tot 14 dagen. Het feit dat meestal met het broeden begonnen wordt voordat het legsel voltallig is, bemoeilijkt het vaststellen van de exacte broedduur. De jongen zijn daarom niet even oud; ze vliegen soms al na 11 dagen uit, maar 15 dagen is normaal. Beide ouders brengen voedsel; aanvankelijk wordt dit vooral door het mannetje gedaan terwijl het vrouwtje op de jongen zit.

Kneu/Frater

   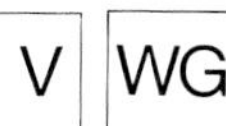

JV WG

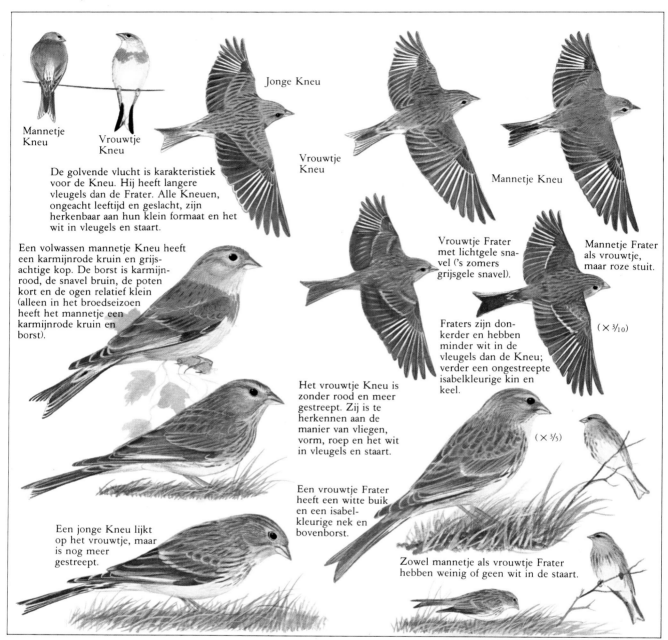

Mannetje Kneu

Vrouwtje Kneu

Jonge Kneu

De golvende vlucht is karakteristiek voor de Kneu. Hij heeft langere vleugels dan de Frater. Alle Kneuen, ongeacht leeftijd en geslacht, zijn herkenbaar aan hun klein formaat en het wit in vleugels en staart.

Vrouwtje Kneu

Mannetje Kneu

Een volwassen mannetje Kneu heeft een karmijnrode kruin en grijsachtige kop. De borst is karmijnrood, de snavel bruin, de poten kort en de ogen relatief klein (alleen in het broedseizoen heeft het mannetje een karmijnrode kruin en borst).

Vrouwtje Frater met lichtgele snavel ('s zomers grijsgele snavel).

Mannetje Frater als vrouwtje, maar roze stuit.

Fraters zijn donkerder en hebben minder wit in de vleugels dan de Kneu; verder een ongestreepte isabelkleurige kin en keel.

(× 3/10)

Het vrouwtje Kneu is zonder rood en meer gestreept. Zij is te herkennen aan de manier van vliegen, vorm, roep en het wit in vleugels en staart.

(× 3/5)

Een vrouwtje Frater heeft een witte buik en een isabelkleurige nek en bovenborst.

Een jonge Kneu lijkt op het vrouwtje, maar is nog meer gestreept.

Zowel mannetje als vrouwtje Frater hebben weinig of geen wit in de staart.

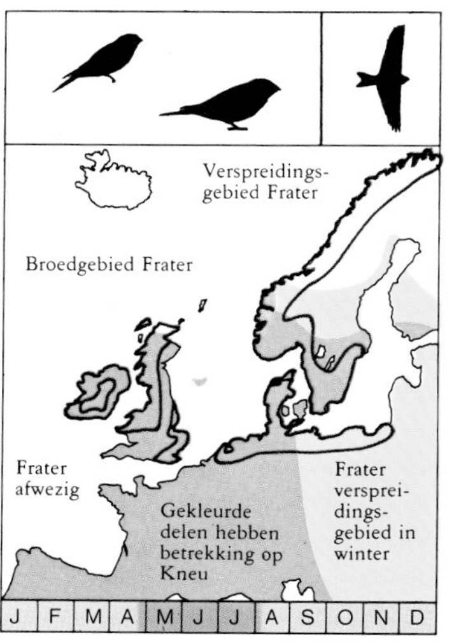

Hoewel de Kneu een van de meest algemene vertegenwoordigers is van de familie van de vinken, ziet men hem zelden in tuinen, wel echter bij boerderijen. Zijn voedsel bestaat uit zaden van een aantal gewone wilde planten zoals zuring, herik en ganzevoet, en ook vlas is een geliefkoosde voedselplant. Het komt voor dat Kneuen hun gezichtsvermogen verliezen door verwondingen aan het oog, veroorzaakt door de haken aan de vruchten van klissen. Kneuen foerageren in rusteloze 'knutterende' troepen en de kwetterende zang is een karakteristiek geluid op de heide- en zandgronden waar ze leven.
Het nest is een kleine kom van gras, van binnen warm gevoerd met haar of veren en het ligt laag in een doornstruik, brem, of braambosje, vaak meerdere bijeen in kleine kolonies. Het legsel bestaat gewoonlijk uit vier tot zes eieren en wordt door het vrouwtje bebroed, dat op het nest door het mannetje wordt gevoerd.
De jongen krijgen uitgebraakt voedsel en worden door beide ouders verzorgd; vaak geeft het mannetje zijn voedsel over aan het vrouwtje, die het dan aan de jongen geeft. Kneuen eten net als andere vinken de eerste dagen de uitwerpselen van de jongen op; daarna blijven de uitwerpselen op de nestrand liggen. Kneuen brengen twee tot drie broedsels per jaar groot.
De Frater is de noordelijke tegenhanger van de Kneu en hij heeft soortgelijke levensgewoonten. In Nederland is de Frater doortrekker en wintergast in vrij klein aantal van oktober tot in maart.

Barmsijs/Witstuitbarmsijs

J V
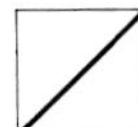

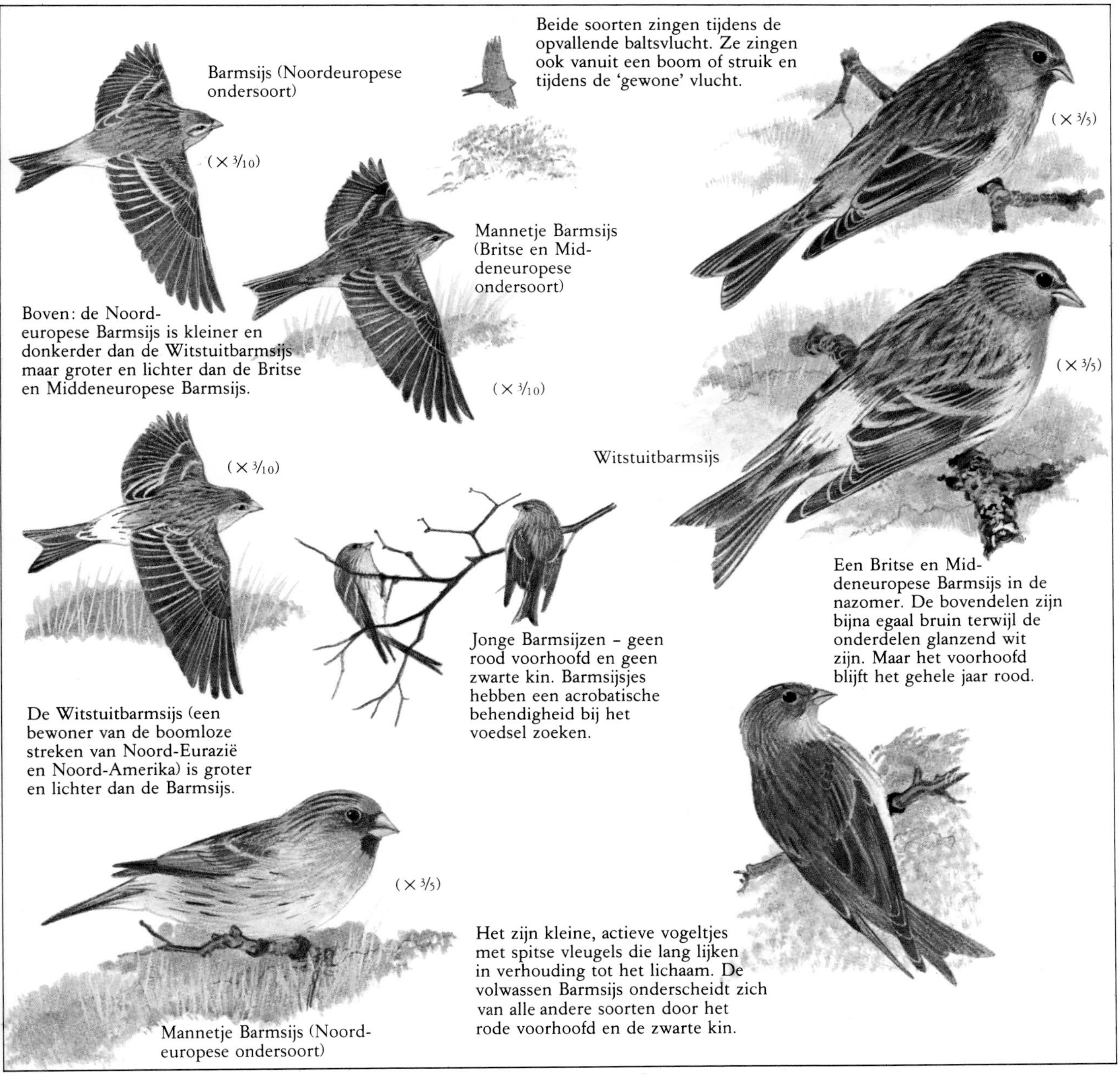

Barmsijs (Noordeuropese ondersoort)

(× 3/10)

Beide soorten zingen tijdens de opvallende baltsvlucht. Ze zingen ook vanuit een boom of struik en tijdens de 'gewone' vlucht.

(× 3/5)

Mannetje Barmsijs (Britse en Middeneuropese ondersoort)

Boven: de Noordeuropese Barmsijs is kleiner en donkerder dan de Witstuitbarmsijs maar groter en lichter dan de Britse en Middeneuropese Barmsijs.

(× 3/10)

(× 3/5)

(× 3/10)

Witstuitbarmsijs

Een Britse en Middeneuropese Barmsijs in de nazomer. De bovendelen zijn bijna egaal bruin terwijl de onderdelen glanzend wit zijn. Maar het voorhoofd blijft het gehele jaar rood.

Jonge Barmsijzen – geen rood voorhoofd en geen zwarte kin. Barmsijsjes hebben een acrobatische behendigheid bij het voedsel zoeken.

De Witstuitbarmsijs (een bewoner van de boomloze streken van Noord-Eurazië en Noord-Amerika) is groter en lichter dan de Barmsijs.

(× 3/5)

Het zijn kleine, actieve vogeltjes met spitse vleugels die lang lijken in verhouding tot het lichaam. De volwassen Barmsijs onderscheidt zich van alle andere soorten door het rode voorhoofd en de zwarte kin.

Mannetje Barmsijs (Noordeuropese ondersoort)

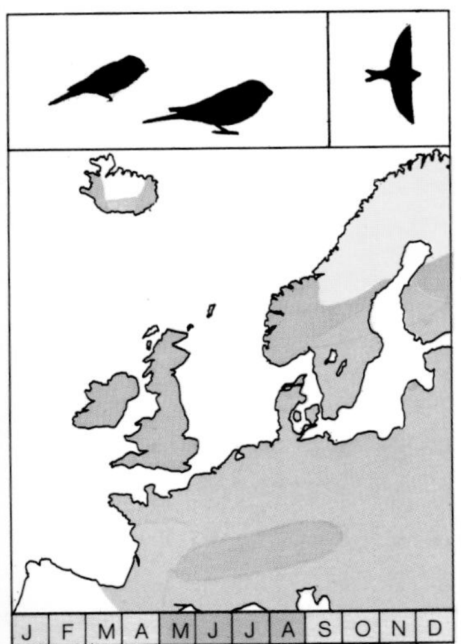

De Barmsijs en Witstuitbarmsijs zijn zeer verwante soorten, beide nogal Kneu-achtig in uiterlijk en gedrag. Aan hun opvallende, hoge metaalachtige roep, een snel en aanhoudend 'djèdjèdjèdjè', zijn ze echter gemakkelijk te herkennen. De zang is een aangehouden reeks van korte trillers, vermengd met roepgeluiden, en wordt vaak in de baltsvlucht voorgedragen.
In West-Europa broedt de Barmsijs in Groot-Brittannië, het Alpengebied en sinds een aantal jaren ook in Nederland (de Waddeneilanden en duinstreek van Noord- en Zuid-Holland). In Noord-Scandinavië komt de Witstuitbarmsijs voor. Barmsijzen nestelen bij voorkeur in berken en elzen. In Groot-Brittannië en Nederland hebben ze zich sinds kort in aangeplant naaldhout gevestigd. Berke- en elzezaden vormen een belangrijk bestanddeel van hun voedsel, maar ook allerlei gras- en onkruidzaden en in het voorjaar wel boomknoppen en insekten.
Ze broeden vaak in losse kolonies en de nesten kunnen in vrijwel iedere boom en struik gevonden worden, meestal op één tot vijf meter hoogte. Het nest bestaat uit twijgen en gras en is bekleed met plantaardig pluis. De vier tot vijf eieren worden door het vrouwtje uitgebroed; de broedduur bedraagt 10 tot 13 dagen. De jongen worden door beide ouders verzorgd en vliegen na 11 tot 12 dagen uit; vaak volgt er nog een tweede broedsel.
De Noordeuropese Barmsijzen zijn trekvogels en overwinteren in grote delen van Europa. De Britse en Middeneuropese vogels zijn voor een belangrijk deel standvogel.

Groenling

    JV

De 'vlinderachtige' baltsvlucht van de Groenling.

De Groenling is door zijn groene en gele kleuren onmiskenbaar. De golvende vlucht is typerend voor alle vinkesoorten. Jonge vogels en vrouwtjes zijn donkerder gekleurd dan het volwassen mannetje (rechts, onder) maar hebben wel dezelfde gele vlekken op vleugels en staart.

(× 3/10)

Volwassen vrouwtje. Het verenkleed van het mannetje is nogal variabel; dit hangt voor een deel samen met het seizoen en het ruistadium.

(× 3/5)

De hier afgebeelde vogel is een typisch exemplaar.

Jonge vogel

Groenlingen, vooral de volwassen vogels, zijn agressief.

Onder bepaalde omstandigheden (zoals bij somber weer) zijn vrouwtjes en jonge vogels (onder) te verwarren met een vrouwtje Huismus.

Grote groepen Groenlingen verzamelen zich in het veld om naar voedsel te zoeken, vaak samen met andere soorten zoals Geelgorzen, vinken en mussen.

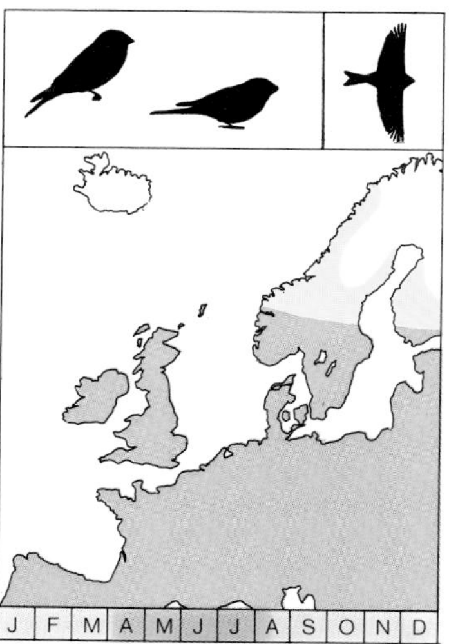

Groenlingen zijn kleurige verschijningen op de voertafels van tuinen in de buitenwijken van steden; in sommige tuinen zijn in een winter meer dan 1000 exemplaren geringd. Als grote troepen Groenlingen op een voertafel afkomen, kan men er vrij zeker van zijn dat er een paar koude dagen volgen. Ze houden het meest van zonnebloempitten en pinda's. Als ze naar hartelust kunnen eten, leggen ze in hun lichaam een extra vetvoorraad aan die soms wel 10 % van hun lichaamsgewicht bedraagt. Dit vetlaagje dient als warmte-isolatie en helpt hen door tijden van voedselschaarste heen.

Groenlingen komen ook voor langs bosranden, op bouwland (waar ze landbouwers zelden tot last zijn) en op braakliggende gronden. Vruchtjes van het bingelkruid en iepenootjes zijn het hoofdvoedsel in de zomer, zaadmantels van de taxus en nootjes van de haagbeuk in de herfst en rozebottels en bramen in de late herfst. Op bouwland en braakliggend terrein eten ze zaden van de muur, de paardebloem, het perzikkruid, de klis en de stekelnoot.

Het nest ziet er tamelijk slordig uit en is bekleed met veren. Het zit meestal niet zo hoog boven de grond in een dichte, doornige struik. Vaak treft men kleine, dun bezette kolonies aan. Het wijfje legt gewoonlijk vier tot zes eieren. Er worden twee, soms drie broedsels per jaar grootgebracht. Het mannetje verdedigt zijn territorium door een kanarie-achtig gekwetter. Vaak laat hij deze zang horen tijdens een vlinderachtige baltsvlucht.

Putter

    J V

(× 3/10)

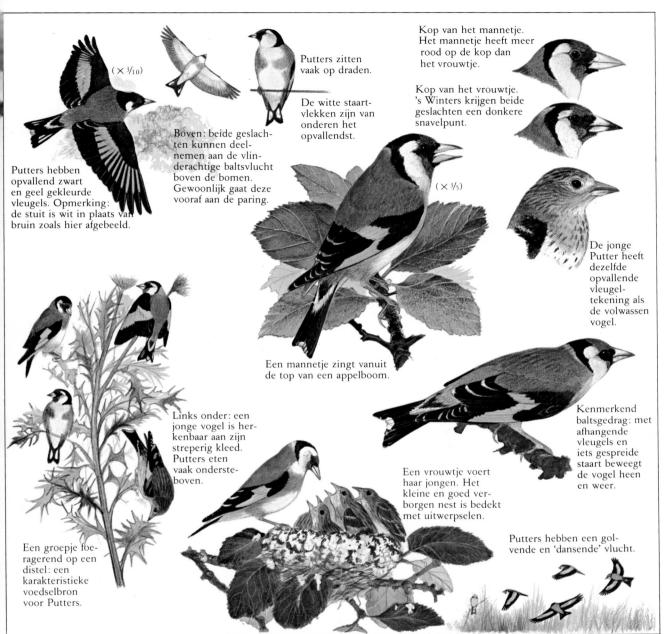

Putters hebben opvallend zwart en geel gekleurde vleugels. Opmerking: de stuit is wit in plaats van bruin zoals hier afgebeeld.

Boven: beide geslachten kunnen deelnemen aan de vlinderachtige baltsvlucht boven de bomen. Gewoonlijk gaat deze vooraf aan de paring.

Putters zitten vaak op draden.

De witte staartvlekken zijn van onderen het opvallendst.

Kop van het mannetje. Het mannetje heeft meer rood op de kop dan het vrouwtje.

Kop van het vrouwtje. 's Winters krijgen beide geslachten een donkere snavelpunt.

(× 3/5)

Een mannetje zingt vanuit de top van een appelboom.

De jonge Putter heeft dezelfde opvallende vleugeltekening als de volwassen vogel.

Kenmerkend baltsgedrag: met afhangende vleugels en iets gespreide staart beweegt de vogel heen en weer.

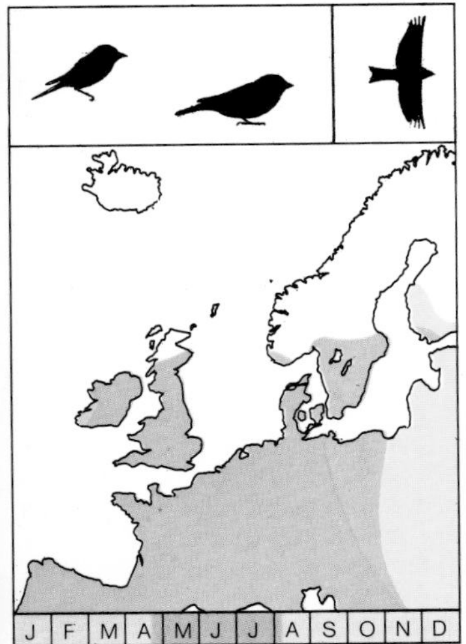

Links onder: een jonge vogel is herkenbaar aan zijn streperig kleed. Putters eten vaak ondersteboven.

Een groepje foeragerend op een distel: een karakteristieke voedselbron voor Putters.

Een vrouwtje voert haar jongen. Het kleine en goed verborgen nest is bedekt met uitwerpselen.

Putters hebben een golvende en 'dansende' vlucht.

J F M A M J J A S O N D

De Putter is een geliefde kooivogel. Vele duizenden werden ieder jaar gevangen, totdat de Vogelwet van 1936 hier een einde aan maakte in Nederland. In andere Europese landen is men helaas nog niet zover en in Spanje kan men aan veel huizen naast de deur nog een kooi met Putter zien.

Putters zijn vooral vogels van bosranden en open plekken, maar hebben zich aangepast aan struiken en braakliggende terreinen. De fijne, scherpe snavel is zeer geschikt om er zaden mee uit kruiskruid en paardebloemen te pikken; ze specialiseren zich ook op de zaadhoofdjes van distels, kaardebollen en klissen. De korte, stijve veertjes van het rode gezicht beschermen hen tegen stekels, maar soms raken ze toch gevangen tussen lange doorns, ondanks hun behendigheid. Ze zijn bijzonder handig in het gebruik van hun poten bij het eten en kunnen in gevangenschap leren een aan een draadje hangend emmertje op te halen (waaraan ze hun Nederlandse naam danken).

Het goed afgewerkte nest is gemaakt van gras, mos en korstmos en is bekleed met wit zaadpluis of wol. Vaak zit het aan het uiteinde van een dunne tak. Legsels van vijf tot zes eieren en twee of drie broedsels per jaar zijn normaal. Na een goede zomer verzamelen zich troepen op distelveldjes. Veel Putters overwinteren in West-Europa, de meest noordelijke vogels trekken naar Frankrijk, het Iberische Schiereiland en Noord-Afrika.

Europese Kanarie

   ZV

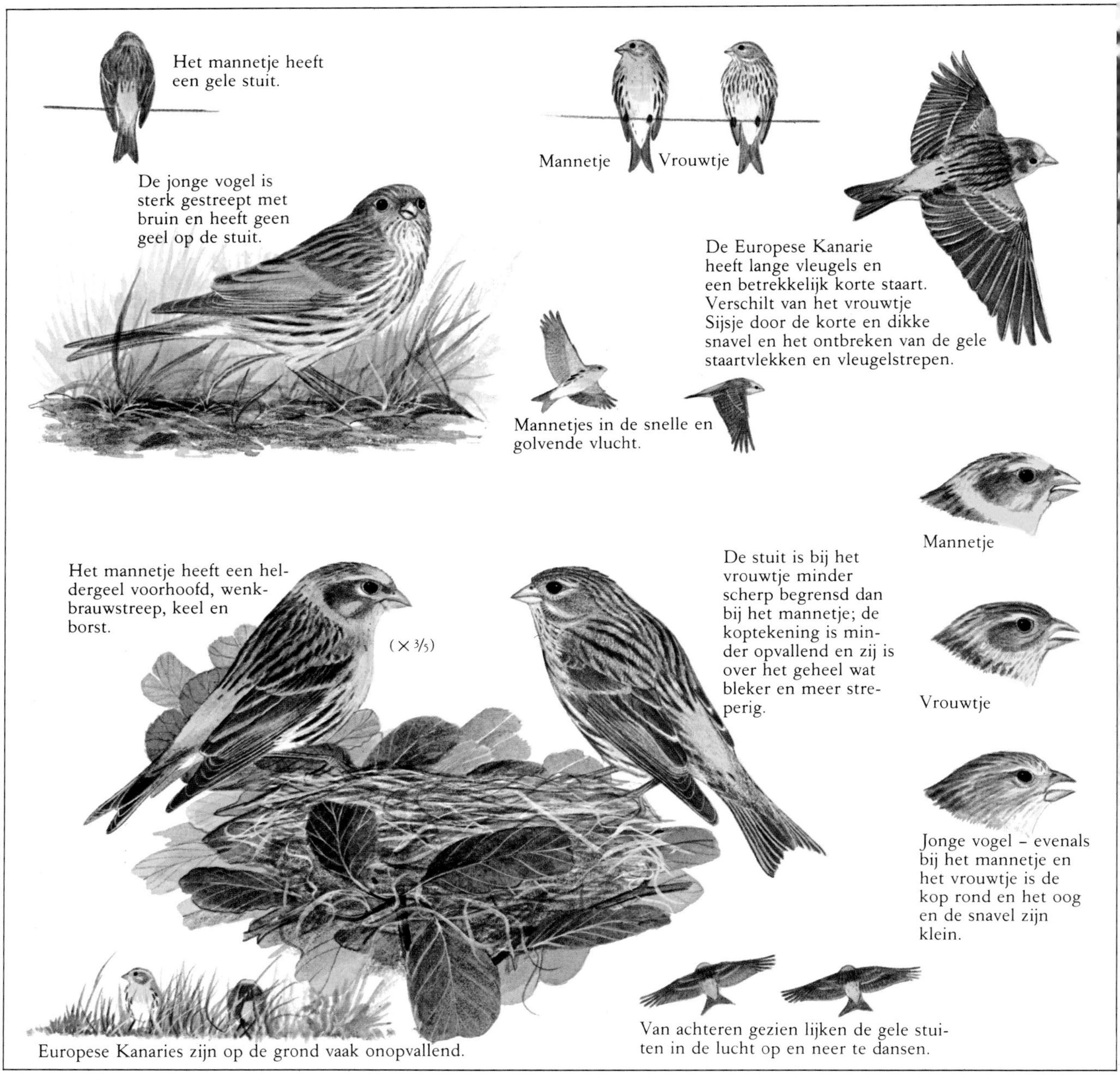

Het mannetje heeft een gele stuit.

Mannetje Vrouwtje

De jonge vogel is sterk gestreept met bruin en heeft geen geel op de stuit.

De Europese Kanarie heeft lange vleugels en een betrekkelijk korte staart. Verschilt van het vrouwtje Sijsje door de korte en dikke snavel en het ontbreken van de gele staartvlekken en vleugelstrepen.

Mannetjes in de snelle en golvende vlucht.

Mannetje

Het mannetje heeft een heldergeel voorhoofd, wenkbrauwstreep, keel en borst.

(× 3/5)

De stuit is bij het vrouwtje minder scherp begrensd dan bij het mannetje; de koptekening is minder opvallend en zij is over het geheel wat bleker en meer streperig.

Vrouwtje

Jonge vogel – evenals bij het mannetje en het vrouwtje is de kop rond en het oog en de snavel zijn klein.

Europese Kanaries zijn op de grond vaak onopvallend.

Van achteren gezien lijken de gele stuiten in de lucht op en neer te dansen.

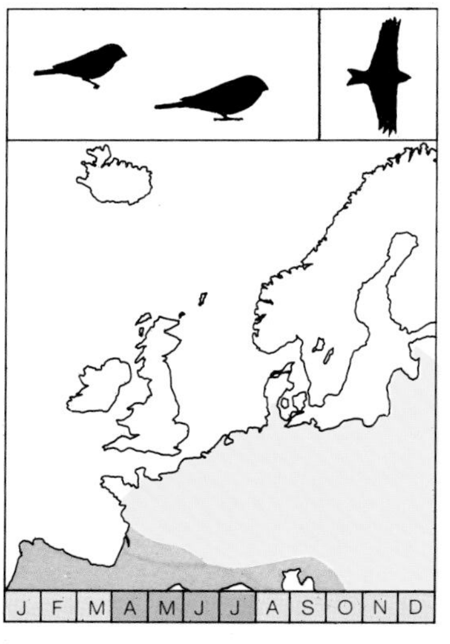

De vlugge zang van de Europese Kanarie lijkt met zijn vele trillers inderdaad veel op die van de Kanarie, waarmee hij trouwens ook nauw verwant is. Vroeger was de Europese Kanarie een zuidelijke soort maar de laatste 200 jaar rukt hij gestadig op naar het noorden. Het eerste broedgeval in Nederland was in 1922 en hij is sedertdien een schaarse broedvogel van het oosten en zuiden van het land.

De Europese Kanarie houdt van een wisselend landschap en gedijt uitstekend in een mozaïekachtige schakering van bos, landbouwgrond en stad, een landschap dat een groot deel van Europa bedekt. In het voorjaar leeft hij hoofdzakelijk van iepeknoppen, berkekatjes en paardebloemzaden; in de zomer schakelt hij over op een grote variatie van gras- en onkruidzaden en hij vertoont zich daarbij op plaatsen als volkstuinen, spoorwegemplacementen, stadstuinen en parken met veel hout. In de herfst vormen de zaden van koolsoorten en perzikkruid het hoofdvoedsel; in de winter bijvoet. Het zijn de kleinste Europese vinken en ze lijken wel wat op Sijsjes. Ze missen evenwel de gele staartvlekken maar bezitten een gele stuit en een gele oogring en wenkbrauwstreep. Europese Kanaries hebben een zeer korte en dikke snavel; Sijsjes een spitse snavel waarmee ze zaden uit kegels trekken.

Het nest zit meestal goed verborgen aan het eind van een tak, op een hoogte tussen één en twaalf meter. Gewoonlijk worden er vier eieren gelegd; in het noordelijk deel van het verspreidingsgebied zijn er twee broedsels; in het zuidelijk deel vaak meer.

Sijsje

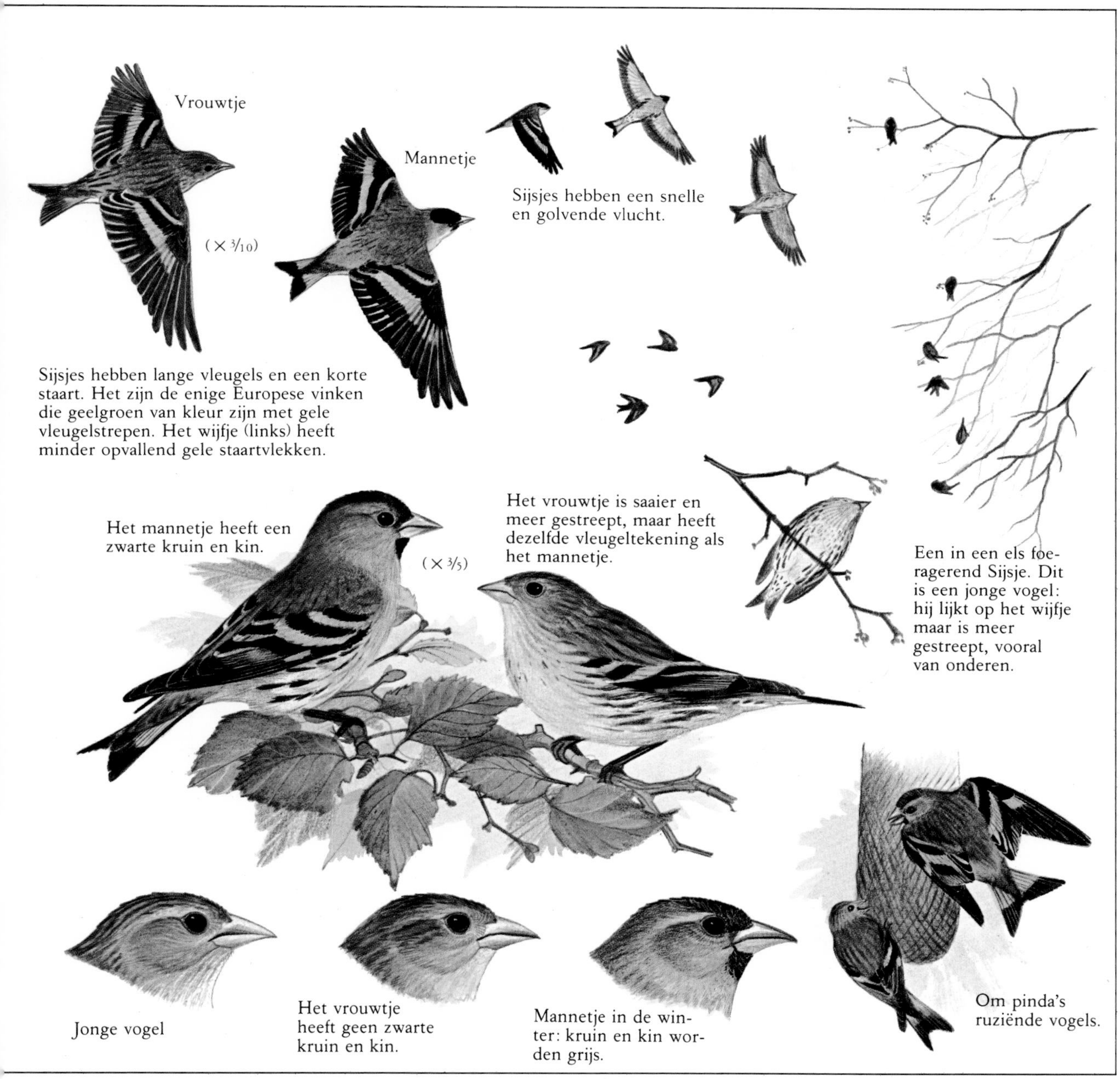

Vrouwtje

Mannetje

(× 3/10)

Sijsjes hebben een snelle en golvende vlucht.

Sijsjes hebben lange vleugels en een korte staart. Het zijn de enige Europese vinken die geelgroen van kleur zijn met gele vleugelstrepen. Het wijfje (links) heeft minder opvallend gele staartvlekken.

Het mannetje heeft een zwarte kruin en kin.

(× 3/5)

Het vrouwtje is saaier en meer gestreept, maar heeft dezelfde vleugeltekening als het mannetje.

Een in een els foeragerend Sijsje. Dit is een jonge vogel: hij lijkt op het wijfje maar is meer gestreept, vooral van onderen.

Jonge vogel

Het vrouwtje heeft geen zwarte kruin en kin.

Mannetje in de winter: kruin en kin worden grijs.

Om pinda's ruziënde vogels.

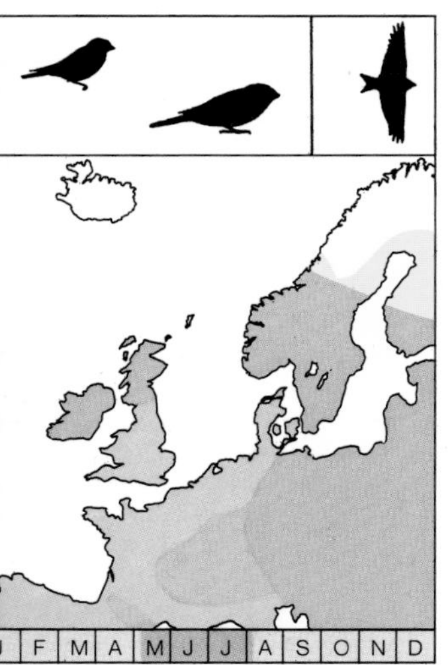

Het lot van het Sijsje is, evenals dat van de Kruisbek, ten nauwste verbonden met de grootte van de zaadopbrengst van de spar, maar anders dan de Kruisbek kan hij de kegels niet zelf openmaken en moet wachten tot de schubben vanzelf openspringen. In goede jaren wordt in april met broeden begonnen – zodat er nog tijd is voor een tweede broedsel – maar in slechte jaren wordt het eerste broedsel overgeslagen. Voor de jongen die laat uitkomen is er vervangend voedsel zoals dennezaden (die later rijpen dan die van de spar) en zaden van de iep, zuring en distel. Het nest is een kleine en keurig gevlochten kom en ligt hoog in een naaldboom. De drie tot vijf eieren worden door het wijfje bebroed.
De zang is lang, vlug en muzikaal gekwetter; het mannetje zingt vaak tijdens de cirkelvormige baltsvlucht. Buiten het broedseizoen is de roep, een hoog en helder 'tszie-zi', een betrouwbaar kenmerk.
Vanaf juli en augustus zijn berkezaden een belangrijk voedsel. Ook hierin bestaan jaarlijkse schommelingen die invloed hebben op de trekbewegingen van de Sijs. Wanneer de berkenoogst in Scandinavië goed is, trekken de Sijsjes later en in kleinere aantallen. In de winter vormen elzeproppen een belangrijke voedselbron en in sommige streken zijn Sijsjes overgegaan tot het eten van nootjes en vet op voertafels, waarbij ze sterk worden aangetrokken door rood of oranje gekleurde voederbakjes.

Keep

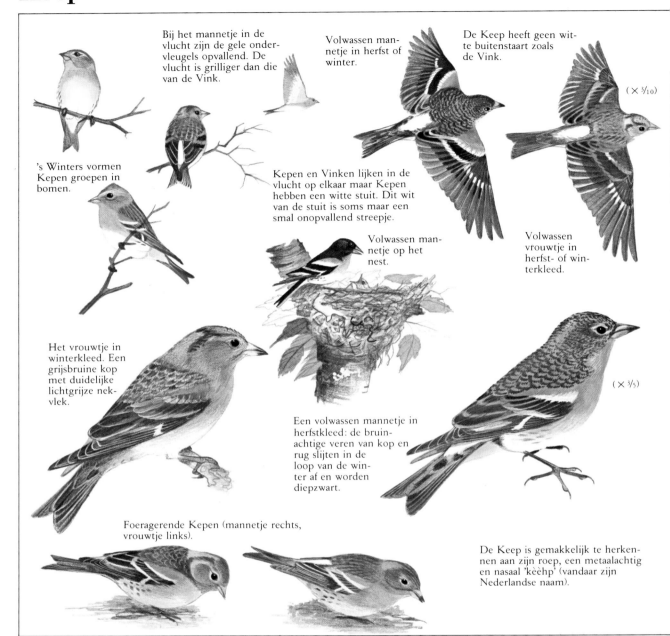

Bij het mannetje in de vlucht zijn de gele ondervleugels opvallend. De vlucht is grilliger dan die van de Vink.

Volwassen mannetje in herfst of winter.

De Keep heeft geen witte buitenstaart zoals de Vink.

(× 3/10)

's Winters vormen Kepen groepen in bomen.

Kepen en Vinken lijken in de vlucht op elkaar maar Kepen hebben een witte stuit. Dit wit van de stuit is soms maar een smal onopvallend streepje.

Volwassen mannetje op het nest.

Volwassen vrouwtje in herfst- of winterkleed.

Het vrouwtje in winterkleed. Een grijsbruine kop met duidelijke lichtgrijze nekvlek.

(× 3/5)

Een volwassen mannetje in herfstkleed: de bruinachtige veren van kop en rug slijten in de loop van de winter af en worden diepzwart.

Foeragerende Kepen (mannetje rechts, vrouwtje links).

De Keep is gemakkelijk te herkennen aan zijn roep, een metaalachtig en nasaal 'kèèhp' (vandaar zijn Nederlandse naam).

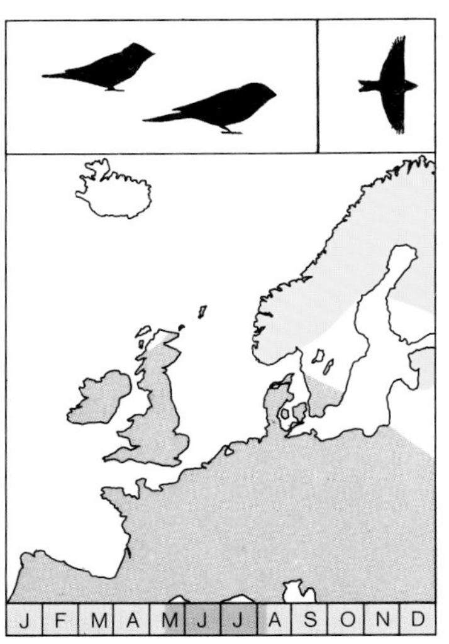

Tijdens de winter van 1951-52 verzamelden zich naar schatting 70 miljoen Kepen in Zwitserland in de buurt van het plaatsje Hunibach, en het is best mogelijk dat alle Kepen die ten westen van de Oeral broedden, zich hier ophielden. Dergelijke concentraties zijn niet normaal, maar Kepen staan bekend om hun onvoorspelbaar trekgedrag. Vogels die het ene jaar in Nederland overwinteren, treft men het volgend jaar in Italië aan. Dit gedrag hangt samen met het feit dat Kepen leven van de vruchten van bomen (vooral beuken) die om het jaar rijk dragen. Zo treffen ze dit jaar op de ene plaats, het volgend jaar op de andere plaats een rijke oogst aan. Op vele plaatsen zal men dus om het jaar grote aantallen Kepen zien verschijnen.
Als er geen beukenootjes meer zijn, vormen Kepen samen met andere vinkesoorten gemengde troepen die bouwlanden afstropen op zoek naar onkruid- en graanzaden.
Het broedgebied van de Keep begint ruwweg daar, waar dat van de verwante Vink ophoudt. Kepen zijn 's zomers algemene vogels van de Scandinavische berkenbossen. De zang, die lijkt op die van de koperwiek, is slechts korte tijd te horen. Net als Vinken eten Kepen te allen tijde een aanzienlijke hoeveelheid dierlijk voedsel. Dit komt ze vooral van pas in de noordelijke broedgebieden, waar ze veel meer insekten aantreffen dan geschikt plantaardig voedsel. Het nest lijkt op dat van de Vink. Het legsel (zes tot zeven eieren) is groter dan dat van de Vink.

Vink

    J V

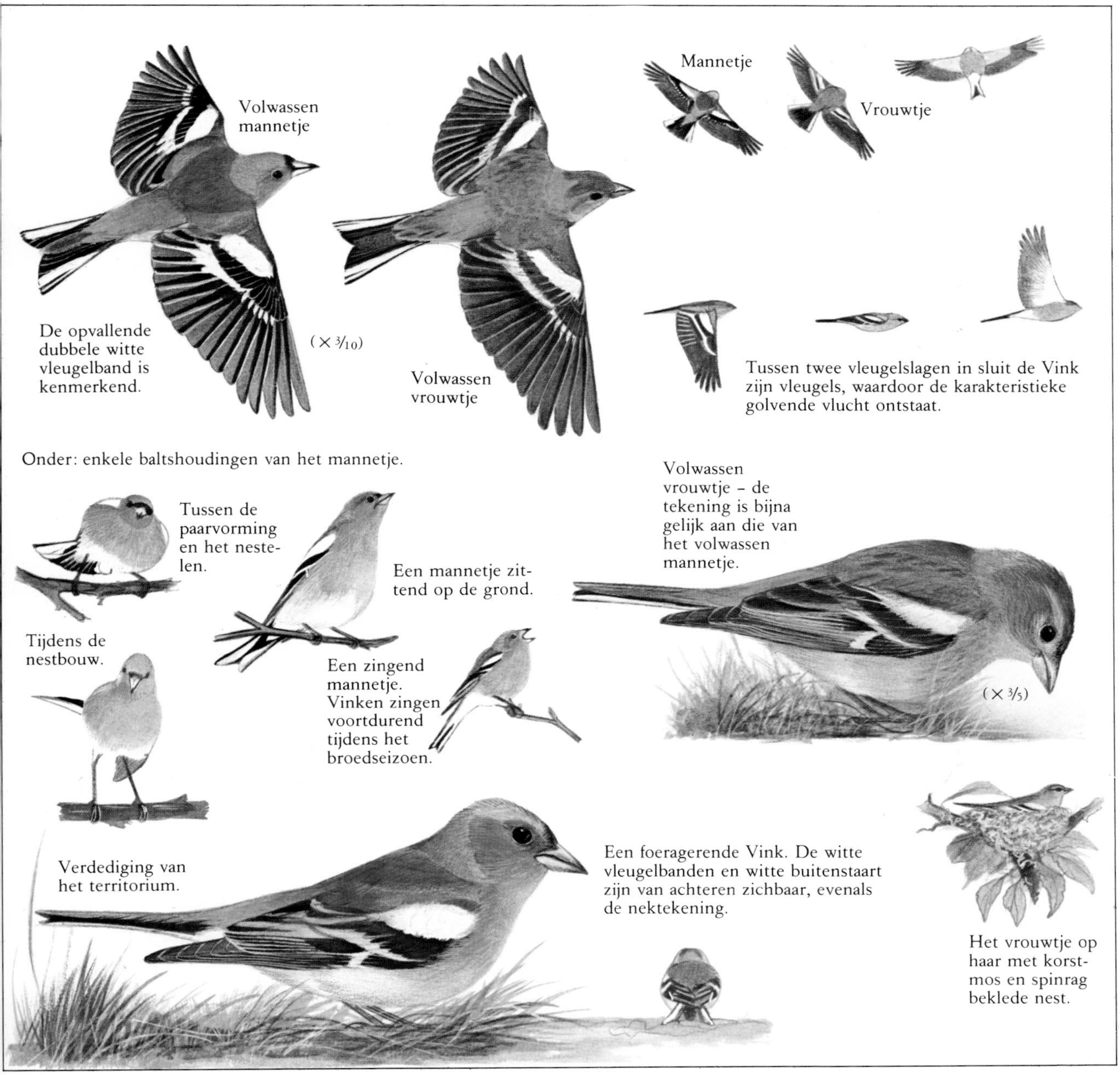

Volwassen mannetje

De opvallende dubbele witte vleugelband is kenmerkend.

(× 3/10)

Volwassen vrouwtje

Mannetje

Vrouwtje

Tussen twee vleugelslagen in sluit de Vink zijn vleugels, waardoor de karakteristieke golvende vlucht ontstaat.

Onder: enkele baltshoudingen van het mannetje.

Tussen de paarvorming en het nestelen.

Een mannetje zittend op de grond.

Tijdens de nestbouw.

Een zingend mannetje. Vinken zingen voortdurend tijdens het broedseizoen.

Volwassen vrouwtje – de tekening is bijna gelijk aan die van het volwassen mannetje.

(× 3/5)

Verdediging van het territorium.

Een foeragerende Vink. De witte vleugelbanden en witte buitenstaart zijn van achteren zichbaar, evenals de nektekening.

Het vrouwtje op haar met korstmos en spinrag beklede nest.

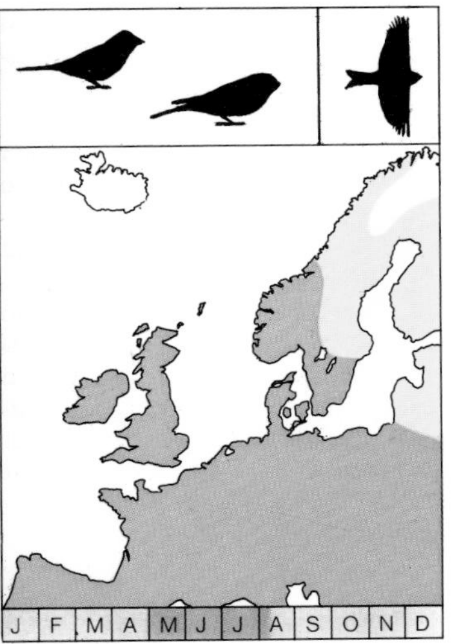

De uitbundige vinkeslag is in de lente door heel Europa een vertrouwd geluid. De zang verschilt van plaats tot plaats en zelfs in een klein land als Nederland zijn verschillende 'dialecten'. De alarmroep varieert echter niet en lijkt sterk op de roep van de Koolmees.
In Europa is de Vink een van de meest algemene vogels, maar de vinkenpopulatie is wel afgenomen. Dit komt omdat zaaizaden met giftige stoffen worden behandeld. Gevaar voor vergiftiging loopt vooral de Vink, omdat zijn voedsel grotendeels bestaat uit onkruidzaad en graankorrels die hij van de grond oppikt. Beukenootjes eet de Vink ook wel en aan zijn jongen voert hij insekten.
De Vink is een broedvogel van struiken, hagen en tuinen en allerlei soorten bos. Het nest is een keurig, met veren bekleed kommetje. Het met korstmossen gecamoufleerde nest zit vaak goed verborgen in een boomvork. Het vrouwtje bouwt het nest alleen, terwijl het mannetje afwacht. Het legsel bestaat gewoonlijk uit vijf eieren. Er wordt slechts één broedsel per jaar grootgebracht, in tegenstelling tot andere vinkesoorten. Het vrouwtje broedt de eieren uit. De broedduur bedraagt minimaal 11 dagen en de jongen worden door beide ouders verzorgd.
Wintertroepen zoeken in het open veld naar voedsel maar slapen in bossen, bij voorkeur in wintergroene struiken. Mannetje en vrouwtje trekken naar aparte plaatsen en troepen die men op een bepaalde plek aantreft, bestaan hoogstwaarschijnlijk uit één geslacht.

Appelvink

Volwassen vogel

(× 3/10)

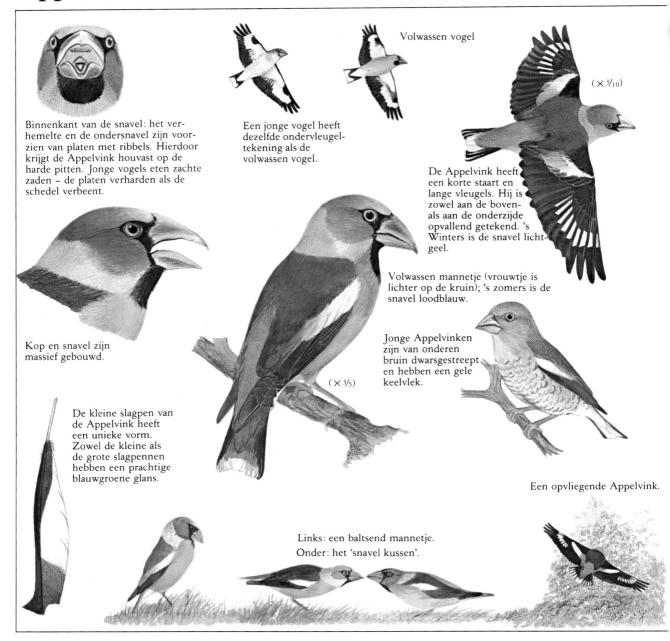

Binnenkant van de snavel: het verhemelte en de ondersnavel zijn voorzien van platen met ribbels. Hierdoor krijgt de Appelvink houvast op de harde pitten. Jonge vogels eten zachte zaden – de platen verharden als de schedel verbeent.

Een jonge vogel heeft dezelfde ondervleugeltekening als de volwassen vogel.

De Appelvink heeft een korte staart en lange vleugels. Hij is zowel aan de boven- als aan de onderzijde opvallend getekend. 's Winters is de snavel lichtgeel.

Volwassen mannetje (vrouwtje is lichter op de kruin); 's zomers is de snavel loodblauw.

Kop en snavel zijn massief gebouwd.

Jonge Appelvinken zijn van onderen bruin dwarsgestreept en hebben een gele keelvlek.

(× 3/5)

De kleine slagpen van de Appelvink heeft een unieke vorm. Zowel de kleine als de grote slagpennen hebben een prachtige blauwgroene glans.

Een opvliegende Appelvink.

Links: een baltsend mannetje.
Onder: het 'snavel kussen'.

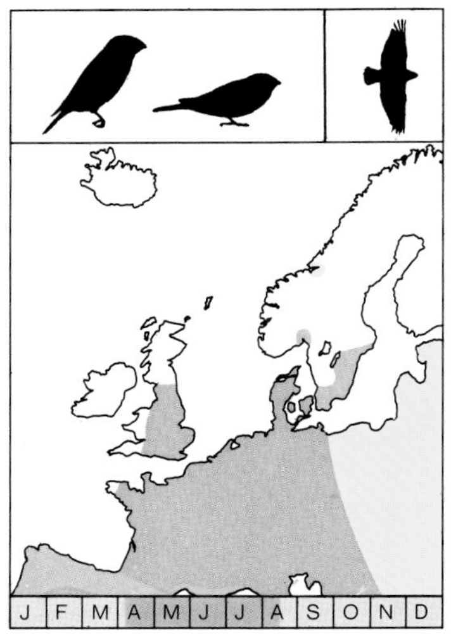

De Appelvink is met zijn massieve kop en opvallende vleugelstreep gemakkelijk te herkennen. Hij is erg schuw en men krijgt hem in het algemeen moeilijk te zien. Bij het zoeken van Appelvinken heeft men wel steun aan de roep, een luid en explosief 'ptik', dat ze vaak laten horen. Een etende troep verraadt zich door het geluid van krakende zaden. De Appelvink heeft krachtige kaakspieren en men heeft berekend dat hij met de zware piramidale snavel krachten kan uitoefenen tot 68 kg/cm². Nootjes van de haagbeuk kraakt hij met gemak, maar ook de pitten van damast- en sleepruimen, olijven en kersen breekt de Appelvink open. Deze pitten houdt de vogel bij voorkeur verticaal in de snavel. Op deze manier heeft hij minder kracht nodig om ze kapot te kraken. In de herfst en de winter ziet men onder kersebomen geregeld Appelvinken zoeken naar pitten van afgevallen fruit. Aan het eind van de winter eet de vogel rozebottels, pitten van meidoornvruchtjes en zelfs knoppen van eiken. Vroeg in de zomer eet hij rupsen en men heeft Appelvinken wel grote kevers in de vlucht zien vangen.

In de baltstijd legt het mannetje de basis van het nest en gaat er dan op zitten. Hij lokt een vrouwtje door haar voedsel aan te bieden. Het vrouwtje maakt het nest af en legt vier tot vijf eieren. Gewoonlijk worden twee broedsels per jaar grootgebracht. Appelvinken nestelen soms in tuinen en boomgaarden, maar bij de minste verontrusting laten ze het nest in de steek.

Goudvink

J V

Goudvinken zoeken meestal paarsgewijs voedsel. Ze ontdoen de boom van zijn bloesem door iedere tak helemaal af te werken.

Het mannetje van onderen gezien.

Het vrouwtje in de vlucht.

(× 3/10)

Een jonge vogel is gemakkelijk te herkennen: hij heeft geen zwarte kap en kin. Zijn roep bestaat uit een vaak herhaalde dubbeltoon. De volwassen vogel laat een zacht, eenvoudig gefluit horen.

Enkele typerende houdingen.

Mannetje, vrouwtje en jonge Goudvinken hebben allemaal de kenmerkende vierkante witte stuit en witte onderstaartdekveren.

Onder: diagram waarop men kan zien hoe sterk de krop van de Goudvink (zwart aangegeven) opzij is gelegen.

(× 3/5)

Boven: inleiding tot het 'snavelstrijken'. Onder: het presenteren van een takje aan het vrouwtje.

Een volwassen mannetje in zijn schitterende roze, grijs, zwart en wit gekleurde kleed. Kop, vleugels en staart zijn van dichtbij glanzend donkerblauw. De Noordeuropese ondersoort is groter en levendiger gekleurd dan de Midden- en Zuideuropese ondersoorten.

Afgezien van de bruinere borst en rug heeft het vrouwtje dezelfde tekening als het mannetje.

Goudvinken zoeken ook voedsel op de grond.

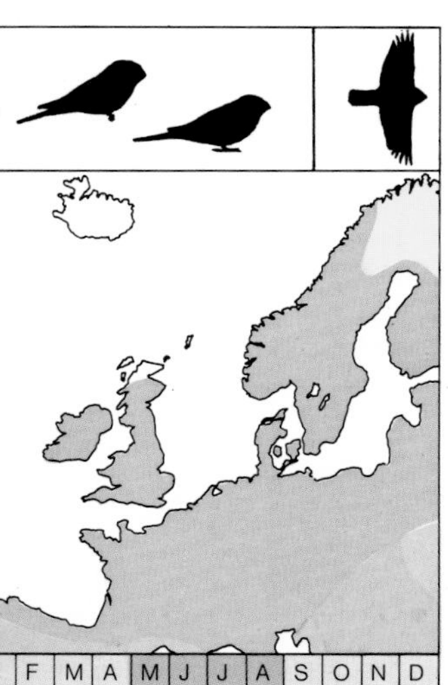

In Nederland is de Goudvink een vrij schaarse broedvogel, maar in bepaalde streken van Groot-Brittannië neemt hij sterk in aantal toe. Doordat de vogel bloesems vernielt en de oogst beschadigt, is het interessant geworden om het gedrag van voedselzoekende Goudvinken beter te leren kennen. In tuinen ontdoet hij seringen en forsythia's van hun bloesem en op kwekerijen richt hij verwoestingen aan onder de aalbessen, kruisbessen en speciaal de knoppen van peren. Favoriete bomen (berk en es) dragen om het jaar een rijke oogst. Als deze bomen weinig vruchtjes leveren, is de schade die de Goudvink toebrengt aan knoppen van gekweekte gewassen het grootst.
Goudvinken zijn rustige vogels. De zang is zacht en onbeduidend en de roep is een zacht, fluitend en melancholiek 'dju'. Zelden treft men troepen aan van meer dan tien vogels; vaker ziet men een enkel paartje door een haag scharrelen. Het nest is broos en zit meestal in een doornachtige struik. Kenmerkend is dat het nestkommetje, gemaakt van fijne plantewortelties, wordt ondersteund door een takkenplatform. In het nest worden gewoonlijk vier tot vijf blauwe, bruin gespikkelde eieren gelegd die door het vrouwtje worden uitgebroed. Beide geslachten verzorgen de jongen. Voor dit doel ontwikkelen ze een krop in het broedseizoen. De Noordeuropese ondersoort trekt; de andere ondersoorten zijn grotendeels standvogels.

Kruisbek

DT

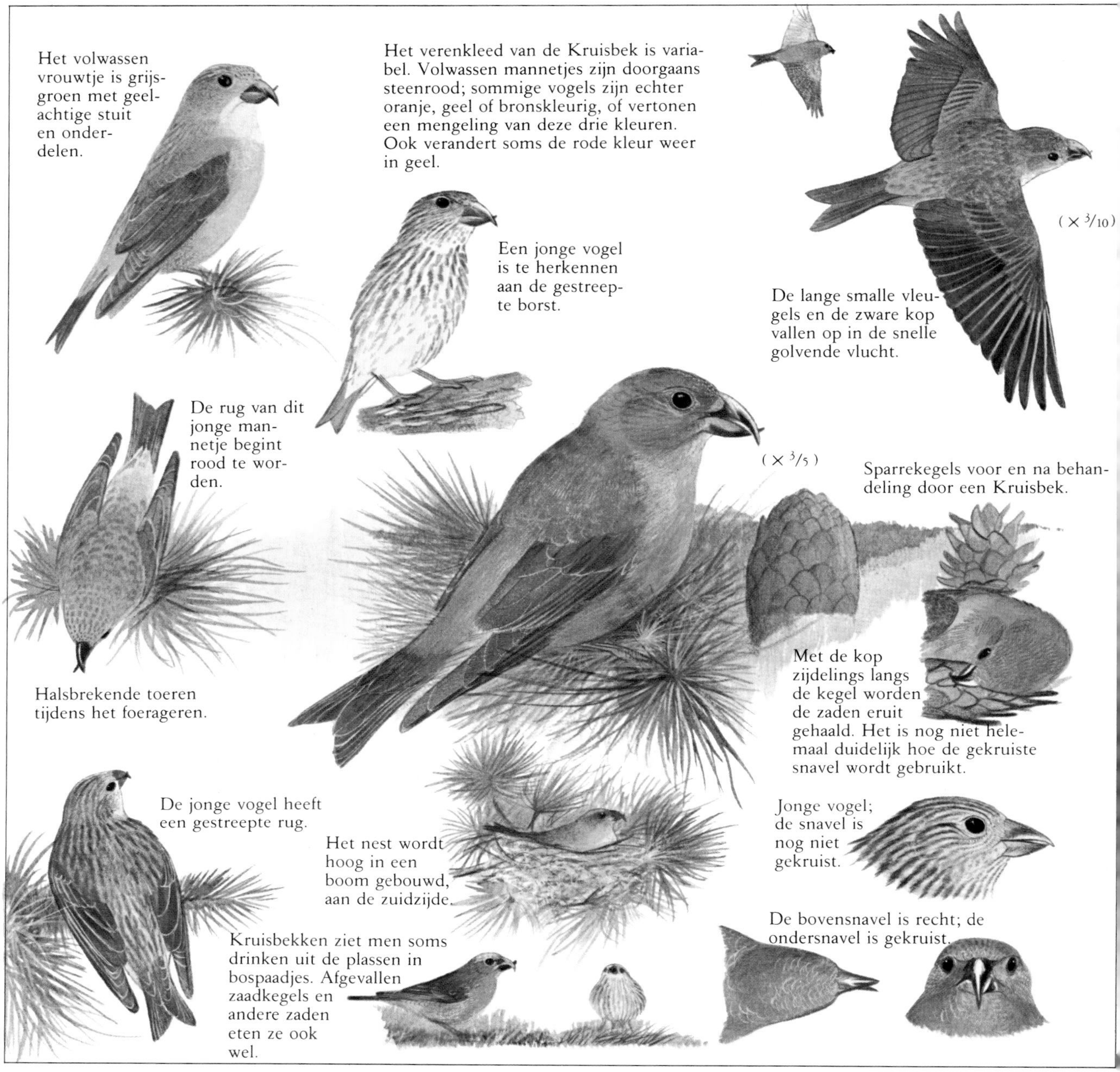

Het volwassen vrouwtje is grijsgroen met geelachtige stuit en onderdelen.

Het verenkleed van de Kruisbek is variabel. Volwassen mannetjes zijn doorgaans steenrood; sommige vogels zijn echter oranje, geel of bronskleurig, of vertonen een mengeling van deze drie kleuren. Ook verandert soms de rode kleur weer in geel.

(× 3/10)

Een jonge vogel is te herkennen aan de gestreepte borst.

De lange smalle vleugels en de zware kop vallen op in de snelle golvende vlucht.

De rug van dit jonge mannetje begint rood te worden.

(× 3/5)

Sparrekegels voor en na behandeling door een Kruisbek.

Halsbrekende toeren tijdens het foerageren.

Met de kop zijdelings langs de kegel worden de zaden eruit gehaald. Het is nog niet helemaal duidelijk hoe de gekruiste snavel wordt gebruikt.

De jonge vogel heeft een gestreepte rug.

Het nest wordt hoog in een boom gebouwd, aan de zuidzijde.

Jonge vogel; de snavel is nog niet gekruist.

De bovensnavel is recht; de ondersnavel is gekruist.

Kruisbekken ziet men soms drinken uit de plassen in bospaadjes. Afgevallen zaadkegels en andere zaden eten ze ook wel.

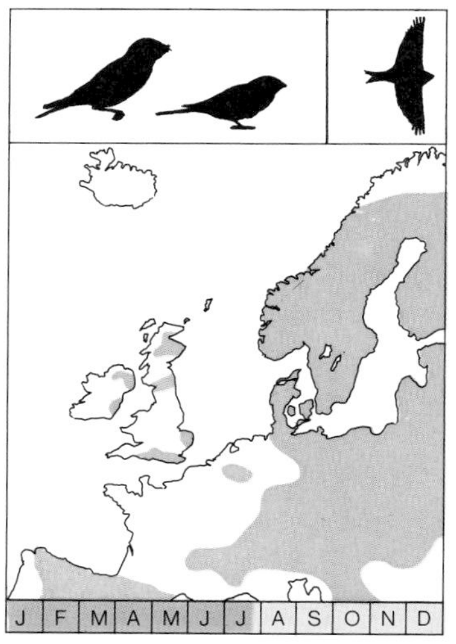

Jonge Kruisbekken uit één nest, eten voor ze uitvliegen ongeveer 85 000 zaden die hun ouders dank zij hun gekruiste snavels uit sparrekegels kunnen halen. Een meer noordelijk voorkomende soort, de Grote Kruisbek, heeft een sterke voorkeur voor dennekegels. Vallende kegels en explosieve uitroepen duiden er onmiskenbaar op dat Kruisbekken boven in de boom een 'feestje bouwen'. De vogel draait een kegeltje behendig van zijn steeltje, haalt de zaden eruit en laat het dan vallen. De opbrengst aan kegels varieert van jaar tot jaar en dit is de oorzaak van het optreden van invasies (zie de bladzijde hiernaast). In Nederland (waar de Kruisbek een toevallige broedvogel is) vangt de invasie meestal aan in juni en bereikt zijn hoogtepunt in juli en augustus. Het broeden begint in februari. De nesten worden in groepen hoog in naaldbomen gebouwd. De zang lijkt wel wat op die van de Groenling. Het vrouwtje broedt de drie of vier eieren uit en wordt door het mannetje gevoerd. De ouders braken de zaden op voor de jongen, die zich ongewoon langzaam ontwikkelen. Na 25 dagen vliegen de jongen uit. Daarna zijn ze nog een maand afhankelijk van hun ouders, totdat ze de gekruiste snavelpunt hebben. Later in het jaar eten alle Kruisbekken, jong of oud, plantenluizen die ze met de tong vangen. In de winter eten ze wel van het zout dat op gladde wegen wordt gestrooid. Deze gewoonte is noodlottig als giftige vervangingsmiddelen worden gebruikt.

Waaierstaartrietzanger

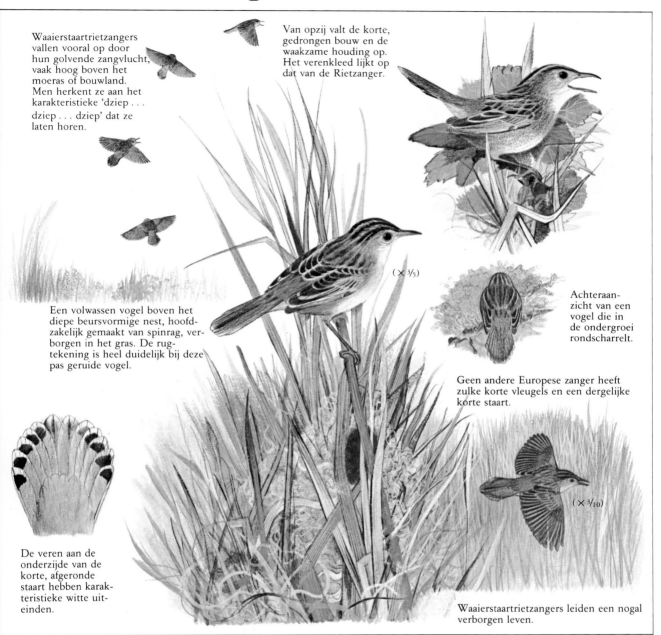

Waaierstaartrietzangers vallen vooral op door hun golvende zangvlucht, vaak hoog boven het moeras of bouwland. Men herkent ze aan het karakteristieke 'dziep . . . dziep . . . dziep' dat ze laten horen.

Van opzij valt de korte, gedrongen bouw en de waakzame houding op. Het verenkleed lijkt op dat van de Rietzanger.

(× 3/5)

Een volwassen vogel boven het diepe beursvormige nest, hoofdzakelijk gemaakt van spinrag, verborgen in het gras. De rugtekening is heel duidelijk bij deze pas geruide vogel.

Achteraanzicht van een vogel die in de ondergroei rondscharrelt.

Geen andere Europese zanger heeft zulke korte vleugels en een dergelijke korte staart.

De veren aan de onderzijde van de korte, afgeronde staart hebben karakteristieke witte uiteinden.

(× 3/10)

Waaierstaartrietzangers leiden een nogal verborgen leven.

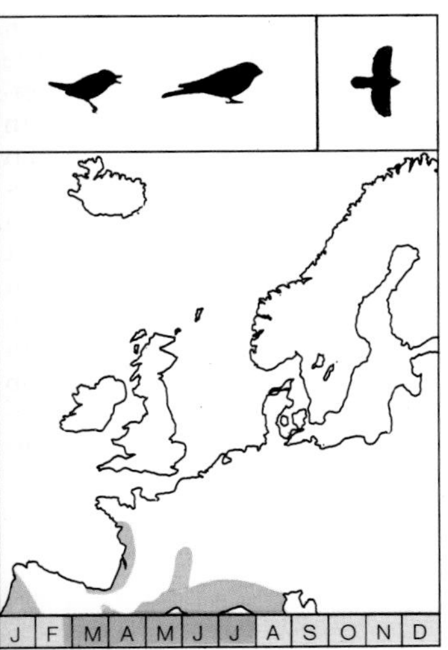

Waaierstaartrietzangers zijn kleine bruine vogeltjes die doorgaans een onopvallend leven leiden. Ze hebben echter een nogal in het oog springende baltsvlucht waarbij ze een karakteristiek 'dziep . . .dziep . . .dziep' laten horen. Elke toon correspondeert met de opgaande boog van de vrij hoog in de lucht uitgevoerde golfvlucht. In vele gebieden hebben Waaierstaartrietzangers de gewoonte ontwikkeld om vanaf telegraafdraden en dergelijke te zingen.

Het liefst bewonen ze riet, struikgewas en andere vegetatie in moerasgebieden of bij riviertjes, maar Waaierstaartrietzangers zijn ook algemeen in struikgewas in het laagland, in arm bouwland en dikwijls in schijnbaar droge milieus. In Europa is het echt een soort van het Middellandse-Zeegebied maar hij heeft een enorm verspreidingsgebied in de tropen en subtropen van de Oude Wereld. De soort breidt zich op het ogenblik uit naar het noorden en wordt nu ook regelmatig in ons land gezien; in 1975 is hier de eerste broedpoging geconstateerd.

Waaierstaartrietzangers bouwen een diep, beursvormig nest uit spinrag, versterkt met meegeweven grasssprieten en bekleed met rietbloemen en distelpluis. Het bevat meestal vier tot zes eieren. De luidruchtige jongen worden door beide ouders gevoerd. Er zijn aanwijzigingen dat een mannetje meer dan één vrouwtje kan hebben.

Baardmannetje

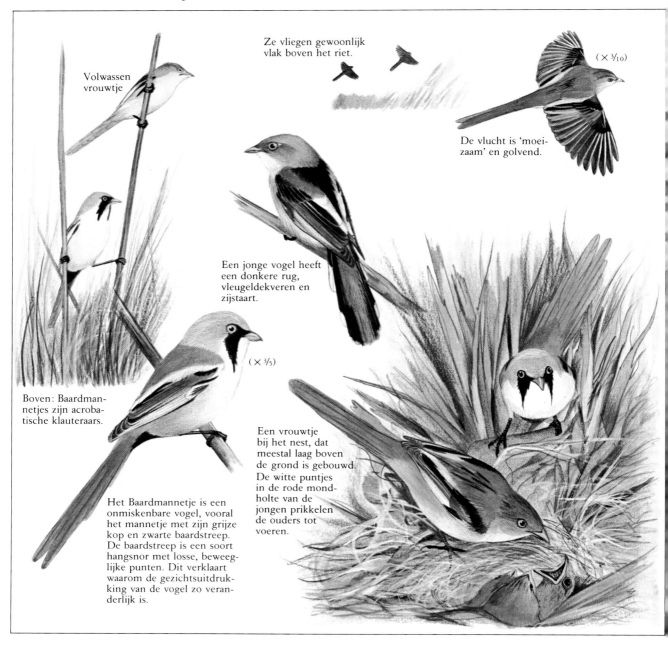

Volwassen vrouwtje

Ze vliegen gewoonlijk vlak boven het riet.

(× ³⁄₁₀)

De vlucht is 'moeizaam' en golvend.

Een jonge vogel heeft een donkere rug, vleugeldekveren en zijstaart.

(× ³⁄₅)

Boven: Baardmannetjes zijn acrobatische klauteraars.

Een vrouwtje bij het nest, dat meestal laag boven de grond is gebouwd. De witte puntjes in de rode mondholte van de jongen prikkelen de ouders tot voeren.

Het Baardmannetje is een onmiskenbare vogel, vooral het mannetje met zijn grijze kop en zwarte baardstreep. De baardstreep is een soort hangsnor met losse, beweeglijke punten. Dit verklaart waarom de gezichtsuitdrukking van de vogel zo veranderlijk is.

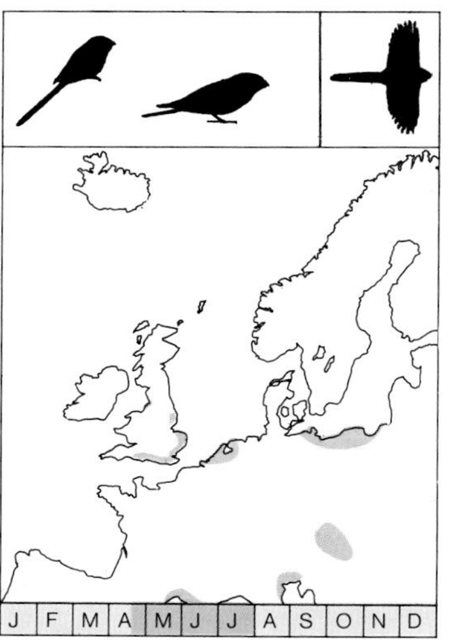

In West-Europa breidt het Baardmannetje zich de laatste jaren sterk uit. De meeste bij deze uitbreiding betrokken vogels zijn afkomstig uit Flevoland, waar door het ontstaan van enorme rietvelden de soort geweldig in aantal is toegenomen. Ook het ontbreken van strenge winters moet een gunstig effect hebben op de Westeuropese Baardmannetjes. Het Baardmannetje is geen mees, maar de enige Europese vertegenwoordiger van de familie van de Diksnavelmezen waarvan leden voorkomen in Azië en Afrika. Hij komt in riet voor waar hij 's zomers insekten vangt en 's winters leeft van de rietzaden. Op windstille dagen maken Baardmannetjes vaak korte vluchten vlak boven het riet. Ze verraden hun aanwezigheid door hun roep, een helder 'ping-ping'.

Mannetje en vrouwtje bouwen samen het nest, dat meestal vlak boven de grond ligt. Het mannetje bekleedt het nest en het vrouwtje legt er gewoonlijk vijf tot zeven eieren in. Beide ouders broeden en zorgen voor de jongen. Deze blijven slechts negen tot twaalf dagen in het nest en verlaten het vaak al vóór ze kunnen vliegen. In een warme zomer kunnen wel vier legsels worden grootgebracht. De opengesperde snavel van de nestjongen laat een opmerkelijk rood met zwart en wit kleurpatroon zien. Jonge Baardmannetjes zoeken tijdens hun eerste herfst een partner die ze waarschijnlijk levenslang trouw blijven. Het Baardmannetje is hoofdzakelijk een standvogel, die na de broedtijd in min of meer grote troepen rondzwerft.

Sprinkhaanrietzanger

   ZV

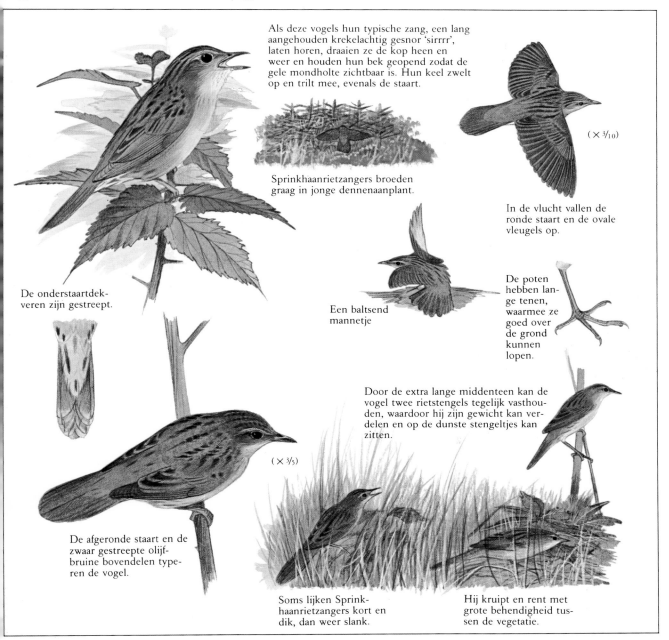

Als deze vogels hun typische zang, een lang aangehouden krekelachtig gesnor 'sirrrr', laten horen, draaien ze de kop heen en weer en houden hun bek geopend zodat de gele mondholte zichtbaar is. Hun keel zwelt op en trilt mee, evenals de staart.

Sprinkhaanrietzangers broeden graag in jonge dennenaanplant.

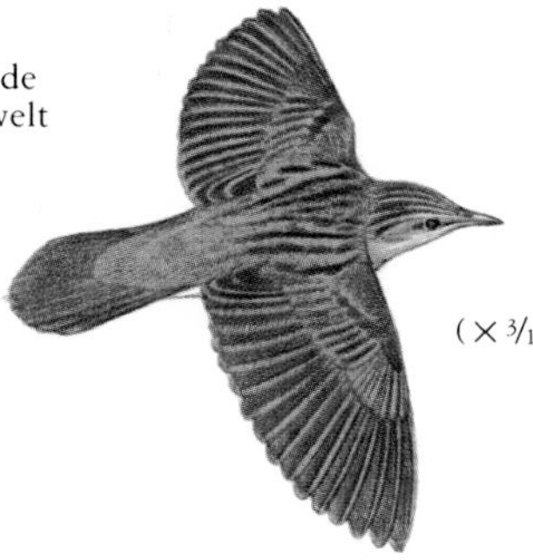

(× 3/10)

In de vlucht vallen de ronde staart en de ovale vleugels op.

De onderstaartdekveren zijn gestreept.

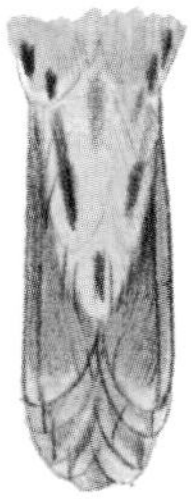

Een baltsend mannetje

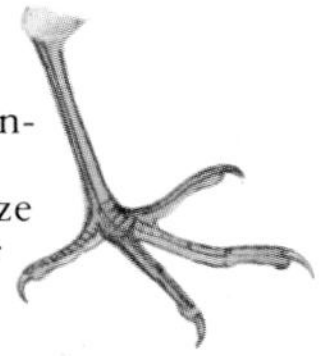

De poten hebben lange tenen, waarmee ze goed over de grond kunnen lopen.

Door de extra lange middenteen kan de vogel twee rietstengels tegelijk vasthouden, waardoor hij zijn gewicht kan verdelen en op de dunste stengeltjes kan zitten.

(× 3/5)

De afgeronde staart en de zwaar gestreepte olijfbruine bovendelen typeren de vogel.

Soms lijken Sprinkhaanrietzangers kort en dik, dan weer slank.

Hij kruipt en rent met grote behendigheid tussen de vegetatie.

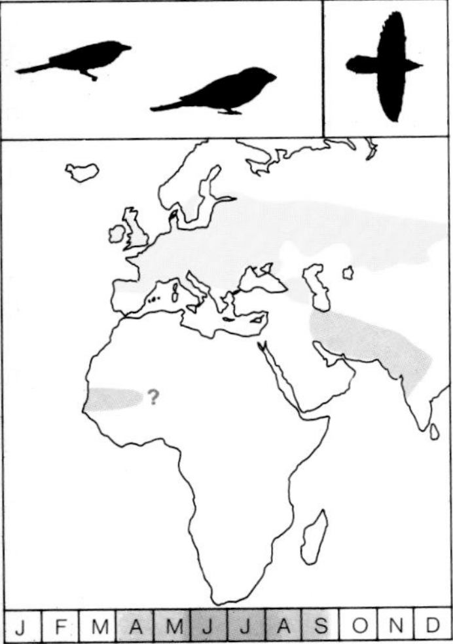

De Sprinkhaanrietzanger laat zich in het algemeen moeilijk waarnemen. Overal waar gras of riet ruig en weelderig groeit kan men hem vinden; ook al duidt verder niets op zijn aanwezigheid, zijn zang verraadt hem: een krekelachtig gesnor dat wel meer dan 2 minuten kan aanhouden – en vaak moeilijk te lokaliseren is.
Heeft men de zingende vogel eenmaal ontdekt – met de snavel wijdopen en zijn hele lichaam trillend – dan kan men hem vaak dicht benaderen, voor hij met grote snelheid in de dichte ondergroei verdwijnt. Bij dit 'kruip-door-sluip-door' komt de lange middenteen hem goed van pas – ideaal bij lopen, rennen en het tegelijk beetpakken van verschillende stengeltjes, maar minder geschikt voor het vasthouden van één stengel zoals Rietzanger en Kleine Karekiet doen.

Het vrouwtje is vrijwel onzichtbaar als ze van en naar het nest sluipt, waardoor het nest moeilijk te vinden is. Soms helpt het om achter elkaar aan te lopen, omdat de vogel vaak pas van het nest glipt als de eerste persoon al voorbij is. Het nest is een eenvoudig kommetje van ruw gras, verborgen in een gras- of zeggepol. Er worden vijf of zes eieren gelegd; veelal twee maal per jaar.
Op de trek worden Sprinkhaanrietzangers vaak het slachtoffer van vuurtorens, waartegen soms honderden tegelijk zich te pletter vliegen. Niettemin breidt de Sprinkhaanrietzanger zijn verspreidingsgebied uit.

Rietzanger

   ZV

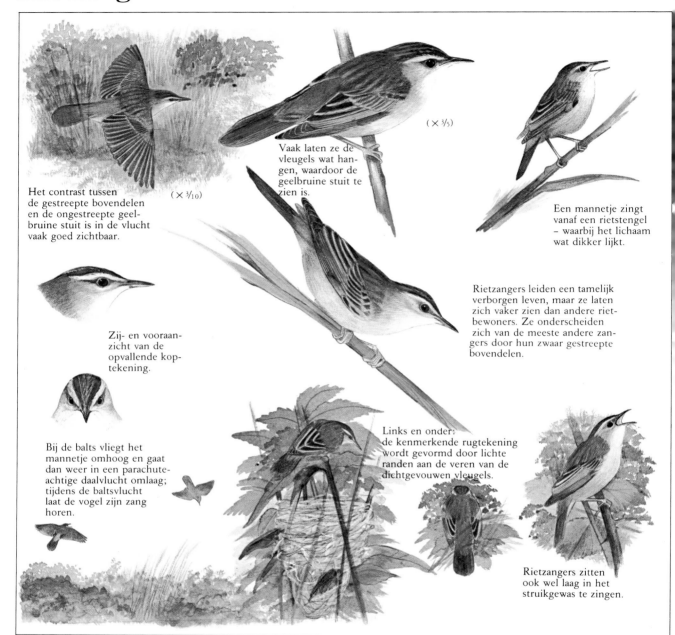

Het contrast tussen de gestreepte bovendelen en de ongestreepte geelbruine stuit is in de vlucht vaak goed zichtbaar. (× 3/10)

Vaak laten ze de vleugels wat hangen, waardoor de geelbruine stuit te zien is. (× 3/5)

Een mannetje zingt vanaf een rietstengel – waarbij het lichaam wat dikker lijkt.

Zij- en vooraanzicht van de opvallende koptekening.

Rietzangers leiden een tamelijk verborgen leven, maar ze laten zich vaker zien dan andere rietbewoners. Ze onderscheiden zich van de meeste andere zangers door hun zwaar gestreepte bovendelen.

Bij de balts vliegt het mannetje omhoog en gaat dan weer in een parachuteachtige daalvlucht omlaag; tijdens de baltsvlucht laat de vogel zijn zang horen.

Links en onder: de kenmerkende rugtekening wordt gevormd door lichte randen aan de veren van de dichtgevouwen vleugels.

Rietzangers zitten ook wel laag in het struikgewas te zingen.

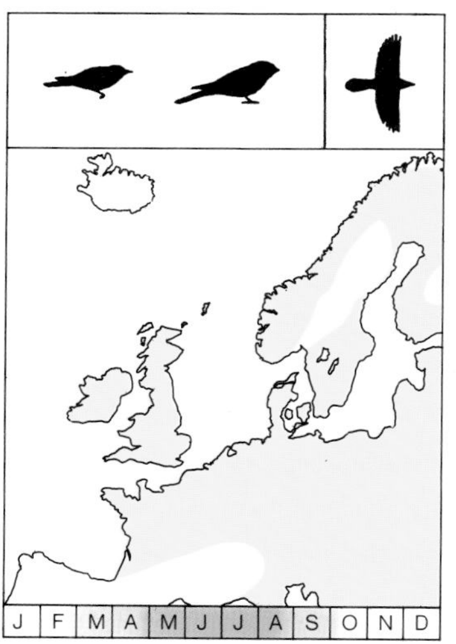

De Rietzanger is een algemene bewoner van moerassige terreinen, vochtig struikgewas en oeverbegroeiingen. Ze onderscheiden zich van de meeste andere rietbewonende zangers door hun zwaar gestreepte bovendelen, donkere kruin en roomwitte wenkbrauwstreep. Rietzangers leiden een tamelijk verborgen leven maar laten zich bij de zang vaak makkelijk zien.
Het diepe, vrij grote nest is goed verborgen; het wordt laag in de begroeiing rond stengels geweven, en het bevat gewoonlijk vier of vijf eieren. Meestal broeden Rietzangers twee of drie maal per jaar.
Rietzangers overwinteren in tropisch Afrika en ze verrichten bij de trek een waar huzarenstuk. De meeste trekvogels slaan voor hun vertrek vet op als reserve door intensief te foerageren. Rietzangers doen dit in extreme vorm. Er wordt vet aangelegd in de lichaamsholte, onder de huid, zelfs onder de oogleden – sommige worden bijna bolrond en hebben de grootste moeite met opstijgen. Enkele andere soorten bereiken voor de trek een gewichtstoename van 30 %, maar de Rietzanger verdubbelt soms zijn gewicht. Hun vetreserves worden verbruikt tijdens een tocht waarbij ze de Middellandse Zee en de Sahara in één keer oversteken!
De grote droogte in West-Afrika gedurende de laatste jaren schijnt hun trek in noordelijke richting te beïnvloeden en heeft hun aantallen aanzienlijk doen afnemen.

Kleine Karekiet/Bosrietzanger

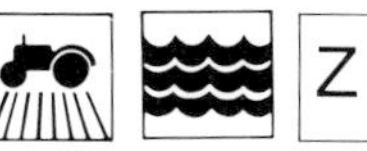

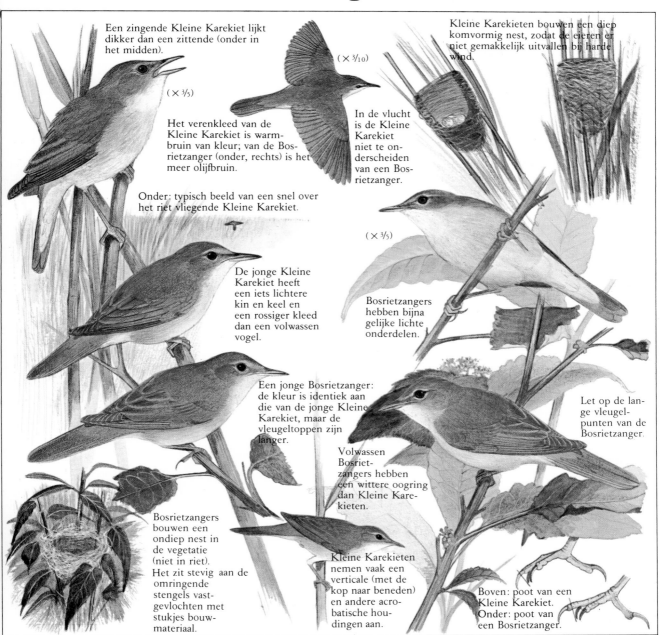

Een zingende Kleine Karekiet lijkt dikker dan een zittende (onder in het midden).

(× 3/5)

Het verenkleed van de Kleine Karekiet is warmbruin van kleur; van de Bosrietzanger (onder, rechts) is het meer olijfbruin.

(× 3/10)

In de vlucht is de Kleine Karekiet niet te onderscheiden van een Bosrietzanger.

Onder: typisch beeld van een snel over het riet vliegende Kleine Karekiet.

Kleine Karekieten bouwen een diep komvormig nest, zodat de eieren er niet gemakkelijk uitvallen bij harde wind.

(× 3/5)

De jonge Kleine Karekiet heeft een iets lichtere kin en keel en een rossiger kleed dan een volwassen vogel.

Bosrietzangers hebben bijna gelijke lichte onderdelen.

Een jonge Bosrietzanger: de kleur is identiek aan die van de jonge Kleine Karekiet, maar de vleugeltoppen zijn langer.

Let op de lange vleugelpunten van de Bosrietzanger.

Volwassen Bosrietzangers hebben een wittere oogring dan Kleine Karekieten.

Bosrietzangers bouwen een ondiep nest in de vegetatie (niet in riet). Het zit stevig aan de omringende stengels vastgevlochten met stukjes bouwmateriaal.

Kleine Karekieten nemen vaak een verticale (met de kop naar beneden) en andere acrobatische houdingen aan.

Boven: poot van een Kleine Karekiet. Onder: poot van een Bosrietzanger.

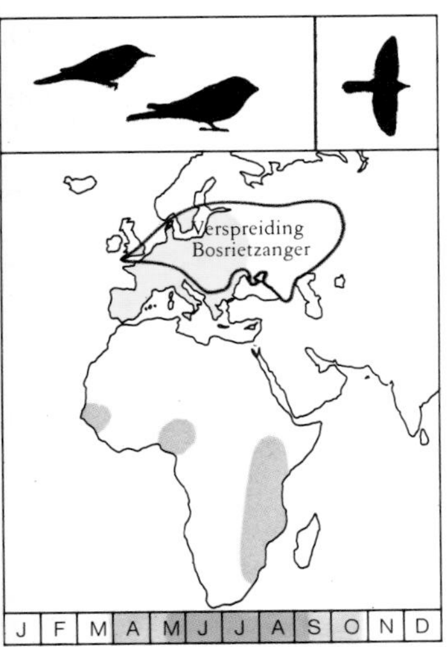

Het nest van de Kleine Karekiet is een vernuftig bouwwerk; het is slechts aan enkele rietstengels opgehangen. Kleine Karekieten beginnen laat met broeden; de meeste jongen worden vanaf juni grootgebracht. Het nest zit vrijwel altijd in rietvelden.

De vier eieren worden 's nachts door het wijfje bebroed; overdag door beide ouders, waarbij het vrouwtje zowat 25 % meer voor haar rekening neemt dan het mannetje. Ze beginnen met broeden na het leggen van het tweede ei en de jongen – die na elf tot twaalf dagen uitkomen – worden door beide ouders verzorgd. De ouders foerageren dan ook vaak buiten het rietveld, waar zaagwesprupsen op wilgen een belangrijk voedsel vormen. De jongen verlaten het nest soms al na tien dagen, een week voordat ze kunnen vliegen. Meestal worden twee broedsels per jaar grootgebracht.

In tegenstelling tot de Rietzangers leggen de Kleine Karekieten geen vetreserves aan voor het begin van de trek, maar ze vullen deze aan tijdens een trekpauze op het Iberisch Schiereiland, voordat ze de Middellandse Zee en de Sahara oversteken naar tropisch Afrika. De volledige rui vindt in het winterkwartier plaats.

De sterk gelijkende Bosrietzanger verschilt van de Kleine Karekiet in terreinkeuze en gedrag. Deze soort leeft in wilgen- en moerasbosjes en het mannetje heeft een buitengewoon muzikale en gevarieerde zang.

Snor

ZV

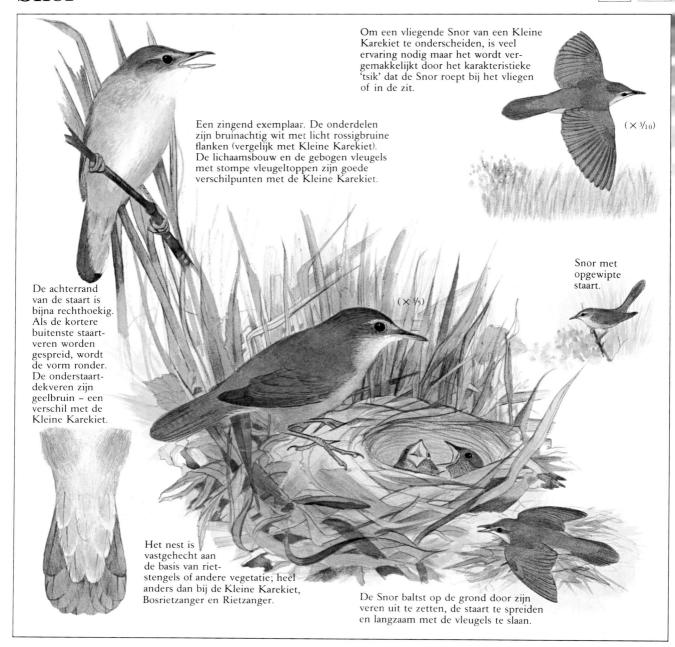

Om een vliegende Snor van een Kleine Karekiet te onderscheiden, is veel ervaring nodig maar het wordt vergemakkelijkt door het karakteristieke 'tsik' dat de Snor roept bij het vliegen of in de zit.

(× 3/10)

Een zingend exemplaar. De onderdelen zijn bruinachtig wit met licht rossigbruine flanken (vergelijk met Kleine Karekiet). De lichaamsbouw en de gebogen vleugels met stompe vleugeltoppen zijn goede verschilpunten met de Kleine Karekiet.

Snor met opgewipte staart.

(× 3/5)

De achterrand van de staart is bijna rechthoekig. Als de kortere buitenste staartveren worden gespreid, wordt de vorm ronder. De onderstaartdekveren zijn geelbruin – een verschil met de Kleine Karekiet.

Het nest is vastgehecht aan de basis van rietstengels of andere vegetatie; heel anders dan bij de Kleine Karekiet, Bosrietzanger en Rietzanger.

De Snor baltst op de grond door zijn veren uit te zetten, de staart te spreiden en langzaam met de vleugels te slaan.

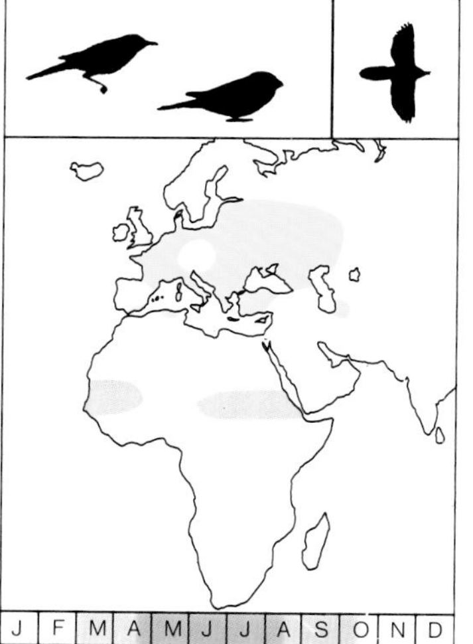

De Snor is nauw verwant aan de Sprinkhaanrietzanger, maar door zijn ongestreepte verenkleed is hij gemakkelijk te verwarren met de Kleine Karekiet. De brede en trapsgewijs gevormde staart en het sluipende, muisachtige gedrag onderscheiden hem van deze soort.
De Snor bewoont nattere gebieden dan de Sprinkhaanrietzanger. Zijn verspreiding is ook meer verbrokkeld. Zijn typische biotoop is een mozaïek van wilgenbos, zegge- en rietvelden en enig open water in de buurt is onontbeerlijk. Zijn voedsel bestaat uitsluitend uit waterinsekten.
De zang lijkt op het krekelachtige gesnor van de Sprinkhaanrietzanger, maar is lager van toon en wordt in het algemeen korter aangehouden; het begint met een paar lage tikkende tonen die sneller worden en overgaan in het typische 'surrr'. Het vrouwtje schijnt af en toe ook te zingen en zij laat vaak de alarmroep horen.
Het tamelijk grote nest ligt aan de basis van een zegge- of ruspol. Het bestaat uit riet en gras dat rond de plantestengels geweven is; soms is het ietwat koepelvormig. De vier of vijf bruinachtige eieren worden door het vrouwtje bebroed, die waarschijnlijk ook alleen de jongen verzorgt. De broedduur bedraagt 12 dagen en na 14 dagen vliegen de jongen uit; gewoonlijk worden er twee broedsels per jaar grootgebracht.

Cetti's Zanger

J V

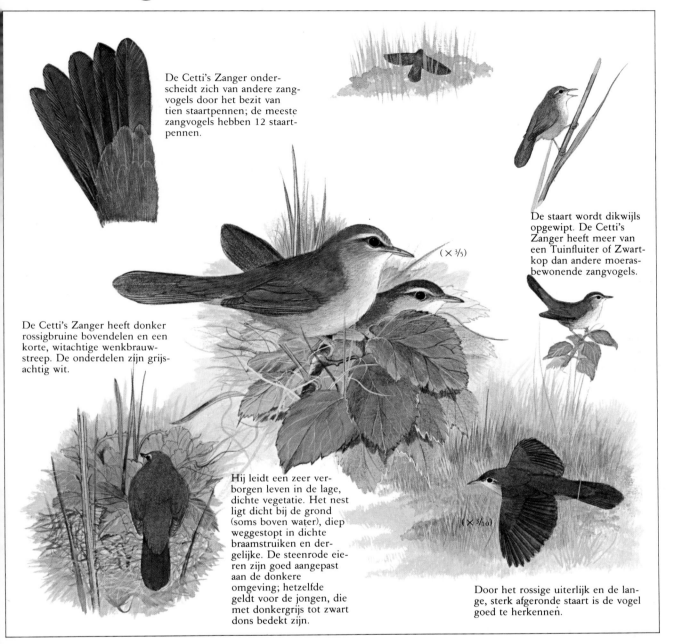

De Cetti's Zanger onderscheidt zich van andere zangvogels door het bezit van tien staartpennen; de meeste zangvogels hebben 12 staartpennen.

De staart wordt dikwijls opgewipt. De Cetti's Zanger heeft meer van een Tuinfluiter of Zwartkop dan andere moerasbewonende zangvogels.

(× 3/5)

De Cetti's Zanger heeft donker rossigbruine bovendelen en een korte, witachtige wenkbrauwstreep. De onderdelen zijn grijsachtig wit.

Hij leidt een zeer verborgen leven in de lage, dichte vegetatie. Het nest ligt dicht bij de grond (soms boven water), diep weggestopt in dichte braamstruiken en dergelijke. De steenrode eieren zijn goed aangepast aan de donkere omgeving; hetzelfde geldt voor de jongen, die met donkergrijs tot zwart dons bedekt zijn.

(× 3/10)

Door het rossige uiterlijk en de lange, sterk afgeronde staart is de vogel goed te herkennen.

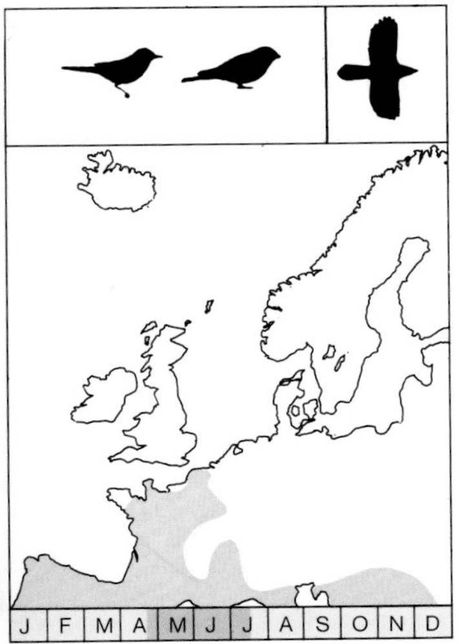

De Cetti's Zanger is een echte standvogel. Hij is echter erg gevoelig voor strenge winters, waardoor de populatie sterk kan verminderen.
Deze van oorsprong mediterrane soort is een algemene broedvogel van Zuid- en Zuidwest-Europa; de afgelopen reeks van zachte winters was gunstig voor een snelle uitbreiding van het verspreidingsgebied naar het noorden; hij heeft nu ook vaste voet gekregen in Nederland.
Een Cetti's Zanger brengt een groot deel van de tijd laag in de vegetatie door, maar met wat geduld kan men hem te zien krijgen door een tijdje rustig stil te blijven staan in zijn woongebied. Mannetjes hebben een zeer luide zang.
De Cetti's Zanger houdt zich bij voorkeur op in laag en dicht struikgewas, meestal nabij water, moerassen en rietvelden, maar af en toe broeden er paartjes ver van het water.
De vogels zijn gewoonlijk zichtbaar wanneer ze van het ene bosje overwippen naar het andere, vooral als ze jongen voeren. De mannetjes zitten in het vroege voorjaar op rustige ochtenden wel op een opvallende plaats te zingen, zodat het lijsterachtige uiterlijk duidelijk te zien is.
Het tamelijk grote nest bevat gewoonlijk een legsel van vier steenrode eieren.

Grote Karekiet

Als hij tussen het riet zit te zingen, ziet de Grote Karekiet er veel zwaarder gebouwd uit dan de Kleine Karekiet (rechts onder).

De vlucht van de Grote Karekiet, net boven het riet, is zwaar en langzaam. De lange, afgeronde staart houdt hij vaak gespreid tijdens het vliegen.

(× 3/10)

(× 3/5)

Zijn grote formaat, ongestreepte verenkleed, lange afgeronde staart en zware snavel kenmerken de Grote Karekiet. Zijn krassende en aangehouden zang is tot op grote afstand te horen.

Het grote nest wordt tussen riethalmen opgehangen. Boven in de stengel zit een jonge vogel.

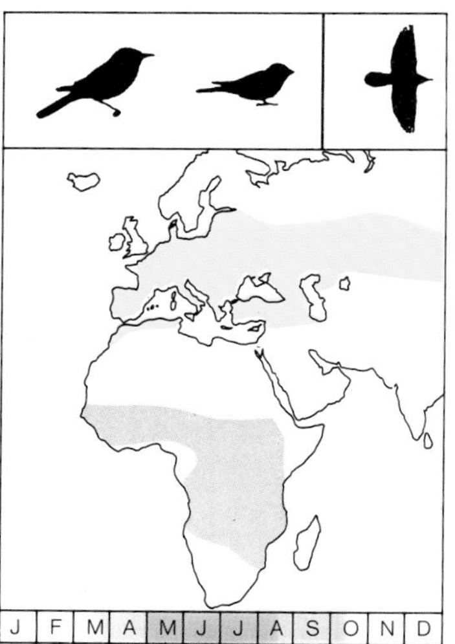

De Grote Karekiet is aanzienlijk groter dan de Kleine Karekiet; hij is maar iets kleiner dan de Zanglijster. Kleur en bouw van de Grote Karekiet komen overeen met die van de Kleine Karekiet , maar hij heeft een naar verhouding langere en forsere snavel. De vlucht is moeizaam; laag boven het riet, met een gedeeltelijk uitgespreide staart.

Het nest – dat opgehangen wordt tussen rietstengels – lijkt op dat van de Kleine Karekiet, maar het is veel groter; het legsel bestaat gewoonlijk uit vier tot zes eieren. Ook dient de Grote net als de Kleine Karekiet vaak als waardvogel voor de Koekoek.

In Nederland is de Grote Karekiet een algemene broedvogel, vooral van uitgestrekte rietvelden en brede rietkragen langs kanalen en meren. Ze hebben een voorkeur voor plaatsen waar open water is, vermoedelijk omdat ze naast kleine insekten ook wel watertorren, libellen en zelfs kleine visjes eten.

In de herfst slaan ze de voor de trek noodzakelijke vetreserves op door onder meer voedselrijke bessen te eten. Ze brengen de winter door in Afrika, ten zuiden van de Sahara, en keren pas laat in het voorjaar terug omdat ze met het bouwen van hun nest moeten wachten totdat de rietstengels groot en stevig genoeg zijn.

Ze broeden soms in losse kolonies, maar nergens dicht bij elkaar.

Sperwergrasmus

   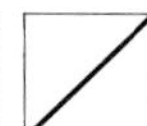

(× 3/10)

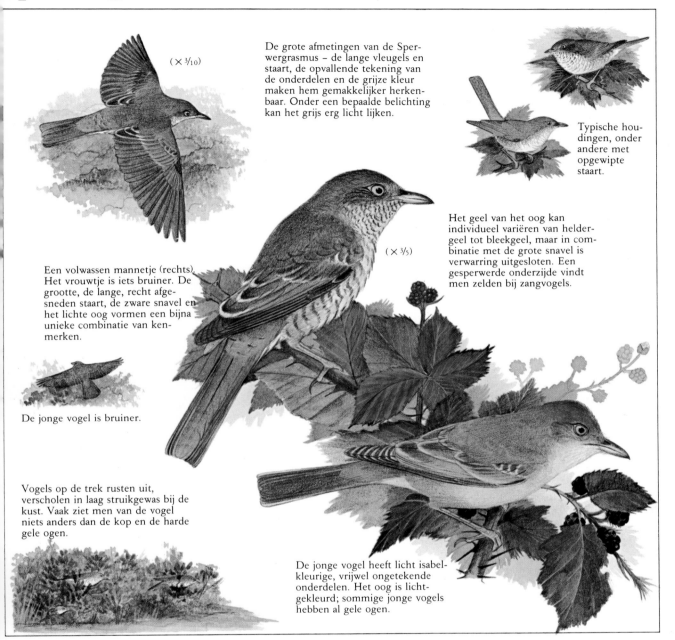

De grote afmetingen van de Sperwergrasmus – de lange vleugels en staart, de opvallende tekening van de onderdelen en de grijze kleur maken hem gemakkelijker herkenbaar. Onder een bepaalde belichting kan het grijs erg licht lijken.

Typische houdingen, onder andere met opgewipte staart.

Het geel van het oog kan individueel variëren van heldergeel tot bleekgeel, maar in combinatie met de grote snavel is verwarring uitgesloten. Een gesperwerde onderzijde vindt men zelden bij zangvogels.

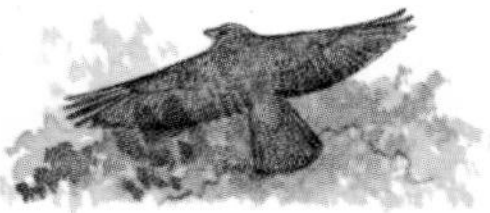

(× 3/5)

Een volwassen mannetje (rechts). Het vrouwtje is iets bruiner. De grootte, de lange, recht afgesneden staart, de zware snavel en het lichte oog vormen een bijna unieke combinatie van kenmerken.

De jonge vogel is bruiner.

Vogels op de trek rusten uit, verscholen in laag struikgewas bij de kust. Vaak ziet men van de vogel niets anders dan de kop en de harde gele ogen.

De jonge vogel heeft licht isabelkleurige, vrijwel ongetekende onderdelen. Het oog is lichtgekleurd; sommige jonge vogels hebben al gele ogen.

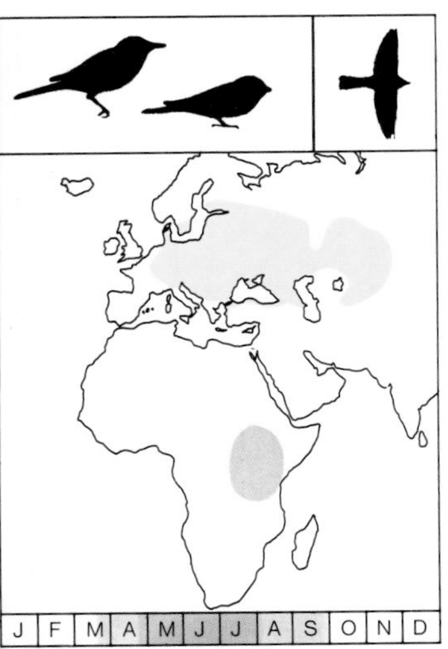

De grootte en de zware bouw zijn kenmerkend voor de Sperwergrasmus. De gesperwerde onderdelen zijn ook een goed kenmerk, maar jonge vogels zijn vrijwel ongestreept van onderen en lijken dan sterk op de Tuinfluiter. De twee lichte vleugelstrepen en de lichte eindrand van de staart vormen een goede hulp bij de determinatie, hoewel de eerste door slijtage verloren kunnen gaan.
In het broedseizoen bewoont de Sperwergrasmus bosranden, struikgewas, heggen en houtwallen. Ze hebben een duidelijke voorkeur voor plaatsen nabij water. Ze komen vaak in de buurt van de Grauwe Klauwier voor; soms liggen de nesten maar enkele meters van elkaar.
Het mannetje vertoont een opvallende baltsvlucht die aan die van de Grasmus doet denken, maar de Sperwergrasmus leidt een meer verborgen leven. De zang lijkt het meest op die van de Zwartkop, maar is korter en er komen meer krassende tonen in voor. Tot de geluiden die in dekking gemaakt worden, behoren een Zwartkopachtig 'tsjek' en een snorrend geluid dat doet denken aan een Nachtegaal.
Het nest ligt vaak vrij hoog in dichte heesters en gewoonlijk is er slechts één broedsel. Het voedsel bestaat uit zachte geleedpotigen en in de herfst bessen. Ook worden wel eens grotere vruchten zoals appels en peren aangevreten. In het Afrikaanse winterkwartier verblijft hij veel in *Acacia*-struiken.

Fluiter/Bergfluiter

(× 3/5)

(× 3/10)

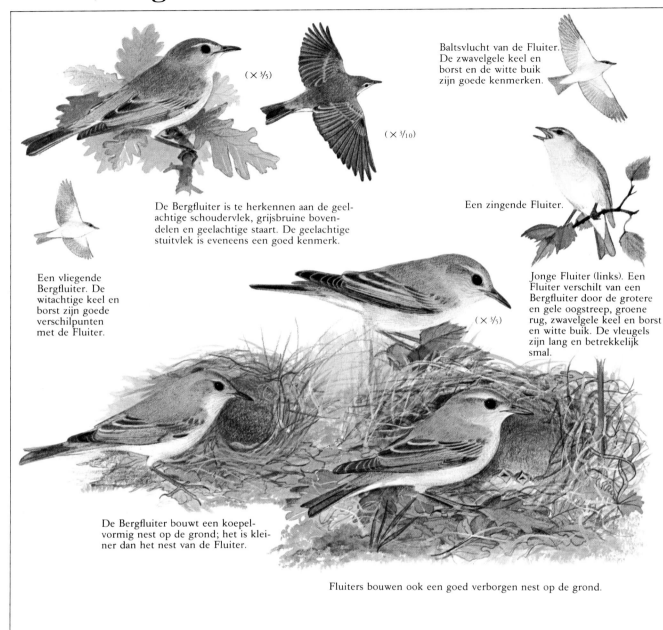

Baltsvlucht van de Fluiter. De zwavelgele keel en borst en de witte buik zijn goede kenmerken.

De Bergfluiter is te herkennen aan de geelachtige schoudervlek, grijsbruine bovendelen en geelachtige staart. De geelachtige stuitvlek is eveneens een goed kenmerk.

Een zingende Fluiter.

Een vliegende Bergfluiter. De witachtige keel en borst zijn goede verschilpunten met de Fluiter.

(× 3/5)

Jonge Fluiter (links). Een Fluiter verschilt van een Bergfluiter door de grotere en gele oogstreep, groene rug, zwavelgele keel en borst en witte buik. De vleugels zijn lang en betrekkelijk smal.

De Bergfluiter bouwt een koepelvormig nest op de grond; het is kleiner dan het nest van de Fluiter.

Fluiters bouwen ook een goed verborgen nest op de grond.

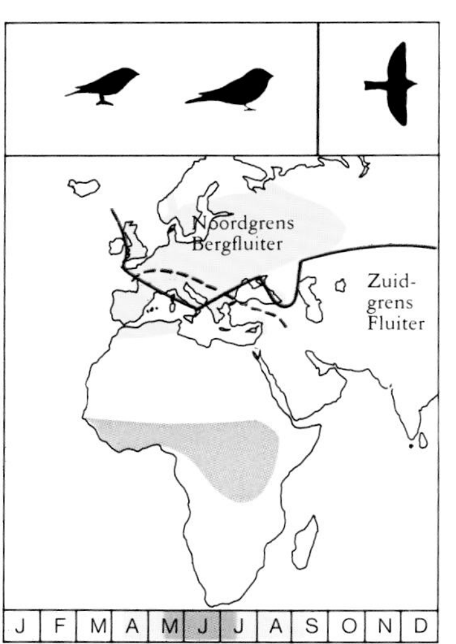

De Fluiter is groter en levendiger van kleur dan de verwante Fitis en Tjiftjaf en herkenbaar aan de groene bovendelen, zwavelgele keel en borst en witte buik.
De zang van deze vogel is een herhaald 'siep', dat geleidelijk versneld wordt tot een triller; de Fluiter zingt vaak vliegend tussen het gebladerte.
Hij zingt ook tijdens de vlinderachtige baltsvlucht, waarbij hij in spiralen naar beneden vliegt om naast zijn partner neer te strijken. Hij beschikt nog over een tweede zang, een herhaald 'pjuu', waarmee hij de gewone zang na een aantal trillers afwisselt.
In Europa vindt men de Fluiter meestal in oudere beuken- en eikenbossen, liefst met weinig ondergroei. Hij brengt de meeste tijd in de boomkruin door, maar het nest ligt op de grond. Dit is koepelvormig, met de ingang opzij, vaak in een kuiltje. Er is geen bekleding van veren zoals bij de Fitis en de Tjiftjaf.
De Bergfluiter is een meer zuidelijke soort, een typische vogel van de wat hoger gelegen mediterrane dennenbossen en kurkeiken. Volgens recente gegevens breidt de soort zich naar het noorden uit. De zang lijkt op de triller van de Fluiter, maar is langzamer, korter en minder ineenlopend. Het legsel, dat gewoonlijk uit vijf eieren bestaat, is kleiner dan dat van de Fluiter. Beide soorten brengen slechts één broedsel per jaar groot.
Beide soorten overwinteren in Afrika maar er is slechts weinig over de trekroute bekend.

Fitis/Tjiftjaf

ZV

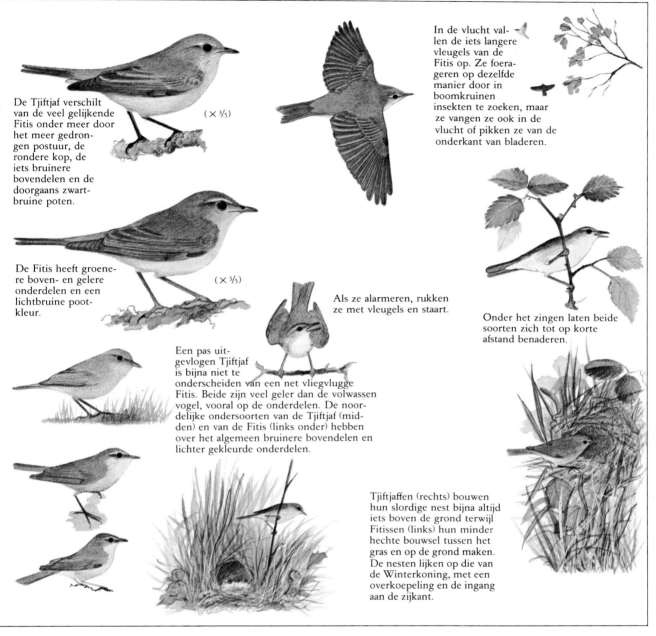

De Tjiftjaf verschilt van de veel gelijkende Fitis onder meer door het meer gedrongen postuur, de rondere kop, de iets bruinere bovendelen en de doorgaans zwartbruine poten.

(× 3/5)

In de vlucht vallen de iets langere vleugels van de Fitis op. Ze foerageren op dezelfde manier door in boomkruinen insekten te zoeken, maar ze vangen ze ook in de vlucht of pikken ze van de onderkant van bladeren.

De Fitis heeft groenere boven- en gelere onderdelen en een lichtbruine pootkleur.

(× 3/5)

Als ze alarmeren, rukken ze met vleugels en staart.

Onder het zingen laten beide soorten zich tot op korte afstand benaderen.

Een pas uitgevlogen Tjiftjaf is bijna niet te onderscheiden van een net vliegvlugge Fitis. Beide zijn veel geler dan de volwassen vogel, vooral op de onderdelen. De noordelijke ondersoorten van de Tjiftjaf (midden) en van de Fitis (links onder) hebben over het algemeen bruinere bovendelen en lichter gekleurde onderdelen.

Tjiftjaffen (rechts) bouwen hun slordige nest bijna altijd iets boven de grond terwijl Fitissen (links) hun minder hechte bouwsel tussen het gras en op de grond maken. De nesten lijken op die van de Winterkoning, met een overkoepeling en de ingang aan de zijkant.

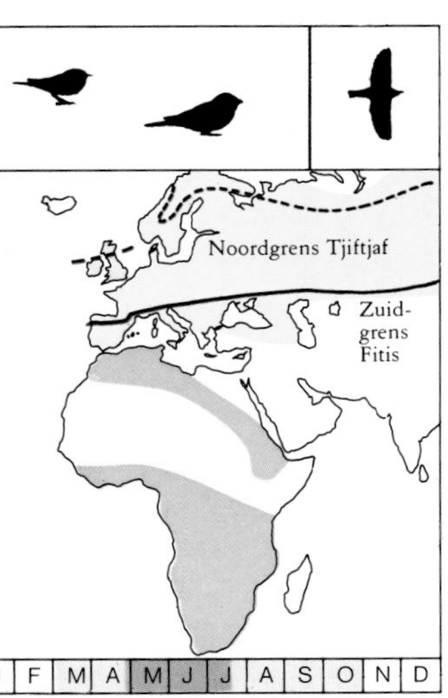

De eerste die deze twee soorten onderscheidde (tegelijk met de Fluiter), was de achttiende-eeuwse natuuronderzoeker Gilbert White, en nog steeds zijn ze het best te herkennen aan hun zang. De Tjiftjaf zingt onafgebroken zijn naam, maar de Fitis laat een sprankelende, aflopende stroom klanken horen. Ook hun roepen zijn moeilijk te onderscheiden; die van de Fitis is meer tweelettergrepig. Zwijgende vogels noteert men vaak simpelweg als 'fitjaf'.
De poten van de Tjiftjaf zijn doorgaans zwartbruin en die van de Fitis lichtbruin; dit verschil is evenwel niet altijd betrouwbaar. Als men ze in de hand heeft, kan men ze altijd onderscheiden aan vorm en lengte van de grote slagpennen. Gewoonlijk hebben Fitissen langere vleugels en zijn ze iets groter.
De verschillen in terreinkeuze zijn niet nauwkeurig aan te geven, maar over het algemeen bewonen Fitissen meer open gebieden. De Tjiftjaf is meer aangewezen op bomen dan de Fitis. In West-Europa is de Fitis bijna overal talrijker en in veel gebieden 's zomers de meest algemene vogel.
Hoewel beide soorten hun nest goed verborgen weten te houden (de Fitis op de grond en de Tjiftjaf iets erboven), verraden ze zich als ze de jongen voeren door herhaaldelijk hun alarmroep te laten horen, een waarschuwing waar picknickers eens wat meer op zouden moeten letten, en dan een stukje verderop gaan zitten.

Spotvogel

    ZV

Een zingend mannetje met opgerichte kruinveren. Bij het hofmaken hebben beide geslachten opgerichte kruinveren. Normaal hebben Spotvogels een vlak voorhoofd en een lange snavel – herinnerend aan de Kleine Karekiet.

Een zij- en bovenaanzicht van de kop waarbij de brede snavel duidelijk te zien is; dit kenmerk hebben alle soorten van het geslacht van de Spotvogels gemeen.

(× 3/10)

De Spotvogel heeft langere en spitsere vleugels dan de Orpheusspotvogel. Let op de verschillen in staartlengte tussen de twee soorten.

Een jonge vogel heeft heldergele onderdelen.

In de nazomer eten Spotvogels ook bessen; ze trekken ze met een zeer speciale, rukkende kopbeweging van de tak.

De vleugels, die voorbij de staartbasis reiken, vormen een goed veldkenmerk. Een ander kenmerk is de duidelijk lichte plek op de gesloten vleugels.

Een jonge Spotvogel (rechts) is geler dan de volwassen vogel (links) en mist de lichte plek op de vleugel. De staart is nog niet geheel uitgegroeid.

(× 3/5)

Spotvogels op de najaarstrek hebben een vaal en versleten verenkleed, maar de lichte plek op de vleugels is meestal nog wel te onderscheiden en de lange vleugelpunten blijven een betrouwbaar kenmerk.

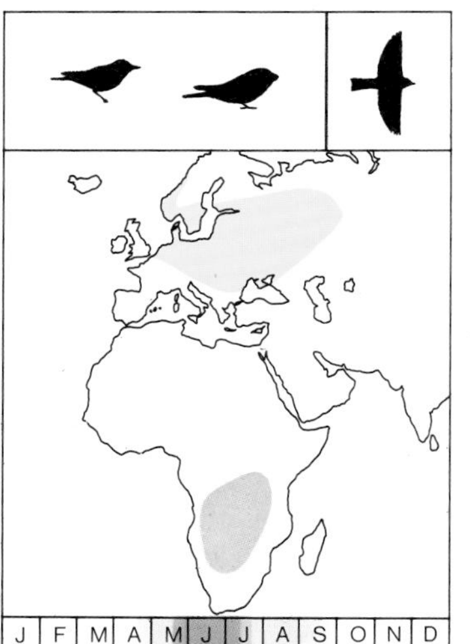

De Romeinse schrijver Plinius vermeldt in zijn *Naturalis historia* dat men door het zien van een Spotvogel van geelzucht kan genezen. Vermoedelijk houdt dit bijgeloof verband met de gele kleur van de onderzijde van deze vogel; deze merkwaardige opvatting is terug te vinden in de wetenschappelijke naam van de vogel, *Hippolais icterina,* die van het Griekse woord *ikteros* = geelzucht is afgeleid.

Spotvogels vindt men in diverse terreinen, zoals parken, tuinen en heggen; hij zoekt de hogere delen van de vegetatie op en niet de onderbegroeiing. Het nest ligt gewoonlijk op twee of drie meter hoogte in een gevorkte tak. Beide ouders bouwen aan het nest, dat bestaat uit een stevige kom van gras en wortels, van binnen afgewerkt met haar of veertjes. Soms zijn er stukjes papier of bast in de buitenwand verwerkt. Normaal worden vier of vijf eieren gelegd; de broedduur bedraagt 13 à 14 dagen en de jongen blijven nog evenveel dagen in het nest. Mannetje en vrouwtje delen in de zorg voor het broeden en de jongen en er wordt slechts één broedsel per jaar grootgebracht. Het lied bestaat uit scherpe, krassende geluiden, afgewisseld met melodieuze gedeelten. Evenals de Orpheusspotvogel bootst hij de geluiden van andere vogels na. Meestal heeft de Spotvogel een vaste plaats om te zingen, maar hij zingt ook wel onder het vliegen; soms ook 's nachts.

In het Afrikaanse winterkwartier bewoont hij palmbosjes.

Orpheusspotvogel

    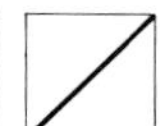

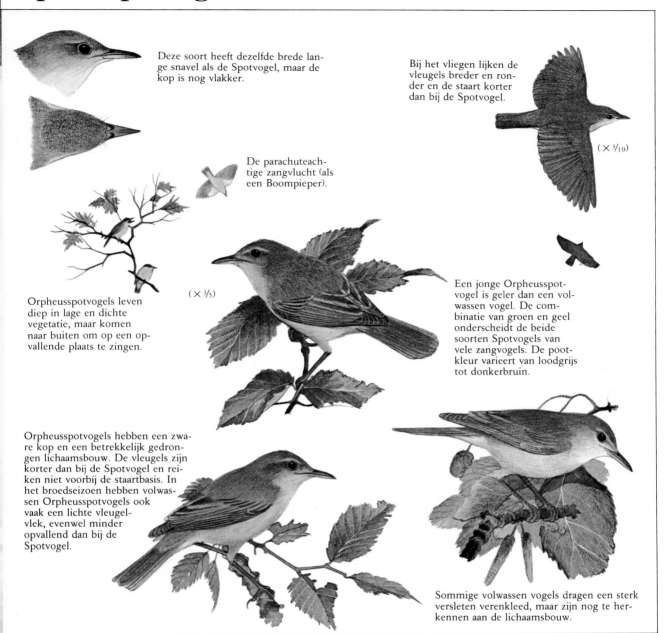

Deze soort heeft dezelfde brede lange snavel als de Spotvogel, maar de kop is nog vlakker.

Bij het vliegen lijken de vleugels breder en ronder en de staart korter dan bij de Spotvogel.

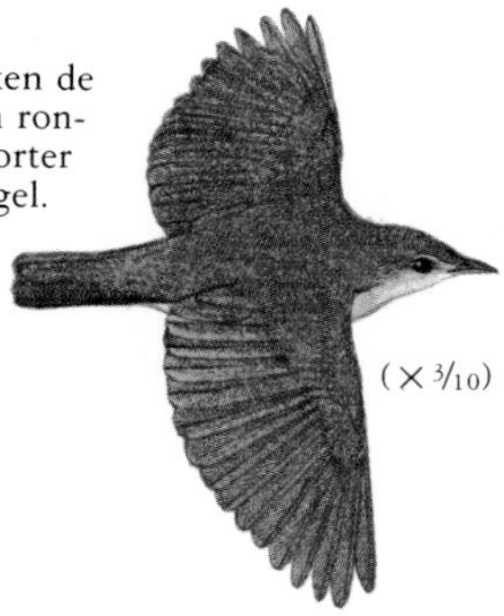

(× 3/10)

De parachuteachtige zangvlucht (als een Boompieper).

Orpheusspotvogels leven diep in lage en dichte vegetatie, maar komen naar buiten om op een opvallende plaats te zingen.

(× 3/5)

Een jonge Orpheusspotvogel is geler dan een volwassen vogel. De combinatie van groen en geel onderscheidt de beide soorten Spotvogels van vele zangvogels. De pootkleur varieert van loodgrijs tot donkerbruin.

Orpheusspotvogels hebben een zware kop en een betrekkelijk gedrongen lichaamsbouw. De vleugels zijn korter dan bij de Spotvogel en reiken niet voorbij de staartbasis. In het broedseizoen hebben volwassen Orpheusspotvogels ook vaak een lichte vleugelvlek, evenwel minder opvallend dan bij de Spotvogel.

Sommige volwassen vogels dragen een sterk versleten verenkleed, maar zijn nog te herkennen aan de lichaamsbouw.

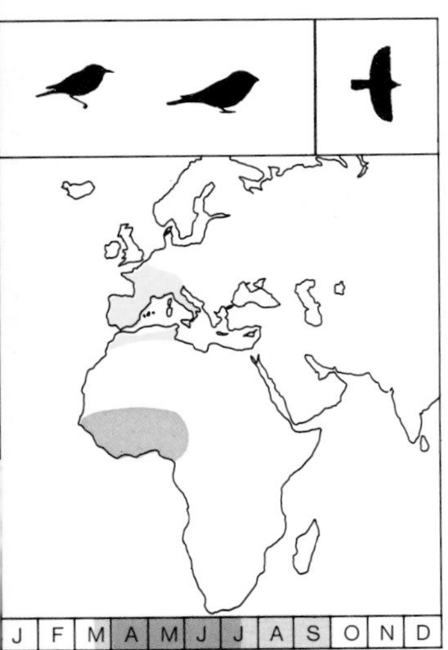

In de Nederlandse naam is tot uitdrukking gebracht dat deze soort een uitstekend zanger is. De zang lijkt op die van de Spotvogel (maar zonder de krassende tonen), wordt vaak minutenlang zonder onderbreking aangehouden en bevat ook nabootsingen van andere vogelsoorten. Een ander geluid lijkt op een musachtig getjilp. Het mannetje zingt meestal op een opvallende plaats, waarbij de oranje binnenkant van de snavel zichtbaar wordt; hij heeft ook een parachuteachtige zangvlucht die aan de Boompieper doet denken.
De beide Spotvogelsoorten zijn moeilijk te onderscheiden en stammen waarschijnlijk van een gemeenschappelijke voorouder af. Men neemt aan dat de splitsing tussen de meer noordelijke Spotvogel en de meer zuidelijke Orpheusspotvogel gedurende de laatste ijstijd tot stand is gekomen.

Beide soorten bewonen tuinen, parken en gemengde bosjes, waarbij de Orpheusspotvogel een sterkere voorkeur heeft voor lage en dichte vegetatie.
Het nest lijkt op dat van de Spotvogel, maar ligt vaak diep verscholen in dichte struiken en heggen. Het vrouwtje broedt alleen, beide geslachten verzorgen echter de jongen. De broedduur en de periode dat de jongen in het nest blijven, bedragen beide 12 tot 13 dagen.

Zwartkop

ZV

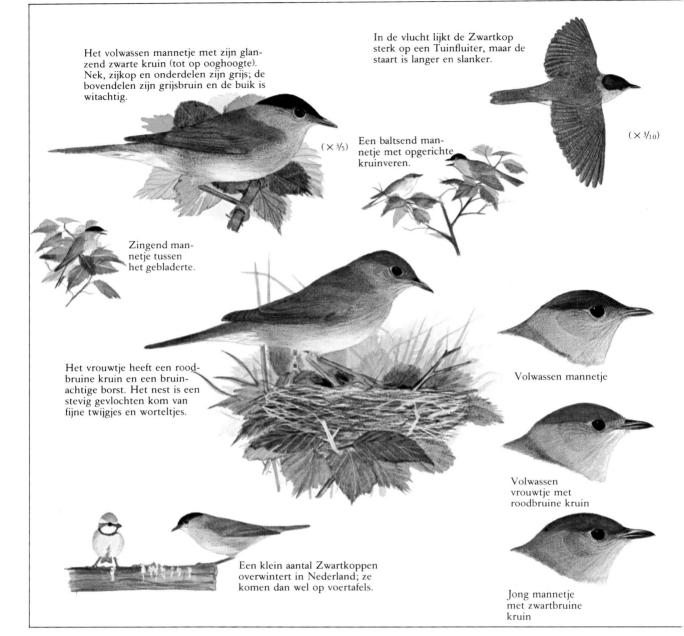

Het volwassen mannetje met zijn glanzend zwarte kruin (tot op ooghoogte). Nek, zijkop en onderdelen zijn grijs; de bovendelen zijn grijsbruin en de buik is witachtig.

(× 3/5)

In de vlucht lijkt de Zwartkop sterk op een Tuinfluiter, maar de staart is langer en slanker.

(× 3/10)

Een baltsend mannetje met opgerichte kruinveren.

Zingend mannetje tussen het gebladerte.

Het vrouwtje heeft een roodbruine kruin en een bruinachtige borst. Het nest is een stevig gevlochten kom van fijne twijgjes en worteltjes.

Volwassen mannetje

Volwassen vrouwtje met roodbruine kruin

Een klein aantal Zwartkoppen overwintert in Nederland; ze komen dan wel op voertafels.

Jong mannetje met zwartbruine kruin

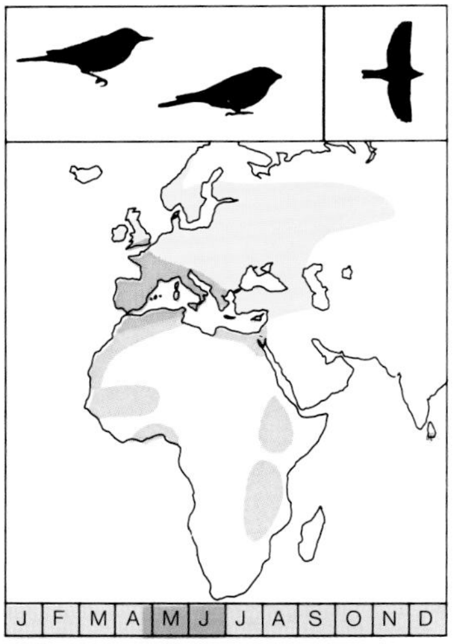

De zang van de Zwartkop lijkt op die van de Tuinfluiter, is echter gevarieerder en minder lang aangehouden. Maar het zien van de zwarte kruin van de Zwartkop sluit alle twijfel uit.
De Zwartkop bewoont meer beboste terreinen dan de Tuinfluiter en komt vaak voor op plaatsen met hoge bomen en weinig onderbegroeiing. Wanneer door werkzaamheden een meer gevarieerd milieu wordt geschapen, ziet men dat de Zwartkop de plaatsen met oud hout gaat bevolken terwijl de Tuinfluiter de plekken met jong hout kiest.
Het nest ligt doorgaans hoger dan dat van de Tuinfluiter, maar is wat constructie betreft gelijk: een stevig gevlochten bouwsel van droog gras. Beide geslachten bebroeden de vijf eieren en verzorgen de jongen. Tweede broedsels per jaar komen vooral in het zuidelijk deel van het verspreidingsgebied voor.
De volwassen vogels hebben een volledige rui voor de najaarstrek; de jonge vogels ruien alleen de lichaamsveren. Net als veel andere zangvogels schakelen ze voor de trek, om een voedselreserve aan te leggen over van dierlijk voedsel op vruchten, omdat suiker gemakkelijker in vet is om te zetten. In zuidelijke landen eten ze graag vijgen; in sommige Europese landen heet de vogel ook 'vijgeneter'. In de herfst is de anaalstreek vaak paars gekleurd door resten van vlierbessen of bramen.

Tuinfluiter

ZV

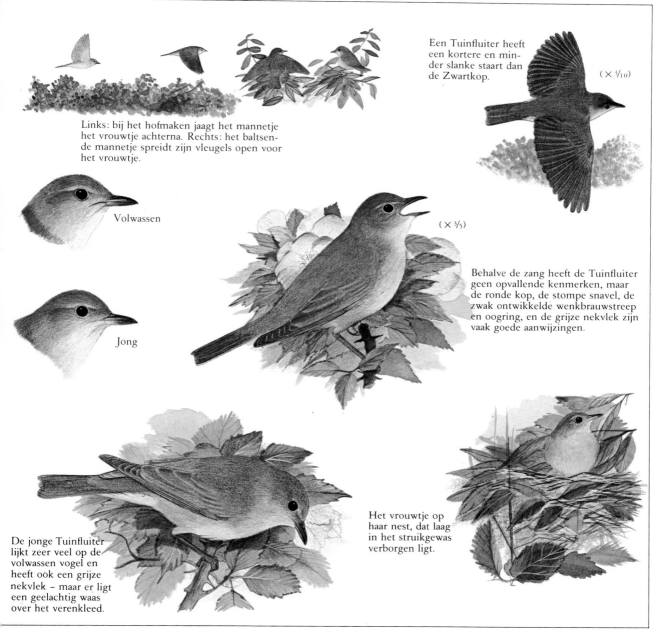

Links: bij het hofmaken jaagt het mannetje het vrouwtje achterna. Rechts: het baltsende mannetje spreidt zijn vleugels open voor het vrouwtje.

Een Tuinfluiter heeft een kortere en minder slanke staart dan de Zwartkop.

(× 3/10)

Volwassen

Jong

(× 3/5)

Behalve de zang heeft de Tuinfluiter geen opvallende kenmerken, maar de ronde kop, de stompe snavel, de zwak ontwikkelde wenkbrauwstreep en oogring, en de grijze nekvlek zijn vaak goede aanwijzingen.

De jonge Tuinfluiter lijkt zeer veel op de volwassen vogel en heeft ook een grijze nekvlek – maar er ligt een geelachtig waas over het verenkleed.

Het vrouwtje op haar nest, dat laag in het struikgewas verborgen ligt.

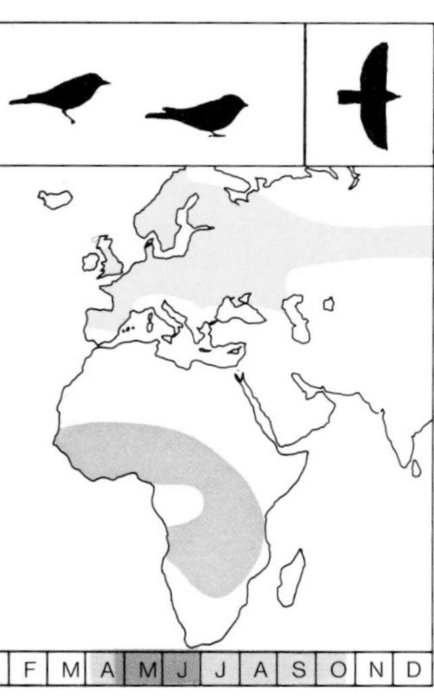

Deze onopvallende vogel is een van de talrijkste zomervogels. Hij is verwant met de Zwartkop, maar mist de zwarte kruin. Hij wordt vaak verward met Fitis en Tjiftjaf of met Kleine Karekiet en Bosrietzanger. De eerste twee zijn echter kleiner en hebben een duidelijke wenkbrauwstreep; de laatste twee hebben een heel andere kopvorm.
De zang van de Tuinfluiter lijkt op die van de Zwartkop. De Tuinfluiter zingt langer aangehouden en minder melodieus.
Ook wat betreft het nest en de eieren zijn de twee soorten moeilijk uit elkaar te houden – het Tuinfluiternest ligt lager en is misschien wat slordiger gebouwd. Tuinfluiter en Zwartkop hebben met een aantal verwanten de gewoonte gemeen slaapnesten te maken die minder stevig zijn dan broednesten. Beide ouders verzorgen de jongen, die al na tien dagen het nest verlaten, nog voor ze kunnen vliegen.
De Tuinfluiter komt wat later in het voorjaar aan dan de Zwartkop maar beide soorten vertrekken weer vroeg naar het zuiden. Ze ruien in hun winterkwartier in Afrika en vertonen geen neiging – zoals de Zwartkop – om in hun broedgebied te overwinteren.

Grasmus

Een weg-vliegende vogel

De korte, dansende baltsvlucht van het zingende mannetje.

In de vlucht vallen de slanke bouw en de lange smalle staart op.

(× 3/10)

Het volwassen mannetje: lichtgrijze kop, zuiver witte keel en roze borst.

De kruinveren worden bij zang en opwinding opgericht.

Een vogel zoekt dekking. Hierbij ziet men de witte buitenste staartpennen.

Aan de roestkleurige vleugels kan men het vrouwtje herkennen. Een jonge vogel (onder) is bijna geheel roodbruin.

Volwassen mannetje: de oogkleur varieert.

Volwassen vrouwtje

(× 3/5)

Typische houdingen. Grasmussen verdwijnen vaak recht naar beneden tussen het gebladerte.

Jong

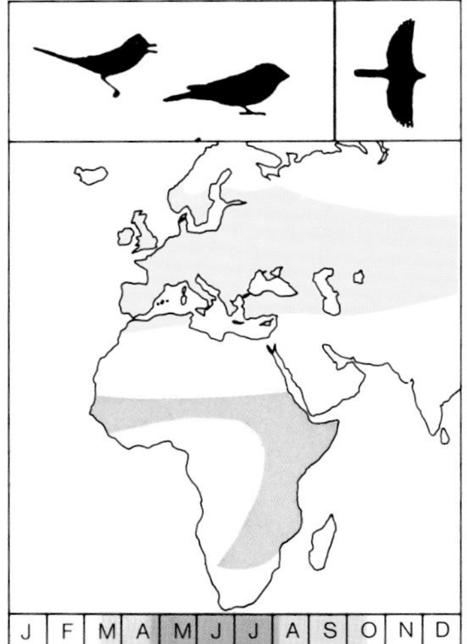

Tot voor kort was de Grasmus een algemene broedvogel van vrij open, met struikgewas begroeide terreinen. Zijn korte, dansende baltsvlucht en de korte, krassende zang maakten hem tot een opvallende verschijning.
Tot de herfst van 1969 nam de Grasmus geleidelijk in aantal toe. Het daaropvolgende voorjaar keerde echter slechts 20 % naar West-Europa terug. Men onderzocht allerlei mogelijke oorzaken, zoals het weer tijdens de trek, gebruik van insekticiden in het overwinteringsgebied en de mogelijkheid van een epidemische ziekte. Men kwam tot de conclusie dat de aanhoudende droogte in het Sahelgebied ten zuiden van de Sahara waarschijnlijk de oorzaak was; de vogels konden niet voldoende voedsel verzamelen voor de terugreis en vele kwamen om bij het oversteken van de Sahara. Er zijn aanwijzingen dat de populatie bezig is zich te herstellen.
Het nest wordt laag op een verborgen plaats gebouwd. Vaak ligt het in een wirwar van bramen en brandnetels en het eerste legsel (gewoonlijk vijf eieren) wordt vanaf half mei gelegd. Het vrouwtje broedt alleen, maar beide ouders verzorgen de jongen. Wanneer men het nest te dicht benadert, alarmeren de ouders met een rauw en schel dend 'tsjarr'. Zowel broedduur als uitvliegperiode zijn kort (ongeveer elf dagen), zodat er meestal nog tijd is voor een tweede broedsel, dat gemiddeld kleiner is dan het eerste.

Braamsluiper

(× 3/10)

In de vlucht lijkt de Braamsluiper veel op de Grasmus, maar hij is iets kleiner en heeft een kortere staart.

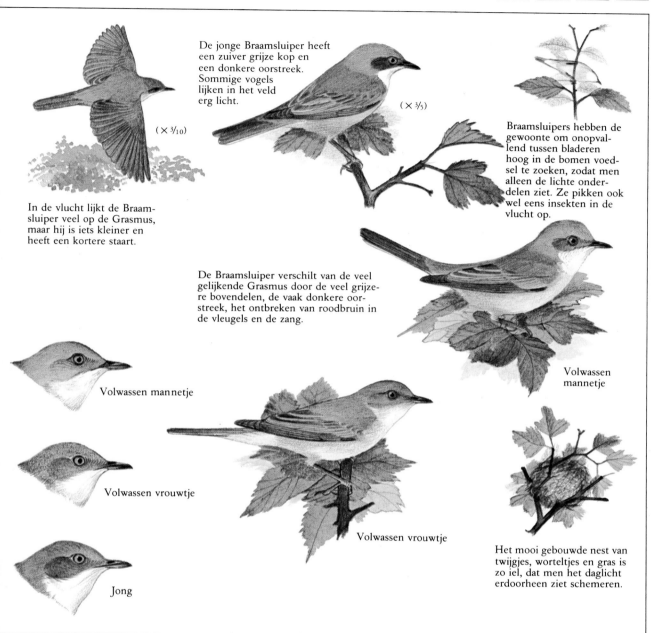

De jonge Braamsluiper heeft een zuiver grijze kop en een donkere oorstreek. Sommige vogels lijken in het veld erg licht.

(× 3/5)

Braamsluipers hebben de gewoonte om onopvallend tussen bladeren hoog in de bomen voedsel te zoeken, zodat men alleen de lichte onderdelen ziet. Ze pikken ook wel eens insekten in de vlucht op.

De Braamsluiper verschilt van de veel gelijkende Grasmus door de veel grijzere bovendelen, de vaak donkere oorstreek, het ontbreken van roodbruin in de vleugels en de zang.

Volwassen mannetje

Volwassen mannetje

Volwassen vrouwtje

Volwassen vrouwtje

Jong

Het mooi gebouwde nest van twijgjes, worteltjes en gras is zo iel, dat men het daglicht erdoorheen ziet schemeren.

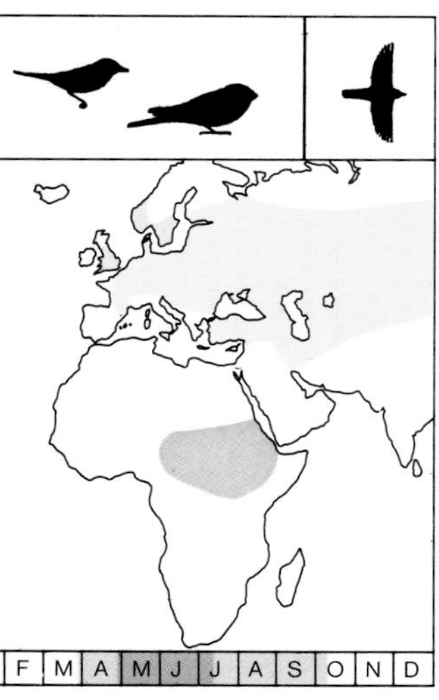

De Braamsluiper is een grijs-en-wit vogeltje met een zwart masker rond de ogen. In terreinkeuze verschilt hij duidelijk van de Grasmus: hij heeft dicht struikgewas nodig met hoge bomen en in tegenstelling tot de Grasmus bewoont hij verwilderde tuinen en jonge bosaanplanten. Ook houdt hij van met ruigte begroeide bosranden en brede houtwallen en heggen. Het territorium is groot en telt enkele opvallende zangposten, soms op enkele honderden meters van elkaar. Zingende mannetjes laten een luid en weinig muzikaal geratel horen; ze zingen vooral 's ochtends vroeg.

Het nest wordt vaak voor twee broedsels gebruikt. Aangezien Braamsluipers pas laat in het voorjaar aankomen en nog moeten ruien voor de najaarstrek, zijn de broedduur en de zorg voor de jongen maar kort. De beide ouders verdedigen op felle wijze het nest. Net als veel andere zangvogels eten ze voor de najaarstrek ook veel bessen.

Braamsluipers hebben een ongebruikelijk trekpatroon. De Europese vogels trekken naar het zuidoosten via Italië, Griekenland en Cyprus, in plaats van naar het zuidwesten via het Iberisch Schiereiland, zoals de Grasmus. Zodoende vinden vele vogels op hun reis naar Ethiopië en de Soedan een voortijdig einde op de lijmstokken en voor de geweerlopen van de Italiaanse vogelvangers.

Provençaalse Grasmus

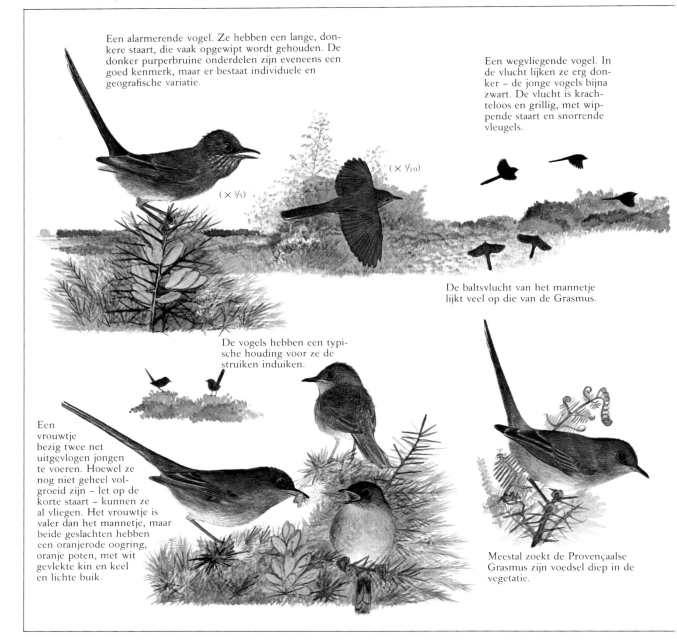

Een alarmerende vogel. Ze hebben een lange, donkere staart, die vaak opgewipt wordt gehouden. De donker purperbruine onderdelen zijn eveneens een goed kenmerk, maar er bestaat individuele en geografische variatie.

(× 3/5)

(× 3/10)

Een wegvliegende vogel. In de vlucht lijken ze erg donker – de jonge vogels bijna zwart. De vlucht is krachteloos en grillig, met wippende staart en snorrende vleugels.

De baltsvlucht van het mannetje lijkt veel op die van de Grasmus.

De vogels hebben een typische houding voor ze de struiken induiken.

Een vrouwtje bezig twee net uitgevlogen jongen te voeren. Hoewel ze nog niet geheel volgroeid zijn – let op de korte staart – kunnen ze al vliegen. Het vrouwtje is valer dan het mannetje, maar beide geslachten hebben een oranjerode oogring, oranje poten, met wit gevlekte kin en keel en lichte buik.

Meestal zoekt de Provençaalse Grasmus zijn voedsel diep in de vegetatie.

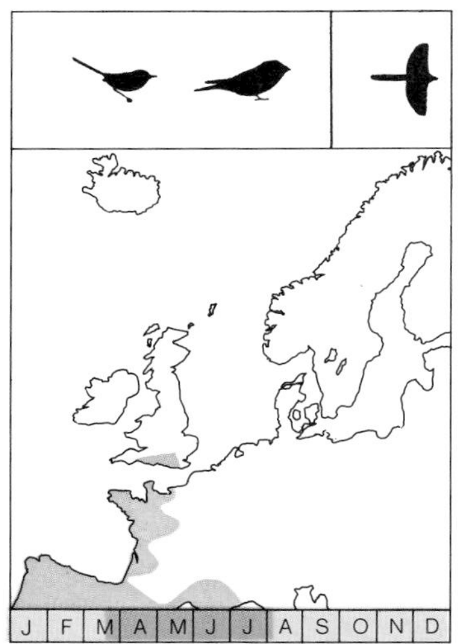

De Provençaalse Grasmus is een van de meest karakteristieke vogels van de mediterrane maquis. Maar in Engeland broedt hij in met heide en brem begroeide terreinen. Hij werd ontdekt bij Dartford, een stadje ten oosten van Londen (vandaar dat hij in Groot-Brittannië Dartford Warbler wordt genoemd). In tegenstelling tot de meeste andere Grasmussen is hij standvogel, wat hem zeer kwetsbaar maakt voor strenge winters. Zware nachtelijke sneeuwbuien met grote vlokken zijn het meest fataal, meer nog dan aanhoudende vorstperiodes. De aantallen in Engeland wisselen sterk: in 1963 nog maar tien paar, terwijl het aantal in 1975 weer tot 560 paar is toegenomen.
De Provençaalse Grasmus leidt een verborgen leven, maar met enig geduld krijgt men hem wel te zien. Vooral met warm weer komen de mannetjes te voorschijn en zingen vanaf opvallende plaatsen of in de vlucht. De zang is een kort muzikaal gebabbel, dat aan de zang van de Grasmus doet denken.
Het vrouwtje bouwt het nest laag en verborgen, het mannetje neemt ook deel aan het broeden. Het legsel bestaat gewoonlijk uit vier eieren. Er worden twee, soms drie broedsels per jaar grootgebracht. De jongen worden gevoerd met kleine kevers, rupsen en vliegen; in het najaar eten ze ook wel bramen. Het is niet bekend hoe de vogels de winter doorkomen, wanneer insekten schaars zijn; misschien leven ze van spinnen en andere geleedpotigen.

Kleine Zwartkop/Baardgrasmus

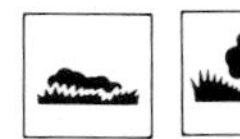

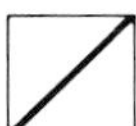

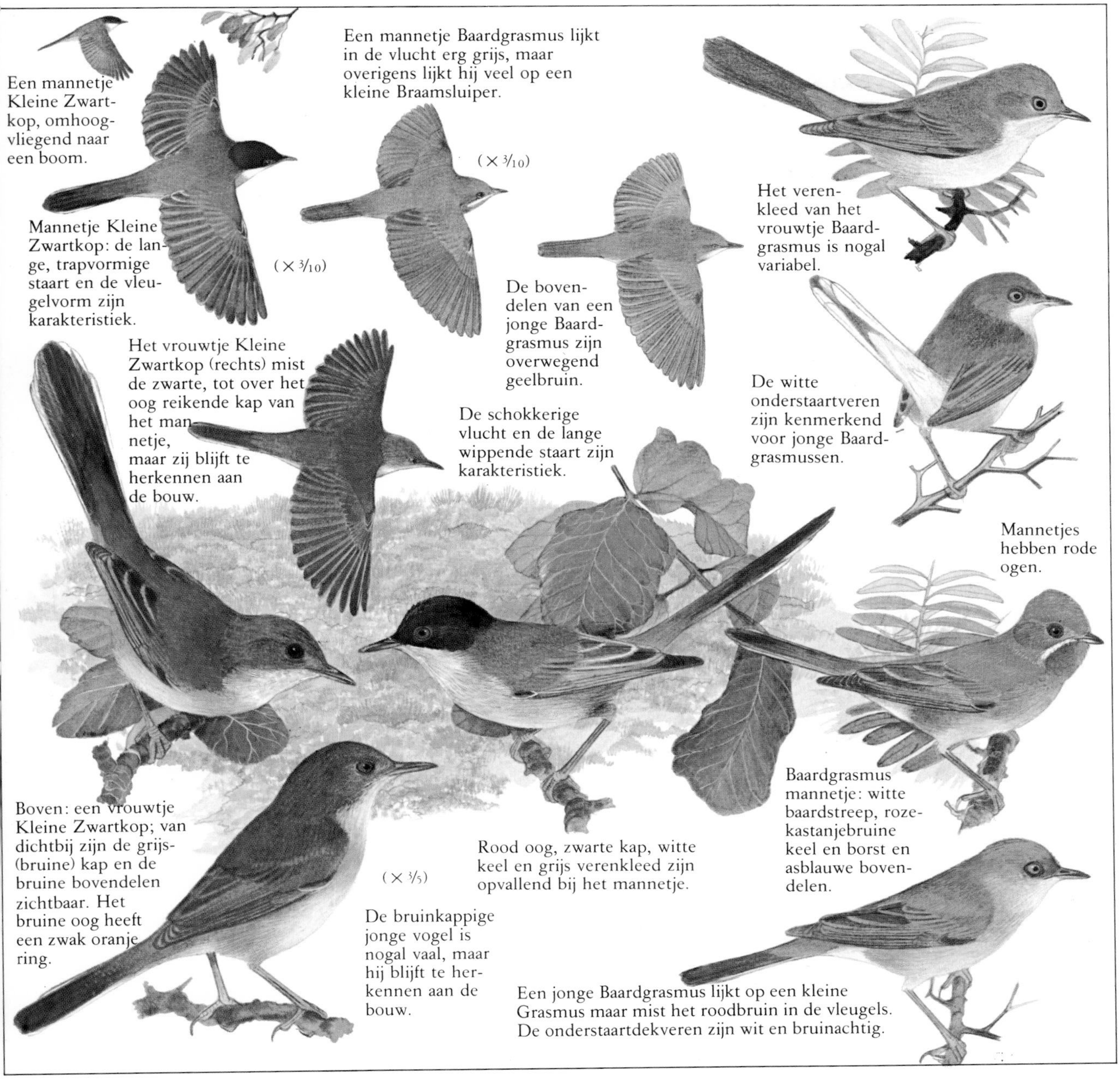

Een mannetje Kleine Zwartkop, omhoogvliegend naar een boom.
Een mannetje Baardgrasmus lijkt in de vlucht erg grijs, maar overigens lijkt hij veel op een kleine Braamsluiper.
(× 3/10)
Mannetje Kleine Zwartkop: de lange, trapvormige staart en de vleugelvorm zijn karakteristiek.
(× 3/10)
Het verenkleed van het vrouwtje Baardgrasmus is nogal variabel.
De bovendelen van een jonge Baardgrasmus zijn overwegend geelbruin.
Het vrouwtje Kleine Zwartkop (rechts) mist de zwarte, tot over het oog reikende kap van het mannetje, maar zij blijft te herkennen aan de bouw.
De witte onderstaartveren zijn kenmerkend voor jonge Baardgrasmussen.
De schokkerige vlucht en de lange wippende staart zijn karakteristiek.
Mannetjes hebben rode ogen.
Baardgrasmus mannetje: witte baardstreep, rozekastanjebruine keel en borst en asblauwe bovendelen.
Boven: een vrouwtje Kleine Zwartkop; van dichtbij zijn de grijs-(bruine) kap en de bruine bovendelen zichtbaar. Het bruine oog heeft een zwak oranje ring.
(× 1/5)
Rood oog, zwarte kap, witte keel en grijs verenkleed zijn opvallend bij het mannetje.
De bruinkappige jonge vogel is nogal vaal, maar hij blijft te herkennen aan de bouw.
Een jonge Baardgrasmus lijkt op een kleine Grasmus maar mist het roodbruin in de vleugels. De onderstaartdekveren zijn wit en bruinachtig.

Noord-grens Kleine Zwartkop
Boven lijn: Kleine Zwartkop
Onder lijn: Baardgrasmus
J F M A M J J A S O N D

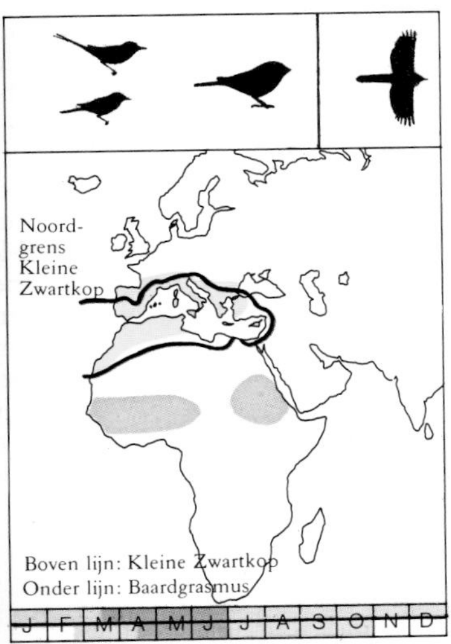

Hoewel deze twee soorten nauw verwant zijn, hebben ze een geheel verschillende levenswijze: de Baardgrasmus trekt 's winters naar tropisch Afrika; de Kleine Zwartkop is min of meer standvogel en heeft sterk te lijden van strenge winters.
De Baardgrasmus is een vogel van zonnige hellingen tot een hoogte van 2000 meter, liefst met veel dichte, lage begroeiing waarin de vogels zich schuil houden; bij alarm schetteren ze vaak luid zonder dat ze zich laten zien. De beste kans om hem te zien te krijgen, heeft men in het voorjaar wanneer het mannetje zangvluchten houdt of als de ouders voedsel zoeken voor de jongen. Het nest ligt laag in gaspeldoorn, braam, of bosbessestruiken. Gewoonlijk zijn er twee broedsels per jaar en de vale jongen zijn vrijwel niet te onderscheiden van jonge Grasmussen en vooral van Brilgrasmussen. Het mannetje lijkt oppervlakkig op de Provençaalse Grasmus, maar verschilt onder andere door de kortere staart en de witte baardstreep. De zang lijkt op die van de Grasmus maar is muzikaler.
De Kleine Zwartkop is een attente, levendige vogel, soms wat schuw. Toch komen ze wel argeloos voedsel zoeken op enkele meters van mensen, of ze scharrelen door de olijf- en amandelbomen rond de huizen. De Grasmusachtige zang wordt tijdens het vliegen of vanaf een zitplaats gegeven en de luide staccato-achtige alarmroep is een karakteristiek geluid van het Middellandse-Zeegebied. Het legsel is meestal groter dan bij de Provençaalse Grasmus en twee broedsels per jaar zijn normaal.

Roodborsttapuit

ZV

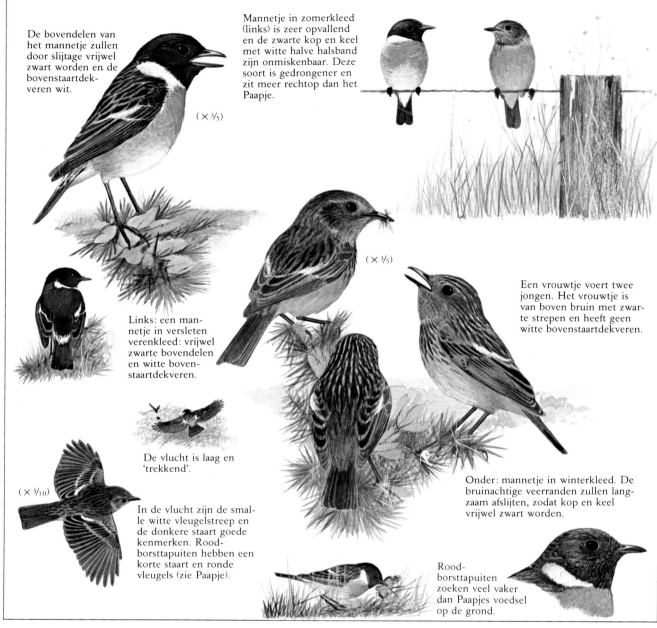

De bovendelen van het mannetje zullen door slijtage vrijwel zwart worden en de bovenstaartdekveren wit.

(× 3/5)

Mannetje in zomerkleed (links) is zeer opvallend en de zwarte kop en keel met witte halve halsband zijn onmiskenbaar. Deze soort is gedrongener en zit meer rechtop dan het Paapje.

(× 3/5)

Een vrouwtje voert twee jongen. Het vrouwtje is van boven bruin met zwarte strepen en heeft geen witte bovenstaartdekveren.

Links: een mannetje in versleten verenkleed: vrijwel zwarte bovendelen en witte bovenstaartdekveren.

De vlucht is laag en 'trekkend'.

(× 3/10)

In de vlucht zijn de smalle witte vleugelstreep en de donkere staart goede kenmerken. Roodborsttapuiten hebben een korte staart en ronde vleugels (zie Paapje).

Onder: mannetje in winterkleed. De bruinachtige veerranden zullen langzaam afslijten, zodat kop en keel vrijwel zwart worden.

Roodborsttapuiten zoeken veel vaker dan Paapjes voedsel op de grond.

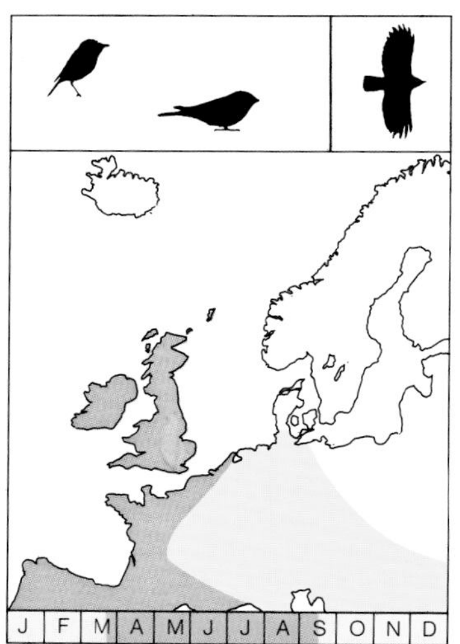

Roodborsttapuiten, vooral familiegroepjes, zijn luidruchtige vogels; hun roep lijkt op het geluid van twee stenen die tegen elkaar worden geslagen. Hij heeft een dansende zangvlucht. De zang bestaat uit onregelmatige, vlug herhaalde dubbele tonen.

Net als het Paapje bewoont hij ruig, niet in cultuur gebracht open terrein met een voorkeur voor droge, met struikgewas begroeide stukken. Een belangrijke factor bij de terreinkeuze is misschien zijn behoefte aan een hogere uitkijkpost dan het Paapje. Hij gebruikt hiervoor ook telegraafdraden; oplettend zitten ze daar, af en toe met vleugels en staart trillend, en ondertussen speuren ze de bodem beneden zich af naar insekten. Het steeds meer in cultuur brengen van grote oppervlaktes land heeft de recente achteruitgang in Europa van deze soort veroorzaakt. Het broedseizoen is lang en een ervaren vrouwtje brengt wel vier broedsels (van elk vijf tot zes eieren) per jaar groot, terwijl een jong vrouwtje misschien niet meer dan een of twee broedsels grootbrengt. Het nest ligt diep verscholen in een gaspeldoorn of een graspol.

De Roodborsttapuit heeft een groot verspreidingsgebied en komt voor in Europa, Azië en Afrika. Vele ondersoorten zijn beschreven, die variëren in diepte van het rood op de onderdelen en in de hoeveelheid zwart op de bovendelen. De West- en Zuideuropese populaties zijn meest standvogels, de meer noordelijk en oostelijk broedende vogels trekken 's winters naar het zuiden.

Paapje

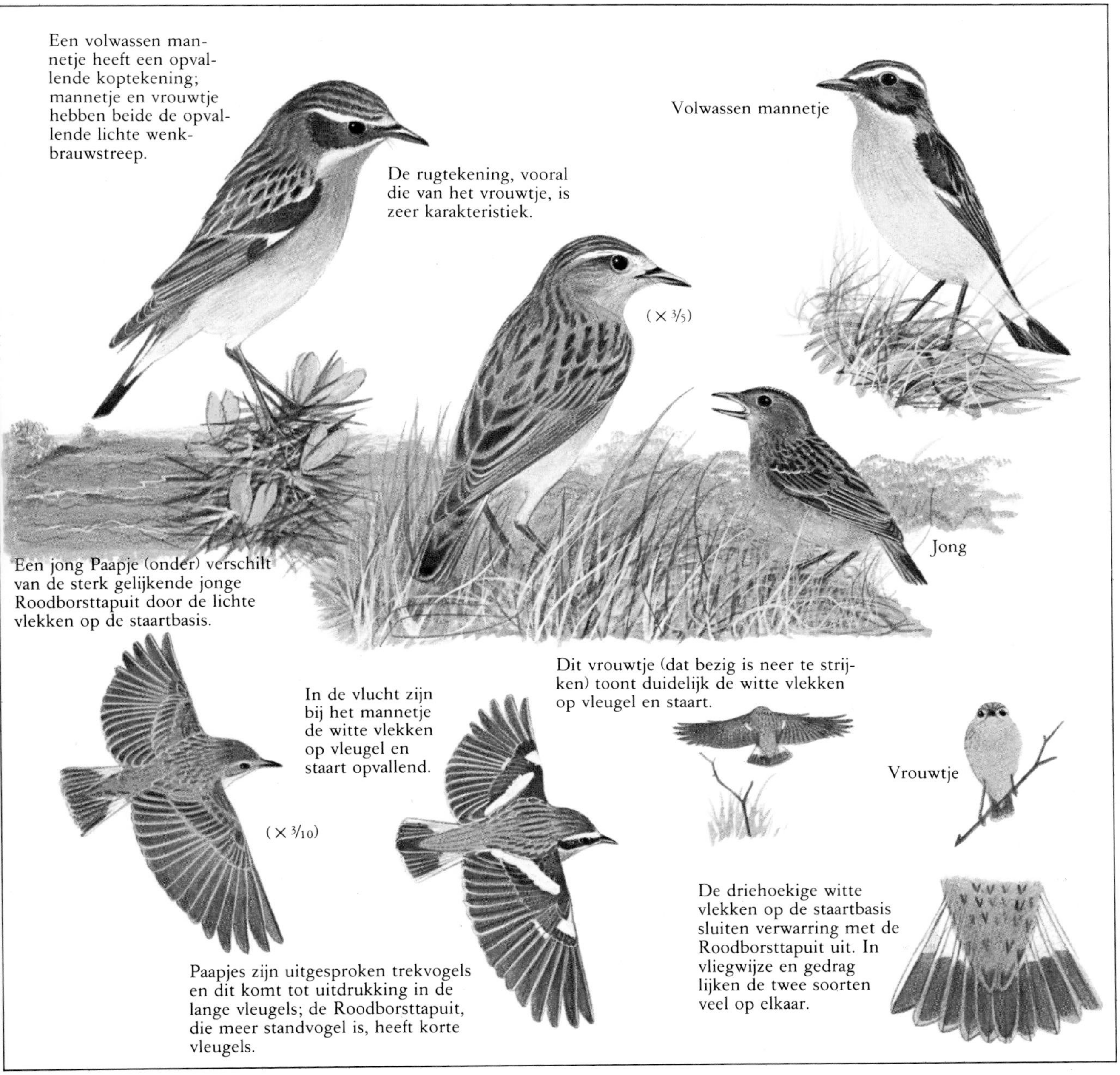

Een volwassen mannetje heeft een opvallende koptekening; mannetje en vrouwtje hebben beide de opvallende lichte wenkbrauwstreep.

De rugtekening, vooral die van het vrouwtje, is zeer karakteristiek.

Volwassen mannetje

(× 3/5)

Jong

Een jong Paapje (onder) verschilt van de sterk gelijkende jonge Roodborsttapuit door de lichte vlekken op de staartbasis.

In de vlucht zijn bij het mannetje de witte vlekken op vleugel en staart opvallend.

Dit vrouwtje (dat bezig is neer te strijken) toont duidelijk de witte vlekken op vleugel en staart.

Vrouwtje

(× 3/10)

De driehoekige witte vlekken op de staartbasis sluiten verwarring met de Roodborsttapuit uit. In vliegwijze en gedrag lijken de twee soorten veel op elkaar.

Paapjes zijn uitgesproken trekvogels en dit komt tot uitdrukking in de lange vleugels; de Roodborsttapuit, die meer standvogel is, heeft korte vleugels.

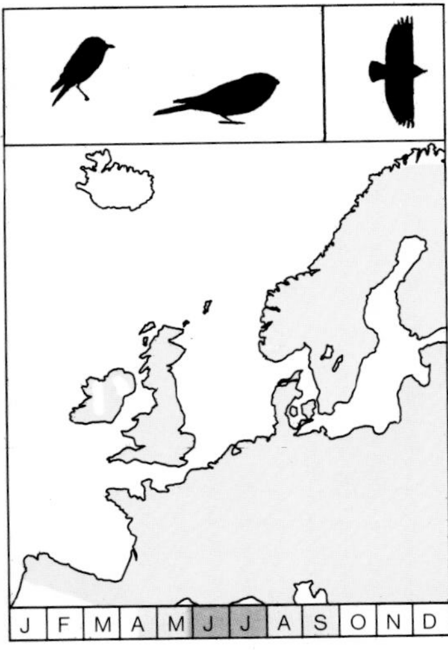

In tegenstelling tot de Roodborsttapuit is het Paapje een uitgesproken trekvogel, die zelden of nooit in Europa overwintert. Hij trekt helemaal naar de Afrikaanse savannen, zuidelijk tot in Angola, maar hij is het talrijkst in de savannen van Senegal tot Oeganda. Ruig grasland is ook het terrein dat hij in Europa prefereert, waar hij heiden, droge velden, ruig gras- of moerasland bewoont. Hij heeft minder binding met de gaspeldoorn dan de Roodborsttapuit. Met het mechaniseren van de landbouw verdwijnen meer en meer heggen en ruige terreinen en daarom is het aantal Paapjes in veel streken gedaald.

Het Paapje voedt zich met vlinders, motten en vliegen, die gewoonlijk vanaf grasstengels verzameld worden. Hij vangt ook wel eens zwevende insekten op de manier van een vliegenvanger.

Het nest ligt buitengewoon goed verscholend tussen graspollen, onder dode varens of in gras aan de voet van een struik; soms is het nest verbonden met een duidelijke looptunnel. Het wordt hoofdzakelijk door het vrouwtje gebouwd van droog gras op een ondergrond van harder gras en mos. Het is van binnen met fijner materiaal afgewerkt, maar zonder haar of veren. Het legsel omvat meestal vijf of zes eieren, die 13 dagen door het vrouwtje bebroed worden. De jongen blijven een zelfde periode in het nest en verlaten het al voor ze volgroeid zijn. Beide ouders voederen ze en de familie blijft nog enige tijd na het verlaten van het nest bij elkaar.

Blauwborst

 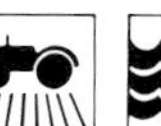 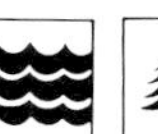   ZV

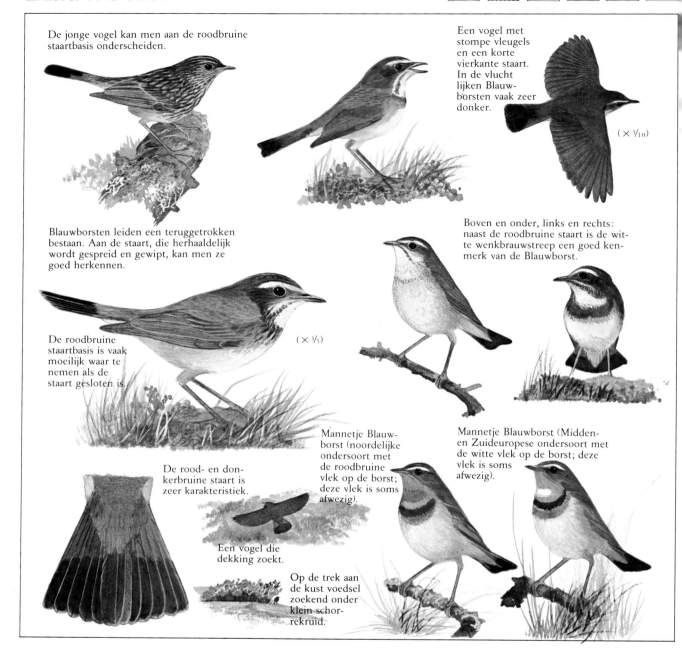

De jonge vogel kan men aan de roodbruine staartbasis onderscheiden.

Een vogel met stompe vleugels en een korte vierkante staart. In de vlucht lijken Blauwborsten vaak zeer donker.

(× 3/10)

Blauwborsten leiden een teruggetrokken bestaan. Aan de staart, die herhaaldelijk wordt gespreid en gewipt, kan men ze goed herkennen.

Boven en onder, links en rechts: naast de roodbruine staart is de witte wenkbrauwstreep een goed kenmerk van de Blauwborst.

De roodbruine staartbasis is vaak moeilijk waar te nemen als de staart gesloten is.

(× 3/5)

De rood- en donkerbruine staart is zeer karakteristiek.

Mannetje Blauwborst (noordelijke ondersoort met de roodbruine vlek op de borst; deze vlek is soms afwezig).

Mannetje Blauwborst (Midden- en Zuideuropese ondersoort met de witte vlek op de borst; deze vlek is soms afwezig).

Een vogel die dekking zoekt.

Op de trek aan de kust voedsel zoekend onder klein schorrekruid.

Met zijn schitterende helderblauwe bef en zijn prachtige zang verdient de Blauwborst meer bekendheid. Het negeren komt misschien door zijn 'verbrokkeld' voorkomen in West-Europa. Hij bewoont kleipolders, houtranden van akkertjes, moerassige bosjes, en dennenbosjes in de nabijheid van water.

In Midden- en Zuid-Europa broedt de witgesterde ondersoort; de meer talrijke roodgesterde ondersoort is broedvogel van Noord-Europa en Noord-Azië.

De Zang doet denken aan die van de verwante Nachtegaal, maar is minder krachtig, maar gevarieerd en hij bevat ook imitaties van andere vogelsoorten. De Blauwborst zingt vanaf een plant of struik en in de baltsvlucht.

De vrouwtjes leven verborgen; de mannetjes buiten de broedtijd ook, en men ziet ze vaak alleen maar als ze van het ene bosje naar het andere vliegen.

Het nest lijkt op dat van de Roodborst en wordt in een kuiltje in de grond gebouwd, vaak onder een struik. De vijf tot zeven eieren variëren in kleur van blauw tot olijfgroen. Het vrouwtje broedt, maar beide ouders brengen de jongen groot. De witgesterde ondersoort brengt soms nog een tweede broedsel groot.

De roodgesterde ondersoort is een zeer zeldzame doortrekker in Nederland.

Tapuit

ZV

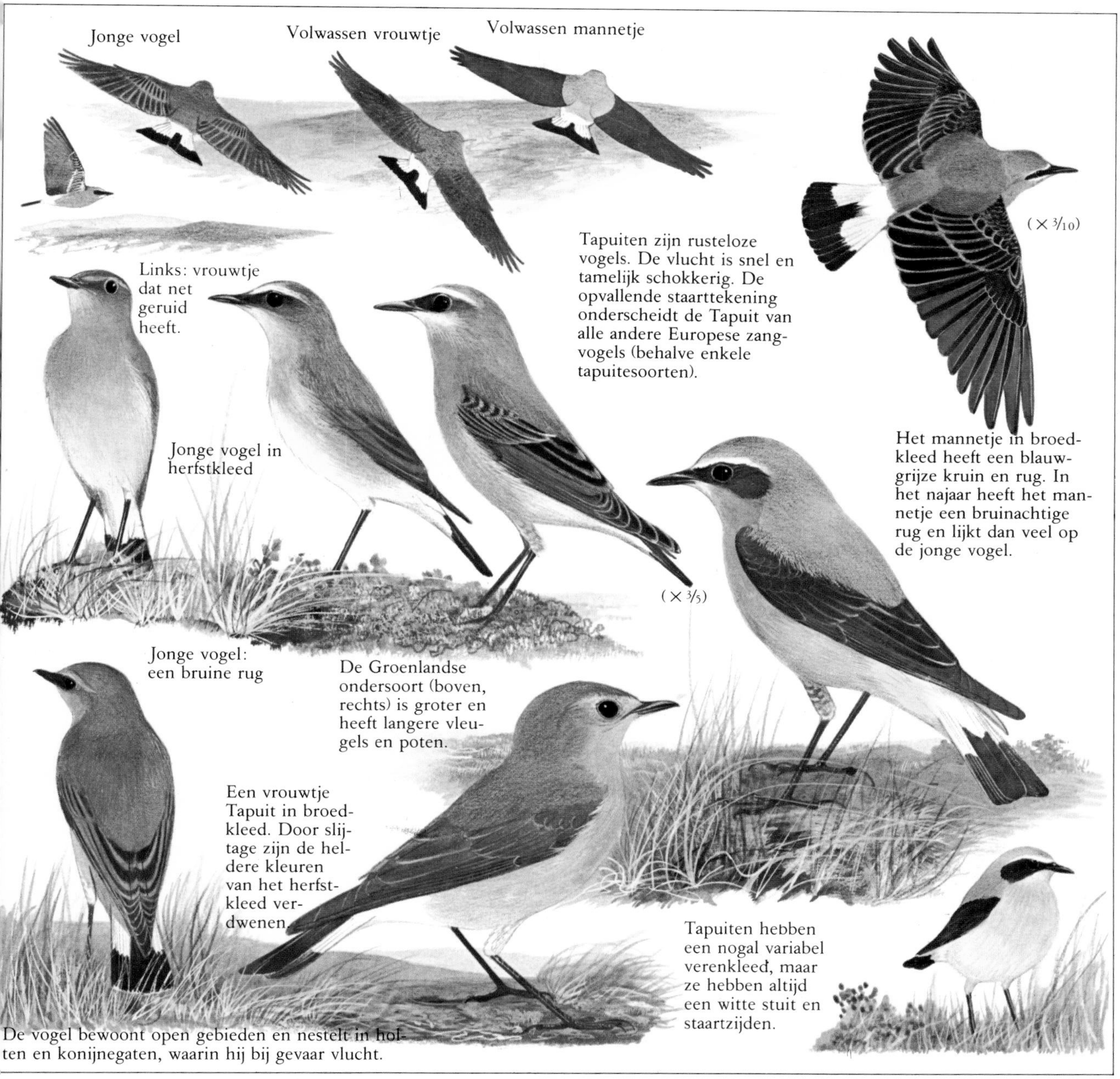

Jonge vogel

Volwassen vrouwtje

Volwassen mannetje

Tapuiten zijn rusteloze vogels. De vlucht is snel en tamelijk schokkerig. De opvallende staarttekening onderscheidt de Tapuit van alle andere Europese zangvogels (behalve enkele tapuitesoorten).

(× 3/10)

Links: vrouwtje dat net geruid heeft.

Jonge vogel in herfstkleed

Het mannetje in broedkleed heeft een blauwgrijze kruin en rug. In het najaar heeft het mannetje een bruinachtige rug en lijkt dan veel op de jonge vogel.

(× 3/5)

Jonge vogel: een bruine rug

De Groenlandse ondersoort (boven, rechts) is groter en heeft langere vleugels en poten.

Een vrouwtje Tapuit in broedkleed. Door slijtage zijn de heldere kleuren van het herfstkleed verdwenen.

Tapuiten hebben een nogal variabel verenkleed, maar ze hebben altijd een witte stuit en staartzijden.

De vogel bewoont open gebieden en nestelt in holten en konijnegaten, waarin hij bij gevaar vlucht.

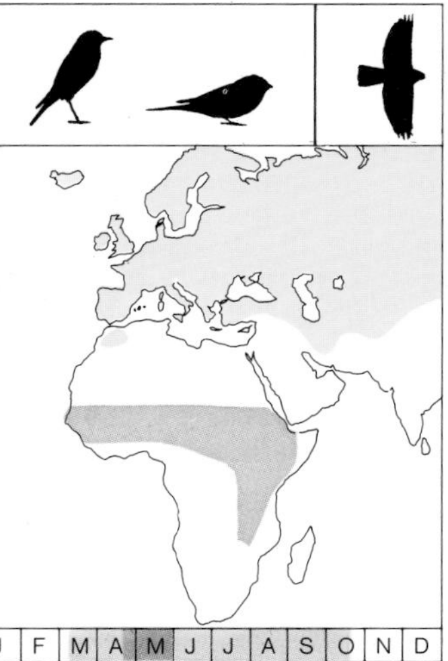

Het meest karakteristieke van een vliegende Tapuit is de grote witte stuitvlek. Deze soort heeft een groot verspreidingsgebied; hij bewoont de open gebieden van Eurazië en zelfs delen van het Noordamerikaanse poolgebied. Bergen, toendra's, duinen, heidegebieden en open droge vlakten vormen geschikte biotopen, maar hij is geen woestijnvogel zoals sommige andere tapuitesoorten.

Holten en konijnegaten bieden nestgelegenheid, maar oliedrums e.d. en nestkastjes worden ook wel gebruikt. Het typische nest heeft een ingangstunnel van wel dertig centimeter lengte. Het wordt door beide ouders gebouwd uit gras, wortels en mos en is gevoerd met veren en haar of wol van konijnen of schapen – waarmee de Tapuit gewoonlijk zijn leefmilieu deelt. In West-Europa bestaat het legsel uit vijf of zes eieren; broedvogels van arctische streken leggen tot negen eieren. Het vrouwtje broedt en wordt af en toe door het mannetje afgelost; beide brengen voedsel aan de jongen. Broedduur en uitvliegperiode duren ieder ongeveer twee weken, en de jongen zijn geheel onafhankelijk op de leeftijd van zes dagen. Eén broedsel is normaal, soms worden twee broedsels grootgebracht.

Het voedsel bestaat uit kleine bodemdieren. In het najaar eten ze wel bessen wanneer ze vetreserves voor de trek opslaan, waarbij soms zeer lange vluchten worden gemaakt. Broedvogels van Groenland bijvoorbeeld vliegen in één ruk 3000 km naar Spanje en verbruiken daarbij een derde van hun aanvankelijk gewicht.

Gekraagde Roodstaart

ZV

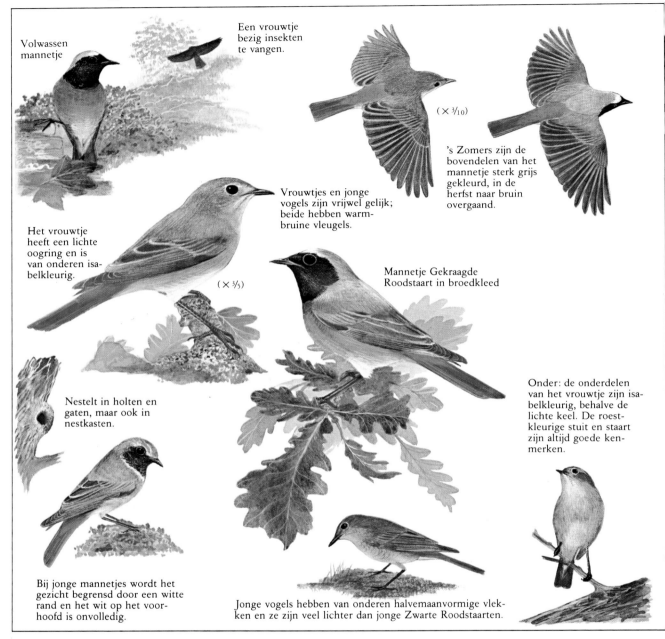

Volwassen mannetje

Een vrouwtje bezig insekten te vangen.

(× 3/10)

's Zomers zijn de bovendelen van het mannetje sterk grijs gekleurd, in de herfst naar bruin overgaand.

Vrouwtjes en jonge vogels zijn vrijwel gelijk; beide hebben warmbruine vleugels.

Het vrouwtje heeft een lichte oogring en is van onderen isabelkleurig.

(× 3/5)

Mannetje Gekraagde Roodstaart in broedkleed

Onder: de onderdelen van het vrouwtje zijn isabelkleurig, behalve de lichte keel. De roestkleurige stuit en staart zijn altijd goede kenmerken.

Nestelt in holten en gaten, maar ook in nestkasten.

Bij jonge mannetjes wordt het gezicht begrensd door een witte rand en het wit op het voorhoofd is onvolledig.

Jonge vogels hebben van onderen halvemaanvormige vlekken en ze zijn veel lichter dan jonge Zwarte Roodstaarten.

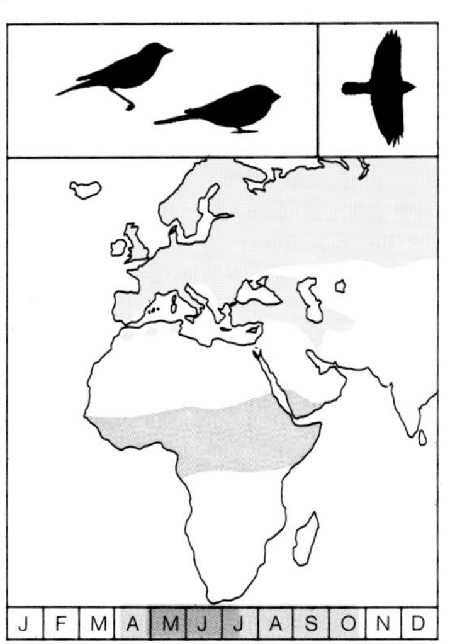

Zijn naam dankt deze vogel aan de voortdurend trillende, roestkleurige staart, die contrasteert met de blauwgrijze bovendelen van het mannetje. Hij komt in heel Europa voor en maakt zijn aanwezigheid kenbaar door zijn korte zang. Beide geslachten laten een alarmroep, een vloeiend 'wuïet', horen, die lijkt op die van de Vink, de Nachtegaal en de Fitis – een situatie die misschien van gemeenschappelijk voordeel is voor al deze bosbewonende vogels. Gekraagde Roodstaartjes hebben een voorkeur voor bos met een onderbroken bladerdak en onder dicht struweel, afgewisseld met open plekken. Loofbos heeft de voorkeur, maar ze bewonen ook dennenbossen, parken en tuinen. De mannetjes arrivéren iets eerder dan de vrouwtjes.

Na de paring kiest het mannetje de nestplaats, bij voorkeur een boomholte, maar vaak ook een spleet tussen stenen of in een gebouw of onder dichte vegetatie op de grond.

De zes bleekblauwe eieren worden ongeveer veertien dagen door het wijfje bebroed, waarna beide geslachten aan het voeren der jongen deelnemen; deze worden nog twee tot drie weken na het uitvliegen verzorgd. Soms volgt nog een tweede broedsel. Kleine insekten zoals kalanderkevers, motten en vliegjes vormen het voedsel en de jongen worden met rupsen gevoerd.

Tijdens de trek verongelukken Gekraagde Roodstaartjes vaak op lichtschepen. Plaatselijk worden vrij grote aantalsschommelingen vastgesteld, maar in de meeste gebieden blijft de Gekraagde Roodstaart een gewone vogel.

Zwarte Roodstaart

ZV

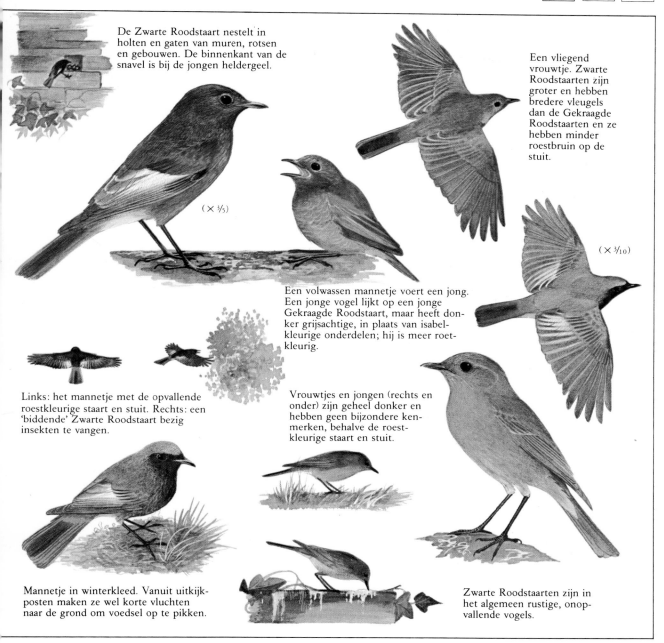

De Zwarte Roodstaart nestelt in holten en gaten van muren, rotsen en gebouwen. De binnenkant van de snavel is bij de jongen heldergeel.

Een vliegend vrouwtje. Zwarte Roodstaarten zijn groter en hebben bredere vleugels dan de Gekraagde Roodstaarten en ze hebben minder roestbruin op de stuit.

(× 3/5)

(× 3/10)

Een volwassen mannetje voert een jong. Een jonge vogel lijkt op een jonge Gekraagde Roodstaart, maar heeft donker grijsachtige, in plaats van isabelkleurige onderdelen; hij is meer roetkleurig.

Links: het mannetje met de opvallende roestkleurige staart en stuit. Rechts: een 'biddende' Zwarte Roodstaart bezig insekten te vangen.

Vrouwtjes en jongen (rechts en onder) zijn geheel donker en hebben geen bijzondere kenmerken, behalve de roestkleurige staart en stuit.

Mannetje in winterkleed. Vanuit uitkijkposten maken ze wel korte vluchten naar de grond om voedsel op te pikken.

Zwarte Roodstaarten zijn in het algemeen rustige, onopvallende vogels.

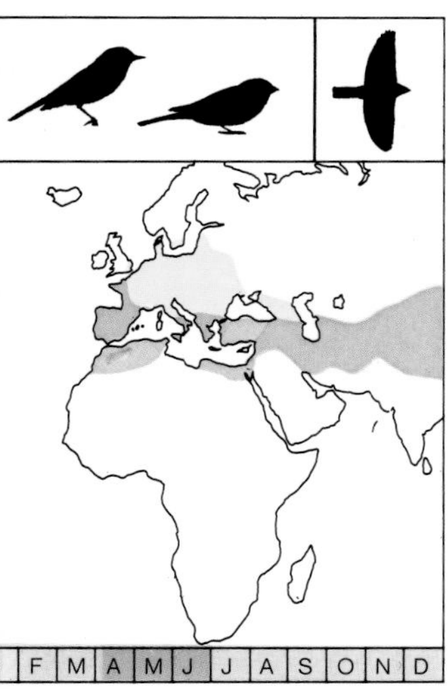

De korte, vlugge zang van de Zwarte Roodstaart kan men in vele Europese steden horen. Vroeger kwam deze soort alleen in bergachtige streken voor, maar hij heeft zich aangepast aan door de mens gecreëerde gebieden. In Nederland is de Zwarte Roodstaart een vrij schaarse broedvogel van het oosten en zuiden van het land. Hij heeft een speciale voorkeur voor plaatsen als dokken, gasfabrieken, spoorwegemplacementen en krachtstations en in sommige streken werd zijn uitbreiding in de hand gewerkt door de verwoestingen van de tweede wereldoorlog – gebombardeerde plaatsen hebben veel gemeen met de oorspronkelijke biotoop van deze soort. Ook boerderijen behoren tot zijn woongebied.

Het nest ligt gewoonlijk in holten en gaten van muren, rotsen en gebouwen, en is een omvangrijk, slordig bouwsel van gras en ander plantaardig materiaal, van binnen met haar en veren afgewerkt. De vier tot vijf witte eieren worden door het vrouwtje bebroed. Beide ouders verzorgen de jongen gedurende de vrij lange uitvliegperiode van 16 tot 21 dagen. Er zijn twee of drie broedsels per jaar.

Het voedsel bestaat uit allerlei insekten, waaronder kleine kevers en vliegen. Muggen voorkomend bij verontreinigd water bleken het hoofdvoedsel te zijn in een industriegebied in Engeland. In het najaar eten ze ook bessen.

In grote delen van Europa is de Zwarte Roodstaart standvogel, maar de Nederlandse vogels trekken weg en overwinteren in het Middellandse-Zeegebied.

Bonte Vliegenvanger/Withalsvliegenvanger  ZV

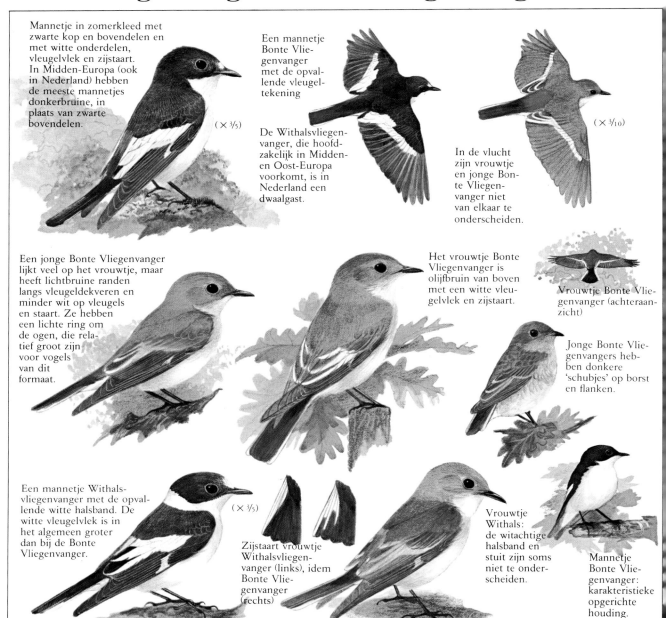

Mannetje in zomerkleed met zwarte kop en bovendelen en met witte onderdelen, vleugelvlek en zijstaart. In Midden-Europa (ook in Nederland) hebben de meeste mannetjes donkerbruine, in plaats van zwarte bovendelen.

(× 3/5)

Een mannetje Bonte Vliegenvanger met de opvallende vleugeltekening

De Withalsvliegenvanger, die hoofdzakelijk in Midden- en Oost-Europa voorkomt, is in Nederland een dwaalgast.

(× 3/10)

In de vlucht zijn vrouwtje en jonge Bonte Vliegenvanger niet van elkaar te onderscheiden.

Een jonge Bonte Vliegenvanger lijkt veel op het vrouwtje, maar heeft lichtbruine randen langs vleugeldekveren en minder wit op vleugels en staart. Ze hebben een lichte ring om de ogen, die relatief groot zijn voor vogels van dit formaat.

Het vrouwtje Bonte Vliegenvanger is olijfbruin van boven met een witte vleugelvlek en zijstaart.

Vrouwtje Bonte Vliegenvanger (achteraanzicht)

Jonge Bonte Vliegenvangers hebben donkere 'schubjes' op borst en flanken.

Een mannetje Withalsvliegenvanger met de opvallende witte halsband. De witte vleugelvlek is in het algemeen groter dan bij de Bonte Vliegenvanger.

(× 3/5)

Zijstaart vrouwtje Withalsvliegenvanger (links), idem Bonte Vliegenvanger (rechts)

Vrouwtje Withals: de witachtige halsband en stuit zijn soms niet te onderscheiden.

Mannetje Bonte Vliegenvanger: karakteristieke opgerichte houding.

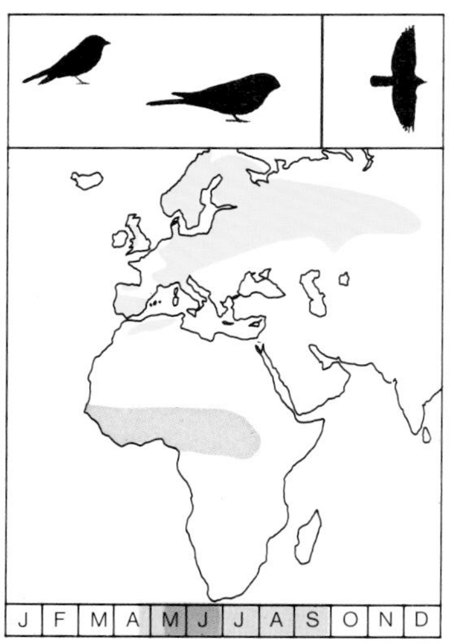

Ondanks zijn naam pikt de Bonte Vliegenvanger veel van de insekten die hij eet van de bladeren, en rupsen vormen een hoofdbestanddeel van zijn voedsel. Hij is vooral een vogel van loofbos, maar als er nestkasten aanwezig zijn vestigt hij zich ook in dennenbossen. Normaal nestelt hij in boom- en muurgaten en hij bekleedt het nest met gras.

Er worden zes of zeven, soms meer lichtblauwe eieren gelegd: vroege legsels zijn meestal groter dan latere. Alleen het vrouwtje broedt en zij wordt regelmatig door het mannetje gevoerd. De eieren komen na 12 dagen uit en beide vogels voeren de jongen gedurende de 15 dagen dat ze in het nest blijven. Nadat de jongen eind juni of begin juli uitgevlogen zijn, lijkt het wel alsof jonge en volwassen vogels de maand voor de trek verdwijnen. In deze periode zijn ze in de rui en waarschijnlijk brengen ze hun tijd rustig foeragerend door in de boomkruinen. Tijdens de winter verblijven ze in tropisch Afrika, maar voordat ze de Sahara oversteken, bouwen ze op het Iberisch Schiereiland hun vetreserves op: alle Bonte Vliegenvangers, zelfs uit Centraal-Rusland, verzamelen zich daar.

In Nederland is de Bonte Vliegenvanger een vrij schaarse broedvogel van de provincies Noord-Brabant, Gelderland en Overijssel, die zich na 1940 heeft uitgebreid – vooral in Twente en de Achterhoek maar ook naar het noorden en westen.

Nachtegaal

ZV

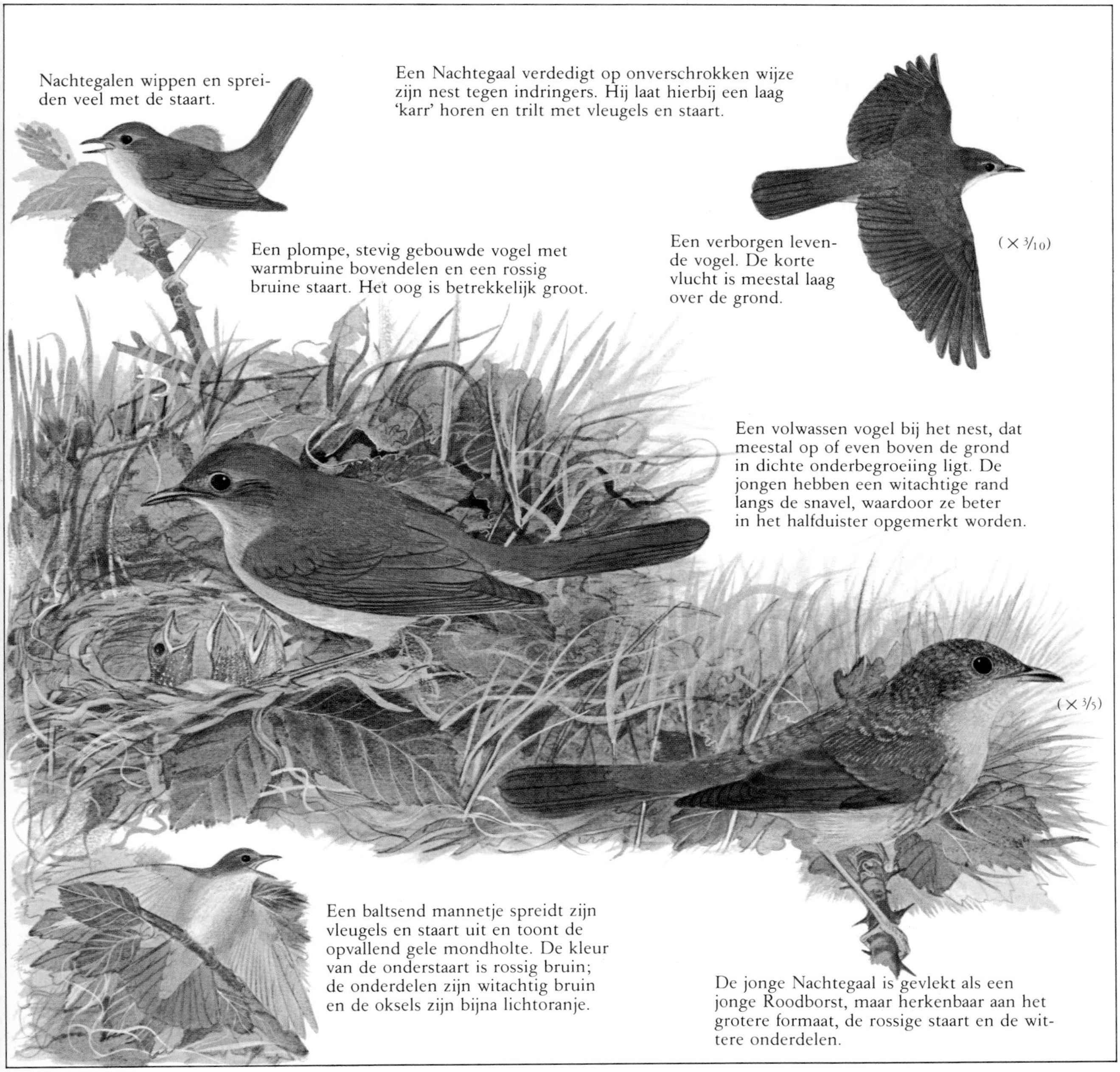

Nachtegalen wippen en spreiden veel met de staart.

Een Nachtegaal verdedigt op onverschrokken wijze zijn nest tegen indringers. Hij laat hierbij een laag 'karr' horen en trilt met vleugels en staart.

Een plompe, stevig gebouwde vogel met warmbruine bovendelen en een rossig bruine staart. Het oog is betrekkelijk groot.

Een verborgen levende vogel. De korte vlucht is meestal laag over de grond.

(× 3/10)

Een volwassen vogel bij het nest, dat meestal op of even boven de grond in dichte onderbegroeiing ligt. De jongen hebben een witachtige rand langs de snavel, waardoor ze beter in het halfduister opgemerkt worden.

(× 3/5)

Een baltsend mannetje spreidt zijn vleugels en staart uit en toont de opvallend gele mondholte. De kleur van de onderstaart is rossig bruin; de onderdelen zijn witachtig bruin en de oksels zijn bijna lichtoranje.

De jonge Nachtegaal is gevlekt als een jonge Roodborst, maar herkenbaar aan het grotere formaat, de rossige staart en de wittere onderdelen.

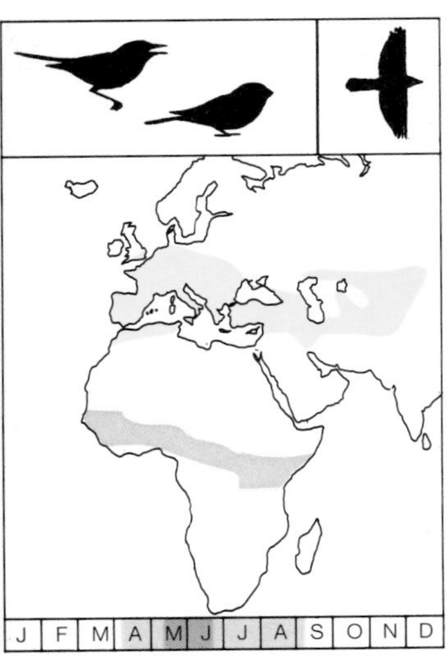

De zang van de Nachtegaal is zo geprezen in de literatuur, dat het bijna mode geworden is om hem in minder gunstige zin met andere vogels te vergelijken. Over smaak valt natuurlijk niet te twisten, maar wat betreft rijkdom, kracht en variatie wordt die zang door weinige overtroffen. Nachtegalen zingen regelmatig 's nachts en ze laten zich ook in hun winterkwartieren in Afrika horen. Nachtegalen komen vanaf half april in Nederland terug en bezetten een territorium in dicht struikgewas aan de rand van een bos, bij voorkeur een zuidrand. Schaduwrijke dichte bosschages met een ondergroei van brandnetels zijn hun karakteristieke biotoop. Het mannetje heeft verschillende zangposten, sommige goed zichtbaar maar de meeste diep in de struiken en vaak een bij het nest. Dit is een omvangrijk bouwsel, net als van de Roodborst, met een onderlaag van dode bladeren, in een kuiltje tussen de brandnetels of net boven de grond in een struik. De vier of vijf eieren zijn olijfbruin van kleur; het vrouwtje broedt alleen en doet bij verstoring alsof ze gewond is. De jongen worden door beide ouders verzorgd en verlaten het nest al na 11 of 12 dagen. Ze broeden maar een maal per jaar. Als men dicht langs het nest loopt, hoort men een laag 'karr' of een vloeiend 'uwiet'.

Op veel plaatsen in Europa gaat de Nachtegaal in aantal achteruit. Dit is vooral te wijten aan andere bosbouwmethoden. De hakhoutcultuur neemt af waarmee een geliefde biotoop verdwijnt.

Grauwe Vliegenvanger

    ZV

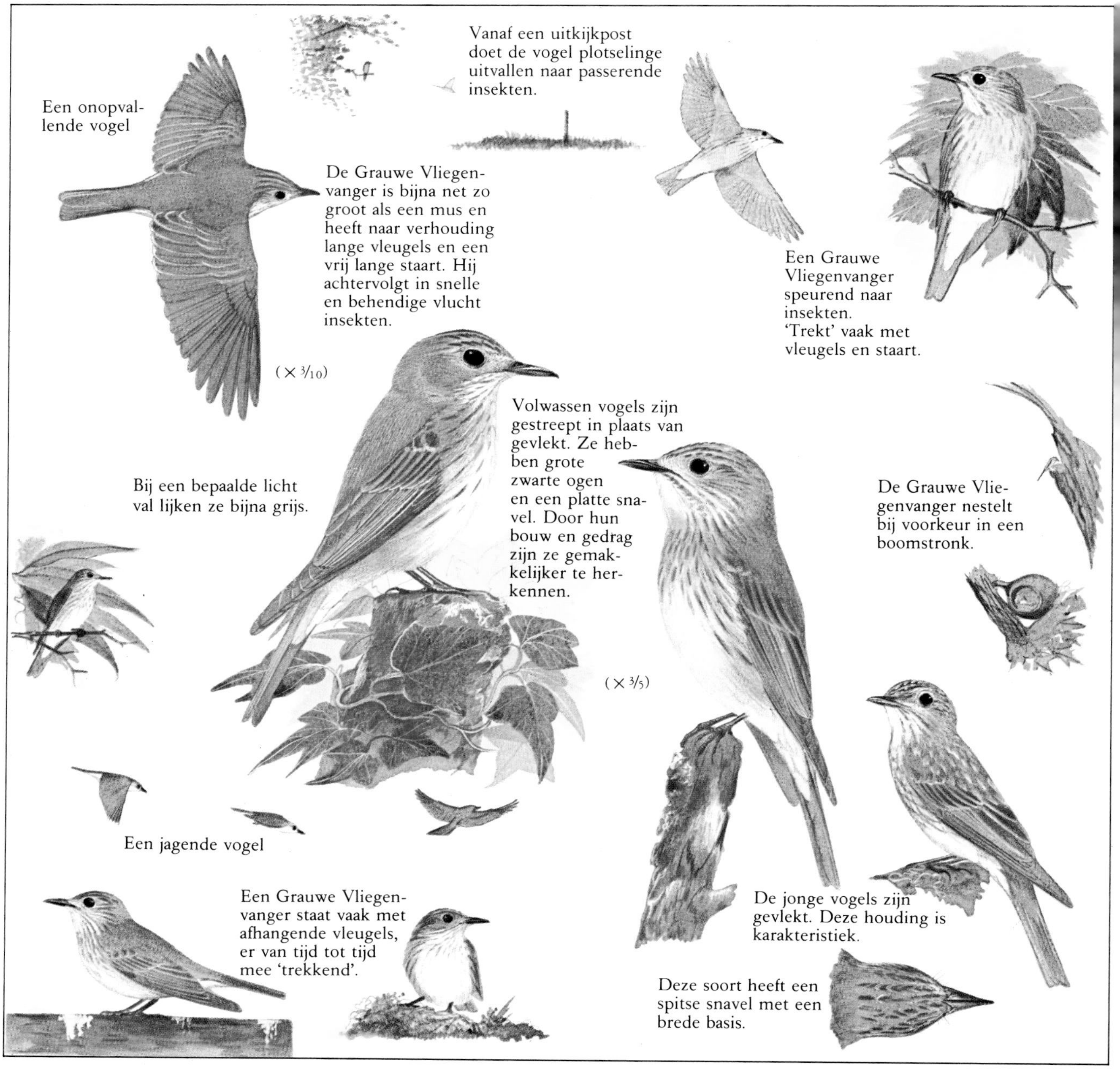

Een onopvallende vogel

Vanaf een uitkijkpost doet de vogel plotselinge uitvallen naar passerende insekten.

De Grauwe Vliegenvanger is bijna net zo groot als een mus en heeft naar verhouding lange vleugels en een vrij lange staart. Hij achtervolgt in snelle en behendige vlucht insekten.

(× 3/10)

Een Grauwe Vliegenvanger speurend naar insekten. 'Trekt' vaak met vleugels en staart.

Volwassen vogels zijn gestreept in plaats van gevlekt. Ze hebben grote zwarte ogen en een platte snavel. Door hun bouw en gedrag zijn ze gemakkelijker te herkennen.

Bij een bepaalde licht val lijken ze bijna grijs.

De Grauwe Vliegenvanger nestelt bij voorkeur in een boomstronk.

(× 3/5)

Een jagende vogel

Een Grauwe Vliegenvanger staat vaak met afhangende vleugels, er van tijd tot tijd mee 'trekkend'.

De jonge vogels zijn gevlekt. Deze houding is karakteristiek.

Deze soort heeft een spitse snavel met een brede basis.

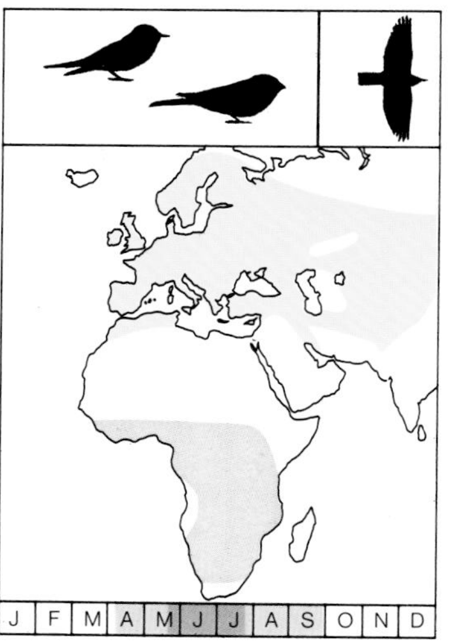

De behendige manoeuvres van de Grauwe Vliegenvanger als hij snelle uitvallen doet om passerende insekten te vangen, zijn in heel Europa in parken en tuinen een boeiend schouwspel. Oorspronkelijk is hij een vogel van open plekken in het bos, maar nu benut hij ook door de mens geschapen gebieden, waar hij echter nog steeds de voorkeur geeft aan plaatsen met wat hoge bomen. De voedseltactiek van de Grauwe Vliegenvanger werkt alleen als er een overvloed aan vliegende insekten is en aan deze voorwaarde is meestal pas in juni voldaan. De zomergasten die in april en mei terugkomen, eten insektelarven of vliegen net als Boeren- en Huiszwaluwen ononderbroken achter de enkele insekten die er zijn aan. Vanwege hun broedgewoontes zijn Grauwe Vliegenvangers de laatste zomergasten die terugkomen en hun broedtijd valt laat: de meeste leggen niet voordat het goed en wel juni is. Ze nestelen bij voorkeur op een uitstekende rand tegen de stam van een boom, maar gebouwen bieden vervangende mogelijkheden. Verder nestkasten met een open voorkant en oude merelnesten op gebouwen. Het nest zelf is een stevig bouwsel van twijgjes, gras en mos, verbonden met spinrag en bekleed met zachte planten en veren. Vroege legsels bevatten vier of vijf eieren, de latere minder; en het tweede broedsel dat sommige paren in juli grootbrengen, bestaat vaak maar uit twee of drie eieren. Beide ouders broeden en verzorgen de jongen. Ze overwinteren ten zuiden van de Sahara.

Boomkruiper/Taigaboomkruiper

J V

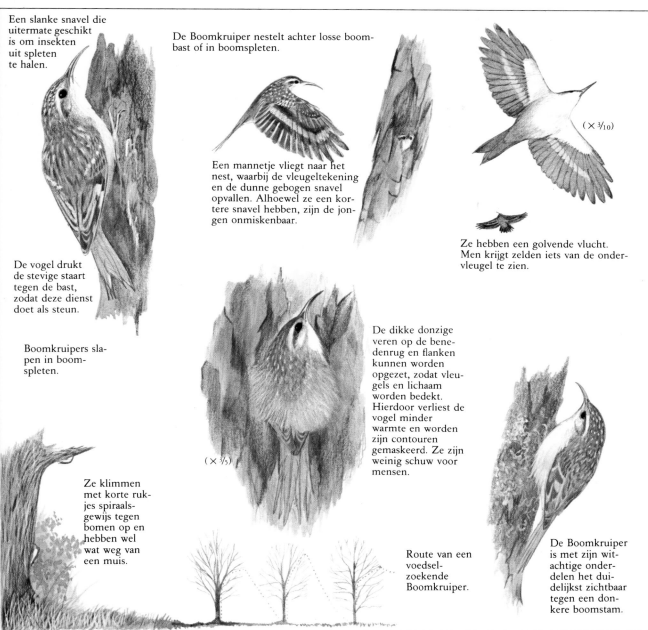

Een slanke snavel die uitermate geschikt is om insekten uit spleten te halen.

De Boomkruiper nestelt achter losse boombast of in boomspleten.

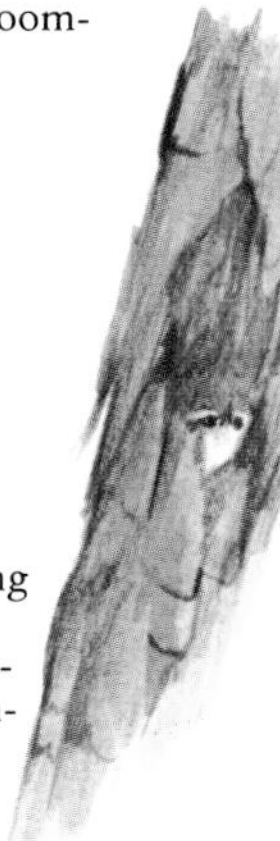

Een mannetje vliegt naar het nest, waarbij de vleugeltekening en de dunne gebogen snavel opvallen. Alhoewel ze een kortere snavel hebben, zijn de jongen onmiskenbaar.

(× 3/10)

Ze hebben een golvende vlucht. Men krijgt zelden iets van de ondervleugel te zien.

De vogel drukt de stevige staart tegen de bast, zodat deze dienst doet als steun.

Boomkruipers slapen in boomspleten.

De dikke donzige veren op de benedenrug en flanken kunnen worden opgezet, zodat vleugels en lichaam worden bedekt. Hierdoor verliest de vogel minder warmte en worden zijn contouren gemaskeerd. Ze zijn weinig schuw voor mensen.

(× 3/5)

Ze klimmen met korte rukjes spiraalsgewijs tegen bomen op en hebben wel wat weg van een muis.

Route van een voedselzoekende Boomkruiper.

De Boomkruiper is met zijn witachtige onderdelen het duidelijkst zichtbaar tegen een donkere boomstam.

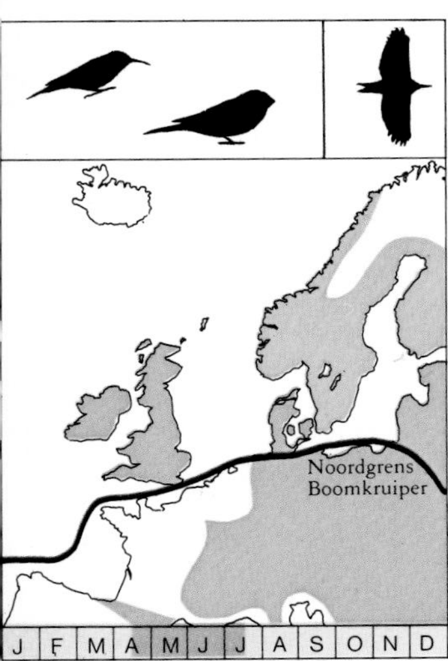

De Boomkruiper komt voor in bossen, parken en tuinen. Hij moet er wel oud hout met losse boombast kunnen vinden om te nestelen. Daar waar zijn verspreidingsgebied samenvalt met dat van de Taigaboomkruiper, treft men de Boomkruiper vooral aan in loofbossen en de Taigaboomkruiper in naaldbossen.

Het nest bevindt zich meestal achter losse boombast, of in boomspleten, of in een scheur van een schuur. De ouders bouwen samen het nest. Eerst proppen ze een vormloze verzameling takken op de nestelplaats; daarop bouwen ze een nestkommetje van gras met stukjes schors, dat wordt bekleed met veren en haar. Het vrouwtje neemt de taak van het uitbroeden van de zes of zeven eieren bijna geheel voor haar rekening. Na 15 dagen komen de eieren uit. Mannetje en vrouwtje verzorgen beide de jongen, die na 16 of 17 dagen uitvliegen. Voor het tweede broedsel wordt meestal van hetzelfde nest gebruik gemaakt.

Boomkruipers zijn erg gevoelig voor strenge winters, maar door op een beschutte plaats in boomspleten te overnachten kunnen ze de verliezen wel tegengaan. Het zijn standvogels die zelden meer dan een paar kilometer afleggen.

De afbeeldingen hebben betrekking op de Taigaboomkruiper en wel op de in Ierland en Groot-Brittannië voorkomende ondersoort. Afgezien van het geluid is deze ondersoort in het veld niet te onderscheiden van de Boomkruiper. In Nederland is de Taigaboomkruiper een dwaalgast.

Draaihals

ZV

Draaihals van boven gezien.

(× 3/10)

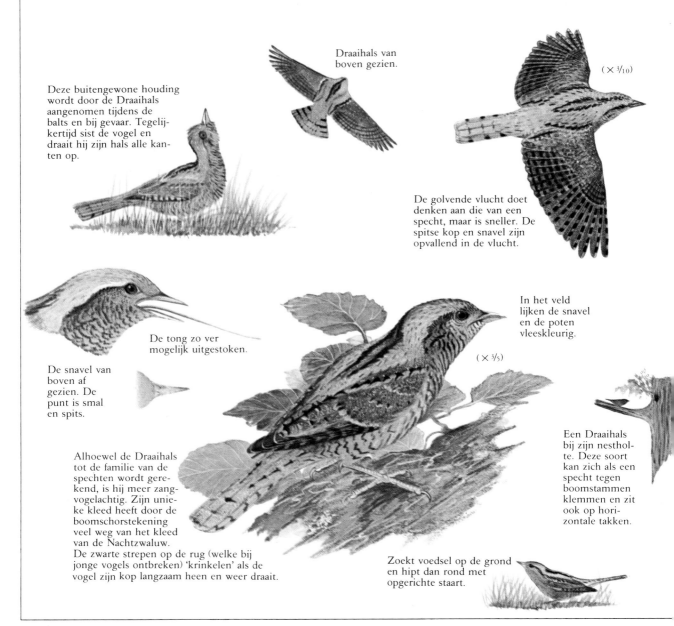

Deze buitengewone houding wordt door de Draaihals aangenomen tijdens de balts en bij gevaar. Tegelijkertijd sist de vogel en draait hij zijn hals alle kanten op.

De golvende vlucht doet denken aan die van een specht, maar is sneller. De spitse kop en snavel zijn opvallend in de vlucht.

In het veld lijken de snavel en de poten vleeskleurig.

De tong zo ver mogelijk uitgestoken.

(× 3/5)

De snavel van boven af gezien. De punt is smal en spits.

Een Draaihals bij zijn nestholte. Deze soort kan zich als een specht tegen boomstammen klemmen en zit ook op horizontale takken.

Alhoewel de Draaihals tot de familie van de spechten wordt gerekend, is hij meer zangvogelachtig. Zijn unieke kleed heeft door de boomschorstekening veel weg van het kleed van de Nachtzwaluw. De zwarte strepen op de rug (welke bij jonge vogels ontbreken) 'krinkelen' als de vogel zijn kop langzaam heen en weer draait.

Zoekt voedsel op de grond en hipt dan rond met opgerichte staart.

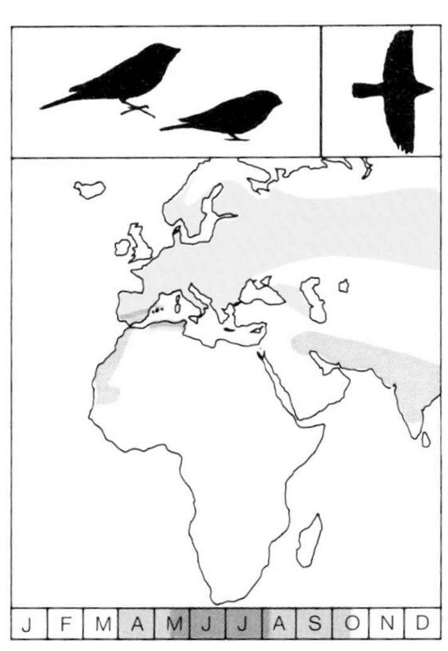

Zijn camouflagepak verleent de Draaihals van dichtbij een motachtige schoonheid en zijn gedrag is uitermate interessant. De Draaihals is in ons land een zeldzame broedvogel en het is een zorgwekkend feit, dat in West-Europa de populaties in grootte afnemen. De oorzaak van deze afname is onbekend; het hangt misschien samen met het klimaat.

De Draaihals behoort tot de familie van de spechten, maar hij mist veel van de aanpassingen voor het klimmen en hameren die spechten wel hebben. Net als zij heeft hij echter de buitengewoon lange, uitsteekbare tong. Deze is niet ruw of van weerhaakjes voorzien – zoals de tong van een specht – maar kleverig en speciaal geschikt om mieren (hun lievelingsvoedsel) te vangen.

De vogel dankt zijn naam aan het buitengewone gedraai met zijn hals tijdens de balts en in dreighouding. Dit laatste wordt spectaculair gedemonstreerd als een broedende vogel wordt gestoord: de hals draait in alle mogelijke richtingen, de tong flitst telkens uit de snavel en een hevig sissend geluid maakt de levensechte imitatie van een slang compleet.

De Draaihals nestelt in bestaande holten, spechtegaten en nestkasten. Hij kan niet, zoals de specht, gaten in bomen hameren. Het legsel bestaat meestal uit zeven of acht eieren. De Draaihals heeft het opmerkelijke vermogen om meer dan één ei per dag te leggen. Het vrouwtje broedt de eieren uit – broedduur 12 tot 13 dagen – en wordt daarbij af en toe geholpen door het mannetje.

Boomklever

J V

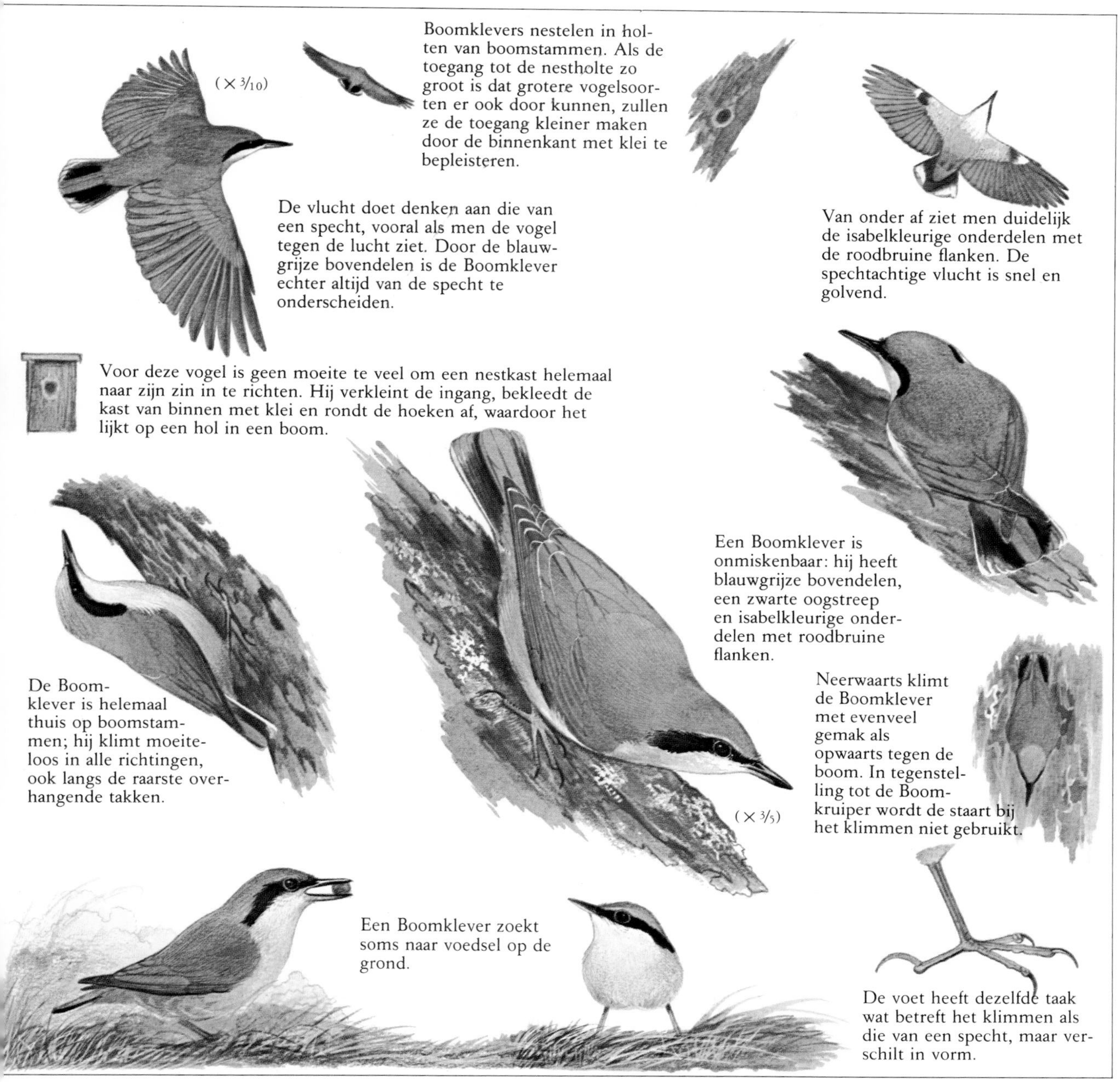

(× 3/10)

Boomklevers nestelen in holten van boomstammen. Als de toegang tot de nestholte zo groot is dat grotere vogelsoorten er ook door kunnen, zullen ze de toegang kleiner maken door de binnenkant met klei te bepleisteren.

De vlucht doet denken aan die van een specht, vooral als men de vogel tegen de lucht ziet. Door de blauwgrijze bovendelen is de Boomklever echter altijd van de specht te onderscheiden.

Van onder af ziet men duidelijk de isabelkleurige onderdelen met de roodbruine flanken. De spechtachtige vlucht is snel en golvend.

Voor deze vogel is geen moeite te veel om een nestkast helemaal naar zijn zin in te richten. Hij verkleint de ingang, bekleedt de kast van binnen met klei en rondt de hoeken af, waardoor het lijkt op een hol in een boom.

Een Boomklever is onmiskenbaar: hij heeft blauwgrijze bovendelen, een zwarte oogstreep en isabelkleurige onderdelen met roodbruine flanken.

De Boomklever is helemaal thuis op boomstammen; hij klimt moeiteloos in alle richtingen, ook langs de raarste overhangende takken.

Neerwaarts klimt de Boomklever met evenveel gemak als opwaarts tegen de boom. In tegenstelling tot de Boomkruiper wordt de staart bij het klimmen niet gebruikt.

(× 3/5)

Een Boomklever zoekt soms naar voedsel op de grond.

De voet heeft dezelfde taak wat betreft het klimmen als die van een specht, maar verschilt in vorm.

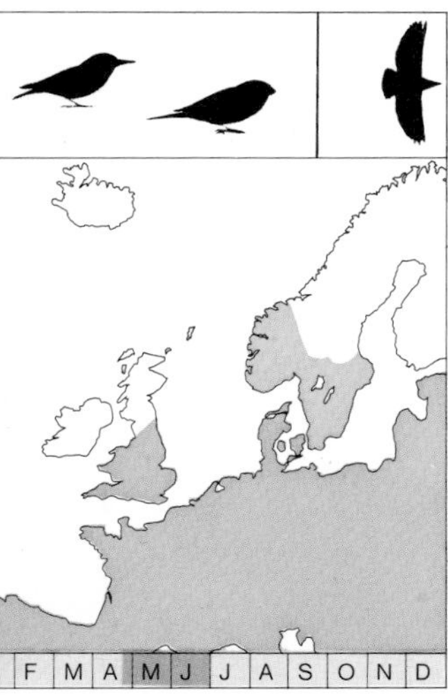

De roep van de Boomklever, een helder klinkend, metaalachtig fluitend 'twiet, twiet, twiet', is een vertrouwd geluid in bossen en parken. De zang, een herhaald luid gefluit, is soms de inleiding tot een baltsvlucht waarin het mannetje met uitgespreide vleugels en staart neerzweeft naar het vrouwtje. Een Boomklever verraadt zijn aanwezigheid soms door het luide geklop dat hij laat horen bij het openhameren van noten. Voor deze operatie zet hij de noot eerst stevig vast in een spleet van een boom, die ook geschikt is als opslagplaats. Een Boomklever die voertafels heeft leren waarderen, kan met een verbazingwekkend tempo af en aan vliegen. De verklaring: hij hamstert.
De klei die de Boomklever rond het nestgat smeert, dient waarschijnlijk om de concurrentie met andere holenbroeders te verminderen. Ook gebruikt de vogel de klei om scheuren en onregelmatigheden binnen de nestholte te verhelpen. De Boomklever maakt vaak gebruik van een nestkast, maar een kijkje daarin is meestal bijna onmogelijk omdat de vogel het deksel van binnenuit stevig heeft vastgepleisterd. Het nest is niet meer dan een onbenullig samenraapseltje van dode bladeren en stukjes schors, die de eieren bedekken als het vrouwtje van het nest is. Er zijn zes tot acht eieren, die na 14 of 15 dagen uitkomen. De jongen zijn pas vliegvlug na 23 tot 25 dagen, een lange tijd, zelfs voor een holenbroeder. De Boomklever trekt zelden ver van zijn geboorteplaats vandaan.

Cirlgors

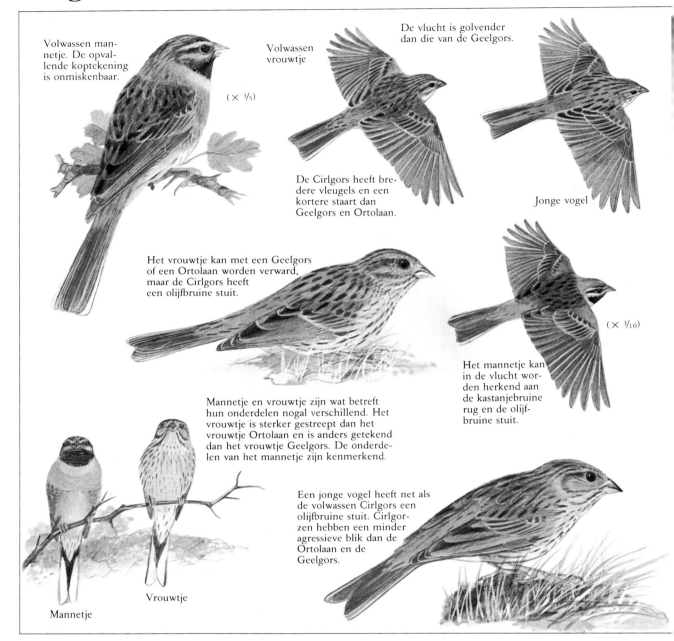

Volwassen mannetje. De opvallende koptekening is onmiskenbaar.

(× 3/5)

Volwassen vrouwtje

De vlucht is golvender dan die van de Geelgors.

De Cirlgors heeft bredere vleugels en een kortere staart dan Geelgors en Ortolaan.

Jonge vogel

Het vrouwtje kan met een Geelgors of een Ortolaan worden verward, maar de Cirlgors heeft een olijfbruine stuit.

(× 3/10)

Het mannetje kan in de vlucht worden herkend aan de kastanjebruine rug en de olijfbruine stuit.

Mannetje en vrouwtje zijn wat betreft hun onderdelen nogal verschillend. Het vrouwtje is sterker gestreept dan het vrouwtje Ortolaan en is anders getekend dan het vrouwtje Geelgors. De onderdelen van het mannetje zijn kenmerkend.

Een jonge vogel heeft net als de volwassen Cirlgors een olijfbruine stuit. Cirlgorzen hebben een minder agressieve blik dan de Ortolaan en de Geelgors.

Vrouwtje

Mannetje

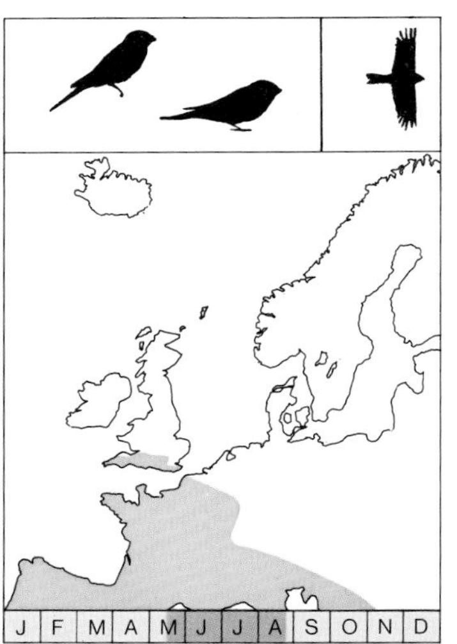

Mannetjes in broedkleed zijn mooie vogels, maar vrouwtjes en jonge vogels kunnen gemakkelijk verward worden met andere gorzen. Deze vogels vallen niet op en men ziet ze gemakkelijk over het hoofd. De beste tijd om de vogels op te sporen is het voorjaar, want dan laten de mannetjes, zittend op een opvallende plaats, hun monotone zang horen. Deze bestaat uit niet meer dan een herhaling van één enkele scherpe toon en lijkt wel wat op de zang van de Geelgors zonder eindstrofe.

Cirlgorzen prefereren meer beschuttende plantengroei in hun woongebied dan andere gorzen en komen voor in parken en bosranden bij cultuurland. Het nest wordt door het vrouwtje laag in een braamstruik of op de grond in een kuiltje gebouwd. Zij broedt 11 tot 13 dagen op de drie of vier eieren en wordt door het mannetje gevoerd. Nadat de jongen zijn uitgekomen, geeft het mannetje het voedsel nog steeds aan het vrouwtje dat het onder de jongen verdeelt. Na 11 tot 13 dagen zijn de jongen vliegvlug. Gewoonlijk brengen de vogels twee of drie broedsels groot. Cirlgorzen die op het nest worden gestoord, proberen net als veel andere gorzen de indringers weg te lokken door verlammingsverschijnselen te vertonen.

Familietroepjes blijven dikwijls 's winters bij elkaar en zoeken voedsel op stoppelvelden en in tuinen waar ze vrij vaak de voertafels bezoeken. Cirlgorzen zijn in hoofdzaak standvogels; ze zijn in Nederland een dwaalgast.

Geelgors

Het mannetje Geelgors heeft een kastanjebruine borst en flanken en zijn kop is geler dan die van het vrouwtje (rechts onder).

(× 3/10)

De Geelgors houdt zijn kop iets naar achteren bij het zingen en opent zijn snavel wijd. Hij zit graag in boomtoppen en op telegraafdraden.

De gele kop valt goed op in de vlucht. Als de vogel neerstrijkt, is dit soms het enige duidelijk zichtbare kenmerk.

(× 3/5)

Een slanke vogel met een lange staart en tamelijk brede vleugels. Hij verschilt van de Cirlgors door de kastanjebruine stuit.

De witte buitenstaart valt altijd op.

De Geelgors is goed herkenbaar aan de kastanjebruine stuit. De staart is altijd in beweging.

Vrouwtje

Geelgorzen zitten in bomen voor ze op een geploegd veld neerstrijken om voedsel te zoeken. Deze vogels komen samen met andere soorten – zoals Vinken, Groenlingen en Veldleeuweriken – voor in troepen die tijdens de winter en de lente naar voedsel zoeken op de velden.

Een jonge vogel is minder geel dan een volwassen exemplaar, maar is door zijn uiterlijk en gedrag duidelijk als Geelgors te herkennen. Bij het voedsel zoeken vallen de lange staart en slanke bouw van deze soort op.

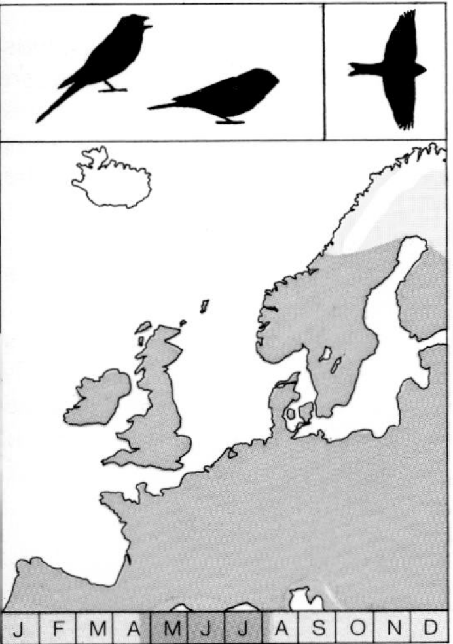

De zang van de Geelgors is monotoon en bestaat uit een reeks even hoge tonen gevolgd door een hogere, vaak tweetonige, uithaal. In de zomer is het een van de meest vertrouwde geluiden in grote delen van Europa, uitgezonderd de kusten van de Middellandse Zee.
Het is een vogel die voorkomt in allerlei soorten gebieden, als er maar wat open terrein met ruige vegetatie en een paar bomen en struiken is. In aanplantingen van jonge coniferen waar de bodem nog dicht wordt bedekt door braamstruiken, treft men de meeste Geelgorzen bij elkaar aan; in sommige gebieden wel 80 paartjes per km². Het nest ligt laag, vaak op de grond of net boven de grond in een lage doornstruik. Het is een tamelijk omvangrijk bouwwerk van gras, bekleed met plantewortelties. Het legsel bestaat gewoonlijk uit drie tot zes eieren, die door het vrouwtje worden uitgebroed. Het mannetje helpt nu en dan bij het broeden. De broedduur bedraagt 12 tot 14 dagen en het duurt nog eens zo lang voor de jongen vliegvlug zijn. Jonge Geelgorzen krijgen van hun ouders vooral rupsen en insektelarven, maar ook af en toe slakken en regenwormen. Twee of drie broedsels kunnen worden grootgebracht. 's Zomers kan men haast niet door een heideachtig landschap lopen zonder de alarmroep te horen van een Geelgors, die in de buurt jongen heeft.
De rui vindt vroeg in de herfst plaats en vanaf die tijd verzamelen Geelgorzen zich in troepen die voedsel zoeken op stoppelvelden en slapen in rietland en tussen ruige vegetatie.

Ortolaan

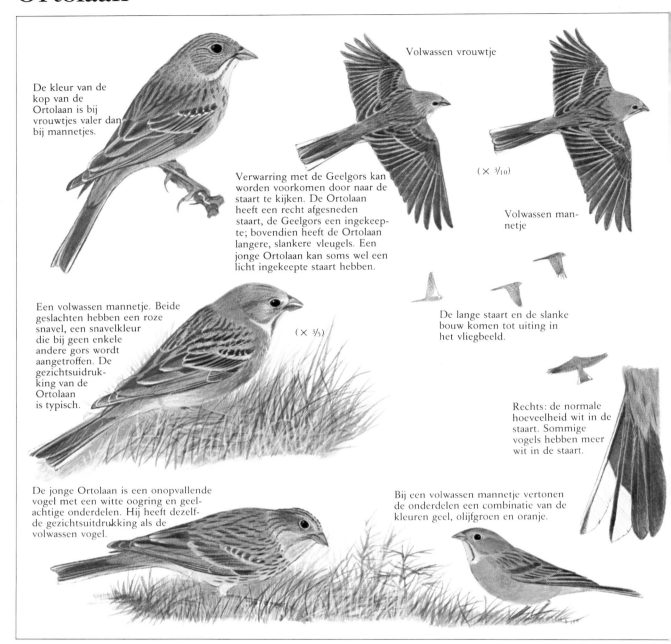

De kleur van de kop van de Ortolaan is bij vrouwtjes valer dan bij mannetjes.

Volwassen vrouwtje

Verwarring met de Geelgors kan worden voorkomen door naar de staart te kijken. De Ortolaan heeft een recht afgesneden staart, de Geelgors een ingekeepte; bovendien heeft de Ortolaan langere, slankere vleugels. Een jonge Ortolaan kan soms wel een licht ingekeepte staart hebben.

(× 3/10)

Volwassen mannetje

Een volwassen mannetje. Beide geslachten hebben een roze snavel, een snavelkleur die bij geen enkele andere gors wordt aangetroffen. De gezichtsuidrukking van de Ortolaan is typisch.

(× 3/5)

De lange staart en de slanke bouw komen tot uiting in het vliegbeeld.

Rechts: de normale hoeveelheid wit in de staart. Sommige vogels hebben meer wit in de staart.

De jonge Ortolaan is een onopvallende vogel met een witte oogring en geelachtige onderdelen. Hij heeft dezelfde gezichtsuitdrukking als de volwassen vogel.

Bij een volwassen mannetje vertonen de onderdelen een combinatie van de kleuren geel, olijfgroen en oranje.

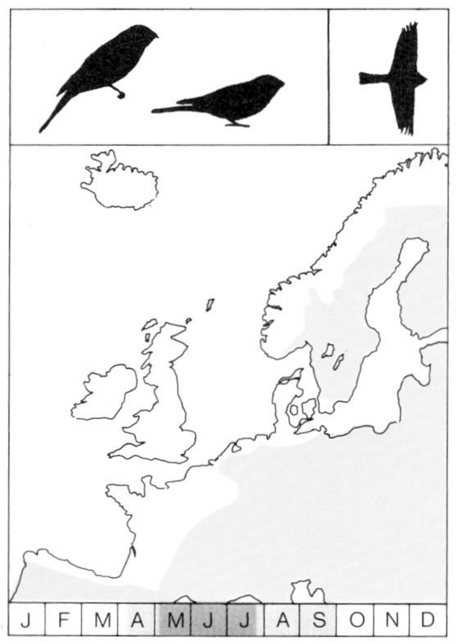

Ortolanen zijn wijd verspreid over Europa, uitgezonderd Groot-Brittannië. In Nederland is de Ortolaan een vrij schaarse broedvogel van het oosten en zuiden van het land. De eisen die ze aan hun gebied stellen, zijn simpel: een paar struiken of andere schuilplaatsen en een stukje open terrein om voedsel te zoeken. Het voedsel bestaat uit graankorrels en andere zaden, maar ook uit insekten – die hoofdbestanddeel zijn van het menu van de jongen – zoals kevers, krekels en, in de winterkwartieren, sprinkhanen. Mannetjes zingen boven in de struiken of op telegraafdraden. De zang is wat monotoon en herinnert aan die van de Geelgors. Hij bestaat uit reeksen van zes of zeven heldere tonen met een aflopende strofe.

Het nest ligt in een kuiltje op de grond, verborgen door overhangende vegetatie of soms door een rotsblok. Het wordt door het vrouwtje gebouwd van halmen, plantenworteltjes en bladen en bekleed met fijner plantemateriaal en haar. De vier tot zes eieren variëren van kleur maar vertonen altijd iets van de karakteristieke tekening van een gorzeëi ('schrijvereitjes'). Het uitbroeden duurt 12 tot 13 dagen en gebeurt voornamelijk door het vrouwtje. Ook draagt zij de meeste zorg voor het voeren van de jongen. Vaak verlaten de jongen het nest voor ze vliegvlug zijn, een verschijnsel dat meer voorkomt bij op de grond nestelende vogels. Soms verlaten Ortolanen al negen dagen nadat ze uit het ei zijn gekomen het nest en zorgen dan voor zichzelf.

Grijze Gors

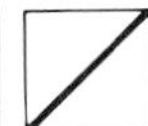

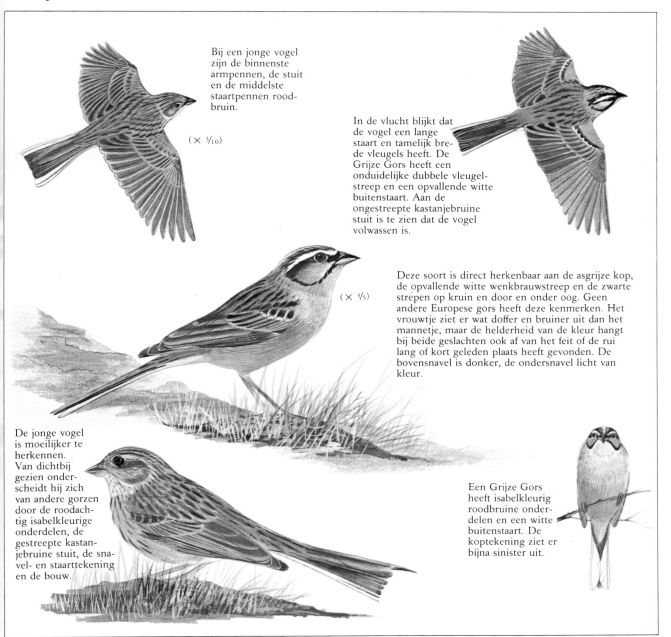

Bij een jonge vogel zijn de binnenste armpennen, de stuit en de middelste staartpennen roodbruin.

(× 3/10)

In de vlucht blijkt dat de vogel een lange staart en tamelijk brede vleugels heeft. De Grijze Gors heeft een onduidelijke dubbele vleugelstreep en een opvallende witte buitenstaart. Aan de ongestreepte kastanjebruine stuit is te zien dat de vogel volwassen is.

(× 3/5)

Deze soort is direct herkenbaar aan de asgrijze kop, de opvallende witte wenkbrauwstreep en de zwarte strepen op kruin en door en onder oog. Geen andere Europese gors heeft deze kenmerken. Het vrouwtje ziet er wat doffer en bruiner uit dan het mannetje, maar de helderheid van de kleur hangt bij beide geslachten ook af van het feit of de rui lang of kort geleden plaats heeft gevonden. De bovensnavel is donker, de ondersnavel licht van kleur.

De jonge vogel is moeilijker te herkennen. Van dichtbij gezien onderscheidt hij zich van andere gorzen door de roodachtig isabelkleurige onderdelen, de gestreepte kastanjebruine stuit, de snavel- en staarttekening en de bouw.

Een Grijze Gors heeft isabelkleurig roodbruine onderdelen en een witte buitenstaart. De koptekening ziet er bijna sinister uit.

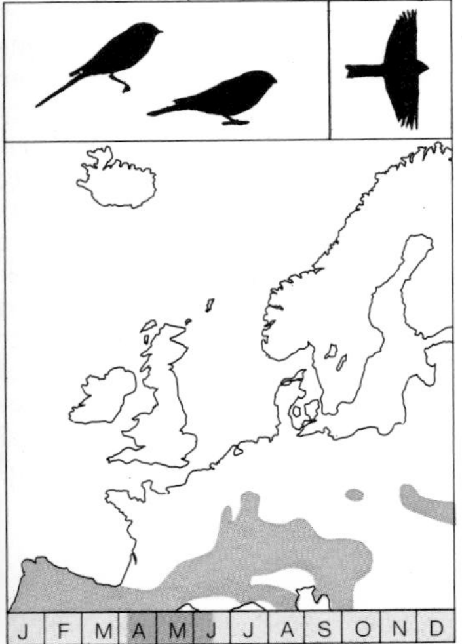

Het typische gebied waar de Grijze Gors broedt, bestaat uit rotsachtige berghellingen. De zang lijkt wel wat op die van de Geelgors, maar klinkt veel hoger en de laatste toon wordt vaak enige keren herhaald. In 't geheel genomen herinnert de zang aan die van de Heggemus.
Het vrouwtje bouwt het nest. Zoals het een gors betaamt, is dit grotendeels van gras gemaakt met hier en daar mogelijk wat mos en boombast ertussen. Het is bekleed met haar en fijn plantemateriaal. Normaal ligt het in een uitholling tussen rotsblokken of op de grond, maar ook wordt het redelijk vaak aangetroffen in struiken of lage bomen, soms op bijna twee meter boven de grond.
De vier tot zes eieren vallen op door hun tekening, een fantastisch netwerk van fijne lijntjes. Eieren van andere soorten gorzen vertonen deze karakteristiek in aanzienlijk mindere mate. Het vrouwtje broedt 13 tot 14 dagen lang op de eieren. De jongen worden door beide ouders gevoerd. Het is niet bekend na hoeveel tijd ze uitvliegen. Er wordt maar één broedsel grootgebracht en na het broedseizoen trekken de vogels naar lager gelegen terrein waar ze overwinteren. Vogels in het noordelijke deel van het broedgebied trekken naar het zuiden en sommige trekken door tot de zuidgrens van het broedgebied in Noord-Afrika. Hier kan men tamelijk grote troepen Grijze Gorzen samen met andere gorzen aantreffen. In Nederland is de Grijze Gors een dwaalgast.

Rietgors

    J V

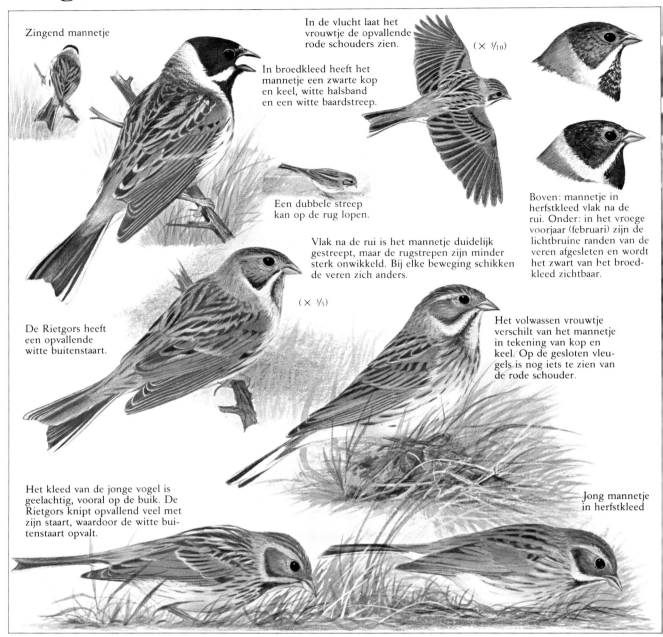

Zingend mannetje

In de vlucht laat het vrouwtje de opvallende rode schouders zien.

(× 3/10)

In broedkleed heeft het mannetje een zwarte kop en keel, witte halsband en een witte baardstreep.

Een dubbele streep kan op de rug lopen.

Boven: mannetje in herfstkleed vlak na de rui. Onder: in het vroege voorjaar (februari) zijn de lichtbruine randen van de veren afgesleten en wordt het zwart van het broedkleed zichtbaar.

Vlak na de rui is het mannetje duidelijk gestreept, maar de rugstrepen zijn minder sterk onwikkeld. Bij elke beweging schikken de veren zich anders.

(× 3/5)

De Rietgors heeft een opvallende witte buitenstaart.

Het volwassen vrouwtje verschilt van het mannetje in tekening van kop en keel. Op de gesloten vleugels is nog iets te zien van de rode schouder.

Het kleed van de jonge vogel is geelachtig, vooral op de buik. De Rietgors knipt opvallend veel met zijn staart, waardoor de witte buitenstaart opvalt.

Jong mannetje in herfstkleed

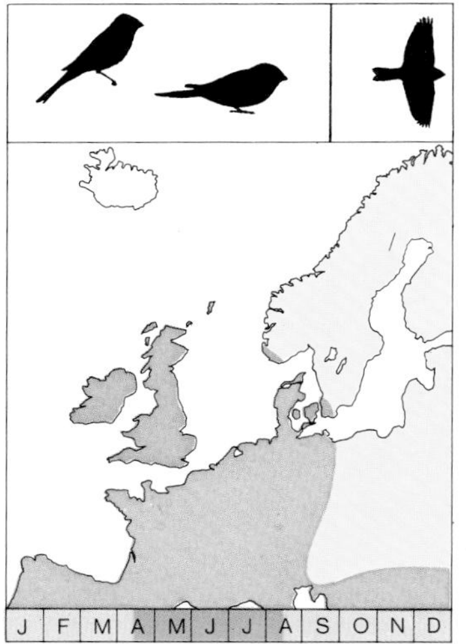

Veel vogels hebben te lijden van menselijke activiteiten, maar een paar soorten, waarvan de Rietgors er één is, hebben genoeg aanpassingsvermogen om profijt te trekken van veranderingen in het milieu. Het typische broedterrein van de Rietgors bestaat uit moerassige gronden met ruigten, biezen en zeggen. Zulke gebieden verdwijnen geleidelijk in Europa en veel soorten die erbuiten niet kunnen leven, zijn drastisch in aantal verminderd. De Rietgors nam als reactie bezit van drogere gronden en heeft zich met succes gevestigd in zulke onverwachte gebieden als gerstvelden. Hierbij kwam hij naar alle waarschijnlijkheid in concurrentie met andere gorzen, vooral de Geelgors.

In het broedseizoen verraadt de Rietgors zich door zijn zang, een simpele, monotone herhaling van drie noten, besloten met een nasale toon. De slottoon lijkt veel op de alarmroep van de vogel.

Het nest van de Rietgors wordt gemaakt van gras. Het ligt meestal laag in het riet, tussen biezen of graspollen. Het legsel bestaat gewoonlijk uit vijf eieren, die er zeer kenmerkend uitzien: bruin met zwarte vlekken en krabbels ('schrijvereitjes'). Bij verontrusting reageert het mannetje of het vrouwtje dikwijls met het vertonen van verlammingsverschijnselen. De eieren komen na 13 tot 14 dagen uit en de jongen – die door beide ouders worden gevoerd – zijn vliegvlug na nog eens 10 tot 13 dagen. Twee broedsels zijn normaal, maar drie broedsels zijn niet ongewoon.

Sneeuwgors

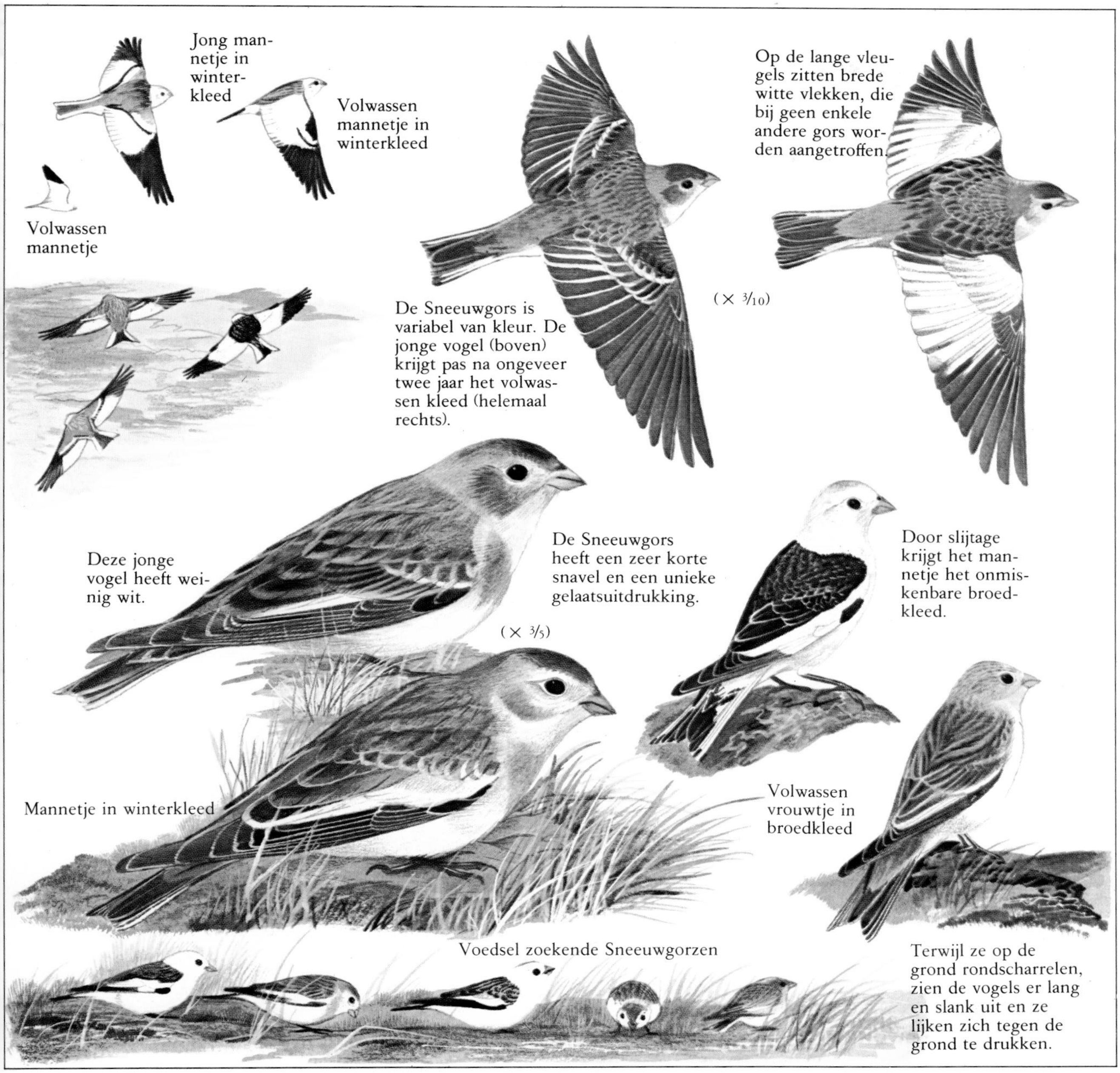

Jong mannetje in winterkleed

Volwassen mannetje in winterkleed

Volwassen mannetje

Op de lange vleugels zitten brede witte vlekken, die bij geen enkele andere gors worden aangetroffen.

De Sneeuwgors is variabel van kleur. De jonge vogel (boven) krijgt pas na ongeveer twee jaar het volwassen kleed (helemaal rechts).

(× 3/10)

Deze jonge vogel heeft weinig wit.

De Sneeuwgors heeft een zeer korte snavel en een unieke gelaatsuitdrukking.

Door slijtage krijgt het mannetje het onmiskenbare broedkleed.

(× 3/5)

Mannetje in winterkleed

Volwassen vrouwtje in broedkleed

Voedsel zoekende Sneeuwgorzen

Terwijl ze op de grond rondscharrelen, zien de vogels er lang en slank uit en ze lijken zich tegen de grond te drukken.

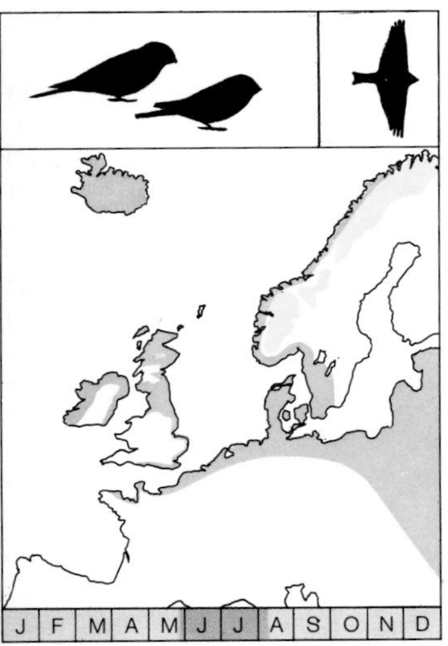

Een troep Sneeuwgorzen 's winters langs de kust biedt een betoverende aanblik. De zwermen voedselzoekende vogels dansen rond in de lucht en lijken op voorbijdrijvende sneeuwvlokken. Intussen brengen ze melodieuze trillers ten gehore.

De Sneeuwgors is een hoognoordelijke soort die in West-Europa alleen in de Schotse Hooglanden broedt. Hij leeft voornamelijk van zaden die hij van de grond pikt. De mannetjes gaan als eerste al in maart terug naar de broedgebieden, ook naar Groenland. In het besneeuwde landschap klinkt weldra een muzikaal gezang waarmee de vogels verkondigen dat ze een territorium hebben ingenomen. Over de grenzen van dit territorium kibbelen ze fervent met de buren. Een nieuwe sneeuwbui bekoelt de vijandelijkheid tijdelijk wat, en de vogels verzamelen zich in troepen totdat de weersomstandigheden weer verbeteren. De vrouwtjes komen ongeveer een maand later aan en worden door de mannetjes aanvankelijk vijandig bejegend. Als de vrouwtjes hierop niet reageren, schakelen de mannetjes over op baltsvertoon en baltsvluchten waarbij ze de vrouwtjes najagen.

Het nest is groot en wordt gebouwd in een rotsspleet; zo nu en dan in een gebouw. Het wordt uit drie lagen opgebouwd: de buitenste laag is van mos, dan volgt een graslaag en ten slotte volgt de bekleding van veren. Er worden vier tot zeven eieren gelegd waarop het vrouwtje 12 tot 13 dagen broedt. Beide ouders voeren de jongen, die na 10 tot 12 dagen uitvliegen. Tijdens de rui, vroeg in de herfst, kunnen de vogels tijdelijk niet vliegen.

Boomleeuwerik

Enkele typische vliegbeelden

(× 3/10)

In de vlucht verschilt de Boomleeuwerik van de Veldleeuwerik door zijn wat kleiner formaat en veel kortere staart. Verder kan hij herkend worden aan de donkere vlek beneden de vleugelbocht.

De in spiralen uitgevoerde baltsvlucht

Een pas geruide vogel – de veren slijten bij leeuweriken gemakkelijk, waardoor ze bleker van kleur worden. De donkere vlek beneden de vleugelbocht is ook op de gesloten vleugel te zien.

(× 3/5)

Gestreepte borst en witte wenkbrauwstreep zijn betrouwbare kenmerken.

Een jonge vogel die het nest verlaten heeft, roept om zijn ouders. In dit stadium zijn de vleugels erg kort. Jonge vogels kunnen al lopen als ze 10 tot 12 dagen oud zijn.

De ronde kuif van de Boomleeuwerik is vrij goed onwikkeld. In achteraanzicht is de staart duidelijk korter dan bij de Veldleeuwerik. De buitenste staartpennen hebben witte punten in plaats van witte buitenranden.

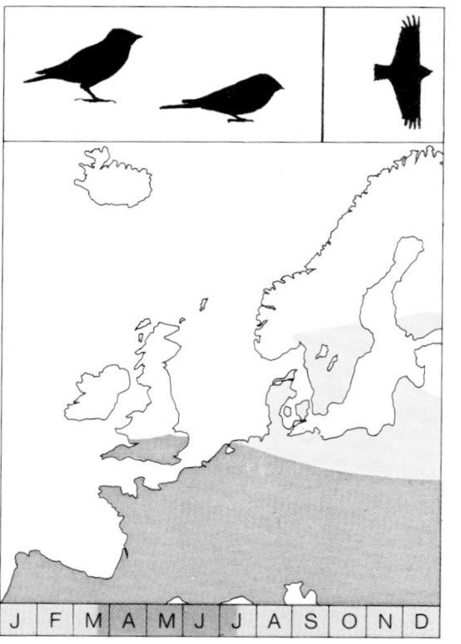

De zang van de Boomleeuwerik wordt wat minder lang aangehouden dan die van de Veldleeuwerik, maar is melodieuzer. De zang wordt in een spiraalvormige baltsvlucht gegeven. De Boomleeuwerik is nergens zo talrijk als de Veldleeuwerik en bewoont heidevelden, bosrijke duinen en open terrein met afwisselend kort gras en hogere vegetatie en wat verspreide bomen die als zitplaats worden gebruikt of om te zingen. Behalve in het noordelijk deel van het broedgebied zijn ze zeer honkvast en brengen het grootste deel van het jaar door in paren of familiegroepjes in of bij hun territoria.

Ze beginnen reeds in maart met broeden. Het nest ligt in een kuiltje op de grond; de buitenste laag wordt meestal door het mannetje gevlochten van hard gras, het vrouwtje maakt de binnenkant af met fijn gras en haar. Er worden drie tot vier gespikkelde eieren in gelegd, die door het vrouwtje worden bebroed; zowat iedere 45 minuten verlaat ze het nest om wat te eten. Het eerste stuk bij het nest legt ze lopend af, verder vliegt ze in gezelschap van het mannetje naar het voedselgebied, dat wel bijna een kilometer van het nest kan zijn. De broedduur is veertien dagen; in die periode zingt het mannetje weinig. De jongen worden door beide ouders gevoerd en vliegen na elf tot dertien dagen uit. Vaak verlaten ze het nest al eerder en verbergen zich in holtes op de grond waartussen loopgangen ontstaan.

Grauwe Gors

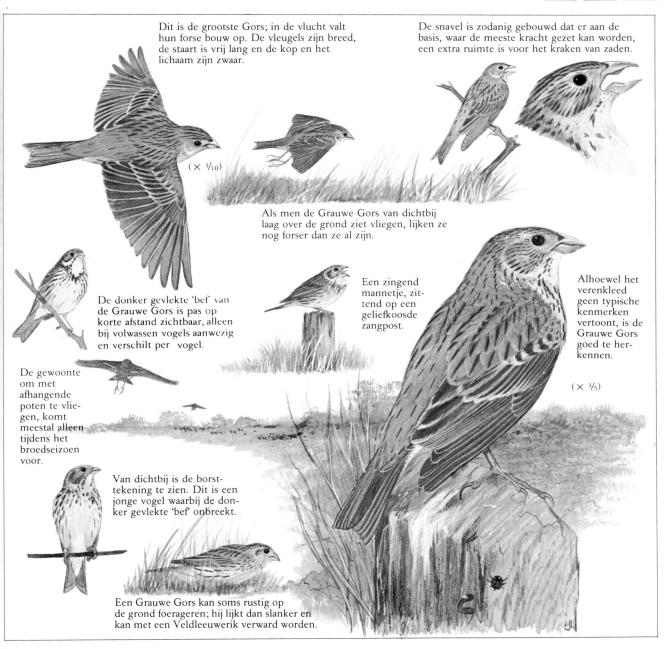

Dit is de grootste Gors; in de vlucht valt hun forse bouw op. De vleugels zijn breed, de staart is vrij lang en de kop en het lichaam zijn zwaar.

(× 3/10)

De snavel is zodanig gebouwd dat er aan de basis, waar de meeste kracht gezet kan worden, een extra ruimte is voor het kraken van zaden.

Als men de Grauwe Gors van dichtbij laag over de grond ziet vliegen, lijken ze nog forser dan ze al zijn.

De donker gevlekte 'bef' van de Grauwe Gors is pas op korte afstand zichtbaar, alleen bij volwassen vogels aanwezig en verschilt per vogel.

Een zingend mannetje, zittend op een geliefkoosde zangpost.

Alhoewel het verenkleed geen typische kenmerken vertoont, is de Grauwe Gors goed te herkennen.

(× 3/5)

De gewoonte om met afhangende poten te vliegen, komt meestal alleen tijdens het broedseizoen voor.

Van dichtbij is de borsttekening te zien. Dit is een jonge vogel waarbij de donker gevlekte 'bef' onbreekt.

Een Grauwe Gors kan soms rustig op de grond foerageren; hij lijkt dan slanker en kan met een Veldleeuwerik verward worden.

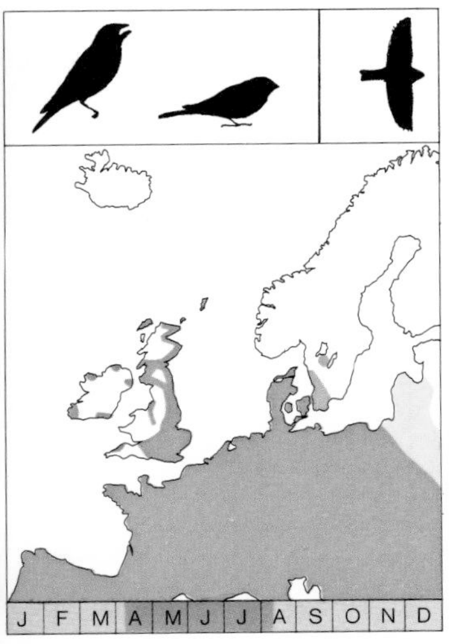

Hoewel het een van de saaist getekende Europese vogels is, is de Grauwe Gors een interessante soort waarvan de verspreiding en leefwijze nog raadselachtige trekjes vertonen. Hij komt voor op uitgestrekte akkers, vooral met granen en bij voorkeur zonder heggen. De moderne landbouw is daarom in hun voordeel. Toch is hun verspreiding verbrokkeld en plaatselijk en gedurende deze eeuw zijn ze verdwenen uit Ierland, waar ze vroeger algemeen waren.

Hun broedgedrag is eveneens merkwaardig. In tegenstelling tot andere gorzen en zaadeters helpt het mannetje nauwelijks mee met de nestbouw. Soms vergezelt hij het vrouwtje als ze aan het bouwen is, maar alleen zij broedt en verzorgt de jongen. Tot voor kort dacht men dat het mannetje van de Grauwe Gors meerdere vrouwtjes heeft; dit blijkt lang niet altijd zo te zijn. Het mannetje heeft verscheidene zangposten, vaak tot op 150 m van een nest en zijn onmiskenbare zang lijkt op het geluid van een rammelende sleutelbos. Tijdens het broedseizoen lijkt het alsof hij onhandig vliegt, met afhangende poten – dit hangt waarschijnlijk samen met de baltsvluchten die hij af en toe uitvoert.

Om de anderhalf of twee uur gaat het vrouwtje van het nest af om voedsel te gaan zoeken, vaak wel tot op een afstand van 400 m waar het mannetje zich nogal eens bij haar voegt. Het nest ligt verborgen op de grond in een korenveld of op braakliggend terrein. Het legsel bestaat uit drie tot vijf eieren en er worden wel drie broedsels per jaar grootgebracht.

Kuifleeuwerik/Thekla-leeuwerik

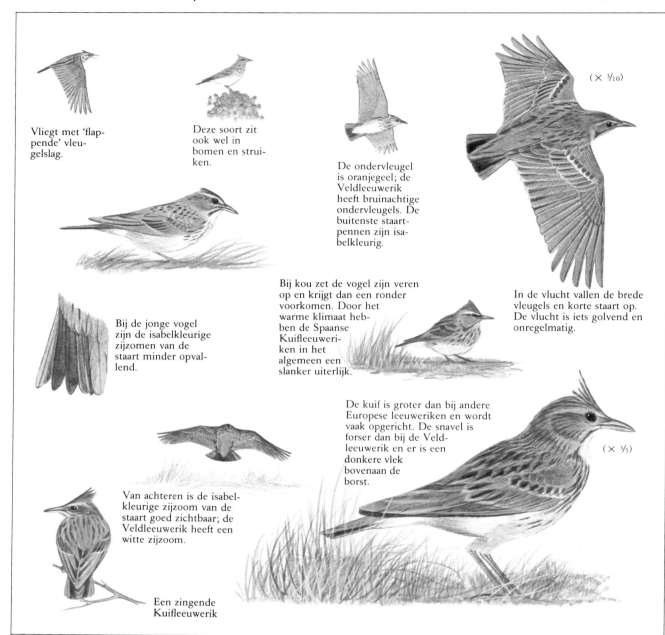

Vliegt met 'flappende' vleugelslag.

Deze soort zit ook wel in bomen en struiken.

De ondervleugel is oranjegeel; de Veldleeuwerik heeft bruinachtige ondervleugels. De buitenste staartpennen zijn isabelkleurig.

(× 3/10)

In de vlucht vallen de brede vleugels en korte staart op. De vlucht is iets golvend en onregelmatig.

Bij de jonge vogel zijn de isabelkleurige zijzomen van de staart minder opvallend.

Bij kou zet de vogel zijn veren op en krijgt dan een ronder voorkomen. Door het warme klimaat hebben de Spaanse Kuifleeuweriken in het algemeen een slanker uiterlijk.

De kuif is groter dan bij andere Europese leeuweriken en wordt vaak opgericht. De snavel is forser dan bij de Veldleeuwerik en er is een donkere vlek bovenaan de borst.

(× 3/5)

Van achteren is de isabelkleurige zijzoom van de staart goed zichtbaar; de Veldleeuwerik heeft een witte zijzoom.

Een zingende Kuifleeuwerik

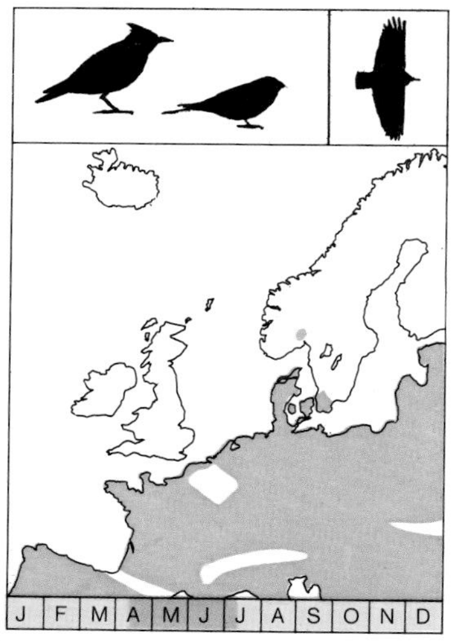

De roep van de Kuifleeuwerik is welluidend en karakteristiek: een vloeiend 'twietie-trie' of 'truïe'. De zang is helder van toon en lijkt op die van de Veldleeuwerik, maar is korter en wordt vanaf de grond of in de vlucht gegeven.

Kuifleeuweriken ziet men vooral op droge, kale terreinen; ze komen ook voor in steden en dorpen.

Het nest is een kuiltje in de grond, meestal bij een graspol. Het legsel van vier eieren wordt door het vrouwtje in 11 tot 12 dagen uitgebroed. Beide ouders voeren de jongen met insekten, maar de volwassen vogels eten graszaad en graan. Net als andere leeuweriken verlaten ze vrij spoedig het nest, soms al na acht dagen en ruim een week voordat ze kunnen vliegen. Er zijn twee of drie broedsels per jaar.

Ook deze soort is variabel wat betreft kleur en afmeting in zijn uitgestrekt verspreidingsgebied; de kleurverschillen hangen samen met vochtigheid en kleur van de bodem. De vier Europese ondersoorten lijken evenwel zeer veel op elkaar. Het zijn hoofdzakelijk standvogels.

De Thekla-leeuwerik is in het veld moeilijk te onderscheiden van de Kuifleeuwerik. Ze vertonen een zelfde gedrag en zijn ook in dezelfde biotoop aan te treffen, maar in tegenstelling tot de Kuifleeuwerik vaker op steenachtige, droge gronden. Ook – tot op vrij grote hoogten – in berggebieden. Deze Kuifleeuwerik is standvogel op het Iberisch schiereiland.

Veldleeuwerik

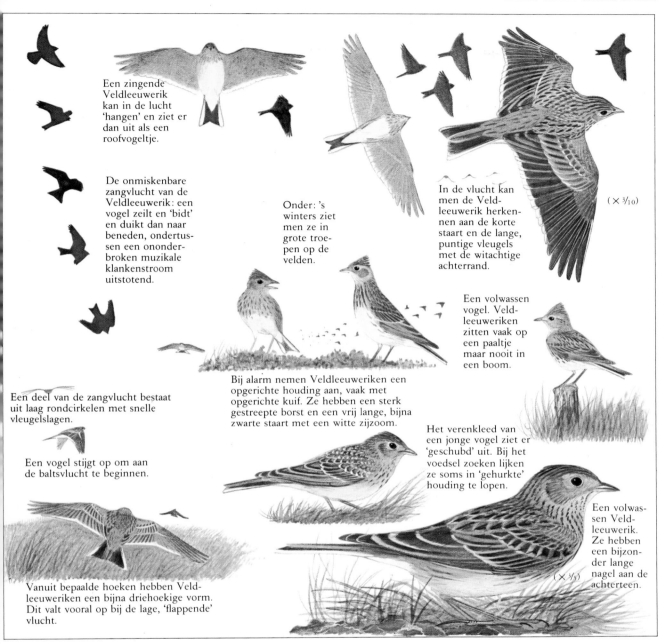

Een zingende Veldleeuwerik kan in de lucht 'hangen' en ziet er dan uit als een roofvogeltje.

De onmiskenbare zangvlucht van de Veldleeuwerik: een vogel zeilt en 'bidt' en duikt dan naar beneden, ondertussen een ononderbroken muzikale klankenstroom uitstotend.

Onder: 's winters ziet men ze in grote troepen op de velden.

In de vlucht kan men de Veldleeuwerik herkennen aan de korte staart en de lange, puntige vleugels met de witachtige achterrand.

(× 3/10)

Een volwassen vogel. Veldleeuweriken zitten vaak op een paaltje maar nooit in een boom.

Bij alarm nemen Veldleeuweriken een opgerichte houding aan, vaak met opgerichte kuif. Ze hebben een sterk gestreepte borst en een vrij lange, bijna zwarte staart met een witte zijzoom.

Een deel van de zangvlucht bestaat uit laag rondcirkelen met snelle vleugelslagen.

Een vogel stijgt op om aan de baltsvlucht te beginnen.

Het verenkleed van een jonge vogel ziet er 'geschubd' uit. Bij het voedsel zoeken lijken ze soms in 'gehurkte' houding te lopen.

Een volwassen Veldleeuwerik. Ze hebben een bijzonder lange nagel aan de achterteen.

(× 3/5)

Vanuit bepaalde hoeken hebben Veldleeuweriken een bijna driehoekige vorm. Dit valt vooral op bij de lage, 'flappende' vlucht.

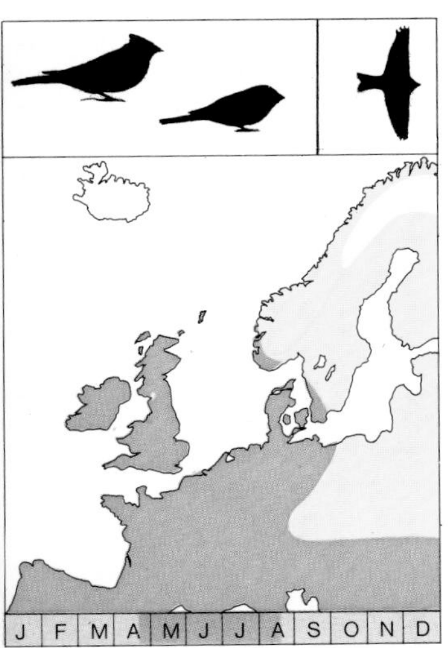

Hoewel hun zeer opmerkelijke zang hen een plaats in de literatuur bezorgd heeft, kon de roem hen niet vrijwaren voor vervolging. Nog in deze eeuw werden er overal duizenden gevangen met netten, en ook nu nog worden ze in Frankrijk, Italië en Spanje op grote schaal gedood om opgegeten te worden. Hun zang is niet alleen opmerkelijk vanwege de kwaliteit en gevarieerdheid – er komen loopjes, trillers en nabootsingen in voor – maar ook omdat hij zo lang aangehouden wordt. Een zangvlucht kan verscheidene minuten duren en hun zangactiviteit strekt zich over een half jaar uit. Soms zingen ze ook vanaf de grond of een paaltje.
Leeuweriken zijn vogels van open terrein en foerageren uitsluitend op de grond, zowel plantedelen als kleine bodemdieren etend. Onder invloed van sneeuwval treden op grote schaal verplaatsingen op en in strenge winters gaan ze sterk in aantal achteruit. De populaties uit Scandinavië brengen de winter in Frankrijk en Spanje door, maar zuidelijker populaties zijn standvogels.
Het nest is een kuiltje in de grond, meestal tussen gras maar ze broeden ook wel in suikerbietenvelden. Meestal zijn er drie of vier eieren, die door het vrouwtje slechts 11 dagen bebroed worden. De jongen verlaten al heel gauw, al vanaf negen dagen, het nest. 's Nachts komen ze nog wel terug naar het nest en ze zijn pas met 20 dagen vliegvlug. In deze gevaarlijke periode vormt hun geschubde verenkleed een uitstekende camouflage en de op hun hoede zijnde ouders benaderen het nest alleen lopend.

Boompieper

De Boompieper heeft van onderaf gezien een opvallender borsttekening dan de Graspieper. De strepen op de borst zijn groter en minder talrijk. De vogel heeft witte buitenste staartpennen.

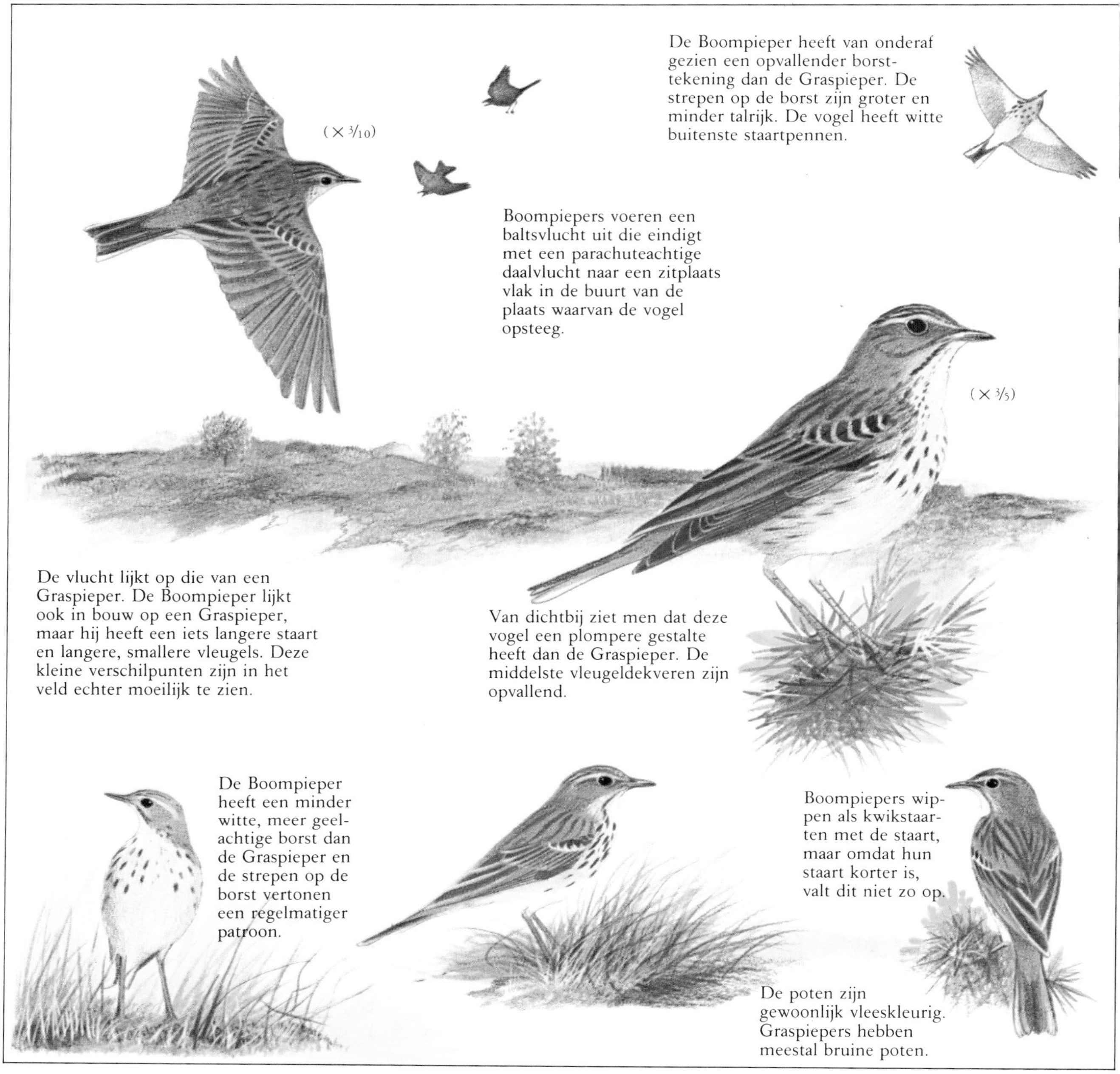

(× 3/10)

Boompiepers voeren een baltsvlucht uit die eindigt met een parachuteachtige daalvlucht naar een zitplaats vlak in de buurt van de plaats waarvan de vogel opsteeg.

(× 3/5)

De vlucht lijkt op die van een Graspieper. De Boompieper lijkt ook in bouw op een Graspieper, maar hij heeft een iets langere staart en langere, smallere vleugels. Deze kleine verschilpunten zijn in het veld echter moeilijk te zien.

Van dichtbij ziet men dat deze vogel een plompere gestalte heeft dan de Graspieper. De middelste vleugeldekveren zijn opvallend.

De Boompieper heeft een minder witte, meer geelachtige borst dan de Graspieper en de strepen op de borst vertonen een regelmatiger patroon.

Boompiepers wippen als kwikstaarten met de staart, maar omdat hun staart korter is, valt dit niet zo op.

De poten zijn gewoonlijk vleeskleurig. Graspiepers hebben meestal bruine poten.

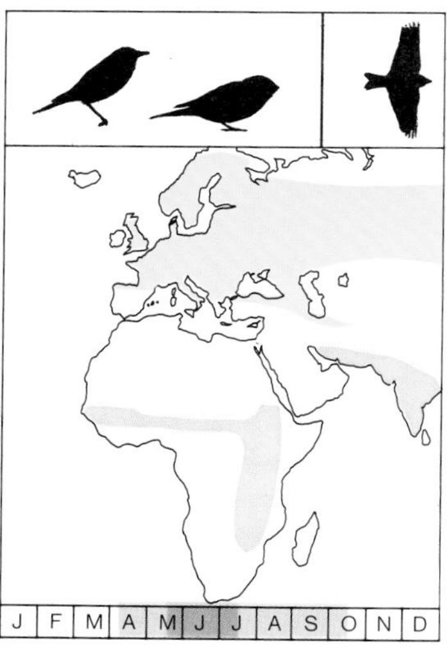

De Boompieper is minder talrijk en minder wijd verbreid dan de Graspieper. Hij komt gewoonlijk voor in heidevelden met ruige vegetatie en hier en daar een enkel boompje, in opengekapte plekken in bossen, langs bosranden en diep in gemengd loofbos in hoge berken en eiken. De moderne bosbouwmethoden zijn gunstig voor de Boompieper want jonge naaldhoutaanplanten verschaffen hem een ideaal terrein. Eind april komen de mannetjes aan in het broedgebied en bezetten vlug hun territorium. De vrouwtjes arriveren spoedig daarna. Het vrouwtje bouwt het nest in de aanwezigheid van het mannetje. Het is een eenvoudig kommetje van gras dat in een kuiltje ligt, meestal goed verscholen onder vegetatie. Het duurt vier tot vijf dagen voor het legsel van vier tot zes eieren compleet is. In die tijd zoeken beide vogels voedsel in de buurt van het nest en het mannetje zingt af en toe een poosje. Als het broeden is begonnen, gaat het mannetje zangvluchten maken, vaak tot ver van het nest. Nadat de eieren na 13 tot 14 dagen broeden zijn uitgekomen, krijgt het mannetje weer minder tijd om te zingen want hij helpt het vrouwtje bij het voeren van de jongen. Deze vliegen uit na 12 tot 13 dagen.

De volwassen vogels ruien vleugel- en staartveren voor ze beginnen aan de herfsttrek. De meeste vogels vertrekken in september. Men ziet ze meestal alleen of in kleine groepjes. Het voedsel bestaat uit op de grond levende insekten en zo nu en dan wat zaden.

Graspieper

J V

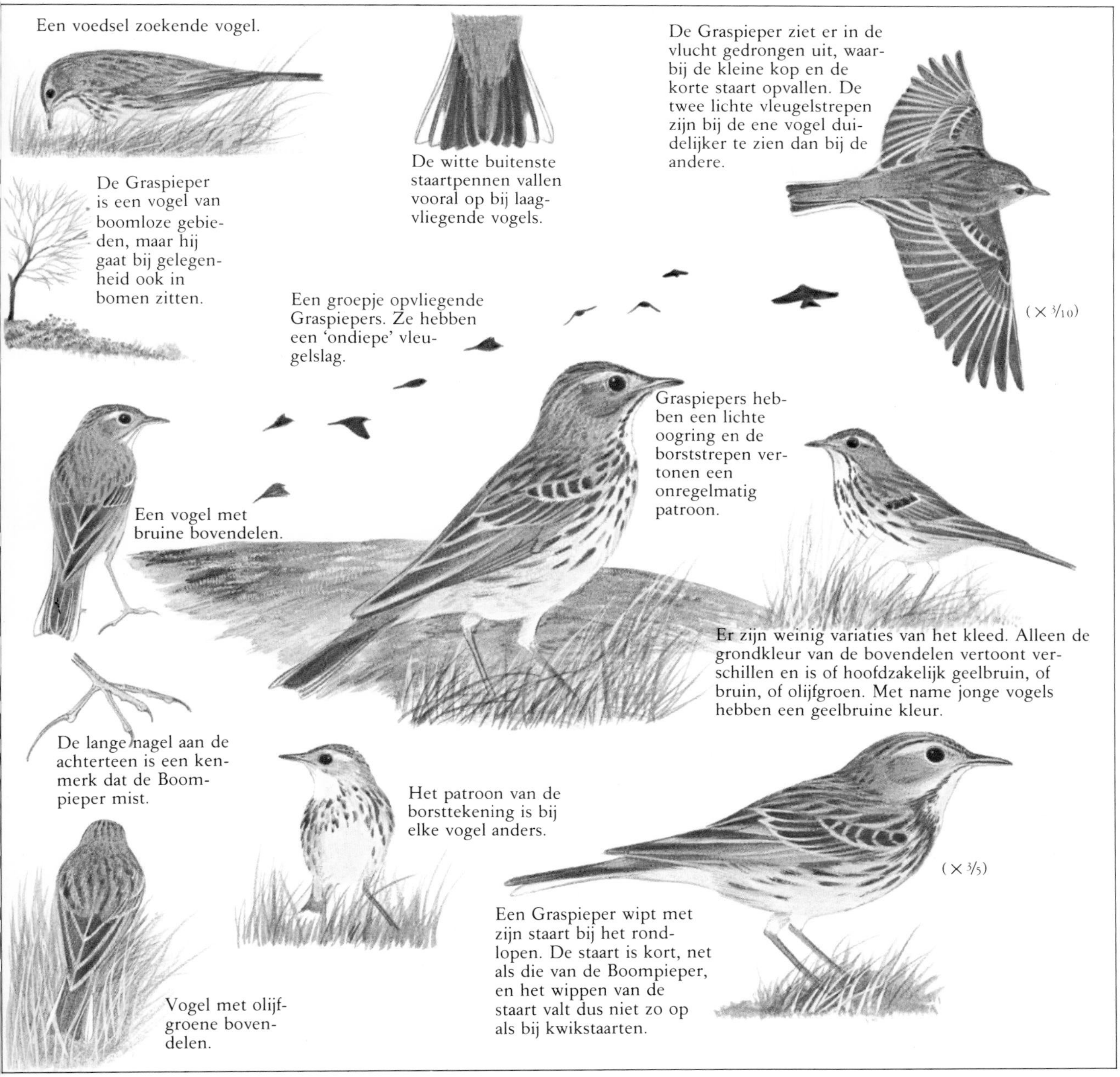

Een voedsel zoekende vogel.

De witte buitenste staartpennen vallen vooral op bij laagvliegende vogels.

De Graspieper ziet er in de vlucht gedrongen uit, waarbij de kleine kop en de korte staart opvallen. De twee lichte vleugelstrepen zijn bij de ene vogel duidelijker te zien dan bij de andere.

De Graspieper is een vogel van boomloze gebieden, maar hij gaat bij gelegenheid ook in bomen zitten.

Een groepje opvliegende Graspiepers. Ze hebben een 'ondiepe' vleugelslag.

(× 3/10)

Graspiepers hebben een lichte oogring en de borststrepen vertonen een onregelmatig patroon.

Een vogel met bruine bovendelen.

Er zijn weinig variaties van het kleed. Alleen de grondkleur van de bovendelen vertoont verschillen en is of hoofdzakelijk geelbruin, of bruin, of olijfgroen. Met name jonge vogels hebben een geelbruine kleur.

De lange nagel aan de achterteen is een kenmerk dat de Boompieper mist.

Het patroon van de borsttekening is bij elke vogel anders.

(× 3/5)

Een Graspieper wipt met zijn staart bij het rondlopen. De staart is kort, net als die van de Boompieper, en het wippen van de staart valt dus niet zo op als bij kwikstaarten.

Vogel met olijfgroene bovendelen.

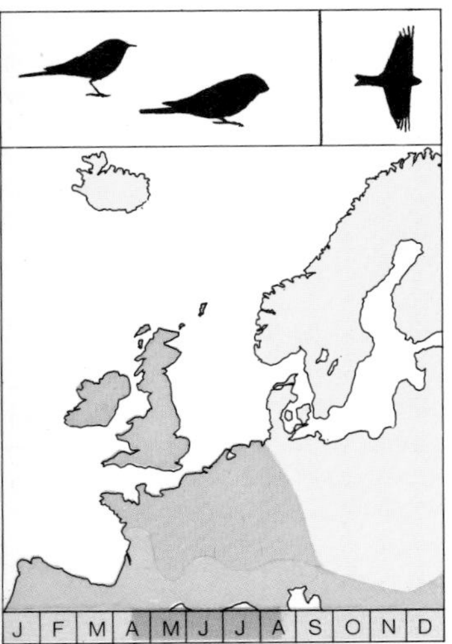

De Graspieper is een algemene broedvogel van vochtig grasland, heidevelden en duinen, maar men vindt hem ook langs spoorweg- en wegbermen.

De Graspieper begint vroeg in het voorjaar te broeden. Het eenvoudige, van gras gemaakte nest ligt verborgen onder vegetatie in een kuiltje, vaak in een holletje langs een slootkant. Bij een onderzoek in Groot-Brittannië bleek dat de grootte van het legsel op zeeniveau gemiddeld viereneenhalf ei bedraagt en hoger dan 300 m gemiddeld vier eieren. Vogels in het noordelijke deel van het broedgebied hebben een groter legsel dan die in het zuidelijke deel. Het vrouwtje broedt en na 13 dagen komen de eieren uit; beide ouders voeren de jongen, die na 12 dagen vliegvlug zijn. Doorgaans worden twee broedsels grootgebracht. Slechts 54 % van de eieren van Graspiepers krijgt de kans om uit te komen en van de uitgekomen jongen vliegt slechts 30 % uit. Waarschijnlijk gelden deze cijfers voor veel kleine vogelsoorten. De gemiddelde levensduur van een net vliegvlugge vogel bedraagt slechts tien maanden. Maar als een vogel eenmaal één jaar oud is geworden, bedraagt de gemiddelde levensduur 27 maanden. De Graspieper is vaak het slachtoffer van de broedparasiet, de Koekoek.

Graspiepers eten kleine gronddiertjes. In vochtige gebieden vormen langpootmuggen en hun larven een belangrijk bestanddeel van het menu. In het zuidelijke deel van het verspreidingsgebied trekt slechts een gedeelte van de vogels weg en overwintert in het Middellandse-Zeegebied en in Noord-Afrika.

Oeverpieper

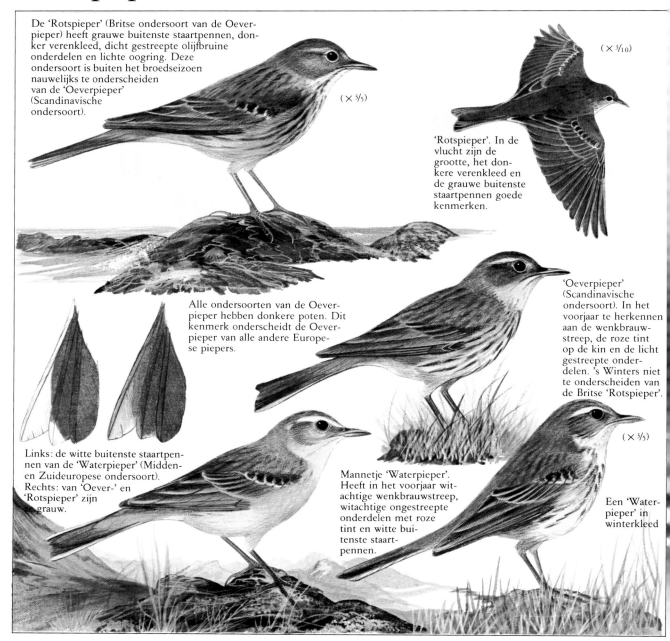

De 'Rotspieper' (Britse ondersoort van de Oeverpieper) heeft grauwe buitenste staartpennen, donker verenkleed, dicht gestreepte olijfbruine onderdelen en lichte oogring. Deze ondersoort is buiten het broedseizoen nauwelijks te onderscheiden van de 'Oeverpieper' (Scandinavische ondersoort).

(× 3/5)

(× 3/10)

'Rotspieper'. In de vlucht zijn de grootte, het donkere verenkleed en de grauwe buitenste staartpennen goede kenmerken.

Alle ondersoorten van de Oeverpieper hebben donkere poten. Dit kenmerk onderscheidt de Oeverpieper van alle andere Europese piepers.

'Oeverpieper' (Scandinavische ondersoort). In het voorjaar te herkennen aan de wenkbrauwstreep, de roze tint op de kin en de licht gestreepte onderdelen. 's Winters niet te onderscheiden van de Britse 'Rotspieper'.

Links: de witte buitenste staartpennen van de 'Waterpieper' (Midden- en Zuideuropese ondersoort). Rechts: van 'Oever-' en 'Rotspieper' zijn ze grauw.

Mannetje 'Waterpieper'. Heeft in het voorjaar witachtige wenkbrauwstreep, witachtige ongestreepte onderdelen met roze tint en witte buitenste staartpennen.

(× 3/5)

Een 'Waterpieper' in winterkleed

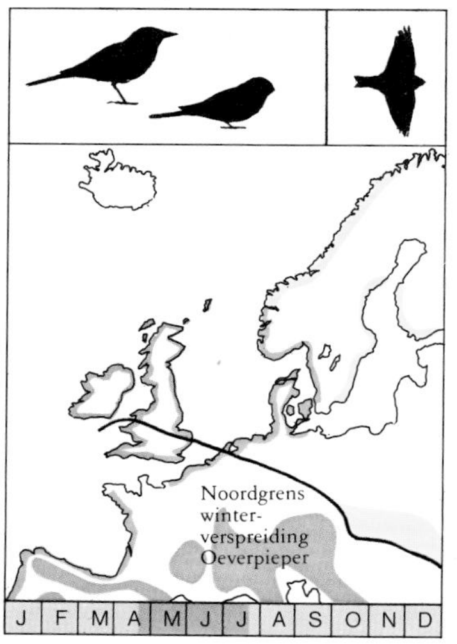

'Oever-', 'Rots-' en 'Waterpiepers' behoren tot dezelfde soort, de Oeverpieper. Deze ondersoorten vallen wat betreft hun terreinkeuze uiteen in twee groepen: de groep van de 'Rotspiepers' (voornamelijk Groot-Brittannië) en de 'Oeverpiepers' (Scandinavië) die aan de kust voorkomen, en de groep van de 'Waterpiepers' die in de bergachtige streken van Midden- en Zuid-Europa broeden.

Het voedselgedrag van 'Rotspiepers' is in Zuidwest-Engeland uitvoerig bestudeerd. De vogels eten per dag iets meer dan hun eigen gewicht aan voedsel, voornamelijk kleine alikruiken en larven van muggen en vliegen die ze uit rottend zeewier halen. In het broedseizoen zoeken ze voedsel op grazige velden die iets landinwaarts zijn gelegen. 'Waterpiepers' leven van insekten, spinnen en wat kleine huisjesslakken.

Oeverpiepers bouwen een eenvoudig nest van gras: 'Rots-' en 'Oeverpiepers' in rotsspleten, 'Waterpiepers' op de grond op met gras bedekte hellingen. Het legsel (vier of vijf eieren) wordt door het vrouwtje uitgebroed in 14 dagen. De jongen zijn na 16 dagen vliegvlug. Tegen het eind van het broedseizoen ziet men groepjes vogels in rotsspleten zitten, maar in hun winterkwartieren treft men de vogels vaak alleen of in paren aan. In Nederland is de 'Oeverpieper' een doortrekker en wintergast in vrij klein aantal, hoofdzakelijk langs de kust en in het IJsselmeergebied. De 'Waterpieper' is wintergast in zeer klein aantal; sinds de zestiger jaren is het aantal waarnemingen sterk toegenomen.

Duinpieper

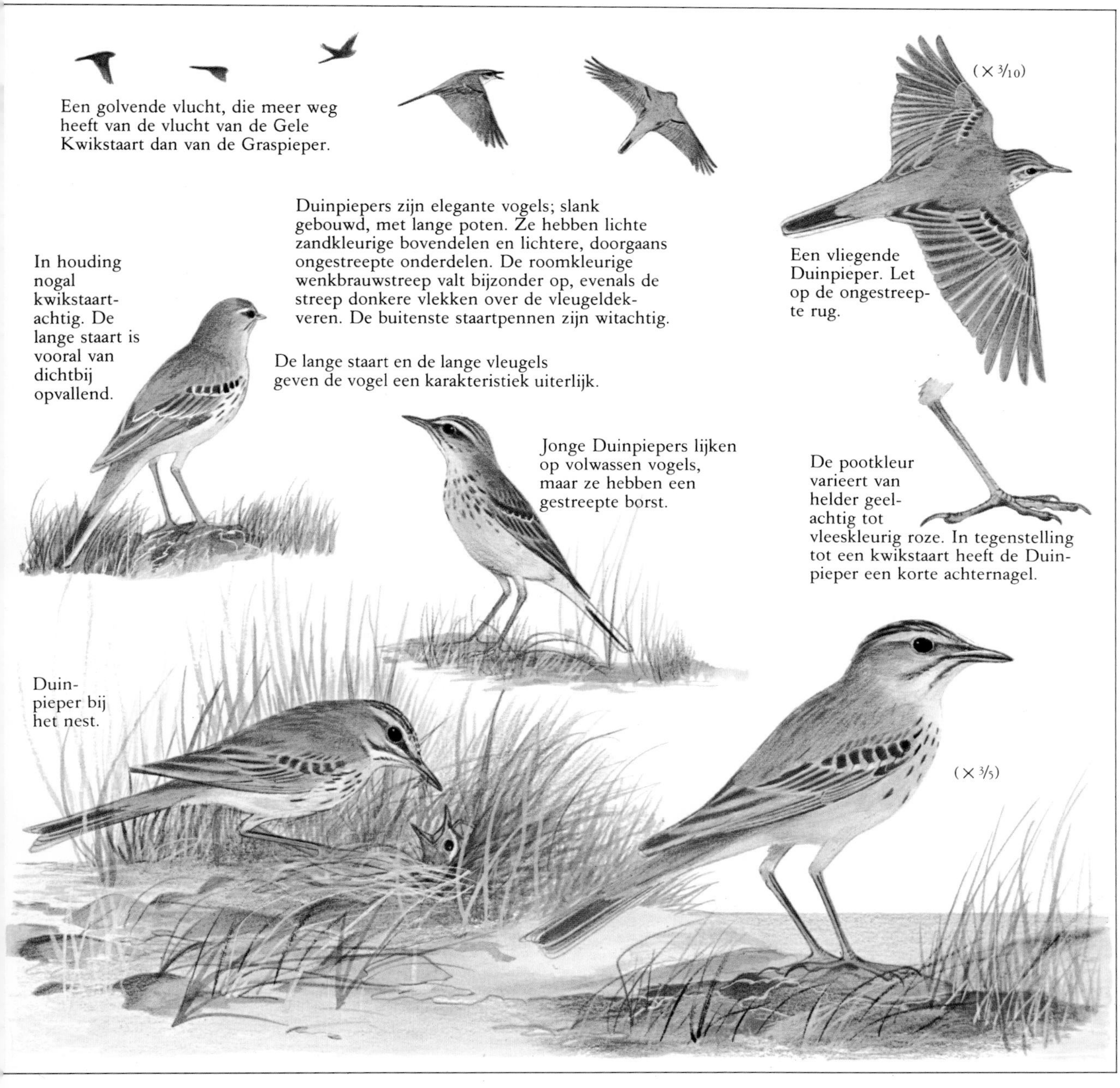

Een golvende vlucht, die meer weg heeft van de vlucht van de Gele Kwikstaart dan van de Graspieper.

(× 3/10)

Duinpiepers zijn elegante vogels; slank gebouwd, met lange poten. Ze hebben lichte zandkleurige bovendelen en lichtere, doorgaans ongestreepte onderdelen. De roomkleurige wenkbrauwstreep valt bijzonder op, evenals de streep donkere vlekken over de vleugeldekveren. De buitenste staartpennen zijn witachtig.

In houding nogal kwikstaartachtig. De lange staart is vooral van dichtbij opvallend.

Een vliegende Duinpieper. Let op de ongestreepte rug.

De lange staart en de lange vleugels geven de vogel een karakteristiek uiterlijk.

Jonge Duinpiepers lijken op volwassen vogels, maar ze hebben een gestreepte borst.

De pootkleur varieert van helder geelachtig tot vleeskleurig roze. In tegenstelling tot een kwikstaart heeft de Duinpieper een korte achternagel.

Duinpieper bij het nest.

(× 3/5)

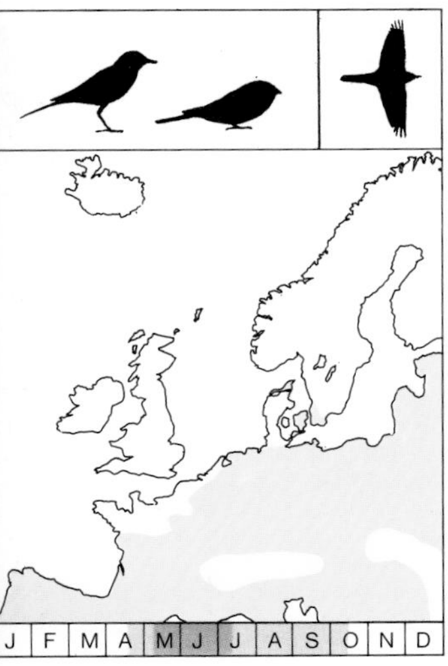

Meer dan de andere Europese piepers geeft de Duinpieper de voorkeur aan droog terrein. Hij komt voor in heidevelden, duinen, kalksteenheuvels en droge hooglanden. In sommige streken heeft men dergelijke plaatsen met bomen beplant, hetgeen tot gevolg had dat deze soort verdween. In Nederland is de Duinpieper een zeldzame broedvogel van het oosten en zuiden van het land.

Eind maart of april keert de Duinpieper naar zijn broedgebied terug. Het mannetje maakt zijn territorium bekend met baltsvluchten waarin hij zingt – een simpele herhaling van metaalachtige klanken. Het nest ligt op de grond, in een kuiltje, verborgen achter een graspol of struik. Het is een tamelijk stevig bouwsel van gras, wortels en zelfs stukjes zeewier, bekleed met grassprietjes en haar. Men neemt aan dat beide ouders broeden; dat duurt 13 tot 14 dagen. Zeker is dat beide de jongen voeren gedurende de 12 dagen voor ze vliegvlug zijn. Vier of vijf eieren is normaal. Een tweede legsel kan voorkomen in het zuiden van het broedgebied.

De voornaamste overwinteringsgebieden van Europese en vele Aziatische vogels zijn de droge en verlaten vlakten in Soedan. Hier ziet men ze gewoonlijk alleen of paarsgewijs. Tegen eind februari komen ze in grotere groepen bijeen en zitten elkaar in baltsvlucht na als inleiding op hun terugkeer naar de broedterreinen.

Grote Gele Kwikstaart

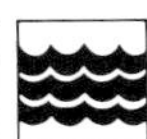

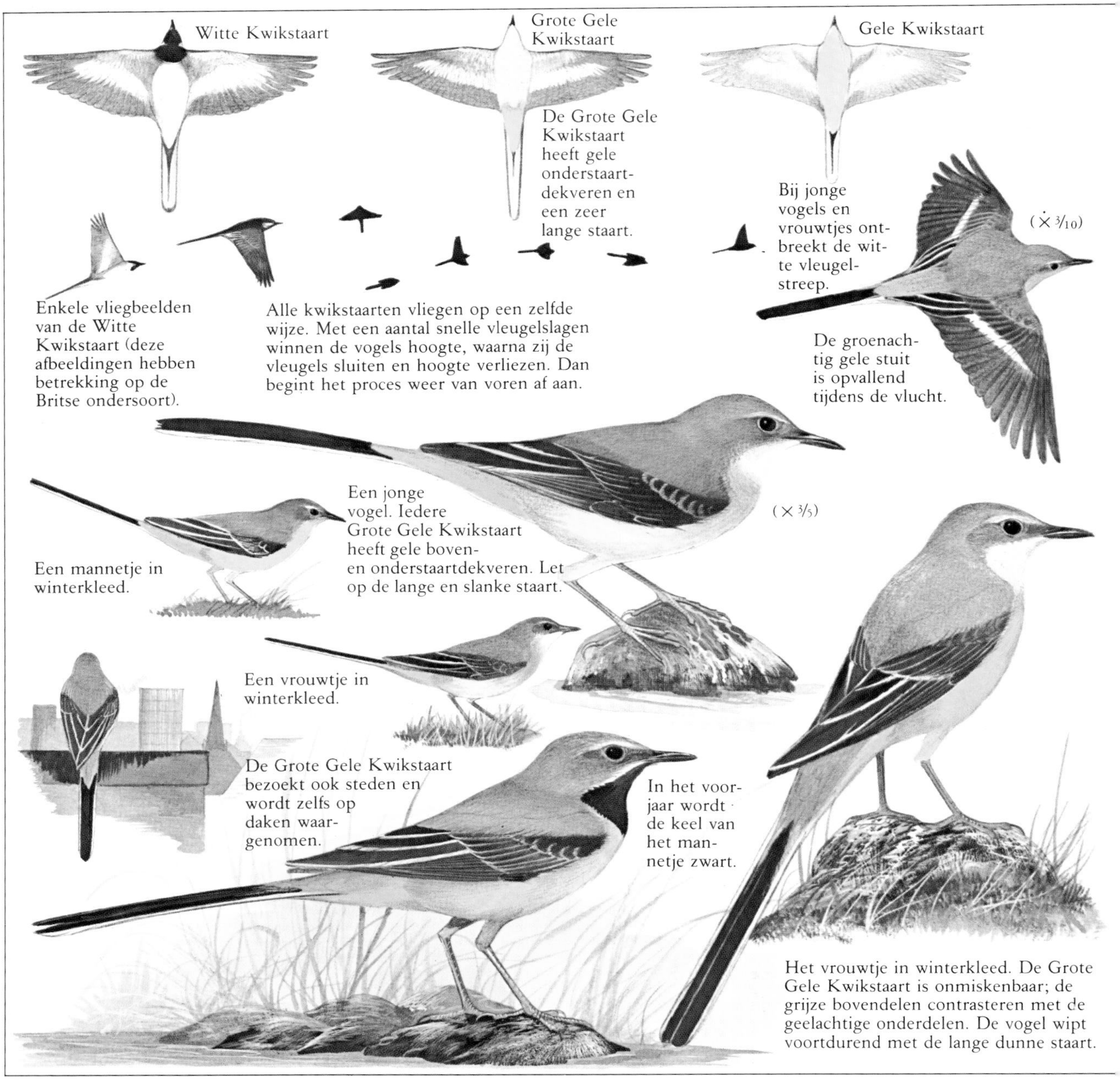

Witte Kwikstaart

Grote Gele Kwikstaart

Gele Kwikstaart

De Grote Gele Kwikstaart heeft gele onderstaart-dekveren en een zeer lange staart.

Bij jonge vogels en vrouwtjes ontbreekt de witte vleugelstreep.

(× 3/10)

Enkele vliegbeelden van de Witte Kwikstaart (deze afbeeldingen hebben betrekking op de Britse ondersoort).

Alle kwikstaarten vliegen op een zelfde wijze. Met een aantal snelle vleugelslagen winnen de vogels hoogte, waarna zij de vleugels sluiten en hoogte verliezen. Dan begint het proces weer van voren af aan.

De groenachtig gele stuit is opvallend tijdens de vlucht.

Een jonge vogel. Iedere Grote Gele Kwikstaart heeft gele boven- en onderstaartdekveren. Let op de lange en slanke staart.

(× 3/5)

Een mannetje in winterkleed.

Een vrouwtje in winterkleed.

De Grote Gele Kwikstaart bezoekt ook steden en wordt zelfs op daken waargenomen.

In het voorjaar wordt de keel van het mannetje zwart.

Het vrouwtje in winterkleed. De Grote Gele Kwikstaart is onmiskenbaar; de grijze bovendelen contrasteren met de geelachtige onderdelen. De vogel wipt voortdurend met de lange dunne staart.

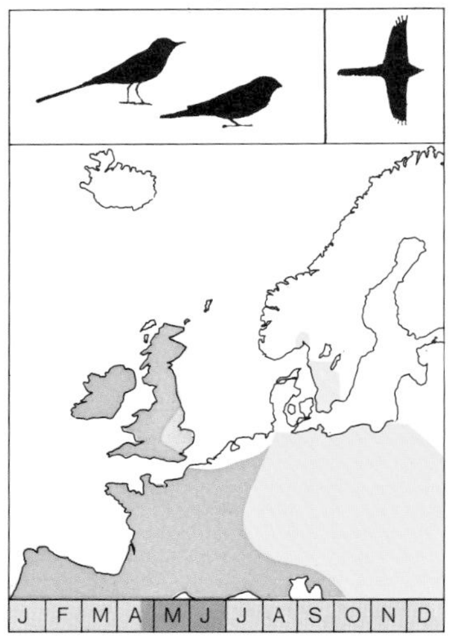

De Grote Gele Kwikstaart is een bijzonder sierlijke vogel. Omdat de vogel een sterke voorkeur heeft voor snelstromend water, kunnen we hem vaak aantreffen in heuvels en bergen; in de Alpen tot op een hoogte van 2500 meter. In Nederland is de Grote Gele Kwikstaart een schaarse broedvogel langs beekjes en kleine stromen in Overijssel, Gelderland, Noord-Brabant en Limburg. Hij overwintert hier in zeer klein aantal.

Deze soort nestelt in holten in beek- en rivieroevers, die meestal worden bedekt met plantaardig materiaal, maar gaten in het metselwerk van bruggen of gebouwen zijn ook favoriet. Het nest bestaat uit gras en ander plantemateriaal en is warm bekleed met haar. Het wordt door het vrouwtje gebouwd, dat ook het broeden grotendeels voor haar rekening neemt. Het legsel van vier tot zes eieren komt na 13 à 14 dagen uit. De jongen worden door beide ouders gevoerd en verlaten na 12 dagen het nest. Vaak wordt een tweede broedsel grootgebracht.

De Grote Gele Kwikstaart leeft van allerlei soorten insekten die dicht bij water te vinden zijn, zoals eendagsvliegen, muggen en kevers maar ook kleine week- en schaaldieren. Ze roesten regelmatig in bomen, in tegenstelling tot de andere kwikstaarten. Van hieruit doen ze vaak een uitval naar voorbijkomende insekten. De roep lijkt op die van de Witte Kwikstaart, maar hij is metaalachtiger. De zang is gevarieerder en muzikaler.

Gele Kwikstaart

ZV

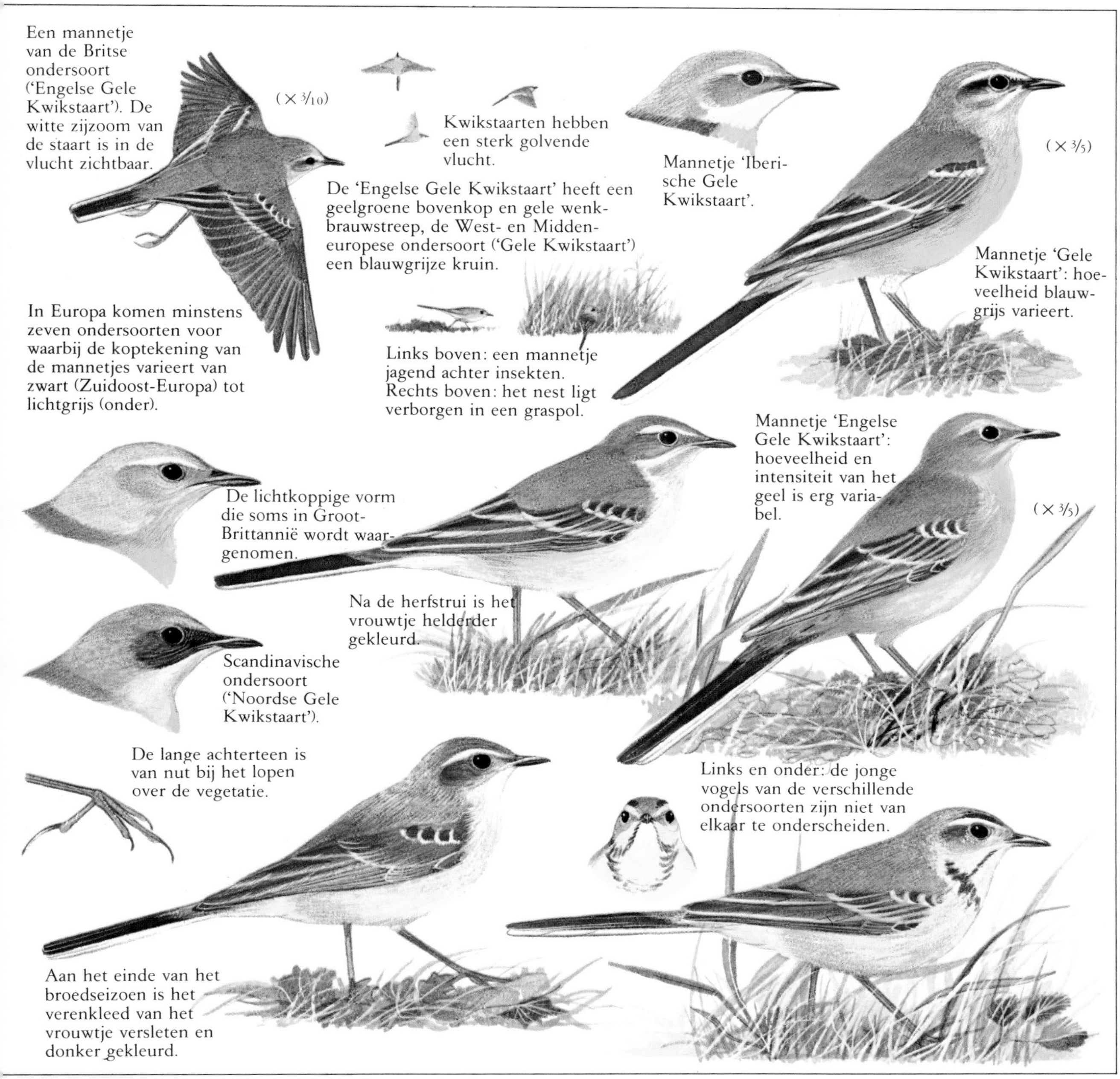

Een mannetje van de Britse ondersoort ('Engelse Gele Kwikstaart'). De witte zijzoom van de staart is in de vlucht zichtbaar.

(× 3/10)

Kwikstaarten hebben een sterk golvende vlucht.

De 'Engelse Gele Kwikstaart' heeft een geelgroene bovenkop en gele wenkbrauwstreep, de West- en Middeneuropese ondersoort ('Gele Kwikstaart') een blauwgrijze kruin.

Mannetje 'Iberische Gele Kwikstaart'.

(× 3/5)

Mannetje 'Gele Kwikstaart': hoeveelheid blauwgrijs varieert.

In Europa komen minstens zeven ondersoorten voor waarbij de koptekening van de mannetjes varieert van zwart (Zuidoost-Europa) tot lichtgrijs (onder).

Links boven: een mannetje jagend achter insekten. Rechts boven: het nest ligt verborgen in een graspol.

Mannetje 'Engelse Gele Kwikstaart': hoeveelheid en intensiteit van het geel is erg variabel.

(× 3/5)

De lichtkoppige vorm die soms in Groot-Brittannië wordt waargenomen.

Na de herfstrui is het vrouwtje helderder gekleurd.

Scandinavische ondersoort ('Noordse Gele Kwikstaart').

De lange achterteen is van nut bij het lopen over de vegetatie.

Links en onder: de jonge vogels van de verschillende ondersoorten zijn niet van elkaar te onderscheiden.

Aan het einde van het broedseizoen is het verenkleed van het vrouwtje versleten en donker gekleurd.

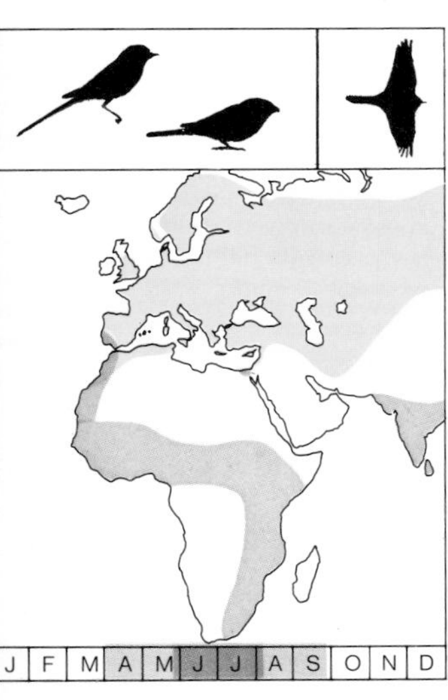

Van de Gele Kwikstaart zijn een groot aantal ondersoorten bekend. Alleen al in Europa worden minstens zeven ondersoorten onderscheiden. De verschillen tussen de diverse ondersoorten berusten voornamelijk op verschillen in koptekening van het mannetje. Regelmatig worden in een bepaald gebied vogels waargenomen die niet te onderscheiden zijn van vogels die behoren tot een andere ondersoort. Zo zijn in Groot-Brittannië vogels broedend vastgesteld die veel lijken op Zuidoostrussische Gele Kwikstaarten. Men vermoedt dat deze afwijkingen ontstaan door kruising met vogels van andere ondersoorten.

Het zijn echte vogels van vochtige graslanden met een voorliefde voor weiden. De mannetjes komen ongeveer veertien dagen eerder terug dan de vrouwtjes. Ze broeden in een kuiltje in de grond, goed verborgen onder een graspol, bekleed met koeie- of paardehaar. Er worden vijf of zes eieren gelegd, dicht geel-bruin gespikkeld. Alleen het vrouwtje broedt en de jongen worden door beide ouders gevoerd.

Het zijn buitengewoon waakzame vogels. Het mannetje alarmeert het vrouwtje al als men op nog geen 100 m afstand is. Hun gedrag bij zulke gelegenheden en hun roep lijkt meer op dat van piepers (waarmee ze verwant zijn) dan op dat van kwikstaarten. Meestal brengen ze twee broedsels groot voordat ze weer naar hun winterkwartieren in Afrika vertrekken. De laatste jaren vertonen de aantallen Gele Kwikstaarten in West-Europa een tendens om achteruit te gaan.

Witte Kwikstaart

   ZV

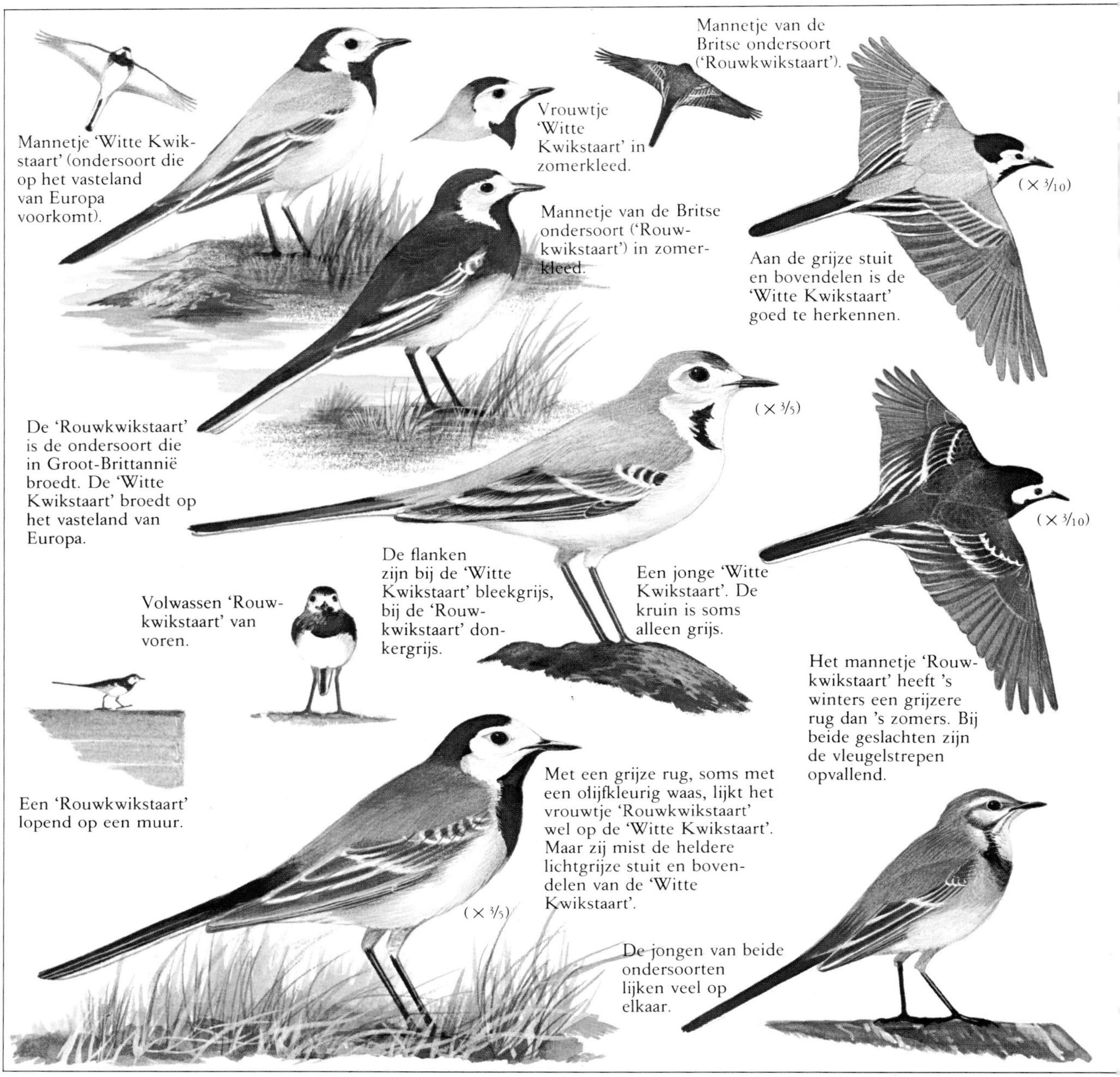

Mannetje 'Witte Kwikstaart' (ondersoort die op het vasteland van Europa voorkomt).

Vrouwtje 'Witte Kwikstaart' in zomerkleed.

Mannetje van de Britse ondersoort ('Rouwkwikstaart').

Mannetje van de Britse ondersoort ('Rouwkwikstaart') in zomerkleed.

Aan de grijze stuit en bovendelen is de 'Witte Kwikstaart' goed te herkennen.

(× 3/10)

De 'Rouwkwikstaart' is de ondersoort die in Groot-Brittannië broedt. De 'Witte Kwikstaart' broedt op het vasteland van Europa.

(× 3/5)

(× 3/10)

Volwassen 'Rouwkwikstaart' van voren.

De flanken zijn bij de 'Witte Kwikstaart' bleekgrijs, bij de 'Rouwkwikstaart' donkergrijs.

Een jonge 'Witte Kwikstaart'. De kruin is soms alleen grijs.

Het mannetje 'Rouwkwikstaart' heeft 's winters een grijzere rug dan 's zomers. Bij beide geslachten zijn de vleugelstrepen opvallend.

Een 'Rouwkwikstaart' lopend op een muur.

Met een grijze rug, soms met een olijfkleurig waas, lijkt het vrouwtje 'Rouwkwikstaart' wel op de 'Witte Kwikstaart'. Maar zij mist de heldere lichtgrijze stuit en bovendelen van de 'Witte Kwikstaart'.

(× 3/5)

De jongen van beide ondersoorten lijken veel op elkaar.

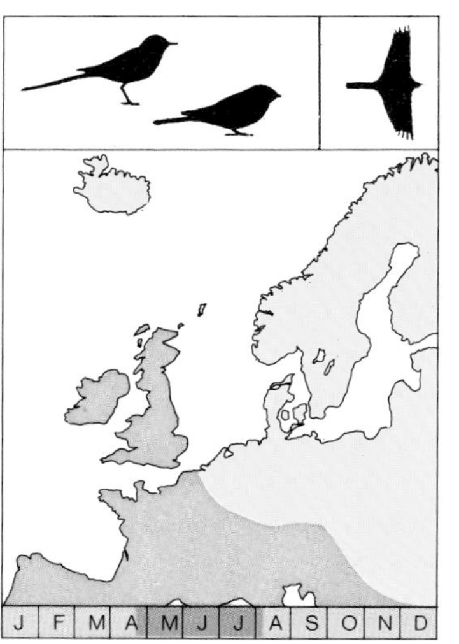

De Witte Kwikstaart is een vertrouwde verschijning in bijna geheel Europa. Bijna iedere biotoop neemt bij voor lief, op voorwaarde dat er open terreinen zijn waar hij op insektejacht kan gaan en verborgen holtes om te nestelen. Zijn natuurlijk terrein is de omgeving van ondiepe stromen waar stroken grind en aangrenzend gras voedsel verschaffen en de oevers nestgelegenheid bieden. Maar hij is ook tevreden met een grasveld in een stadspark en een nest in een naburig gebouw. Op de grond jaagt hij, bedrijvig heen en weer rennend, op insekten. In de maand juni worden kwikstaarten aangetrokken door het wegdek van boswegen om rupsen op te pikken die van overhangende takken zijn gevallen en onbeschermd op de weg liggen. Desalniettemin vallen deze kwieke vogels zelden als slachtoffer van het verkeer. Het omvangrijke, slordige nest is van gras en ruw plantaardig materiaal gemaakt met een dikke laag haar en veren van binnen. Nesten bij huizen worden vaak op zulke vreemde plaatsen als landbouwmachines of richels in schuren gemaakt. Het legsel van vier tot zes gespikkelde eieren wordt door het vrouwtje bebroed. Bij het eerste broedsel lost het mannetje haar af en toe af. Als de jongen zijn uitgekomen, worden ze hoofdzakelijk door het mannetje verzorgd terwijl het vrouwtje ondertussen een nieuw legsel bebroedt.

Buiten de broedtijd roesten kwikstaarten gemeenschappelijk in heesters of gebouwen, soms verzameld tot meerdere honderden. Ze worden wel eens in kassen aangetroffen.

Boerenzwaluw

   ZV

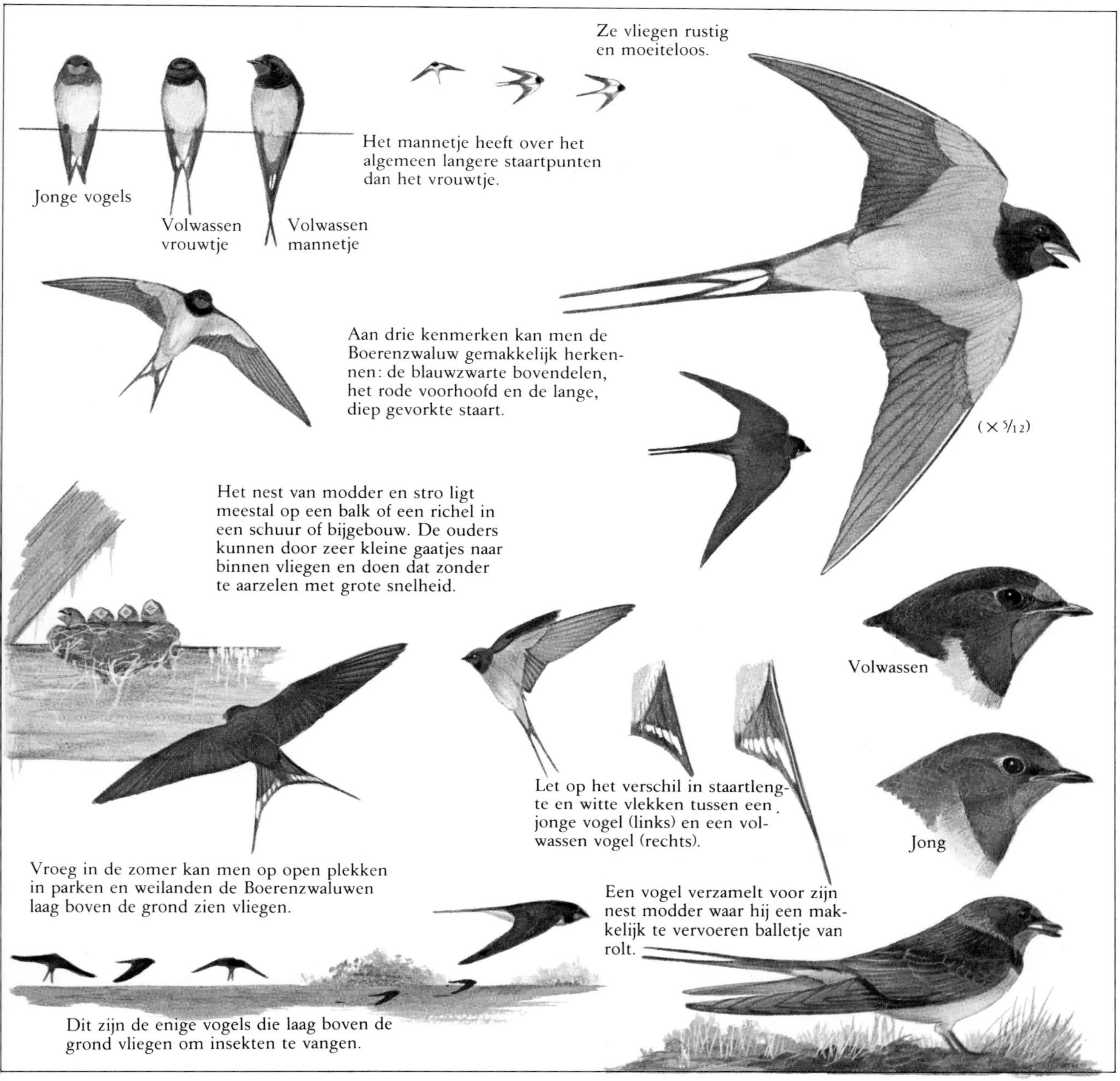

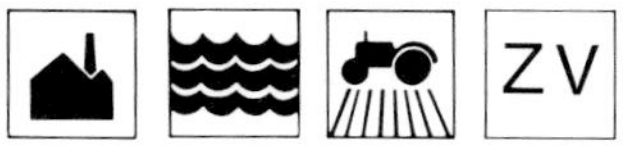

Ze vliegen rustig en moeiteloos.

Het mannetje heeft over het algemeen langere staartpunten dan het vrouwtje.

Jonge vogels

Volwassen vrouwtje

Volwassen mannetje

Aan drie kenmerken kan men de Boerenzwaluw gemakkelijk herkennen: de blauwzwarte bovendelen, het rode voorhoofd en de lange, diep gevorkte staart.

(× 5/12)

Het nest van modder en stro ligt meestal op een balk of een richel in een schuur of bijgebouw. De ouders kunnen door zeer kleine gaatjes naar binnen vliegen en doen dat zonder te aarzelen met grote snelheid.

Volwassen

Jong

Let op het verschil in staartlengte en witte vlekken tussen een jonge vogel (links) en een volwassen vogel (rechts).

Vroeg in de zomer kan men op open plekken in parken en weilanden de Boerenzwaluwen laag boven de grond zien vliegen.

Een vogel verzamelt voor zijn nest modder waar hij een makkelijk te vervoeren balletje van rolt.

Dit zijn de enige vogels die laag boven de grond vliegen om insekten te vangen.

Al sinds onheuglijke tijden is de Boerenzwaluw een welkome gast in de woonplaatsen van de mens. In tegenstelling tot de Huiszwaluw nestelt de Boerenzwaluw in gebouwen, bij voorkeur in boerenschuren. Van maart tot juni komen ze vanuit Afrika terug in Europa in steeds nieuwe golven die de eerder aangekomenen overspoelen. Iedere vogel keert gewoonlijk terug naar dezelfde plek en gebruikt vaak het nest van het vorig jaar weer, maar de kans dat beide ouders de gevaren van de trek overleven is slechts één op vijf. En zelfs als beide terugkomen, treedt er vaak nog 'partnerruil' op.

Ze leggen vier tot zes eieren en brengen twee of drie broedsels groot. De broedduur en de periode dat de jongen in het nest blijven, zijn vrij lang. Ze kunnen tot ver in september nestjongen hebben. Boerenzwaluwen vangen vliegende insekten, maar dichter bij de grond dan Huis- en Gierzwaluwen, door over het water of weilanden te scheren. Hoewel ze tijdens de trek eten, wat de meeste zangvoels niet doen, lijden ze aanzienlijke verliezen op hun reis die hen over de Sahara voert. Hun route en reisschema zijn precies bekend.

Nederlandse en Duitse Boerenzwaluwen overwinteren in Midden-Afrika, de Engelse in Zuidoost- en Zuid-Afrika en de Russische in Noord- en West-Afrika. De najaarstrek doen ze op hun gemak in twee maanden, maar de terugtocht in het voorjaar slechts in een maand.

Huiszwaluw

ZV

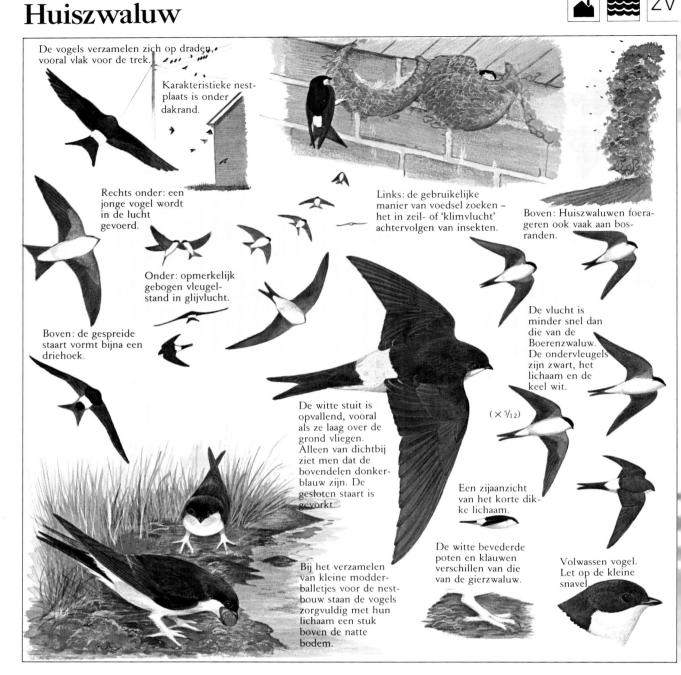

De vogels verzamelen zich op draden, vooral vlak voor de trek.

Karakteristieke nestplaats is onder dakrand.

Rechts onder: een jonge vogel wordt in de lucht gevoerd.

Links: de gebruikelijke manier van voedsel zoeken – het in zeil- of 'klimvlucht' achtervolgen van insekten.

Boven: Huiszwaluwen foerageren ook vaak aan bosranden.

Onder: opmerkelijk gebogen vleugelstand in glijvlucht.

Boven: de gespreide staart vormt bijna een driehoek.

De vlucht is minder snel dan die van de Boerenzwaluw. De ondervleugels zijn zwart, het lichaam en de keel wit.

De witte stuit is opvallend, vooral als ze laag over de grond vliegen. Alleen van dichtbij ziet men dat de bovendelen donkerblauw zijn. De gesloten staart is gevorkt.

(× 5/12)

Een zijaanzicht van het korte dikke lichaam.

De witte bevederde poten en klauwen verschillen van die van de gierzwaluw.

Volwassen vogel. Let op de kleine snavel.

Bij het verzamelen van kleine modderballetjes voor de nestbouw staan de vogels zorgvuldig met hun lichaam een stuk boven de natte bodem.

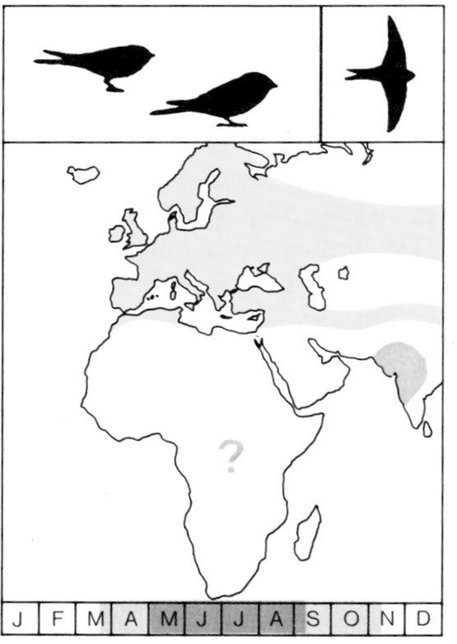

De gebondenheid van de Huiszwaluw aan de mens voor zijn nestplaatsen is reeds lang bekend, maar hun oorspronkelijke broedplaatsen waren bergen en kliffen. Huiszwaluwenkolonies komen in alle stadjes en dorpen in Europa voor, variërend van een of twee nesten tot enkele honderden. Waar men in steden de luchtvervuiling onder controle gekregen heeft, zijn de vliegende insekten toegenomen en de Huiszwaluwen gearriveerd. Zelfs op kale moderne gebouwen nestelen ze. Er komen ook nog kolonies voor bij kliffen in afgelegen bergachtige streken, soms boven de boomgrens tot op 4200 m hoogte.

Men kan Huiszwaluwen in kunstmatige nesten onder afhangende dakranden laten broeden en als een paar zich gevestigd heeft, komen er vaak wel andere bij. Het grootste probleem waar Huiszwaluwen mee worstelen, vormen Huismussen die regelmatig hun nesten in beslag nemen. Legsels van vier of vijf eieren zijn normaal. Beide ouders broeden en de jongen uit vorige broedsels helpen hen vaak bij het voeren van de nestjongen. Deze blijven lang in het nest – tot drie weken – en als er twee of drie broedsels per jaar zijn, vliegen de laatste vaak pas in oktober uit.

In april of mei komen de Huiszwaluwen terug uit Afrika en vanuit verzamelplaatsen verspreiden ze zich over de kolonies. De herfsttrek valt vaak pas in november en al te late trekvogels worden soms het slachtoffer van slecht weer.

Oeverzwaluw

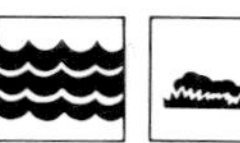 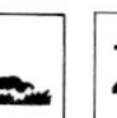 

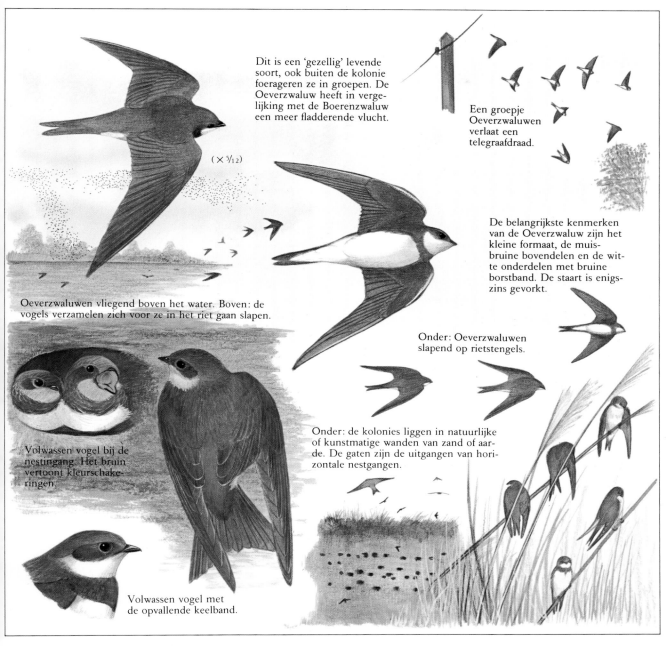

Dit is een 'gezellig' levende soort, ook buiten de kolonie foerageren ze in groepen. De Oeverzwaluw heeft in vergelijking met de Boerenzwaluw een meer fladderende vlucht.

Een groepje Oeverzwaluwen verlaat een telegraafdraad.

(× 5/12)

De belangrijkste kenmerken van de Oeverzwaluw zijn het kleine formaat, de muisbruine bovendelen en de witte onderdelen met bruine borstband. De staart is enigszins gevorkt.

Oeverzwaluwen vliegend boven het water. Boven: de vogels verzamelen zich voor ze in het riet gaan slapen.

Onder: Oeverzwaluwen slapend op rietstengels.

Onder: de kolonies liggen in natuurlijke of kunstmatige wanden van zand of aarde. De gaten zijn de uitgangen van horizontale nestgangen.

Volwassen vogel bij de nestingang. Het bruin vertoont kleurschakeringen.

Volwassen vogel met de opvallende keelband.

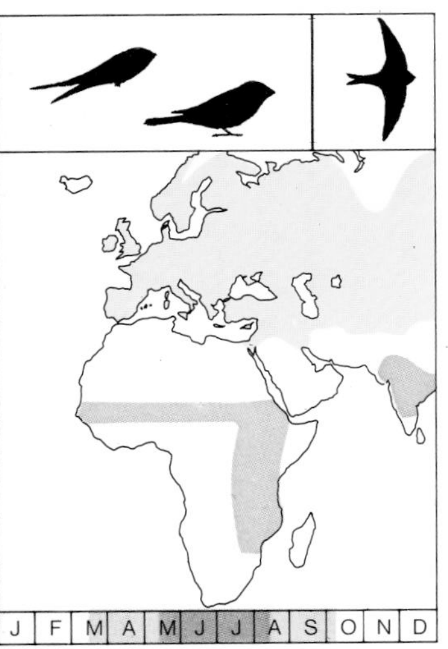

Waar een steeds groter deel van het landschap verdwijnt onder een betondek, krimpt ook de leefruimte van de meeste vogelsoorten steeds verder in. De Oeverzwaluw maakt hierop een uitzondering en de vele afgravingen en zandbergen die de bouwindustrie achterlaat, verschaffen de Oeverzwaluw nieuwe nestplaatsen.
Oeverzwaluwen nestelen van nature in rivieroevers en steile wanden. De vogels komen begin april aan en worden soms gedwongen in holen bescherming te zoeken tegen plotselinge koude-invallen. Ze graven de 60 tot 120 cm lange gangen zelf met hun zwakke poten uit. Aan het eind van de gegraven gang ligt de nestkamer, bekleed met sprieten en veertjes. Veel vogels nemen hun woning van het vorige jaar weer in gebruik, maar als er in de tussentijd instortingen hebben plaatsgehad, zijn ze in staat om in korte tijd weer een nieuwe gang te maken.
De vier of vijf witte eieren worden voornamelijk door het vrouwtje bebroed. De broedduur bedraagt twee weken en na drie weken vliegen de jongen uit. Pas uitgevlogen jongen blijven nog enkele dagen in de buurt van het nest en doen daar luchtacrobatiek en spelletjes: ze trachten elkaar een veertje uit de snavel af te pakken. In de tijd dat het tweede broedsel wordt grootgebracht, verdwijnen de jongen uit het eerste nest naar nieuwe voedselgebieden en verplaatsen zich daarbij honderden kilometers. In de herfst ontstaan grote gemeenschappelijke slaapplaatsen in rietvelden of wilgenbosjes.

Gierzwaluw

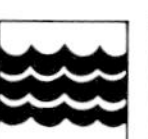

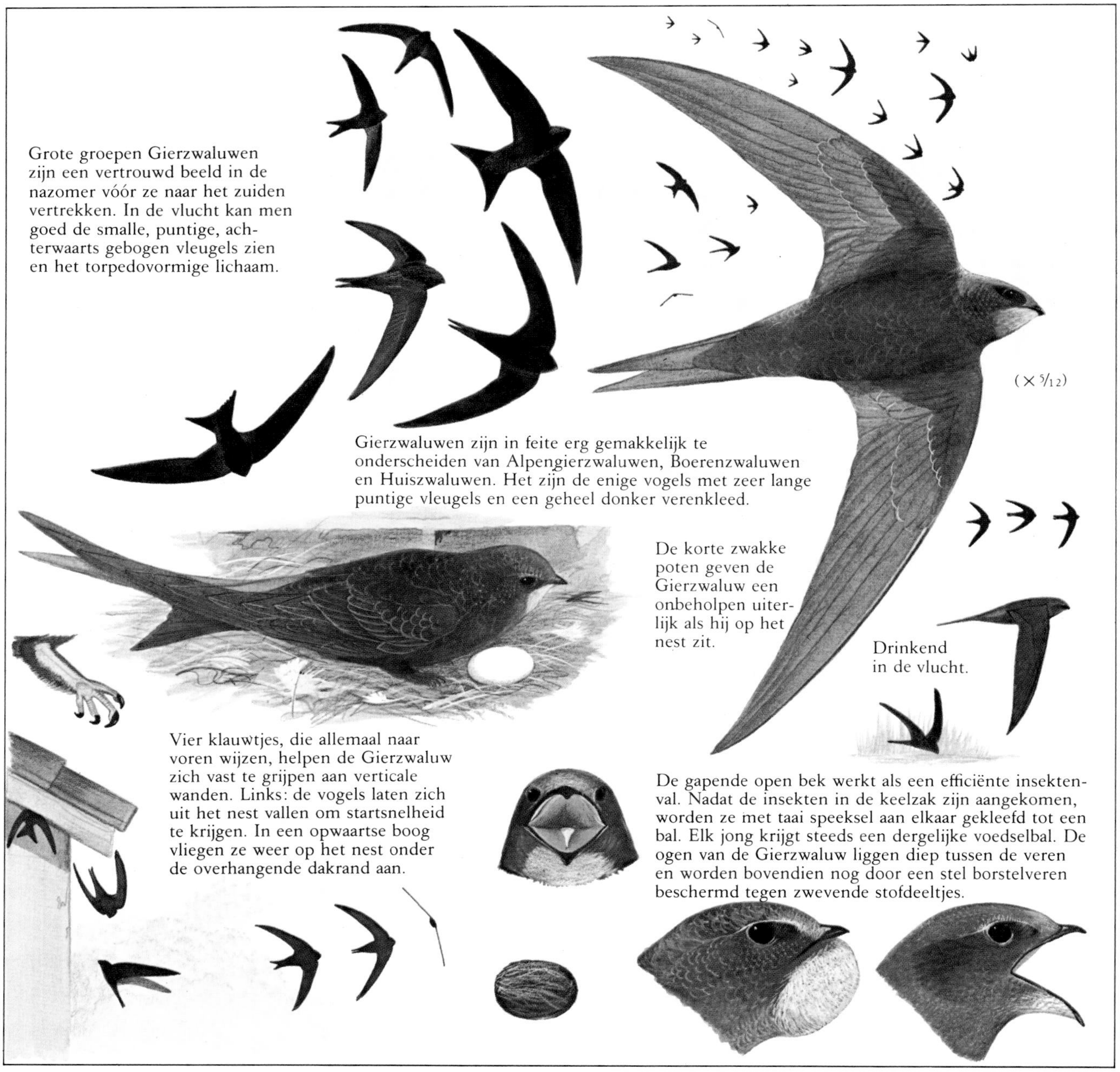

Grote groepen Gierzwaluwen zijn een vertrouwd beeld in de nazomer vóór ze naar het zuiden vertrekken. In de vlucht kan men goed de smalle, puntige, achterwaarts gebogen vleugels zien en het torpedovormige lichaam.

(× 5/12)

Gierzwaluwen zijn in feite erg gemakkelijk te onderscheiden van Alpengierzwaluwen, Boerenzwaluwen en Huiszwaluwen. Het zijn de enige vogels met zeer lange puntige vleugels en een geheel donker verenkleed.

De korte zwakke poten geven de Gierzwaluw een onbeholpen uiterlijk als hij op het nest zit.

Drinkend in de vlucht.

Vier klauwtjes, die allemaal naar voren wijzen, helpen de Gierzwaluw zich vast te grijpen aan verticale wanden. Links: de vogels laten zich uit het nest vallen om startsnelheid te krijgen. In een opwaartse boog vliegen ze weer op het nest onder de overhangende dakrand aan.

De gapende open bek werkt als een efficiënte insektenval. Nadat de insekten in de keelzak zijn aangekomen, worden ze met taai speeksel aan elkaar gekleefd tot een bal. Elk jong krijgt steeds een dergelijke voedselbal. De ogen van de Gierzwaluw liggen diep tussen de veren en worden bovendien nog door een stel borstelveren beschermd tegen zwevende stofdeeltjes.

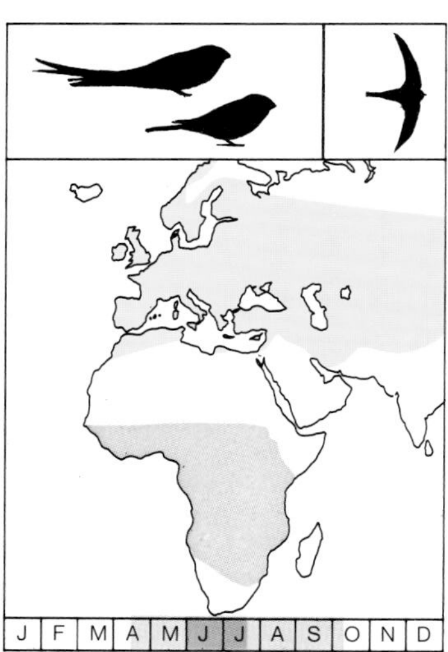

Het is zomer als grote groepen Gierzwaluwen met hun sikkelvormige vleugels over de daken scheren. Hun aankomst op de nestelplaatsen betekent het einde van een periode van meer dan negen maanden die ze uitsluitend op de vleugels hebben doorgebracht. Want deze vogels zijn meesters in het luchtruim. Ze eten, paren en slapen zelfs tijdens de vlucht. Hun voedsel bestaat uit in de lucht voorkomende insekten die ze met een enorme gapende bek vangen. Hun poten zijn zeer klein. Alle vier de tenen zijn naar voren gericht en Gierzwaluwen kunnen met behulp hiervan aan verticale wanden hangen.

De nesten bevinden zich in spleten en holen in gebouwen. Het nestmateriaal, ook strootjes en veren, wordt in de vlucht verzameld en met speeksel aan elkaar gekit. Er worden twee of drie witte eieren gelegd.

Bij het verzamelen van de insekten, die samengeperst als een voedselbal aan de jongen worden aangeboden, legt een ouder soms wel 800 km per dag af. Koud weer noodzaakt hen soms om lange tijd ver van het nest naar voedsel te jagen. Hieruit volgt dat de eieren wel tegen afkoeling bestand moeten zijn. De jongen kunnen het een paar dagen zonder voedsel uithouden maar ze verstarren 's nachts dan wel en hun temperatuur daalt van de normale 38 °C naar 21 °C. De jongen blijven vijf tot acht weken in het nest, langer dan enige andere vogel van deze grootte. Ze hebben een extra gewichtstoename echter nodig, want na het uitvliegen trekken ze meteen naar Afrika.

Alpengierzwaluw

 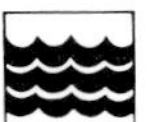  

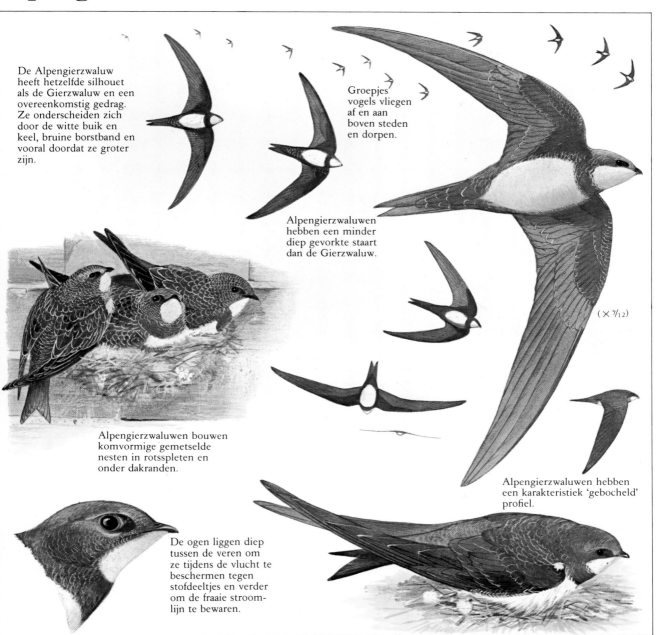

De Alpengierzwaluw heeft hetzelfde silhouet als de Gierzwaluw en een overeenkomstig gedrag. Ze onderscheiden zich door de witte buik en keel, bruine borstband en vooral doordat ze groter zijn.

Groepjes vogels vliegen af en aan boven steden en dorpen.

Alpengierzwaluwen hebben een minder diep gevorkte staart dan de Gierzwaluw.

Alpengierzwaluwen bouwen komvormige gemetselde nesten in rotsspleten en onder dakranden.

(× 5/12)

Alpengierzwaluwen hebben een karakteristiek 'gebocheld' profiel.

De ogen liggen diep tussen de veren om ze tijdens de vlucht te beschermen tegen stofdeeltjes en verder om de fraaie stroomlijn te bewaren.

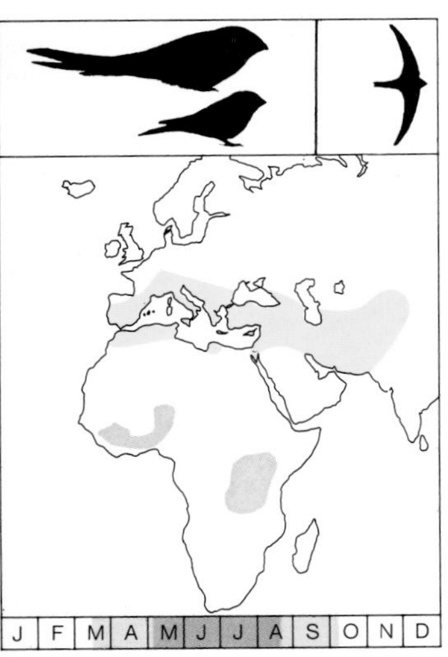

Als grootste Europese vertegenwoordiger van zijn familie heeft de Alpengierzwaluw een vleugelspanwijdte van ruim 50 cm en is twee maal zo zwaar als de Gierzwaluw. Alpengierzwaluwen vertonen dezelfde aanpassing aan het luchtleven als hun verwanten en kunnen waarschijnlijk nog sneller vliegen. Hun voedsel bestaat uit grote insekten waaronder bijen. Ze hebben echter een voorkeur voor de niet-stekende darren.

Hun broedplaatsen bevinden zich in gebergten, in rotsspleten en onder dakranden. Op sommige plaatsen nestelen ze al eeuwenlang zoals in middeleeuwse kerken in Zwitserland. Buiten Europa zijn ze allerminst beperkt tot bergachtige streken, maar broeden ze ook in vervallen gebouwen in steden in het Midden-Oosten, waar hun luide trillende roep wonderwel past bij het exotische geroezemoes om hen heen. Evenals de Gierzwaluw kunnen ze zich uit het vlieggat laten vallen om zo op vliegsnelheid te komen. In de nestholte moeten ze vaak een stuk kruipen om het eigenlijke nest te bereiken. Het nest bevat vaak schutbladen van boomknoppen, aan elkaar gemetseld met speeksel. Gewoonlijk leggen ze twee of drie eieren.

De Europese Alpengierzwaluwen overwinteren in tropisch Afrika naast de daar voorkomende soorten. In de zomer verplaatsen ze zich soms onder invloed van het weer: in 1917 kwam een groep van 100 vogels die een depressie wilden ontwijken terecht op de zuidoostkust van Engeland. In Nederland zijn ze dwaalgast.

Waterspreeuw

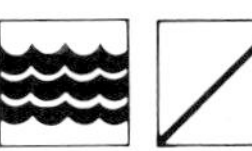

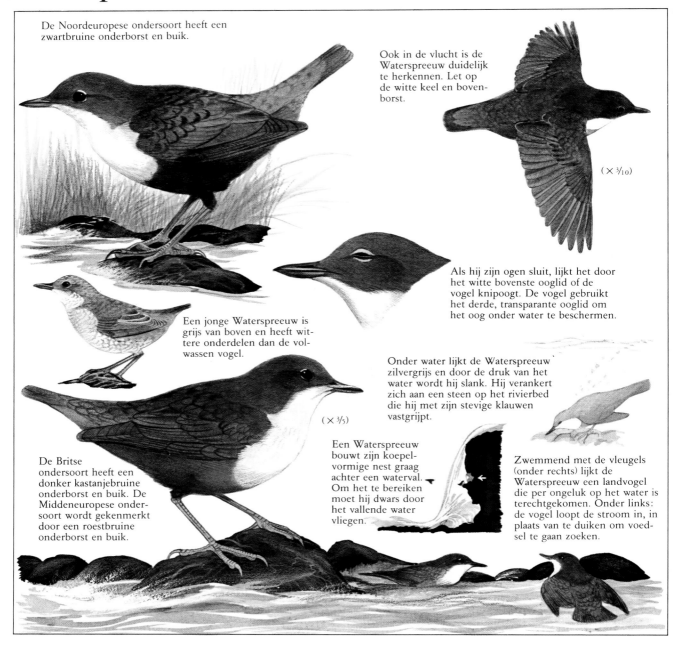

De Noordeuropese ondersoort heeft een zwartbruine onderborst en buik.

Ook in de vlucht is de Waterspreeuw duidelijk te herkennen. Let op de witte keel en bovenborst.

(× 3/10)

Als hij zijn ogen sluit, lijkt het door het witte bovenste ooglid of de vogel knipoogt. De vogel gebruikt het derde, transparante ooglid om het oog onder water te beschermen.

Een jonge Waterspreeuw is grijs van boven en heeft wittere onderdelen dan de volwassen vogel.

Onder water lijkt de Waterspreeuw zilvergrijs en door de druk van het water wordt hij slank. Hij verankert zich aan een steen op het rivierbed die hij met zijn stevige klauwen vastgrijpt.

(× 3/5)

Een Waterspreeuw bouwt zijn koepelvormige nest graag achter een waterval. Om het te bereiken moet hij dwars door het vallende water vliegen.

De Britse ondersoort heeft een donker kastanjebruine onderborst en buik. De Middeneuropese ondersoort wordt gekenmerkt door een roestbruine onderborst en buik.

Zwemmend met de vleugels (onder rechts) lijkt de Waterspreeuw een landvogel die per ongeluk op het water is terechtgekomen. Onder links: de vogel loopt de stroom in, in plaats van te duiken om voedsel te gaan zoeken.

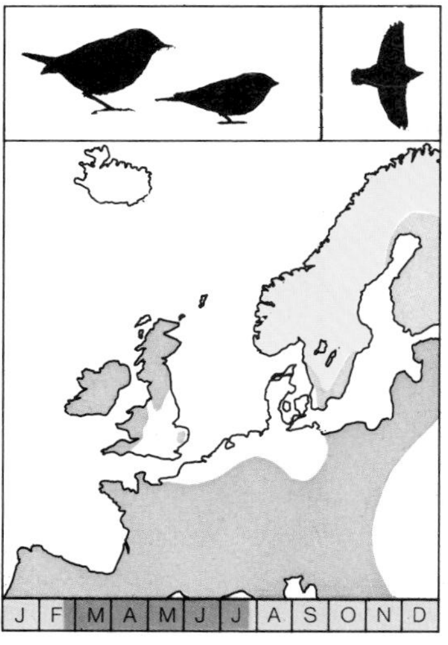

Een vreemde, fascinerende vogel die zich in het algemeen nooit ver van snel stromend water waagt. Hij is duidelijk te herkennen, maar tegen een achtergrond van rotsblokken en schuimend water valt zijn bonte verenkleed niet op. Het dieet bestaat uit allerlei waterinsekten, o.a. kevers, bootsmannetjes en libelle- en waterjufferlarven die meestal onder water gevangen worden. Hiertoe loopt de vogel het water in, duikt onder en loopt over de bodem verder op zoek naar voedsel. Dit lijkt een onmogelijk kunststuk omdat de opwaartse druk extra verhoogd wordt door de luchtlaag die in zijn dikke verenkleed wordt meegenomen. Toch gebeurt het en blijkbaar zorgt de vogel door voortdurend met de vleugels te slaan dat hij beneden blijft. Ook kan de Waterspreeuw goed zwemmen ondanks het ontbreken van zwemvliezen.

Het territorium van een paartje Waterspreeuwen is een stuk rivier van een lengte van bijna een halve kilometer, maar de lengte kan aanzienlijk variëren. Beide geslachten roepen hun eigendomsrecht hierover uit met luid gezang dat trillers en raspende geluiden bevat. Ze bouwen het nest gewoonlijk in een spleet in de rotsige oeverbank of waterkering, soms ook achter een waterval. Het nest is koepelvormig en gemaakt van mos met van binnen dode bladeren. De vier tot zes witte eieren worden door het vrouwtje in 16 dagen uitgebroed. De jongen vliegen na 19 tot 25 dagen uit en normaal worden twee broedsels per jaar grootgebracht.

Rode Rotslijster/Blauwe Rotslijster

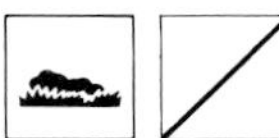

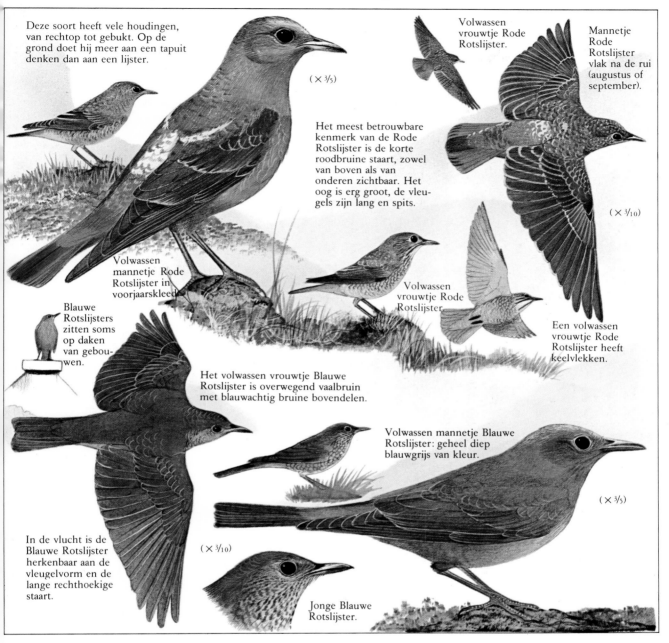

Deze soort heeft vele houdingen, van rechtop tot gebukt. Op de grond doet hij meer aan een tapuit denken dan aan een lijster.

(× 3/5)

Volwassen vrouwtje Rode Rotslijster.

Mannetje Rode Rotslijster vlak na de rui (augustus of september).

Het meest betrouwbare kenmerk van de Rode Rotslijster is de korte roodbruine staart, zowel van boven als van onderen zichtbaar. Het oog is erg groot, de vleugels zijn lang en spits.

(× 3/10)

Volwassen mannetje Rode Rotslijster in voorjaarskleed.

Volwassen vrouwtje Rode Rotslijster.

Blauwe Rotslijsters zitten soms op daken van gebouwen.

Een volwassen vrouwtje Rode Rotslijster heeft keelvlekken.

Het volwassen vrouwtje Blauwe Rotslijster is overwegend vaalbruin met blauwachtig bruine bovendelen.

Volwassen mannetje Blauwe Rotslijster: geheel diep blauwgrijs van kleur.

(× 3/5)

In de vlucht is de Blauwe Rotslijster herkenbaar aan de vleugelvorm en de lange rechthoekige staart.

(× 3/10)

Jonge Blauwe Rotslijster.

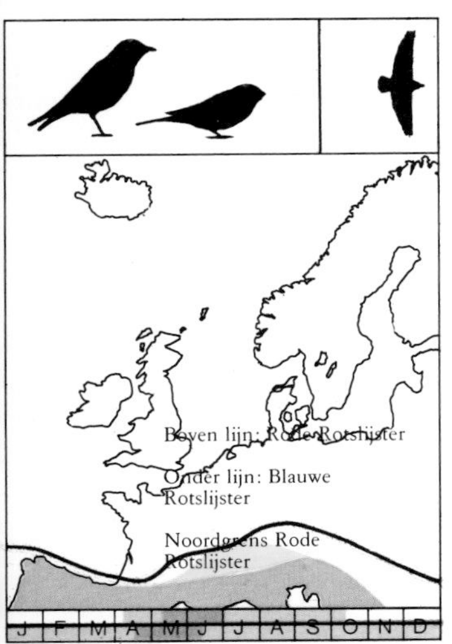

De Rode Rotslijster is een schuwe vogel en ondanks zijn felle kleur niet altijd gemakkelijk waar te nemen in zijn rotsachtige, bergachtige woongebied. Actief en met kwieke bewegingen zoekt hij zijn voedsel, meestal op de grond. Het grootste deel daarvan bestaat uit insekten, soms zeer grote, ook neemt hij wel eens een hagedis of kikvors. De heldere fluitende zang doet denken aan die van de Merel. Hij zingt meestal zittend op een vooruitstekende rotspunt, soms ook in de lucht. In de paartijd wordt een korte verticale baltsvlucht vertoond waarbij hij in kringen van een grote hoogte omlaag vliegt. Het nest ligt in een rotsspleet en bestaat uit gras, wortels en mos.

Het vrouwtje bouwt het nest en broedt. De vier tot zes eieren komen na 14 tot 15 dagen uit. Beide ouders voeren de jongen die 14 tot 16 dagen in het nest blijven. Rode Rotslijsters zijn trekvogels.

De Blauwe Rotslijster bewoont gelijksoortige of meer onherbergzame gebieden dan de Rode Rotslijster: een typisch voorbeeld zijn de rotsen en steile wanden rond de ruïnes bij Delphi (Griekenland) die een decoratieve achtergrond voor deze prachtige vogel vormen. In gedrag verschilt deze soort weinig van de Rode Rotslijster, maar hij is voornamelijk standvogel. Het nest is anders, ondieper en losser van bouw.

Zanglijster

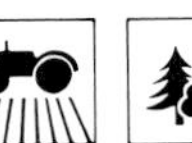

J V

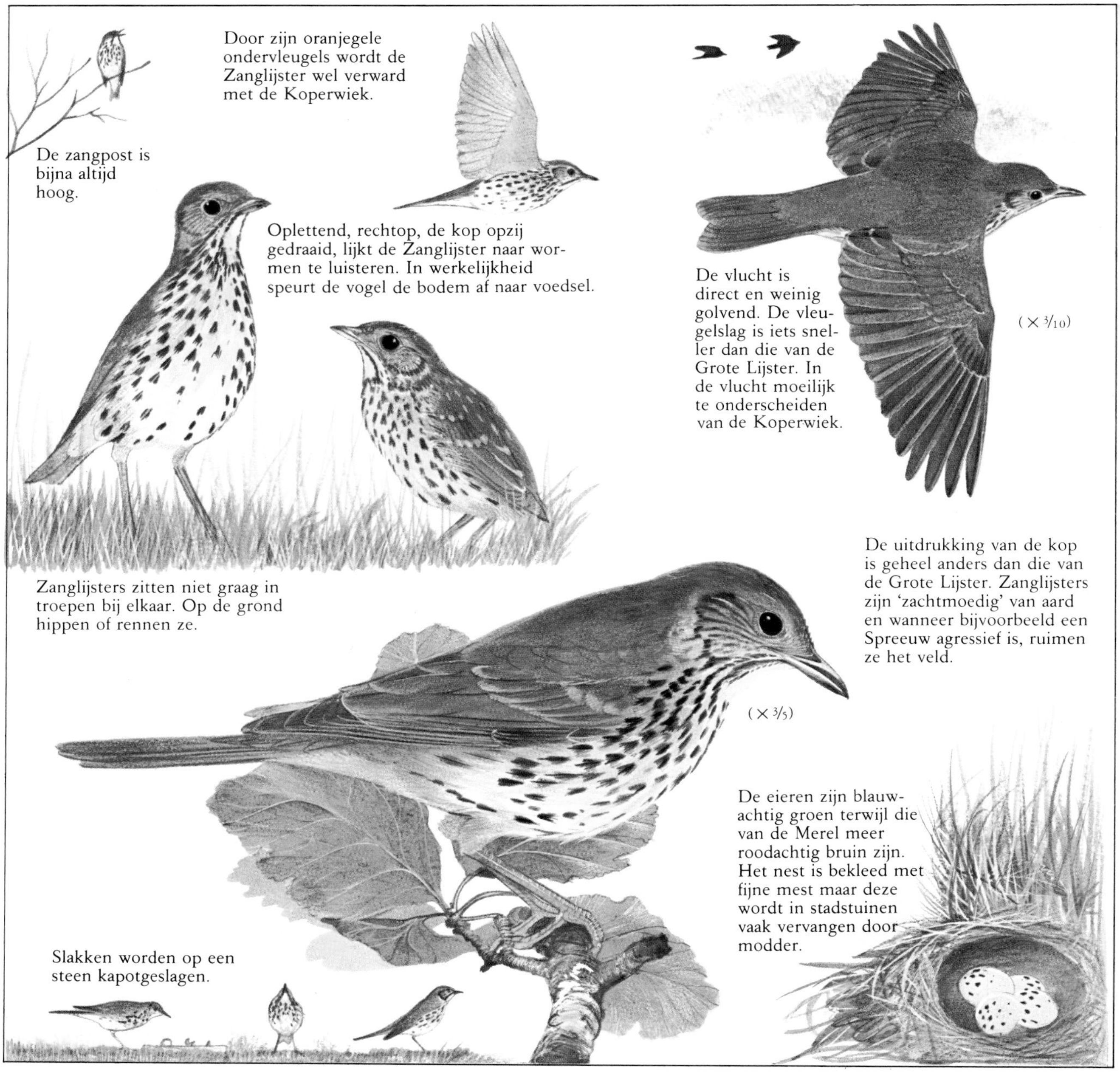

De zangpost is bijna altijd hoog.

Door zijn oranjegele ondervleugels wordt de Zanglijster wel verward met de Koperwiek.

Oplettend, rechtop, de kop opzij gedraaid, lijkt de Zanglijster naar wormen te luisteren. In werkelijkheid speurt de vogel de bodem af naar voedsel.

De vlucht is direct en weinig golvend. De vleugelslag is iets sneller dan die van de Grote Lijster. In de vlucht moeilijk te onderscheiden van de Koperwiek.

(× 3/10)

Zanglijsters zitten niet graag in troepen bij elkaar. Op de grond hippen of rennen ze.

De uitdrukking van de kop is geheel anders dan die van de Grote Lijster. Zanglijsters zijn 'zachtmoedig' van aard en wanneer bijvoorbeeld een Spreeuw agressief is, ruimen ze het veld.

(× 3/5)

De eieren zijn blauwachtig groen terwijl die van de Merel meer roodachtig bruin zijn. Het nest is bekleed met fijne mest maar deze wordt in stadstuinen vaak vervangen door modder.

Slakken worden op een steen kapotgeslagen.

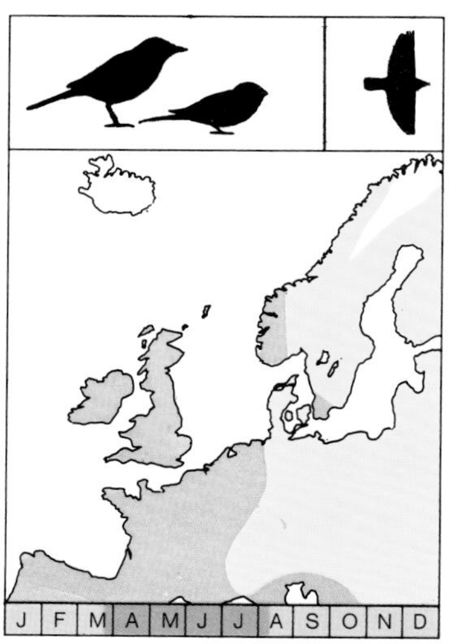

Zacht weer in januari ontlokt vaak al de eerste zanggeluiden aan de Zanglijster en doordat iedere strofe enige malen herhaald wordt, is zijn zang gemakkelijk herkenbaar. Zanglijsters bieden met Merels en Spreeuwen het gehele jaar door een vertrouwd beeld in parken en tuinen. Het eerste deel van het jaar leven ze voornamelijk van regenwormen, in mei en juni zijn het rupsen, in de herfst vruchten. In koude winterdagen of bij gebrek aan ander voedsel gaan ze over op slakken. Deze worden tegen een steen geslagen (aambeeld); de vogel gebruikt bij het afzoeken van een bepaald terrein steeds dezelfde steen.

Met vier blauwachtig-groene eieren zien de met modder bepleisterde nesten er aantrekkelijk uit. Helaas zijn ze gemakkelijk te vinden en worden ze vaak uitgehaald. De meeste nesten liggen in struiken en bomen, terwijl nesten op de grond of in gebouwen veel minder vaak voorkomen dan bij de Merel. Het nest wordt door het vrouwtje gebouwd die de binnenkant met haar borst tot een gladde kom modeleert. Klimopzaden worden vaak gebruikt om de rand te versieren. Het vrouwtje broedt alleen, maar beide geslachten verzorgen de jongen en er worden twee tot drie broedsels grootgebracht. De Zanglijster is gedeeltelijk trekvogel.

Grote Lijster

De zang klinkt 's winters vanuit een kale boomtop.

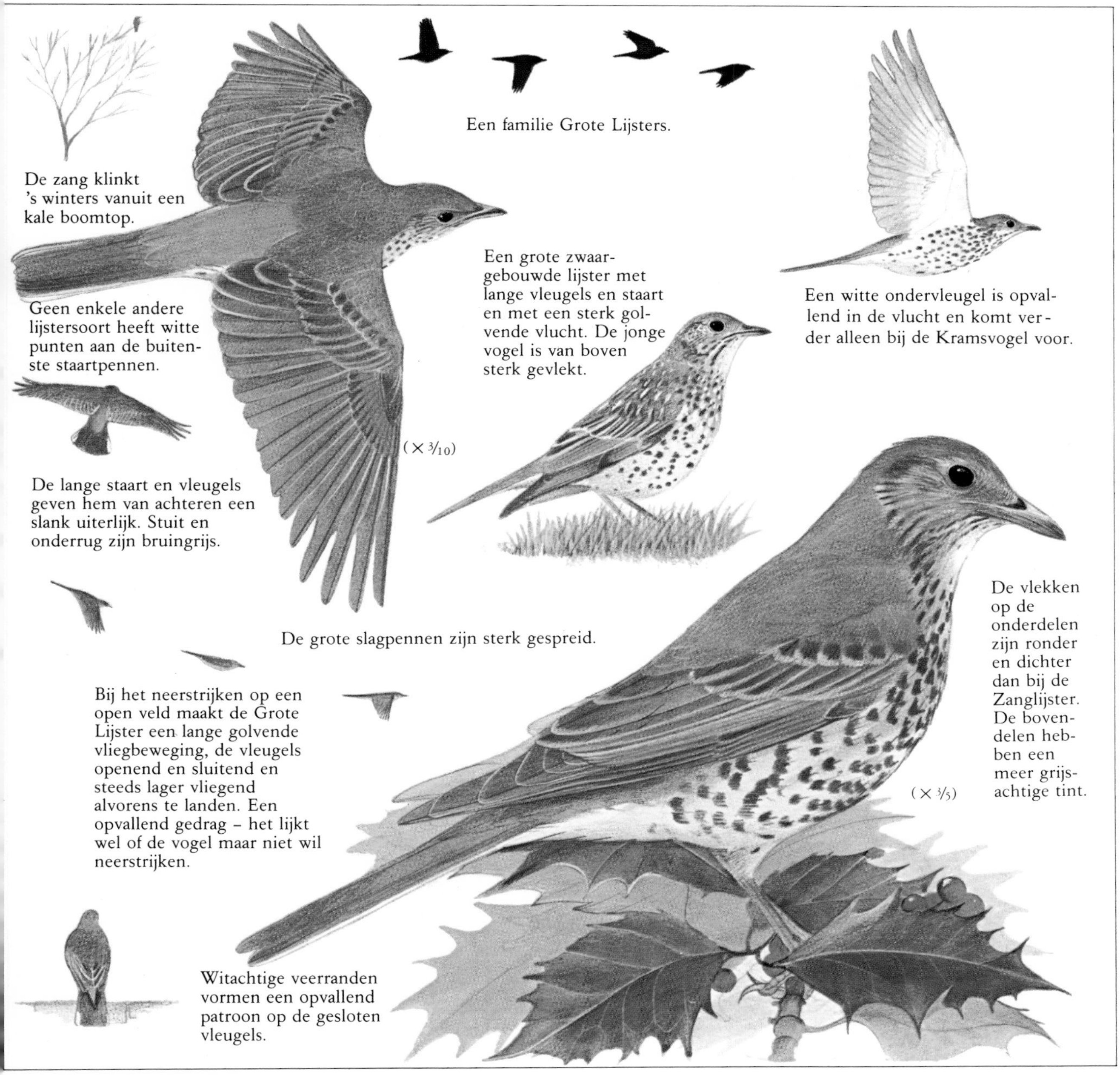

Een familie Grote Lijsters.

Een grote zwaargebouwde lijster met lange vleugels en staart en met een sterk golvende vlucht. De jonge vogel is van boven sterk gevlekt.

Een witte ondervleugel is opvallend in de vlucht en komt verder alleen bij de Kramsvogel voor.

Geen enkele andere lijstersoort heeft witte punten aan de buitenste staartpennen.

(× 3/10)

De lange staart en vleugels geven hem van achteren een slank uiterlijk. Stuit en onderrug zijn bruingrijs.

De grote slagpennen zijn sterk gespreid.

De vlekken op de onderdelen zijn ronder en dichter dan bij de Zanglijster. De bovendelen hebben een meer grijsachtige tint.

(× 3/5)

Bij het neerstrijken op een open veld maakt de Grote Lijster een lange golvende vliegbeweging, de vleugels openend en sluitend en steeds lager vliegend alvorens te landen. Een opvallend gedrag – het lijkt wel of de vogel maar niet wil neerstrijken.

Witachtige veerranden vormen een opvallend patroon op de gesloten vleugels.

Deze fiere vogel, een grotere verwant van de Zanglijster, hoort men vroeg in het voorjaar zijn lied zingen vanaf een hoge uitkijkpost. Verder verraadt hij zijn aanwezigheid met zijn kenmerkend droog ratelend geluid. De Grote Lijster eet, behalve bessen en vruchten, ook veel dierlijk voedsel dat hij in parken en tuinen op de bodem bij elkaar scharrelt.

Deze soort is lang niet zo talrijk als de meeste andere lijsters; hij bezet gewoonlijk grote territoria. Parklandschap, villawijken met grote bomen, vooral in de binnenduinen, vormen zijn typische woongebied, maar hij vertoont zich ook wel in boomgaarden met laag geboomte.

Het nest ligt gewoonlijk hoger dan dat van de andere lijsters, vaak op een horizontale zijtak tegen de hoofdstam aan. Het vrouwtje vliegt vroeg in het voorjaar rond en wijst in een hurkhouding de in aanmerking komende nestplaatsen aan. In het nest worden drie tot vijf eieren gelegd die het vrouwtje in 13 tot 14 dagen uitbroedt, waarna beide ouders de jongen 14 tot 16 dagen voeren. Twee broedsels per jaar worden grootgebracht. Ongeveer 62 % van de jongen sterft voor het eind van het eerste jaar, daarna daalt de jaarlijkse sterfte tot 48 %.

Kramsvogel

De vlucht is minder golvend dan van de Grote Lijster.

Boven: een groep vliegende Kramsvogels.

Langs landelijke wegen in de herfst zijn Kramsvogels een onderdeel van het landschap. Men ziet ze veel foerageren in meidoorns, vaak samen met Koperwieken.

De witte ondervleugels zijn opvallend. De Grote Lijster is de enige soort die dat ook heeft.

De Kramsvogel heeft dezelfde bouw als de Grote Lijster maar is iets kleiner.

(× 3/10)

Een jonge Kramsvogel is valer dan een volwassen vogel.

(× 3/5)

Bij het voedsel zoeken op het veld heeft de vogel de gewoonte de vleugels te laten hangen zodat de lichtgrijze stuit zichtbaar wordt (boven en onder).

Lichtgrijze kop, kastanjebruine rug, lichtgrijze stuit en vrijwel zwarte staart onderscheiden de Kramsvogel van alle andere lijsters.

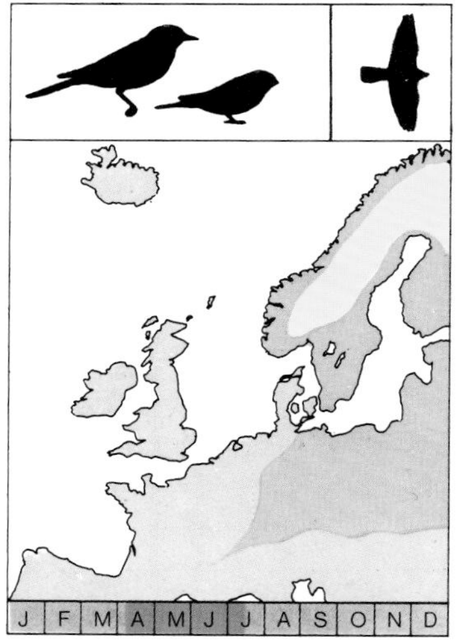

Het luide getjakker van rondtrekkende troepen Kramsvogels is 's winters vaak op akkers en velden te horen, echter in een steeds groter gebied ook 's zomers. De Kramsvogel breidt zijn broedgebied namelijk geleidelijk uit. De eerste Kramsvogels vestigden zich in het begin van de 19de eeuw in Centraal-Europa en ook uit Nederland zijn enkele broedgevallen bekend geworden. De uitbreiding is misschien het gevolg van klimaatsveranderingen maar komt zeker ook door het feit dat de vogels niet meer op grote schaal gevangen worden.

In Scandinavië is het berkenbos zijn typische woongebied, maar een aantal andere biotopen wordt ook bewoond, zoals parken en tuinen. Kramsvogels broeden in kolonies, met nesten in dicht bij elkaar staande groepjes bomen, soms tot vijf nesten per boom. Wie zich binnen de kolonie waagt, riskeert agressieve kreten, stootduiken en vrijelijk spuiten met uitwerpselen. Het nest van twijgjes, gras en leem wordt met fijne halmpjes afgewerkt.

De vier tot zes eieren worden hoofdzakelijk bebroed door het vrouwtje. Ze komen na 13 tot 14 dagen uit. Beide ouders voeren de jongen die het nest na 14 dagen verlaten. Naaktslakken, insekten en regenwormen vormen het gehele jaar het hoofdvoedsel, 's winters aangevuld met bessen. De troepen bezoeken ook vaak boomgaarden en eten afgevallen appels. Kramsvogels slapen gemeenschappelijk en prefereren de grond boven bosjes of bomen.

Koperwiek

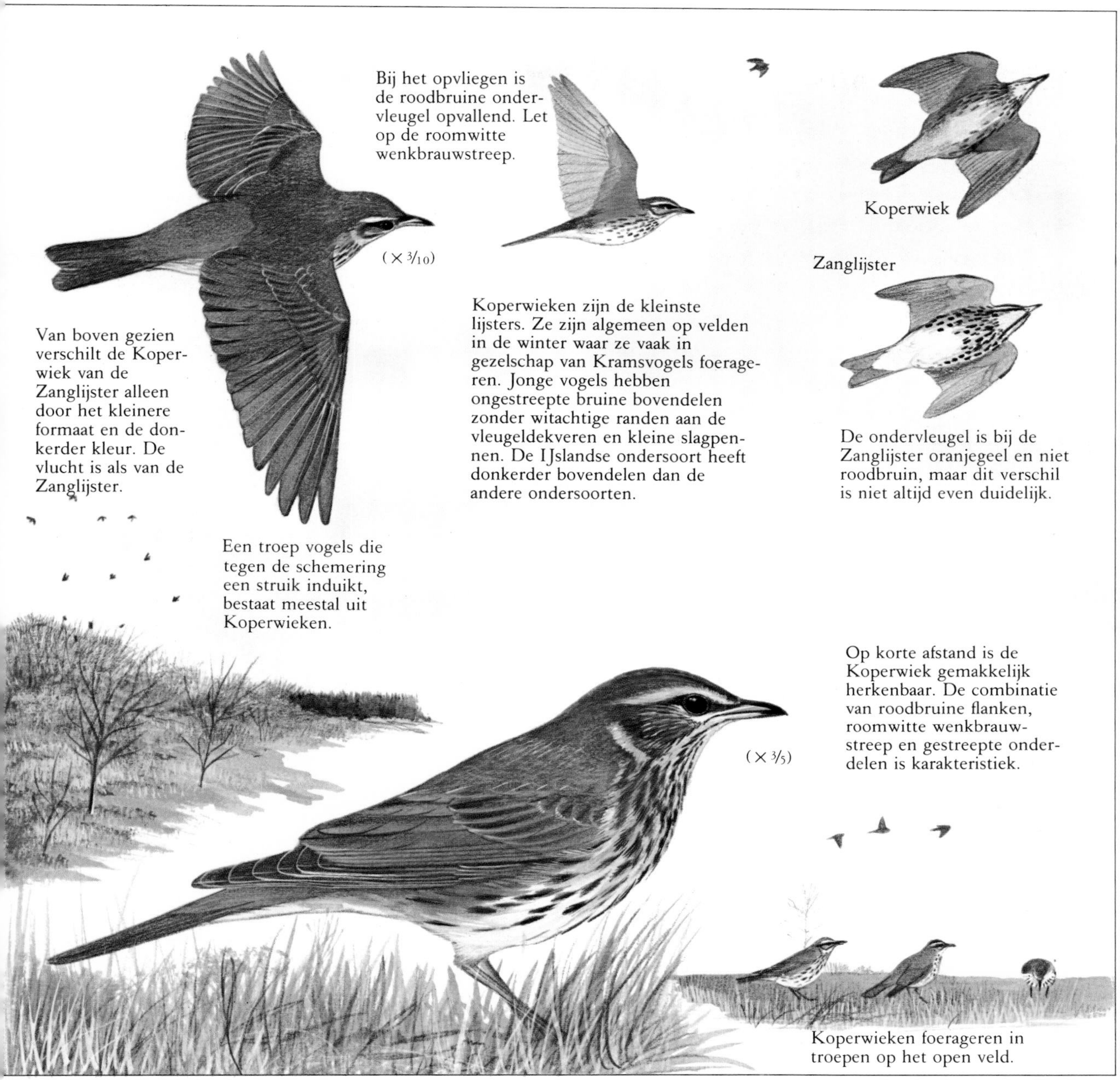

Bij het opvliegen is de roodbruine ondervleugel opvallend. Let op de roomwitte wenkbrauwstreep.

(× 3/10)

Koperwiek

Zanglijster

Van boven gezien verschilt de Koperwiek van de Zanglijster alleen door het kleinere formaat en de donkerder kleur. De vlucht is als van de Zanglijster.

Koperwieken zijn de kleinste lijsters. Ze zijn algemeen op velden in de winter waar ze vaak in gezelschap van Kramsvogels foerageren. Jonge vogels hebben ongestreepte bruine bovendelen zonder witachtige randen aan de vleugeldekveren en kleine slagpennen. De IJslandse ondersoort heeft donkerder bovendelen dan de andere ondersoorten.

De ondervleugel is bij de Zanglijster oranjegeel en niet roodbruin, maar dit verschil is niet altijd even duidelijk.

Een troep vogels die tegen de schemering een struik induikt, bestaat meestal uit Koperwieken.

Op korte afstand is de Koperwiek gemakkelijk herkenbaar. De combinatie van roodbruine flanken, roomwitte wenkbrauwstreep en gestreepte onderdelen is karakteristiek.

(× 3/5)

Koperwieken foerageren in troepen op het open veld.

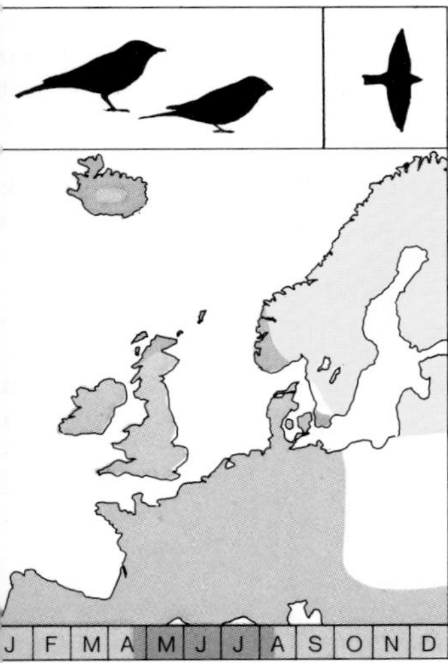

Het zijn de sneeuw en de vorst die de Koperwieken naar de tuinen rond de steden drijven. De roep, een dun 'tsieh', is dan 's nachts over bijna het gehele land te horen, ook in de grote steden. Maar meestal mijden ze menselijke bewoning en zoeken ze voedsel in gezelschap van Kramsvogels en soms Goudplevieren en Kieviten. Ze eten grote hoeveelheden bessen, waarvoor ze veel tijd in hagen en parken doorbrengen.

's Nachts roesten ze op gemeenschappelijke slaapplaatsen in doornstruikbosjes of rododendrons, waar ze in kleine groepjes loodrecht uit de lucht komen vallen in de hoogste takken. Het is gemakkelijk deze vogels op hun slaapplaatsen te vangen voor ringonderzoek. Daardoor is bekend geworden dat ze zeer mobiel zijn en grote afstanden afleggen om slecht weer te ontwijken. Als het weer verbetert, komen ze naar hun oude plaats terug.

Evenals de Kramsvogel breidt deze soort zijn broedgebied uit. De nesten liggen wel vaak met meerdere bijeen, maar vormen geen echte kolonies zoals bij de Kramsvogel. Het nest is een typisch lijsternest, van gras en twijgjes met van binnen een kom van leem en fijn gras. Ze liggen vaak vrij laag, bijvoorbeeld op dunne twijgen bij de basis van een berk. De vijf of zes eieren worden door beide ouders in 13 dagen uitgebroed. De jongen worden door beide ouders gevoerd en vliegen na 12 tot 14 dagen uit.

Merel

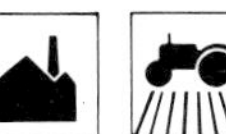

J V

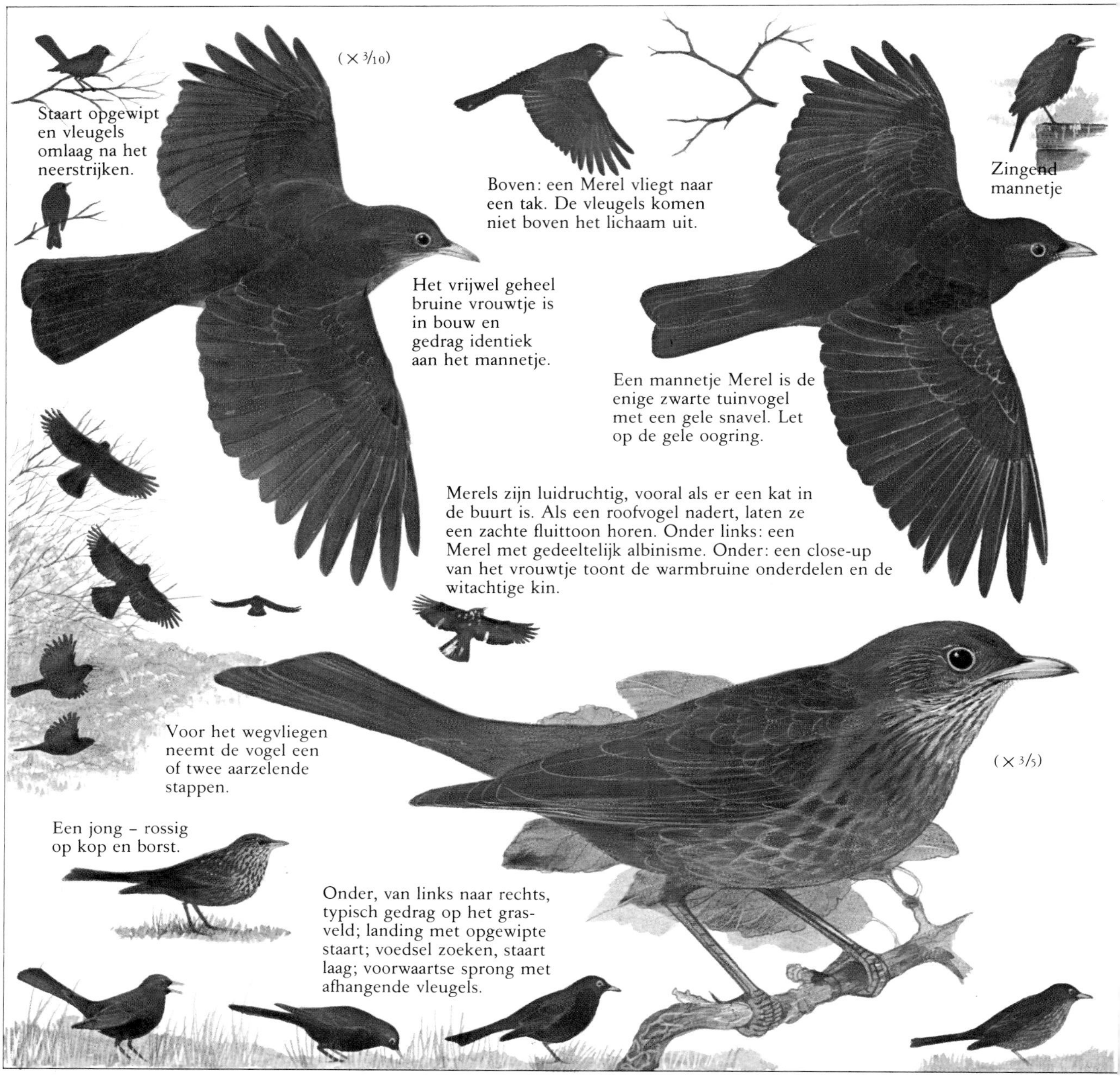

(× 3/10)

Staart opgewipt en vleugels omlaag na het neerstrijken.

Boven: een Merel vliegt naar een tak. De vleugels komen niet boven het lichaam uit.

Zingend mannetje

Het vrijwel geheel bruine vrouwtje is in bouw en gedrag identiek aan het mannetje.

Een mannetje Merel is de enige zwarte tuinvogel met een gele snavel. Let op de gele oogring.

Merels zijn luidruchtig, vooral als er een kat in de buurt is. Als een roofvogel nadert, laten ze een zachte fluittoon horen. Onder links: een Merel met gedeeltelijk albinisme. Onder: een close-up van het vrouwtje toont de warmbruine onderdelen en de witachtige kin.

Voor het wegvliegen neemt de vogel een of twee aarzelende stappen.

(× 3/5)

Een jong – rossig op kop en borst.

Onder, van links naar rechts, typisch gedrag op het grasveld; landing met opgewipte staart; voedsel zoeken, staart laag; voorwaartse sprong met afhangende vleugels.

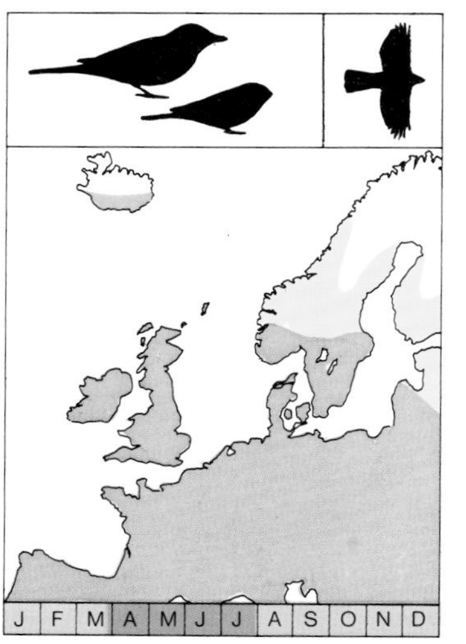

De zo opvallende en gemakkelijk bereikbare nesten van de Merel worden als geen andere vogelsoort uitgehaald. Ondanks dat is de Merel één van de meest algemene vogels in Europa, vooral dank zij zijn aanpassingsvermogen aan de nieuwe, door de mens geschapen gebieden. Van oorsprong is het een bosvogel maar hij floreert nu even goed in agrarische streken als in grote steden, met de grootste dichtheid in tuinen rond de steden.

Het nest van gras is bekleed met fijne halmen. Meestal ligt het in struiken of kleinere bomen maar het wordt ook wel op de grond of aan huizen gebouwd. Omdat het nest zo gemakkelijk te vinden is, is betrekkelijk veel over de broedbiologie bekend. Het broedseizoen loopt van begin maart tot eind juli of augustus. De beste broedresultaten worden bereikt in de vroegste en de late nesten. De eerste nesten hebben succes omdat de roofdieren dan nog niet zo actief zijn, late nesten omdat het gebladerte het nest beter verbergt. Gewoonlijk worden drie tot vijf eieren gelegd. De grootste legsels vindt men in mei. Ook hebben legsels op het platteland gemiddeld een hoger aantal eieren dan in dorpen en steden.

Alleen het vrouwtje broedt, maar beide geslachten voeren de jongen. Drie of meer broedsels worden per jaar grootgebracht en het oude nest wordt vaak opnieuw gebruikt.

Beflijster

DT

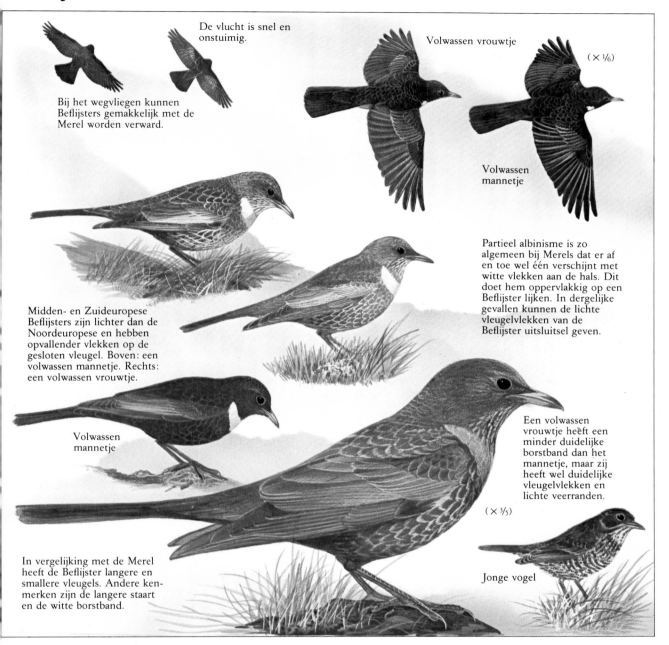

De vlucht is snel en onstuimig.

Bij het wegvliegen kunnen Beflijsters gemakkelijk met de Merel worden verward.

Volwassen vrouwtje

(× 1/6)

Volwassen mannetje

Partieel albinisme is zo algemeen bij Merels dat er af en toe wel één verschijnt met witte vlekken aan de hals. Dit doet hem oppervlakkig op een Beflijster lijken. In dergelijke gevallen kunnen de lichte vleugelvlekken van de Beflijster uitsluitsel geven.

Midden- en Zuideuropese Beflijsters zijn lichter dan de Noordeuropese en hebben opvallender vlekken op de gesloten vleugel. Boven: een volwassen mannetje. Rechts: een volwassen vrouwtje.

Volwassen mannetje

Een volwassen vrouwtje heeft een minder duidelijke borstband dan het mannetje, maar zij heeft wel duidelijke vleugelvlekken en lichte veerranden.

(× 3/5)

Jonge vogel

In vergelijking met de Merel heeft de Beflijster langere en smallere vleugels. Andere kenmerken zijn de langere staart en de witte borstband.

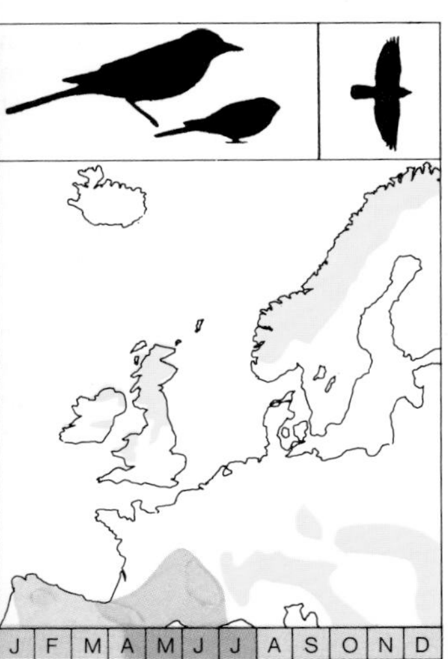

In veen- en heidevelden en in de bergen wordt de Merel vervangen door de verwante Beflijster. Deze soort heeft een voorkeur voor beschutte plaatsen in nauwe bergengtes en ravijnen. Hij is in tegenstelling tot de Merel een schuwe vogel die menselijke nederzettingen mijdt. In de herfst komt daar verandering in. Dan verschijnt hij wel in tuinen om zich aan bessen te goed te doen, maar ook dan vooral in de vroege morgen. In andere seizoenen bestaat zijn dieet uit dierlijk voedsel.

Het eenvoudige lied bestaat uit een enkele of dubbele heldere toon die drie of vier maal herhaald wordt.

Het nest is ongeveer gebouwd als dat van de Merel, maar het heeft een ander uiterlijk door de hei en het veengras die er in verwerkt zijn. Vaak zit het in de overhangende begroeiing aan de rand van een rotswand of een turfbank, soms ook in lage struiken. De Midden- en Zuideuropese ondersoort nestelt wel hoog in naaldbomen. In ieder geval zijn de nesten moeilijker te vinden dan Merelnesten. Een methode voor het opsporen daarvan is die waarbij men gebruik maakt van Border terriërs: de vogels hebben een bijzonder sterke geur die de honden zonder moeite kunnen opsporen.

Gewoonlijk worden er twee legsels van vier eieren geproduceerd en de broedduur bedraagt twee weken. Na nog eens twee weken vliegen de jongen uit. Beide geslachten nemen deel aan nestbouw, broeden en voeren.

Wielewaal

ZV

Volwassen vrouwtje

Jonge vogel

Oud vrouwtje

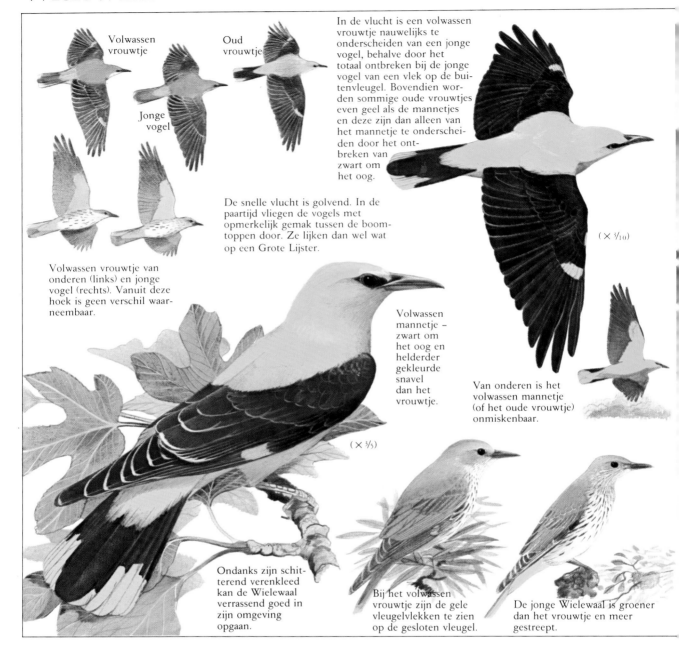

In de vlucht is een volwassen vrouwtje nauwelijks te onderscheiden van een jonge vogel, behalve door het totaal ontbreken bij de jonge vogel van een vlek op de buitenvleugel. Bovendien worden sommige oude vrouwtjes even geel als de mannetjes en deze zijn dan alleen van het mannetje te onderscheiden door het ontbreken van zwart om het oog.

De snelle vlucht is golvend. In de paartijd vliegen de vogels met opmerkelijk gemak tussen de boomtoppen door. Ze lijken dan wel wat op een Grote Lijster.

(× 3/10)

Volwassen vrouwtje van onderen (links) en jonge vogel (rechts). Vanuit deze hoek is geen verschil waarneembaar.

Volwassen mannetje – zwart om het oog en helderder gekleurde snavel dan het vrouwtje.

Van onderen is het volwassen mannetje (of het oude vrouwtje) onmiskenbaar.

(× 3/5)

Ondanks zijn schitterend verenkleed kan de Wielewaal verrassend goed in zijn omgeving opgaan.

Bij het volwassen vrouwtje zijn de gele vleugelvlekken te zien op de gesloten vleugel.

De jonge Wielewaal is groener dan het vrouwtje en meer gestreept.

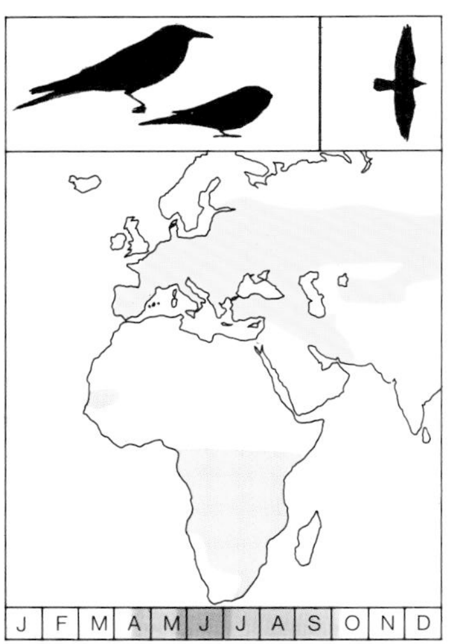

Tegen een achtergrond van vlek- en stippatronen van zon en schaduw in de boomkruin wordt de zo opvallend gekleurde Wielewaal haast onzichtbaar. De jongere vrouwtjes zijn met hun groenachtige onderdelen vaak erg moeilijk te onderscheiden. De vogels verraden echter meestal hun aanwezigheid met hun luid jodelfluitend 'wiela-wieoo'.

Wielewalen vindt men in verscheidene soorten bos- en parklandschap, normaal met loofbomen. Ze foerageren bijna uitsluitend tussen de bladeren in de boomkruin en vangen allerlei insekten, ook vrij grote zoals hommels, meikevers en harige rupsen. Soms staat de vogel in de lucht te 'bidden' om een prooi van een blad af te pikken. In de nazomer en de herfst eten ze ook veel vruchten, vooral vijgen.

Het prachtige nest dat is opgehangen aan een gevorkte tak wordt alleen door het vrouwtje vervaardigd. Vanwege de soms sterke wind is de nestkom erg diep om het gevaar van het uitvallen van de eieren of de jongen te verminderen. Als bouwmateriaal dienen lange grashalmen en repen bast of blad, terwijl de buitenkant opgevuld wordt met mos of korstmos. Er worden twee tot vier eieren gelegd en de broedduur bedraagt twee weken. Na eenzelfde periode vliegen de jongen uit. Beide ouders nemen deel aan het broeden en het verzorgen van de jongen die aanvankelijk met uitgebraakt voedsel worden gevoerd, later met hele prooidieren.

Spreeuw

     J V

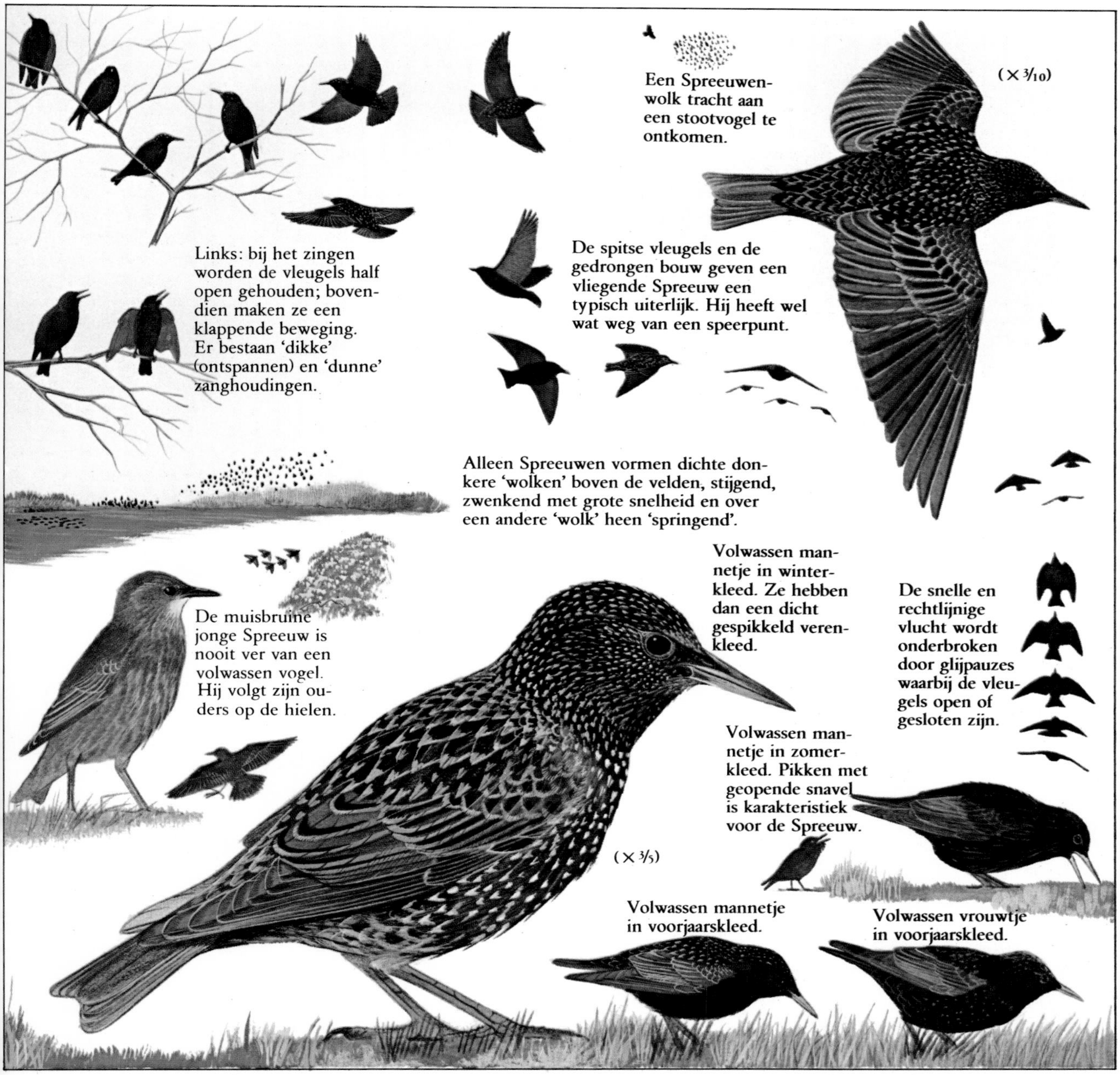

Een Spreeuwenwolk tracht aan een stootvogel te ontkomen.

(× 3/10)

Links: bij het zingen worden de vleugels half open gehouden; bovendien maken ze een klappende beweging. Er bestaan 'dikke' (ontspannen) en 'dunne' zanghoudingen.

De spitse vleugels en de gedrongen bouw geven een vliegende Spreeuw een typisch uiterlijk. Hij heeft wel wat weg van een speerpunt.

Alleen Spreeuwen vormen dichte donkere 'wolken' boven de velden, stijgend, zwenkend met grote snelheid en over een andere 'wolk' heen 'springend'.

Volwassen mannetje in winterkleed. Ze hebben dan een dicht gespikkeld verenkleed.

De snelle en rechtlijnige vlucht wordt onderbroken door glijpauzes waarbij de vleugels open of gesloten zijn.

De muisbruine jonge Spreeuw is nooit ver van een volwassen vogel. Hij volgt zijn ouders op de hielen.

Volwassen mannetje in zomerkleed. Pikken met geopende snavel is karakteristiek voor de Spreeuw.

(× 3/5)

Volwassen mannetje in voorjaarskleed.

Volwassen vrouwtje in voorjaarskleed.

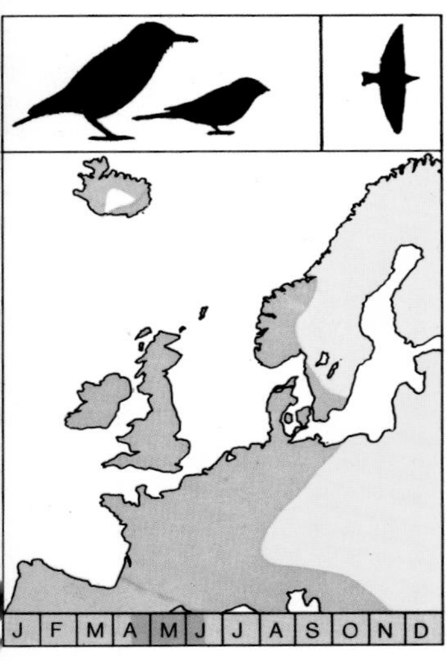

J F M A M J J A S O N D

Spreeuwen mogen druk en vuil zijn, maar wanneer ze in dichte zwermen van duizenden stuks rondcirkelen bij de slaapplaats, bieden ze een verrukkelijk schouwspel. Twee eeuwen geleden, toen ze nog afhankelijk waren van holle bomen om in te broeden, waren ze lang niet zo talrijk als nu. Nu broeden ze in huizen en gebouwen en mede hierdoor kunnen ze in sommige streken een ware plaag vormen. Dit geldt niet alleen in Europa, maar ook in de Verenigde Staten en in verschillende andere delen van de wereld waar de soort werd ingevoerd.

Hoewel Spreeuwen in staat zijn haast overal voedsel te vinden, foerageren ze toch het liefst op weilanden en grasvelden. Daar eten ze regenwormen en insektelarven, maar ze hebben een geheel andere jachtmethode dan de lijsters waarmee ze vaak zij aan zij naar dezelfde prooien zoeken. Lijsters verspreiden zich en kijken rond naar (gedeeltelijk) zichtbare prooi. Spreeuwen daarentegen blijven dicht bij elkaar, bewegen zich in dezelfde richting en tasten de bodem af naar prooi door steeds met de snavel in de grond te pikken.

Gezien hun talrijkheid is het verwonderlijk dat Spreeuwen niet meer dan één broedsel per jaar grootbrengen. De bodem van het nest wordt door het mannetje gemaakt en bovenop deze slordige hoop gras en strootjes legt het vrouwtje een veren bekleding. Vier tot zeven eieren worden erin gelegd die 12 tot 13 dagen bebroed worden. Het uitvliegen duurt betrekkelijk lang – drie weken.

Pestvogel

(× 3/10)

Pestvogels hebben soms een 'acrobatische' wijze van voedsel zoeken.

De spitse vleugels en de snelle en krachtige vlucht zijn nogal Spreeuwachtig, maar de roep is zwak en hoog trillend, het lichaam gedrongen en de staart recht afgesneden.

In de vlucht ziet men de lichte ondervleugel.

Van hieruit zijn de zwarte keelvlek, de kastanjebruine onderstaart en de gele eindrand van de staart opvallend.

Tijdens de balts voltrekken zich verbazingwekkende veranderingen in lichaamsvorm: hier biedt het mannetje (met gespreide vleugels) het vrouwtje voedsel aan.

(× 3/5)

Vrouwtjes en eerstejaars mannetjes missen het geel in de vleugel.

Rechts: typische houdingen bij het foerageren. Schijnbare veranderingen in omvang vinden zeer snel plaats; dun worden wijst meestal op gevaar.

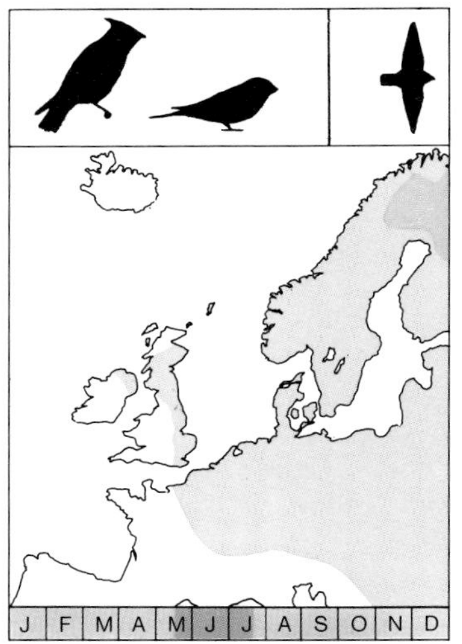

Pestvogels zijn merkwaardige vogels; met hun rozebruine kuif, zwarte streep door het oog en opvallende vleugeltekening lijken ze op geen andere soort. Het is geen wonder dat wanneer ze in grote wintergroepen gebieden bezoeken waar ze normaal onbekend zijn, niet onopgemerkt blijven. In vroeger tijden vol bijgeloof werden ze beschouwd als voorboden van ziekte en ongeluk. Evenals Kruisbekken en Koperwieken zijn Pestvogels invasievogels. Zij broeden in het noorden van Europa en Azië. In de meeste jaren blijft het grootste deel van de bevolking dicht bij huis, terwijl een klein aantal naar Centraal-Europa trekt. Ongeveer eens in de tien jaar, waarschijnlijk als de bevolking een bepaalde dichtheid overschrijdt, verlaten Pestvogels en masse Scandinavië en de taiga om in grote aantallen over heel Europa te overwinteren. In deze jaren verschijnen ze regelmatig tot in Zuid-Europa en ook in Nederland zijn ze dan waar te nemen.

Bessen, vooral van de lijsterbes, vormen het hoofdvoedsel, waarvoor in de winter concurrentie met Kramsvogels en Koperwieken bestaat. In het broedgebied leven ze meest van muggen.

Pestvogels nestelen in berken- en naaldbossen. Ze kiezen vaak een boom aan de bosrand of bij een meer of beek als nestplaats. Naaldboomtwijgen, korstmossen en gras zijn bouwmaterialen en de nestkom is gevoerd met haar en dons.

Klapekster/Kleine Klapekster

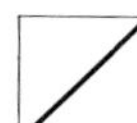

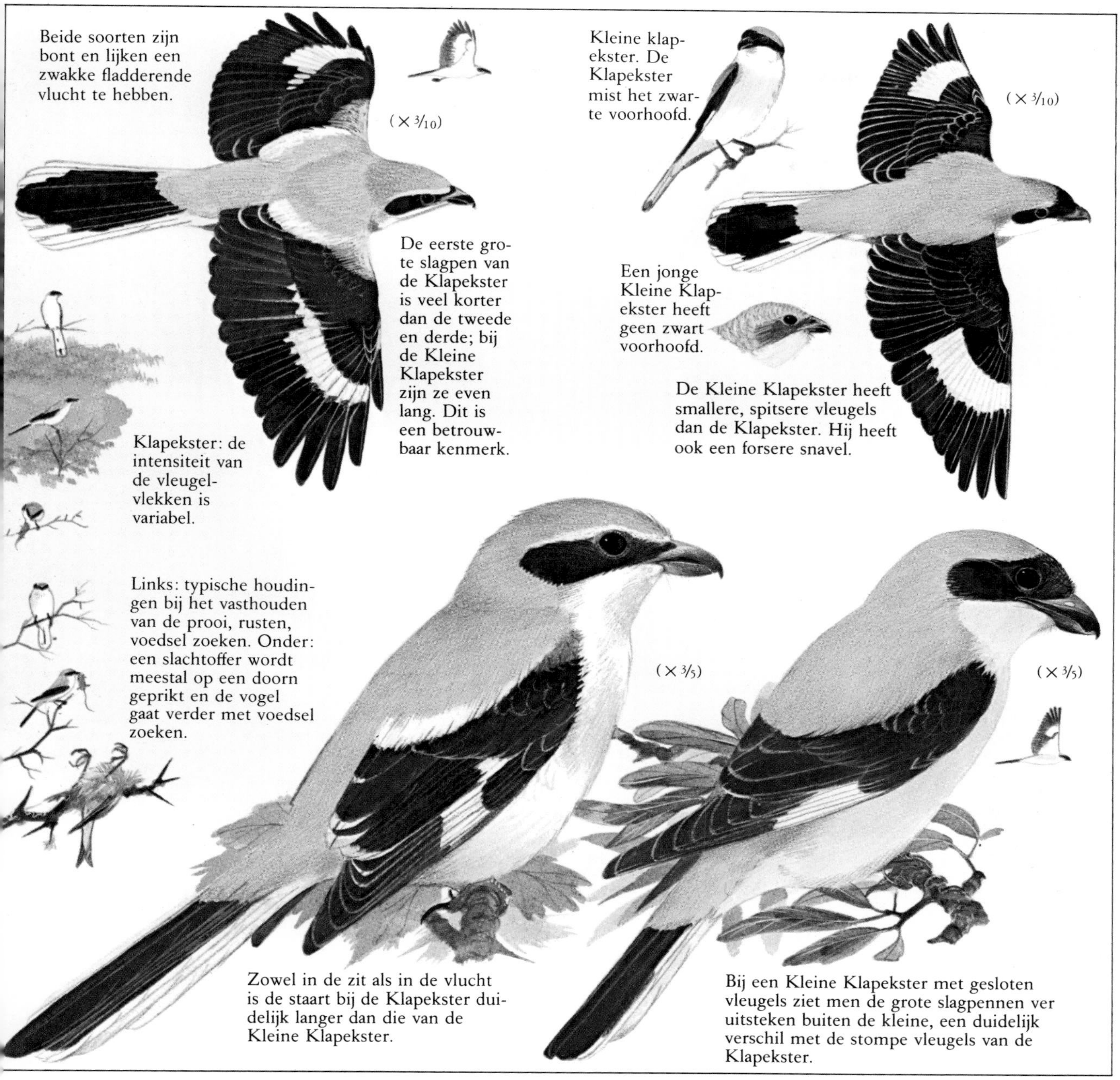

Beide soorten zijn bont en lijken een zwakke fladderende vlucht te hebben.

(× 3/10)

Kleine klapekster. De Klapekster mist het zwarte voorhoofd.

(× 3/10)

De eerste grote slagpen van de Klapekster is veel korter dan de tweede en derde; bij de Kleine Klapekster zijn ze even lang. Dit is een betrouwbaar kenmerk.

Een jonge Kleine Klapekster heeft geen zwart voorhoofd.

De Kleine Klapekster heeft smallere, spitsere vleugels dan de Klapekster. Hij heeft ook een forsere snavel.

Klapekster: de intensiteit van de vleugelvlekken is variabel.

Links: typische houdingen bij het vasthouden van de prooi, rusten, voedsel zoeken. Onder: een slachtoffer wordt meestal op een doorn geprikt en de vogel gaat verder met voedsel zoeken.

(× 3/5)

(× 3/5)

Zowel in de zit als in de vlucht is de staart bij de Klapekster duidelijk langer dan die van de Kleine Klapekster.

Bij een Kleine Klapekster met gesloten vleugels ziet men de grote slagpennen ver uitsteken buiten de kleine, een duidelijk verschil met de stompe vleugels van de Klapekster.

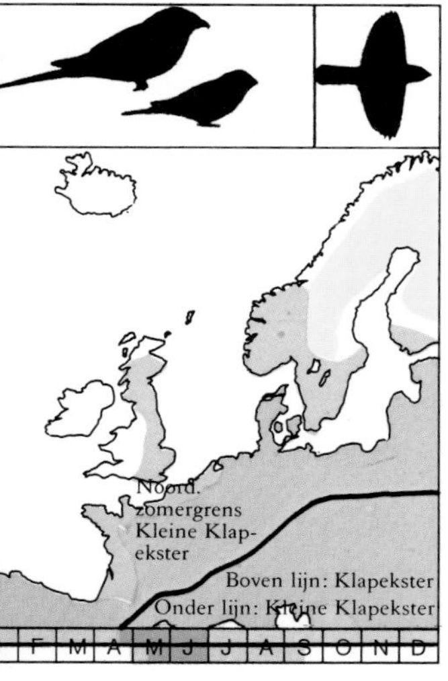

De Klapekster is de grootste Europese klauwier; hij leeft van kleine vogels en zoogdieren (in het zuiden van kikvorsen en hagedissen), met een klein aandeel grote insekten. De Kleine Klapekster eet kevers, veenmollen, sprinkhanen en andere insekten. Klauwieren zijn bekend om hun gewoonte, prooien te bewaren door ze aan een doorn of prikkeldraad te prikken. De Klapekster vertoont dit gedrag vaak, maar bij de Kleine Klapekster schijnt het verloren te zijn gegaan.

Noordelijke Klapeksters zijn trekvogels die vaak jaren achtereen hetzelfde gebied bezoeken. De soort bewoont onder andere struikgewas, bosranden en heidevelden; de Kleine Klapekster heeft een voorkeur voor boomgaarden, wijngaarden en begroeide wegranden. Beide soorten bouwen grote, slordige nesten in struiken en bomen. Die van de Kleine Klapekster liggen meestal hoger en zijn soms in losse kolonies gegroepeerd. Legsels van vijf tot zes eieren zijn normaal voor beide soorten, hoewel de Klapekster in het noordelijk deel van zijn verspreidingsgebied (waar het slechts tot één broedsel komt) wel 8 tot 9 eieren legt. De jongen van de Klapekster vliegen na 20 dagen uit, die van de Kleine Klapekster reeds na twee weken, wanneer ze nog nauwelijks kunnen vliegen. In Nederland een zeer schaarse broedvogel in de provincies Drenthe, Gelderland, Overijssel, Noord-Brabant en Limburg. Doortrekker en wintergast in klein tot zeer klein aantal.

Grauwe Klauwier

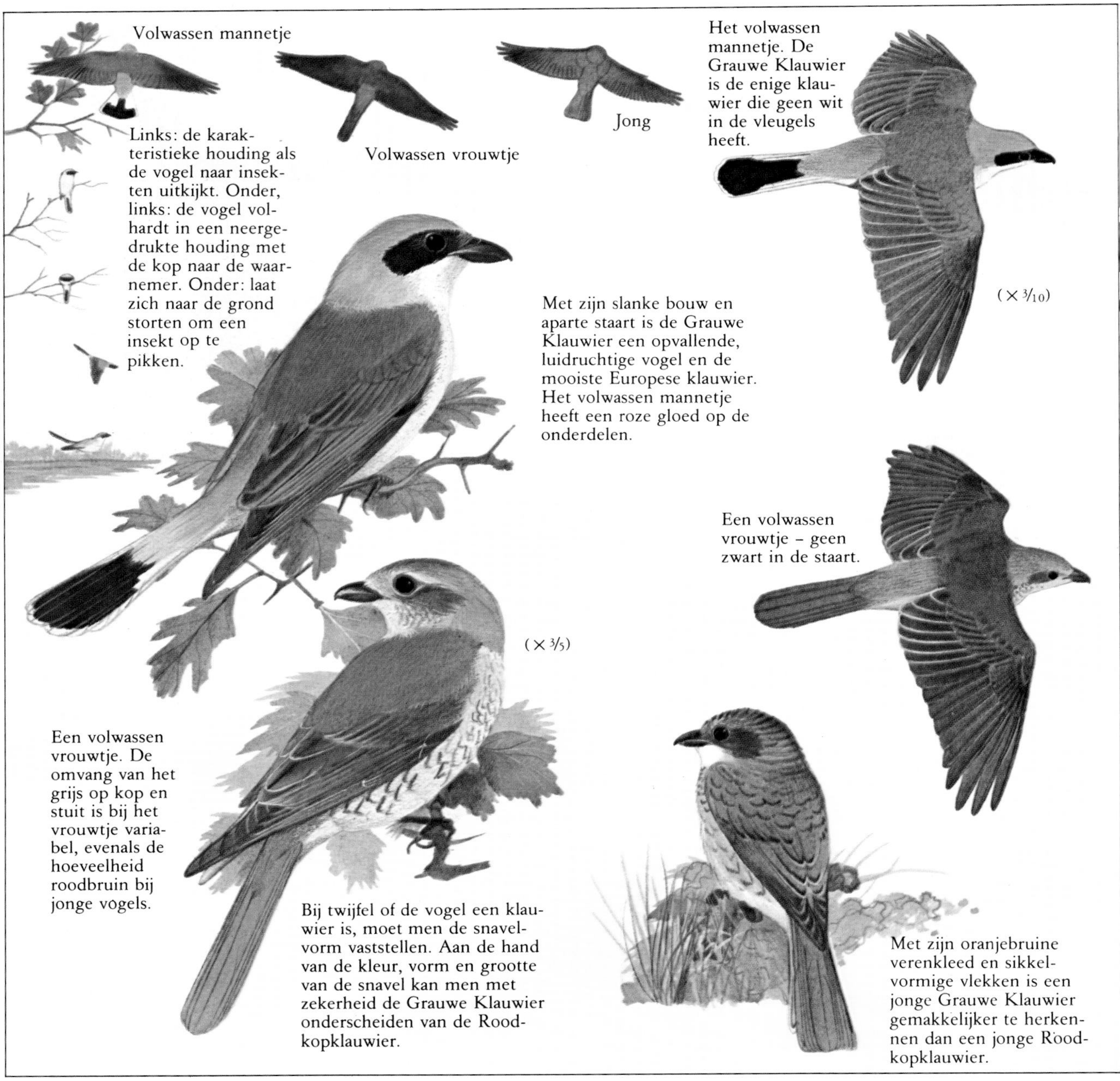

Volwassen mannetje

Volwassen vrouwtje

Jong

Het volwassen mannetje. De Grauwe Klauwier is de enige klauwier die geen wit in de vleugels heeft.

Links: de karakteristieke houding als de vogel naar insekten uitkijkt. Onder, links: de vogel volhardt in een neergedrukte houding met de kop naar de waarnemer. Onder: laat zich naar de grond storten om een insekt op te pikken.

Met zijn slanke bouw en aparte staart is de Grauwe Klauwier een opvallende, luidruchtige vogel en de mooiste Europese klauwier. Het volwassen mannetje heeft een roze gloed op de onderdelen.

(× 3/10)

Een volwassen vrouwtje – geen zwart in de staart.

(× 3/5)

Een volwassen vrouwtje. De omvang van het grijs op kop en stuit is bij het vrouwtje variabel, evenals de hoeveelheid roodbruin bij jonge vogels.

Bij twijfel of de vogel een klauwier is, moet men de snavelvorm vaststellen. Aan de hand van de kleur, vorm en grootte van de snavel kan men met zekerheid de Grauwe Klauwier onderscheiden van de Roodkopklauwier.

Met zijn oranjebruine verenkleed en sikkelvormige vlekken is een jonge Grauwe Klauwier gemakkelijker te herkennen dan een jonge Roodkopklauwier.

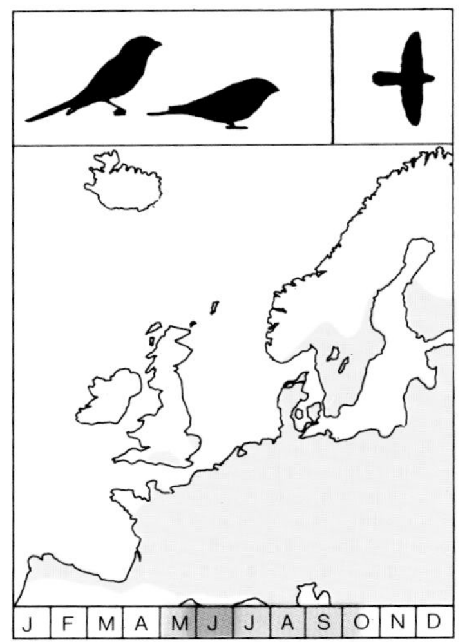

De stand van de Grauwe Klauwier in het noordwestelijk deel van zijn verspreidingsgebied is de laatste tijd sterk teruggelopen. De oorzaken van deze achteruitgang zijn tot nu toe niet geheel opgehelderd. Mogelijkerwijs is het koeler worden van het klimaat een van de oorzaken. In Nederland is de Grauwe Klauwier een schaarse broedvogel.

De soort vertoont de typische klauwiermaniertjes bij het jagen. De prooi wordt vanuit een uitkijkpost opgespoord. Die post is in de top van een van de verspreide bosjes, die zo karakteristiek zijn voor zijn biotoop. Soms 'bidt' de vogel even om een bepaalde plek af te speuren, of hij scheert laag over een bosje om eventuele prooidieren op te jagen. Tot zijn slachtoffers behoren niet alleen grote insekten, maar ook nestjongen en zelfs volwassen vogels, hagedissen en knaagdieren. Deze worden vaak na het vangen in de poten meegedragen, zoals bij een havik; de prooi wordt met een snavelhauw gedood. Hij heeft ook een 'voorraadkamer' met opgeprikte prooien.

Een doornige struik wordt meestal als plaats uitgekozen voor het grote nest van mos, gras, wol en veren. Het nest wordt hoofdzakelijk door het mannetje gebouwd. Het ligt meestal laag en het legsel bestaat uit drie tot zes eieren. Beide ouders voeren de jongen, die ongeveer na 14 dagen uitvliegen.

Roodkopklauwier

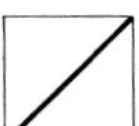

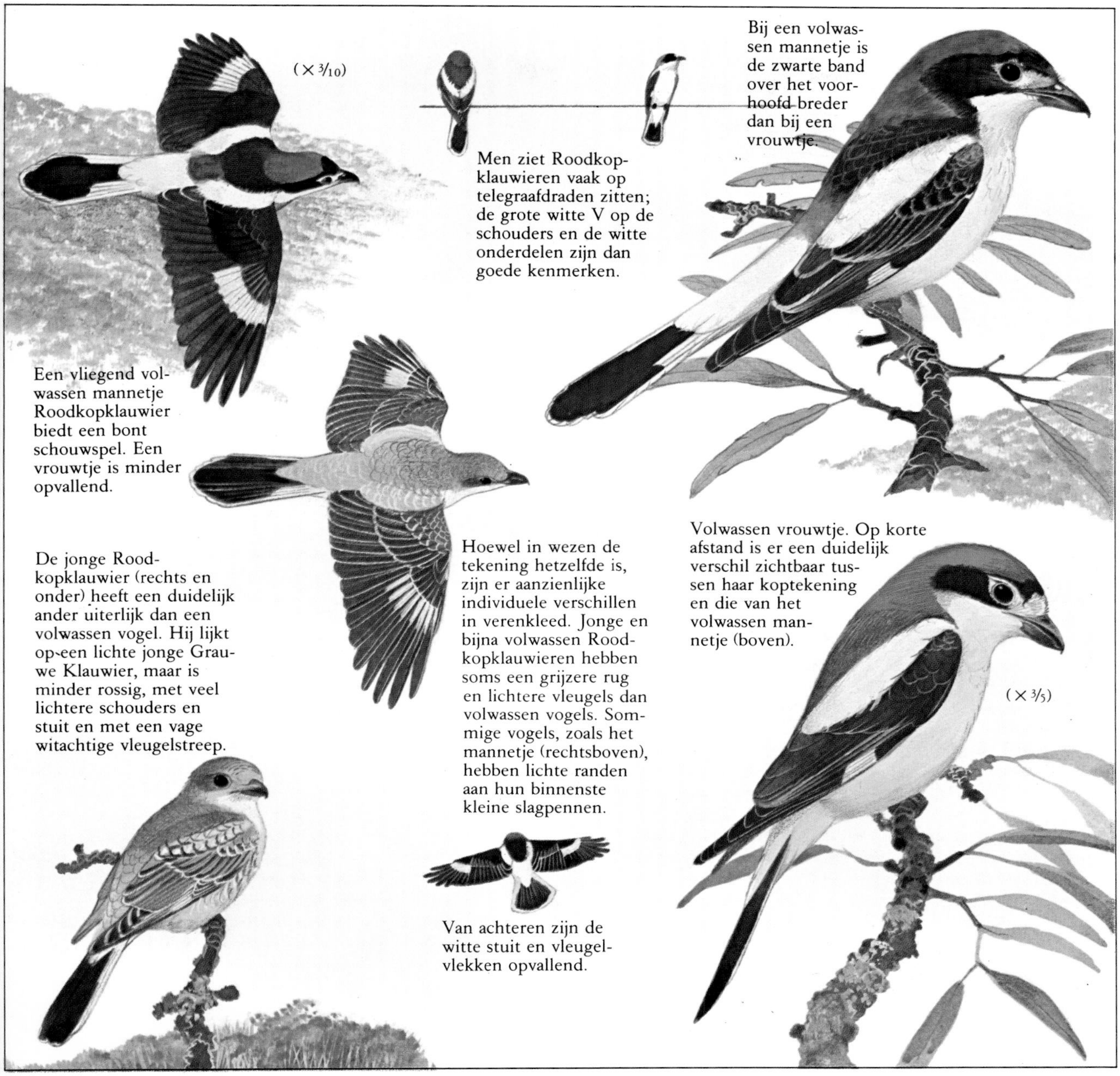

(× 3/10)

Bij een volwassen mannetje is de zwarte band over het voorhoofd breder dan bij een vrouwtje.

Men ziet Roodkopklauwieren vaak op telegraafdraden zitten; de grote witte V op de schouders en de witte onderdelen zijn dan goede kenmerken.

Een vliegend volwassen mannetje Roodkopklauwier biedt een bont schouwspel. Een vrouwtje is minder opvallend.

De jonge Roodkopklauwier (rechts en onder) heeft een duidelijk ander uiterlijk dan een volwassen vogel. Hij lijkt op een lichte jonge Grauwe Klauwier, maar is minder rossig, met veel lichtere schouders en stuit en met een vage witachtige vleugelstreep.

Hoewel in wezen de tekening hetzelfde is, zijn er aanzienlijke individuele verschillen in verenkleed. Jonge en bijna volwassen Roodkopklauwieren hebben soms een grijzere rug en lichtere vleugels dan volwassen vogels. Sommige vogels, zoals het mannetje (rechtsboven), hebben lichte randen aan hun binnenste kleine slagpennen.

Volwassen vrouwtje. Op korte afstand is er een duidelijk verschil zichtbaar tussen haar koptekening en die van het volwassen mannetje (boven).

(× 3/5)

Van achteren zijn de witte stuit en vleugelvlekken opvallend.

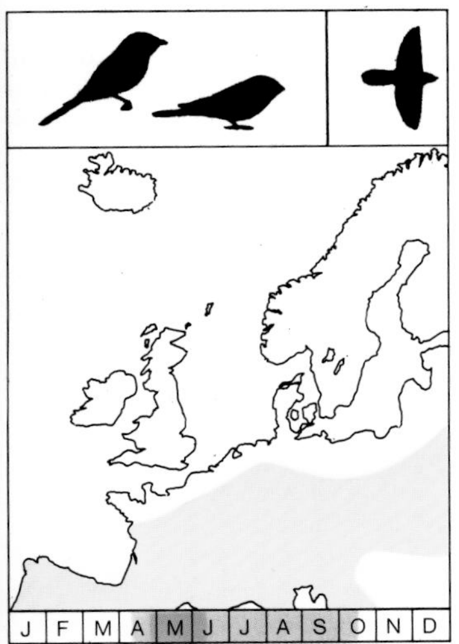

Deze klauwier is te vinden in mediterrane olijfplantages en kurkeikbossen. In het noorden van zijn verspreidingsgebied ziet men hem in verschillende open bostypen en hij zit net als de Kleine Klapekster graag op telegraafdraden langs de weg. In jachtwijze en voedselkeus lijkt hij het meest op de Grauwe Klauwier en ze komen plaatselijk in dezelfde biotoop voor; prooien worden opgeprikt.

De zang is muzikaler dan die van andere klauwieren en bevat verschillende melodieuze frasen en imitaties van andere soorten.

Het nest ligt gewoonlijk veel hoger dan dat van de Grauwe Klauwier, meestal op een buitentak van een boom of hoge struik. Het nest is minder slordig: de diepe kom van wortels en bladeren is gevoerd met veertjes, haar en wol. Er worden vijf tot zes eieren gelegd, die door het vrouwtje worden bebroed. Tijdens het broeden wordt het vrouwtje door haar partner op het nest gevoerd. De broedduur bedraagt 16 dagen. De jongen worden door beide ouders verzorgd en blijven langer op het nest dan bij de Grauwe Klauwier: 19 à 20 dagen. Soms worden twee broedsels per jaar grootgebracht.

In Nederland is de Roodkopklauwier een onregelmatige gast. Een aantal jaren geleden kwam hij nog als broedvogel voor, voornamelijk in de provincie Limburg.

Scharrelaar

  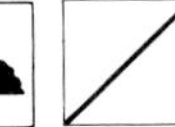

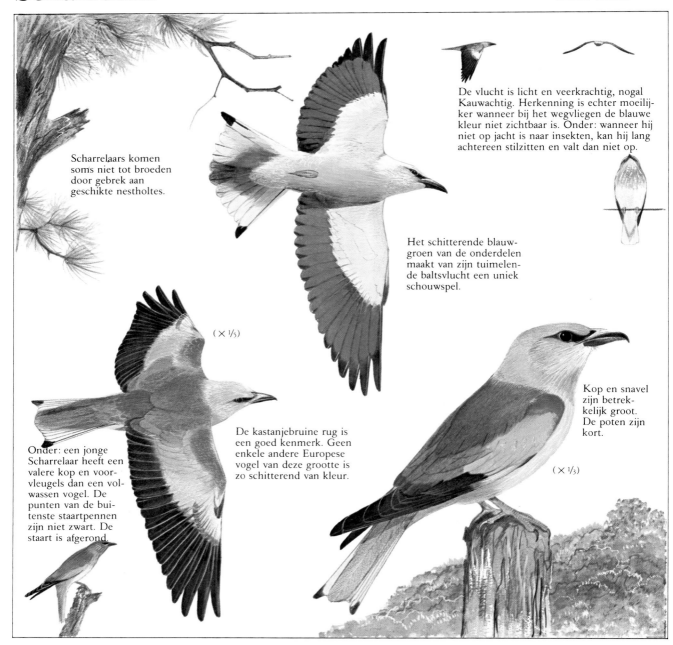

Scharrelaars komen soms niet tot broeden door gebrek aan geschikte nestholtes.

De vlucht is licht en veerkrachtig, nogal Kauwachtig. Herkenning is echter moeilijker wanneer bij het wegvliegen de blauwe kleur niet zichtbaar is. Onder: wanneer hij niet op jacht is naar insekten, kan hij lang achtereen stilzitten en valt dan niet op.

Het schitterende blauwgroen van de onderdelen maakt van zijn tuimelende baltsvlucht een uniek schouwspel.

(× 1/5)

Kop en snavel zijn betrekkelijk groot. De poten zijn kort.

De kastanjebruine rug is een goed kenmerk. Geen enkele andere Europese vogel van deze grootte is zo schitterend van kleur.

(× 1/3)

Onder: een jonge Scharrelaar heeft een valere kop en voorvleugels dan een volwassen vogel. De punten van de buitenste staartpennen zijn niet zwart. De staart is afgerond.

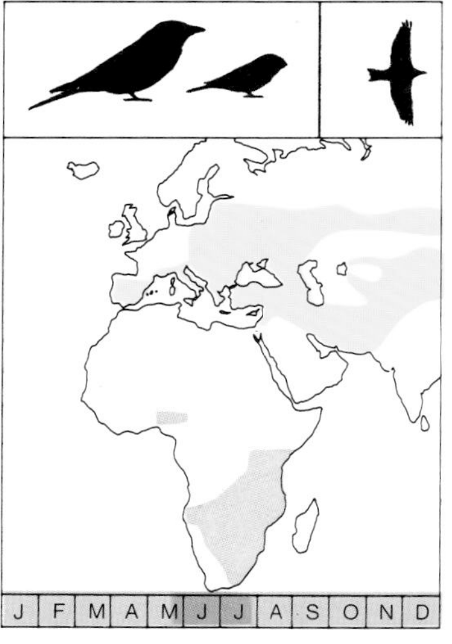

De Scharrelaar is een van de mooiste vogels van Europa, maar helaas is het verspreidingsgebied aan het inkrimpen, wellicht als gevolg van bepaalde klimaatsveranderingen. Zijn favoriete biotoop bestaat uit bosachtig terrein. Hij nestelt in boomholten, holten in rotsen, oeverkanten en oude muren. Zijn voedsel bestaat uit grotere insekten, verder hagedissen, kleine zoogdieren, zelfs een jong vogeltje versmaadt hij niet.

In het Engels heet hij 'Roller', in het Frans 'Rollier'; deze namen dankt hij aan de capriolen die het mannetje in de baltstijd maakt; hij stijgt dan tot een hoogte van wel 70 meter en laat zich dan over de kop duikelend en buitelend naar beneden 'rollen'. Scharrelaars zijn luidruchtige vogels. Het hese ratelende 'kri . . . kri . . . kri' laat hij vaak onder het vliegen horen.

Scharrelaars zijn holenbroeders; ze gebruiken vaak spechteholen of andere holten in bomen; een enkele maal nestelt hij in een rotsspleet of in een gebouw. Gewoonlijk wordt geen echt nest gebouwd, hoogstens wordt de holte bekleed met wat strooisel of veertjes. Het legsel bestaat uit vier tot vijf eieren, die gedurende 18-19 dagen afwisselend door het mannetje en het vrouwtje worden bebroed; ze beginnen al vóór het legsel voltallig is. Beide ouders voederen de jongen, die om ieder hapje felle gevechten leveren. Na vier weken verlaten ze het nest, waarna ze nog korte tijd door de ouders gevoerd worden.

IJsvogel

J V

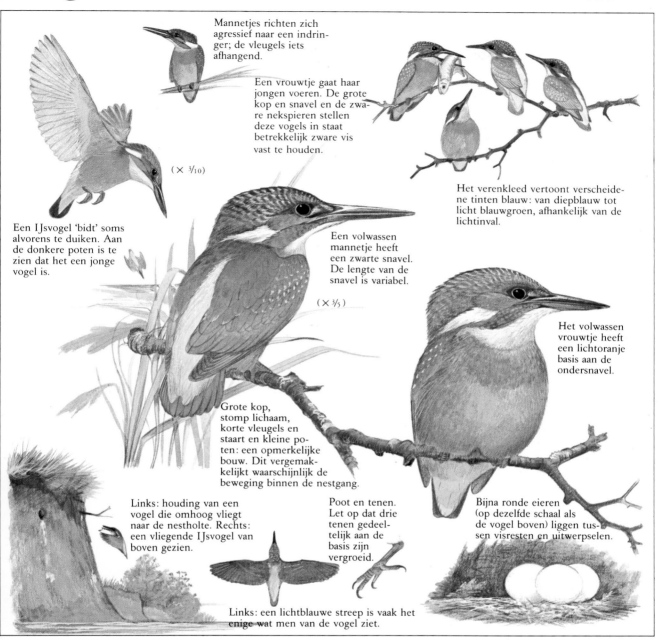

Mannetjes richten zich agressief naar een indringer; de vleugels iets afhangend.

Een vrouwtje gaat haar jongen voeren. De grote kop en snavel en de zware nekspieren stellen deze vogels in staat betrekkelijk zware vis vast te houden.

(× 3/10)

Het verenkleed vertoont verscheidene tinten blauw: van diepblauw tot licht blauwgroen, afhankelijk van de lichtinval.

Een IJsvogel 'bidt' soms alvorens te duiken. Aan de donkere poten is te zien dat het een jonge vogel is.

Een volwassen mannetje heeft een zwarte snavel. De lengte van de snavel is variabel.

(× 3/5)

Het volwassen vrouwtje heeft een lichtoranje basis aan de ondersnavel.

Grote kop, stomp lichaam, korte vleugels en staart en kleine poten: een opmerkelijke bouw. Dit vergemakkelijkt waarschijnlijk de beweging binnen de nestgang.

Links: houding van een vogel die omhoog vliegt naar de nestholte. Rechts: een vliegende IJsvogel van boven gezien.

Poot en tenen. Let op dat drie tenen gedeeltelijk aan de basis zijn vergroeid.

Bijna ronde eieren (op dezelfde schaal als de vogel boven) liggen tussen visresten en uitwerpselen.

Links: een lichtblauwe streep is vaak het enige wat men van de vogel ziet.

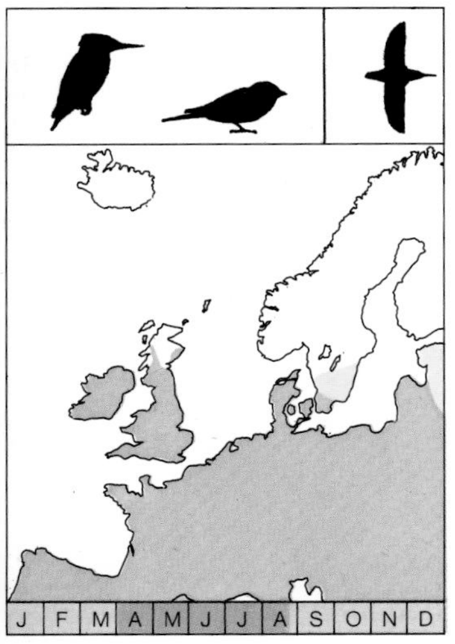

De exotische kleuren van de IJsvogel herinneren ons aan het feit dat hij behoort tot een overwegend tropische vogelfamilie. Door de toenemende watervervuiling gaat de IJsvogel sterk in aantal achteruit. Verder is hij erg gevoelig voor strenge winters. In Nederland is de IJsvogel een zeer schaarse broedvogel, die de laatste jaren weer wat lijkt toe te nemen. Vissen doet hij door vanaf een zitplaats of 'biddend' in het water te duiken. De vis glijdt naar binnen, de kop eerst; stekelbaarsjes en donderpadjes worden eerst genadeloos tegen een tak geslagen, want pas als de vis dood is worden vinnen en stekels slap.

De balts begint vroeg in het voorjaar en bestaat uit achtervolgingen hoog in de lucht. Mannetje en vrouwtje graven de nestgang, die wel een meter lang kan worden. Terwijl de ene vogel graaft, zit de ander buiten op wacht. Begin mei worden zeven witte eieren gelegd op de kale bodem en beide vogels delen in de drie weken durende broedperiode. De jongen blijven 3½ week in de nestholte, die geleidelijk van alle visresten zo smerig wordt dat de ouders na ieder bezoek een bad moeten nemen. De jongen beginnen na het uitvliegen algauw te vissen, maar hun ouders moeten hen blijven voeren tot ze volleerd zijn. Veel onervaren IJsvogels verdrinken doordat de veren door te veel duiken doordrenkt zijn. Jonge vogels verspreiden zich in de winter, enkele gaan naar de kust, de volwassen vogels blijven achter. Het mannetje en vrouwtje bejagen ieder hun eigen visgebied tot het voorjaar.

Bijeneter

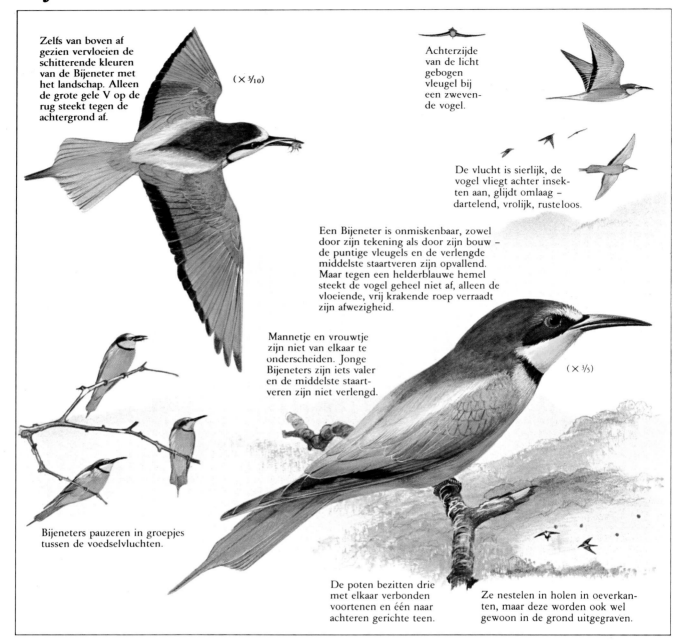

Zelfs van boven af gezien vervloeien de schitterende kleuren van de Bijeneter met het landschap. Alleen de grote gele V op de rug steekt tegen de achtergrond af.

(× 3/10)

Achterzijde van de licht gebogen vleugel bij een zwevende vogel.

De vlucht is sierlijk, de vogel vliegt achter insekten aan, glijdt omlaag – dartelend, vrolijk, rusteloos.

Een Bijeneter is onmiskenbaar, zowel door zijn tekening als door zijn bouw – de puntige vleugels en de verlengde middelste staartveren zijn opvallend. Maar tegen een helderblauwe hemel steekt de vogel geheel niet af, alleen de vloeiende, vrij krakende roep verraadt zijn afwezigheid.

Mannetje en vrouwtje zijn niet van elkaar te onderscheiden. Jonge Bijeneters zijn iets valer en de middelste staartveren zijn niet verlengd.

(× 3/5)

Bijeneters pauzeren in groepjes tussen de voedselvluchten.

De poten bezitten drie met elkaar verbonden voortenen en één naar achteren gerichte teen.

Ze nestelen in holen in oeverkanten, maar deze worden ook wel gewoon in de grond uitgegraven.

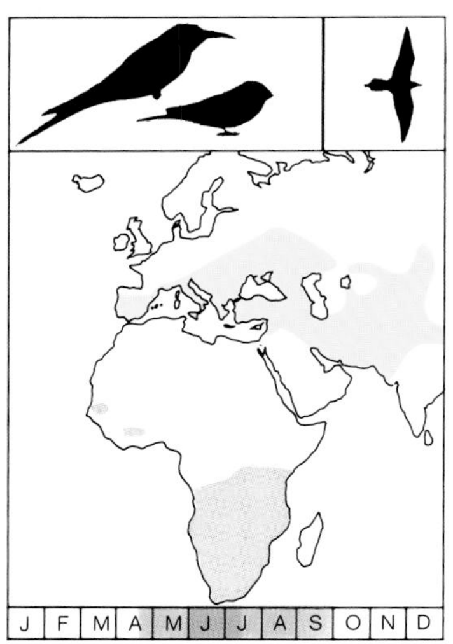

Zoals de naam al aangeeft, leeft deze vogel hoofdzakelijk van bijen, aangevuld met wespen en andere vliegende insekten. Een enkele bijesteek kan al dodelijk zijn voor vogels van deze afmetingen, maar Bijeneters bezitten niet alleen een bijzondere immuniteit tegen bije- en wespegif, ze weten ook behendig de werkbij onschadelijk te maken door de angel tegen een tak af te wrijven. Deze vogels herkennen ook de niet-giftige darren. Om een prooidier van zijn angel te ontdoen, moet de vogel altijd eerst terug naar zijn zitplaats, waaruit men kan opmaken dat de talloze prooien die in de vlucht verorberd worden niet uit giftige insekten bestaan.
De Bijeneter is in Europa een zomervogel die tot in het zuiden van Afrika overwintert. Onlangs heeft men in Zuid-Afrika Bijeneters broedend aangetroffen tijdens de zuidelijke zomer; deze vogels vertrekken met de andere mee in noordelijke richting, maar het is niet aan te nemen dat ze in Europa opnieuw tot broeden komen in de noordelijke zomer.
Het nest bevindt zich in een gang in leembanken of zachte klipwanden; deze holen, tot drie meter lang, worden door beide ouders voornamelijk met de poten uitgegraven. De vier tot zeven eieren zijn wit en bijna rolrond. Tijdens het broeden worden insekteresten in balletjes in de nestholte gedeponeerd. Beide ouders broeden en voeren de jongen. De Bijeneter broedt meestal in kolonies.
In Nederland is de Bijeneter een dwaalgast, maar in 1964 en 1965 zijn ze hier tot broeden gekomen.

Rotsduif/Verwilderde Duif

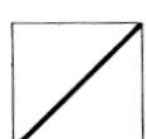

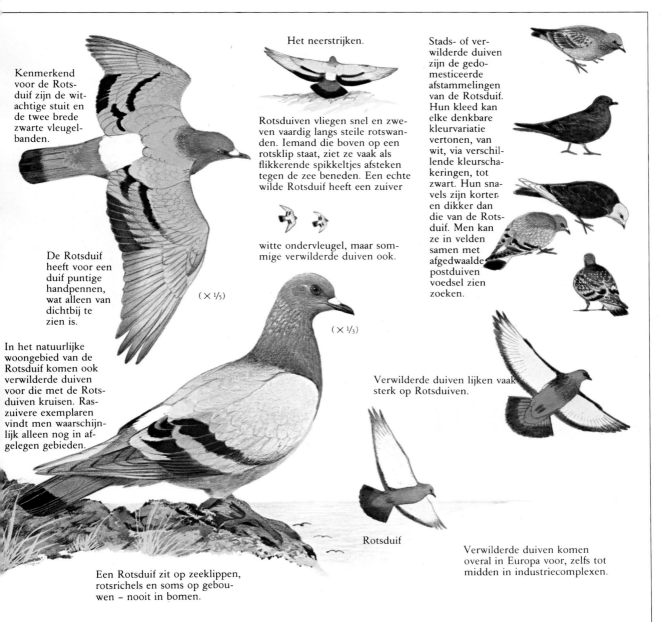

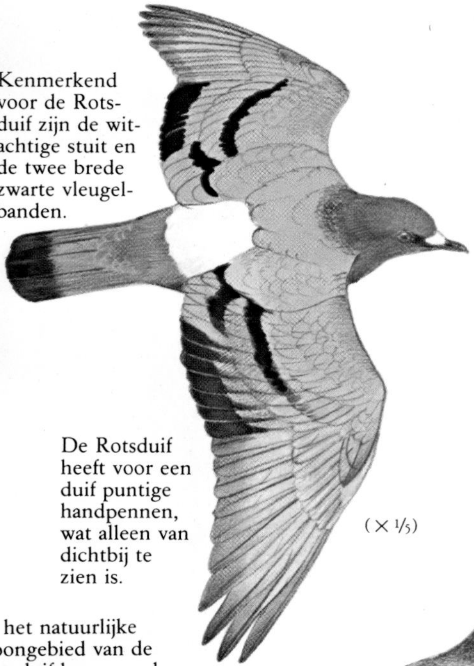

Kenmerkend voor de Rotsduif zijn de witachtige stuit en de twee brede zwarte vleugelbanden.

De Rotsduif heeft voor een duif puntige handpennen, wat alleen van dichtbij te zien is.

(× 1/5)

In het natuurlijke woongebied van de Rotsduif komen ook verwilderde duiven voor die met de Rotsduiven kruisen. Raszuivere exemplaren vindt men waarschijnlijk alleen nog in afgelegen gebieden.

Het neerstrijken.

Rotsduiven vliegen snel en zweven vaardig langs steile rotswanden. Iemand die boven op een rotsklip staat, ziet ze vaak als flikkerende spikkeltjes afsteken tegen de zee beneden. Een echte wilde Rotsduif heeft een zuiver witte ondervleugel, maar sommige verwilderde duiven ook.

(× 1/3)

Stads- of verwilderde duiven zijn de gedomesticeerde afstammelingen van de Rotsduif. Hun kleed kan elke denkbare kleurvariatie vertonen, van wit, via verschillende kleurschakeringen, tot zwart. Hun snavels zijn korter en dikker dan die van de Rotsduif. Men kan ze in velden samen met afgedwaalde postduiven voedsel zien zoeken.

Verwilderde duiven lijken vaak sterk op Rotsduiven.

Rotsduif

Een Rotsduif zit op zeeklippen, rotsrichels en soms op gebouwen – nooit in bomen.

Verwilderde duiven komen overal in Europa voor, zelfs tot midden in industriecomplexen.

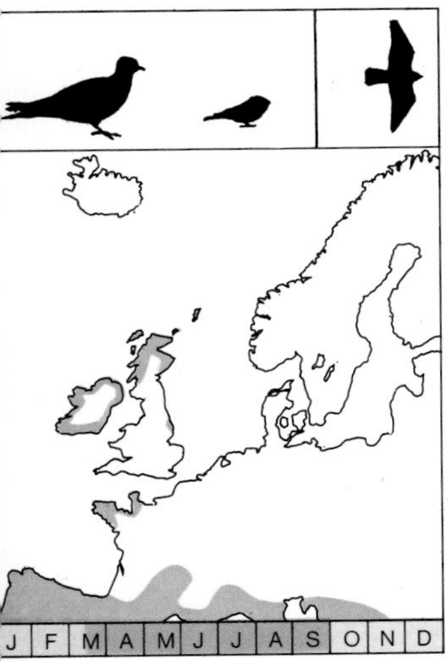

Trafalgar Square in Londen en het San Marcoplein in Venetië zouden een vreemde aanblik bieden zonder hun zwermen verwilderde duiven. Dit zijn vogels die men overal ter wereld aantreft in steden. De Rotsduif, de stamvader van onze verwilderde duif, leeft echter aan afgelegen rotsachtige zeekusten en op steile rotsen, die dikwijls in woestijnen en dergelijke droge streken liggen.

De biotoop van de Rotsduif moet aan twee voorwaarden voldoen: er moeten holten en spleten zijn om te nestelen en er moet open terrein zijn om voedsel te zoeken. Door toedoen van de mens voldoen steeds meer gebieden aan deze eisen. Gebouwen bieden voortreffelijke nestplaatsen en door ontbossing is de hoeveelheid open grond enorm toegenomen. Onze huisduiven en de verwilderde duiven stammen waarschijnlijk af van Rotsduiven, die in het begin van de historische tijd in Europa in gebouwen nestelden. Het natuurlijke voedsel van deze vogels bestaat uit onkruidzaad, vooral zaden van verschillende soorten wikke. In gecultiveerde gebieden is graan het hoofdvoedsel.

De Rotsduif heeft lange vleugels en een snelle vlucht, kenmerken die mét het voortreffelijke oriënteringsvermogen van de vogel hebben geleid tot het ontstaan van de postduif.

Rotsduiven nestelen meestal in kolonies. Het mannetje brengt twijgen, hei of droog zeewier aan en het vrouwtje maakt er een nest van. De vogels kunnen in elk jaargetijde broeden. Ze brengen soms drie of vier legsels per jaar groot.

Houtduif

    J V

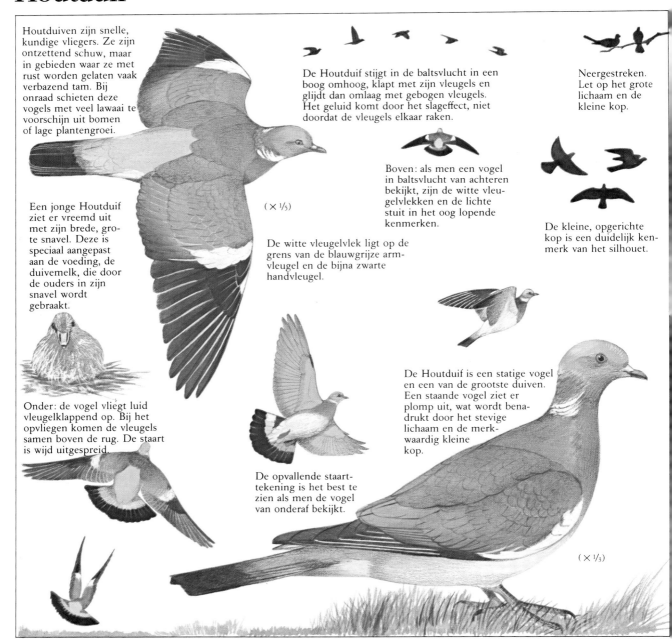

Houtduiven zijn snelle, kundige vliegers. Ze zijn ontzettend schuw, maar in gebieden waar ze met rust worden gelaten vaak verbazend tam. Bij onraad schieten deze vogels met veel lawaai te voorschijn uit bomen of lage plantengroei.

De Houtduif stijgt in de baltsvlucht in een boog omhoog, klapt met zijn vleugels en glijdt dan omlaag met gebogen vleugels. Het geluid komt door het slageffect, niet doordat de vleugels elkaar raken.

Neergestreken. Let op het grote lichaam en de kleine kop.

Boven: als men een vogel in baltsvlucht van achteren bekijkt, zijn de witte vleugelvlekken en de lichte stuit in het oog lopende kenmerken.

Een jonge Houtduif ziet er vreemd uit met zijn brede, grote snavel. Deze is speciaal aangepast aan de voeding, de duivemelk, die door de ouders in zijn snavel wordt gebraakt.

(× 1/5)

De kleine, opgerichte kop is een duidelijk kenmerk van het silhouet.

De witte vleugelvlek ligt op de grens van de blauwgrijze armvleugel en de bijna zwarte handvleugel.

De Houtduif is een statige vogel en een van de grootste duiven. Een staande vogel ziet er plomp uit, wat wordt benadrukt door het stevige lichaam en de merkwaardig kleine kop.

Onder: de vogel vliegt luid vleugelklappend op. Bij het opvliegen komen de vleugels samen boven de rug. De staart is wijd uitgespreid.

De opvallende staarttekening is het best te zien als men de vogel van onderaf bekijkt.

(× 1/3)

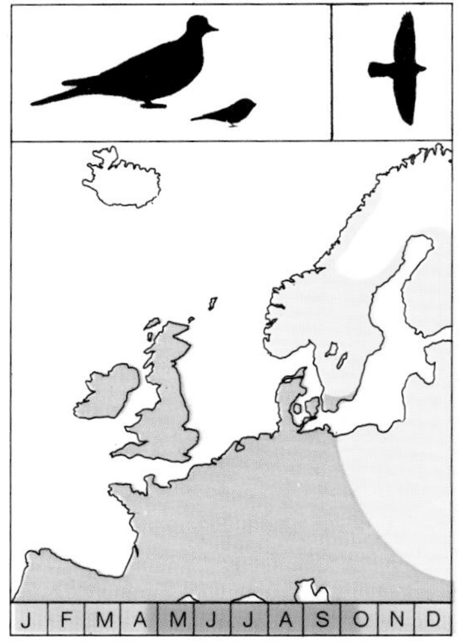

Duiven nemen een unieke positie in onder vogels, omdat ze een speciale brij produceren waarmee ze hun jongen voeren. Deze brij, die door de kropslijmhuid wordt afgescheiden en die sterk overeenkomt met de melk die zoogdieren produceren, wordt 'duivemelk' genoemd. Veel vogels die van plantaardig voedsel leven, zijn met insekten grootgebracht, omdat alleen een dergelijk dieet hun voldoende eiwitten verschaft om snel te kunnen groeien. Duivemelk is een perfect vervangingsmiddel voor insekten en hierdoor zijn duiven niet zo strikt aan een bepaald seizoen gebonden. Hun broedseizoen beslaat dan ook meerdere maanden, hoewel de tijdstippen waarop andere voedselvoorraden beschikbaar komen, best van invloed kunnen zijn.
De top van de broedactiviteiten die met succes worden bekroond, valt in eind augustus en september. Het graan dat in die tijd na de oogst op de velden achterblijft, verschaft de volwassen vogels voldoende voedsel om er duivemelk voor de jongen van te maken. De schrale wintermaanden die op deze perioden volgen, maakten het vroeger voor de Houtduiven onmogelijk om te broeden. Maar er is een nieuwe rijke voedselbron in de winter gekomen, doordat er in toenemende mate klaver voor het vee wordt aangeplant. In strenge winters eten Houtduiven ook andere gewassen zoals kool en andere wintergroenten, en in zulke tijden kunnen ze een aanzienlijke schade aanrichten. In landbouwgebieden worden Houtduiven hierom als schadelijke vogels beschouwd.

Holenduif

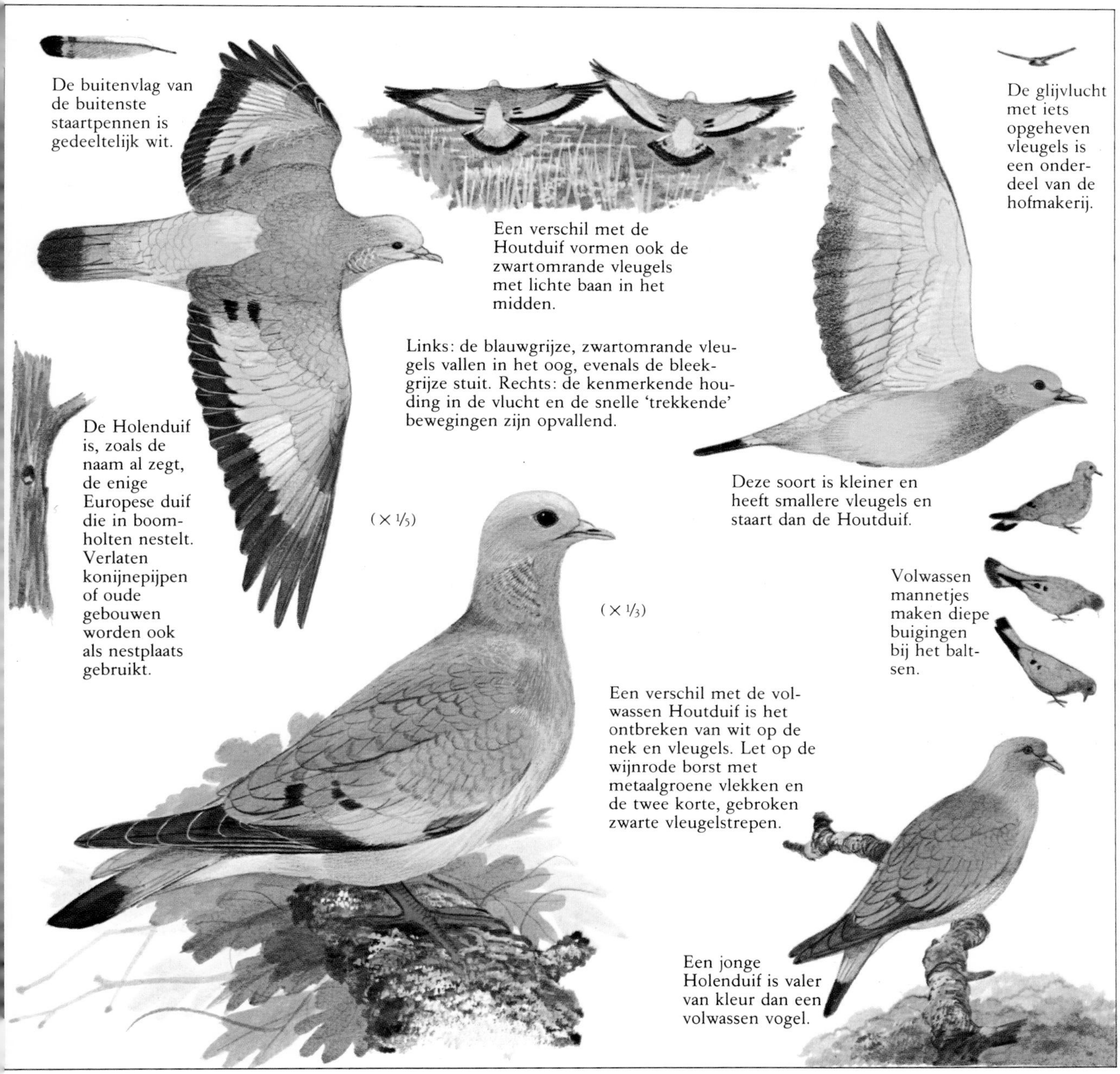

De buitenvlag van de buitenste staartpennen is gedeeltelijk wit.

Een verschil met de Houtduif vormen ook de zwartomrande vleugels met lichte baan in het midden.

De glijvlucht met iets opgeheven vleugels is een onderdeel van de hofmakerij.

Links: de blauwgrijze, zwartomrande vleugels vallen in het oog, evenals de bleekgrijze stuit. Rechts: de kenmerkende houding in de vlucht en de snelle 'trekkende' bewegingen zijn opvallend.

De Holenduif is, zoals de naam al zegt, de enige Europese duif die in boomholten nestelt. Verlaten konijnepijpen of oude gebouwen worden ook als nestplaats gebruikt.

(× 1/5)

Deze soort is kleiner en heeft smallere vleugels en staart dan de Houtduif.

(× 1/3)

Volwassen mannetjes maken diepe buigingen bij het baltsen.

Een verschil met de volwassen Houtduif is het ontbreken van wit op de nek en vleugels. Let op de wijnrode borst met metaalgroene vlekken en de twee korte, gebroken zwarte vleugelstrepen.

Een jonge Holenduif is valer van kleur dan een volwassen vogel.

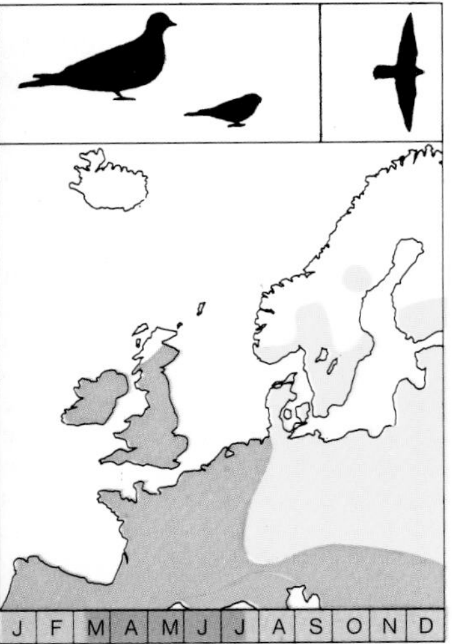

Bosrijk terrein met veel oud hout is het woongebied van de Holenduif. Daar vindt hij de boomholten die deze soort nodig heeft als broedplaats, maar hij neemt soms ook genoegen met konijnepijpen of verlaten gebouwen. In tegenstelling tot de meeste andere duiven toont hij geen neiging om zich in de omgeving van de mens te vestigen, ofschoon hij wel regelmatig in landbouwgebieden verschijnt om graan te pikken als aanvulling op zijn dieet van wilde plantezaden.

Door zijn oppervlakkige gelijkenis met de Houtduif en de verwilderde duif en door het ontbreken van opvallende veldkenmerken wordt de Holenduif vaak over het hoofd gezien. Maar in het broedseizoen maakt hij zich altijd kenbaar met zijn karakteristieke gekoer, eentoniger dan dat van de Houtduif. Dode bomen met geschikte nestholten staan soms dicht bijeen en deze omstandigheden geven vaak aanleiding tot heftige gevechten tussen buurparen. Het nest zelf is niet veel meer dan een paar takjes, soms herkent men toch het typisch duifachtige platform erin. Een normaal duivelegsel bestaat uit twee eieren, maar veel duiven wijken hiervan af; de Holenduif schijnt zelfs in de regel drie eieren te leggen. Er worden twee tot drie broedsels grootgebracht en de broedtijd bedraagt 16 tot 18 dagen. De jongen vliegen na drieëneenhalve week uit, maar komen er wel terug om te roesten. Helaas gaat deze soort in ons land de laatste tijd in aantal achteruit.

Tortel

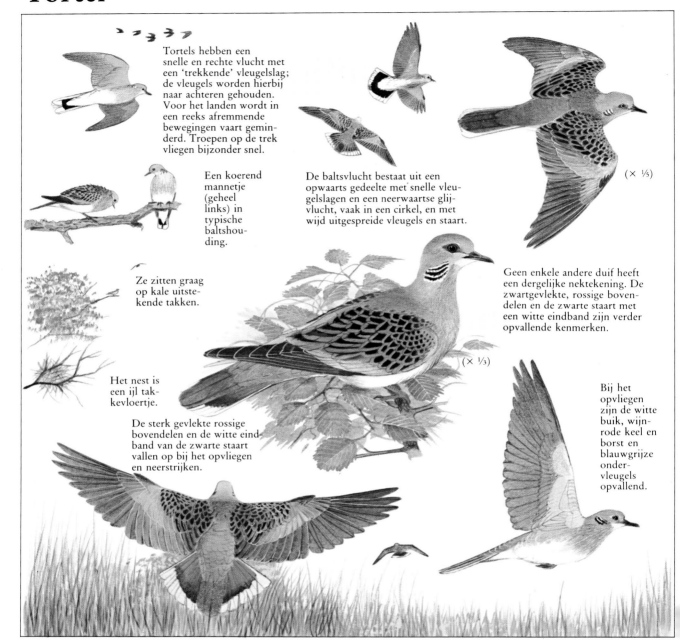

Tortels hebben een snelle en rechte vlucht met een 'trekkende' vleugelslag; de vleugels worden hierbij naar achteren gehouden. Voor het landen wordt in een reeks afremmende bewegingen vaart geminderd. Troepen op de trek vliegen bijzonder snel.

(× ⅕)

Een koerend mannetje (geheel links) in typische baltshouding.

De baltsvlucht bestaat uit een opwaarts gedeelte met snelle vleugelslagen en een neerwaartse glijvlucht, vaak in een cirkel, en met wijd uitgespreide vleugels en staart.

Ze zitten graag op kale uitstekende takken.

Geen enkele andere duif heeft een dergelijke nektekening. De zwartgevlekte, rossige bovendelen en de zwarte staart met een witte eindband zijn verder opvallende kenmerken.

(× ⅓)

Het nest is een ijl takkevloertje.

De sterk gevlekte rossige bovendelen en de witte eindband van de zwarte staart vallen op bij het opvliegen en neerstrijken.

Bij het opvliegen zijn de witte buik, wijnrode keel en borst en blauwgrijze ondervleugels opvallend.

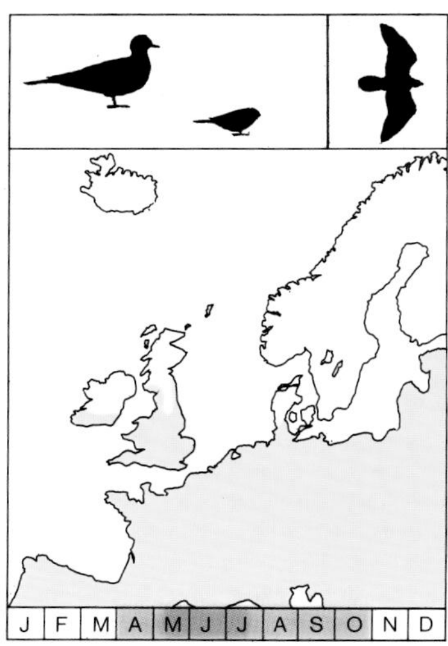

Het 'slaperig' geluid – een herhaald, bijna 'spinnend' 'roer-r-r' – van de Tortel past geheel in de lome sfeer van een zomerse namiddag. Dit is de enige duivesoort die hier alleen 's zomers voorkomt. Zijn verspreidingsgebied valt samen met dat van de duivekervel, dat is zijn belangrijkste voedselplant. Zijn dieet bestaat, behalve uit het zaad van deze plant, ook uit dat van andere planten en evenals de Turkse Tortel ziet men troepen van deze duiven bij boerderijen graan pikken – hoewel men zelden beide soorten op dezelfde plaats ziet. De Tortel heeft net als andere duivesoorten een langgerekt broedseizoen, maar dit moet in de nazomer afgebroken worden voor de slagpenrui en om voedselreserves op te bouwen voor de najaarstrek. Zodoende worden late broedsels in augustus nogal eens verlaten. De nesten zitten vaak lager bij de grond dan die van Houtduiven en Turkse Tortels, soms nauwelijks een meter hoog. Het nest zit vaak in dichte struiken en is meestal nog simpeler dan het nest van de Houtduif. Eens werd een nest gevonden, dat geheel uit stukken draad bestond. Evenals bij andere duiven brengt het mannetje het materiaal aan, en bouwt het vrouwtje het nest. Er worden twee eieren gelegd; beide ouders broeden om beurten. Na twee weken komen de eieren uit en de nestjongen worden gedurende drie weken door beide ouders gevoederd.

Turkse Tortel

Een vliegende Turkse Tortel ziet er stevig uit. De vlucht lijkt wel op die van een Tortelduif.

De tekening is bij elke vogel weer even anders.

(× 1/5)

Van onderen gezien is de witte eindhelft van de zwarte staart kenmerkend.

Onder: een jonge Turkse Tortel is grijzer dan een volwassen vogel en heeft geen halve halsband om de achterhals.

De baltsvlucht bestaat uit een stijgvlucht (links), gevolgd door een zweefvlucht (uiterst links) waarbij de vogel vleugels en staart wijd uitspreidt.

Onder: de vogel strijkt neer op een merkwaardig aarzelende wijze; hij remt zijn vlucht 'pompend' af.

De Turkse Tortel heeft effen, bleek beigebruine bovendelen.

(× 1/3)

Vergelijk het bij de landing getoonde verenpatroon met dat van de Tortelduif.

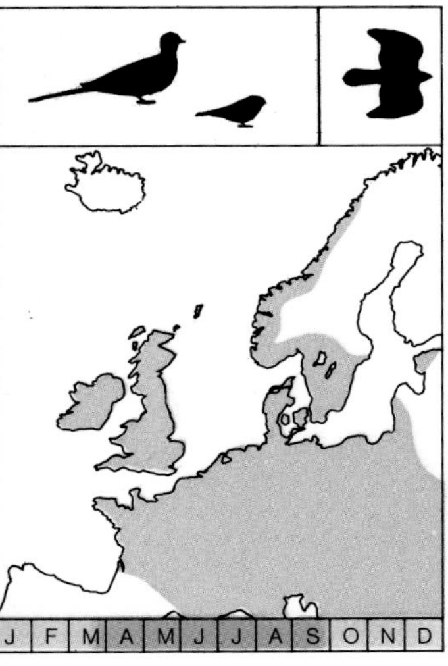

Het broedgebied van de Turkse Tortel is sinds ongeveer 1930 geweldig uitgebreid. De vogel heeft zich vanuit een bruggehoofd op de Balkan verspreid over het grootste deel van Midden- en Noordwest-Europa. De Turkse Tortel broedt sinds 1950 in Nederland en is nu een algemene broedvogel. Het succes van deze soort heeft te maken met het feit dat hij zich ophoudt in de onmiddellijke omgeving van de mens. Hoewel de Turkse Tortel niet als 'schadelijk' wordt aangemerkt zoals bijv. de Houtduif, is hij toch schuwer en voorzichtiger. De vogel vertoont voorkeur voor parken en tuinen waarin naaldbomen zijn aangeplant. Vroeg in de herfst zijn zwermen van deze vogels te vinden op gemaaide korenvelden en bij boerderijen waar het graan wordt verwerkt. Dat de Turkse Tortel zich zo snel heeft verspreid, moet mede te danken zijn aan het hoge geboortecijfer en het lage sterftecijfer van deze vogel. Duiven hebben in het algemeen een lang broedseizoen, maar de Turkse Tortel kan men letterlijk in iedere maand van het jaar broedend aantreffen, ook in de winter in het noorden van zijn verspreidingsgebied. Ieder jaar brengt een paartje vier, vijf of misschien wel meer legsels groot. Soms voedt een paartje de jongen van het ene broedsel nog met duivemelk, terwijl ze al op een volgend legsel aan het broeden zijn. Het moeilijk te ontdekken nest is een ijl bouwsel van twijgen, dat gewoonlijk in een conifeer zit maar zich ook in taxusbomen of met klimop bedekte loofbomen kan bevinden.

Groene Specht/Grijskopspecht

J V

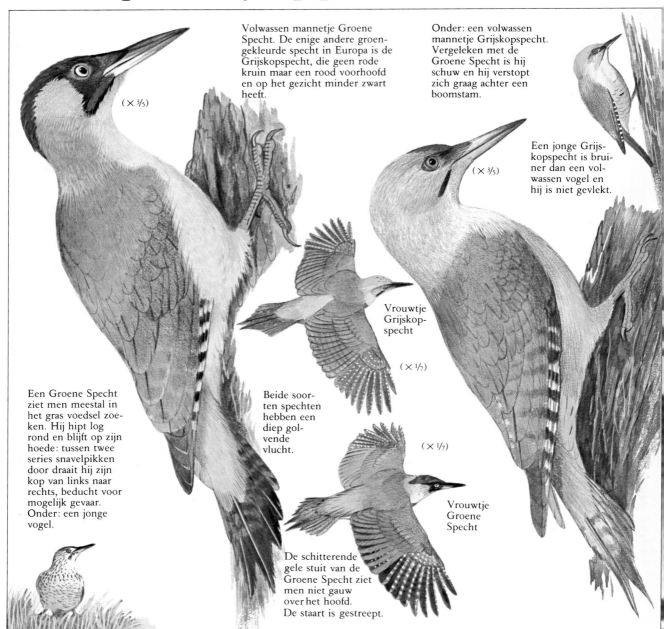

Volwassen mannetje Groene Specht. De enige andere groengekleurde specht in Europa is de Grijskopspecht, die geen rode kruin maar een rood voorhoofd en op het gezicht minder zwart heeft.

(× 3/5)

Onder: een volwassen mannetje Grijskopspecht. Vergeleken met de Groene Specht is hij schuw en hij verstopt zich graag achter een boomstam.

Een jonge Grijskopspecht is bruiner dan een volwassen vogel en hij is niet gevlekt.

(× 3/5)

Vrouwtje Grijskopspecht

(× 1/7)

Een Groene Specht ziet men meestal in het gras voedsel zoeken. Hij hipt log rond en blijft op zijn hoede: tussen twee series snavelpikken door draait hij zijn kop van links naar rechts, beducht voor mogelijk gevaar. Onder: een jonge vogel.

Beide soorten spechten hebben een diep golvende vlucht.

(× 1/7)

Vrouwtje Groene Specht

De schitterende gele stuit van de Groene Specht ziet men niet gauw over het hoofd. De staart is gestreept.

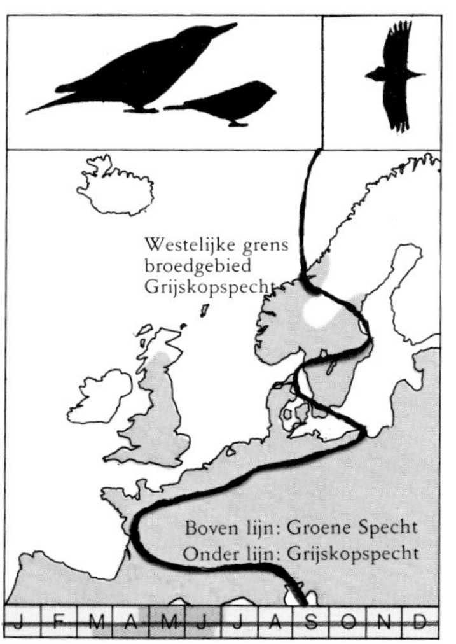

Spechten staan bekend om hun lange tong waarmee ze mieren kunnen halen uit gangen en spleten in mierennesten en rottend hout. Groene Spechten hebben een nog langere tong dan de andere spechten en omdat ze een sterke voorkeur voor mieren hebben, ziet men ze ook vaker naar voedsel zoeken op de grond, dikwijls op grasvelden. Ze vertonen voorkeur voor parklandschappen waarin ze zowel oude bomen als open terrein aantreffen en verder vinden ze bijna ieder loofbos wel geschikt als habitat. Groene Spechten roffelen minder vaak dan andere soorten, maar ze hebben een uitgebreid repertoire aan stemgeluiden.

De bomen die de vogels uitzoeken om in te nestelen, zien er gewoonlijk van buiten gezond uit, maar zijn inwendig rot. Het mannetje en het vrouwtje hakken samen de nestholte uit. Deze heeft een horizontaal lopende toegangstunnel en een verticale schacht die naar de eigenlijke nestkamer leidt. Op de houtsplinters op de bodem worden vijf tot zeven eieren gelegd. Het broeden duurt 18 tot 19 dagen. Deze taak wordt door de ouders gedeeld, evenals het verzorgen van de jongen.

De Grijskopspecht is nauw verwant aan de Groene Specht en zijn gedrag vertoont een sterke gelijkenis. In Europa zijn ze niet zo wijd verbreid als de Groene Specht, maar hun totale verspreidingsgebied is veel groter en het breidt zich westwaarts uit. Deze vogels komen ook voor in bergachtig terrein, een soort terrein waarin Groene Spechten zich niet thuisvoelen, en ze mijden naaldbossen in mindere mate.

Zwarte Specht

J V

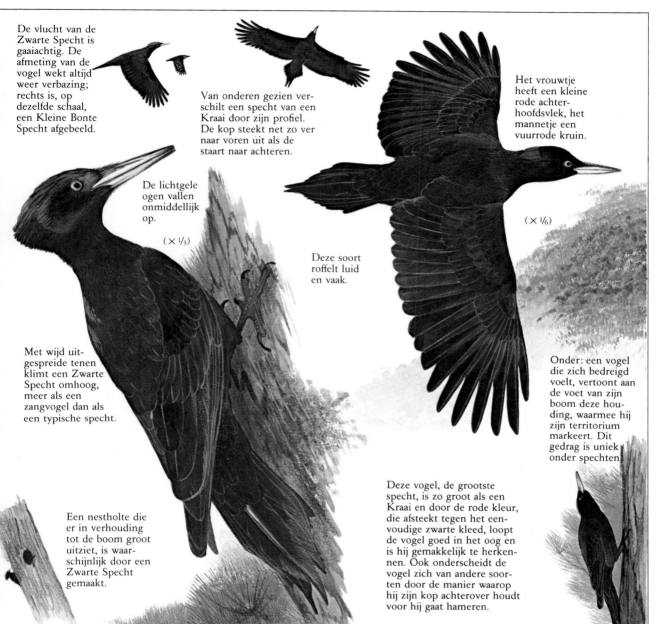

De vlucht van de Zwarte Specht is gaaiachtig. De afmeting van de vogel wekt altijd weer verbazing; rechts is, op dezelfde schaal, een Kleine Bonte Specht afgebeeld.

Van onderen gezien verschilt een specht van een Kraai door zijn profiel. De kop steekt net zo ver naar voren uit als de staart naar achteren.

Het vrouwtje heeft een kleine rode achterhoofdsvlek, het mannetje een vuurrode kruin.

De lichtgele ogen vallen onmiddellijk op.

(× 1/3)

(× 1/6)

Deze soort roffelt luid en vaak.

Met wijd uitgespreide tenen klimt een Zwarte Specht omhoog, meer als een zangvogel dan als een typische specht.

Onder: een vogel die zich bedreigd voelt, vertoont aan de voet van zijn boom deze houding, waarmee hij zijn territorium markeert. Dit gedrag is uniek onder spechten.

Een nestholte die er in verhouding tot de boom groot uitziet, is waarschijnlijk door een Zwarte Specht gemaakt.

Deze vogel, de grootste specht, is zo groot als een Kraai en door de rode kleur, die afsteekt tegen het eenvoudige zwarte kleed, loopt de vogel goed in het oog en is hij gemakkelijk te herkennen. Ook onderscheidt de vogel zich van andere soorten door de manier waarop hij zijn kop achterover houdt voor hij gaat hameren.

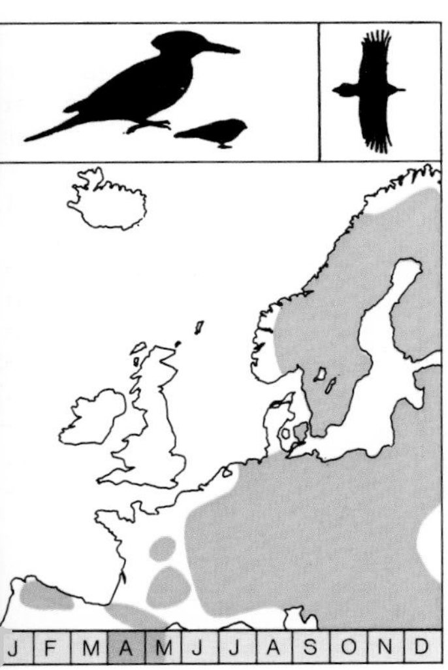

In de habitat van de Zwarte Specht komen altijd hoge bomen voor, bij voorkeur naaldbomen of beuken. Behalve in bergbossen treft men deze soort nu ook aan in laaggelegen gebieden van Midden-Europa. Mieren en andere insekten vormen het voornaamste voedsel.

Net als de andere leden van de familie zijn Zwarte Spechten in de broedtijd streng aan hun territorium gebonden. In de lente kondigen ze door te roffelen aan, dat ze een territorium hebben bezet. Dit geluid, dat zelfs op aanzienlijke afstand nog is te horen, wordt veroorzaakt doordat de vogel met de snavel reeksen uitzonderlijk snelle slagen tegen een boom geeft. Geluiden die spechten maken bij het voedsel zoeken of bij het uithakken van een nestholte, zijn bepaald anders. Dan geeft de vogel krachtige slagen waartussen pauzes liggen van soms ettelijke seconden. Nu en dan wordt er in de nestholte geroffeld.

Als nestplaats kiest de vogel ook gezonde bomen uit. Mannetje en vrouwtje hakken samen de nestholte uit, die zich zelden veel lager dan 6 m boven de grond bevindt. De holte kan wel 60 cm diep zijn. Er worden vier tot zes eieren gelegd en het mannetje en vrouwtje delen de taak bij het broeden en het grootbrengen van de jongen. De eieren komen na 12 tot 14 dagen uit en de jongen verlaten het nest na 24 tot 28 dagen. Kauwen die op zoek zijn naar een nestplaats, verjagen vaak Zwarte Spechten van hun nestholte, wat vreemd is gezien de grootte en de kracht van laatstgenoemde vogel.

Grote Bonte Specht

De vlucht is krachtig en golvend.

De vleugels worden zelden boven het horizontale vlak geheven.

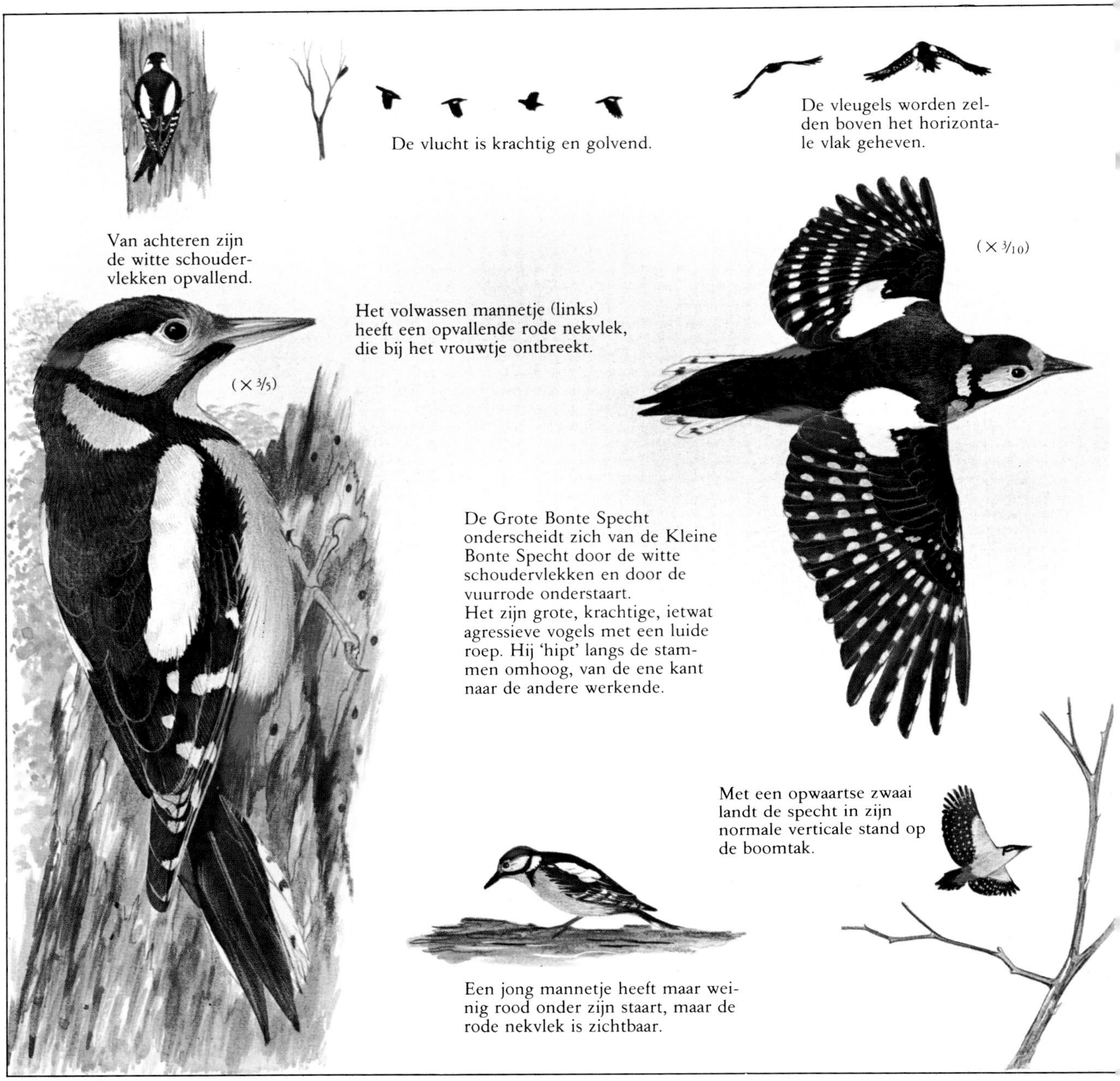

Van achteren zijn de witte schoudervlekken opvallend.

(× 3/10)

Het volwassen mannetje (links) heeft een opvallende rode nekvlek, die bij het vrouwtje ontbreekt.

(× 3/5)

De Grote Bonte Specht onderscheidt zich van de Kleine Bonte Specht door de witte schoudervlekken en door de vuurrode onderstaart.
Het zijn grote, krachtige, ietwat agressieve vogels met een luide roep. Hij 'hipt' langs de stammen omhoog, van de ene kant naar de andere werkende.

Met een opwaartse zwaai landt de specht in zijn normale verticale stand op de boomtak.

Een jong mannetje heeft maar weinig rood onder zijn staart, maar de rode nekvlek is zichtbaar.

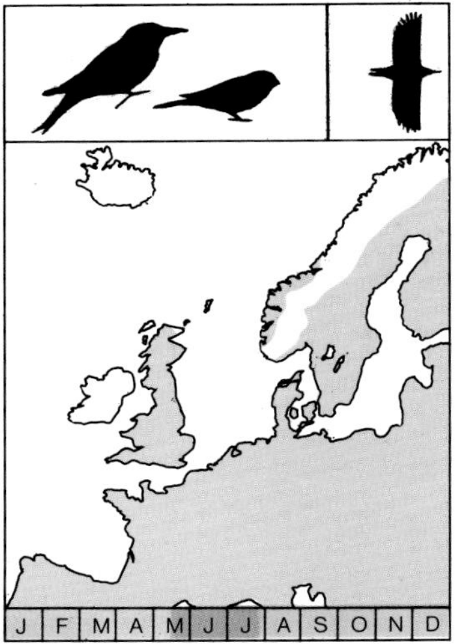

Bij een foeragerende specht lijkt het of hij aan het tikken is: in werkelijkheid hamert hij met geweldige kracht op het hout. Een blik op de ravage doet steeds weer de vraag rijzen hoe het vogellichaam zulke zware slagen verwerkt. Een onderzoek naar de bouw van de schedel wijst uit, dat de bovenkaak een speciale constructie bezit. Normaal worden de schokken doorgegeven aan de schedel; hier worden ze echter effectief 'gebroken' door een spierbeweging die de bovenkaak omhoog brengt, en deze spier is bij spechten sterk ontwikkeld.
De Grote Bonte Specht is een kundig timmeraar: hij legt de boorgaten van houtinsekten bloot. In de winter trekt hij ook zaden uit denne- en sparreappels. Deze worden daartoe in een spleet in de stam geklemd; eikegallen met galwespelarven worden op dezelfde manier behandeld.

Vogelliefhebbers die nestkasten in het bos ophangen, ervaren soms tot hun schade de efficiëntie waarmee de Grote Bonte Specht de nestkasten opent en de eieren en jongen verorbert. Desalniettemin is de vogel een welkome gast aan vele voedertafels rond de steden.
Het nest maakt deze specht meestal in rottende boomstammen, zowel in loof- als in naaldhout. De vier tot zeven eieren worden door beide ouders bebroed. De broedtijd bedraagt 16 dagen en na ongeveer drie weken verlaten de jongen het nest.

Kleine Bonte Specht

JV

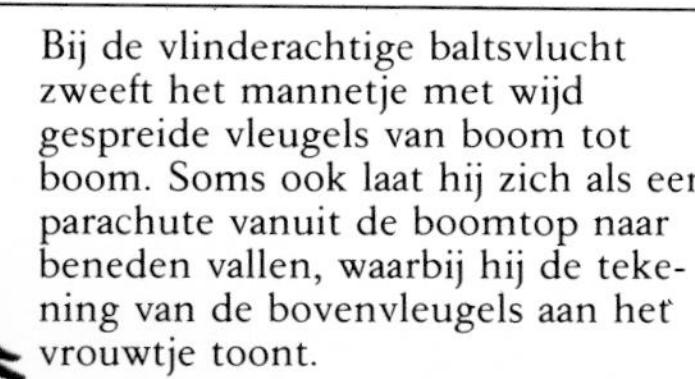

Bij de vlinderachtige baltsvlucht zweeft het mannetje met wijd gespreide vleugels van boom tot boom. Soms ook laat hij zich als een parachute vanuit de boomtop naar beneden vallen, waarbij hij de tekening van de bovenvleugels aan het vrouwtje toont.

Een volwassen mannetje. De vlucht van de Kleine Bonte Specht is net zo golvend als die van de Grote Bonte Specht.

(× 3/10)

Deze soort kan gemakkelijk van de Grote Bonte Specht onderscheiden worden door het ontbreken van de witte schoudervlekken.

Een kleine specht, zo groot als een mus, met zwart en wit gebandeerde bovendelen. In vergelijking met de Grote Bonte Specht heeft hij een andere kopvorm en een dunnere, fijnere snavel.

Het vrouwtje heeft een witachtige kruin.

(× 3/5)

De jonge vogel heeft een grijs gezicht, voor de rest lijkt hij op een volwassen vogel.

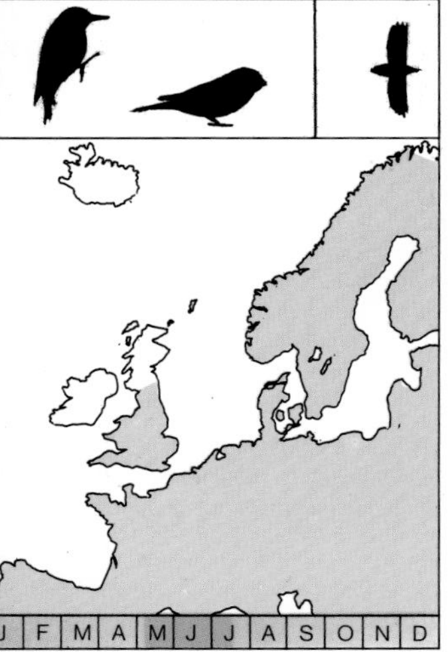

Deze kleine specht brengt zijn leven hoofdzakelijk door tussen de kleinere dode takken en twijgen, in plaats van tussen stammen en dikke takken zoals zijn grotere verwanten. Hij voelt zich in verschillende soorten bos- en parklandschap thuis en komt ook in boomgaarden voor. Het grootste deel van zijn dieet bestaat uit insekten, vooral larven van houtborende kevers en wespen. Doordat hij zich meestal in de kleinere takken en twijgen ophoudt, wordt hij vaak niet opgemerkt, alleen zijn roep verraadt zijn aanwezigheid: een herhaald hoog 'kie-kie-kie'. Ondanks zijn kleine formaat roffelt de Kleine Bonte Specht luid en bijzonder snel – een frequentie van 14-15 slagen per seconde, tegen 8-10 bij de Grote Bonte Specht.
Evenals andere spechtsoorten houdt het mannetje een baltsvlucht in het voorjaar. Dan vliegt hij met langzame vleugelslagen van boom tot boom of hij zeilt met trillende vleugels omlaag tot vlak voor het vrouwtje. De nestholte bevindt zich vaak in vrij smalle takken, soms aan de onderzijde van een schuine tak, van vlak boven de grond tot een hoogte van 25 meter toe. Meestal wordt zacht, half vermolmd hout gekozen en de nestingang is zo klein dat het wel een nest van een Matkop zou kunnen zijn. Gewoonlijk worden vier tot zes eieren gelegd, die door beide ouders worden bebroed. De broedduur bedraagt twee weken. Beide vogels voeren de jongen; evenals andere spechtejongen maken ze een groot spektakel in hun ijver om voedsel te bemachtigen bij de nestingang.

Hop

Mannetje, vrouwtje en jonge Hop zijn vrijwel identiek.

Het rozebruine verenkleed heeft vaak een grijze tint. De zwarte veren verbleken tot donkerbruin tegen het einde van de zomer.

De manier van vliegen en het uiterlijk geven de vogel een exotisch karakter. De trage en golvende vlucht doet nogal vlinderachtig aan; hij kan plotseling van richting veranderen.

De vlinderachtige vlucht en de zwarte en witte banden op vleugels en staart moeten misschien stootvogels 'misleiden'.

De kuif wordt niet alleen bij het neerstrijken opgericht, maar dit gebeurt ook veelvuldig bij andere activiteiten, zoals vliegen.

(× 3/10)

(× 3/5)

Vreemd genoeg valt de vogel in het geheel niet op wanneer hij rustig op de grond foerageert. Vaak wordt hij pas opgemerkt als hij opvliegt.

In de vlucht valt de grote staartlengte niet op door de buitengewoon brede vleugels.

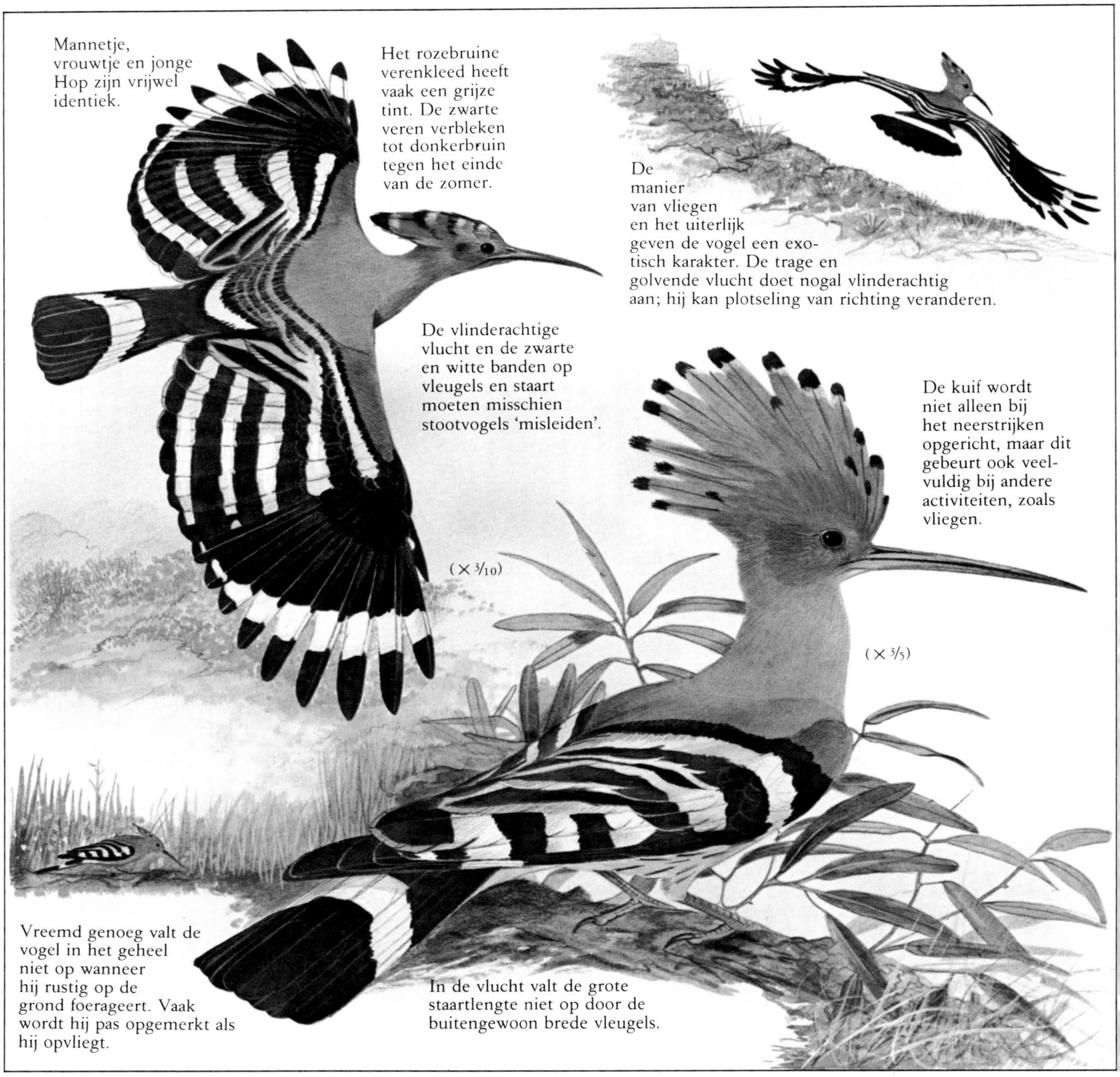

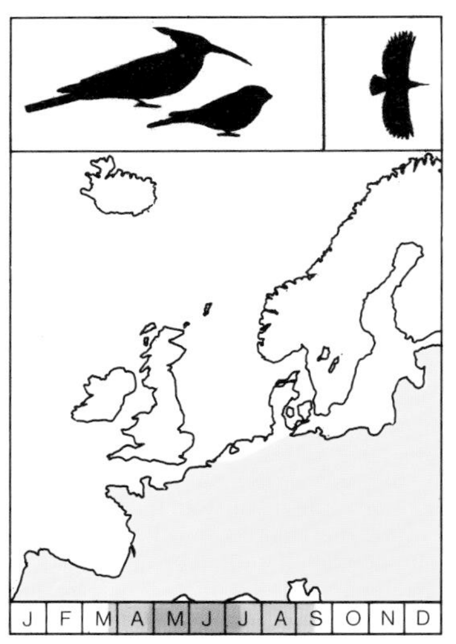

Veel vogels worden 'onmiskenbaar' genoemd, maar weinig vogels verdienen dit predikaat meer dan de Hop met zijn grote, oprichtbare kuif, zwart en wit gebandeerde vleugels en staart en lange, gebogen snavel. De gebogen snavel vormt een aanwijzing voor de voedselgewoonten van de vogel. Hoewel sommige prooidieren – waaronder zeer grote, zoals veenmollen en zelfs schorpioenen – aan de oppervlakte worden gevangen, sondeert de Hop met zijn snavel in de grond. De schedel en snavel zijn in bouw aangepast om de snavelhelften te kunnen openen onder de zware tegendruk van de bodem en het is waarschijnlijk dat de insektelarven, waaruit het hoofdvoedsel bestaat, op deze manier opgegraven worden. De roep, een ver-dragend 'hoep-oep-oep', roept hij meestal vanaf de grond, de kop omlaag gehouden, de nek gestrekt.

Boomholten en rotsspleten worden als nestplaats gebruikt, meestal zonder enige bekleding. Bovendien doet de vogel geen enkele poging om het nest schoon te houden: de geur van opeengehoopte uitwerpselen wordt nog versterkt door de specifieke geur van de Hop tot een ondraaglijke stank.

Er worden vijf tot acht eieren gelegd, die al spoedig smerig worden. Alleen het vrouwtje broedt en zij wordt op het nest door haar partner gevoederd; na 16-19 dagen komen de eieren uit. Aanvankelijk brengt alleen het mannetje voedsel aan terwijl het vrouwtje de jongen koestert, maar al spoedig nemen beide ouders aan het voeren deel.

Ekster

J V

De kop is dofzwart (in plaats van glanzend zwart, zoals bijvoorbeeld bij de Kraai).

Glijvlucht

Een jonge vogel (rechts onder) verlaat het nest; zijn korte staart moet nog een flink stuk groeien.

De lange, groenglanzende staart lijkt in het veld bijna zwart.

(× 1/10)

Het zwarte en witte verenkleed, de korte afgeronde vleugels en de lange trapvormige staart maken de Ekster onmiskenbaar. De tekening van de ondervleugel is anders dan die van de bovenvleugel. Onder: de zwarte vleugelveren vertonen verschillende nuances blauw als glans.

(× 1/5)

In de vlucht wordt de staart soms gedeeltelijk gespreid.

Zelfs midden in de winter, als de nesten van andere vogels uit elkaar waaien, blijft dat van de Ekster de mooie ronde vorm behouden. Het grote takkennest is overwelfd met een kap; het geheel is groter dan een voetbal.

Eksters eten bijna alles: van insekten en zaden die ze op de grond vinden, tot aas, en zelfs jonge vogels die ze vliegend bemachtigen.

Rechts boven: een Ekster bezig een nest van een zangvogel leeg te halen.

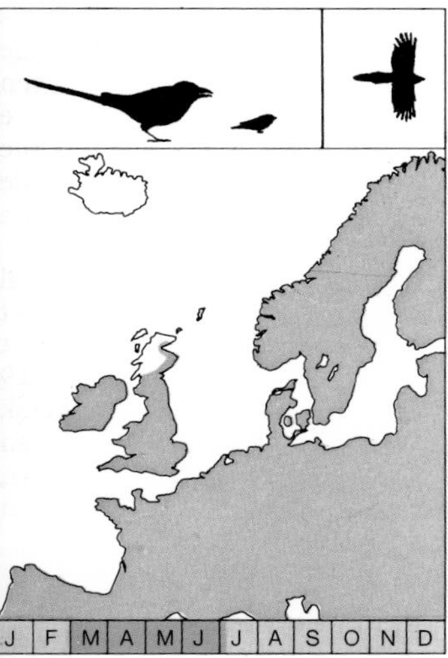

Er is geen vergissing mogelijk bij deze bekende vogel met zijn lange staart en de afgeronde vleugels, die hij een paar maal op en neer beweegt tussen glijvluchten. Bij opwinding zet hij zijn veren op en toont dan veel wit; een angstige vogel verschuift de indruk naar zwart door alle veren plat te drukken. Waakzaam als ze zijn, laten Eksters zich goed bekijken vanuit een rijdende auto, maar als deze stopt verdwijnen ze.
Eksters zijn berucht als 'rovers' van eieren en jonge vogels. Een paartje kan men soms heggen en bosjes zien afzoeken, begeleid door protesterende vogeltjes. Verder zoeken ze hun voedsel (alleseters) hoofdzakelijk op de grond en vertonen evenals de meeste andere kraaiesoorten een diepgaande interesse voor glimmende voorwerpen – vandaar de verhalen over 'stelende' Eksters.

Het nest wordt door beide ouders gebouwd en bevat vier tot acht eieren die alleen door het vrouwtje bebroed worden, terwijl het mannetje haar voert. Voor de meeste roofdieren en vogels is het nest onneembaar, maar Kraaien doen vaak een inval. In zuidelijk Europa worden Eksters geparasiteerd door de Kuifkoekoek.
In de winter foerageren Eksters in kleine groepjes, hoewel op sommige plaatsen grote slaapplaatsen zijn. In het voorjaar verzamelen ze zich in grote troepen en ongepaarde vogels kiezen dan een partner: bij deze gelegenheden kan men de vogels zien pronken met de iriserende kleuren op hun staart en vleugels.

Notekraker

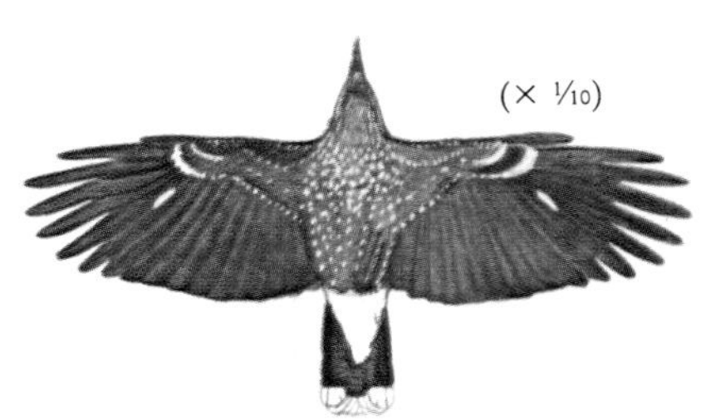

Van onderen gezien vertoont de Notekraker een uniek silhouet: brede vleugels en een korte staart. De witte onderstaartdekveren zijn opvallend, evenals de witte eindband van de staart.

Een Notekraker zoekt de allerhoogste uitkijkpost, zodat hij zich met gesloten vleugels naar beneden kan laten vallen om snelheid te winnen voor hij overgaat in zijn Gaaiachtige vlucht.

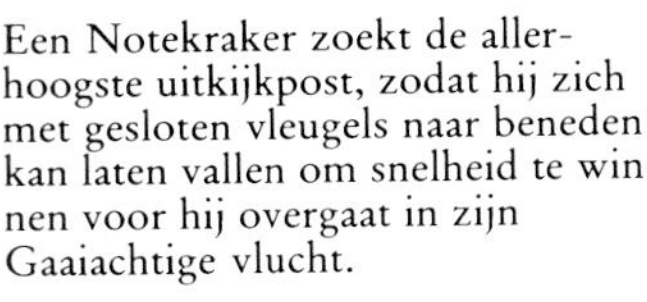

De vogel is uitgerust met een lange dolksnavel. Hij is in staat er een mus mee te doden en doet dat ook.

Zijn noordelijke verspreiding houdt in dat, hoewel het broedseizoen pas in mei begint, er jaren zijn dat hij gedwongen is te broeden als het nest nog door sneeuw omgeven is.

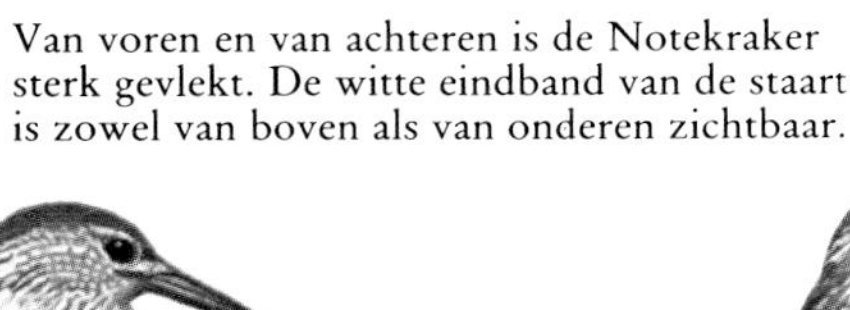

Van voren en van achteren is de Notekraker sterk gevlekt. De witte eindband van de staart is zowel van boven als van onderen zichtbaar.

Onder de snavel is een voedselzak, die hij in de herfst bij het voedsel verzamelen gebruikt voor het opslaan.

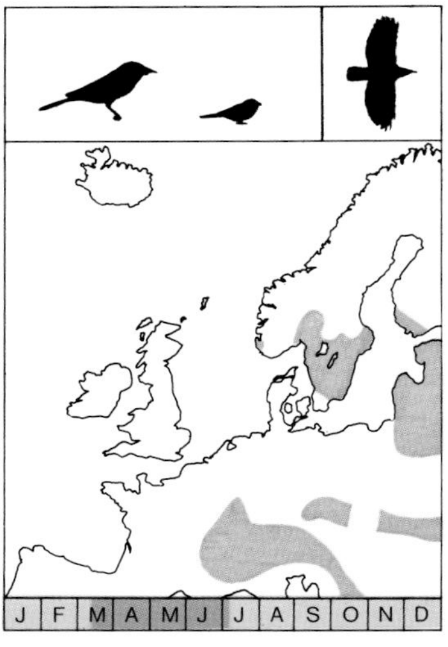

In tegenstelling tot wat de naam zegt, vormen dennezaden het hoofdvoedsel van de Notekraker en niet noten. Hiermee vormt hij een interessante parallel met de andere denneappelspecialist, de Kruisbek. Beide soorten hebben zich – ieder op zijn eigen manier – aangepast aan deze lastige voedselbron. Kruisbekken zijn meesters in het snel en efficiënt openen van de meest stevig gesloten kegels; daarom hebben ze geen moeite hun jongen met het in die periode ter beschikking staande voedsel groot te brengen. Notekrakers daarentegen slaan voedsel van het vorige seizoen op voor het volgende broedseizoen – een uniek gebeuren, andere voedsel-bewarende vogelsoorten verbruiken immers de voorraad in de winter. Om hen hiertoe in staat te stellen, hebben Notekrakers grote zakken in de bodem van hun bek, waarin de zaden bewaard worden zodra ze uit de kegel zijn getrokken; dit geeft de vogel bewegingsvrijheid om de kegel verder leeg te halen. Tenslotte is er nog de overeenkomst dat beide soorten sterke populatieschommelingen vertonen met periodieke invasies, samenhangend met de grootte van de dennezaad-oogst (de laatste grote invasies waren in 1954 en 1968). Middeneuropese vogels hebben een een dikkere snavel dan de Noordeuropese en Aziatische vogels.
Het nest van twijgen en aarde ligt op een tak van een denneboom. Drie eieren worden vroeg in het jaar gelegd en 18 dagen door het vrouwtje bebroed. De jongen vliegen na drie of vier weken uit.

Vlaamse Gaai

JV

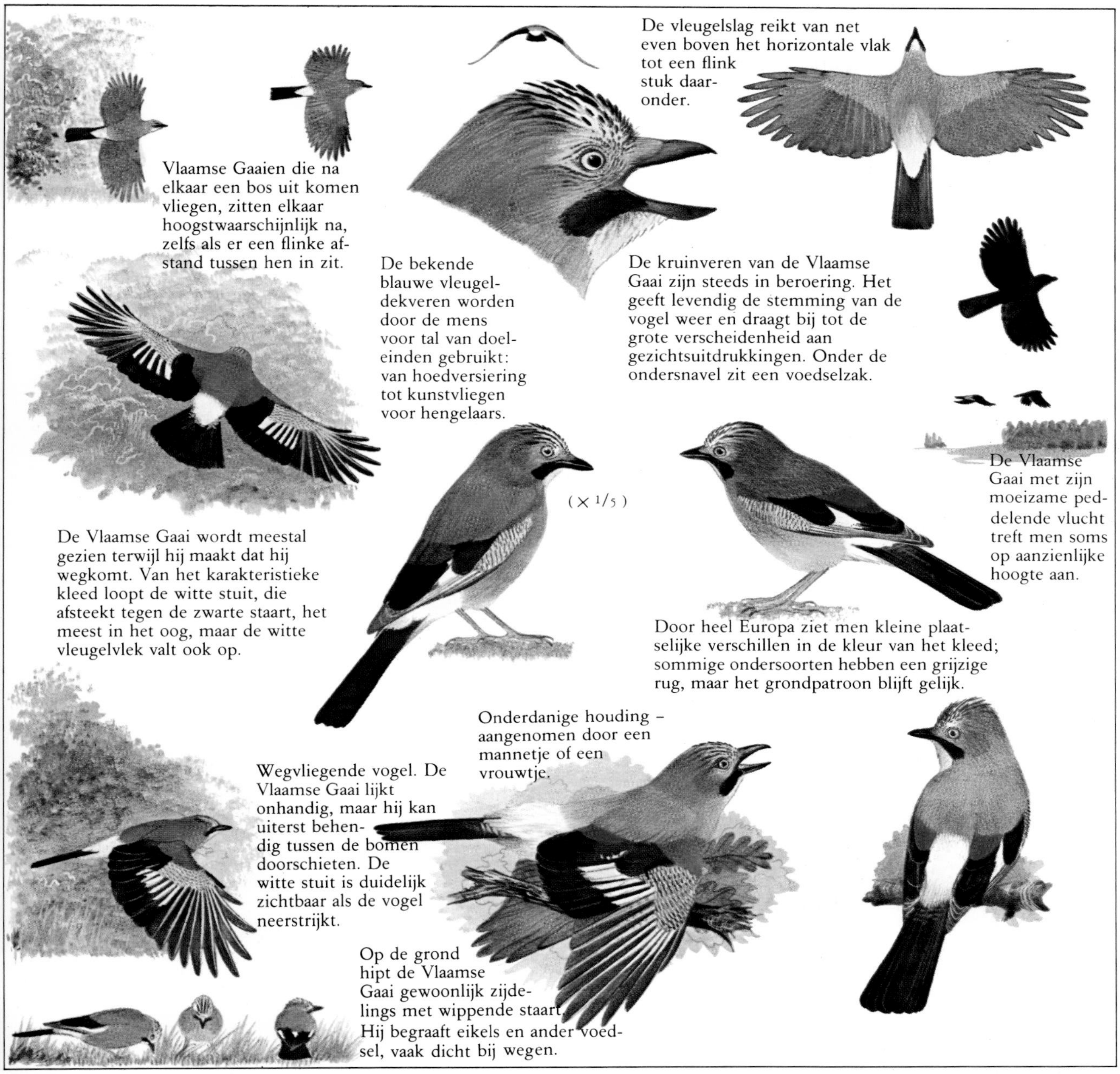

De vleugelslag reikt van net even boven het horizontale vlak tot een flink stuk daaronder.

Vlaamse Gaaien die na elkaar een bos uit komen vliegen, zitten elkaar hoogstwaarschijnlijk na, zelfs als er een flinke afstand tussen hen in zit.

De bekende blauwe vleugeldekveren worden door de mens voor tal van doeleinden gebruikt: van hoedversiering tot kunstvliegen voor hengelaars.

De kruinveren van de Vlaamse Gaai zijn steeds in beroering. Het geeft levendig de stemming van de vogel weer en draagt bij tot de grote verscheidenheid aan gezichtsuitdrukkingen. Onder de ondersnavel zit een voedselzak.

(× 1/5)

De Vlaamse Gaai met zijn moeizame peddelende vlucht treft men soms op aanzienlijke hoogte aan.

De Vlaamse Gaai wordt meestal gezien terwijl hij maakt dat hij wegkomt. Van het karakteristieke kleed loopt de witte stuit, die afsteekt tegen de zwarte staart, het meest in het oog, maar de witte vleugelvlek valt ook op.

Door heel Europa ziet men kleine plaatselijke verschillen in de kleur van het kleed; sommige ondersoorten hebben een grijzige rug, maar het grondpatroon blijft gelijk.

Onderdanige houding – aangenomen door een mannetje of een vrouwtje.

Wegvliegende vogel. De Vlaamse Gaai lijkt onhandig, maar hij kan uiterst behendig tussen de bomen doorschieten. De witte stuit is duidelijk zichtbaar als de vogel neerstrijkt.

Op de grond hipt de Vlaamse Gaai gewoonlijk zijdelings met wippende staart. Hij begraaft eikels en ander voedsel, vaak dicht bij wegen.

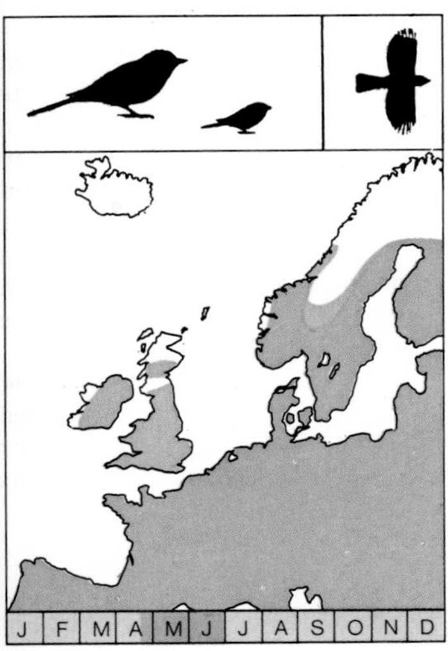

De Vlaamse Gaai besteedt in de herfst heel wat moeite aan het verzamelen en begraven van eikels als ‘appeltje voor de dorst’, maar hoewel de vogel een merkwaardig goed geheugen heeft voor de plaatsen waar hij ze heeft begraven, laat hij er onvermijdelijk een paar zitten. Zo groeien er nieuwe eikebomen op plaatsen waar ze anders nooit zouden zijn gekomen. Het begraven verloopt als volgt: de vogel maakt met zijn snavel een gaatje in de grond, braakt daarin de eikel uit en dekt die toe. Behalve eikels eet de Vlaamse Gaai een grote verscheidenheid aan dierlijk en plantaardig voedsel. Zijn voorliefde voor eieren van andere vogels maakt hem soms impopulair.

Naast de doordringende en rauwe schreeuw beschikt de Vlaamse Gaai nog over een gevarieerd repertoire van andere geluiden en houdingen die duiden op subtiele veranderingen in gemoedsgesteldheid. In het voorjaar kan men opgewonden troepjes van wel twintig vogels aantreffen. Mannetjes baltsen voor vrouwtjes door het lichaam opzij te draaien, de kruin- en lichaamsveren op te richten en de witte en kastanjebruine vleugelvlekken te laten zien.

Het nest wordt van takjes gemaakt en is bekleed met planteworteltjes. Het ligt in een jonge boom of in een struik, gewoonlijk niet hoger dan 6 m boven de grond. Het legsel bestaat doorgaans uit vijf eieren, die wat betreft kleur en afmeting verbazend veel op die van de Merel lijken. De Vlaamse Gaai is evenwel geen nestparasiet. Alleen het vrouwtje broedt.

Roek

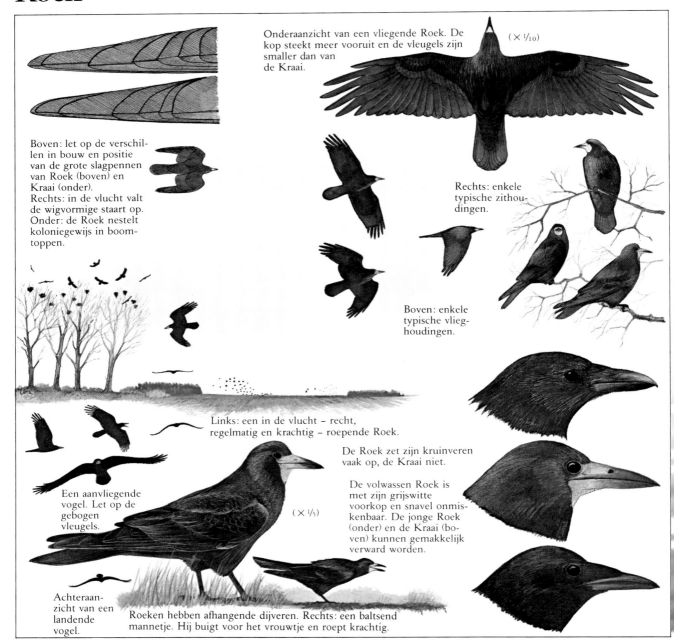

Onderaanzicht van een vliegende Roek. De kop steekt meer vooruit en de vleugels zijn smaller dan van de Kraai.

(× 1/10)

Boven: let op de verschillen in bouw en positie van de grote slagpennen van Roek (boven) en Kraai (onder).
Rechts: in de vlucht valt de wigvormige staart op.
Onder: de Roek nestelt koloniegewijs in boomtoppen.

Rechts: enkele typische zithoudingen.

Boven: enkele typische vlieghoudingen.

Links: een in de vlucht – recht, regelmatig en krachtig – roepende Roek.

De Roek zet zijn kruinveren vaak op, de Kraai niet.

De volwassen Roek is met zijn grijswitte voorkop en snavel onmiskenbaar. De jonge Roek (onder) en de Kraai (boven) kunnen gemakkelijk verward worden.

Een aanvliegende vogel. Let op de gebogen vleugels.

(× 1/5)

Achteraanzicht van een landende vogel.

Roeken hebben afhangende dijveren. Rechts: een baltsend mannetje. Hij buigt voor het vrouwtje en roept krachtig.

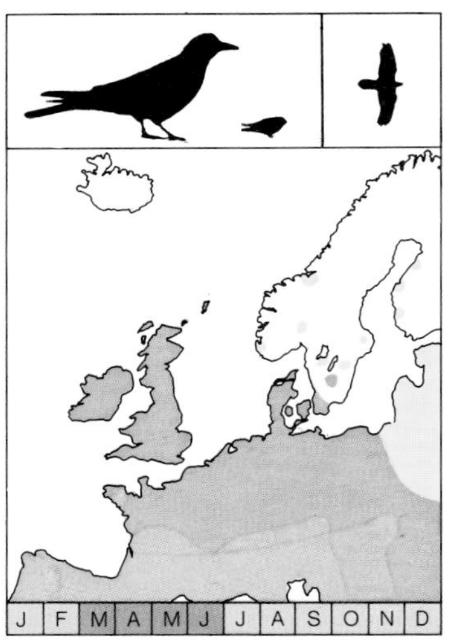

Het geluid dat een Roekenkolonie omgeeft, is even karakteristiek als de takkennesten hoog in de bomen. Het broedseizoen begint in februari of maart, wanneer de aantallen grote regenwormen maximaal zijn. Met behulp van een verrekijker kan men de balts, de onvermijdelijke familieruzies en het stelen van takken uit naburige nesten uitstekend waarnemen. De meeste Roekenkolonies bestaan uit een tiental tot een honderdtal nesten, maar in Schotland zijn Roekenkolonies bekend met wel tweeduizend nesten. Reeds in december keren de Roeken terug voor een 'inspectie' van de kolonie.
De Roek is wijd verbreid in Midden- en Noord-Europa, maar vermijdt plaatsen met weinig of geen boomgroei. Het aantal Roeken nam in Groot-Brittannië tussen de beide wereldoorlogen toe. Uit een telling van eind 1940 bleek een dichtheid van 35 vogels per vierkante mijl. De meest recente tellingen laten echter een sterke achteruitgang zien, waarvan de oorzaak nog niet opgehelderd is. Ook in Nederland neemt de Roek sterk in aantal af. Het zou jammer zijn als deze karakteristieke en nuttige vogel uit ons landschap zou verdwijnen. Roeken zijn zeer sociaal en foerageren vaak in gezelschap van Kauwen en 's winters hebben ze gemeenschappelijke slaapplaatsen.
De Roeken in Nederland zijn standvogels, maar in de herfst en het voorjaar doen grote aantallen uit Midden- en Noord-Europa ons land aan.

Kauw

   J V

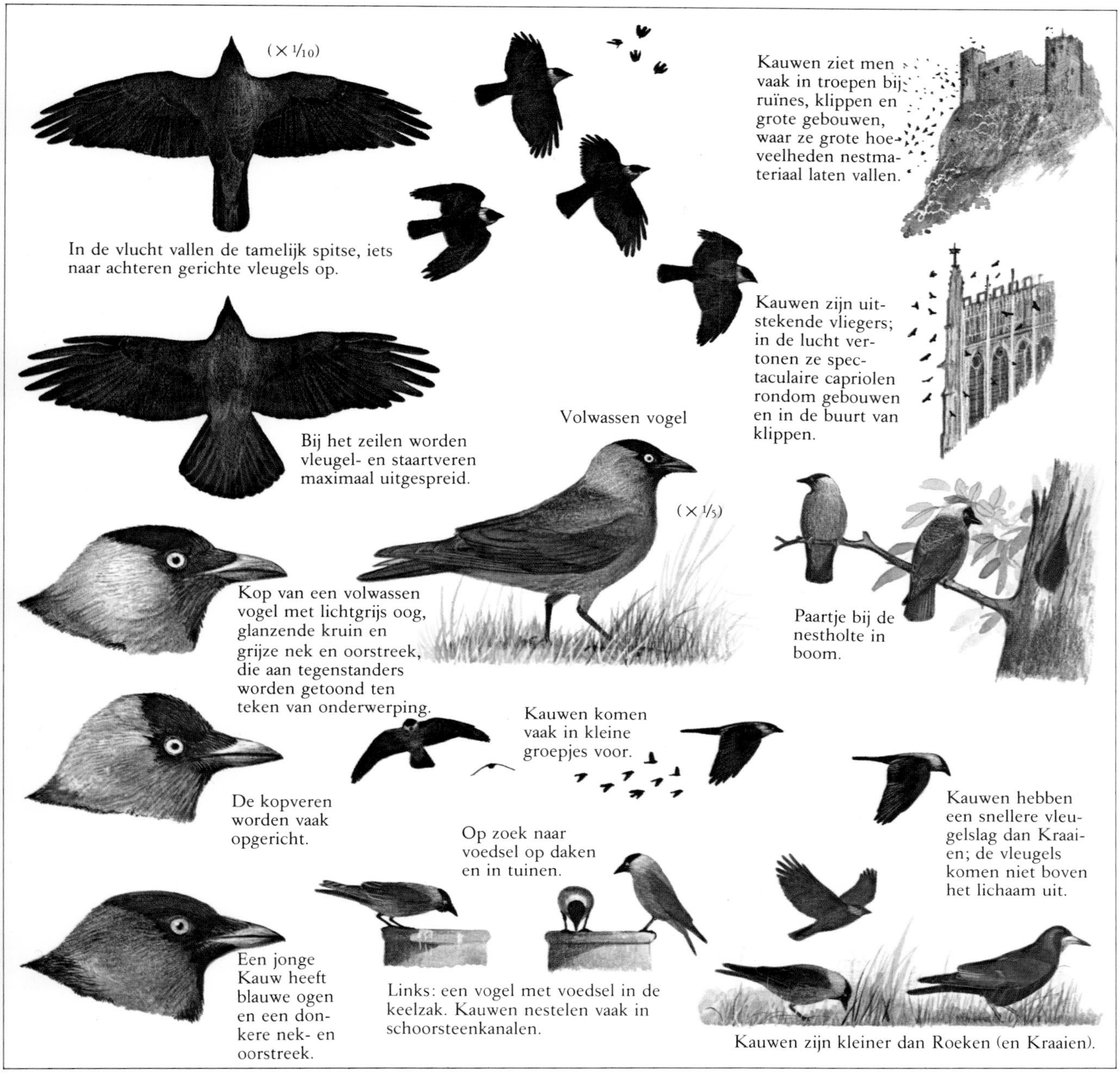

(× 1/10)

In de vlucht vallen de tamelijk spitse, iets naar achteren gerichte vleugels op.

Bij het zeilen worden vleugel- en staartveren maximaal uitgespreid.

Kauwen ziet men vaak in troepen bij ruïnes, klippen en grote gebouwen, waar ze grote hoeveelheden nestmateriaal laten vallen.

Kauwen zijn uitstekende vliegers; in de lucht vertonen ze spectaculaire capriolen rondom gebouwen en in de buurt van klippen.

Volwassen vogel

(× 1/5)

Kop van een volwassen vogel met lichtgrijs oog, glanzende kruin en grijze nek en oorstreek, die aan tegenstanders worden getoond ten teken van onderwerping.

Paartje bij de nestholte in boom.

Kauwen komen vaak in kleine groepjes voor.

De kopveren worden vaak opgericht.

Op zoek naar voedsel op daken en in tuinen.

Kauwen hebben een snellere vleugelslag dan Kraaien; de vleugels komen niet boven het lichaam uit.

Een jonge Kauw heeft blauwe ogen en een donkere nek- en oorstreek.

Links: een vogel met voedsel in de keelzak. Kauwen nestelen vaak in schoorsteenkanalen.

Kauwen zijn kleiner dan Roeken (en Kraaien).

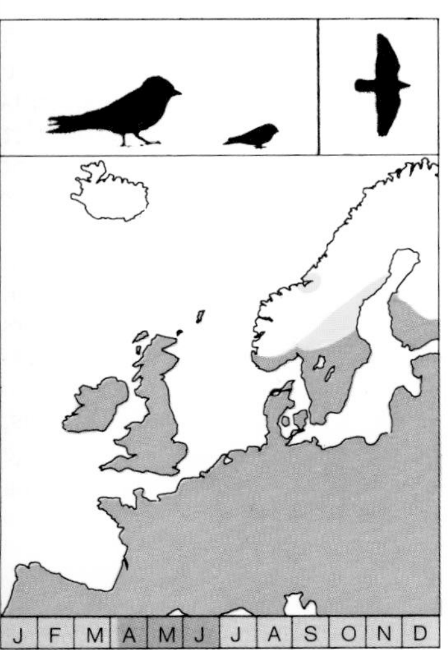

De Kauw heeft zich een vaste plaats verworven in de Europese folklore en literatuur. Niet alleen omdat hij vaak in gebouwen nestelt; een tamme Kauw is een intelligent en interessant huisdier en toont evenals andere kraaien een grote belangstelling voor glinsterende voorwerpen. Net als sommige andere kolonievogels bezit hij een uitgebreid communicatiesysteem. Men heeft aangetoond dat een groot deel van sociale signalen van de Kauw zijn aangeleerd en niet aangeboren.

Natuurlijke nestplaatsen zijn holten in oude bomen of gaten in rotsen. Gebouwen bieden goede nestplaatsen en de Kauwen maken zich impopulair doordat ze schoorstenen verstoppen met hun nesten. Het nest is een stapel twijgen, gevoerd met gras en dood materiaal. Op traditionele nestplaatsen ontstaan grote opeenhopingen van materiaal. De vier tot zes eieren zijn bleker van kleur dan die van andere kraaien – een aanpassing aan de duisternis van de nestplaats. Beide ouders brengen voedsel, dat in de keel wordt vervoerd; aanvankelijk wordt deze taak alleen door het vrouwtje uitgevoerd. Na 30 tot 35 dagen vliegen de jongen uit. Kauwen zijn evenals andere kraaien alleseters en vertonen zich vaak op mestvaalten. Buiten het broedseizoen verkeren ze veel in gezelschap van Roeken; hun metalig klikkende roep is duidelijk te onderscheiden van het hese gekras van hun grotere verwanten.

Raaf

(× 1/10)

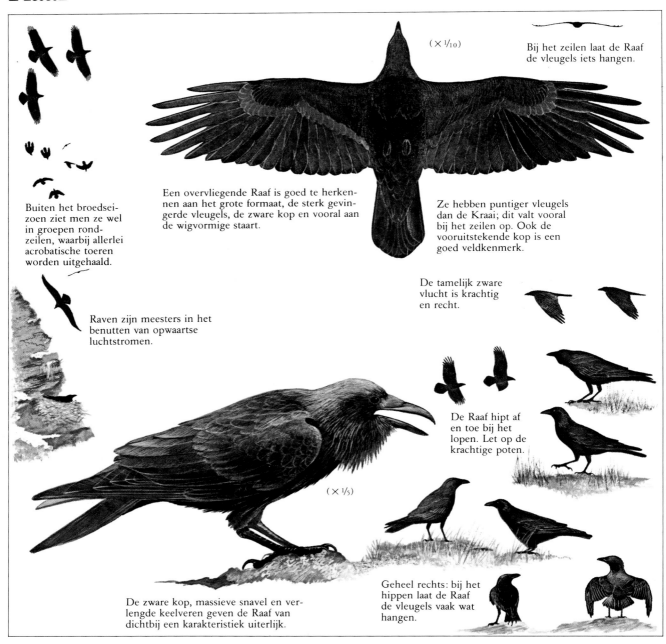

Bij het zeilen laat de Raaf de vleugels iets hangen.

Buiten het broedseizoen ziet men ze wel in groepen rondzeilen, waarbij allerlei acrobatische toeren worden uitgehaald.

Een overvliegende Raaf is goed te herkennen aan het grote formaat, de sterk gevingerde vleugels, de zware kop en vooral aan de wigvormige staart.

Ze hebben puntiger vleugels dan de Kraai; dit valt vooral bij het zeilen op. Ook de vooruitstekende kop is een goed veldkenmerk.

De tamelijk zware vlucht is krachtig en recht.

Raven zijn meesters in het benutten van opwaartse luchtstromen.

De Raaf hipt af en toe bij het lopen. Let op de krachtige poten.

(× 1/5)

De zware kop, massieve snavel en verlengde keelveren geven de Raaf van dichtbij een karakteristiek uiterlijk.

Geheel rechts: bij het hippen laat de Raaf de vleugels vaak wat hangen.

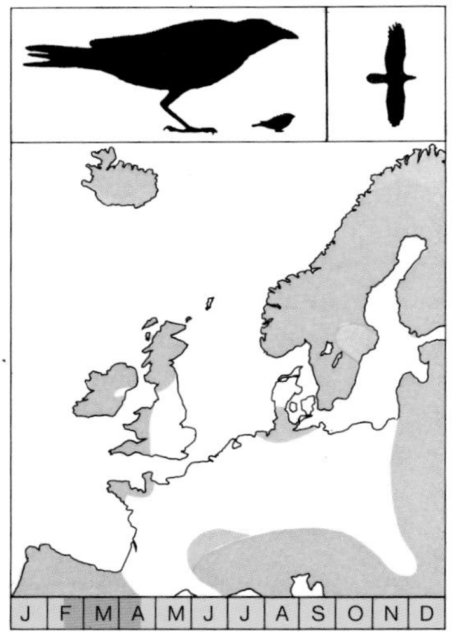

Aan zijn indrukwekkende en sinistere verschijning in wilde en verlaten landschappen en zijn intelligentie dankt de Raaf de belangrijke rol die hij in geschiedenis en folklore speelt. Zijn diepe stemgeluid heeft een dreigende, onheilspellende klank. Aas is een belangrijk bestanddeel van zijn dieet, verder bestaat zijn voedsel uit kleine zoogdieren, kikvorsen, eieren, insekten en plantaardige kost.

De nestbouw begint in Engeland reeds hartje winter en de vier tot zes eieren worden in februari gelegd. De donker blauwgroene, bruingevlekte eieren lijken op die van de Roek en Kraai. De jongen worden door beide ouders gevoerd, aanvankelijk met insekten, later met stukken vlees. Het voedsel wordt vaak vochtig gemaakt, en een vrouwtje in gevangenschap zag men de jongen koel houden doordat ze zich van onderen nat maakte voor ze erop ging zitten. De jongen vliegen na 5 tot 6 weken uit. Hun gedrag is diepgaand bestudeerd. Tot het paringsgedrag behoort het opzetten van de nekveren, strek- en buigbewegingen, van het lichaam af gehouden vleugels. Ze beschikken ook over een uitgebreide vocabulaire. Indien in voldoende getale aanwezig, leven ze in troepen en vormen soms grote gemeenschappelijke slaapplaatsen.

De Raaf broedde sedert 1927 niet meer in Nederland en wordt nu slechts zelden waargenomen. Sinds enkele jaren worden echter pogingen in het werk gesteld om op de Veluwe en in Drenthe deze vogels opnieuw te laten broeden.

Zwarte Kraai/Bonte Kraai

In de vlucht verschilt de 'Zwarte Kraai' van de Roek door de meer recht afgesneden staart, langzame en meer 'roeiende' vlucht, smallere en meer rechthoekige vleugels en de minder vooruitstekende kop. De 'Bonte Kraai' is met zijn grijze onderdelen onmiskenbaar.

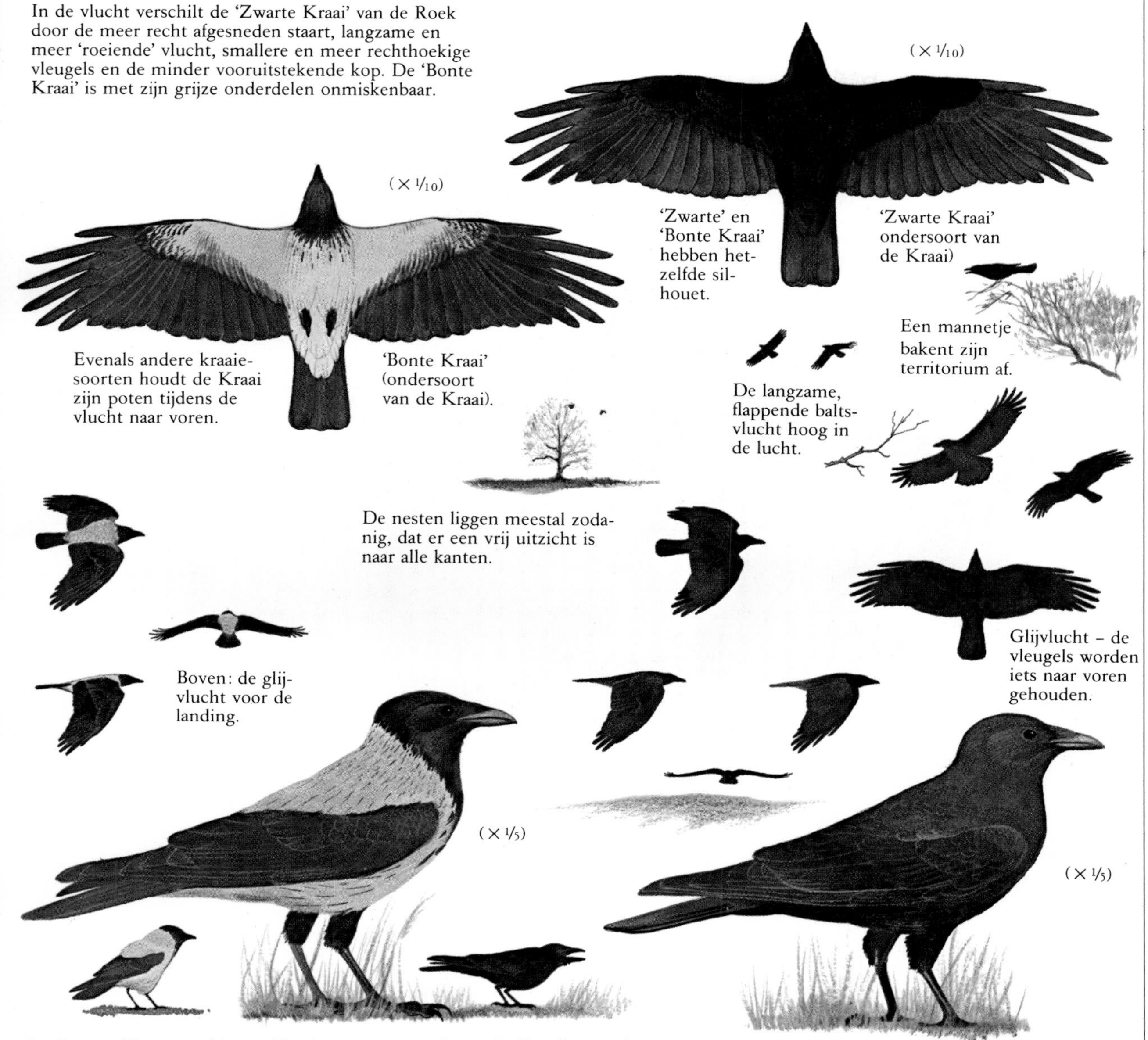

(× 1/10)

'Zwarte' en 'Bonte Kraai' hebben hetzelfde silhouet.

'Zwarte Kraai' ondersoort van de Kraai)

(× 1/10)

Evenals andere kraaiesoorten houdt de Kraai zijn poten tijdens de vlucht naar voren.

'Bonte Kraai' (ondersoort van de Kraai).

Een mannetje bakent zijn territorium af.

De langzame, flappende baltsvlucht hoog in de lucht.

De nesten liggen meestal zodanig, dat er een vrij uitzicht is naar alle kanten.

Boven: de glijvlucht voor de landing.

Glijvlucht - de vleugels worden iets naar voren gehouden.

(× 1/5)

(× 1/5)

Op de grond lopen en hippen Kraaien met evenveel gemak. De afhangende dijveren ('broek'), een goed veldkenmerk van de Roek, ontbreken bij de Kraai.

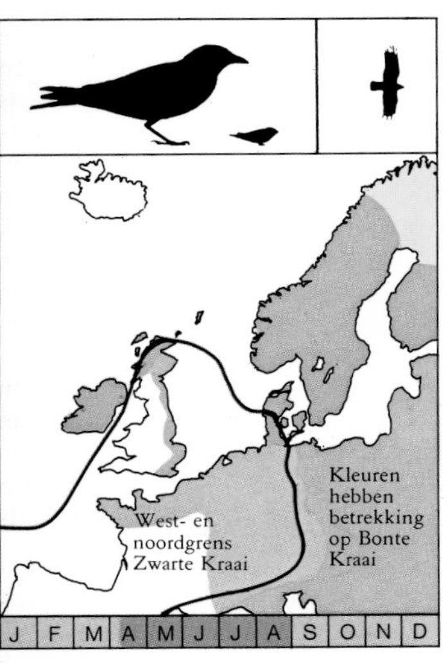

Kraaien opereren meestal alleen of met z'n tweeën, waarbij ze vaak samenwerken om voedsel van andere predatoren te stelen – zelfs vis van Blauwe Reigers. Een vogel springt dan vlug in het rond voor de Blauwe Reiger om zijn aandacht af te leiden, terwijl de ander probeert van achteren de vis in te pikken. Het voedsel lijkt op dat van de Roek, met wormen, grondinsekten en zaden, maar in het zomerhalfjaar ook eieren, jonge vogels en kleine zoogdieren. Het azen op jachtvogels heeft hen een slechte naam bezorgd bij de jachtopzichters. Schieten en vergiftigen hebben echter weinig of geen invloed gehad op de aantallen Kraaien. Ze hebben zich met succes uitgebreid in dorpen en steden, misschien omdat deze vogels in staat zijn hun kostje op te scharrelen op vuilstortplaatsen en dergelijke.

Omdat ze minder afhankelijk zijn van wormen, broeden Kraaien twee weken later dan de Roek. In tegenstelling tot deze broedt de Kraai niet in kolonies. Het nest lijkt op dat van de Roek en bevat meestal drie tot vier eieren.

De 'Zwarte Kraai' is een algemene broedvogel en hoofdzakelijk standvogel. De 'Bonte Kraai' broedt af en toe in het noorden van ons land (Waddeneilanden), soms gepaard met een 'Zwarte Kraai'. Veel 'Bonte Kraaien' uit Noord- en Oost-Europa brengen de winter bij ons door. De 'Zwarte' en 'Bonte Kraai' zijn ondersoorten van de Kraai. Waar hun verspreidingsgebieden elkaar overlappen, worden 'bastaarden' aangetroffen.

Kwartel/Kwartelkoning

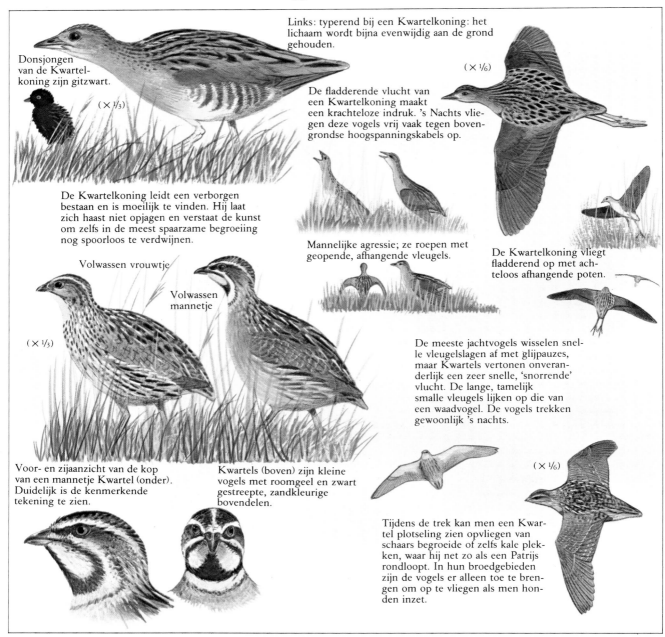

Donsjongen van de Kwartelkoning zijn gitzwart.

(× 1/3)

Links: typerend bij een Kwartelkoning: het lichaam wordt bijna evenwijdig aan de grond gehouden.

(× 1/6)

De fladderende vlucht van een Kwartelkoning maakt een krachteloze indruk. 's Nachts vliegen deze vogels vrij vaak tegen bovengrondse hoogspanningskabels op.

De Kwartelkoning leidt een verborgen bestaan en is moeilijk te vinden. Hij laat zich haast niet opjagen en verstaat de kunst om zelfs in de meest spaarzame begroeiing nog spoorloos te verdwijnen.

Mannelijke agressie; ze roepen met geopende, afhangende vleugels.

De Kwartelkoning vliegt fladderend op met achteloos afhangende poten.

Volwassen vrouwtje

Volwassen mannetje

(× 1/3)

De meeste jachtvogels wisselen snelle vleugelslagen af met glijpauzes, maar Kwartels vertonen onveranderlijk een zeer snelle, 'snorrende' vlucht. De lange, tamelijk smalle vleugels lijken op die van een waadvogel. De vogels trekken gewoonlijk 's nachts.

Voor- en zijaanzicht van de kop van een mannetje Kwartel (onder). Duidelijk is de kenmerkende tekening te zien.

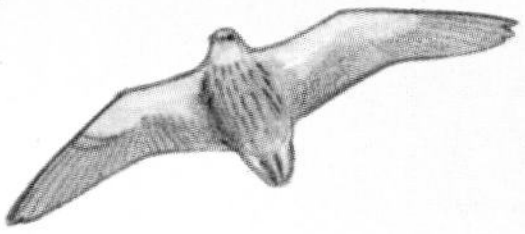

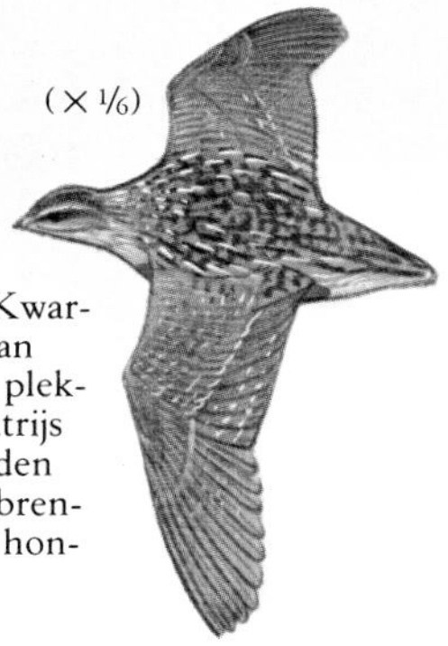

Kwartels (boven) zijn kleine vogels met roomgeel en zwart gestreepte, zandkleurige bovendelen.

(× 1/6)

Tijdens de trek kan men een Kwartel plotseling zien opvliegen van schaars begroeide of zelfs kale plekken, waar hij net zo als een Patrijs rondloopt. In hun broedgebieden zijn de vogels er alleen toe te brengen om op te vliegen als men honden inzet.

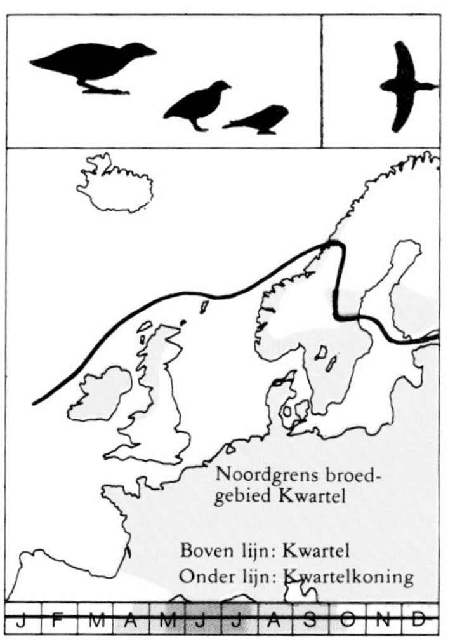

Het heeft heel wat voeten in de aarde eer men een Kwartel te zien krijgt, want de vogel kan verbazend handig door de voethoge begroeiing heenglippen. Niettemin is zijn roep, een herhaald 'kwik-medit', in tal van plaatsen in Europa een bekend geluid. Kwartels trekken aan het eind van de zomer naar het zuiden. In hun winterkwartieren komen ze in voldoende mate voor om zich te scharen bij befaamde jachtvogels. Het moeilijk te vinden nest, dat in gras-, hooilanden en korenvelden ligt, is niet meer dan een spaarzaam bekleed schoongekrabd stukje grond. Er worden zeven tot twaalf eieren gelegd. Het vrouwtje broedt 16 tot 21 dagen en de jongen zijn na 19 dagen vliegvlug. Soms wordt nog een tweede broedsel grootgebracht.

De Kwartelkoning is niet verwant met de Kwartel, maar behoort tot de Rallen. Kwartelkoningen maken hun aanwezigheid bekend door een doordringende en aanhoudende roep, een raspend tweedelig 'rerrp-rerrp'. Hieraan ontlenen ze hun wetenschappelijke naam *Crex crex*. Het nest is een kuiltje en ligt verscholen tussen het hoge gras van vochtige wei- en hooilanden. Het is bekleed met grassen en andere plantedelen. Het vrouwtje legt en bebroedt acht tot twaalf eieren, die na 14 tot 21 dagen uitkomen. Jonge Kwartelkoningen zijn na zeven tot acht weken vliegvlug. In Nederland zijn Kwartel en Kwartelkoning beide schaarse broedvogels. Vooral de Kwartelkoning lijkt de laatste jaren sterk in aantal af te nemen.

Moerassneeuwhoen

Boven: het Moerassneeuwhoen vliegt in een karakteristieke houding met opgeheven kop en opgezette borstveren.

'Schots Sneeuwhoen' op dezelfde schaal getekend als de Patrijs.

Van onderaf gezien steken de witte vleugels van het 'Schots Sneeuwhoen' opvallend af tegen de donkerrode veren op de buik.

(× 1/6)

Het 'Schots Sneeuwhoen' is een van de bekendste vogels van de open Schotse heidevelden. Vaak roept hij luid terwijl hij met een snorrend geluid opstijgt. Een aantal snelle vleugelslagen wordt gevolgd door glijvluchten waarin de vogel soms van de ene zij naar de andere overslaat, Groepen 'Schotse Sneeuwhoenders' vliegen soms met een grote snelheid laag over het landschap heen, waarvan ze de vormen volgen.

Het Moerassneeuwhoen dat aan de Noorse kusten voorkomt, heeft een verenkleed met een ongewone tussenkleur.

De donkere staart van het 'Schots Sneeuwhoen' is duidelijk te zien bij het opstijgen.

Moerassneeuwhoen in herfstkleed.

(×1/4)

Volwassen Moerrassneeuwhoen in zomerkleed.

Moerassneeuwhoen in winterkleed.

Moerassneeuwhoen in de zomer; hij is van hetzelfde formaat als het 'Schots Sneeuwhoen', maar heeft in de zomer alleen witte vleugels, in de herfst ook een gedeeltelijk wit lichaam en in de winter is het lichaam helemaal wit

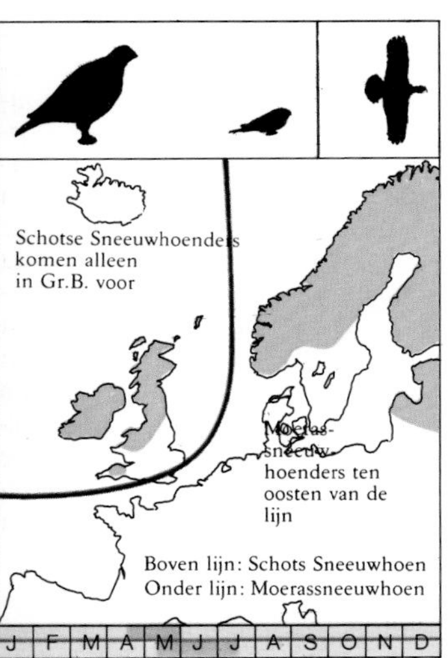

Het 'Schots Sneeuwhoen' is een ondersoort van het in Noord-Eurazië en Noord-Amerika voorkomende Moerassneeuwhoen. Het 'Schots Sneeuwhoen' komt voor op de Britse Eilanden en in Ierland, en heeft zowel in de zomer als in de winter een eenvormige roodbruine kleur. De andere ondersoorten van het Moerassneeuwhoen hebben 's zomers witte vleugels en 's winters een bijna geheel wit kleed.

Op de Britse Eilanden staat de jacht op deze vogels in hoog aanzien. Het 'Schots Sneeuwhoen' leeft voornamelijk van jonge uitlopers van heideplanten. Om hun jachtvogels te verzekeren van een constante voorraad jonge hei, branden Britse landeigenaars regelmatig stukken heide af. De andere ondersoorten van het Moerassneeuwhoen leven in een natuurlijker omgeving. Ze eten hoofdzakelijk knoppen van berken en wilgen en ook wel wat hei.

Het Moerassneeuwhoen leeft monogaam. Het mannetje bakent vroeg in de herfst zijn territorium af door baltsvluchten en een veelvuldig luid gekraai. Een paartje blijft samen tot in de volgende zomer de jongen groot zijn. Hanen die geen territorium konden veroveren en de meeste hennen die geen partner konden vinden, zwerven in de winter rond in minder voedselrijke gebieden en gaan dood. Deze vogels, die door honger zijn verzwakt, zijn inwendig vaak zwaar geïnfecteerd met parasieten. Vroeger dacht men dat deze parasieten hun dood veroorzaakten, maar tegenwoordig beschouwt men deze vogels als een ten dode opgeschreven overschot.

Korhoen

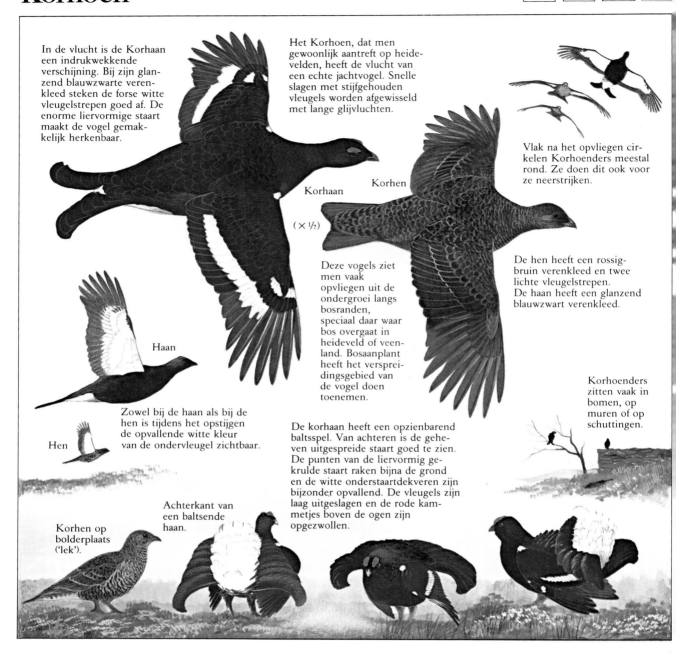

In de vlucht is de Korhaan een indrukwekkende verschijning. Bij zijn glanzend blauwzwarte verenkleed steken de forse witte vleugelstrepen goed af. De enorme liervormige staart maakt de vogel gemakkelijk herkenbaar.

Het Korhoen, dat men gewoonlijk aantreft op heidevelden, heeft de vlucht van een echte jachtvogel. Snelle slagen met stijfgehouden vleugels worden afgewisseld met lange glijvluchten.

Vlak na het opvliegen cirkelen Korhoenders meestal rond. Ze doen dit ook voor ze neerstrijken.

Korhaan

Korhen

(× 1/7)

Deze vogels ziet men vaak opvliegen uit de ondergroei langs bosranden, speciaal daar waar bos overgaat in heideveld of veenland. Bosaanplant heeft het verspreidingsgebied van de vogel doen toenemen.

De hen heeft een rossigbruin verenkleed en twee lichte vleugelstrepen. De haan heeft een glanzend blauwzwart verenkleed.

Haan

Hen

Zowel bij de haan als bij de hen is tijdens het opstijgen de opvallende witte kleur van de ondervleugel zichtbaar.

Korhoenders zitten vaak in bomen, op muren of op schuttingen.

De korhaan heeft een opzienbarend baltsspel. Van achteren is de geheven uitgespreide staart goed te zien. De punten van de liervormig gekrulde staart raken bijna de grond en de witte onderstaartdekveren zijn bijzonder opvallend. De vleugels zijn laag uitgeslagen en de rode kammetjes boven de ogen zijn opgezwollen.

Achterkant van een baltsende haan.

Korhen op bolderplaats ('lek').

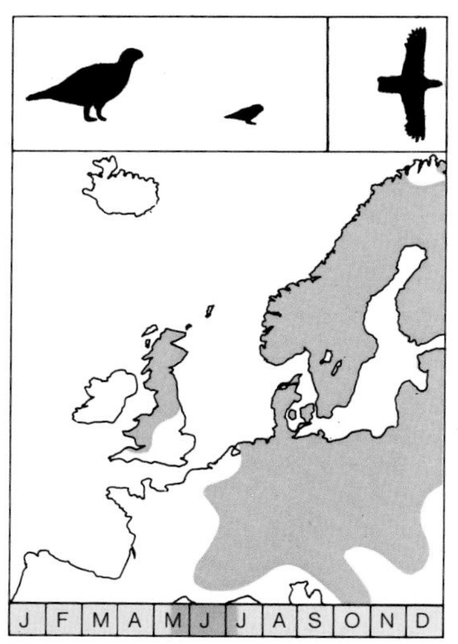

Korhoenders leven niet monogaam, maar polygaam. Hanen en hennen komen alleen bij elkaar om te paren. Het uitbroeden van de eieren en het grootbrengen van de jongen zijn taken van het vrouwtje. Op gemeenschappelijke baltsplaatsen ('lek') vindt ook de paring plaats. Wel twintig hanen verzamelen zich – meestal in de vroege morgen – op de baltsgrond en ieder verdedigt zijn eigen kleine baltsterritorium tegen zijn rivalen. De haan neemt een indrukwekkende dreighouding aan en maakt hierbij buitengewone kraaiende, sissende en klokkende geluiden, die men op grote afstand kan horen. De oudste hanen nemen centrale posities in op de baltsplaats en de onopvallend gekleurde hennen, die in groepjes naar de baltsplaats komen, paren meestal met deze dominante individuen. De meeste hennen paren slechts een maal, hoewel ze meerdere malen de baltsplaats bezoeken.

Korhoenders komen vooral voor in uitgestrekte heidevelden, speciaal daar waar de heide wordt afgewisseld met bos- en akkerland. Het nest stelt niet veel voor. Het ligt tussen biezen, heidestruiken of andere dichte vegetatie. Het vrouwtje legt zes tot tien eieren. De broedtijd duurt 24 tot 29 dagen en de jongen kunnen al goed vliegen voor ze ten volle ontwikkeld zijn. In Nederland is het Korhoen een vrij schaarse broedvogel van de oostelijke en zuidelijke provincies, alsmede van de Utrechtse heuvelrug en het Gooi.

Auerhoen

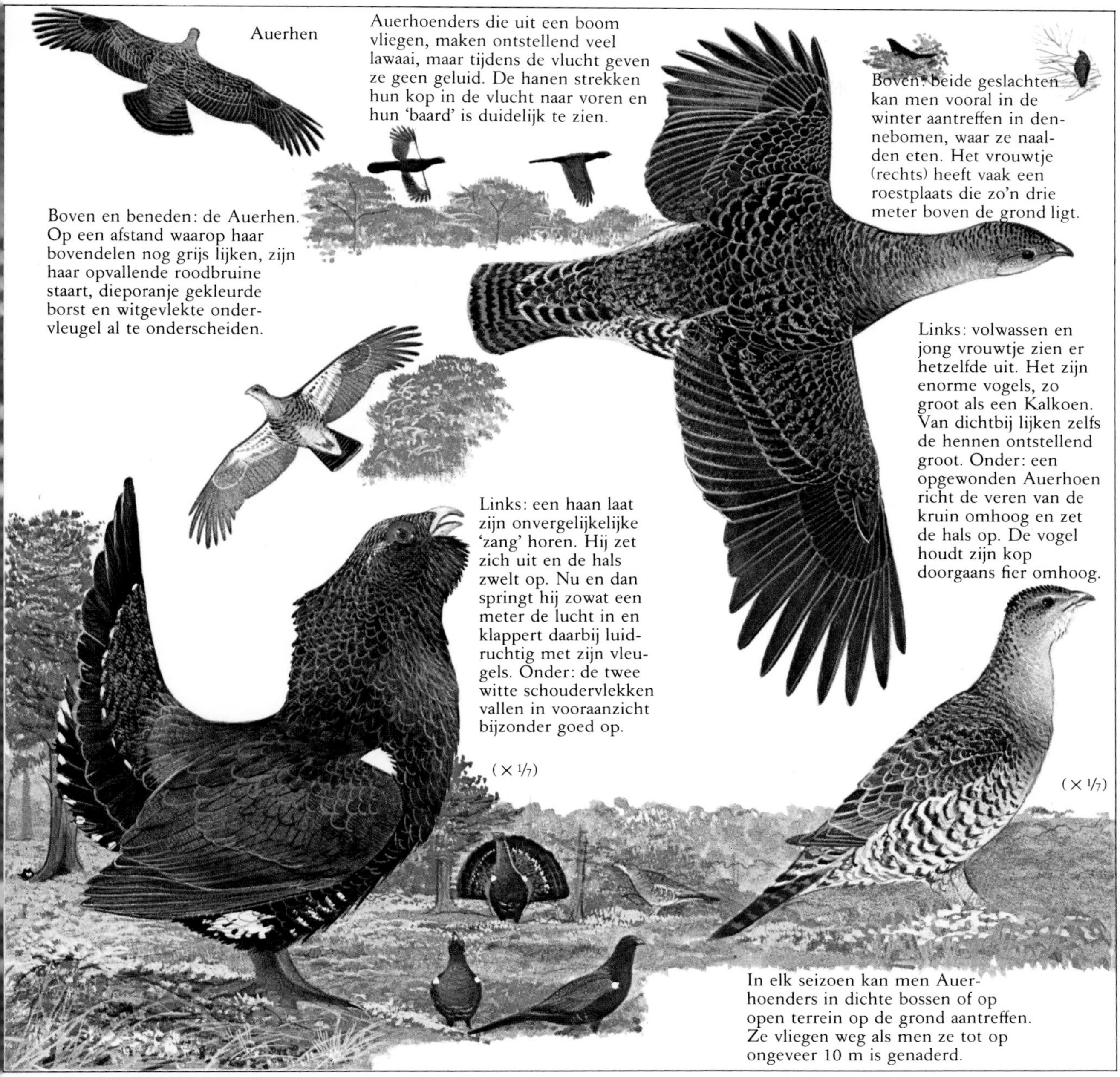

Auerhen

Auerhoenders die uit een boom vliegen, maken ontstellend veel lawaai, maar tijdens de vlucht geven ze geen geluid. De hanen strekken hun kop in de vlucht naar voren en hun 'baard' is duidelijk te zien.

Boven: beide geslachten kan men vooral in de winter aantreffen in dennebomen, waar ze naalden eten. Het vrouwtje (rechts) heeft vaak een roestplaats die zo'n drie meter boven de grond ligt.

Boven en beneden: de Auerhen. Op een afstand waarop haar bovendelen nog grijs lijken, zijn haar opvallende roodbruine staart, dieporanje gekleurde borst en witgevlekte ondervleugel al te onderscheiden.

Links: volwassen en jong vrouwtje zien er hetzelfde uit. Het zijn enorme vogels, zo groot als een Kalkoen. Van dichtbij lijken zelfs de hennen ontstellend groot. Onder: een opgewonden Auerhoen richt de veren van de kruin omhoog en zet de hals op. De vogel houdt zijn kop doorgaans fier omhoog.

Links: een haan laat zijn onvergelijkelijke 'zang' horen. Hij zet zich uit en de hals zwelt op. Nu en dan springt hij zowat een meter de lucht in en klappert daarbij luidruchtig met zijn vleugels. Onder: de twee witte schoudervlekken vallen in vooraanzicht bijzonder goed op.

(× 1/7)

(× 1/7)

In elk seizoen kan men Auerhoenders in dichte bossen of op open terrein op de grond aantreffen. Ze vliegen weg als men ze tot op ongeveer 10 m is genaderd.

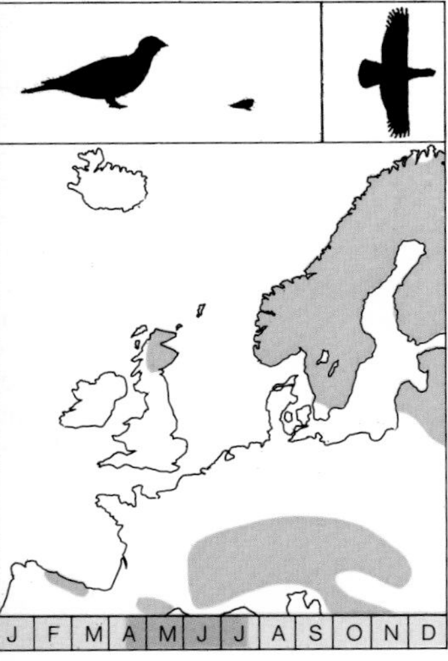

Het Auerhoen is een van de weinige vogels die erin slaagt mensen te intimideren. Baltsende hanen die hun territorium willen verdedigen, zijn nu en dan zo agressief, dat ze elke indringer, hoe groot ook, uitdagen. De haan ziet er met gespreide staart en opgeblazen hals indrukwekkend uit en zijn vertoon wordt begeleid door bizarre stemgeluiden. Hij maakt eerst enige geluiden die doen denken aan paardengetrappel. Dit eindigt met een luide plop, gevolgd door een slijpend geluid.

Het Auerhoen komt uitsluitend voor in naaldwouden en men vindt deze vogel in Scandinavië, Midden-Europa en in de Pyreneeën. In Schotland zijn ze in de 18e eeuw uitgeroeid door overmatig afschieten en kappen van bossen, maar in dit gebied zijn in 1837 en nog enige keren daarna Auerhoenders uit Zweden uitgezet. Deze vogels gedijen goed en ze bestaan er, net als elders, van scheuten van dennen en sparren. Dit ongebruikelijke menu verleent een eigenaardig harsachtig smaakje aan het vlees. De jacht op Auerhoenders, die in veel delen van het broedgebied regelmatig plaats heeft, is er echter niet minder om.

Auerhennen hebben een prachtige schutkleur, waardoor ze één geheel vormen met de bosgrond waarop ze nestelen. Hoewel hennen afzonderlijk nestelen, kunnen er toch enkele nesten bij elkaar liggen in de buurt van de baltsplaats van de haan. Jonge Auerhoenders kunnen met drie weken korte stukjes wegfladderen, lang voor ze helemaal volgroeid zijn.

Fazant

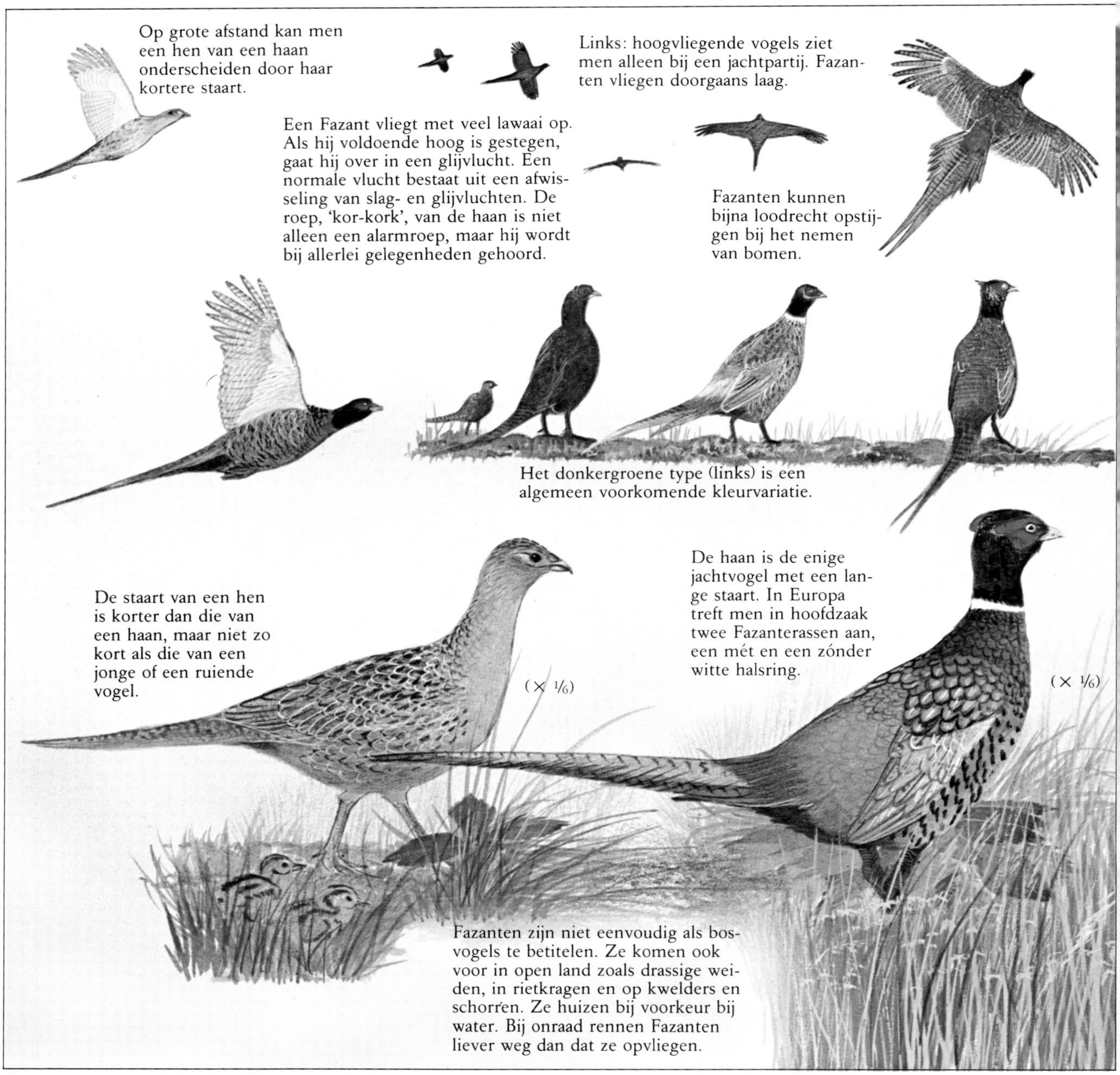

Op grote afstand kan men een hen van een haan onderscheiden door haar kortere staart.

Links: hoogvliegende vogels ziet men alleen bij een jachtpartij. Fazanten vliegen doorgaans laag.

Een Fazant vliegt met veel lawaai op. Als hij voldoende hoog is gestegen, gaat hij over in een glijvlucht. Een normale vlucht bestaat uit een afwisseling van slag- en glijvluchten. De roep, 'kor-kork', van de haan is niet alleen een alarmroep, maar hij wordt bij allerlei gelegenheden gehoord.

Fazanten kunnen bijna loodrecht opstijgen bij het nemen van bomen.

Het donkergroene type (links) is een algemeen voorkomende kleurvariatie.

De haan is de enige jachtvogel met een lange staart. In Europa treft men in hoofdzaak twee Fazanterassen aan, een mét en een zónder witte halsring.

De staart van een hen is korter dan die van een haan, maar niet zo kort als die van een jonge of een ruiende vogel.

(× 1/6)

(× 1/6)

Fazanten zijn niet eenvoudig als bosvogels te betitelen. Ze komen ook voor in open land zoals drassige weiden, in rietkragen en op kwelders en schorren. Ze huizen bij voorkeur bij water. Bij onraad rennen Fazanten liever weg dan dat ze opvliegen.

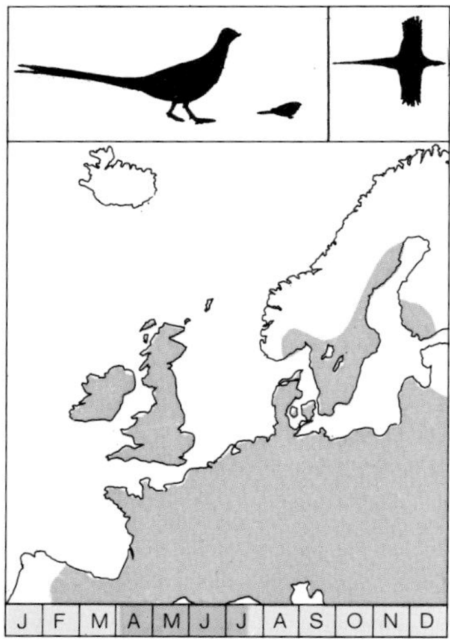

Fazanten die kraaiend en met snorrende vleugels van vlakbij opvliegen, jagen zelfs plattelanders de stuipen op het lijf. De vogels komen vlug op snelheid, net als de meeste andere jachtvogels, en ze kunnen steil omhoog stijgen om bomen of struiken in de vlucht te nemen. Ze hebben echter niet genoeg uithoudingsvermogen voor lange vluchten. Nu zijn sprinterspieren lekker om te eten, maar ook is een snel bewegend doelwit een sportieve uitdaging voor een jager. Dit maakt de Fazant tot jachtvogel bij uitstek. Oorspronkelijk kwam de Fazant niet als broedvogel in Europa voor; hij is vanuit Klein-Azië ingevoerd. In ons land zouden ze zijn ingevoerd aan het eind van de Romeinse heerschappij en in de twintigste eeuw zijn Fazanten overgebracht naar Noord-Amerika en Nieuw-Zeeland.
In de lente eten deze vogels graag malse, pas opgeschoten gras- en graansprietjes, maar 's zomers schakelen ze over op graankorrels en andere zaden, aangevuld met wat dierlijk voedsel. In de winter bestaat het menu in hoofdzaak uit bessen, eikels en beukenootjes.
Veel Fazanten worden door de mens gefokt om het natuurlijk bestand aan te vullen, maar in geschikte gebieden broeden ze ook in het wild. De nesten zijn niet veel meer dan kuiltjes, schaars bekleed met wat plantemateriaal en een paar veren. Men vindt ze tussen kreupelhout, onder struiken en aan bosranden. De jongen kunnen na twee weken al wat vliegen. Ze zijn volgroeid als ze 30 weken oud zijn.

Patrijs/Rode Patrijs

  J V 

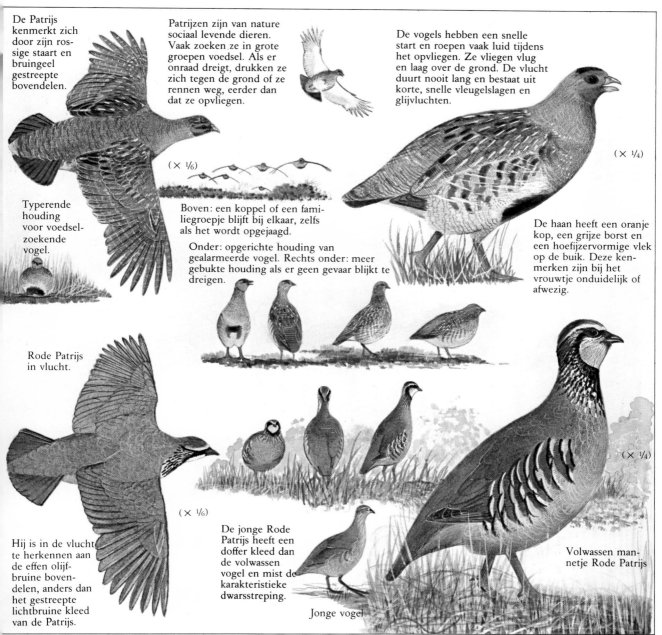

De Patrijs kenmerkt zich door zijn rossige staart en bruingeel gestreepte bovendelen.

Patrijzen zijn van nature sociaal levende dieren. Vaak zoeken ze in grote groepen voedsel. Als er onraad dreigt, drukken ze zich tegen de grond of ze rennen weg, eerder dan dat ze opvliegen.

De vogels hebben een snelle start en roepen vaak luid tijdens het opvliegen. Ze vliegen vlug en laag over de grond. De vlucht duurt nooit lang en bestaat uit korte, snelle vleugelslagen en glijvluchten.

(× 1/6)

(× 1/4)

Typerende houding voor voedselzoekende vogel.

Boven: een koppel of een familiegroepje blijft bij elkaar, zelfs als het wordt opgejaagd.

Onder: opgerichte houding van gealarmeerde vogel. Rechts onder: meer gebukte houding als er geen gevaar blijkt te dreigen.

De haan heeft een oranje kop, een grijze borst en een hoefijzervormige vlek op de buik. Deze kenmerken zijn bij het vrouwtje onduidelijk of afwezig.

Rode Patrijs in vlucht.

(× 1/4)

(× 1/6)

Hij is in de vlucht te herkennen aan de effen olijfbruine bovendelen, anders dan het gestreepte lichtbruine kleed van de Patrijs.

De jonge Rode Patrijs heeft een doffer kleed dan de volwassen vogel en mist de karakteristieke dwarsstreping.

Jonge vogel

Volwassen mannetje Rode Patrijs

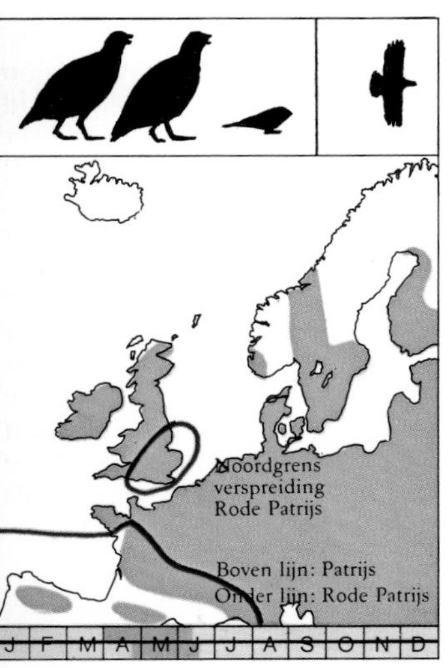

De meeste Patrijzen huizen op bouwland, maar ze komen ook voor op heidevelden en droge weilanden. Ze nestelen in heggen die stukken bouwland van elkaar scheiden. Met het verwijnen van steeds meer heggen neemt ook het aantal Patrijzen af. Maar zelfs daar waar de toestand ideaal is, schommelt de populatiedichtheid van Patrijzen aanzienlijk. Een koude, natte zomer houdt een hoog sterftecijfer van pas uitgekomen jongen in.

Rode Patrijzen hebben een ruimere terreinkeuze dan de Patrijs, maar ze komen gewoonlijk voor in meer open gebieden en ze hebben meer ruimte nodig. In verschillende gebieden, met name op de Britse Eilanden, zijn ze met succes uitgezet als jachtwild. Rode Patrijzen vliegen minder graag dan Patrijzen. Een familiegroepje of 'koppel' van deze vogels verspreidt zich bij onraad eerder in de begroeiing dan dat het opvliegt.

Beide soorten nestelen op de grond. Het nest ligt gewoonlijk goed verborgen onder een heg of een doornstruik. Rode Patrijzen hebben vaak twee aparte legsels – het ene wordt door de haan bebroed, het andere door de hen. Soms laten de vogels het eerste legsel ogenschijnlijk in de steek, maar na enige weken broeden ze weer verder. Deze gewoonte kan vreemde gevolgen hebben; zo leggen Fazanten of Patrijzen soms hun eieren bij die in het alleen gelaten nest. Patrijzen brengen slechts één legsel per jaar groot. Beide soorten hebben grote legsels van soms wel 20 eieren. De kuikens kunnen met drie weken al vliegen en ze zijn met zes weken volgroeid.

Koekoek

ZV

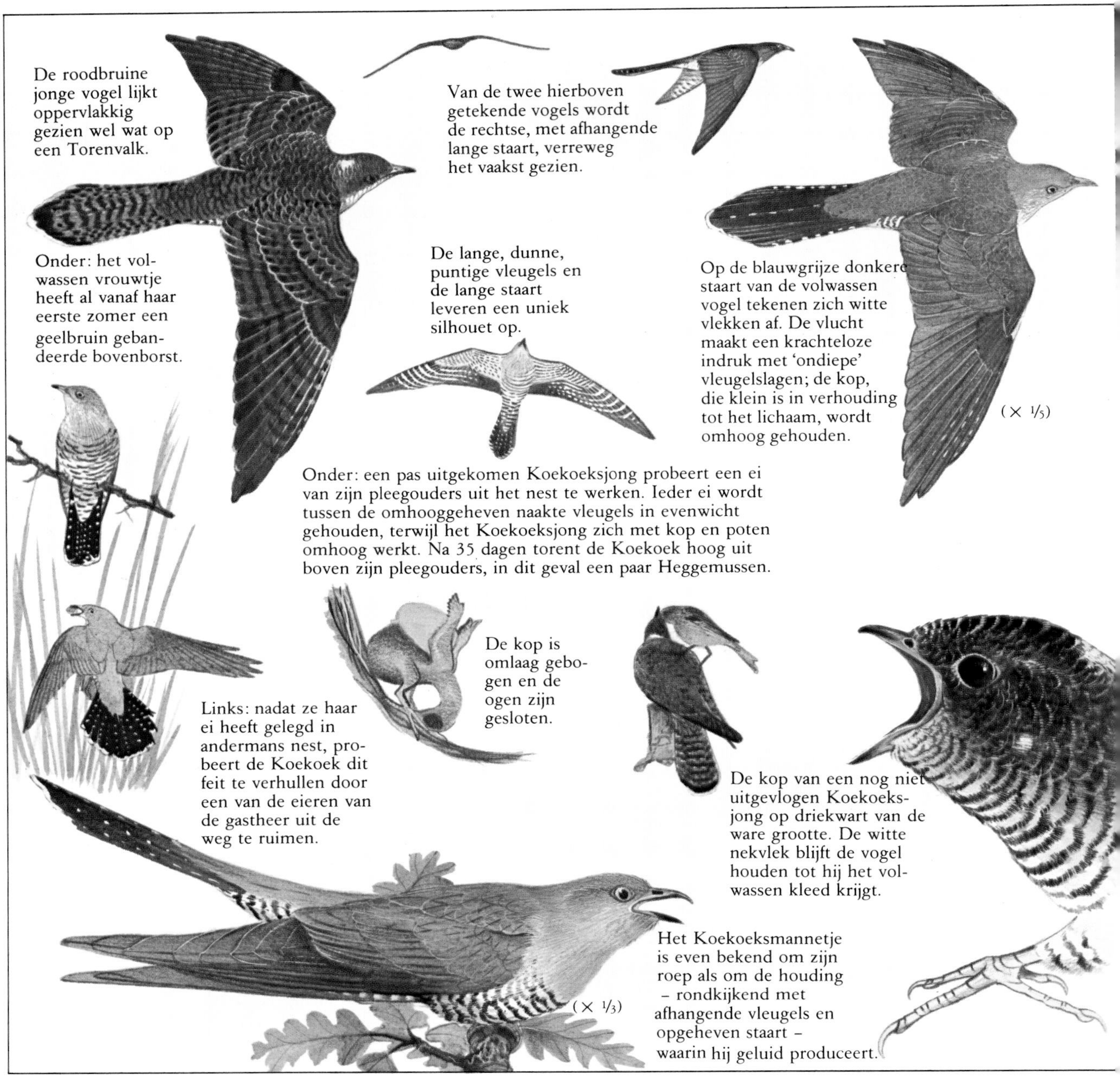

De roodbruine jonge vogel lijkt oppervlakkig gezien wel wat op een Torenvalk.

Van de twee hierboven getekende vogels wordt de rechtse, met afhangende lange staart, verreweg het vaakst gezien.

Onder: het volwassen vrouwtje heeft al vanaf haar eerste zomer een geelbruin gebandeerde bovenborst.

De lange, dunne, puntige vleugels en de lange staart leveren een uniek silhouet op.

Op de blauwgrijze donkere staart van de volwassen vogel tekenen zich witte vlekken af. De vlucht maakt een krachteloze indruk met 'ondiepe' vleugelslagen; de kop, die klein is in verhouding tot het lichaam, wordt omhoog gehouden.

(× ⅕)

Onder: een pas uitgekomen Koekoeksjong probeert een ei van zijn pleegouders uit het nest te werken. Ieder ei wordt tussen de omhooggeheven naakte vleugels in evenwicht gehouden, terwijl het Koekoeksjong zich met kop en poten omhoog werkt. Na 35 dagen torent de Koekoek hoog uit boven zijn pleegouders, in dit geval een paar Heggemussen.

De kop is omlaag gebogen en de ogen zijn gesloten.

Links: nadat ze haar ei heeft gelegd in andermans nest, probeert de Koekoek dit feit te verhullen door een van de eieren van de gastheer uit de weg te ruimen.

De kop van een nog niet uitgevlogen Koekoeksjong op driekwart van de ware grootte. De witte nekvlek blijft de vogel houden tot hij het volwassen kleed krijgt.

Het Koekoeksmannetje is even bekend om zijn roep als om de houding – rondkijkend met afhangende vleugels en opgeheven staart – waarin hij geluid produceert.

(× ⅓)

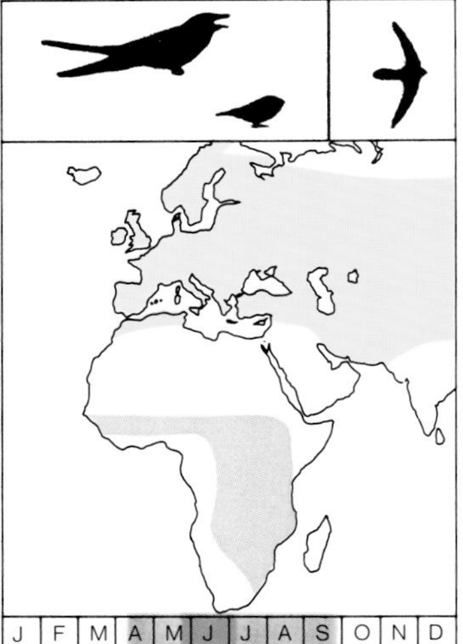

Niet iedereen hoort het geroep van de Koekoek in de lente even graag; zijn broedparasitisme wekt gemengde gevoelens. Een groot aantal soorten zijn slachtoffer van de Koekoek, maar het meest Heggemussen, Graspiepers en Kleine Karekieten. Een vrouwtje kiest altijd dezelfde soort pleegouders uit voor haar eieren en waarschijnlijk is dit de soort waardoor ze zelf is opgevoed. Haar eieren vertonen vaak een sterke gelijkenis met de eieren van de pleegouders. Hoewel Koekoekseieren groter zijn dan die van de meeste pleegouders, zijn ze opmerkelijk klein als men de grootte van de Koekoek in ogenschouw neemt.

Spoedig na zonsopgang gaat het vrouwtje op zoek naar een geschikt nest: ze kiest er een uit waarin het legsel nog niet compleet is en waarvan de eieren nog niet zijn bebroed. Ze blijft in de buurt op de loer zitten tot ze klaar is om te leggen, wat meestal vroeg in de namiddag van dezelfde dag het geval is. Dan probeert ze, bij voorkeur als de toekomstige pleegouders even weg zijn, zo onopvallend mogelijk op het nest neer te strijken, maar vaak wordt de Koekoek aangevallen door de woedende eigenaars van het nest.

Een Koekoeksei hoeft maar verbazend kort te worden bebroed, slechts 12½ dag, en het komt meestal uit als er in het nest van de pleegouders óf alleen nog eieren zitten, óf pas uitgekomen jongen. Het Koekoeksjong vliegt uit nadat de pleegouders drie weken als gekken hebben gewerkt om zijn vraatzucht te bevredigen.

Nachtzwaluw

   ZV

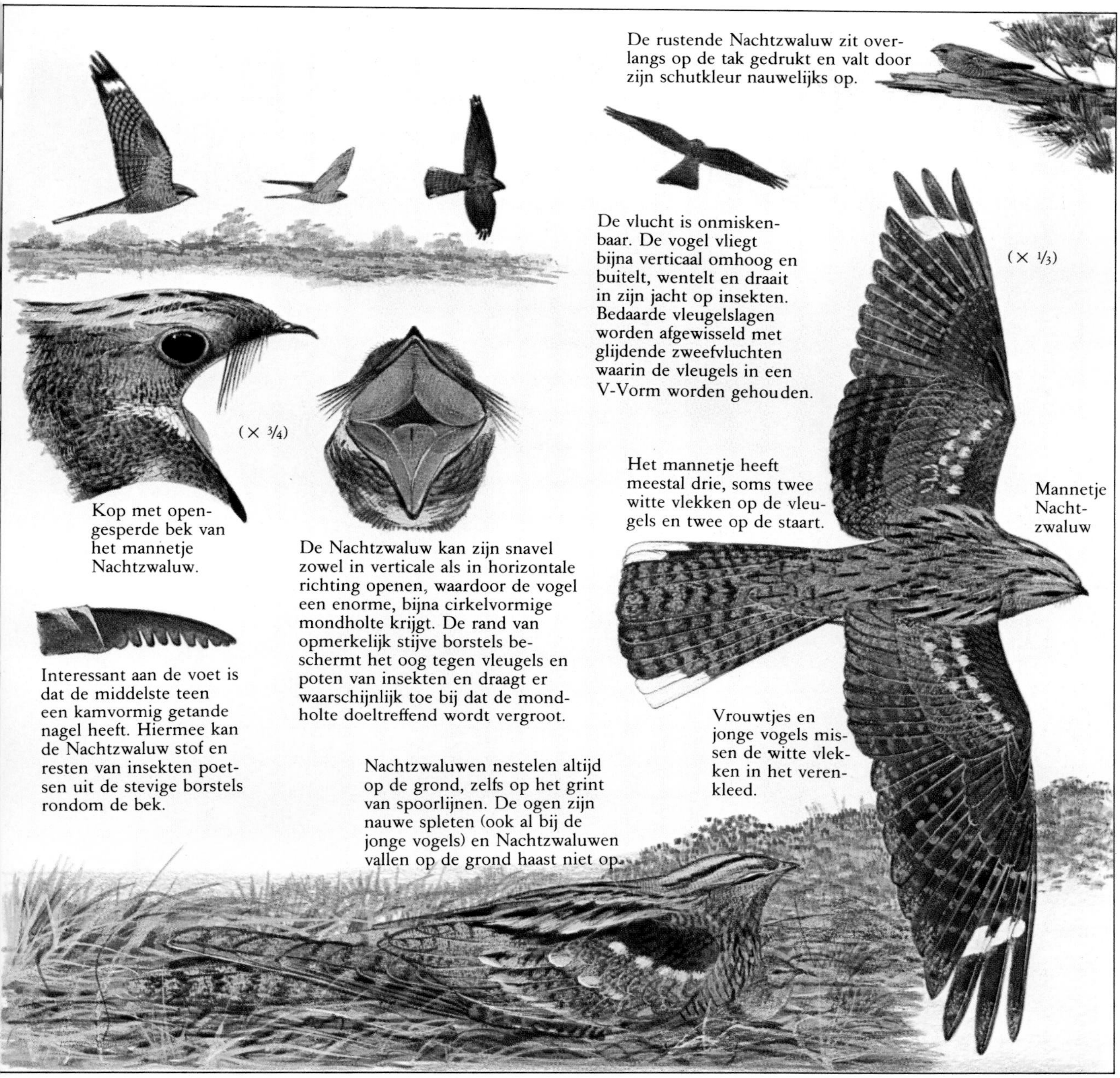

De rustende Nachtzwaluw zit overlangs op de tak gedrukt en valt door zijn schutkleur nauwelijks op.

De vlucht is onmiskenbaar. De vogel vliegt bijna verticaal omhoog en buitelt, wentelt en draait in zijn jacht op insekten. Bedaarde vleugelslagen worden afgewisseld met glijdende zweefvluchten waarin de vleugels in een V-Vorm worden gehouden.

(× ⅓)

(× ¾)

Kop met opengesperde bek van het mannetje Nachtzwaluw.

Het mannetje heeft meestal drie, soms twee witte vlekken op de vleugels en twee op de staart.

Mannetje Nachtzwaluw

De Nachtzwaluw kan zijn snavel zowel in verticale als in horizontale richting openen, waardoor de vogel een enorme, bijna cirkelvormige mondholte krijgt. De rand van opmerkelijk stijve borstels beschermt het oog tegen vleugels en poten van insekten en draagt er waarschijnlijk toe bij dat de mondholte doeltreffend wordt vergroot.

Interessant aan de voet is dat de middelste teen een kamvormig getande nagel heeft. Hiermee kan de Nachtzwaluw stof en resten van insekten poetsen uit de stevige borstels rondom de bek.

Vrouwtjes en jonge vogels missen de witte vlekken in het verenkleed.

Nachtzwaluwen nestelen altijd op de grond, zelfs op het grint van spoorlijnen. De ogen zijn nauwe spleten (ook al bij de jonge vogels) en Nachtzwaluwen vallen op de grond haast niet op.

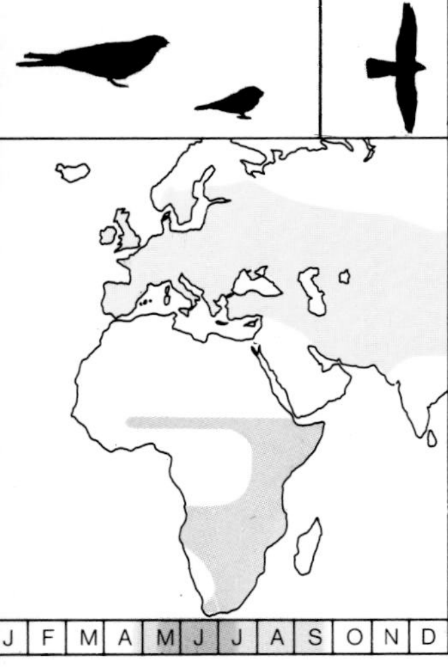

Insekten die in de nachtschemering rondzwermen, vormen een rijke voedselbron. Slechts één groep vogels, de Nachtzwaluwen, hebben deze niche bezet. Het zijn vreemde verschijningen met enorme bekken en een ingewikkeld getekend camouflagekleed. Slechts één soort Nachtzwaluw komt voor in bijna heel Europa. Het is een zomervogel van droge, open heidevelden, open plaatsen in het bos en van jonge bosaanplantingen.

In de schemering, de tijd waarop de vogels het meest actief zijn, verraden de mannetjes hun aanwezigheid door hun zang: een lang aangehouden, droog trillend geluid als van een werkende machine, dat geregeld van toon verandert. In het broedseizoen voeren beide geslachten in zweefvlucht een baltsspel uit en het mannetje klapt ook vaak met de vleugels. Er wordt geen nest gemaakt: de twee eieren worden tussen varens of hei op de kale grond gelegd. De broedduur bedraagt 18 dagen en het vrouwtje wordt nu en dan afgelost door het mannetje. Wordt een broedende vogel verrast, dan doet hij of hij vleugellam is. Beide ouders brengen voedsel aan voor de jongen, die na tweeeneenhalve week uitvliegen maar daarna nog vier weken bij de ouders blijven. Vaak worden twee legsels grootgebracht. Het mannetje alleen neemt de zorg over voor de jongen als zijn partner op het volgende legsel gaat broeden. In Nederland is de Nachtzwaluw een schaarse broedvogel, die de laatste jaren in aantal achteruitgaat.

Torenvalk

 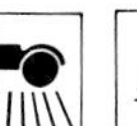   JV

Een 'schroevende' Torenvalk.

Soms lijkt de staart uitzonderlijk lang.

De staart van een bijna volwassen mannetje is al grijs, maar nog dwarsgestreept. De bovendelen lijken op die van een vrouwtje.

Onder: in zweefvlucht worden de vleugels iets naar voren gestrekt. Alleen bij de Torenvalk zien we zo'n duidelijke zwarte eindband op de staart.

(× 1/7)

Volwassen vrouwtje en jonge Torenvalken kan men gemakkelijk herkennen aan de opvallend dwarsgestreepte bovendelen en staart.

Onder: favoriete uitkijkplaatsen zijn bovengrondse elektriciteitsleidingen, van waaraf de Torenvalk de grond kan inspecteren.

Een Torenvalk herkent men het eerst aan zijn lange staart, die bij een volwassen mannetje (links) effen grijs is, met een zwarte eindband.

De karakteristieke stijgvlucht die voorafgaat aan het 'bidden'.

Torenvalken die in steden nestelen, treft men het meest waarschijnlijk aan in de buurt van hoge gebouwen.

(× 1/3)

Boven en links: beelden van een biddende Torenvalk. Van de roofvogels ziet men alleen Torenvalken 10 tot 100 m hoog boven de grond 'bidden', waarbij ze het terrein afzoeken naar prooidieren. Vaak spieden ze zo bermen en autowegen af. Tijdens het bidden verandert de hoek die de staart met de grond maakt steeds met de windsnelheid. Na een geslaagde stootvlucht wordt de prooi opgegeten op een plukplaats.

Volwassen mannetje. Torenvalken leveren wisselende jachtprestaties; soms zijn ze traag, maar dan weer vangen ze zulke snelle vogels als Spreeuwen.

Van dichtbij lijkt het gestreepte en gevlekte vrouwtje helemaal niet op het mannetje. Ze heeft wel hetzelfde profiel en ook een zwarte eindband op de staart.

Glijvlucht hoog in de lucht.

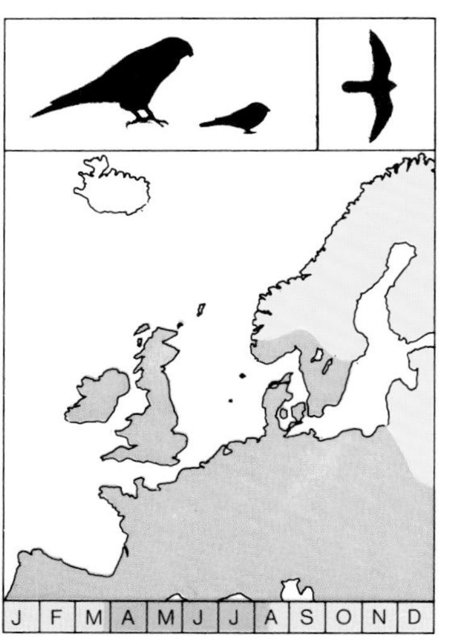

Van de dagroofvogels vormen de valkachtigen en de sperwerachtigen de grootste families. Valkachtigen onderscheiden zich van sperwerachtigen door enige kenmerken in de inwendige bouw, maar ook door een afwijkend uiterlijk en een verschillend gedrag. Valkachtigen maken niet zelf een nest, ze ruien de slagpennen in een andere volgorde dan sperwerachtigen en ze laten hun uitwerpselen gewoon onder de zitplaats vallen in plaats van ze weg te spuiten. De Torenvalk wijkt in al deze opzichten niet af van andere valkachtigen, maar de manier waarop hij voedsel zoekt tijdens de jacht is wel ongewoon. Het menu bestaat grotendeels uit kleine knaagdieren, afgewisseld met insekten, kikkers en wat vogeltjes. Als de vogel op prooi uit is, blijft hij boven open terrein 'bidden'.

Torenvalken maken gebruik van tal van verschillende nestplaatsen, zoals oude nesten van Kraaien en duiven en holten in dode bomen. Ze broeden tegenwoordig ook binnen de bebouwde kom, waar holen en spleten in gebouwen als nestplaats dienen en Huismussen tot het hoofdvoedsel behoren. Torenvalken maken graag gebruik van speciaal ontworpen nestkasten, die in Nederland met groot succes worden gebruikt. Het vrouwtje legt vier of vijf eieren, waarop ze ongeveer vier weken broedt, soms afgelost door het mannetje. Beide dragen voedsel aan voor de jongen, die als alle dagroofvogels eerst een donskleed en dan een jeugdkleed dragen. De jongen verlaten het nest na 28 tot 30 dagen.

Sperwer

Volwassen vrouwtje (× 1/5)

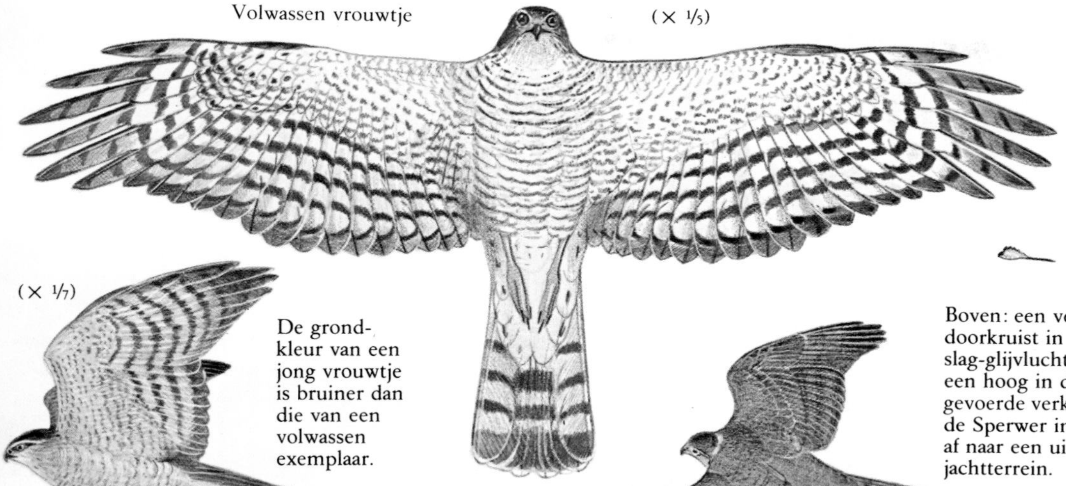

De Sperwer is alleen al aan zijn vliegbeeld te herkennen: brede afgeronde vleugels, een kleine kop en een recht afgesneden staart.

(× 1/7) De grondkleur van een jong vrouwtje is bruiner dan die van een volwassen exemplaar.

Boven: een veld wordt doorkruist in de typische slag-glijvlucht. Rechts: na een hoog in de lucht uitgevoerde verkenning daalt de Sperwer in duikvlucht af naar een uitverkoren jachtterrein.

(× 1/7) Het volwassen mannetje heeft roodbruine onderdelen en is veel kleiner dan een vrouwtje.

In het veld lijken de bovendelen van het mannetje verbazingwekkend blauw.

Sperwer die op een hoogte van ongeveer 15 m komt aanvliegen. Als de vogel niet zweeft, sluit hij de handpennen en buigt de vleugels met een hoek naar achteren, waardoor hij er minder karakteristiek uitziet.

(× 1/3)

Een laagvliegende Sperwer is zo goed als zeker op jacht.

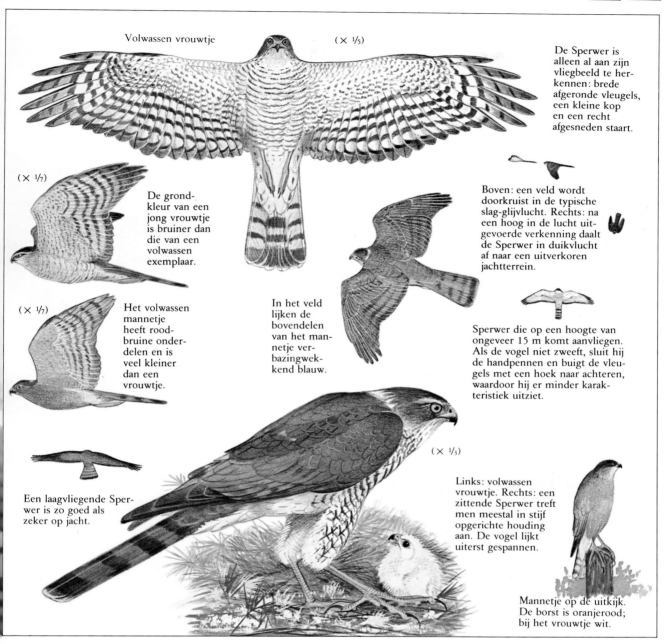

Links: volwassen vrouwtje. Rechts: een zittende Sperwer treft men meestal in stijf opgerichte houding aan. De vogel lijkt uiterst gespannen.

Mannetje op de uitkijk. De borst is oranjerood; bij het vrouwtje wit.

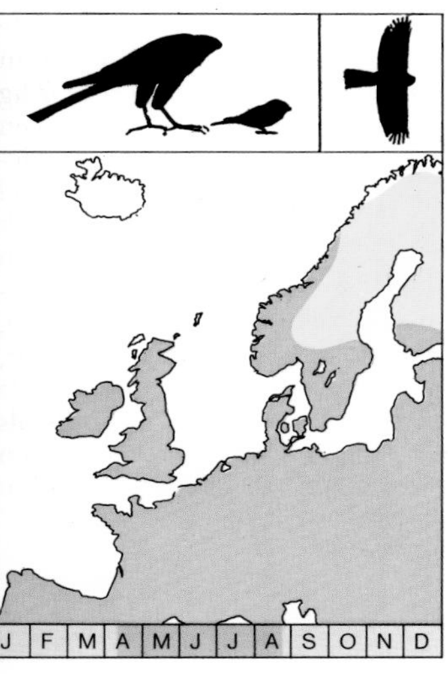

De Sperwer is de predator bij uitstek van kleine bosvogeltjes. Hij verrast zijn prooi door laag en snel langs bosranden en over heggen heen te schieten. Hardnekkig achtervolgen Sperwers hun prooi, die ze soms nog nazitten tussen gebouwen, waarbij ze zich wel eens tegen ramen te pletter vliegen. Een in Nederland uitgevoerd onderzoek wees uit dat het mannetje vooral mussen, Vinken en mezen vangt, terwijl het groter vrouwtje meer lijsters en Spreeuwen buitmaakt. De prooi wordt vaak op de grond gekropt (opgegeten), op een vaste plukplaats. Dat is soms een oud nest of een speciaal gebouwd plukplatform. Hoog in de lucht uitgevoerde baltsvluchten kunnen de broedplaats verraden, maar nestelende Sperwers krijgt men nauwelijks te zien. Het nest (de horst) bestaat uit een platte hoop berke- of larikstakken op een boomtak, dicht bij de stam, meestal 9 m of nog hoger boven de grond en kleine plukjes dons versieren de nestkom. Het vrouwtje legt drie tot zes eieren. Ze onderbreekt het broeden alleen even om voedsel op te eten dat door het mannetje wordt gebracht.

Het geboortecijfer was doorgaans hoog, maar het is in de afgelopen tien, twintig jaar lager geworden. Het gebruik van insekticiden in de land- en tuinbouw ging hand in hand met het voorkomen van eieren met dunne, breekbare schalen en het sterven van embryo's tijdens hun ontwikkeling. Ook veroorzaakte het gebruik van deze stoffen een sterfte onder volwassen vogels. De soort begint zich te herstellen.

Boomvalk

In zweefvlucht houdt de Boomvalk de vleugels niet naar voren, zoals een Torenvalk, maar meer achterwaarts uitgeslagen. Een jonge vogel is donkerder van kleur dan een volwassen vogel en heeft geen roodbruine broek en onderstaart.

(× 1/6)

Boomvalken zijn vlug als kwikzilver. Het ene moment vliegen ze boven je hoofd, het volgende moment zijn het al ver verwijderde stippen. Van verre lijkt het vliegbeeld op dat van een Gierzwaluw. Trekkende Boomvalken vliegen op voor valken kenmerkende wijze: met reeksen vlugge vleugelslagen, afgewisseld met glijpauzes.

Een insekt wordt met de poten gepakt en vervolgens naar de snavel gebracht.

Huiszwaluwen achtervolgend.

De Boomvalk lijkt met soepele, als vanzelf slaande vleugels nog gemakkelijker te vliegen dan een Torenvalk.

De Boomvalk kan onvoorstelbaar sierlijk wenden en draaien in zijn jacht op insekten, maar daarbij kan hij nog in pijlsnelle vaart vliegende vogels vangen zonder zijn vlucht te onderbreken.

Aan de zwart met witte tekening van de kop, die zelfs op honderden meters afstand nog is te zien, is de Boomvalk met zekerheid te identificeren. De zwarte baardstreep en de witte zijhals zijn opvallende kenmerken.

(× 1/3)

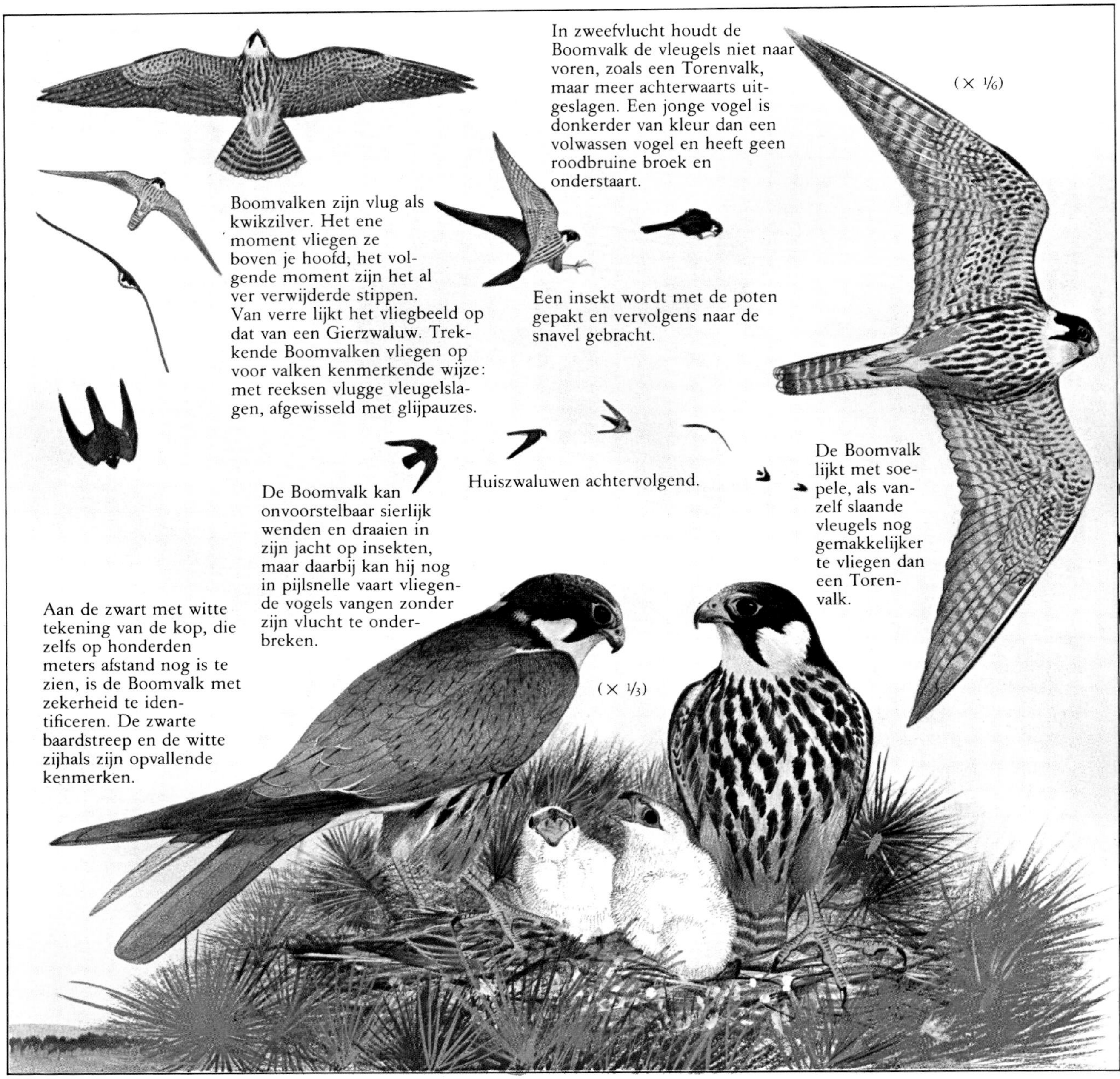

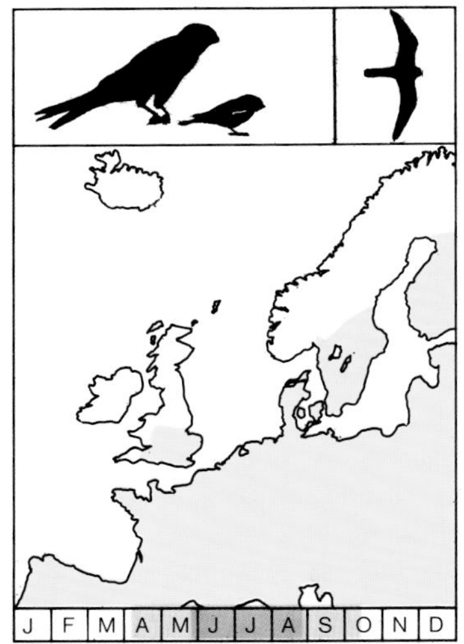

Boomvalken zijn mooie vogels en meesters in het luchtruim. Het aantal Boomvalken is afgenomen, maar de achteruitgang is niet zo opvallend als bij veel andere roofvogels. Op de Britse Eilanden is er zelfs sprake van een aarzelend herstel.
Boomvalken broeden later in het seizoen dan veel andere roofvogels. De jongen komen uit het ei net in de periode dat er sprake is van de grootste hoeveelheden rondzwermende insekten, een belangrijk bestanddeel van hun menu. Volwassen Boomvalken leven merendeels van vogeltjes die ze in de vlucht vangen. Zelfs Gierzwaluwen en Boerenzwaluwen, die bekend staan om hun snelle vlucht, zijn niet veilig voor hen. Tot de insekten die de Boomvalk vangt, behoren ook libellen, wat eens te meer duidt op een formidabele vliegkunst. Het typerende habitat bestaat uit heidevelden, grazige heuvels en ander open terrein met hier en daar verspreid staande boomgroepjes.
De balts heeft vroeg in het broedseizoen plaats. Hiertoe behoren zeer toepasselijke spectaculaire showvluchten, waarin de ene vogel schijnbaar op de andere stoot of waarin het mannetje in volle vlucht een prooi overgeeft aan het vrouwtje. Het legsel bestaat uit drie eieren en het bevindt zich in een oud nest van een Kraai of, wat minder vaak voorkomt, van een Ekster of een Houtduif. Nesten die al eerder in het jaar zijn gebruikt, blijken de voorkeur te genieten boven oude nesten van voorafgaande jaren. In Nederland is de Boomvalk een schaarse broedvogel.

Blauwe/Grauwe Kiekendief

ZV

(× 1/14)

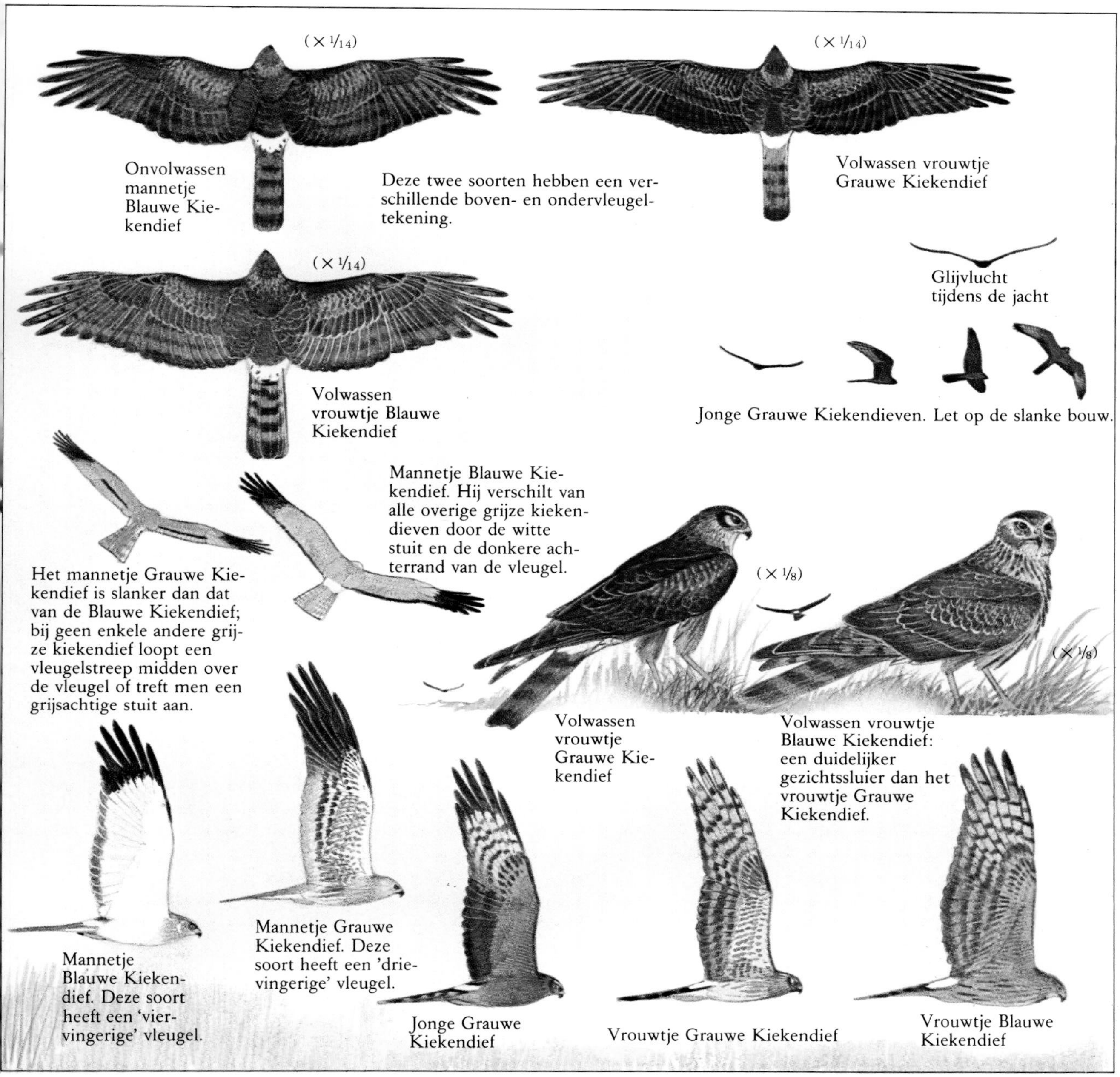

Onvolwassen mannetje Blauwe Kiekendief

Deze twee soorten hebben een verschillende boven- en ondervleugeltekening.

(× 1/14)

Volwassen vrouwtje Grauwe Kiekendief

(× 1/14)

Volwassen vrouwtje Blauwe Kiekendief

Glijvlucht tijdens de jacht

Jonge Grauwe Kiekendieven. Let op de slanke bouw.

Mannetje Blauwe Kiekendief. Hij verschilt van alle overige grijze kiekendieven door de witte stuit en de donkere achterrand van de vleugel.

Het mannetje Grauwe Kiekendief is slanker dan dat van de Blauwe Kiekendief; bij geen enkele andere grijze kiekendief loopt een vleugelstreep midden over de vleugel of treft men een grijsachtige stuit aan.

(× 1/8)

(× 1/8)

Volwassen vrouwtje Grauwe Kiekendief

Volwassen vrouwtje Blauwe Kiekendief: een duidelijker gezichtssluier dan het vrouwtje Grauwe Kiekendief.

Mannetje Blauwe Kiekendief. Deze soort heeft een 'viervingerige' vleugel.

Mannetje Grauwe Kiekendief. Deze soort heeft een 'drievingerige' vleugel.

Jonge Grauwe Kiekendief

Vrouwtje Grauwe Kiekendief

Vrouwtje Blauwe Kiekendief

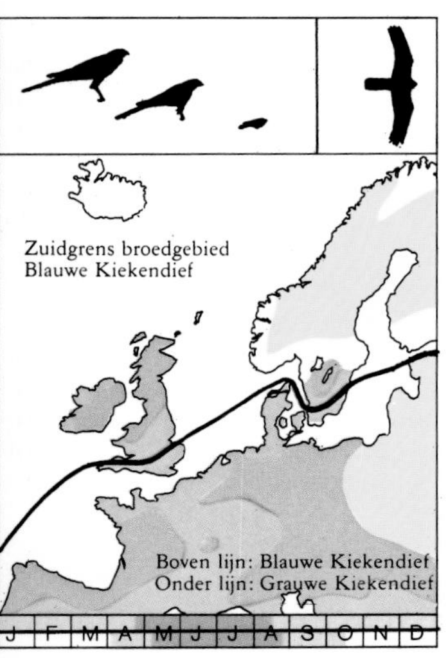

Westeuropese populaties van de Blauwe Kiekendief trekken niet verder naar het zuiden dan Noord-Afrika en veel vogels overwinteren nog in Europa. Het terrein waarin de Blauwe Kiekendief nestelt, bestaat uit woeste gronden, maar ook wel uit moerasland, heide en zelfs korenvelden. De Grauwe Kiekendief heeft een minder wijd verspreid broedgebied, maar deze vogel overwintert in Afrika ten zuiden van de Sahara. Moerassige streken, heide, woeste terreinen en vooral een jonge aanplant van coniferen leveren geschikte broedplaatsen. Beide soorten doorzoeken een gunstig voedselgebied meerdere dagen achter elkaar. Het voedsel bestaat uit kleine zoogdieren, reptielen en vogels, die gewoonlijk op de grond worden verrast. Blauwe Kiekendieven, die bijna de helft van de dag in de lucht doorbrengen, achtervolgen soms vogels in de vlucht. Ook komt het voor dat ze aangeschoten jachtvogels grijpen. De Grauwe Kiekendief heeft een speciale voorliefde voor adders. Beide soorten, met name de Grauwe Kiekendief, roesten op de grond in groepjes die soms een flink aantal vogels tellen.

De ligging van de broedplaatsen wordt in de lente verraden door de baltsvluchten van de mannetjes. De vogels klimmen naar grote hoogte en maken duikvluchten. Vooral de baltsvlucht van de Blauwe Kiekendief is een lust voor het oog. Blauwe en Grauwe Kiekendieven bouwen dezelfde nesten. Uit plantemateriaal van allerlei dikte maken ze schotelvormige kussentjes op de grond.

Buizerd

(× 1/14) Mannetje

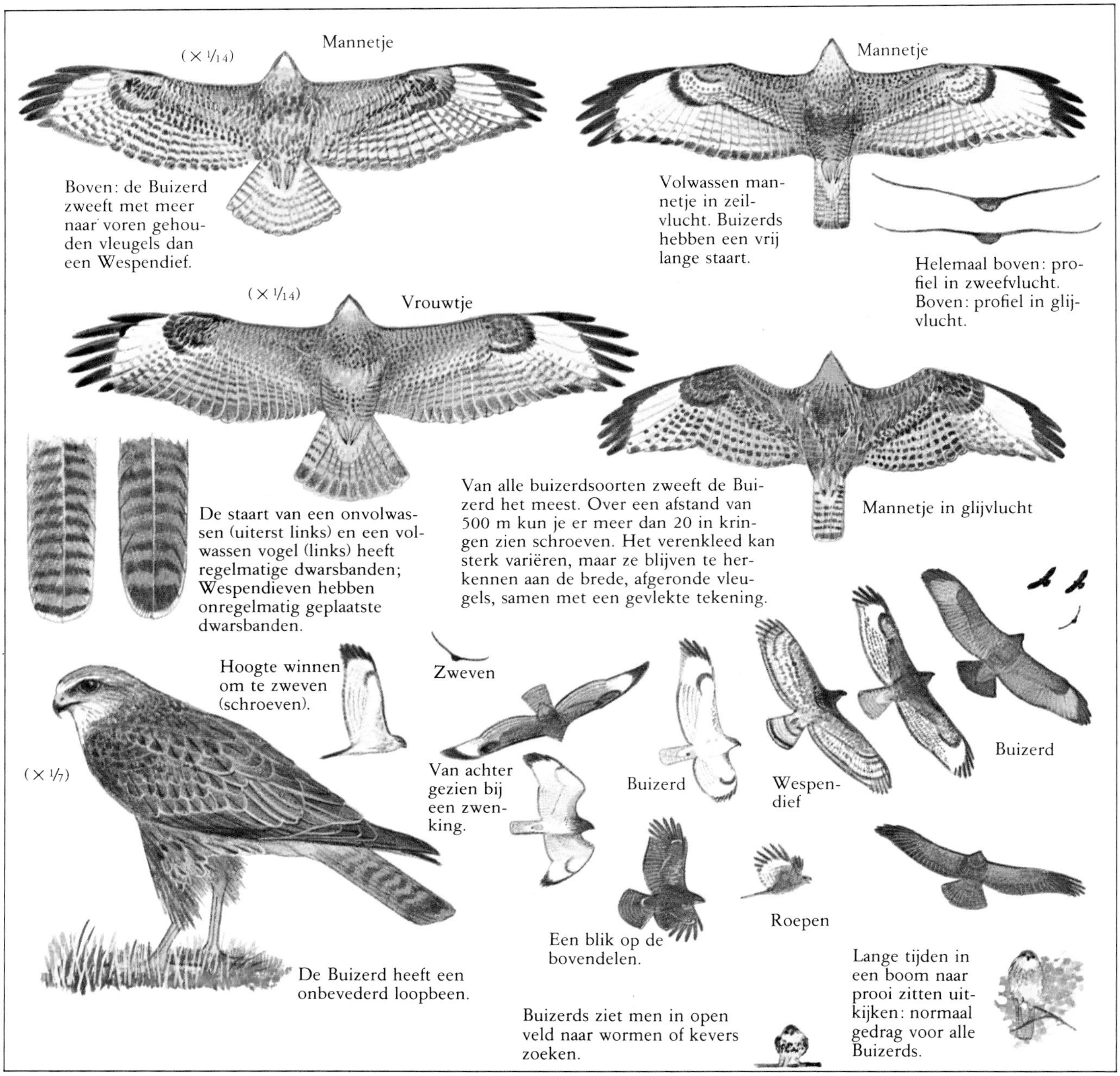

Boven: de Buizerd zweeft met meer naar voren gehouden vleugels dan een Wespendief.

Mannetje

Volwassen mannetje in zeilvlucht. Buizerds hebben een vrij lange staart.

Helemaal boven: profiel in zweefvlucht. Boven: profiel in glijvlucht.

(× 1/14) Vrouwtje

Mannetje in glijvlucht

De staart van een onvolwassen (uiterst links) en een volwassen vogel (links) heeft regelmatige dwarsbanden; Wespendieven hebben onregelmatig geplaatste dwarsbanden.

Van alle buizerdsoorten zweeft de Buizerd het meest. Over een afstand van 500 m kun je er meer dan 20 in kringen zien schroeven. Het verenkleed kan sterk variëren, maar ze blijven te herkennen aan de brede, afgeronde vleugels, samen met een gevlekte tekening.

(× 1/7)

Hoogte winnen om te zweven (schroeven).

Zweven

Van achter gezien bij een zwenking.

Buizerd

Wespendief

Buizerd

Roepen

Een blik op de bovendelen.

De Buizerd heeft een onbevederd loopbeen.

Buizerds ziet men in open veld naar wormen of kevers zoeken.

Lange tijden in een boom naar prooi zitten uitkijken: normaal gedrag voor alle Buizerds.

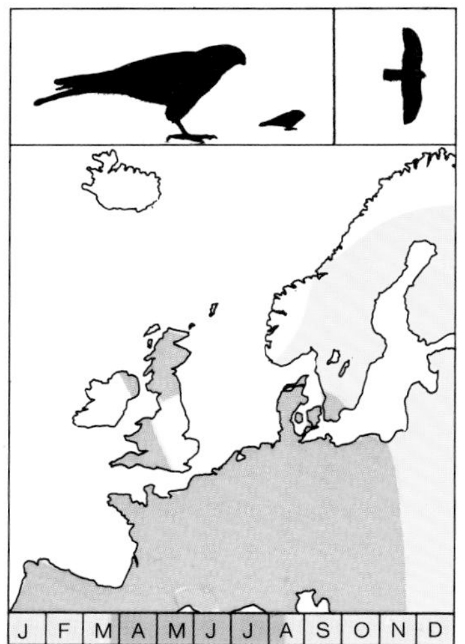

Ook de Buizerd heeft sterk te lijden aan de vervolging door jachtopzichters. Maar waar de vervolging afneemt, zoals in delen van Groot-Brittannië en Nederland, herstelt de Buizerd zich snel. In veel gebieden vormen konijnen de hoofdmaaltijd en toen het aantal konijnen door myxomatose afnam, had dit tot gevolg dat in sommige populaties van de Buizerd aanzienlijk minder jongen konden worden grootgebracht. De rest van het menu bestaat uit andere kleine zoogdiersoorten, op de grond levende vogels en reptielen. Waar de Buizerd overvloedig prooi kan vinden, zoals op sommige eilandjes bij Wales, bedraagt het oppervlak van het jachtterritorium van een paartje soms niet meer dan 50 ha. Het normale jachtgebied is ongeveer 200 ha groot.

Buizerds vertonen een sterke voorkeur voor parklandschappen. De horst van stokjes, hei, zeewier, vaak wat botten en twijgjes met groen gebladerte, bevindt zich in een boom of op een rotsrichel, tussen de 5 en 20 meter van de grond. Het legsel bestaat uit twee of drie eieren en het broeden, door vrouwtje én mannetje, duurt 33 tot 35 dagen; na 40 tot 45 dagen zitten de jongen in de veren. Als ze het nest verlaten, blijven jonge Buizerds nabij het broedgebied. Waarschijnlijk broeden ze voor het eerst in hun tweede zomer, maar voor die tijd is driekwart al dood, gewoonlijk geschoten. Buizerds kunnen echter oud worden. Zo werd een vogel in Duitsland bijna 24 jaar.

Wespendief

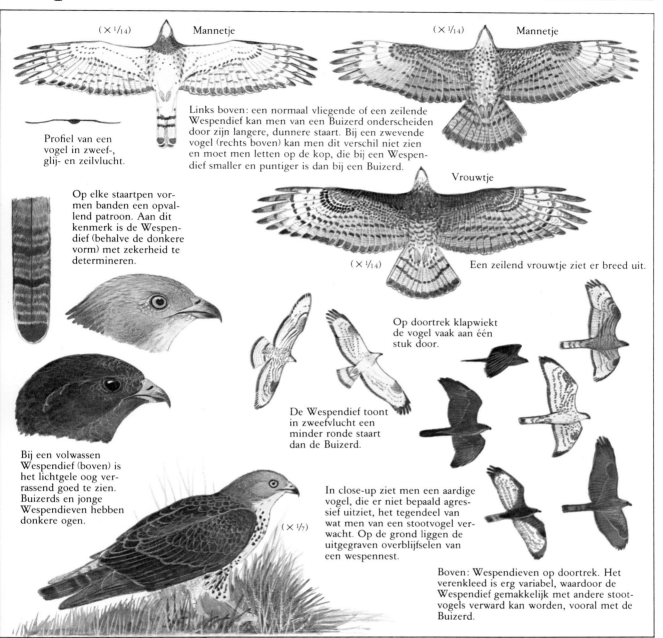

(× 1/14) Mannetje

(× 1/14) Mannetje

Links boven: een normaal vliegende of een zeilende Wespendief kan men van een Buizerd onderscheiden door zijn langere, dunnere staart. Bij een zwevende vogel (rechts boven) kan men dit verschil niet zien en moet men letten op de kop, die bij een Wespendief smaller en puntiger is dan bij een Buizerd.

Profiel van een vogel in zweef-, glij- en zeilvlucht.

Vrouwtje

Op elke staartpen vormen banden een opvallend patroon. Aan dit kenmerk is de Wespendief (behalve de donkere vorm) met zekerheid te determineren.

(× 1/14) Een zeilend vrouwtje ziet er breed uit.

Op doortrek klapwiekt de vogel vaak aan één stuk door.

De Wespendief toont in zweefvlucht een minder ronde staart dan de Buizerd.

Bij een volwassen Wespendief (boven) is het lichtgele oog verrassend goed te zien. Buizerds en jonge Wespendieven hebben donkere ogen.

(× 1/7)

In close-up ziet men een aardige vogel, die er niet bepaald agressief uitziet, het tegendeel van wat men van een stootvogel verwacht. Op de grond liggen de uitgegraven overblijfselen van een wespennest.

Boven: Wespendieven op doortrek. Het verenkleed is erg variabel, waardoor de Wespendief gemakkelijk met andere stootvogels verward kan worden, vooral met de Buizerd.

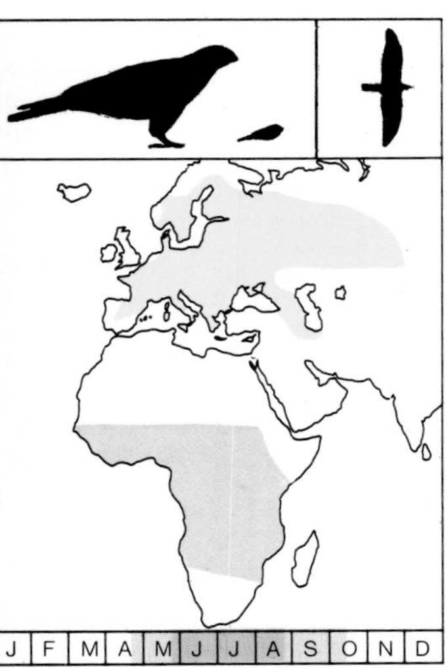

Hoewel bijen en wespen en hun larven vreemd voedsel lijken voor een stootvogel, vormen ze toch de hoofdmaaltijd van de Wespendief. Deze vogel vangt ook kleine zoogdieren en reptielen. Het voedselterritorium van een paartje Wespendieven beslaat ongeveer 10 km^2. Wespendieven vertonen voorkeur voor loofbos, speciaal beukenbos met open plekken. De Wespendieven bijten eerst de angels af voor ze wespen en bijen opeten, maar de voorkeur van deze vogels gaat toch uit naar de larven en poppen van genoemde insekten. De vogels graven met de klauwen de nesten in de grond uit en wespennesten aan gebouwen rukken ze in de vlucht af.

Wespendieven bouwen tamelijk kleine horsten voor vogels van hun formaat en ze gebruiken vaak de oude nesten van Kraaien of Buizerds als fundering. Groene beuketakjes worden rijkelijk verwerkt in de wanden en bekleding van het nest. Het vrouwtje legt één tot drie eieren waarop 30 tot 35 dagen lang wordt gebroed. De jongen verlaten het nest na 40 tot 44 dagen. De ouders zorgen samen voor het uitbroeden en het voeren. Ze nemen honingraten en wespennesten mee in hun krop. Deze worden in het nest uitgebraakt en de ouders zoeken de larven voor de jongen eruit. Als de jongen wat ouder zijn, krijgen ze ook kleine gewervelde diertjes. In Nederland is de Wespendief een zeer schaarse broedvogel van de oostelijke en zuidelijke provincies. Tijdens de trek vormen Wespendieven soms vluchten die uit een aanzienlijk aantal vogels bestaan.

Visarend

Boven: de karakteristieke knik van de vleugels.

Het 'bidden'. Als de vogel geen vis bespeurt, vliegt hij verder.

Met neergebogen kop spiedt de vogel naar vis. Een jagende Visarend kenmerkt zich door een trage, doelgerichte vlucht op een hoogte van ongeveer 10 m.

Voor een stootduin in het water staat de vogel te bidden met log afhangende poten.

In zweefvlucht, met uitgewaaierde staartveren, worden de vleugels op de afgebeelde wijze gehouden.

Een Visarend kan een rechtstreekse stootduik maken, maar bij een bewegend doelwit zal hij zich steeds aanpassen en van richting veranderen.

De witte kop en onderdelen spelen een beslissende rol bij de determinatie.

(× 1/10)

In een glijvlucht zijn de vleugels sterk 'geknikt'.

De vogel stijgt ongeveer 15 m hoog alvorens zich krampachtig droog te schudden.

Alvorens onder te duiken, steekt de vogel zijn klauwen vooruit. De duik kan in een laat stadium nog worden afgebroken.

(× 1/7)

Een vis wordt aan de kop meegenomen.

In sommige gevallen gaat de vogel helemaal kopje onder, maar hij verheft zich bijna onmiddellijk weer in de lucht omdat zijn verenkleed niet wat men noemt 'waterproof' is. Niet elke duik wordt met succes bekroond.

Bij een jonge vogel zijn alle veren van de bovendelen geelbruin gerand. De onderzijde is net als bij volwassen vogels overwegend wit.

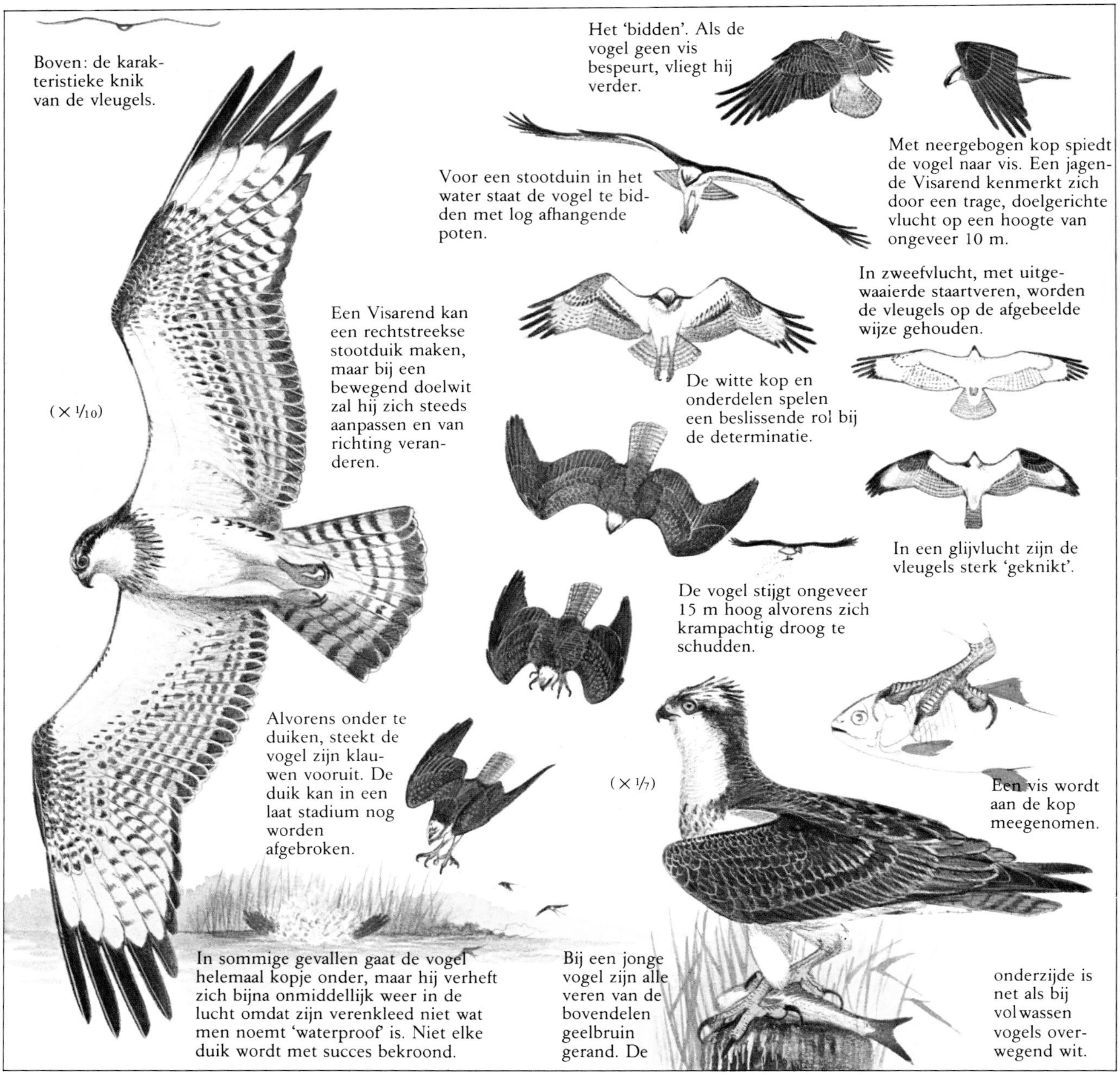

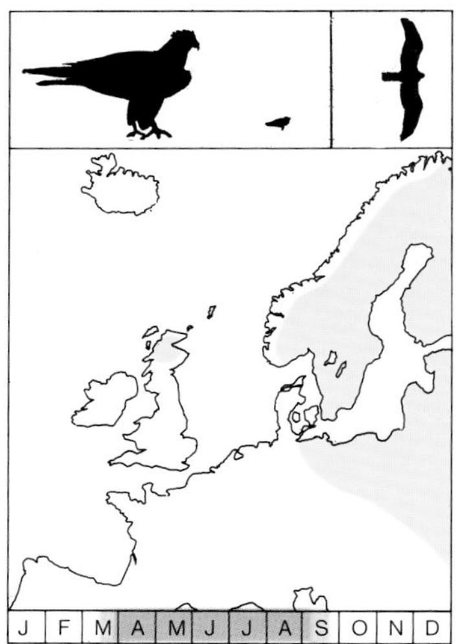

Verschillende stootvogels zijn viseters geworden en van hen is de Visarend de best geslaagde en bekwaamste jager. Op visjacht cirkelt de vogel 20 tot 30 m hoog boven het water. Als hij een prooi ontdekt, 'bidt' hij even en stootduikt dan met de voeten vooruit naar beneden. De vogels vangen regelmatig vissen van ongeveer 2 kg.
De Visarend heeft een zeer groot verspreidingsgebied en komt voor in alle continenten, behalve Antarctica. Jammer genoeg zijn de Europese en Noordamerikaanse populaties ernstig in aantal achteruitgegaan, wat te wijten is aan de sterke vervolging en de laatste tijd ook aan de vervuiling van de waterwegen door de lozing van giftige chemicaliën. Doordat de Visarend onder strenge bescherming is gesteld, is zijn aantal in sommige gebieden, met name op de Britse Eilanden, weer gestegen, maar zelfs deze vogels lopen nog wel het gevaar te worden neergeschoten tijdens hun trek naar Oost-Afrika.
Voorbeelden van typische nestplaatsen vindt men in pijnbomen en sparren met hoogzittende dode takken. De horst, die bestaat uit takken, hei en gras, wordt elk jaar dat hij weer wordt gebruikt, groter. Het vrouwtje legt gewoonlijk drie eieren, die ze in 35 dagen uitbroedt. Overdag neemt het mannetje de broedtaak wel eens over. Het vrouwtje blijft bij de jongen en het mannetje zorgt dat het gezin te eten krijgt, waartoe hij vier à vijf vissen per dag moet vangen. In Nederland is de Visarend een doortrekker in zeer klein aantal in voor- en najaar.

Zwarte Wouw/Rode Wouw

Een wouw is te herkennen aan de geknikte vleugels en de diep gevorkte staart.

(× 1/14)

Een volwassen Zwarte Wouw (beneden) heeft een donkerbruine kleur. Jonge vogels hebben witachtige vlekken op de ondervleugel, waardoor ze aan een volwassen Rode Wouw doen denken. De staart van een Zwarte Wouw is minder diep gevorkt dan die van een Rode Wouw.

Een volwassen Rode Wouw (boven) heeft een grijsachtige kop, die bij oude vogels heel licht wordt. Onvolwassen vogels zijn minder roodbruin en hebben een minder diep gevorkte staart. Bij geen van beide soorten bestaat een noemenswaardig verschil tussen beide geslachten.

(× 1/14)

De Rode Wouw (boven) houdt in glijvlucht de vleugels praktisch horizontaal.

Onder: typische vliegbeelden van de Zwarte Wouw; de onregelmatige slagvlucht wordt afgewisseld met zeilvluchten.

Van voren gezien zijn de vleugels van een wouw in glijvlucht licht 'geknikt'. De Zwarte Wouw jaagt vaak boven meren en rivieren.

Boven: bij een Rode Wouw in zweefvlucht ziet men van onder af haast niets meer van de gevorkte staart. Links: duidelijk vallen de witte vleugelvlekken op.

Een vliegende Zwarte Wouw (rechts) stijgt en daalt en verandert voortdurend van richting, waarbij zijn staart heel duidelijk draait.

Boven: typische vliegbeelden van de Zwarte Wouw.

Zwarte Wouw

Rode Wouw

De Zwarte Wouw is veel donkerder dan de Rode Wouw en zit meer rechtop.

De jonge Zwarte Wouw (rechts) heeft duidelijk lichter gekleurde vleugelvlekken dan de volwassen vogel.

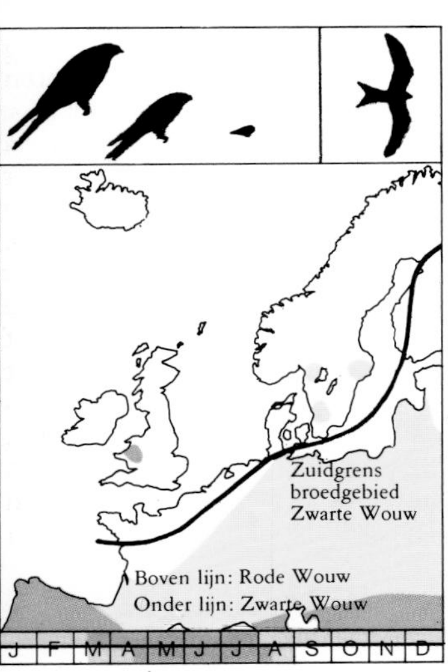

De Zwarte en de Rode Wouw zijn nauw verwant, maar verschillend van aard. Hoewel de vrijpostige Zwarte Wouwen in verschillende delen van Europa in aantal zijn verminderd, behoren ze in het algemeen nog tot de meest voorkomende soorten en ze zijn op sommige plaatsen zelfs talrijker geworden. Rode Wouwen zijn eenzelviger en schuwer. In de afgelopen twee eeuwen zijn ze sterk in aantal achteruitgegaan en ze komen als broedvogel niet meer voor in Denemarken, Noorwegen en Oostenrijk. In verschillende andere landen treffen we slechts een schaduw aan van het vroegere bestand. In Nederland zijn Rode en Zwarte Wouwen doortrekkers in zeer klein aantal in het zomerhalfjaar.

Zwarte Wouwen leven van kleine gewervelde dieren en grote insekten en dit menu vullen ze aan met aas en eetbaar afval. Aan dit laatste bestaat in verstedelijkte gebieden geen gebrek, zeker niet daar waar men te kampen heeft met een afvalprobleem. Rode Wouwen deden in vroeger eeuwen in Londen dienst als vuilnisman en ze doen dit nog op de Kaap Verdische Eilanden, maar ze zijn nooit speciaal afvaleters geworden. Ze komen nu in hoofdzaak voor daar waar loofwouden aan open terrein grenzen. Beide soorten wouwen nestelen in bomen, waarin ze grote bouwsels maken van takken en klei. De horst van de Rode Wouw is tamelijk afgeplat en bekleed met gras of wol. De horst van de Zwarte Wouw is dieper en in de bekleding treft men gewoonlijk vodden aan.

Steenarend

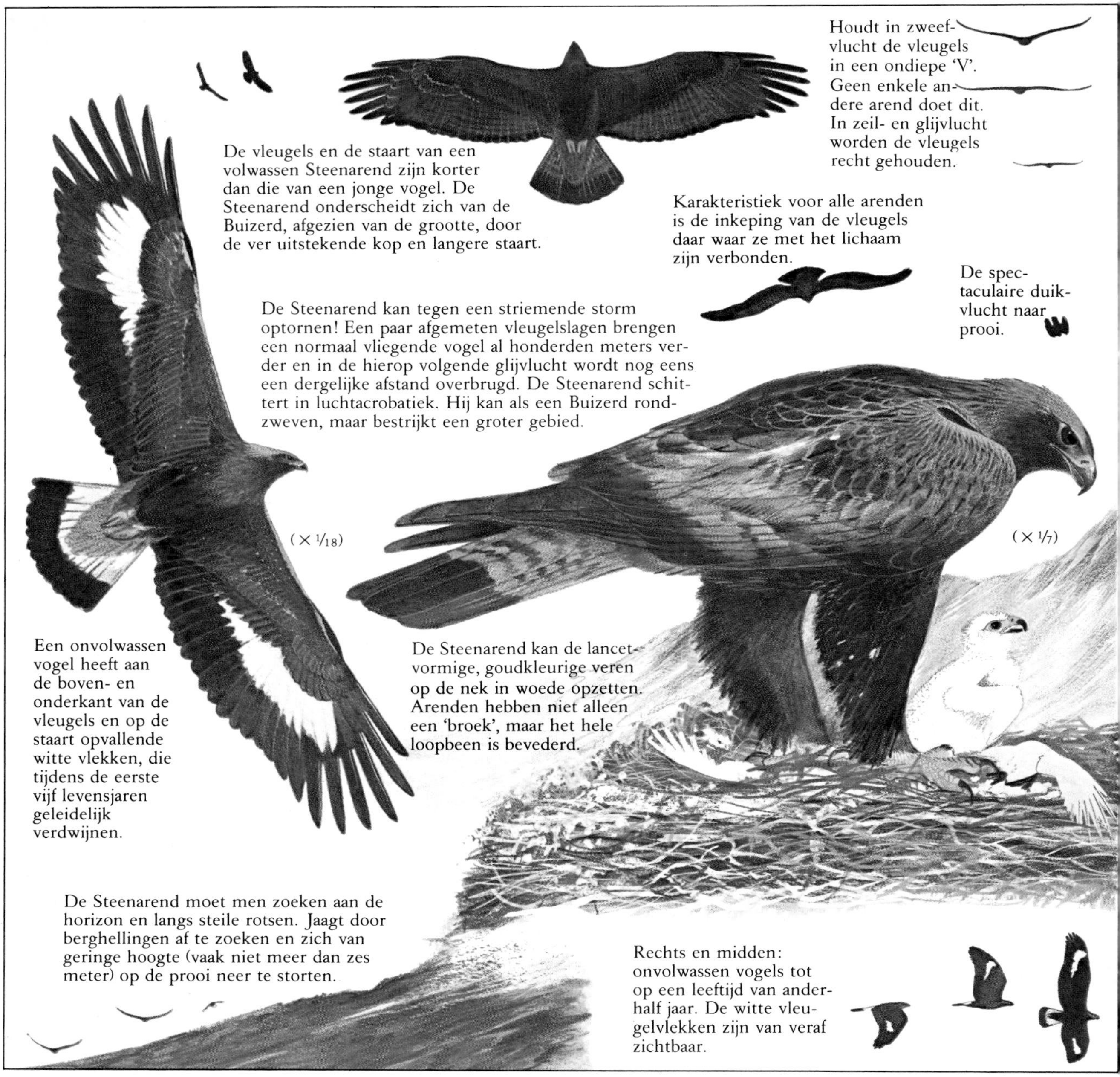

De vleugels en de staart van een volwassen Steenarend zijn korter dan die van een jonge vogel. De Steenarend onderscheidt zich van de Buizerd, afgezien van de grootte, door de ver uitstekende kop en langere staart.

Houdt in zweefvlucht de vleugels in een ondiepe 'V'. Geen enkele andere arend doet dit. In zeil- en glijvlucht worden de vleugels recht gehouden.

Karakteristiek voor alle arenden is de inkeping van de vleugels daar waar ze met het lichaam zijn verbonden.

De spectaculaire duikvlucht naar prooi.

De Steenarend kan tegen een striemende storm optornen! Een paar afgemeten vleugelslagen brengen een normaal vliegende vogel al honderden meters verder en in de hierop volgende glijvlucht wordt nog eens een dergelijke afstand overbrugd. De Steenarend schittert in luchtacrobatiek. Hij kan als een Buizerd rondzweven, maar bestrijkt een groter gebied.

(× 1/18)

(× 1/7)

Een onvolwassen vogel heeft aan de boven- en onderkant van de vleugels en op de staart opvallende witte vlekken, die tijdens de eerste vijf levensjaren geleidelijk verdwijnen.

De Steenarend kan de lancetvormige, goudkleurige veren op de nek in woede opzetten. Arenden hebben niet alleen een 'broek', maar het hele loopbeen is bevederd.

De Steenarend moet men zoeken aan de horizon en langs steile rotsen. Jaagt door berghellingen af te zoeken en zich van geringe hoogte (vaak niet meer dan zes meter) op de prooi neer te storten.

Rechts en midden: onvolwassen vogels tot op een leeftijd van anderhalf jaar. De witte vleugelvlekken zijn van veraf zichtbaar.

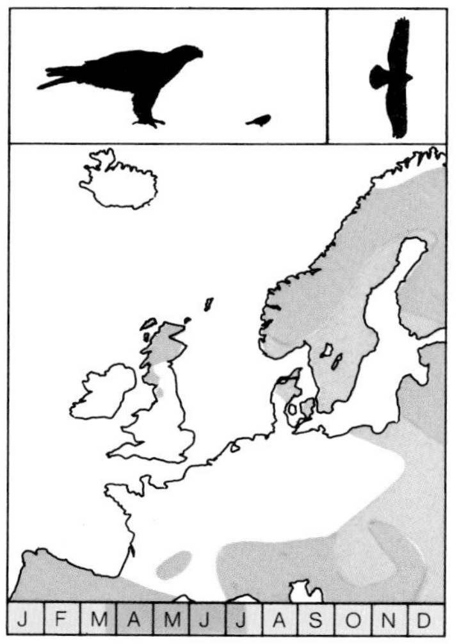

Zijn traditionele status van koning der vogels heeft niet verhinderd dat de Steenarend genadeloos is afgeslacht door jachtopzieners en herders en dat zijn nesten door verzamelaars van eieren zijn uitgehaald. Daarbij hebben Steenarendpopulaties tegenwoordig nog te kampen met verminderde vruchtbaarheid en abnormaal breekbare eieren ten gevolge van de consumptie van de insekticiden (gechloreerde koolwaterstoffen), die zich in de prooidieren hebben opgehoopt.

De grootste prooidieren die de vogel normaal slaat, zijn hazen en vossen, want grotere dieren moet hij eerst in stukken scheuren of gedeeltelijk kroppen voor hij ze kan wegdragen. De vogels maken af en toe een lammetje buit, maar zeer waarschijnlijk waren deze diertjes al dood voor de Steenarend ze greep. De heftige strijd die sommige schapenfokkers tegen de vogel voeren, is in ieder geval niet gerechtvaardigd. De Steenarend komt voor in bergachtige streken. De horst bevindt zich gewoonlijk op een rotsrichel of in een boom en wordt gemaakt van takken, hei en biezen; het wordt jarenlang gebruikt. Doordat er steeds weer nieuw materiaal bijkomt, kan de horst wel een doorsnee krijgen van 3 m en 1 à 2 m hoog worden. Gewoonlijk worden er twee eieren gelegd met een tussenpauze van drie of vier dagen. Het broeden begint meteen na het leggen van het eerste ei, zodat de nestjongen in leeftijd verschillen. In 80% van de gevallen doodt hierdoor het oudste jong het jongste.

Bosuil

Deze houding met licht gebogen vleugels is karakteristiek voor een Bosuil in vlucht. Een Bosuil vliegt snel en behendig. Vleugelslagen worden afgewisseld met glijvluchten waarin de vogel tussen de bomen door vliegt.

De uil maakt bij lange afstanden tamelijk snelle vleugelslagen en heeft dan een golvende vlucht. Het beste tijdstip om de vogel te zien te krijgen is vroeg in de ochtend bij zonsopgang.

Links: een roestende vogel ziet er plomp en rond uit.

Bosuil met een kuiken van een maand oud op het nest. De vogel heeft een ronde, bijna onevenredig grote kop met grote, donkere, glanzende ogen. De lange staart lijkt korter door de brede, afgeronde vleugels.

(× 1/3)

In de vlucht (rechts) is de vogel duidelijk te herkennen aan de korte, afgeronde vleugels en de grote kop.

De Bosuil heeft een gevlekt en gestreept warmbruin verenkleed met tamelijk opvallende witte schoudervlekken.

(× 1/6)

Links: de grijze fase, die vooral op het Europese vasteland voorkomt.

Vergelijk de kop van de Bosuil (rechts) met zijn typische uilachtige gezicht en snavel eens met de kop van een Kerkuil, die voor een uil een uitzonderlijk lange snavel heeft.

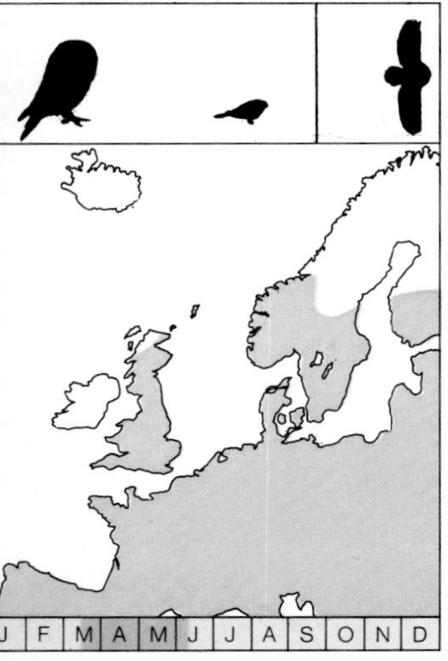

De Bosuil is in een groot deel van Europa de meest bekende en meest gewone uil. De zang van het mannetje, een muzikaal 'hoe-hoe-hoe', staat model voor het geluid van de uil in het algemeen, maar is in feite helemaal niet zo typerend. Uilen hebben een breed, afgeplat gezicht, waarin de ogen naar voren staan gericht. Dit is in feite een aanpassing aan het jagen 's nachts. Door deze stand van de ogen hebben uilen een voortreffelijk stereoscopisch gezichtsvermogen, waardoor ze nauwkeurig afstanden kunnen schatten. De afmeting van de ogen hangt samen met het feit dat deze een grote lichtsterkte moeten hebben. Een uitstekend ontwikkeld gehoor is eveneens van vitaal belang. Uilen hebben dan ook betrekkelijk grote oren. De ooropeningen, die door kleppen kunnen worden bedekt, zitten net achter de gezichtssluier.

De Bosuil begint vroeg in maart te nestelen. Het legsel bestaat uit twee tot vijf eieren, die in wat samenraapsel op de bodem van de nestholte worden gelegd. Het vrouwtje broedt en begint hiermee meteen nadat het eerste ei is gelegd. Het duurt 28 tot 30 dagen voor een ei uitkomt, waarna het mannetje voedsel aanbrengt dat meestal bestaat uit kleine knaagdieren, spitsmuizen en af en toe een vogeltje. De jongen verlaten na vijf weken het nest, blijven dan nog drie maanden bij hun ouders, maar moeten zelf aan de kost zien te komen. Speciaal deze onervaren vogels lopen een grote kans om in de herfst of de winter gewoonweg van honger om te komen.

Steenuil/Dwergooruil

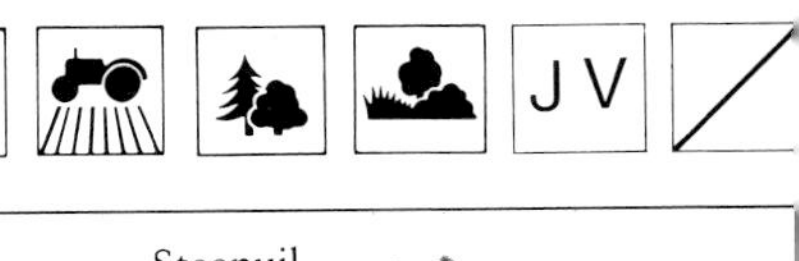

(× 1/3)

De Dwergooruil (boven) zit vaak op daken en is in de schemering niet meer dan een schimmige gestalte. In plaatsjes in het Middellandse-Zeegebied klinkt zijn vérdragende, monotone gezang vaak tot vervelens toe.

De Dwergooruil onderscheidt zich van de Steenuil door zijn slanke gestalte, zijn opvallende oorpluimen en zijn fijn en dicht getekende en gespikkelde kleed. Het is een zeer kleine, streng kijkende uil, die langere, smallere vleugels heeft dan de Steenuil. Zijn vlucht is snel en niet golvend zoals die van de Steenuil.

Dwergooruil (in Nederland een dwaalgast).

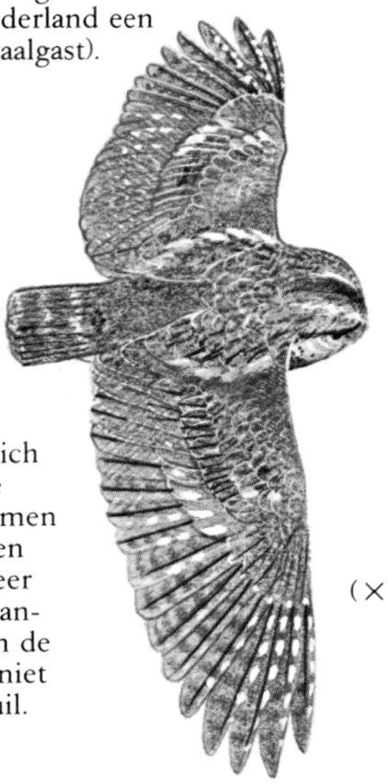

(× 1/6)

Steenuil

(× 1/6)

Rechts: de Steenuil heeft sterk gestreepte onderdelen.

Boven: de vlucht van een Steenuil is sterk golvend.

Boven: de plompe gestalte van een Steenuil kan men vaak op een telegraafpaal zien zitten.

Boven: de korte, gevlekte staart is duidelijk te zien bij een wegvliegende vogel.

Vaak ziet men de vogel opgewonden wippen en buigen.

Een volwassen Steenuil kijkt uit zijn nestholte in een boom. Hij heeft een meer open gelaatsuitdrukking dan de Dwergooruil.

(× 1/3)

Steenuil: een typische kleine, ronde gestalte. De heldergele ogen zijn in het midden zwart.

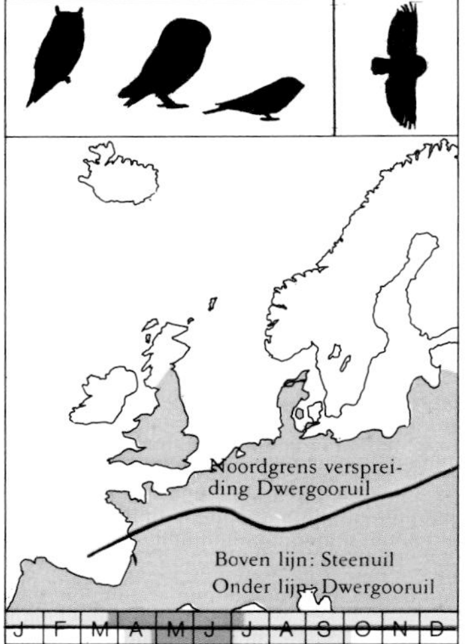

De Steenuil is in Europa wijd verspreid. Hij behoort tot de uilen die ook overdag wel actief zijn en vaak kan men de Steenuil dan ook zien zitten op een telegraafpaal of een dergelijke in het oog lopende zitplaats, of zien overvliegen. Door zijn sterk golvende vlucht kan men de vogel voor een specht houden, tot men de platte vorm van de kop ziet. De Steenuil heeft een miauwende roep en in de broedtijd laten beide partners dit geluid om de beurt horen, zodat het wel een duet lijkt. De Steenuil jaagt voornamelijk in de ochtend- en avondschemering. De prooi bestaat uit insekten, vooral mestkevers en meikevers, en ook muizen en slakken. In sommige delen van Europa zien tuinbouwers deze vogel graag omdat hij zoveel schade aanrichtende diertjes vernietigt, maar op veel plaatsen zijn vooral kleine vogeltjes prooi van de Steenuil.

Normaal nestelt de Steenuil in boomholten, bij voorkeur in knotwilgen. Vaak bevindt het nest zich vlak boven de grond. Ook nestelt hij wel in gaten in gebouwen. Als regel heeft de nestholte, waar die ook ziet, tenminste twee uitgangen. Het vrouwtje legt drie tot vijf eieren en ze begint gewoonlijk al te broeden als het eerste ei is gelegd. Soms wacht ze met broeden tot het legsel compleet is. Na 24 tot 25 dagen komen de eieren uit en na 3½ week vliegen de jongen uit. Beide geslachten voeren de jongen ook nog enige tijd nadat deze het nest hebben verlaten.

Ransuil

J V

Uilen kunnen tijdens een normale vlucht uitstekend recht voor zich uit kijken.

Als de vleugels omhoog slaan, kan men op de ondervleugel de donkere polsvlek zien.

De Ransuil (boven en rechts) verschilt in de vlucht in vorm en afmetingen van de oppervlakkig gezien op hem lijkende Velduil. De Ransuil heeft kortere vleugels, maar een langere staart.

(× ⅙)

De Ransuil is als alle uilen schitterend getekend. Hij heeft lange, kenmerkende oorpluimen, oranje ogen en een gestreepte borst. De uitdrukking van het gezicht kan sterk variëren. Deze soort nestelt gewoonlijk in verlaten nesten van kraaien of eekhoorns.

(× ⅓)

Rechts: opmerkelijk in het kleed van de Ransuil zijn de zeer fijne dwarsstrepen op de armpennen en binnenste handpennen. Hierdoor ziet het betreffende deel van de vleugel er grijsachtig uit. De vleugels van de Velduil zijn duidelijker dwars gestreept.

Onder: roestende vogels nemen vaak een opgerichte, gespannen houding aan. Als ze zich onspannen wordt hun contour plomper en ronder.

Als een volwassen vogel een dreighouding aanneemt, zet hij zijn veren op en spreidt hij zijn vleugels uit om groter te lijken.

Typische uilejongen: ronde, witte donsballetjes, die mensen geweldig aanspreken. Ze worden grootgebracht met woelmuizen, veldmuizen en tal van kleine vogeltjes.

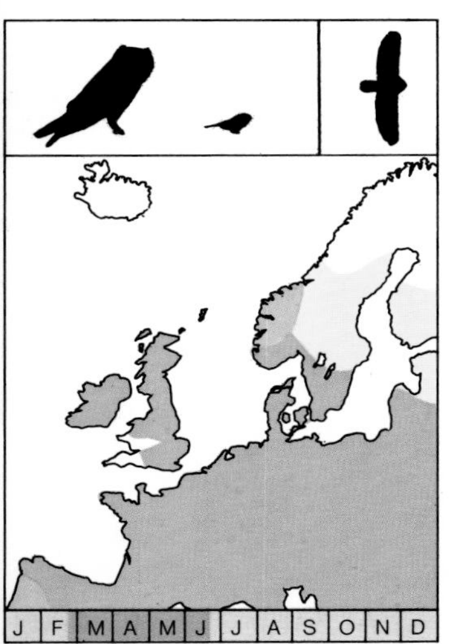

De Ransuil is een echte nachtvogel; alleen in het uiterste noorden van zijn verspreidingsgebied is hij ook bij daglicht actief. De vogel weet zich overdag doeltreffend te verschuilen en hoewel er soms wel twintig vogels bij elkaar roesten, krijgt men de Ransuil moeilijk in het vizier. De vogel heeft een voorkeur voor coniferen, maar komt bepaald niet uitsluitend voor in naaldbossen. De prooi varieert sterk van plaats tot plaats. In sommige gebieden grijpt de Ransuil veel vogels van hun zitplaats af. Ook heeft men paartjes Ransuilen samen zien jagen; de een joeg vogeltjes op en de ander greep ze. Kleine knaagdieren vormen in de meeste gebieden de allervoornaamste prooi en de cyclische veranderingen in hun populatie hebben invloed op het aantal met succes grootgebrachte uilejongen. In jaren, rijk aan knaagdieren, nestelen meer uilepaartjes, worden er meer eieren gelegd en zijn er meer jongen.

De Ransuil gebruikt als broedplaats verlaten nesten van vogels als kraaien en duiven, maar soms worden de eieren op de grond gelegd onder struiken of takken. Het legsel bestaat uit drie tot acht eieren. De broedtijd duurt 27 tot 28 dagen en waarschijnlijk broeden beide geslachten. Beide ouders voeren de jongen, die na drieëneenhalve week het nest verlaten.

De Ransuil ziet men zelden in de buurt van menselijke nederzettingen en hij weet niet zo goed als de Bosuil gebruik te maken van een door mensen geschapen milieu.

Kerkuil

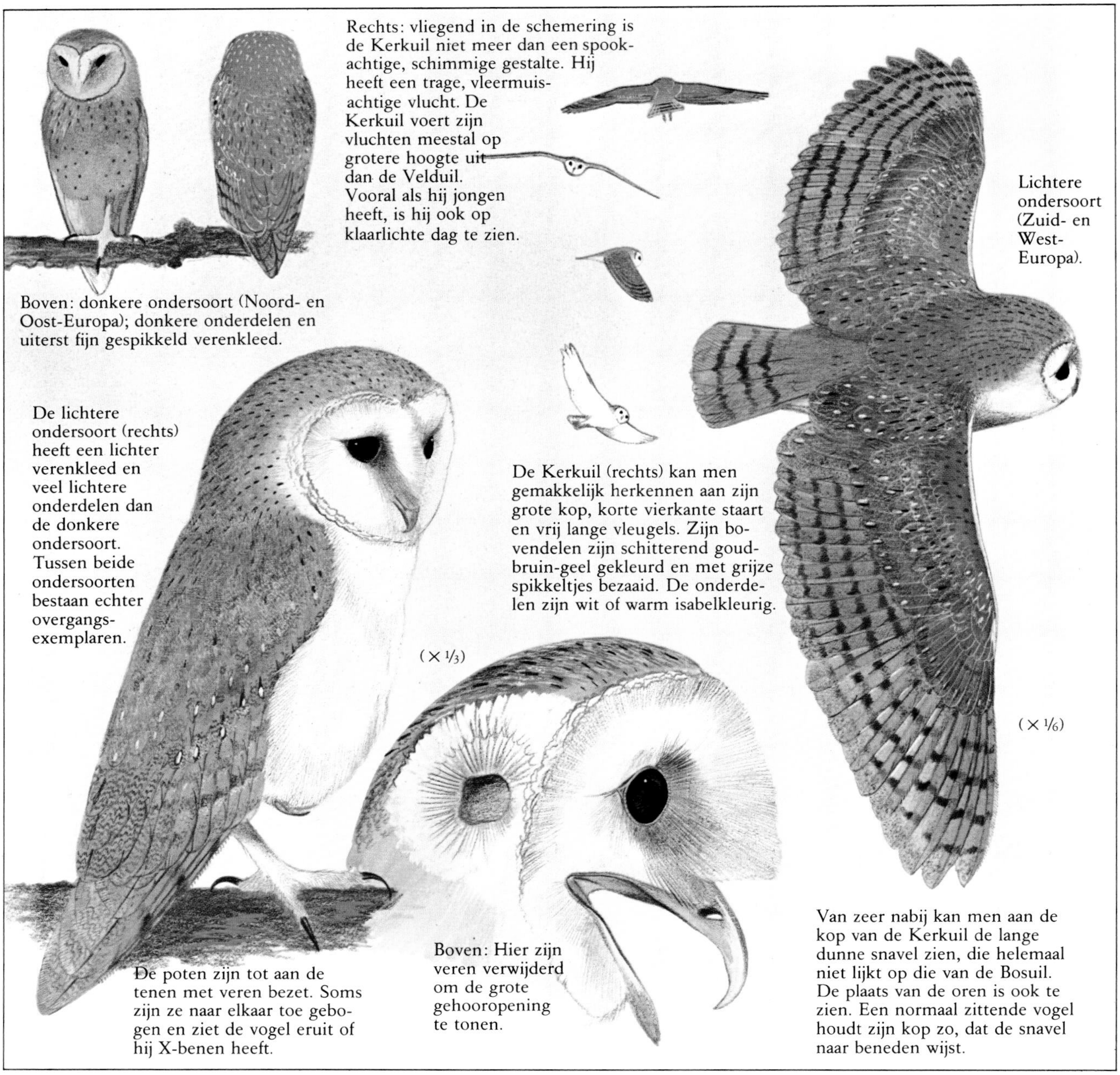

Rechts: vliegend in de schemering is de Kerkuil niet meer dan een spookachtige, schimmige gestalte. Hij heeft een trage, vleermuisachtige vlucht. De Kerkuil voert zijn vluchten meestal op grotere hoogte uit dan de Velduil. Vooral als hij jongen heeft, is hij ook op klaarlichte dag te zien.

Lichtere ondersoort (Zuid- en West-Europa).

Boven: donkere ondersoort (Noord- en Oost-Europa); donkere onderdelen en uiterst fijn gespikkeld verenkleed.

De lichtere ondersoort (rechts) heeft een lichter verenkleed en veel lichtere onderdelen dan de donkere ondersoort. Tussen beide ondersoorten bestaan echter overgangsexemplaren.

De Kerkuil (rechts) kan men gemakkelijk herkennen aan zijn grote kop, korte vierkante staart en vrij lange vleugels. Zijn bovendelen zijn schitterend goudbruin-geel gekleurd en met grijze spikkeltjes bezaaid. De onderdelen zijn wit of warm isabelkleurig.

(× 1/3)

(× 1/6)

Van zeer nabij kan men aan de kop van de Kerkuil de lange dunne snavel zien, die helemaal niet lijkt op die van de Bosuil. De plaats van de oren is ook te zien. Een normaal zittende vogel houdt zijn kop zo, dat de snavel naar beneden wijst.

Boven: Hier zijn veren verwijderd om de grote gehooropening te tonen.

De poten zijn tot aan de tenen met veren bezet. Soms zijn ze naar elkaar toe gebogen en ziet de vogel eruit of hij X-benen heeft.

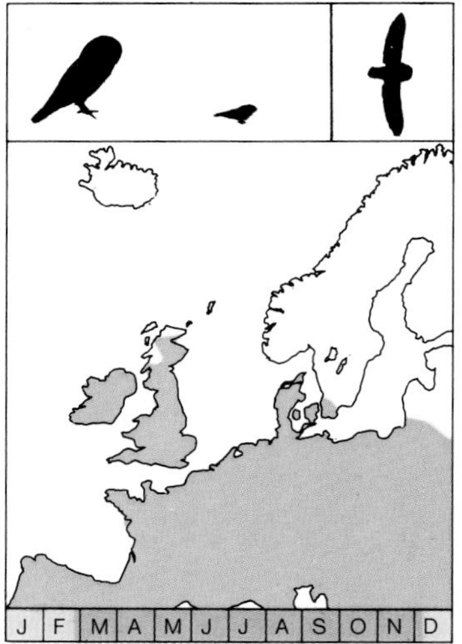

De Kerkuil komt voor in elk werelddeel, behalve Antarctica. De tegenwoordige afname van het bestand in Europa wordt grotendeels veroorzaakt door het gebruik van gechloreerde koolwaterstoffen als insekticiden. Deze stoffen oefenen op de Kerkuil meer dan op andere uilesoorten een funeste invloed uit, omdat het jachtterrein van deze vogel voornamelijk uit bouwland bestaat.

In Europa komen twee ondersoorten voor: in het noorden en oosten met warm isabelkleurige onderdelen, en in het zuiden en westen met witte onderdelen. In Nederland komt de donkere ondersoort voor. Traditionele landbouwgronden vormen een ideale habitat; de Kerkuil vindt er open terrein voor de jacht en hagen, schuren en stallen waar hij roestplaatsen en broedgelegenheid kan vinden. Tegenwoordig haalt men in landbouwgebieden hagen weg en zet men moderne bijgebouwen neer die de vogels minder gastvrijheid verlenen. Deze factoren dragen allemaal bij tot de recente afname van het aantal Kerkuilen.

De vogel broedt in grote holten in gebouwen of in dode bomen. Net als bij veel andere uilen hangt het sterk van het aanbod van knaagdieren af of het broedsel met succes wordt bekroond. Het legsel varieert van drie tot elf eieren. De eieren zijn langwerpiger dan die van andere uilesoorten. Alleen het vrouwtje broedt. De broedtijd duurt 32 tot 34 dagen en beide geslachten voeren de jongen. Deze vliegen uit na negen tot twaalf weken.

Velduil

   J V

Velduilen hebben een groot verspreidingsgebied. Het zijn vogels van open terreinen en ze maken vaak verre tochten. Ze hebben de langste vleugels van alle uilen, een kenmerkende korte staart en een kleine ronde kop.

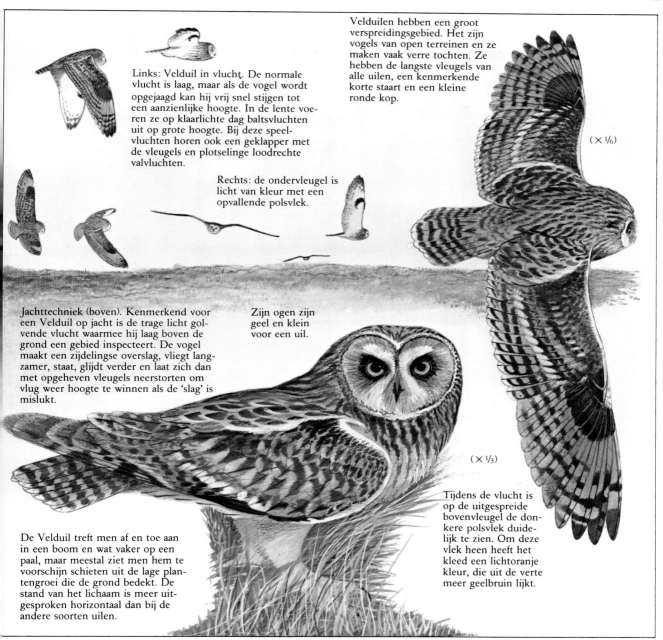

Links: Velduil in vlucht. De normale vlucht is laag, maar als de vogel wordt opgejaagd kan hij vrij snel stijgen tot een aanzienlijke hoogte. In de lente voeren ze op klaarlichte dag baltsvluchten uit op grote hoogte. Bij deze speelvluchten horen ook een geklapper met de vleugels en plotselinge loodrechte valvluchten.

(× 1/6)

Rechts: de ondervleugel is licht van kleur met een opvallende polsvlek.

Jachttechniek (boven). Kenmerkend voor een Velduil op jacht is de trage licht golvende vlucht waarmee hij laag boven de grond een gebied inspecteert. De vogel maakt een zijdelingse overslag, vliegt langzamer, staat, glijdt verder en laat zich dan met opgeheven vleugels neerstorten om vlug weer hoogte te winnen als de 'slag' is mislukt.

Zijn ogen zijn geel en klein voor een uil.

(× 1/3)

Tijdens de vlucht is op de uitgespreide bovenvleugel de donkere polsvlek duidelijk te zien. Om deze vlek heen heeft het kleed een lichtoranje kleur, die uit de verte meer geelbruin lijkt.

De Velduil treft men af en toe aan in een boom en wat vaker op een paal, maar meestal ziet men hem te voorschijn schieten uit de lage plantengroei die de grond bedekt. De stand van het lichaam is meer uitgesproken horizontaal dan bij de andere soorten uilen.

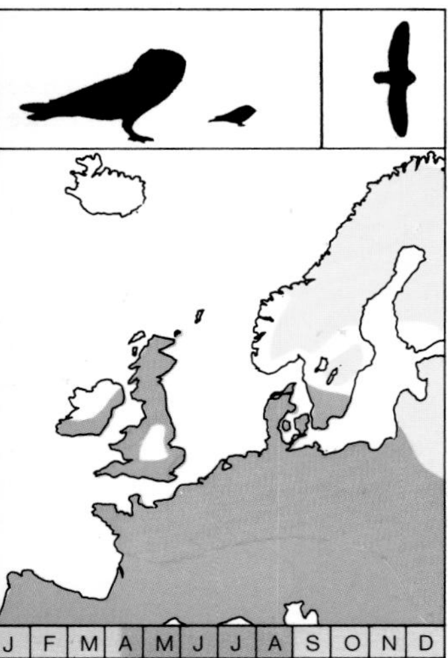

De Velduil komt zowel in de Oude als de Nieuwe Wereld voor. In grote delen van Europa is hij trekvogel, die zich in groepen verzamelt op plaatsen waar een tijdelijk overschot heerst aan muizen of woelmuizen. De Velduil – die veel vaker bij daglicht jaagt dan de andere uilen – doorkruist overdag regelmatig open terreinen zoals drassige weiden en kwelders. Groepjes van deze vogels jagen daar vrij vaak samen. De Velduil eet hoofdzakelijk knaagdieren, maar ook wel vogels, zelfs zulke snelvliegende soorten als de Bonte Strandloper en de Watersnip. Het nest is niet meer dan wat samenraapsel van planten. Het ligt op de grond tussen dichte vegetatie zoals heide, lang gras en doornstruiken. Gewoonlijk treft men vier tot zeven eieren aan in het nest, maar in jaren waarin een overvloedig aanbod aan knaagdieren voorkwam, zijn er wel nesten gevonden met veertien eieren. Het vrouwtje broedt en begint daarmee meestal zodra het eerste ei is gelegd. In het begin neemt ze korte broedpauzes. De broedtijd bedraagt 24 tot 28 dagen en de jongen worden door het vrouwtje gevoerd met voedsel dat het mannetje aandraagt. Als de jongen ruim twee weken oud zijn, maken ze korte rooftochten vanuit het nest, maar ze kunnen pas vliegen als ze drieeneenhalve week oud zijn. In jaren die rijk zijn aan woelmuizen komen twee broedsels voor; anders wordt er één broedsel grootgebracht.

In Nederland is de Velduil een schaarse tot zeer schaarse broedvogel, die vooral op de Waddeneilanden voorkomt.

Bontbekplevier

JV

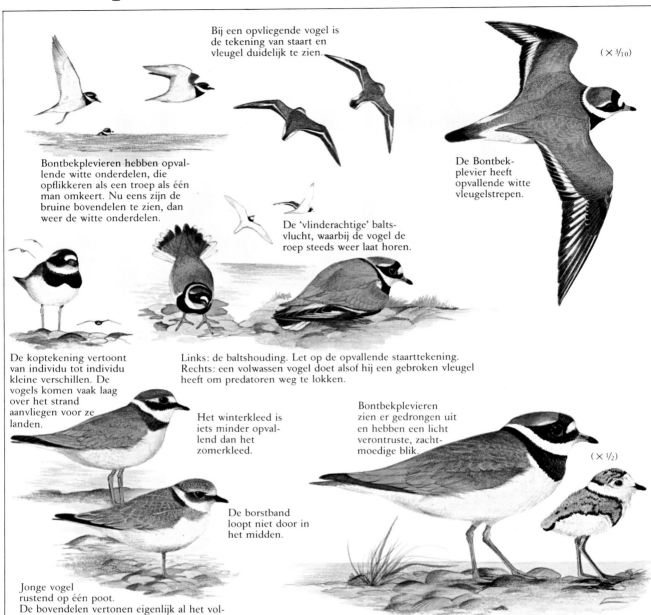

Bij een opvliegende vogel is de tekening van staart en vleugel duidelijk te zien.

(× 3/10)

Bontbekplevieren hebben opvallende witte onderdelen, die opflikkeren als een troep als één man omkeert. Nu eens zijn de bruine bovendelen te zien, dan weer de witte onderdelen.

De Bontbekplevier heeft opvallende witte vleugelstrepen.

De 'vlinderachtige' baltsvlucht, waarbij de vogel de roep steeds weer laat horen.

De koptekening vertoont van individu tot individu kleine verschillen. De vogels komen vaak laag over het strand aanvliegen voor ze landen.

Links: de baltshouding. Let op de opvallende staarttekening. Rechts: een volwassen vogel doet alsof hij een gebroken vleugel heeft om predatoren weg te lokken.

Het winterkleed is iets minder opvallend dan het zomerkleed.

Bontbekplevieren zien er gedrongen uit en hebben een licht verontruste, zachtmoedige blik.

(× 1/2)

De borstband loopt niet door in het midden.

Jonge vogel rustend op één poot. De bovendelen vertonen eigenlijk al het volwassen kleed, maar hebben een geschubde tekening.

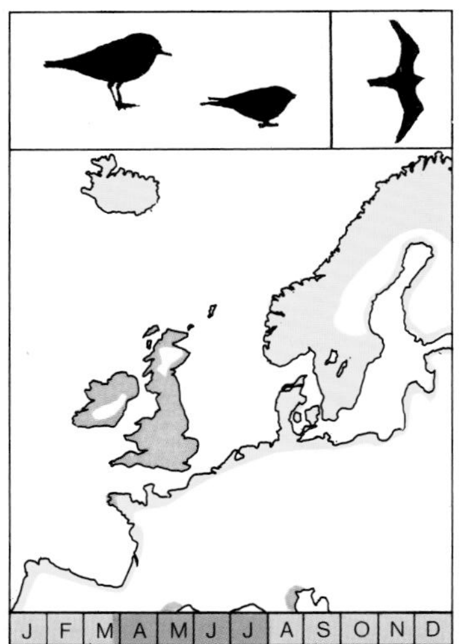

De melodieuze roep van de Bontbekplevier is langs de kust en het IJsselmeer in de zomer een karakteristiek geluid. Volwassen vogels laten dit geluid vaak horen als teken van alarm omdat eieren of jongen in de naaste omgeving liggen. Vakantiegangers en dagjesmensen merken deze waarschuwing echter zelden of nooit op en doordat ze de rust van de vogels verstoren, mislukken heel wat broedsels. De eieren zijn prachtig gecamoufleerd in het samenschraapseltje dat als nest fungeert. Dit beschermt ze tegen stropende meeuwen, maar vergroot de kans dat ze worden vertrapt. Om sommige plaatsen broeden de vogels landinwaarts op opgespoten terreinen en dergelijke.

Eieren worden gelegd in de tijd tussen april en augustus. Er zijn twee broedsels. Extra legsels dienen ter compensatie van verliezen door verstoring of overstroming van het nest bij abnormaal hoog getij. Beide geslachten broeden. Na 24 tot 25 dagen komen de eieren uit en de jongen kunnen na drieënhalve week vliegen. Buiten het broedseizoen kan men Bontbekplevieren samen met andere steltlopers, zoals de Bonte Strandloper en de Kanoetstrandloper, aan onze kusten zien foerageren. Men herkent de Bontbekplevieren uit deze gemengde troepen altijd door hun typerende manier van voedsel zoeken: ze rennen met korte onderbrekingen om wat op te pikken. De prooi wordt naar boven gedreven door met één poot snel op het natte zand te ranselen.

Kleine Plevier

ZV

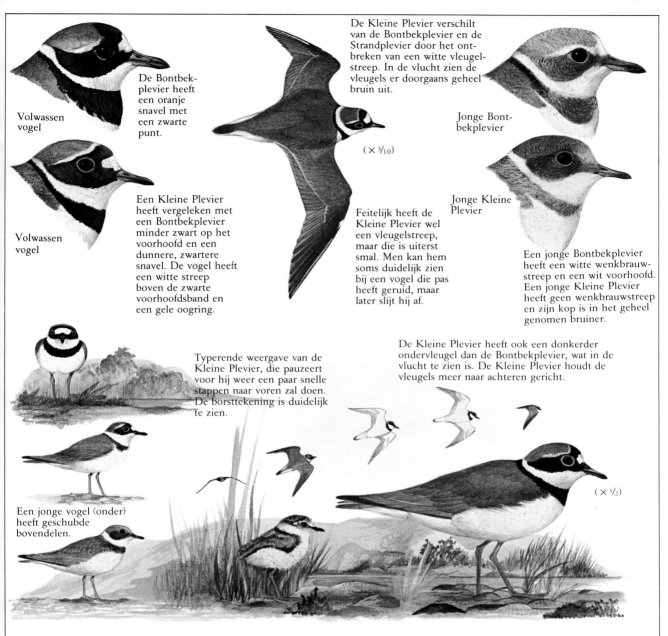

De Bontbekplevier heeft een oranje snavel met een zwarte punt.

Volwassen vogel

Volwassen vogel

Een Kleine Plevier heeft vergeleken met een Bontbekplevier minder zwart op het voorhoofd en een dunnere, zwartere snavel. De vogel heeft een witte streep boven de zwarte voorhoofdsband en een gele oogring.

De Kleine Plevier verschilt van de Bontbekplevier en de Strandplevier door het ontbreken van een witte vleugelstreep. In de vlucht zien de vleugels er doorgaans geheel bruin uit.

(× 3/10)

Feitelijk heeft de Kleine Plevier wel een vleugelstreep, maar die is uiterst smal. Men kan hem soms duidelijk zien bij een vogel die pas heeft geruid, maar later slijt hij af.

Jonge Bontbekplevier

Jonge Kleine Plevier

Een jonge Bontbekplevier heeft een witte wenkbrauwstreep en een wit voorhoofd. Een jonge Kleine Plevier heeft geen wenkbrauwstreep en zijn kop is in het geheel genomen bruiner.

Typerende weergave van de Kleine Plevier, die pauzeert voor hij weer een paar snelle stappen naar voren zal doen. De borsttekening is duidelijk te zien.

De Kleine Plevier heeft ook een donkerder ondervleugel dan de Bontbekplevier, wat in de vlucht te zien is. De Kleine Plevier houdt de vleugels meer naar achteren gericht.

Een jonge vogel (onder) heeft geschubde bovendelen.

(× 1/2)

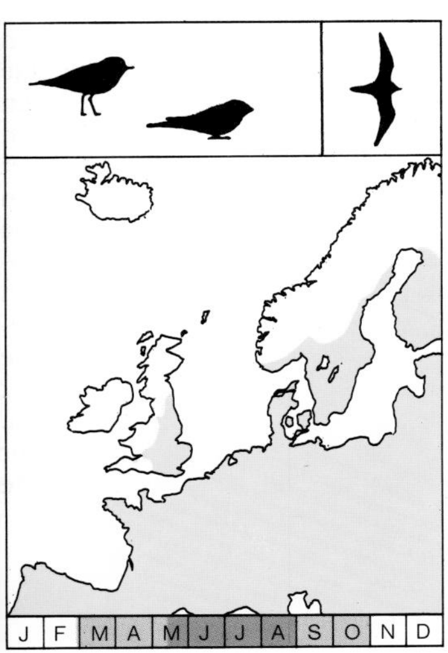

Met de afname van het oppervlak aan 'wetlands' neemt in het algemeen ook het aantal steltlopers af, maar de Kleine Plevier vormt hierop in Europa een uitzondering. Sinds het begin van deze eeuw is zijn verspreidingsgebied in noordwestelijke richting drastisch uitgebreid en het wordt nog steeds groter, doordat de vogel kan leven in door mensen geschapen biotopen zoals opgespoten terreinen, grindgroeven en dergelijke. Natuurlijke biotopen zijn zand- en grindbanken bij meren in het binnenland.

Deze toename is des te verbazingwekkender als men weet dat er zo weinig legsels met succes worden uitgebroed. Veel legsels vallen ten prooi aan predatoren zoals de Kraai of ze worden overstroomd of verlaten door de opgeschrikte oudervogels. Al deze verliezen worden gecompenseerd doordat de vogels met ijzeren volharding nieuwe legsels produceren en soms krijgen ze de kans om een echt tweede legsel groot te brengen. Beide geslachten broeden op de vier eieren die in een ondiep nestkuiltje liggen. Als ze op het nest worden gestoord, slaan ze alarm met een hoog fluitend geluid dat nogal verschilt van het melodieuze geluid van de Bontbekplevier. De jongen komen uit het ei na 24 tot 25 dagen en zijn na drie weken vliegvlug.

Het voedsel bestaat uit een grote verscheidenheid aan kleine ongewervelde dieren en Kleine Plevieren ziet men zelfs nog vaker 'voedseltrappelen' dan Bontbekplevieren (zie bladzijde hiernaast).

Drieteenstrandloper

WG

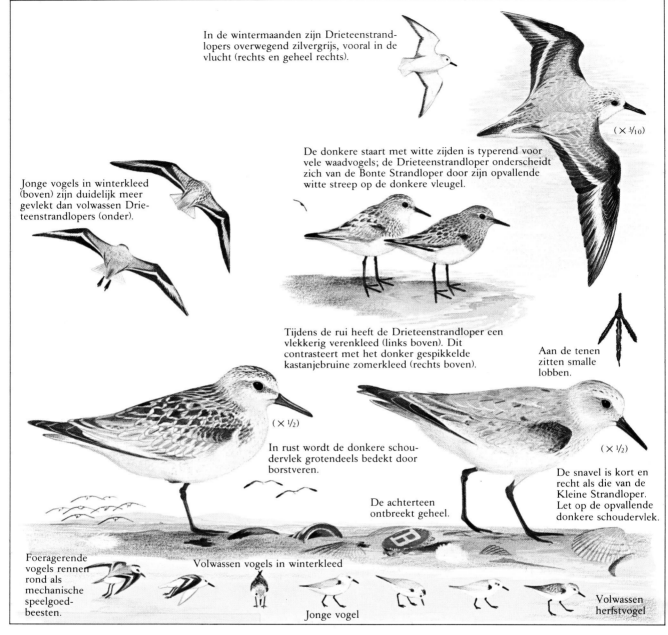

In de wintermaanden zijn Drieteenstrandlopers overwegend zilvergrijs, vooral in de vlucht (rechts en geheel rechts).

(× 3/10)

De donkere staart met witte zijden is typerend voor vele waadvogels; de Drieteenstrandloper onderscheidt zich van de Bonte Strandloper door zijn opvallende witte streep op de donkere vleugel.

Jonge vogels in winterkleed (boven) zijn duidelijk meer gevlekt dan volwassen Drieteenstrandlopers (onder).

Tijdens de rui heeft de Drieteenstrandloper een vlekkerig verenkleed (links boven). Dit contrasteert met het donker gespikkelde kastanjebruine zomerkleed (rechts boven).

Aan de tenen zitten smalle lobben.

(× 1/2)

In rust wordt de donkere schoudervlek grotendeels bedekt door borstveren.

(× 1/2)

De snavel is kort en recht als die van de Kleine Strandloper. Let op de opvallende donkere schoudervlek.

De achterteen ontbreekt geheel.

Foeragerende vogels rennen rond als mechanische speelgoedbeesten.

Volwassen vogels in winterkleed

Jonge vogel

Volwassen herfstvogel

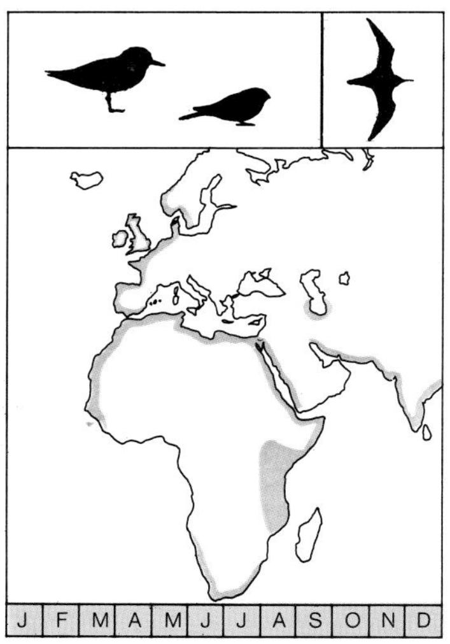

De Drieteenstrandloper is een kleine zilvergrijze en witte vogel, die op zwarte pootjes bedrijvig heen en weer rent op de lange zandstranden die zijn leefmilieu vormen. In Nederland is het een doortrekker en wintergast in vrij klein aantal. In de voorzomer verschijnt het donker gevlekte kastanjebruine broedkleed van de volwassen vogels. Enkele eenjarige vogels overzomeren. De Drieteenstrandloper leeft van kleine kreeftachtige diertjes, die opgepikt worden wanneer ze met het vloedwater meekomen.

Het broedseizoen in de poolstreken is kort – zes weken – en sommige vrouwtjes produceren tegelijkertijd twee legsels in verschillende nesten; het ene bebroedt zij zelf, het andere laat zij aan het mannetje over. De jongen worden met insekten en hun larven gevoerd. Drieteenstrandlopers behoren tot de meest bereisde vogels: ze dringen in Zuid-Amerika door tot de Falkland Eilanden, in Zuid-Afrika tot de Kaap en verder tot in Australië.

Het zijn vertrouwelijke vogeltjes, die niet gauw wegvliegen en zelden in troepen van meer dan een paar dozijn voorkomen. De Europese kusten doen ze aan om vetreserves op te slaan voor de rest van het traject – het is gebleken dat ze hier in twee weken in gewicht kunnen verdubbelen. De reis van de toendra naar Zuid-Afrika wordt zodoende verdeeld in twee gigantische vluchten. Vermoedelijk maken alleen de Groenlandse broedvogels deze lange reis, de Siberische vogels overwinteren langs de Europese kusten.

Strandplevier

ZV

Bij een volwassen mannetje in de vlucht zijn de witte vleugelstrepen duidelijk zichtbaar. Deze vallen echter niet zo op als bij de Bontbekplevier. De Strandplevier is kleiner en lichter van kleur.

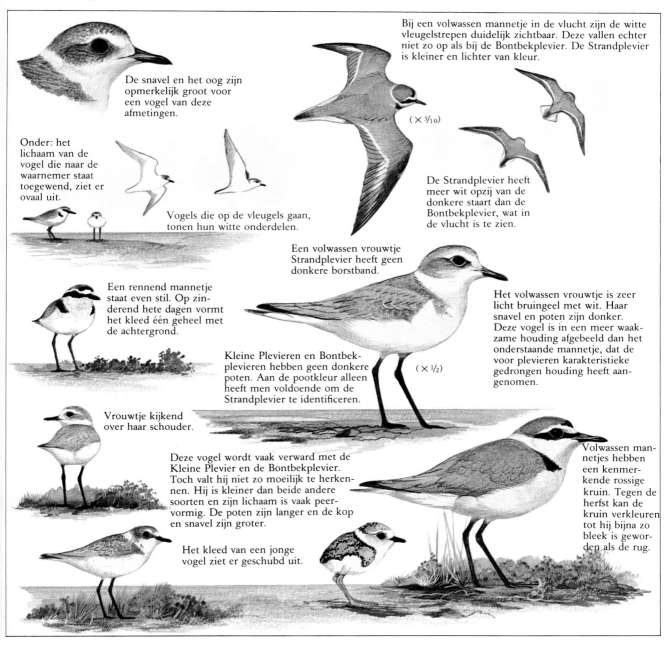

De snavel en het oog zijn opmerkelijk groot voor een vogel van deze afmetingen.

(× 3/10)

Onder: het lichaam van de vogel die naar de waarnemer staat toegewend, ziet er ovaal uit.

Vogels die op de vleugels gaan, tonen hun witte onderdelen.

De Strandplevier heeft meer wit opzij van de donkere staart dan de Bontbekplevier, wat in de vlucht is te zien.

Een volwassen vrouwtje Strandplevier heeft geen donkere borstband.

Een rennend mannetje staat even stil. Op zinderend hete dagen vormt het kleed één geheel met de achtergrond.

Het volwassen vrouwtje is zeer licht bruingeel met wit. Haar snavel en poten zijn donker. Deze vogel is in een meer waakzame houding afgebeeld dan het onderstaande mannetje, dat de voor plevieren karakteristieke gedrongen houding heeft aangenomen.

Kleine Plevieren en Bontbekplevieren hebben geen donkere poten. Aan de pootkleur alleen heeft men voldoende om de Strandplevier te identificeren.

(× 1/2)

Vrouwtje kijkend over haar schouder.

Deze vogel wordt vaak verward met de Kleine Plevier en de Bontbekplevier. Toch valt hij niet zo moeilijk te herkennen. Hij is kleiner dan beide andere soorten en zijn lichaam is vaak peervormig. De poten zijn langer en de kop en snavel zijn groter.

Volwassen mannetjes hebben een kenmerkende rossige kruin. Tegen de herfst kan de kruin verkleuren tot hij bijna zo bleek is geworden als de rug.

Het kleed van een jonge vogel ziet er geschubd uit.

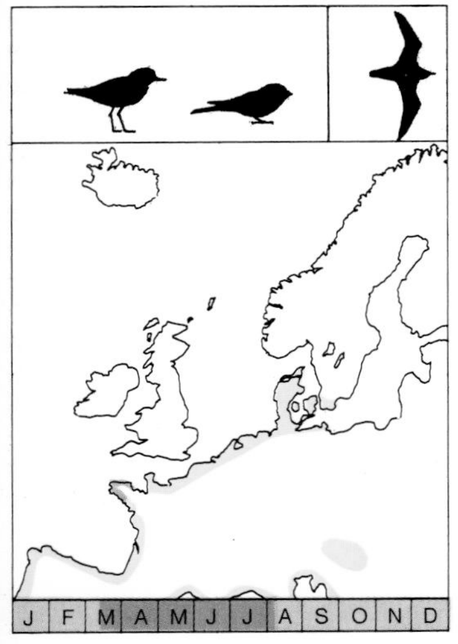

De Strandplevier komt voor in Europa, Azië, Afrika en Noord-Amerika. In Nederland is hij een schaarse tot vrij schaarse broedvogel, voornamelijk langs de kust en het IJsselmeer.
De Strandplevier is een levendige, kwieke vogel. Hij rent sneller en vaker dan de Bontbekplevier. Hij laat zich tot op korte afstand benaderen, behalve als hij een nest in de buurt heeft. Zodra er jongen zijn, reageert de Strandplevier net als de Bontbekplevier en de Kleine Plevier met een afleidingsmanoeuvre. Hij vertoont dan verlammingsverschijnselen en lokt ruststoorders mee, weg van het nest. Het nest is een ondiep kuiltje in de grond, net als bij de twee andere soorten plevieren. Vaak wordt het nog spaarzaam gevoerd met schelpjes, steentjes of halmpjes. De baltsvlucht van het mannetje wordt uitgevoerd met langzame, vlinderachtige vleugelbewegingen en lijkt op die van de twee andere soorten. Er worden twee tot vier eieren gelegd. Het mannetje en het vrouwtje broeden 24 dagen beurt om beurt. De vogels zoeken voedsel op slikken en schorren en zanderige of modderige banken, goed verspreid langs de kust. Vaak staan ze in ondiep water te 'voedseltrappelen' om voedsel op te jagen.
Strandplevieren zijn overwegend standvogels, maar de in Nederland broedende vogels trekken weg. Ze brengen de winter voornamelijk door aan de kusten van de Middellandse Zee.

Bonte Strandloper

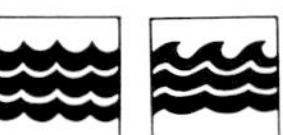

J G

De Bonte Strandloper is de meest voorkomende strandloper in Europa. In zomerkleed kan hij worden herkend aan de zwarte buik, die de meeste vogels tot september houden. Alleen vogels in winterkleed en jonge vogels worden nog wel eens verward met andere soorten, voornamelijk de Kleine Strandloper. Van deze laatstgenoemde soort onderscheidt de Bonte Strandloper zich door de naar beneden gebogen snavel, een gezetter postuur, een zwaarder gestreepte borst en flanken die tot oktober gevlekt zijn.

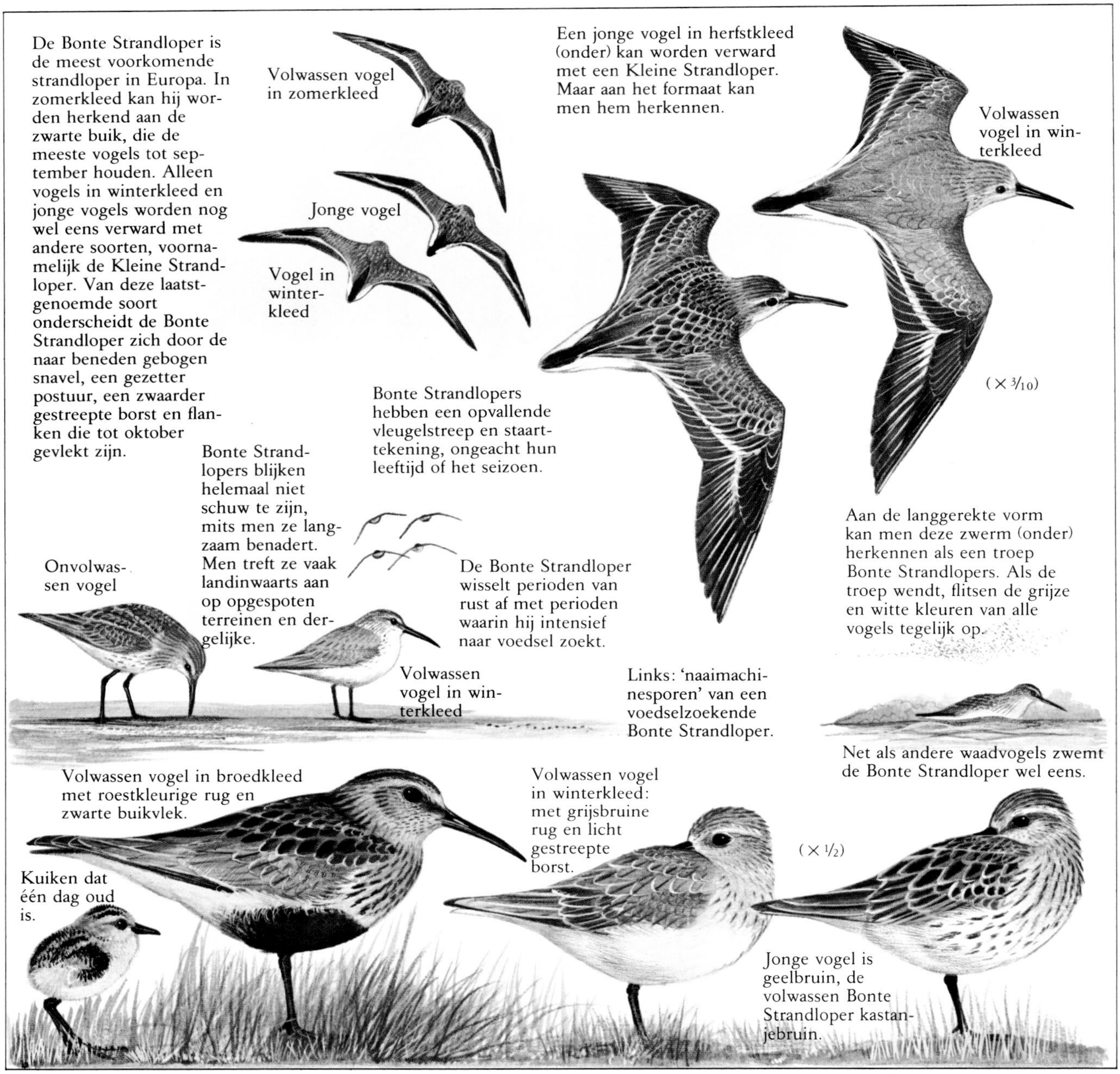

Volwassen vogel in zomerkleed

Jonge vogel

Vogel in winterkleed

Een jonge vogel in herfstkleed (onder) kan worden verward met een Kleine Strandloper. Maar aan het formaat kan men hem herkennen.

Volwassen vogel in winterkleed

(× 3/10)

Bonte Strandlopers hebben een opvallende vleugelstreep en staarttekening, ongeacht hun leeftijd of het seizoen.

Bonte Strandlopers blijken helemaal niet schuw te zijn, mits men ze langzaam benadert. Men treft ze vaak landinwaarts aan op opgespoten terreinen en dergelijke.

Onvolwassen vogel

De Bonte Strandloper wisselt perioden van rust af met perioden waarin hij intensief naar voedsel zoekt.

Volwassen vogel in winterkleed

Aan de langgerekte vorm kan men deze zwerm (onder) herkennen als een troep Bonte Strandlopers. Als de troep wendt, flitsen de grijze en witte kleuren van alle vogels tegelijk op.

Links: 'naaimachinesporen' van een voedselzoekende Bonte Strandloper.

Net als andere waadvogels zwemt de Bonte Strandloper wel eens.

Volwassen vogel in broedkleed met roestkleurige rug en zwarte buikvlek.

Kuiken dat één dag oud is.

Volwassen vogel in winterkleed: met grijsbruine rug en licht gestreepte borst.

(× 1/2)

Jonge vogel is geelbruin, de volwassen Bonte Strandloper kastanjebruin.

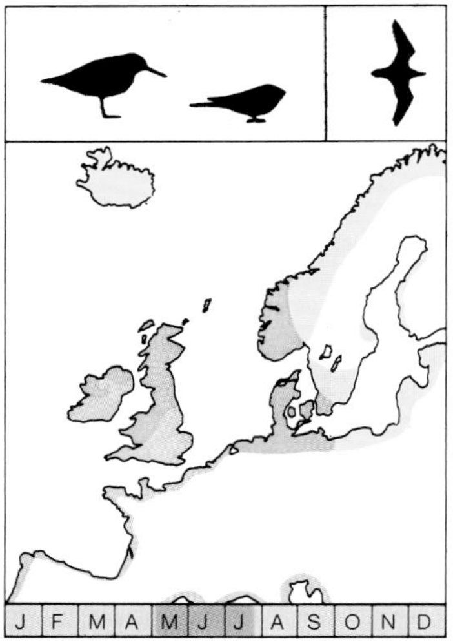

Een troep Bonte Strandlopers die kunstige vliegbewegingen uitvoert en daalt en rijst als een bezielde rookpluim, levert een zeldzaam fraai schouwspel. Zulke vertoningen ziet men meestal bij vloed, als Bonte Strandlopers en andere waadvogels zich verzamelen op zandplaten en dergelijke waar ze wachten tot het eb wordt en hun voedselterrein weer droog valt. Ze pikken voedsel op van de oppervlakte van het slik of ze maken 'naaimachinesporen' door onder het lopen snel en werktuiglijk de snavel in de grond te steken. Dit steken dient om voedsel op de tast te vinden en vaak eindigt een spoor met een diepe steek waarmee een klein schaaldiertje of een zeeworm wordt gevangen. Prooi die aan de oppervlakte wordt opgepikt, is hoofdzakelijk Hydrobia, een klein slakje, dat talrijke waadvogels tot voedsel dient.

De Bonte Strandloper broedt bijna overal in het noorden van Eurazië en Noord-Amerika in heidevelden, toendra's en moerassen langs de kust. In Nederland is hij een zeldzame broedvogel. Binnen twee weken na aankomst op de broedterreinen zijn de broedterritoria afgegrensd, de baltsvluchten gehouden en hebben de paartjes zich gevormd. Het nest, een vrij diep kuiltje, bevindt zich onder lage vegetatie in de buurt van het water. Het legsel bestaat uit vier eieren die door beide ouders worden bebroed. Na drie weken komen de eieren uit en de jongen zijn na vier weken vliegvlug. Ze leven voornamelijk van larven van dansmuggen, maar volwassen vogels hebben meer belangstelling voor die van langpootmuggen.

Kleine Strandloper

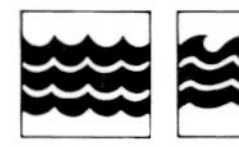

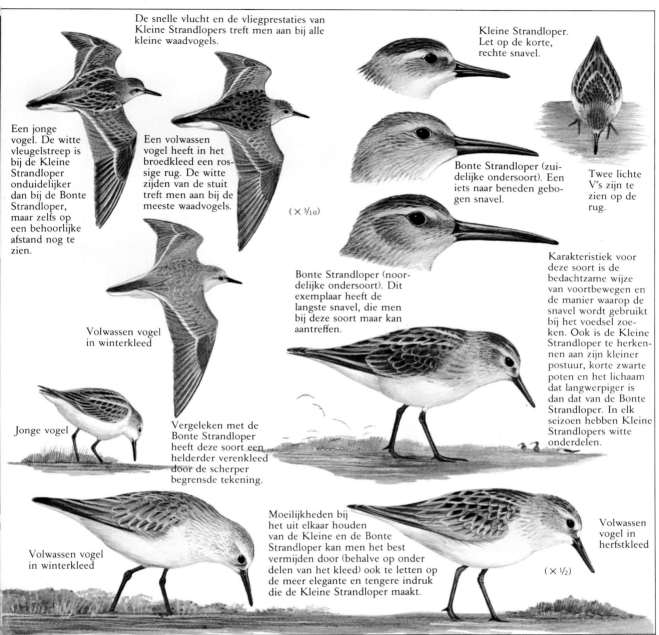

De snelle vlucht en de vliegprestaties van Kleine Strandlopers treft men aan bij alle kleine waadvogels.

Een jonge vogel. De witte vleugelstreep is bij de Kleine Strandloper onduidelijker dan bij de Bonte Strandloper, maar zelfs op een behoorlijke afstand nog te zien.

Een volwassen vogel heeft in het broedkleed een rossige rug. De witte zijden van de stuit treft men aan bij de meeste waadvogels.

Volwassen vogel in winterkleed

Kleine Strandloper. Let op de korte, rechte snavel.

Bonte Strandloper (zuidelijke ondersoort). Een iets naar beneden gebogen snavel.

Twee lichte V's zijn te zien op de rug.

(× 3/10)

Bonte Strandloper (noordelijke ondersoort). Dit exemplaar heeft de langste snavel, die men bij deze soort maar kan aantreffen.

Karakteristiek voor deze soort is de bedachtzame wijze van voortbewegen en de manier waarop de snavel wordt gebruikt bij het voedsel zoeken. Ook is de Kleine Strandloper te herkennen aan zijn kleiner postuur, korte zwarte poten en het lichaam dat langwerpiger is dan dat van de Bonte Strandloper. In elk seizoen hebben Kleine Strandlopers witte onderdelen.

Jonge vogel

Vergeleken met de Bonte Strandloper heeft deze soort een helderder verenkleed door de scherper begrensde tekening.

Volwassen vogel in winterkleed

Moeilijkheden bij het uit elkaar houden van de Kleine en de Bonte Strandloper kan men het best vermijden door (behalve op onder delen van het kleed) ook te letten op de meer elegante en tengere indruk die de Kleine Strandloper maakt.

(× 1/2)

Volwassen vogel in herfstkleed

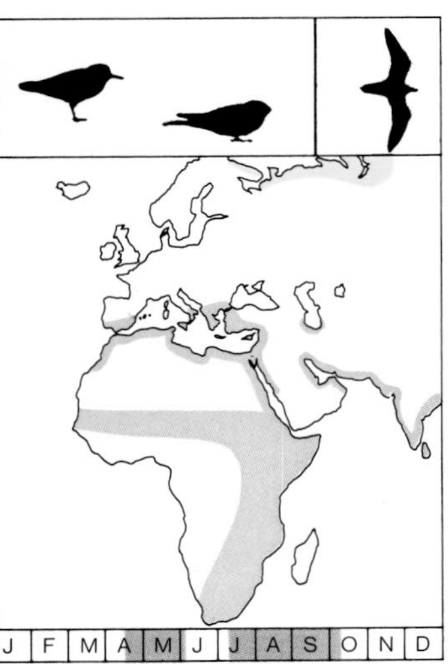

De Kleine Strandloper is duidelijk kleiner dan de verwante Bonte Strandloper, in wiens gezelschap hij vaak wordt aangetroffen. Beide soorten zoeken op dezelfde wijze naar voedsel. Ze pikken snel en vaak en maken steeds weer met de snavel reeksen ondiepe proefboringen in het wad. De Kleine Strandloper is, als men zijn geringere grootte in aanmerking neemt, actiever dan de Bonte Strandloper. Hij richt ook meer zijn aandacht op weekdieren en schaaldieren, die leven aan de oppervlakte van het wad en in ondiep water. Hij verschilt ook van deze vogel in zijn keus van habitat tijdens de doortrek en in de winterkwartieren, nl. een grotere voorliefde voor de oevers van landinwaarts gelegen plassen. De beste gelegenheid om Kleine Strandlopers te zien, krijgt men in West-Europa tijdens de voorjaars- en herfsttrek.

Tijdens de trek naar het zuiden en op overwinteringsplaatsen treft men af en toe troepen aan van een paar honderd vogels, maar gewoonlijk ziet men veel kleinere troepen.

De Kleine Strandloper broedt in het hoge noorden. Om te nestelen zoekt hij met gras begroeide moerassen op of de toendra. In het begin van het broedseizoen laat de vogel vaak een lange, golvende triller horen. Dit 'lied' brengt de vogel meestal op de grond ten gehore. Zo nu en dan worden baltsvluchten waargenomen waarin de vogels blijven staan zweven. Het legsel bestaat uit vier eieren, die hoofdzakelijk door het mannetje in ongeveer drie weken worden uitgebroed. De jongen zijn vliegvlug in circa twee tot tweeëneenhalve week.

Steenloper

JG

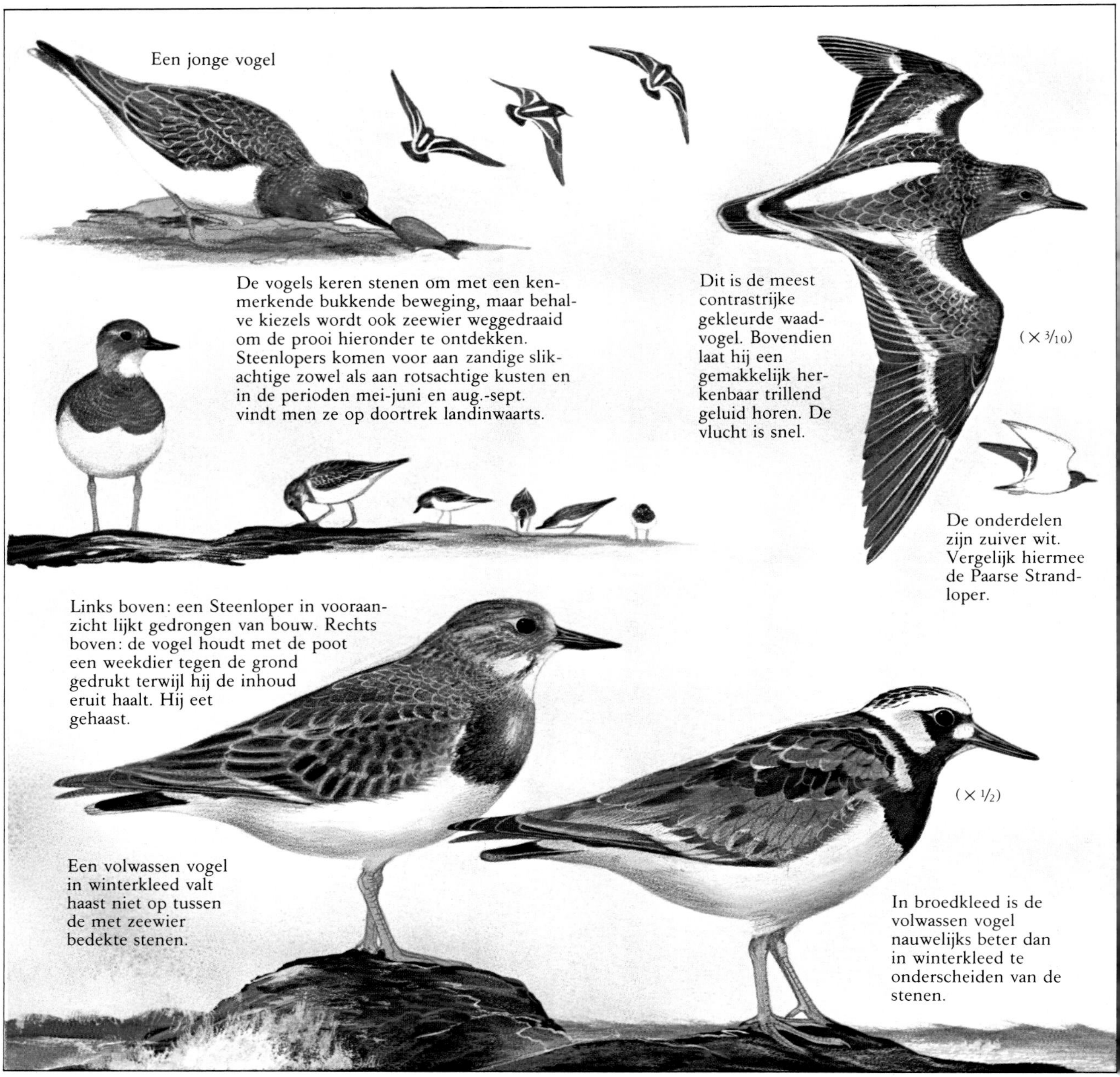

Een jonge vogel

De vogels keren stenen om met een kenmerkende bukkende beweging, maar behalve kiezels wordt ook zeewier weggedraaid om de prooi hieronder te ontdekken. Steenlopers komen voor aan zandige slikachtige zowel als aan rotsachtige kusten en in de perioden mei-juni en aug.-sept. vindt men ze op doortrek landinwaarts.

Dit is de meest contrastrijke gekleurde waadvogel. Bovendien laat hij een gemakkelijk herkenbaar trillend geluid horen. De vlucht is snel.

(× 3/10)

De onderdelen zijn zuiver wit. Vergelijk hiermee de Paarse Strandloper.

Links boven: een Steenloper in vooraanzicht lijkt gedrongen van bouw. Rechts boven: de vogel houdt met de poot een weekdier tegen de grond gedrukt terwijl hij de inhoud eruit haalt. Hij eet gehaast.

(× 1/2)

Een volwassen vogel in winterkleed valt haast niet op tussen de met zeewier bedekte stenen.

In broedkleed is de volwassen vogel nauwelijks beter dan in winterkleed te onderscheiden van de stenen.

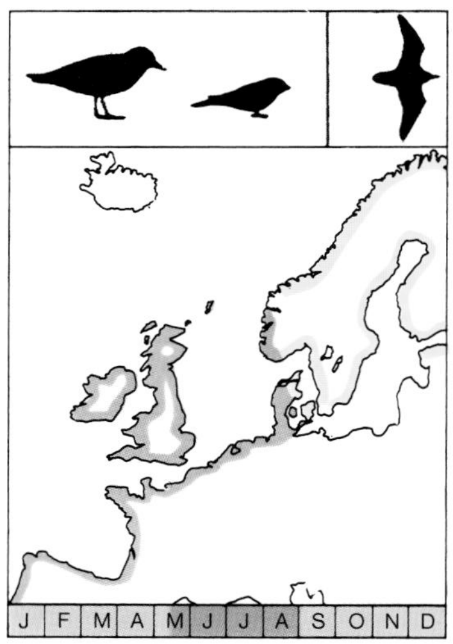

De Steenloper draait met zijn korte, iets opwaarts gebogen snavel allerhande voorwerpen aan het strand om en ontdekt zo prooi. Hij legt ook slik bloot door onder het lopen de fijne, groene laag zeewier met de snavel terug te rollen. Op deze wijze vindt hij vooral insektelarven en schaaldieren, evenals weekdiertjes en wormen. Hij eet ook aas.
De vogel broedt in Europa voornamelijk op rotsachtige eilandjes aan de Scandinavische kusten. Men neemt aan dat eenjarige vogels nog niet broeden en dat zelfs zij die geslachtsrijp zijn, toch niet elk jaar broeden. Op de nestplaatsen ziet men betrekkelijk weinig baltsvertoon. Mannetjes jagen indringers evenwel weg uit hun territorium. Bij hun terugkeer in vlinderachtige vlucht voegen ze aan hun normale ratelende roep een triller toe. Tot de eieren zijn gelegd, blijft het mannetje steeds loze nestkuiltjes maken. Het vrouwtje maakt het echte nestkuiltje, dat gewoonlijk wordt beschut door een steen. Ze legt vier eieren en begint vaak te broeden na het leggen van het derde ei, waardoor de jongen (na 21 tot 23 dagen broeden) gespreid over twee dagen uitkomen. Beide geslachten broeden, het vrouwtje hoofdzakelijk 's nachts, het mannetje overdag. Beide ouders verzorgen de jongen nadat die zijn uitgekomen. Het mannetje blijft nog tien of meer dagen bij ze als ze kunnen vliegen. Door broedvogels aan de Oostzee te ringen, kreeg men aanwijzingen dat deze vogels langs de Atlantische kust zuidwaarts trekken naar West-Afrika, zelfs tot in Kaap Provinsie.

Paarse Strandloper

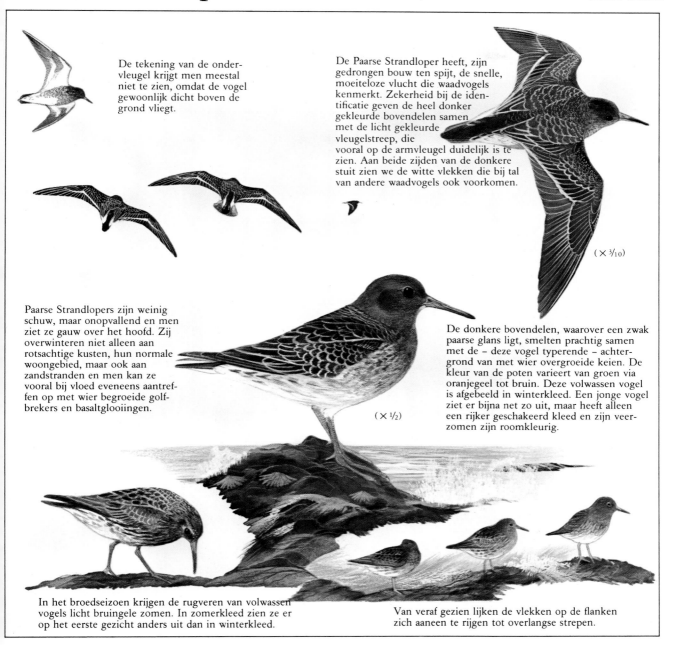

De tekening van de ondervleugel krijgt men meestal niet te zien, omdat de vogel gewoonlijk dicht boven de grond vliegt.

De Paarse Strandloper heeft, zijn gedrongen bouw ten spijt, de snelle, moeiteloze vlucht die waadvogels kenmerkt. Zekerheid bij de identificatie geven de heel donker gekleurde bovendelen samen met de licht gekleurde vleugelstreep, die vooral op de armvleugel duidelijk is te zien. Aan beide zijden van de donkere stuit zien we de witte vlekken die bij tal van andere waadvogels ook voorkomen.

(× 3/10)

Paarse Strandlopers zijn weinig schuw, maar onopvallend en men ziet ze gauw over het hoofd. Zij overwinteren niet alleen aan rotsachtige kusten, hun normale woongebied, maar ook aan zandstranden en men kan ze vooral bij vloed eveneens aantreffen op met wier begroeide golfbrekers en basaltglooiingen.

(× 1/2)

De donkere bovendelen, waarover een zwak paarse glans ligt, smelten prachtig samen met de – deze vogel typerende – achtergrond van met wier overgroeide keien. De kleur van de poten varieert van groen via oranjegeel tot bruin. Deze volwassen vogel is afgebeeld in winterkleed. Een jonge vogel ziet er bijna net zo uit, maar heeft alleen een rijker geschakeerd kleed en zijn veerzomen zijn roomkleurig.

In het broedseizoen krijgen de rugveren van volwassen vogels licht bruingele zomen. In zomerkleed zien ze er op het eerste gezicht anders uit dan in winterkleed.

Van veraf gezien lijken de vlekken op de flanken zich aaneen te rijgen tot overlangse strepen.

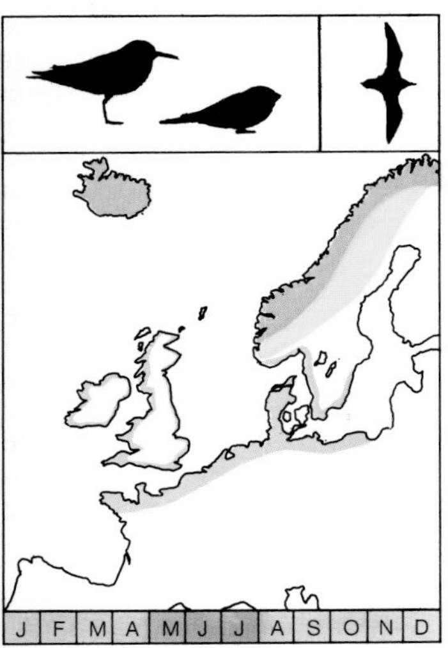

De Paarse Strandloper is nauw verwant met de Bonte en heeft een iets gedrongener, maar verder soortgelijke bouw. Zijn gedrag is echter heel anders. Hij zoekt zelden in het slik of het zand naar voedsel en gebruikt zijn snavel dan ook nauwelijks om ermee in de grond te steken en op de tast naar voedsel te jagen. De meeste prooidieren vindt hij op het gezicht. Zijn menu bestaat 's winters voor het grootste deel uit alikruikjes en fuikhorentjes. Hij zoekt langs het water naar prooi en vindt het meeste voedsel in het gebied midden tussen de eb- en vloedlijn. Veldonderzoek wees uit dat hij dan in gemiddeld 17 seconden 10 prooidiertjes oppikt.

In de winterkwartieren is de Paarse Strandloper een stille vogel, maar in zijn hoognoordelijke broedgebieden laat hij tijdens de baltsvlucht een fluitend, trillend lied horen. Tijdens een ander baltsvertoon dat ze soms ook in hun winterkwartieren laten zien, strekken de vogels de vleugels. De vrij diepe nestholte wordt gemaakt in zachte, met korstmos begroeide grond. De vier eieren worden voornamelijk door het mannetje 21 tot 22 dagen lang bebroed. Vogels die bij het broeden worden gestoord, passen een afleidingstactiek toe. Ze verlaten het nest met een naar omlaag gebogen kop en lijken zo merkwaardig veel op een veldmuis of een lemming. Dit gedrag kan men direct vergelijken met het simuleren van letsel, welk gedrag de meeste andere waadvogels onder dergelijke omstandigheden vertonen.

Bosruiter

DT

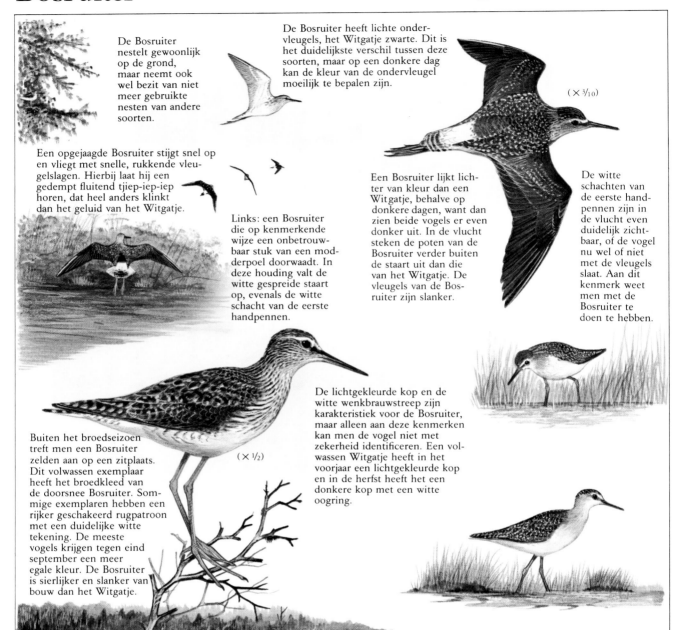

De Bosruiter nestelt gewoonlijk op de grond, maar neemt ook wel bezit van niet meer gebruikte nesten van andere soorten.

De Bosruiter heeft lichte ondervleugels, het Witgatje zwarte. Dit is het duidelijkste verschil tussen deze soorten, maar op een donkere dag kan de kleur van de ondervleugel moeilijk te bepalen zijn.

(× 3/10)

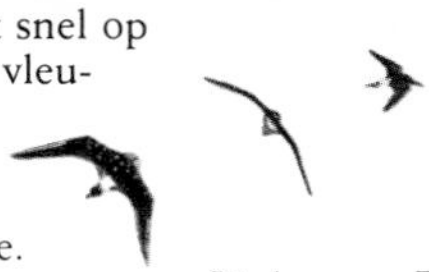

Een opgejaagde Bosruiter stijgt snel op en vliegt met snelle, rukkende vleugelslagen. Hierbij laat hij een gedempt fluitend tjiep-iep-iep horen, dat heel anders klinkt dan het geluid van het Witgatje.

Links: een Bosruiter die op kenmerkende wijze een onbetrouwbaar stuk van een modderpoel doorwaadt. In deze houding valt de witte gespreide staart op, evenals de witte schacht van de eerste handpennen.

Een Bosruiter lijkt lichter van kleur dan een Witgatje, behalve op donkere dagen, want dan zien beide vogels er even donker uit. In de vlucht steken de poten van de Bosruiter verder buiten de staart uit dan die van het Witgatje. De vleugels van de Bosruiter zijn slanker.

De witte schachten van de eerste handpennen zijn in de vlucht even duidelijk zichtbaar, of de vogel nu wel of niet met de vleugels slaat. Aan dit kenmerk weet men met de Bosruiter te doen te hebben.

De lichtgekleurde kop en de witte wenkbrauwstreep zijn karakteristiek voor de Bosruiter, maar alleen aan deze kenmerken kan men de vogel niet met zekerheid identificeren. Een volwassen Witgatje heeft in het voorjaar een lichtgekleurde kop en in de herfst heeft het een donkere kop met een witte oogring.

(× 1/2)

Buiten het broedseizoen treft men een Bosruiter zelden aan op een zitplaats. Dit volwassen exemplaar heeft het broedkleed van de doorsnee Bosruiter. Sommige exemplaren hebben een rijker geschakeerd rugpatroon met een duidelijke witte tekening. De meeste vogels krijgen tegen eind september een meer egale kleur. De Bosruiter is sierlijker en slanker van bouw dan het Witgatje.

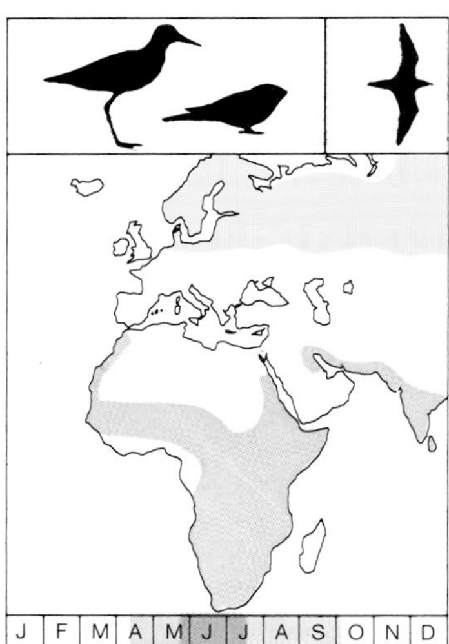

Typerende broedterreinen voor de Bosruiter zijn moerassige open plekken en oevers van meren in de berken- en naaldwouden van de gematigde streken. Noordelijker is het open toendra, waar de kruipwilgen de enige beschutting bieden. In Finland is de Bosruiter met 180.000 broedpaartjes de meest talrijke waadvogel. Enkele broedpaartjes komen ook voor in Duitsland, Denemarken en Schotland. Het broedseizoen begint met baltsvluchten waaraan beide geslachten deelnemen. De vogels vliegen met trillende vleugelslagen, om dan weer in glijvlucht neer te zweven. Ze laten twee liedjes horen; het ene doet denken aan het geluid van de Boomleeuwerik, het andere is niet met woorden te beschrijven. Het nest bestaat gewoonlijk uit een met gras bekleed simpel kuiltje in de grond. De vier eieren worden 22 tot 23 dagen lang door beide ouders bebroed, het meest door het vrouwtje; maar nadat de eieren zijn uitgekomen, laat ze de zorg voor de jongen alras aan haar partner over. De jongen zijn na ongeveer vier weken vliegvlug. Buiten het broedseizoen vindt men Bosruiters voornamelijk aan plassen in zoetwatermoerassen en op vloeivelden. Ze zoeken voedsel in het water en in het slik waarin ze met de snavel tasten naar schaaldiertjes, larven van vliegen, waterkevers en dergelijke. In bijna geheel West-Europa ziet men Bosruiters alleen doortrekken, doorgaans in tamelijk klein aantal. Zwermen van enige duizenden Bosruiters, voornamelijk afkomstig uit Scandinavië, komen evenwel voor in de Camargue, waar de rui plaatsvindt.

Witgatje

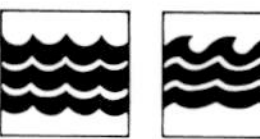

DT

Het Witgatje is forser en donkerder van kleur dan de Bosruiter en zijn eerste handpen heeft geen witte schacht. Als men deze verschijning ziet, dan is vooral op donkere dagen de eerste indruk dat het een zwart met wit getekende vogel is.

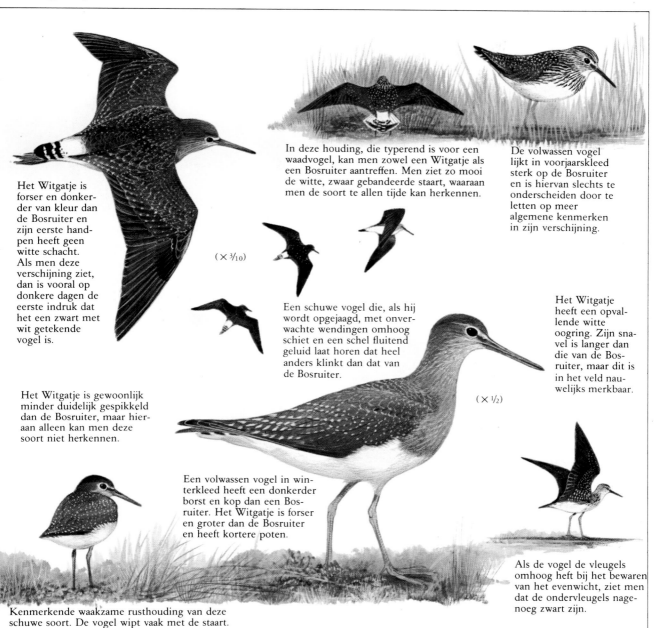

In deze houding, die typerend is voor een waadvogel, kan men zowel een Witgatje als een Bosruiter aantreffen. Men ziet zo mooi de witte, zwaar gebandeerde staart, waaraan men de soort te allen tijde kan herkennen.

De volwassen vogel lijkt in voorjaarskleed sterk op de Bosruiter en is hiervan slechts te onderscheiden door te letten op meer algemene kenmerken in zijn verschijning.

(× 3/10)

Een schuwe vogel die, als hij wordt opgejaagd, met onverwachte wendingen omhoog schiet en een schel fluitend geluid laat horen dat heel anders klinkt dan dat van de Bosruiter.

Het Witgatje heeft een opvallende witte oogring. Zijn snavel is langer dan die van de Bosruiter, maar dit is in het veld nauwelijks merkbaar.

(× 1/2)

Het Witgatje is gewoonlijk minder duidelijk gespikkeld dan de Bosruiter, maar hieraan alleen kan men deze soort niet herkennen.

Een volwassen vogel in winterkleed heeft een donkerder borst en kop dan een Bosruiter. Het Witgatje is forser en groter dan de Bosruiter en heeft kortere poten.

Als de vogel de vleugels omhoog heft bij het bewaren van het evenwicht, ziet men dat de ondervleugels nagenoeg zwart zijn.

Kenmerkende waakzame rusthouding van deze schuwe soort. De vogel wipt vaak met de staart.

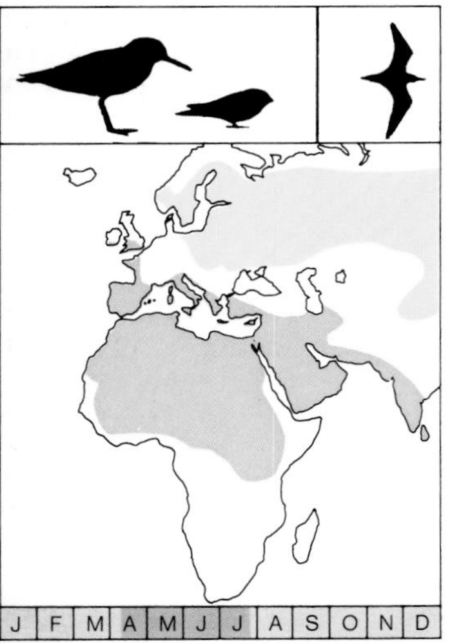

Het Witgatje kan met meer recht een bosvogel worden genoemd dan de Bosruiter. Hij broedt bijna uitsluitend in loofbossen (berken- en elzenbossen) of in naaldbossen. Vroeg in het begin van het broedseizoen vertonen de vogels met uitgespreide vleugels en uitgewaaierde staart verschillende baltsspelen op de grond. In de baltsvlucht ziet men de vogels afwisselend met snel slaande vleugels hoogte winnen en steil naar beneden glijden. De zang is een mengelmoes van scherpe, langgerekte en zoetvloeiende tonen. Gewoonlijk nestelt het Witgatje tien tot vijftien meter hoog in een oud nest van een andere vogelsoort, bijv. van een Kramsvogel, Vlaamse Gaai of Houtduif. Het legsel, dat uit vier eieren bestaat, wordt door beide geslachten gedurende 20 tot 22 dagen bebroed. Na het uitkomen laten de jongen zich op de grond tuimelen, waarbij hun geringe gewicht en hun dikke donskleed ze behoedt voor letsel. Na ongeveer vier weken zijn ze vliegvlug en ze zijn dan, op de eerste dagen na, alleen door het mannetje opgevoed. Op doortrek en in de winterkwartieren zoekt het witgatje plaatsen op waar hij zich goed kan schuil houden en deze vogel ziet men dan ook wel eens onverhoeds opvliegen. Als hij aan het broeden is, zoekt het Witgatje minder met de snavel naar voedsel in de grond dan de Bosruiter en hij eet hoofdzakelijk kleine waterdiertjes.

De westelijke populaties Witgatjes overwinteren in Zuidwest-Europa. Meer oostelijk levende vogels trekken wel eens zuidwaarts tot in Afrika.

Oeverloper

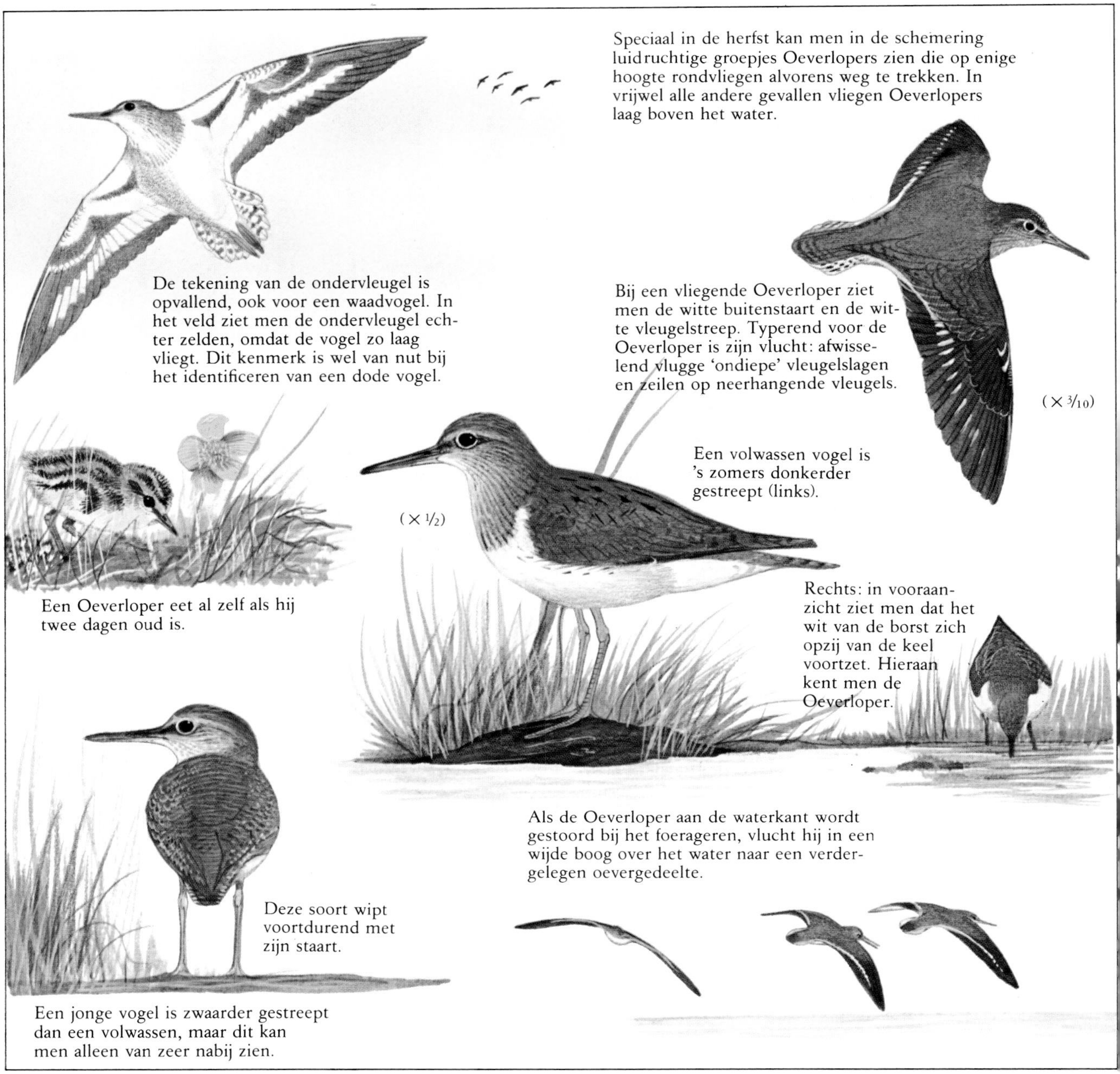

Speciaal in de herfst kan men in de schemering luidruchtige groepjes Oeverlopers zien die op enige hoogte rondvliegen alvorens weg te trekken. In vrijwel alle andere gevallen vliegen Oeverlopers laag boven het water.

De tekening van de ondervleugel is opvallend, ook voor een waadvogel. In het veld ziet men de ondervleugel echter zelden, omdat de vogel zo laag vliegt. Dit kenmerk is wel van nut bij het identificeren van een dode vogel.

Bij een vliegende Oeverloper ziet men de witte buitenstaart en de witte vleugelstreep. Typerend voor de Oeverloper is zijn vlucht: afwisselend vlugge 'ondiepe' vleugelslagen en zeilen op neerhangende vleugels.

(× 3/10)

Een volwassen vogel is 's zomers donkerder gestreept (links).

(× 1/2)

Een Oeverloper eet al zelf als hij twee dagen oud is.

Rechts: in vooraanzicht ziet men dat het wit van de borst zich opzij van de keel voortzet. Hieraan kent men de Oeverloper.

Als de Oeverloper aan de waterkant wordt gestoord bij het foerageren, vlucht hij in een wijde boog over het water naar een verdergelegen oevergedeelte.

Deze soort wipt voortdurend met zijn staart.

Een jonge vogel is zwaarder gestreept dan een volwassen, maar dit kan men alleen van zeer nabij zien.

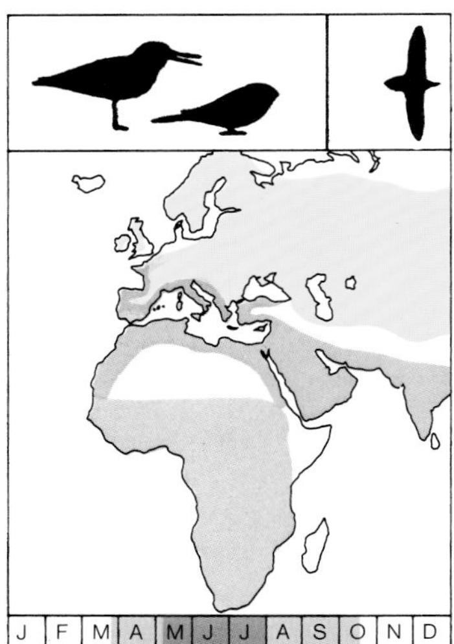

Snelstromende bergbeekjes typeren het broedgebied van de Oeverloper, maar de vogel komt ook voor aan stilstaand helder water. Deze leuke kleine waadvogel maakt regelmatig 'wippende' bewegingen, een aspect in zijn gedrag dat tot nu toe niet bevredigend is verklaard. In Nederland is de Oeverloper een zeldzame broedvogel.
Oeverlopers komen in april in hun broedgebieden aan. In de tijd van de hofmakerij en de paring worden spectaculaire baltsvluchten uitgevoerd, waarin het mannetje steeds hoger cirkelt en een trillend gezang laat horen. Het duikt naar andere mannetjes en op de grond ontstaan verwoede gevechten. Beide geslachten maken nestkuiltjes, maar het vrouwtje zoekt er een uit dat met stukjes vegetatie wordt bekleed. De uitverkoren nestplaats ligt meestal tussen de begroeiing, soms ook aan kiezeloevers. Beide geslachten bebroeden de vier eieren, die na 21 tot 23 dagen uitkomen. De jongen zijn na ± vier weken vliegvlug; er wordt maar één broedsel grootgebracht. Om de aandacht van indringers af te leiden van de jongen, simuleren de oude vogels letsels en sommige rapporten vermelden dat oude vogels kuikens tussen de poten wegdroegen uit de gevarenzone. Buiten het broedseizoen ziet men Oeverlopers op doortrek aan tal van watertjes en ook aan de kust, waar ze voorkeur hebben voor geulen en kreken op schorren en in estuariumgebieden. Als voedsel pikken ze minieme diertjes op die voorkomen op de stenen en het slik of in ondiep water.

Kemphaan

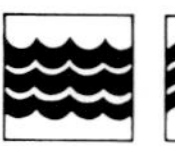
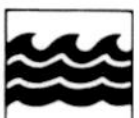

JV

Bij de Kemphaan wordt de balts uitgevoerd op een gemeenschappelijke baltsplaats of lek.

Volwassen vrouwtje ('Kemphen')

(× 1/6)

(× 1/6)

Volwassen mannetje ('Kemphaan')

Honkmannetjes bezitten en verdedigen een eigen territorium of honk en ze verlaten de lek niet gedurende de dag. De lek wordt bezocht door randsatellietmannetjes en vrouwtjes.

Mannetje en vrouwtje (boven) in winterkleed in de vlucht; jonge vogels hebben een iets warmer getint verenkleed. De snelle vlucht is krachtig, met nadrukkelijk slaande vleugels, de landing meestal in glijvlucht. De Kemphaan heeft een smalle witte vleugelstreep en ovale witte vlekken aan beide staartzijden.

Baltsende Kemphaan met opgerichte halskraag en oorpluimen.

Agressief gedrag en vechten vindt plaats tussen onafhankelijke mannetjes (honk- en randmannetjes).

Het gevecht wordt gestaakt als een van de mannetjes zich onderwerpt door te hurken en de kop af te wenden. Een belangstellend vrouwtje kan ondertussen het honk van de overwinnaar hebben betreden en deze uitnodigen voor een paring.

(× 1/4)

Als rand-, satellietmannetjes en vrouwtjes de lek verlaten, nemen de honkmannetjes een uitzonderlijke opgerichte houding aan, zetten de halskragen uit, ontspannen en strijken de kraag glad.

De vogel is ook te herkennen aan de halflange, iets naar beneden gebogen snavel en de fijngevormde kop. De kleur van de poten is variabel en biedt weinig steun bij de determinatie.

Bij de Kemphaan worden de balts en de paring in hoofdzaak uitgevoerd op een gemeenschappelijke baltsplaats, de zogenaamde lek. Verscheidene vogelsoorten hebben in de loop van de tijd een dergelijk gedrag ontwikkeld. Maar de Kemphaan wijkt van al deze soorten af door zijn systeem van onafhankelijke mannetjes (honk- en randmannetjes) en satellietmannetjes.

Honkmannetjes bezetten gedurende de dag hun honk vrijwel voortdurend en verdedigen het tegen honk- en randmannetjes. Randmannetjes blijven aan de rand van de lek en hebben geen honk. Satellietmannetjes hebben ook geen honk, maar maken gebruik van dat van de honkmannetjes. Ze vertonen nooit openlijk een aanvalsgedrag tegenover hun gastheer. Vrouwtjes bezoeken de lek gedurende korte perioden. Na te zijn neergestreken, stellen ze zich bij een honk op en blijven daar meestal totdat ze de lek weer verlaten. Soms betreden ze een honk om er te paren. Slechts de mannetjes die op een honk staan (honk- en satellietmannetjes) paren. Onafhankelijke mannetjes (honk- en randmannetjes) hebben als regel een zwarte of donker gekleurde halskraag en oorpluimen of een witte kraag met zwarte oorpluimen. Satellietmannetjes hebben vrijwel steeds een witte of bijna witte halskraag en oorpluimen.

Ze nestelen in de buurt van de lek en de nesten liggen vaak goed verborgen tussen graspollen. Het vrouwtje neemt het broeden en de verzorging van de jongen geheel voor haar rekening.

Kanoetstrandloper

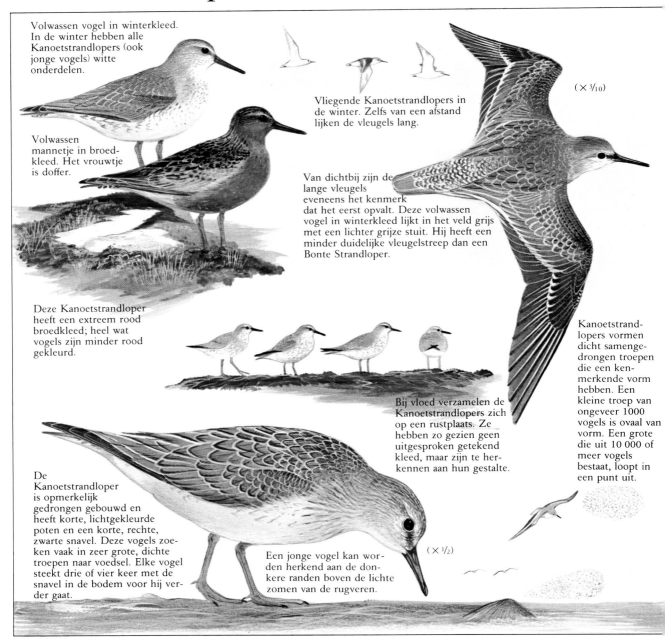

Volwassen vogel in winterkleed. In de winter hebben alle Kanoetstrandlopers (ook jonge vogels) witte onderdelen.

Volwassen mannetje in broedkleed. Het vrouwtje is doffer.

Vliegende Kanoetstrandlopers in de winter. Zelfs van een afstand lijken de vleugels lang.

(× 3/10)

Van dichtbij zijn de lange vleugels eveneens het kenmerk dat het eerst opvalt. Deze volwassen vogel in winterkleed lijkt in het veld grijs met een lichter grijze stuit. Hij heeft een minder duidelijke vleugelstreep dan een Bonte Strandloper.

Deze Kanoetstrandloper heeft een extreem rood broedkleed; heel wat vogels zijn minder rood gekleurd.

Kanoetstrandlopers vormen dicht samengedrongen troepen die een kenmerkende vorm hebben. Een kleine troep van ongeveer 1000 vogels is ovaal van vorm. Een grote die uit 10 000 of meer vogels bestaat, loopt in een punt uit.

Bij vloed verzamelen de Kanoetstrandlopers zich op een rustplaats. Ze hebben zo gezien geen uitgesproken getekend kleed, maar zijn te herkennen aan hun gestalte.

De Kanoetstrandloper is opmerkelijk gedrongen gebouwd en heeft korte, lichtgekleurde poten en een korte, rechte, zwarte snavel. Deze vogels zoeken vaak in zeer grote, dichte troepen naar voedsel. Elke vogel steekt drie of vier keer met de snavel in de bodem voor hij verder gaat.

Een jonge vogel kan worden herkend aan de donkere randen boven de lichte zomen van de rugveren.

(× 1/2)

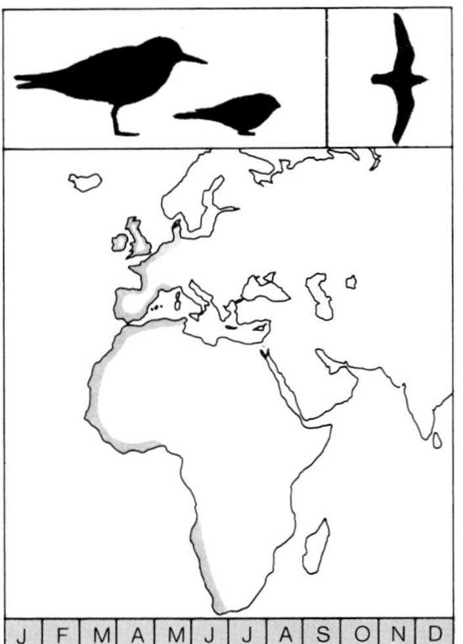

Kanoetstrandlopers zijn groter dan de verwante Bonte Strandloper, in wiens gezelschap ze vaak voedsel zoeken. Hun grotere afmetingen weerspiegelen zich in het langzamer tempo waarin deze waadvogels voedsel zoeken. Dit illustreert een algemene regel in het dierenrijk, dat de activiteit omgekeerd evenredig is met de grootte van een dier. Kanoetstrandlopers zoeken wel op dezelfde manier als de Bonte Strandloper naar voedsel, maar ze bepalen hun aandacht meer op aan de oppervlakte levende prooi, zoals alikruikjes en dergelijke kleine weekdieren.

Het zijn broedvogels van hoognoordelijke streken en ze nestelen op de open, spaarzaam met korstmos bedekte toendra. Zo gauw de sneeuw verdwijnt, wat gewoonlijk in de tweede helft van juni gebeurt, leggen de vrouwtjes de vier eieren. Beide ouders broeden en de eieren komen binnen 2 dagen uit. De ouders leiden de jongen naa meer moerassige gebieden waar ze insek telarven kunnen vinden.

Kanoetstrandlopers overwinteren aan d kusten van West-Europa, zuidelijk tot i West-Afrika. In verschillende van hun be langrijkste overwinteringsgebieden (zoal de Waddenzee) bestaan plannen voor in polderingen en bedijkingen. Om te voor zien welk effect dergelijke ontwikkelinge op de Kanoetstrandloper zullen hebber zijn het trekgedrag en de populaties va deze vogel onderwerp van een grondi onderzoek.

Kievit

Brede, afgeronde vleugel van het mannetje.

Smallere, spitsere vleugel van het vrouwtje.

Langzame vleugelslag en slordige troepvorm zijn typerend voor een vlucht Kieviten. Een buitelende baltsvlucht is opvallend in het broedseizoen.

Overvliegende Kraaien worden van de nestplaats verdreven.

Onder: de vogel duikt ineen met de kop tegen de wind. Rechts onder: typische houding bij het landen.

(× ⅓)

Volwassen vogels zijn gemakkelijk herkenbaar aan de lange kuif en de zwart-witte onderzijde. Jonge vogels (links) hebben een kortere kuif en lichte randen aan de veren.

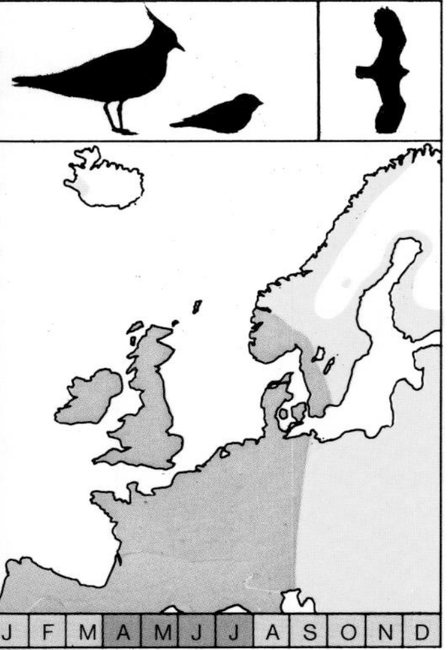

De markante roep en de uitgelaten buitelende baltsvlucht van de mannetjes Kieviten zijn een goede vertolking van het opwindende gevoel dat opkomt bij het begin van de lente. Deze vluchten trekken al spoedig een partner aan. Het gevormde paartje inspecteert gezamenlijk een aantal in aanmerking komende plaatsen. Na de nestkeuze volgt de paring en het eerste ei wordt vaak nog in maart gelegd. Beide vogels broeden, maar het vrouwtje het meest. De eieren komen na 24 tot 31 dagen uit: de broedduur schijnt afhankelijk te zijn van de hoogte boven zeeniveau van het broedterrein.

Spoedig na het uitkomen worden de jongen van de droge, onbeschermde nestplaats geleid – tenminste, indien het nest op een omgeploegde akker ligt – en naar een meer beschermd grasland gebracht. Na viereneenhalf tot vijf weken zijn ze zelfstandig.

Buiten het broedseizoen zoeken de Kieviten voedsel op weiland en omgeploegd akkerland, waarbij de plevierentactiek van afwisselend korte eindjes rennen en stilstaan wordt gevolgd, abrupt op een prooi afschietend – een regenworm, langpootmuglarve of rups. Met heftig rukkende bewegingen wordt de prooi tussen de wortels van graspollen uitgetrokken. Foerageren wordt moeilijk wanneer de velden bevriezen en dit verklaart de plotselinge grootscheepse trekbewegingen van Kieviten bij een invallende vorst. Naar het zuidwesten vliegende Kieviten schieten soms drastisch door en belanden in Noord-Amerika.

Goudplevier

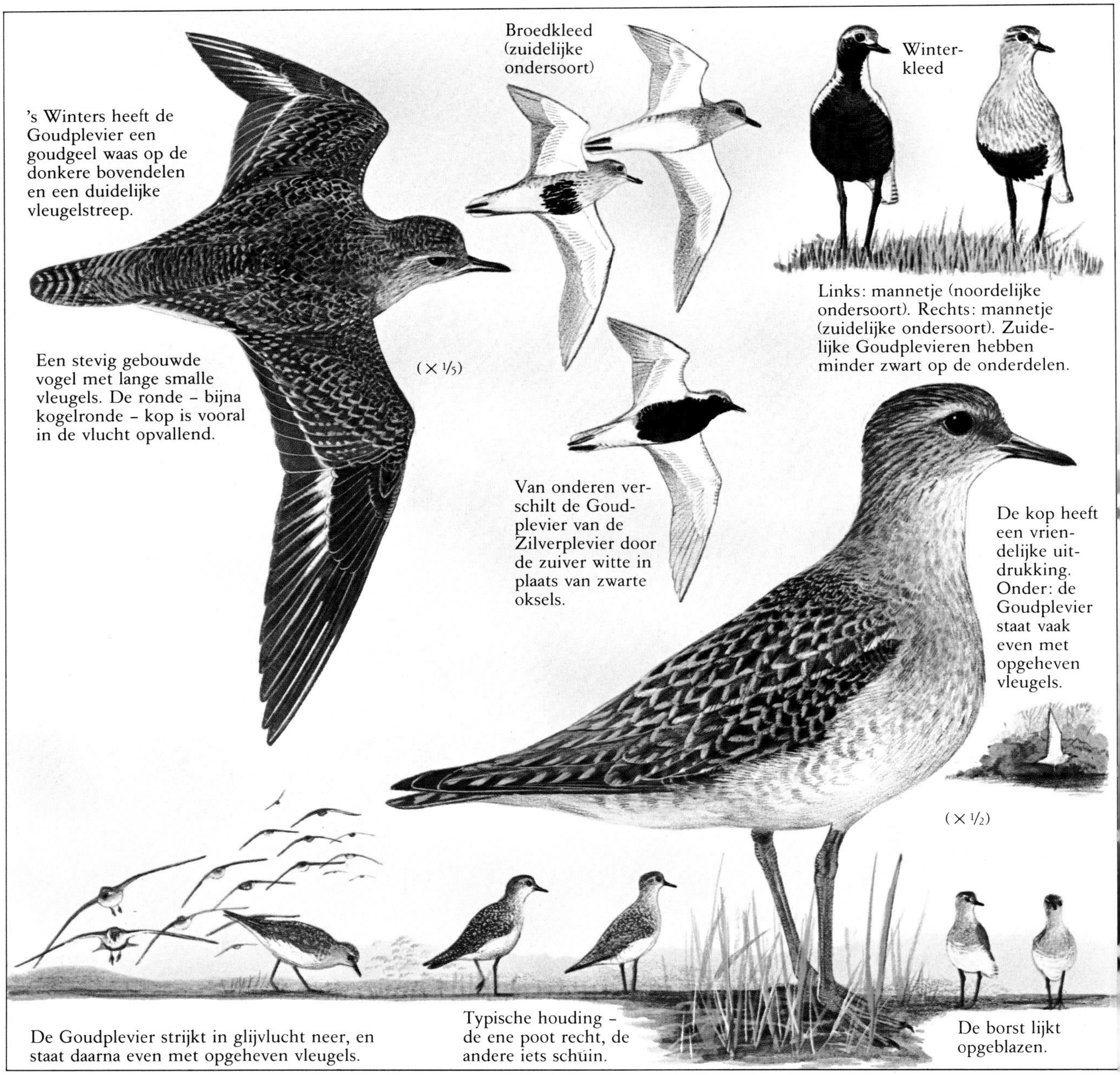

's Winters heeft de Goudplevier een goudgeel waas op de donkere bovendelen en een duidelijke vleugelstreep.

Broedkleed (zuidelijke ondersoort)

Winter-kleed

Links: mannetje (noordelijke ondersoort). Rechts: mannetje (zuidelijke ondersoort). Zuidelijke Goudplevieren hebben minder zwart op de onderdelen.

Een stevig gebouwde vogel met lange smalle vleugels. De ronde – bijna kogelronde – kop is vooral in de vlucht opvallend.

(× 1/5)

Van onderen verschilt de Goudplevier van de Zilverplevier door de zuiver witte in plaats van zwarte oksels.

De kop heeft een vriendelijke uitdrukking. Onder: de Goudplevier staat vaak even met opgeheven vleugels.

(× 1/2)

De Goudplevier strijkt in glijvlucht neer, en staat daarna even met opgeheven vleugels.

Typische houding – de ene poot recht, de andere iets schuin.

De borst lijkt opgeblazen.

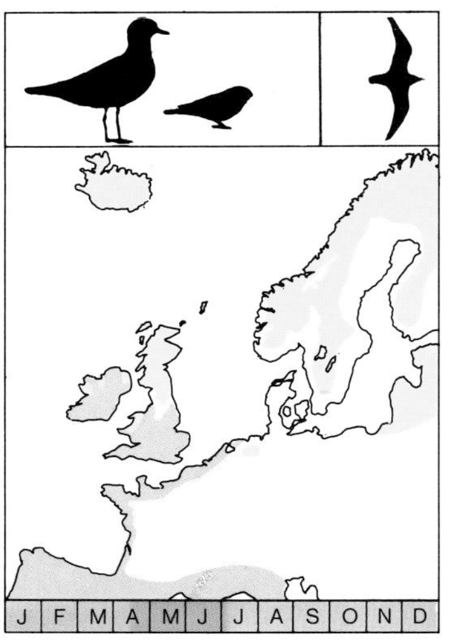

Op weiden en graslanden kan men 's winters de heldere, fluitende roep van de Goudplevier horen. In dichte groepen vliegen ze van weiland tot weiland, waar ze zich verspreiden om op typische plevierenmanier voedsel te gaan zoeken: afwisselend rennen en stilstaan. De prooien worden op 'ruwe' wijze opgepikt en bij vele op deze wijze bemachtigde regenwormen breekt de kop af – een verkwistende methode vergeleken met bijvoorbeeld die van de Wulp, die met zijn lange snavel de wormen 'voorzichtig' naar boven trekt. De wijze van voedsel zoeken van de Goudplevier is echter ideaal voor het bemachtigen van oppervlaktedieren zoals kevers. Maar ook slakken en vliegelarven die onder halmen en tussen graswortels verborgen zitten, worden in grote hoeveelheden gegeten. Goudplevieren worden ook wel op slikken aangetroffen, waar ze zich te goed doen aan kleine slakjes. Bij helder maanlicht blijven ze vaak de hele nacht foerageren.

De zang is een gevarieerde, op en neer gaande triller, en deze is ook bij ons te horen tijdens de nawinter. Dan zijn sommige van de bij ons overwinterende exemplaren al in zomerkleed. Het nest ligt in vochtige heide of toendra, in een kuiltje tussen gras of korstmos. De vier eieren worden door beide ouders bebroed en ze komen na 27 à 28 dagen uit; de jongen zijn vier weken later zelfstandig.

In Nederland was de Goudplevier tot 1937 broedvogel; de hier broedende vogels behoorden tot de zuidelijke ondersoort.

Zilverplevier

JG

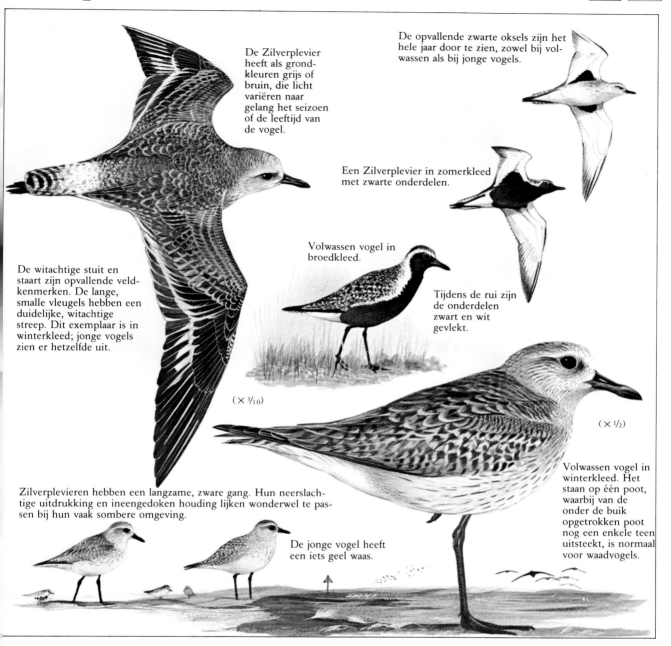

De Zilverplevier heeft als grondkleuren grijs of bruin, die licht variëren naar gelang het seizoen of de leeftijd van de vogel.

De opvallende zwarte oksels zijn het hele jaar door te zien, zowel bij volwassen als bij jonge vogels.

Een Zilverplevier in zomerkleed met zwarte onderdelen.

De witachtige stuit en staart zijn opvallende veldkenmerken. De lange, smalle vleugels hebben een duidelijke, witachtige streep. Dit exemplaar is in winterkleed; jonge vogels zien er hetzelfde uit.

Volwassen vogel in broedkleed.

Tijdens de rui zijn de onderdelen zwart en wit gevlekt.

(× 3/10)

(× 1/2)

Volwassen vogel in winterkleed. Het staan op één poot, waarbij van de onder de buik opgetrokken poot nog een enkele teen uitsteekt, is normaal voor waadvogels.

Zilverplevieren hebben een langzame, zware gang. Hun neerslachtige uitdrukking en ineengedoken houding lijken wonderwel te passen bij hun vaak sombere omgeving.

De jonge vogel heeft een iets geel waas.

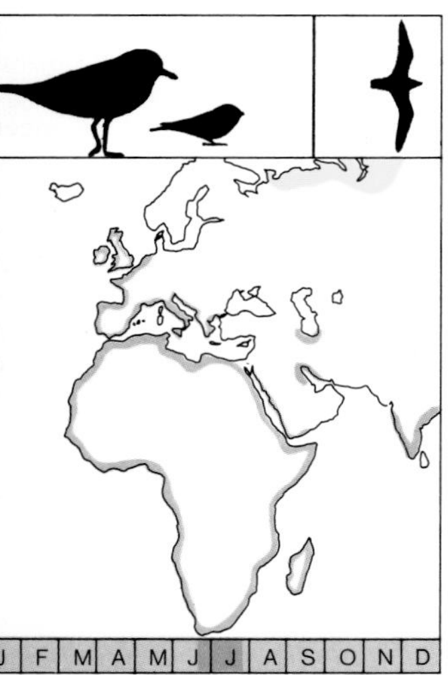

De Zilverplevier komt voor op wadden, slikken en buitendijks grasland. Een vliegende Zilverplevier is meteen te herkennen aan de zwarte oksels en aan de heldere, drielettergrepige roep. De Zilverplevier is zwaarder gebouwd dan de Goudplevier en heeft een meer ineengedoken houding, zelfs op de akkers en weilanden die hij bij uitzondering bezoekt. De Goudplevier met zijn meer opgerichte houding heeft op deze terreinen een beter uitzicht over het gras en de stoppels. Door zijn langere, zwaardere snavel kan de Zilverplevier prooien bemachtigen die voor de Goudplevier onbereikbaar zijn. Zo graaft hij kokerwormen uit met snelle zijdelingse slagen van de snavel. Krabben zijn het hoofdvoedsel, tot deze tegen de winter verdwijnen naar dieper water. Weekdieren, met name zeeslakken, worden in grote hoeveelheden gegeten.

De Zilverplevier maakt grotere trekbewegingen dan de Goudplevier. De zich in Europa ophoudende vogels zijn afkomstig van de broedpopulaties in Rusland en Siberië. Ze trekken over de Oostzee en vele gaan via de Europese kusten verder naar de Afrikaanse tot in Kaap Provinsie, om daar te overwinteren. Het broedgedrag lijkt op dat van de Goudplevier; beide soorten laten een soortgelijk gezang horen en vertonen een 'vlinderachtige' baltsvlucht. Het nest is een simpel kuiltje tussen stenen en korstmos, waarin tegen eind juni vier eieren worden gelegd. De ouders zijn bijzonder dapper bij de verdediging van hun jongen, die tegen eind augustus vliegvlug zijn.

Groenpootruiter

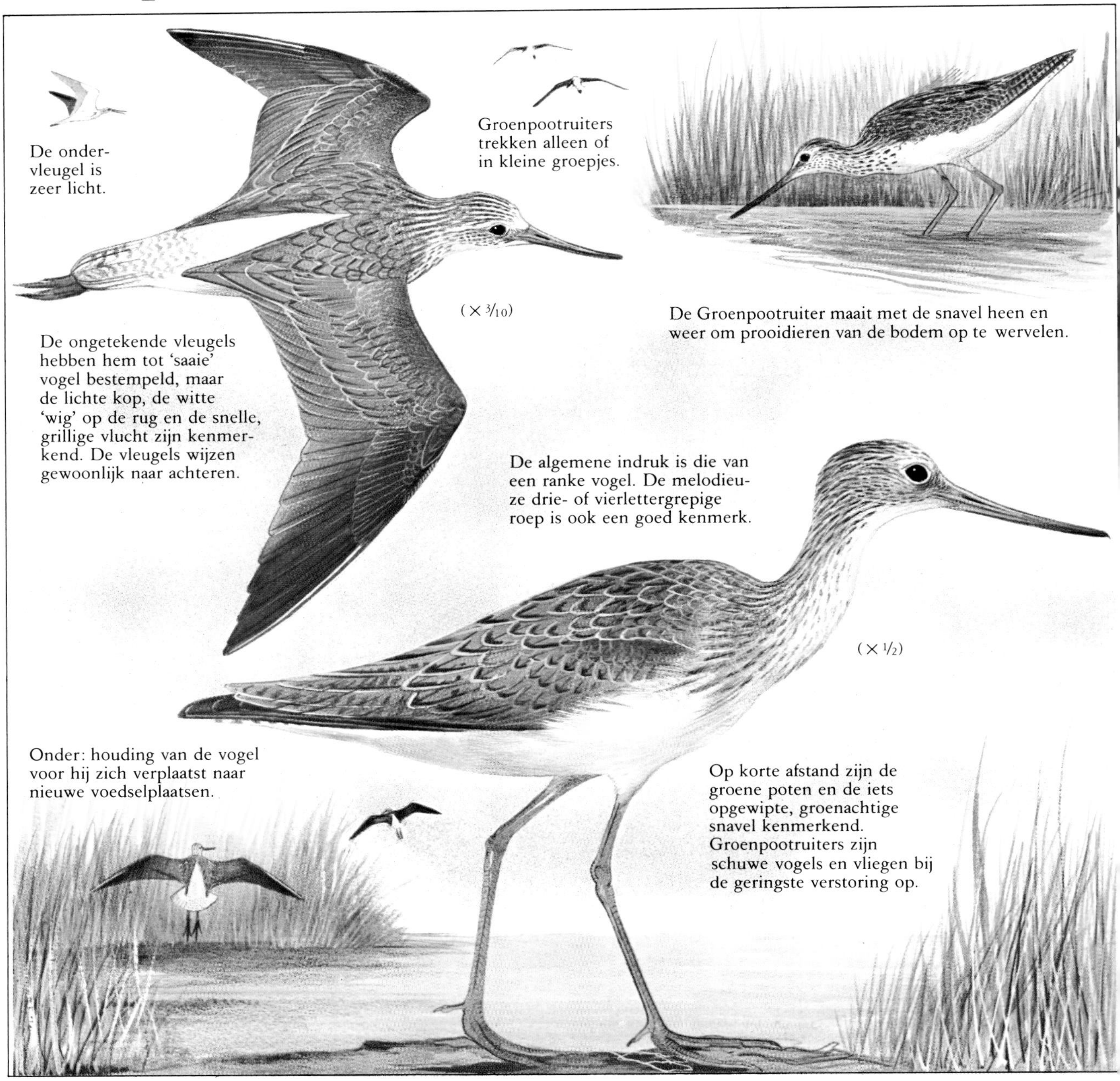

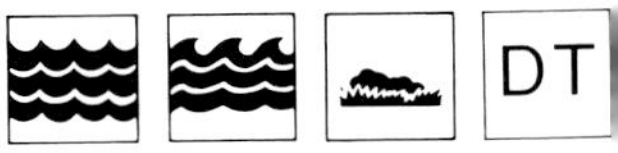

De ondervleugel is zeer licht.

Groenpootruiters trekken alleen of in kleine groepjes.

De Groenpootruiter maait met de snavel heen en weer om prooidieren van de bodem op te wervelen.

(× 3/10)

De ongetekende vleugels hebben hem tot 'saaie' vogel bestempeld, maar de lichte kop, de witte 'wig' op de rug en de snelle, grillige vlucht zijn kenmerkend. De vleugels wijzen gewoonlijk naar achteren.

De algemene indruk is die van een ranke vogel. De melodieuze drie- of vierlettergrepige roep is ook een goed kenmerk.

(× 1/2)

Onder: houding van de vogel voor hij zich verplaatst naar nieuwe voedselplaatsen.

Op korte afstand zijn de groene poten en de iets opgewipte, groenachtige snavel kenmerkend. Groenpootruiters zijn schuwe vogels en vliegen bij de geringste verstoring op.

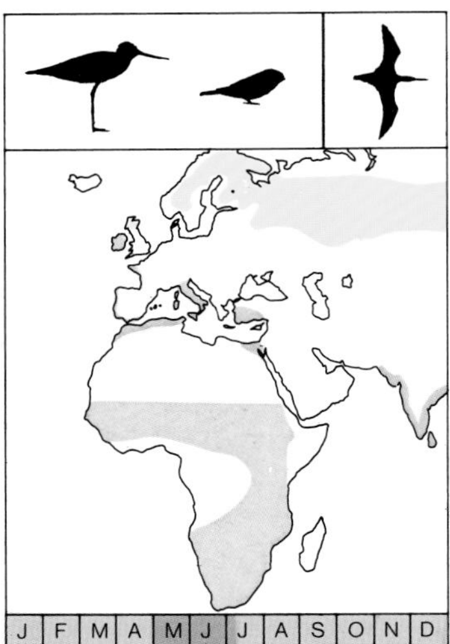

Ondanks zijn onopvallende verschijning is deze vogel wat betreft gedrag en biologie een van de interessantste waadvogels. Hij broedt in Noord-Eurazië in moerassige heidevelden of hoogveen en op open plekken in het bos. Vanuit zijn broedgebied trekt hij 's winters naar het zuiden om te overwinteren vanaf de Middellandse Zee tot Zuid-Afrika; de oostelijke populaties trekken naar het zuiden van Azië en naar Australië. In West-Europa kent men hem dus als trekvogel, vooral op wadden en slikken, ook wel in zoetwaterplasjes.

Het is een actieve, levendige vogel, ijverig op zoek naar schaaldiertjes en kleine visjes in ondiep water. Met snelle bewegingen vangt hij zijn prooi en soms staat hij te 'dansen' om prooidieren op te wervelen. In het broedgebied worden hoofdzakelijk waterinsekten – vooral kevers en bootsmannetjes – gevangen, maar visjes, salamanders en kikkers versmaadt hij niet.

De melodieuze zang wordt tijdens de opvallende baltsvlucht gegeven. De hofmakerij bestaat uit een gevarieerd scala baltshoudingen. Een vogelsoort die een aantal keren als zomergast in ons land is gesignaleerd en sterk op een kleine Groenpootruiter lijkt, is de in Oost-Europa inheemse Poelruiter, met eveneens groenachtige poten, een soortgelijk vliegbeeld – alleen steken de poten nog verder buiten de staart uit, maar in zomerkleed met sterk zwartgevlekte bovendelen op een isabelkleurige ondergrond.

Het nest bevindt zich gewoonlijk op uitgestrekt vlak terrein en het vereist een grote ervaring om dit te vinden.

Tureluur

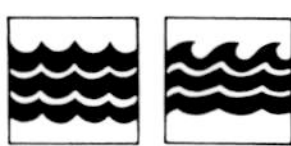    J V

Een indringer wordt aangevallen.

De snelle schokkerige vlucht met de rukkende neerwaartse vleugelslag sluit verwarring met andere waadvogels uit.

Tureluurs kunnen waarnemers 'tureluurs' maken, doordat ze met hun aanhoudend doordringend gealarmeer andere vogels verjagen.

Herkenbaar in de vlucht aan de witte rug en stuit en de opvallende witte achterrand van de vleugel.

(× 3/10)

Bij het neerstrijken worden de vleugels vaak even omhooggehouden, zodat de witte onderzijde zichtbaar wordt. Buiten de broedtijd worden ze zelden op een uitkijkpost gezien.

Deze vliegende Tureluurs tonen de onder- en bovenvleugel. Tureluurs komen alleen of in grote groepen voor.

Volwassen vogel in voorjaarskleed. 's Zomers is de rug zwart gevlekt en de borst is minder gestreept dan 's winters. Volwassen vogels hebben rode poten, jonge vogels hebben oranjegele.

(× 1/2)

Links: baltsvlucht, die wordt uitgevoerd met gebogen vleugels en snelle, neerwaartse vleugelslagen.

De Tureluur foerageert soms in diep water en hij gaat regelmatig zwemmen. Op vaak elegante wijze loopt hij over zachte plekken in modder- en slikvelden.

Boven: een verontruste Tureluur gaat op de wieken.

Kuiken (een dag oud)

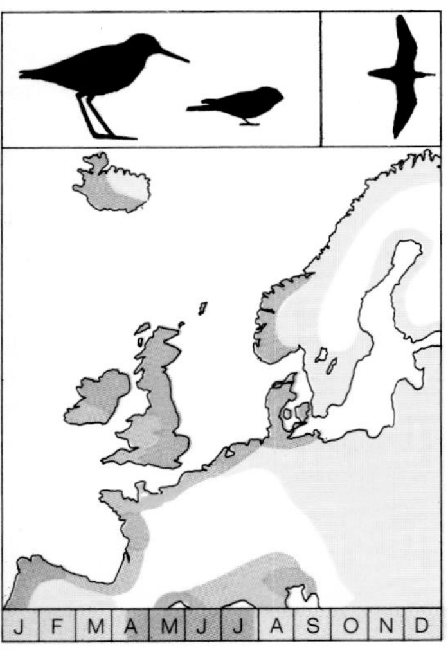

De Tureluur is een echte lawaaischopper, die bij verstoring met veel misbaar opvliegt. In het winterhalfjaar houdt hij zich bij voorkeur op wadden en slikken op, waar hij vooral leeft van kleine schaaldiertjes *(Corophium)*. Deze diertjes zitten dicht bij de oppervlakte en worden door de vogel, die met kwieke pasjes rondstapt, opgepikt: soms wel tot 100 pikken per minuut. Het gezicht is het voornaamste zintuig bij deze manier van jagen, maar er wordt door deze vogels ook op de tast gejaagd, door de snavel heen en weer te bewegen door het slik; deze methode wordt vooral 's nachts toegepast.
Het is gebleken dat bij een bodemtemperatuur beneden de 3 °C *Corophium* niet tevoorschijn komt; de Tureluur schakelt dan over op ander voedsel, zoals schelpdieren, of in het binnenland regenwormen en larven van de langpootmug. Tureluurs foerageren graag in het binnenland en prefereren in het broedseizoen weilanden met sloten en plassen. In het voorjaar houdt hij baltsvluchten met snelle, korte vleugelslagen, soms met meerdere vogels tegelijk.
Het nest is een ondiep kuiltje met wat grassprietjes, verborgen tussen graspollen. Beide ouders broeden en blijven bij nadering van gevaar vast op de eieren zitten. Deze komen na 21 tot 25 dagen uit; de jongen zijn vier weken later vliegvlug.

Houtsnip

Het mannetje in baltsvlucht. Hij vliegt met trage, uilachtige vleugelslagen.

(× 1/5)

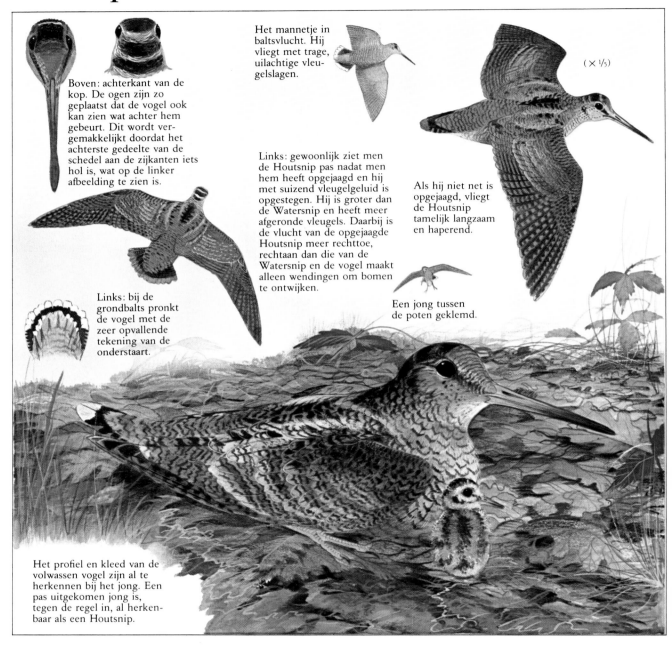

Boven: achterkant van de kop. De ogen zijn zo geplaatst dat de vogel ook kan zien wat achter hem gebeurt. Dit wordt vergemakkelijkt doordat het achterste gedeelte van de schedel aan de zijkanten iets hol is, wat op de linker afbeelding te zien is.

Links: gewoonlijk ziet men de Houtsnip pas nadat men hem heeft opgejaagd en hij met suizend vleugelgeluid is opgestegen. Hij is groter dan de Watersnip en heeft meer afgeronde vleugels. Daarbij is de vlucht van de opgejaagde Houtsnip meer rechttoe, rechtaan dan die van de Watersnip en de vogel maakt alleen wendingen om bomen te ontwijken.

Als hij niet net is opgejaagd, vliegt de Houtsnip tamelijk langzaam en haperend.

Een jong tussen de poten geklemd.

Links: bij de grondbalts pronkt de vogel met de zeer opvallende tekening van de onderstaart.

Het profiel en kleed van de volwassen vogel zijn al te herkennen bij het jong. Een pas uitgekomen jong is, tegen de regel in, al herkenbaar als een Houtsnip.

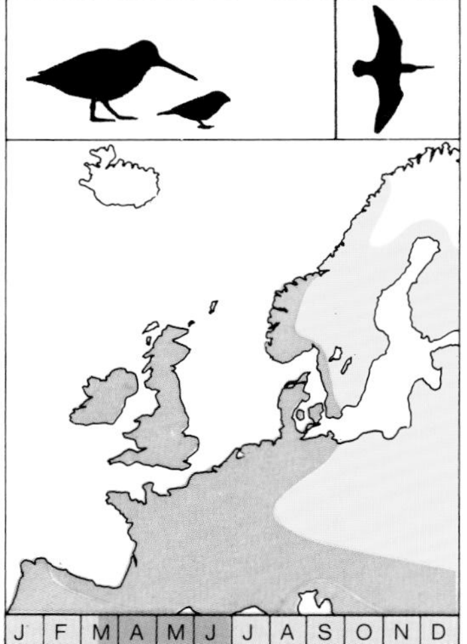

De Houtsnip heeft zeer grote ogen. Dat is belangrijk voor een vogel die in hoofdzaak een nachtleven leidt. Daarbij is het achterwaartse gezichtsveld groter dan het voorwaartse, waardoor een foeragerende Houtsnip bijtijds gevaar ziet aankomen.

Prooi wordt hoofdzakelijk gevonden met de gevoelige snavel. Veel waadvogels hebben bovensnavels met een omhoog beweegbaar uiteinde en de mooiste voorbeelden van dergelijke beweegbare snavels treft men aan bij de Houtsnip en de Watersnip. De Houtsnip kan met dichte snavel in de grond steken en een gevonden prooidier grijpen, zonder dat hij de hele snavel moet openen. Prooidieren zijn regenwormen en insektelarven.

In het broedseizoen voeren mannetjes Houtsnippen baltsvluchten uit. Deze vinden plaats in de avondschemering en de vogel maakt dan een vaste rondvlucht, waarin hij soms enige kilometers aflegt. Kenmerkend zijn de trage vleugelslagen, afgewisseld door pauzen waarin de vogel een zacht, laag krassend geluid maakt. Het nest, een kuiltje in de grond, ligt vaak aan de voet van een boom. Het legsel bestaat gewoonlijk uit vier eieren. Deze worden 20 tot 21 dagen bebroed door het vrouwtje, dat ook de jongen verzorgt. Jonge Houtsnippen zijn na tweeëneenhalve week zelfstandig. Het lijkt waar te zijn dat vrouwtjes af en toe hun jongen geklemd tussen de poten naar een andere plaats overvliegen.

Watersnip/Bokje

  J V 

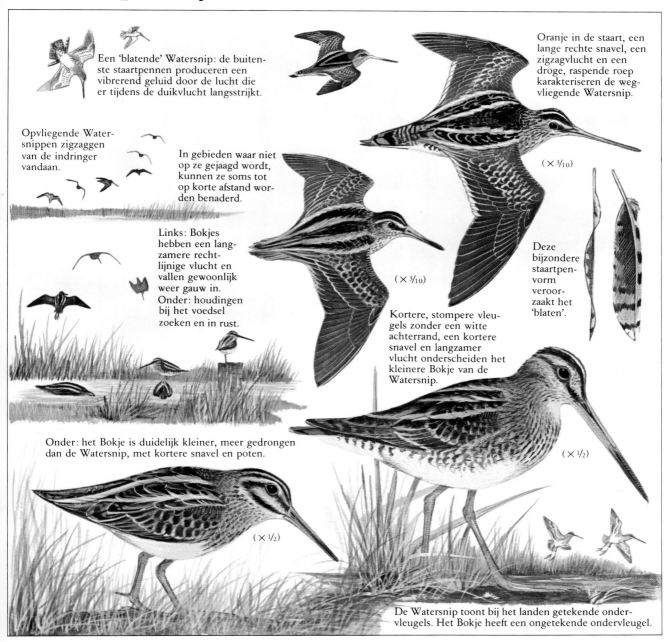

Een 'blatende' Watersnip: de buitenste staartpennen produceren een vibrerend geluid door de lucht die er tijdens de duikvlucht langsstrijkt.

Oranje in de staart, een lange rechte snavel, een zigzagvlucht en een droge, raspende roep karakteriseren de wegvliegende Watersnip.

Opvliegende Watersnippen zigzaggen van de indringer vandaan.

In gebieden waar niet op ze gejaagd wordt, kunnen ze soms tot op korte afstand worden benaderd.

(× 3/10)

Links: Bokjes hebben een langzamere rechtlijnige vlucht en vallen gewoonlijk weer gauw in. Onder: houdingen bij het voedsel zoeken en in rust.

(× 3/10)

Deze bijzondere staartpenvorm veroorzaakt het 'blaten'.

Kortere, stompere vleugels zonder een witte achterrand, een kortere snavel en langzamer vlucht onderscheiden het kleinere Bokje van de Watersnip.

Onder: het Bokje is duidelijk kleiner, meer gedrongen dan de Watersnip, met kortere snavel en poten.

(× 1/2)

(× 1/2)

De Watersnip toont bij het landen getekende ondervleugels. Het Bokje heeft een ongetekende ondervleugel.

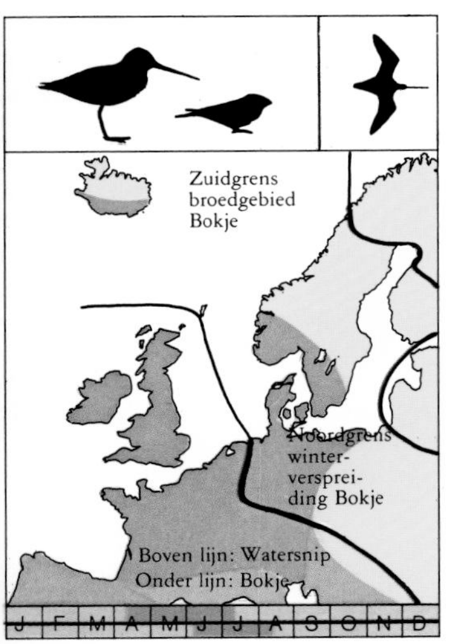

De zigzagvlucht is een effectief middel van de Watersnip om aan stootvogels te ontkomen. Alleen de mens is zo pervers dat hij een opvliegende Watersnip juist een aantrekkelijk doelwit vindt omdat hij zo moeilijk met een jachtgeweer te doden is.
De manier van voedsel zoeken is bij Watersnippen geheel anders dan bij Wulpen: de snavel gaat recht omlaag de modder in en ze maken nooit, zoals Wulpen, krachtige draaibewegingen. De snavel hoeft dan ook niet zo stevig te zijn en er is plaats voor een lange tong. Naast wormen en insektelarven eten Watersnippen ook wel zaden. Ze foerageren bij voorkeur 's nachts, tegen schemer vliegen ze naar hun voedselgebieden.
In het voorjaar vliegt 't baltsende mannetje Watersnip 'blatend' boven zijn territorium; de Watersnip komt voor in moerassen en natte weilanden. Het nest is een eenvoudig kuiltje in een graspol en het bevat vier eieren. Het vrouwtje broedt ze alleen in 20 dagen uit. De jongen worden nog 18-19 dagen door beide ouders verzorgd. Soms is er een tweede broedsel.
Het kleinere Bokje komt noordelijker voor dan de Watersnip en hoewel beide soorten buiten het broedseizoen samen voorkomen is het Bokje veel minder talrijk. Het foerageert op dezelfde manier, maar 'blaat' niet. Het maakt tijdens de baltsvlucht een geluid dat op galopperende paarden lijkt. In Nederland is het Bokje doortrekker en wintergast in vrij klein tot klein aantal.

Rosse Grutto

JG

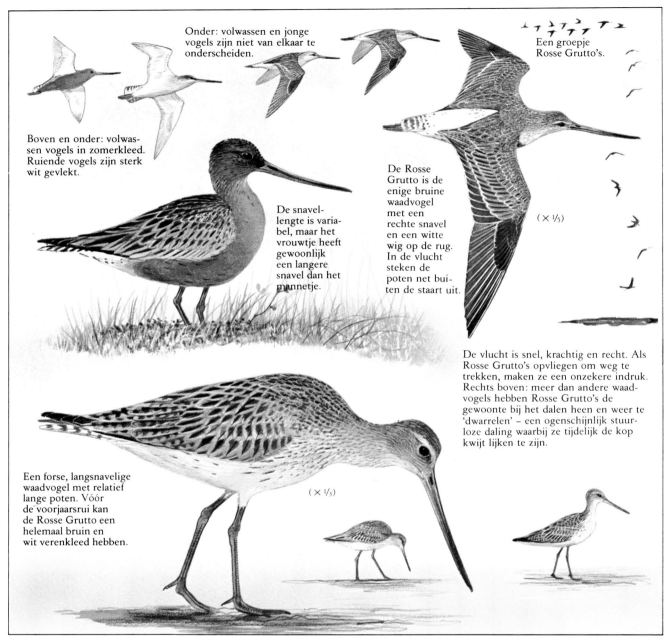

Onder: volwassen en jonge vogels zijn niet van elkaar te onderscheiden.

Een groepje Rosse Grutto's.

Boven en onder: volwassen vogels in zomerkleed. Ruiende vogels zijn sterk wit gevlekt.

De Rosse Grutto is de enige bruine waadvogel met een rechte snavel en een witte wig op de rug. In de vlucht steken de poten net buiten de staart uit.

De snavellengte is variabel, maar het vrouwtje heeft gewoonlijk een langere snavel dan het mannetje.

(× 1/5)

De vlucht is snel, krachtig en recht. Als Rosse Grutto's opvliegen om weg te trekken, maken ze een onzekere indruk. Rechts boven: meer dan andere waadvogels hebben Rosse Grutto's de gewoonte bij het dalen heen en weer te 'dwarrelen' – een ogenschijnlijk stuurloze daling waarbij ze tijdelijk de kop kwijt lijken te zijn.

Een forse, langsnavelige waadvogel met relatief lange poten. Vóór de voorjaarsrui kan de Rosse Grutto een helemaal bruin en wit verenkleed hebben.

(× 1/3)

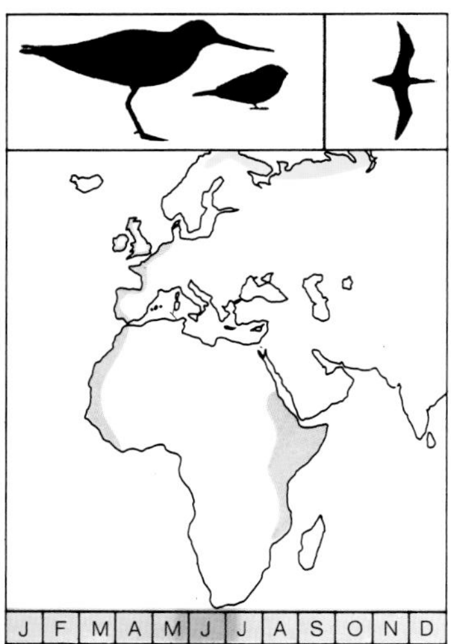

Een troep voedselzoekende Rosse Grutto's biedt een levendig schouwspel. De vogels lopen bedrijvig over het wad en zoeken voortdurend de bodem af naar voedsel; hebben ze met de gevoelige snavel iets in de modder ontdekt, dan lopen ze gewoon door, draaiend om de snavel in plaats van rechtdoor. Door deze manoeuvre wordt de snavel dieper de bodem in gedreven en wordt een worm of tweekleppig weekdier verschalkt. Soms jaagt de vogel ook achter zichtbare prooien aan.
Rosse Grutto's prefereren buiten de broedtijd stevige zandige modderbodems langs de kust en de wadden en houden zich op langs de waterlijn, in tegenstelling tot de Grutto die met zijn langere poten vaak in diep water loopt.
Bij het foerageren verspreiden de vogels zich in grote groepen, maar bij hoog water begeven ze zich in dichte zwermen naar speciale rustplaatsen.
In de winter verschilt de Rosse Grutto niet veel in kleur van de Wulp en ook in de vlucht doet hij hier aan denken, maar de vleugelslag is sneller en de snavel anders van vorm. Met de Grauwe Gans hebben ze gemeen om zich vanuit de lucht plotseling in een wild dwarrelende duikvlucht naar beneden te laten vallen.
De Rosse Grutto is een broedvogel van hoognoordelijke streken en nestelt in hoogvenen en moerassen. Het nest ligt op de grond op een droge verhevenheid. Hoofdzakelijk het mannetje broedt de vier eieren uit.

Grutto

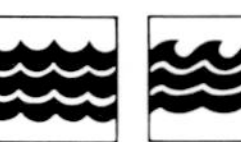

ZV

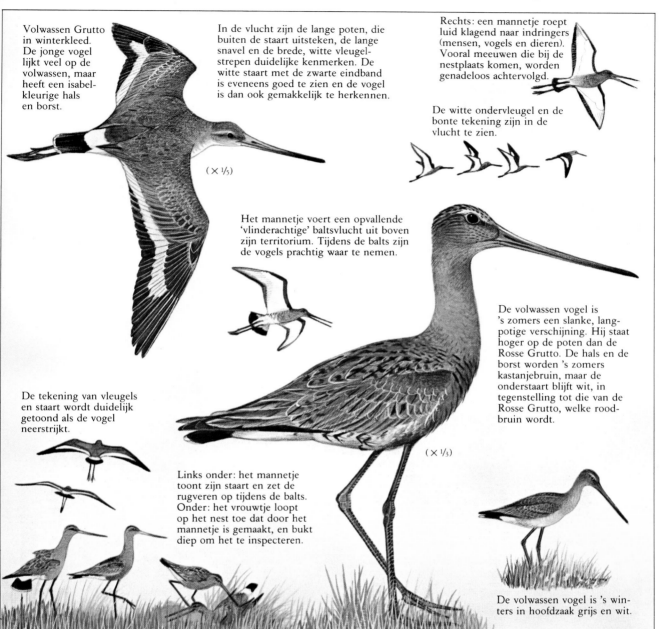

Volwassen Grutto in winterkleed. De jonge vogel lijkt veel op de volwassen, maar heeft een isabelkleurige hals en borst.

In de vlucht zijn de lange poten, die buiten de staart uitsteken, de lange snavel en de brede, witte vleugelstrepen duidelijke kenmerken. De witte staart met de zwarte eindband is eveneens goed te zien en de vogel is dan ook gemakkelijk te herkennen.

(× 1/5)

Rechts: een mannetje roept luid klagend naar indringers (mensen, vogels en dieren). Vooral meeuwen die bij de nestplaats komen, worden genadeloos achtervolgd.

De witte ondervleugel en de bonte tekening zijn in de vlucht te zien.

Het mannetje voert een opvallende 'vlinderachtige' baltsvlucht uit boven zijn territorium. Tijdens de balts zijn de vogels prachtig waar te nemen.

De volwassen vogel is 's zomers een slanke, langpotige verschijning. Hij staat hoger op de poten dan de Rosse Grutto. De hals en de borst worden 's zomers kastanjebruin, maar de onderstaart blijft wit, in tegenstelling tot die van de Rosse Grutto, welke roodbruin wordt.

De tekening van vleugels en staart wordt duidelijk getoond als de vogel neerstrijkt.

(× 1/3)

Links onder: het mannetje toont zijn staart en zet de rugveren op tijdens de balts. Onder: het vrouwtje loopt op het nest toe dat door het mannetje is gemaakt, en bukt diep om het te inspecteren.

De volwassen vogel is 's winters in hoofdzaak grijs en wit.

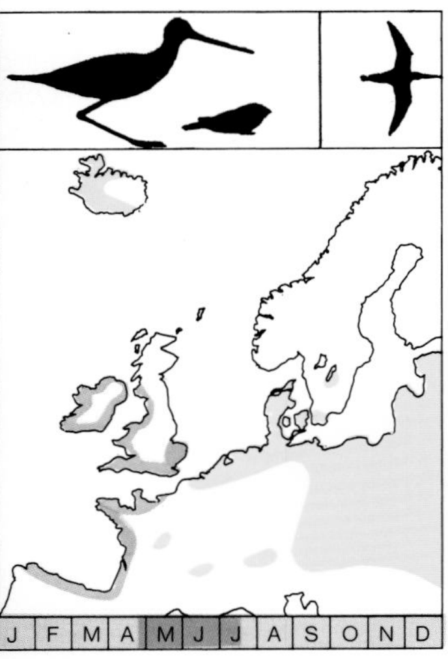

Zachte, verraderlijke modderbodems zijn het voedselterrein van de Grutto. Deze vogel heeft langere poten dan de Rosse Grutto, waardoor hij zich in dieper water kan wagen. Bij het voedsel zoeken beweegt de Grutto zich minder 'gehaast' dan de Rosse Grutto. Hij jaagt meer op de tast en besteedt veel tijd aan het maken van lange reeksen 'proefboringen'. Aan de kust eet de Grutto wormen en in het binnenland insektelarven, maar ook sprinkhanen, vliegen en kevers. Tijdens de trek eet de vogel zo nu en dan zaden en bessen.
De Grutto is een broedvogel van de gematigde streken van Eurazië en zijn verspreidingsgebied ligt ten zuiden van dat van de Rosse Grutto. In Nederland is de Grutto een algemene broedvogel.
De vogel broedt in weiden, binnenduinen en natte heide. Van de tweede week in april tot in juli worden de eieren gelegd. Het nest bestaat uit een ondiep kuiltje dat met grassen en andere plantestengels is gevoerd. Het legsel bestaat gewoonlijk uit vier eieren en het broeden begint nadat het derde of vierde ei is gelegd. De broedduur bedraagt circa 24 dagen en het mannetje neemt het grootste deel van het broeden voor zijn rekening. De jongen zijn na vier of vijf weken vliegvlug.
De Westeuropese vogels overwinteren voor het merendeel in West-Afrika; de meer oostelijke populaties trekken naar het Midden-Oosten en naar India. Vele vogels overwinteren ook in Groot-Brittannië, Ierland en Frankrijk.

Wulp

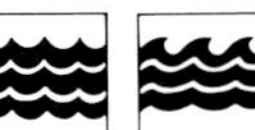    J V

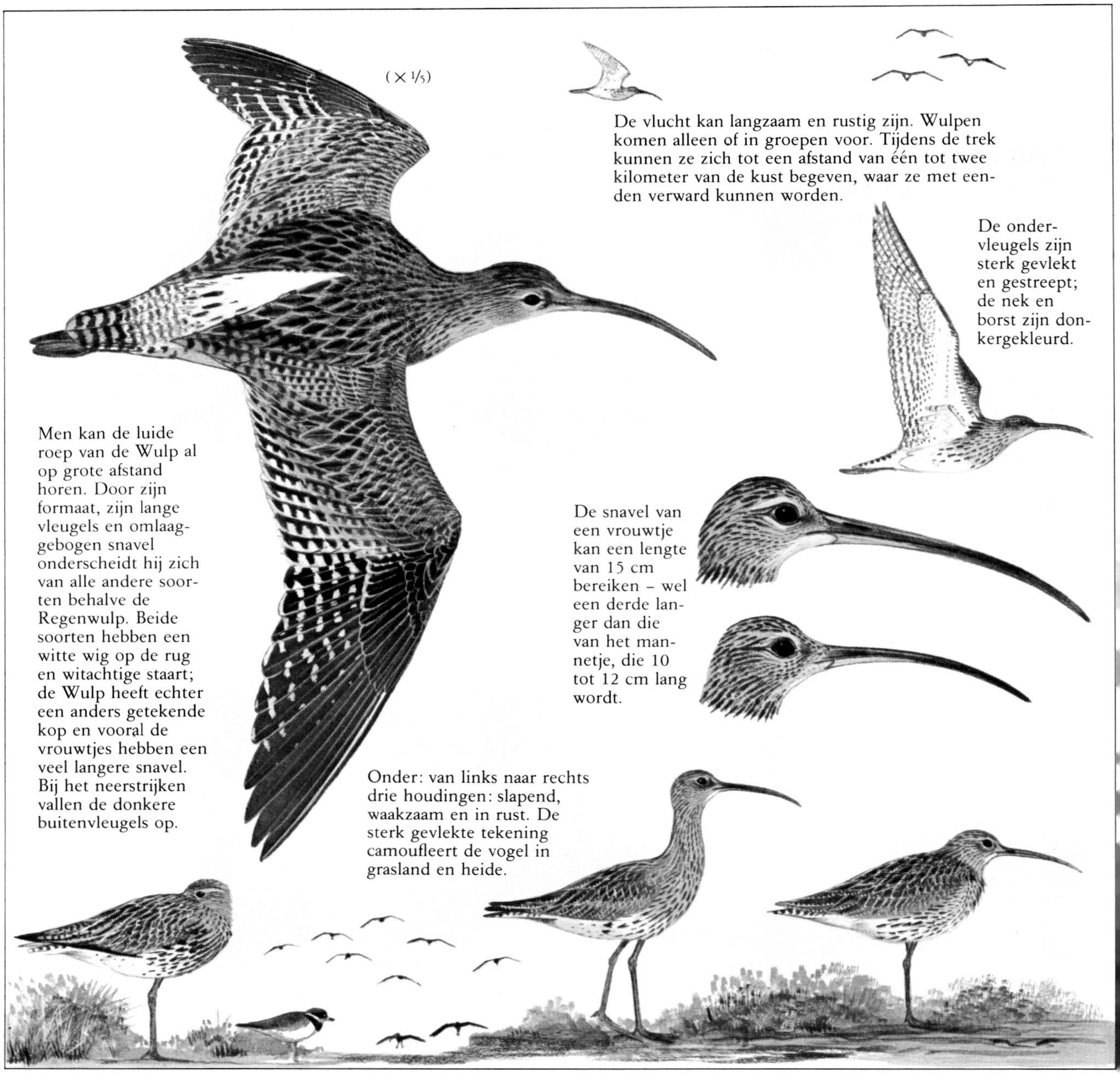

(× 1/5)

De vlucht kan langzaam en rustig zijn. Wulpen komen alleen of in groepen voor. Tijdens de trek kunnen ze zich tot een afstand van één tot twee kilometer van de kust begeven, waar ze met eenden verward kunnen worden.

De ondervleugels zijn sterk gevlekt en gestreept; de nek en borst zijn donkergekleurd.

Men kan de luide roep van de Wulp al op grote afstand horen. Door zijn formaat, zijn lange vleugels en omlaaggebogen snavel onderscheidt hij zich van alle andere soorten behalve de Regenwulp. Beide soorten hebben een witte wig op de rug en witachtige staart; de Wulp heeft echter een anders getekende kop en vooral de vrouwtjes hebben een veel langere snavel. Bij het neerstrijken vallen de donkere buitenvleugels op.

De snavel van een vrouwtje kan een lengte van 15 cm bereiken – wel een derde langer dan die van het mannetje, die 10 tot 12 cm lang wordt.

Onder: van links naar rechts drie houdingen: slapend, waakzaam en in rust. De sterk gevlekte tekening camoufleert de vogel in grasland en heide.

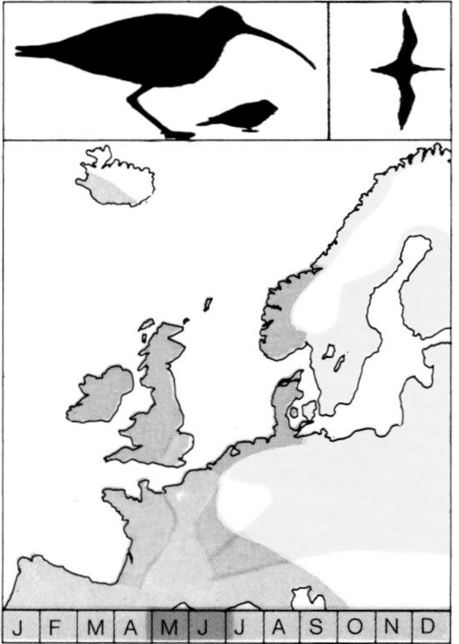

De Wulp is de grootste Europese waadvogel en in vergelijking met de meeste andere vogels een opvallende en statige verschijning. Wulpen eten schelp- en schaaldieren, insekten, wormen, vis en kikkers, en ook enkele bessen en zaden, al naar gelang jaargetijde en plaats. Ze pikken het voedsel van de bodem of van de wateroppervlakte. Een andere methode is dat ze met hun lange kromme snavel, welke is voorzien van een gevoelige punt, naar kleine bodemdieren wroeten. Diertjes die met de punt van de snavel worden opgepakt, worden door een ruk in de mondopening geworpen.

De indruk van bedaardheid verdwijnt zodra de Wulp roept: de langgerekte melancholieke triller roept associaties op met de weidsheid en ongereptheid van zijn woongebied: heidevelden en duinen in de broedtijd, schorren en slikken in de winter.

De vogels paren meestal al voor aankomst op het broedterrein en keren waarschijnlijk ieder jaar op hetzelfde territorium terug. Dit territorium wordt goed afgebakend en tegen soortgenoten verdedigd. Het mannetje maakt meerdere nestkuiltjes tussen graspollen; één ervan wordt met sprietjes bekleed. De vier eieren worden vier weken door beide ouders bebroed, die elkaar twee maal daags aflossen. De jongen zijn na zes tot zeven weken zelfstandig, maar dan duurt het nog eens twaalf weken voordat de snavel zijn volle lengte heeft bereikt. De Wulp overwintert langs de gehele Europese kust en in Oost- en Zuid-Afrika.

Regenwulp

   DT

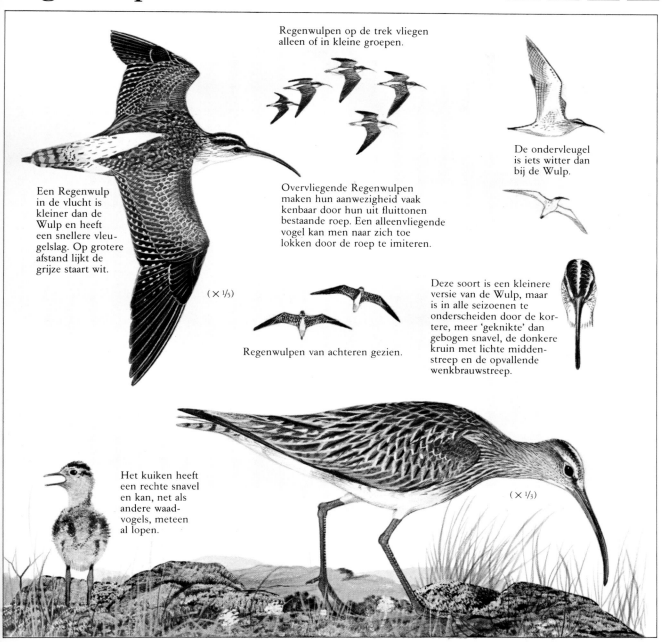

Regenwulpen op de trek vliegen alleen of in kleine groepen.

De ondervleugel is iets witter dan bij de Wulp.

Een Regenwulp in de vlucht is kleiner dan de Wulp en heeft een snellere vleugelslag. Op grotere afstand lijkt de grijze staart wit.

Overvliegende Regenwulpen maken hun aanwezigheid vaak kenbaar door hun uit fluittonen bestaande roep. Een alleenvliegende vogel kan men naar zich toe lokken door de roep te imiteren.

(× 1/5)

Deze soort is een kleinere versie van de Wulp, maar is in alle seizoenen te onderscheiden door de kortere, meer 'geknikte' dan gebogen snavel, de donkere kruin met lichte middenstreep en de opvallende wenkbrauwstreep.

Regenwulpen van achteren gezien.

Het kuiken heeft een rechte snavel en kan, net als andere waadvogels, meteen al lopen.

(× 1/3)

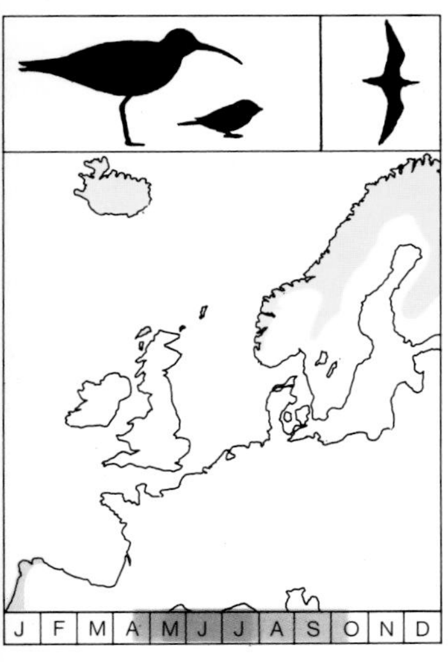

Overtrekkende Regenwulpen zouden nauwelijks opgemerkt worden als ze niet hun aanwezigheid verrieden door de typische roep: een snelle opeenvolging van meestal zeven in toonhoogte dalende fluittonen. Op korte afstand lijkt een Regenwulp een verkleinde uitgave van de Wulp, maar de snavel is duidelijk korter. Ook de wijze van voedsel zoeken doet sterk aan die van de Wulp denken. Hij heeft een ruimere terreinkeuze en lijkt een sterkere voorkeur voor rotsige kusten te hebben. Koraalriffen worden soms als overwinteringsgebieden gebruikt. Het voedsel bestaat onder meer uit schelpdieren, wormen en krabbetjes.
Heidevelden, hoogvenen en toendra's vormen zijn broedgebied. De baltsvlucht bestaat uit een spiralende klimvlucht, gevolgd door een neerwaartse glijvlucht, soms onderbroken door staaltjes luchtacrobatiek. Tijdens de baltsvlucht laat de vogel zijn trillende zang horen, die doet denken aan die van de Wulp. Soms neemt het vrouwtje ook deel aan de baltsvlucht en zang.
Het nest bestaat uit een kuiltje en ligt vaak op een verhoging. Beide ouders broeden en na 27 tot 28 dagen komen de eieren uit. Na vier weken zijn de jongen vliegvlug.
Een klein aantal Regenwulpen verblijft de hele zomer in ons land, verder zijn het vrij algemene doortrekkers van april tot eind mei en van juni tot oktober.

Steltkluut

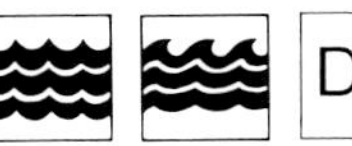

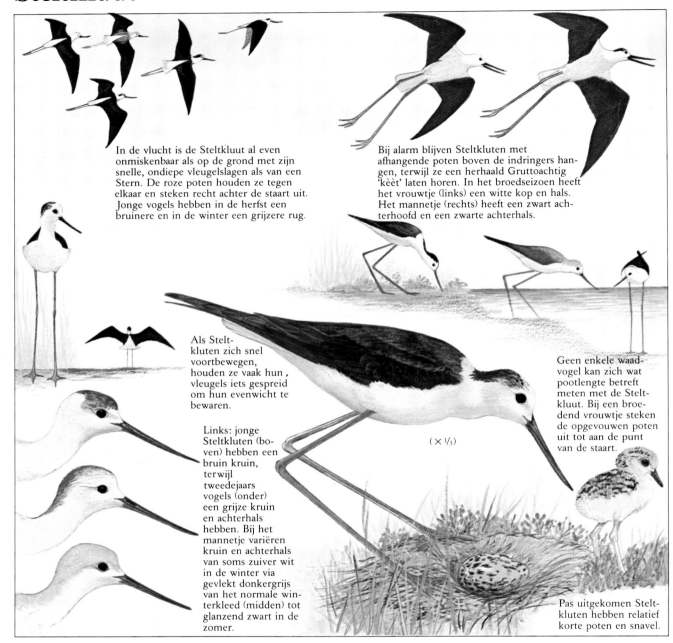

In de vlucht is de Steltkluut al even onmiskenbaar als op de grond met zijn snelle, ondiepe vleugelslagen als van een Stern. De roze poten houden ze tegen elkaar en steken recht achter de staart uit. Jonge vogels hebben in de herfst een bruinere en in de winter een grijzere rug.

Bij alarm blijven Steltkluten met afhangende poten boven de indringers hangen, terwijl ze een herhaald Gruttoachtig 'kèèt' laten horen. In het broedseizoen heeft het vrouwtje (links) een witte kop en hals. Het mannetje (rechts) heeft een zwart achterhoofd en een zwarte achterhals.

Als Steltkluten zich snel voortbewegen, houden ze vaak hun vleugels iets gespreid om hun evenwicht te bewaren.

Geen enkele waadvogel kan zich wat pootlengte betreft meten met de Steltkluut. Bij een broedend vrouwtje steken de opgevouwen poten uit tot aan de punt van de staart.

(× ⅓)

Links: jonge Steltkluten (boven) hebben een bruin kruin, terwijl tweedejaars vogels (onder) een grijze kruin en achterhals hebben. Bij het mannetje variëren kruin en achterhals van soms zuiver wit in de winter via gevlekt donkergrijs van het normale winterkleed (midden) tot glanzend zwart in de zomer.

Pas uitgekomen Steltkluten hebben relatief korte poten en snavel.

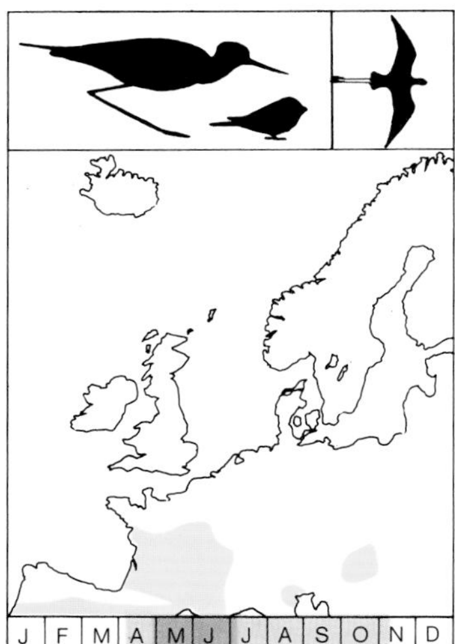

De Steltkluut, die in het Middellandse-Zeegebied thuishoort, is sinds 1931 een zeldzame en onregelmatige broedvogel in Nederland. Ze bewonen moerassige terreinen, lagunes en ondergelopen land.
In de broedtijd gedraagt een paartje zich zeer agressief en laat bij alarm een herhaald Gruttoachtig 'kèèt' horen.
Hun buitengewoon lange, roze poten en het opvallende zwart en witte verenkleed maken het een van de makkelijkst te herkennen vogels. Als hij op de slikbodem staat, lijken zijn poten onhandig lang, omdat hij ze moet buigen om een insekt of kreeftje op te pikken en soms moeite heeft om overeind te blijven in een fikse bries. Maar het voordeel om in dieper water te kunnen foerageren dan alle andere waadvogels weegt hier tegenop. Steltkluten zijn in hun element als men ze statig ziet rondwaden in water dat bijna tot hun buik komt en waar alleen Zwarte Sterns hun rivalen zijn bij het oppikken van insekten van het wateroppervlak. Maar zelden gebruiken ze de fijne, scherpe snavel om in de modder te boren, maar ze pakken wel kleine visjes uit het water.
Het ei heeft de karakteristieke vorm en kleur van een waadvogelei. Het is duidelijk dat als een pas uitgekomen Steltkluut naar verhouding even lange poten en snavel zou hebben als een volwassen vogel, het niet in het ei gepast zou hebben. Naderhand groeien poten en snavel relatief sneller.

Kluut

JV

Kluten hebben in de vlucht rondere vleugels dan de meeste waadvogels. Van onderen gezien zijn ze overwegend wit met zwarte vleugelpunten.

Kluten zwemmen soms (geheel links). Een paartje (midden) is bezig elkaars veren te strijken; dit gaat vaak aan de paring vooraf. Rechts: het mannetje klaar om het vrouwtje te bespringen; het vrouwtje toont haar bereidheid door met gespreide vleugels te hurken.

(× 1/3)

Bij het verdedigen van nest en territorium zijn Kluten zeer agressief; gewoonlijk rennen ze met gebogen kop op de indringer toe, soms spreiden ze de vleugels om het effect te verhogen. Onder: een vrouwtje dat haar buikveren opzet om de broedvlek in contact met de eieren te brengen.

Bij jonge Kluten is de snavel nog nauwelijks gebogen, maar het vleugelpatroon van de ouders wordt al zichtbaar. Let op de zwemvliezen.

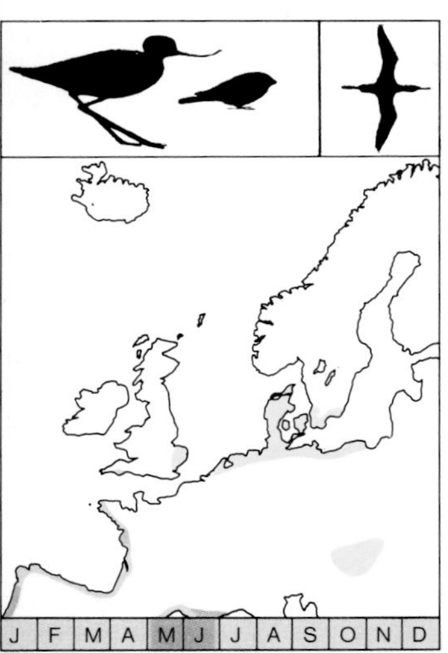

Een vliegende Kluut is altijd weer een fascinerend schouwspel. Deze prachtige waadvogel ontleent zijn Nederlandse naam aan zijn roep, een hoog, fluitachtig 'kliep' of 'kluut'. Sterk verwante soorten komen in Amerika en Australië voor.

De elegante, omhooggebogen snavel is een gespecialiseerd instrument. Door het water lopend, vangt hij er kleine waterdiertjes mee door hem heen en weer door het oppervlaktewater te strijken. Hij maait er ook mee over de modderbodem en soms zwemt de Kluut grondelend zoals een eend.

Kluten nestelen in kolonies op zandplaten, lage vochtige weiden en opgespoten velden. Het kleine territorium wordt met behulp van een gevarieerd repertoire van baltshoudingen verdedigd, meestal door naast de indringer te lopen en hem weg te drukken. Paartjes die hun territorium tegen buren verdedigen, houden de poten gebogen en de kop omlaag. Buigingen en snavelkruisen zijn inleiding tot de paring.

Het nest bestaat meestal slechts uit een kuiltje, maar soms ook is het een omvangrijk bouwsel, dit laatste meestal op plaatsen met kans op overstroming. Het legsel bestaat gewoonlijk uit vier eieren. De beide ouders broeden en na ongeveer 25 dagen komen de eieren uit.

In Nederland is de Kluut een vrij schaarse broedvogel van de kustgebieden en het IJsselmeergebied.

Scholekster

JV

Jonge vogels: grijze snavelpunt en witte keelband. Volwassen: 's winters witte keelband.

Steeksnavel

Hamersnavel

In de vlucht zijn de witte onderdelen en de opvallende zwart-en-witte vleugels en staart een goed kenmerk.

Een paartje samen aan het 'te-pieten'.

Een volwassen vogel in quasi slaaphouding; hij houdt de nadering van een indringer nauwkeurig in het oog.

Door een 'gebroken vleugel' te simuleren, proberen ze indringers af te leiden en weg te lokken.

Rustende vogels staan schouder aan schouder op het strand, alle in dezelfde richting.

Opvliegende Scholekster

De schelp is opengebroken, de spier wordt netjes losgesneden en in een poeltje gewassen voor hij wordt verorberd.

Het jong wordt beschermd door de camouflerende vlektekening van zijn donskleed.

(× 1/3)

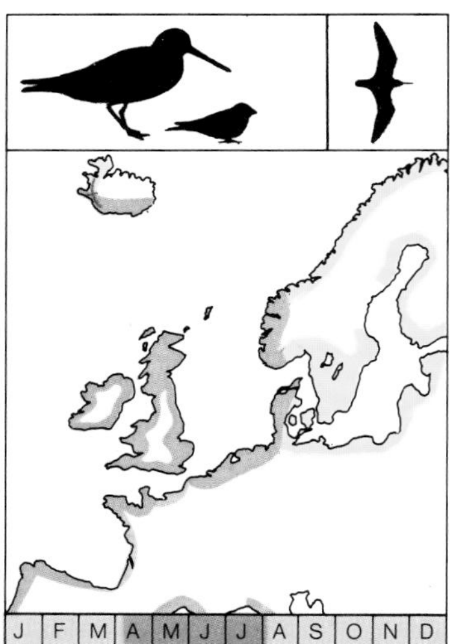

De oranjerode snavel van de Scholekster is aangepast aan het openen van schelpdieren zoals mossels en kokkels. Er zijn twee methodes en de eerste bestaat uit het openhameren van de schelp. Bij de tweede methode steekt de vogel de meer hoge dan brede snavel tussen de schelphelften en draait de snavel dan een kwartslag om, waardoor mantel en sluitspieren van het schelpdier inscheuren. De vogels leren van hun ouders slechts één van deze twee methodes. De snavel van de 'hameraars' heeft meer te lijden en is daarom minder geschikt voor het 'steken' van wormen – een belangrijke alternatieve foerageermethode.

Het nest is een eenvoudig kuiltje, vaak bij een beschermend stuk vegetatie. Het territorium rond het nest wordt verdedigd met omhooggestrekte hals en naar beneden gerichte snavel en met luid 'te-piet' geroep. De drie of vier eieren, die door beide ouders worden bebroed, komen na 24 tot 27 dagen uit. De jongen worden door hun ouders gevoerd, aangezien het meeste voedsel met de nog niet uitgegroeide snavel niet kan worden opgenomen. Het voedsel zoeken leren ze geleidelijk van hun ouders in een periode van vijf weken. Scholeksters broeden voor het eerst pas op de leeftijd van vijf (mannetjes) of vier (vrouwtjes) jaar en waarschijnlijk bereiken veel vogels een leeftijd van over de twintig jaar. De meeste trekken 's winters naar het zuiden, maar grote trekbewegingen zijn beperkt tot de noordelijke populaties.

Lepelaar

ZV

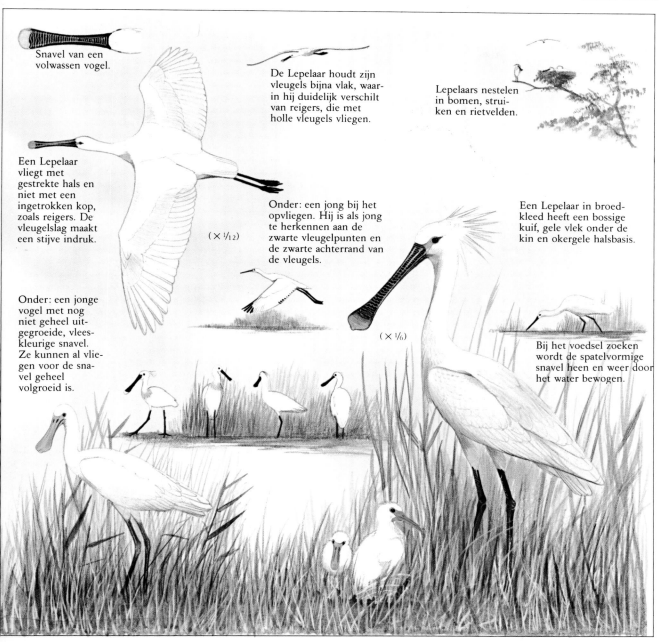

Snavel van een volwassen vogel.

De Lepelaar houdt zijn vleugels bijna vlak, waarin hij duidelijk verschilt van reigers, die met holle vleugels vliegen.

Lepelaars nestelen in bomen, struiken en rietvelden.

Een Lepelaar vliegt met gestrekte hals en niet met een ingetrokken kop, zoals reigers. De vleugelslag maakt een stijve indruk.

(× 1/12)

Onder: een jong bij het opvliegen. Hij is als jong te herkennen aan de zwarte vleugelpunten en de zwarte achterrand van de vleugels.

Een Lepelaar in broedkleed heeft een bossige kuif, gele vlek onder de kin en okergele halsbasis.

(× 1/6)

Onder: een jonge vogel met nog niet geheel uitgegroeide, vleeskleurige snavel. Ze kunnen al vliegen voor de snavel geheel volgroeid is.

Bij het voedsel zoeken wordt de spatelvormige snavel heen en weer door het water bewogen.

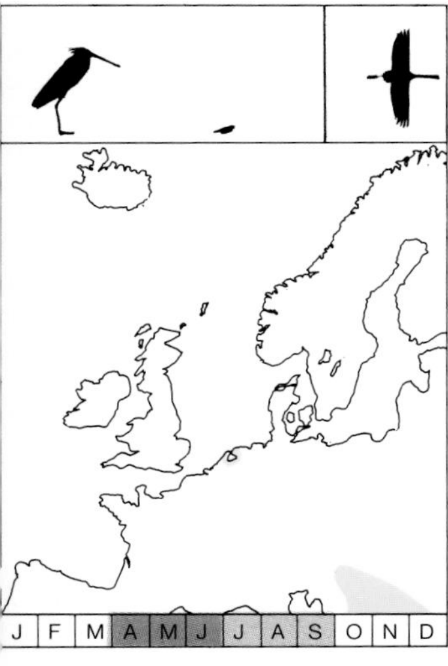

Een Lepelaar is een schitterende vogel, maar hij doet wat clownesk aan door zijn spatelvormige snavel. Toch is dit een heel doelmatig instrument: door hem in ondiep water heen en weer te bewegen worden er talrijke kreeftjes, visjes, wormen en weekdieren mee opgevangen. De snavel is rijk aan gevoelige zenuwuiteinden, waarmee de geringste beweging of voorwerp wordt waargenomen; de prooi wordt dan ook eerder op de tast gevonden dan op het gezicht.
De broedkolonies zijn afhankelijk van nabije voedselgebieden. Bij voortschrijdende landwinning worden deze terreinen steeds schaarser. Zo wordt de kolonie van het Zwanenwater (bij Callantsoog) en die van de Muij (Texel) bedreigd door een eventuele inpoldering van het Balgzand, waar Lepelaars van deze kolonies foerageren.

De Lepelaar nestelt in bomen, struiken en rietvelden. Het nest bestaat uit riet en twijgen en bevat gewoonlijk vier eieren, die met tussenpozen van meerdere dagen worden gelegd. Beide partners broeden en na drie weken komen de witdonzen kuikens te voorschijn met korte, bijna normale snavels. Ze verlaten na vier weken het nest, maar kunnen pas vliegen op een leeftijd van zeven weken.
Naast het Zwanenwater en de Muij herbergt ook het Naardermeer een belangrijke kolonie. Nederland is het enige land in Noordwest-Europa waar Lepelaars broeden.

Blauwe Reiger

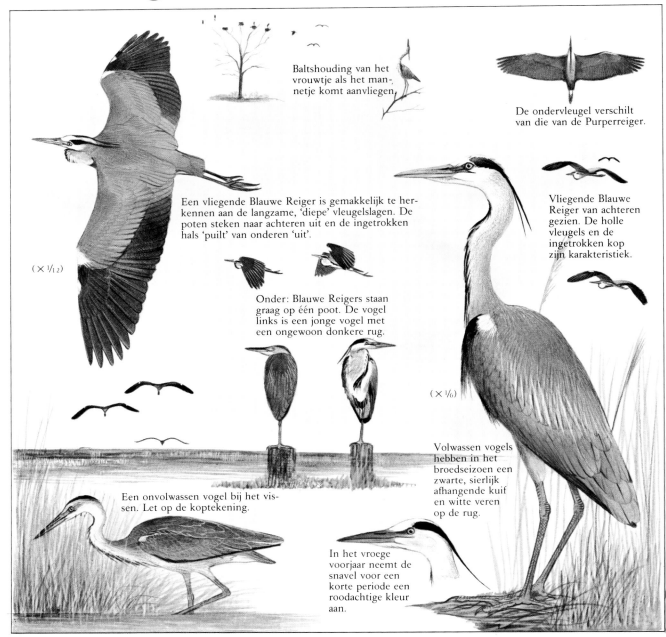

Baltshouding van het vrouwtje als het mannetje komt aanvliegen.

De ondervleugel verschilt van die van de Purperreiger.

Een vliegende Blauwe Reiger is gemakkelijk te herkennen aan de langzame, 'diepe' vleugelslagen. De poten steken naar achteren uit en de ingetrokken hals 'puilt' van onderen 'uit'.

Vliegende Blauwe Reiger van achteren gezien. De holle vleugels en de ingetrokken kop zijn karakteristiek.

(× 1/12)

Onder: Blauwe Reigers staan graag op één poot. De vogel links is een jonge vogel met een ongewoon donkere rug.

(× 1/6)

Volwassen vogels hebben in het broedseizoen een zwarte, sierlijk afhangende kuif en witte veren op de rug.

Een onvolwassen vogel bij het vissen. Let op de koptekening.

In het vroege voorjaar neemt de snavel voor een korte periode een roodachtige kleur aan.

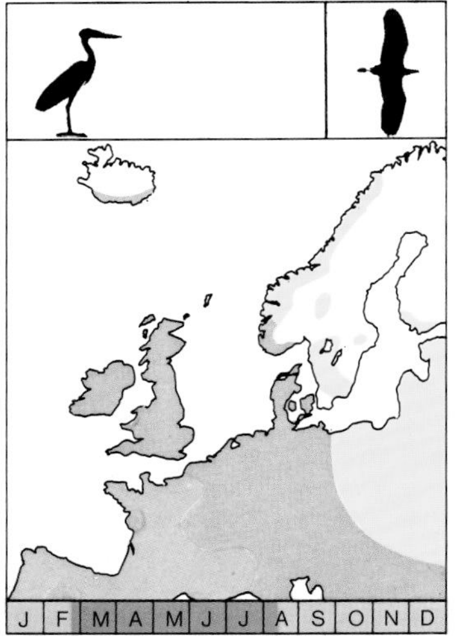

Als de Blauwe Reiger doodstil aan de waterkant staat, lijkt hij net een dode tak of paal. Zelfs bij het lopen beweegt hij zich zo langzaam en sluipend dat hij gemakkelijk aan de aandacht ontsnapt. Een argeloze vis wordt tenslotte het slachtoffer als de dubbelgevouwen hals met verrassende snelheid uitschiet en de dolkscherpe snavel zijn prooi grijpt. Vis is het hoofdvoedsel van de Blauwe Reiger, maar hij eet ook kikkers, kleine zoogdieren en wel eens jonge watervogels. Vanwege het feit dat hij vissen eet werd hij vroeger veel vervolgd.

De Blauwe Reiger heeft sterk te lijden van strenge winters en watervervuiling. Gedurende de laatste jaren met zachte winters heeft hij zich weer hersteld. Men is redelijk goed op de hoogte van de stand van de Blauwe Reiger, omdat de opvallende nesten in kolonies hoog in de bomen vrij goed te tellen zijn. In Nederland schommelt het aantal broedparen tussen de 4000 en 8000. Gewoonlijk omvat een Blauwe Reigerkolonie minder dan 200 nesten; de nu verdwenen kolonie op Gooilust bij 's-Graveland telde in 1925 nog 1035 nesten!

Het eerste ei wordt gewoonlijk al in februari gelegd; een voltallig legsel bestaat uit drie tot vijf eieren. Beide ouders broeden en de eieren komen na 25 dagen uit. De jongen worden door beide ouders verzorgd.

Purperreiger

ZV

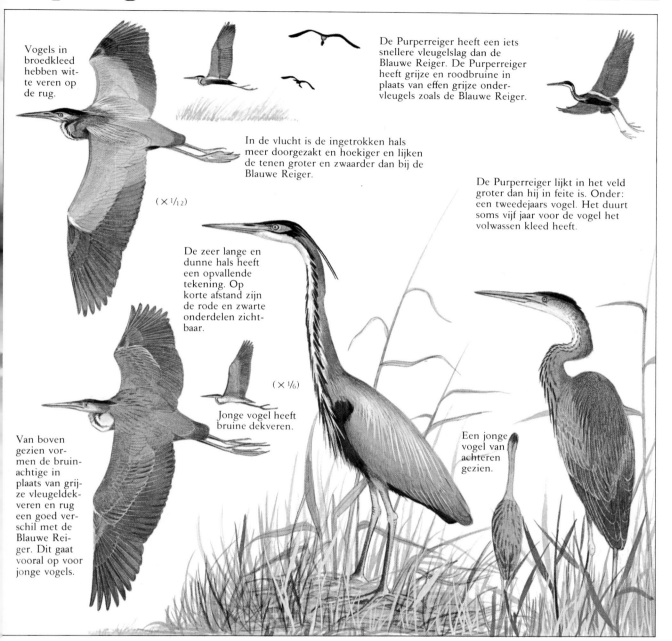

Vogels in broedkleed hebben witte veren op de rug.

De Purperreiger heeft een iets snellere vleugelslag dan de Blauwe Reiger. De Purperreiger heeft grijze en roodbruine in plaats van effen grijze ondervleugels zoals de Blauwe Reiger.

In de vlucht is de ingetrokken hals meer doorgezakt en hoekiger en lijken de tenen groter en zwaarder dan bij de Blauwe Reiger.

(× 1/12)

De Purperreiger lijkt in het veld groter dan hij in feite is. Onder: een tweedejaars vogel. Het duurt soms vijf jaar voor de vogel het volwassen kleed heeft.

De zeer lange en dunne hals heeft een opvallende tekening. Op korte afstand zijn de rode en zwarte onderdelen zichtbaar.

(× 1/6)

Jonge vogel heeft bruine dekveren.

Een jonge vogel van achteren gezien.

Van boven gezien vormen de bruinachtige in plaats van grijze vleugeldekveren en rug een goed verschil met de Blauwe Reiger. Dit gaat vooral op voor jonge vogels.

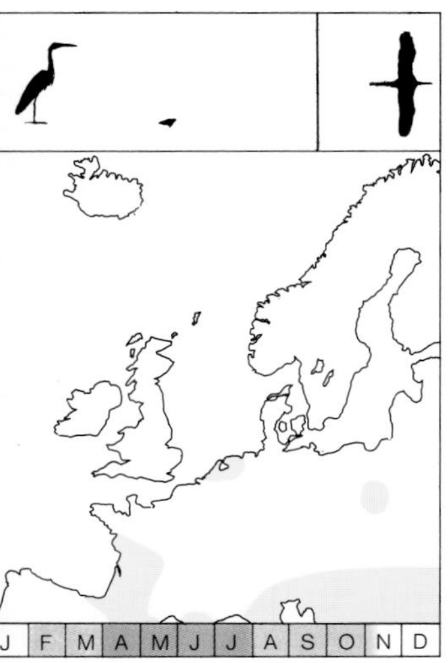

De Purperreiger is nog dunner en hoekiger dan zijn grotere neef de Blauwe Reiger en kan daardoor zelfs bij slechte belichting van deze onderscheiden worden. Een ander verschil is dat de Purperreiger in dichte rietvelden nestelt. Maar in het broedseizoen vist hij op dezelfde plaatsen: sloten en plassen. Helaas worden grote rietvelden steeds schaarser als gevolg van de neiging van de mens om moerasgebieden in bezit te nemen, zodat het areaal van de Purperreiger in Europa steeds kleiner en verbrokkelder wordt. Van de schaarse Nederlandse broedkolonies is die van het Naardermeer het meest bekend.

De Purperreiger is meer solitair dan de Blauwe Reiger en hij is zwijgzamer – de hese roep is eender. Hij is vaak 's nachts actief.

Het nest bestaat meest uit dood riet en ligt gewoonlijk vlak boven de waterspiegel, soms ook in struikgewas. Het zijn ook kolonievogels, maar de nesten liggen meer verspreid. Het legsel bestaat uit vier of vijf eieren; het broedseizoen begint later dan bij de Blauwe Reiger. Beide partners broeden; ze beginnen meestal al bij het eerste ei en de eieren komen tussen 24 en 28 dagen uit. De jongen zijn na zes weken vliegvlug en na twee maanden zelfstandig. Er is maar één broedsel per jaar.

Ooievaar

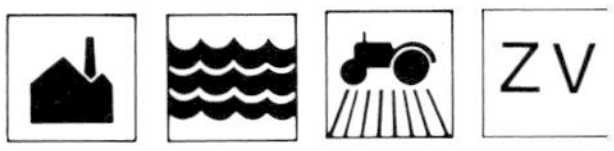

   ZV

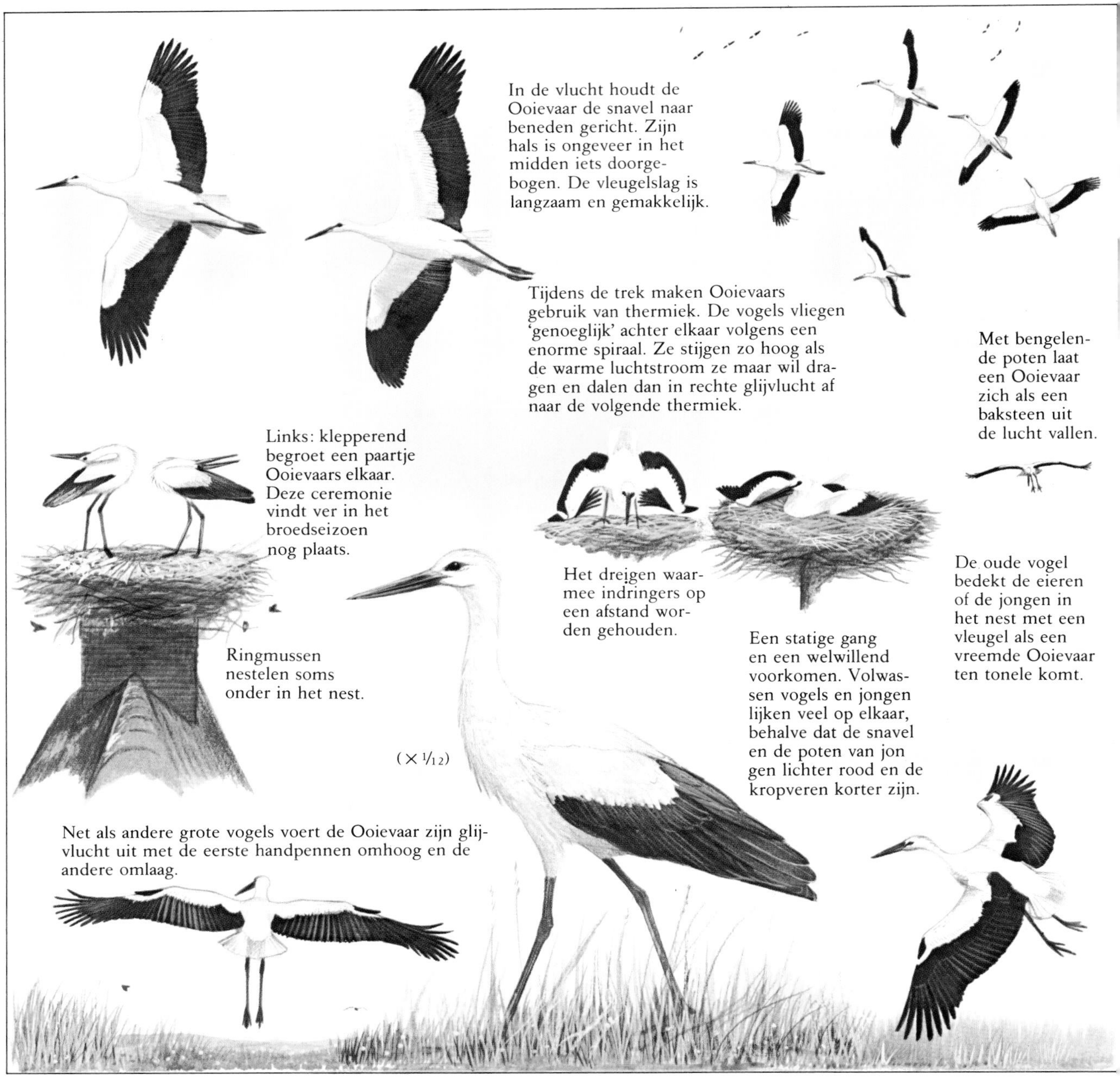

In de vlucht houdt de Ooievaar de snavel naar beneden gericht. Zijn hals is ongeveer in het midden iets doorgebogen. De vleugelslag is langzaam en gemakkelijk.

Tijdens de trek maken Ooievaars gebruik van thermiek. De vogels vliegen 'genoeglijk' achter elkaar volgens een enorme spiraal. Ze stijgen zo hoog als de warme luchtstroom ze maar wil dragen en dalen dan in rechte glijvlucht af naar de volgende thermiek.

Met bengelende poten laat een Ooievaar zich als een baksteen uit de lucht vallen.

Links: klepperend begroet een paartje Ooievaars elkaar. Deze ceremonie vindt ver in het broedseizoen nog plaats.

Het dreigen waarmee indringers op een afstand worden gehouden.

De oude vogel bedekt de eieren of de jongen in het nest met een vleugel als een vreemde Ooievaar ten tonele komt.

Ringmussen nestelen soms onder in het nest.

Een statige gang en een welwillend voorkomen. Volwassen vogels en jongen lijken veel op elkaar, behalve dat de snavel en de poten van jon gen lichter rood en de kropveren korter zijn.

(× 1/12)

Net als andere grote vogels voert de Ooievaar zijn glijvlucht uit met de eerste handpennen omhoog en de andere omlaag.

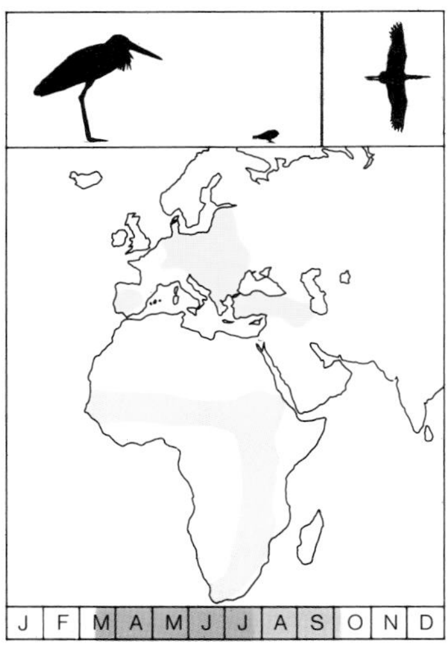

In grote delen van Europa gaat de Ooievaar sterk in aantal achteruit. Ieder voorjaar wordt daarom met grote belangstelling uitgekeken hoeveel vogels er terugkeren. In 1939 waren er in Nederland 310 door paren bewoonde nesten, in 1950 nog maar 83. Dit aantal daalde tot 48 in 1960 en tot 14 in 1970. In 1975 kwamen nog maar 9 paren tot broeden. Tot de oorzaken van deze dramatische achteruitgang behoren onder meer het schieten van Ooievaars in de landen rond de Middellandse Zee en in Afrika, en het eten van met insekticiden vergiftigde sprinkhanen in hun Afrikaanse winterkwartieren. Ook het te 'schoon' worden van hun broedgebied (kanalisatie, ruilverkaveling) speelt hierbij waarschijnlijk een belangrijke rol.

In hun broedgebied foerageren Ooievaars voornamelijk in vochtige, met gras begroeide plaatsen. Ze eten kikkers, kleine zoogdieren en grote insekten. Hun kloeke takkennest wordt jaar na jaar gebruikt. Het eerst arriveren de mannetjes op het nest, die met geklepper een partner proberen te lokken. Er worden drie tot vijf eieren gelegd, die 33 à 34 dagen worden bebroed. De ouders zorgen beide voor het uitbroeden en het grootbrengen van de jongen.

Ooievaars zijn tijdens de trek sterk afhankelijk van thermiek (die alleen boven land voorkomt) en dat houdt in dat ze de kortst mogelijke weg moeten kiezen bij het oversteken van de zee. De 'westelijke' Ooievaars steken de Straat van Gibraltar over, de 'oostelijke' de Bosporus.

Waterral

JV

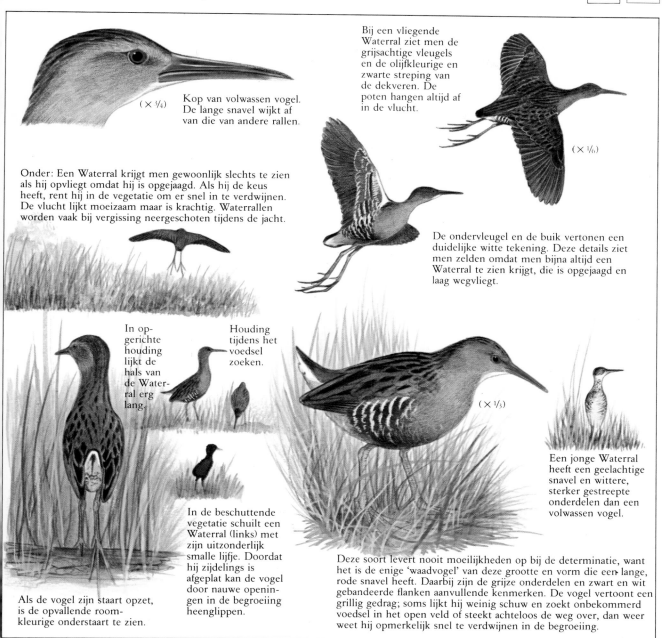

Kop van volwassen vogel. De lange snavel wijkt af van die van andere rallen. (× ¾)

Bij een vliegende Waterral ziet men de grijsachtige vleugels en de olijfkleurige en zwarte streping van de dekveren. De poten hangen altijd af in de vlucht. (× ⅙)

Onder: Een Waterral krijgt men gewoonlijk slechts te zien als hij opvliegt omdat hij is opgejaagd. Als hij de keus heeft, rent hij in de vegetatie om er snel in te verdwijnen. De vlucht lijkt moeizaam maar is krachtig. Waterrallen worden vaak bij vergissing neergeschoten tijdens de jacht.

De ondervleugel en de buik vertonen een duidelijke witte tekening. Deze details ziet men zelden omdat men bijna altijd een Waterral te zien krijgt, die is opgejaagd en laag wegvliegt.

In opgerichte houding lijkt de hals van de Waterral erg lang.

Houding tijdens het voedsel zoeken.

(× ⅓)

Een jonge Waterral heeft een geelachtige snavel en wittere, sterker gestreepte onderdelen dan een volwassen vogel.

In de beschuttende vegetatie schuilt een Waterral (links) met zijn uitzonderlijk smalle lijfje. Doordat hij zijdelings is afgeplat kan de vogel door nauwe openingen in de begroeiing heenglippen.

Als de vogel zijn staart opzet, is de opvallende roomkleurige onderstaart te zien.

Deze soort levert nooit moeilijkheden op bij de determinatie, want het is de enige 'waadvogel' van deze grootte en vorm die een lange, rode snavel heeft. Daarbij zijn de grijze onderdelen en zwart en wit gebandeerde flanken aanvullende kenmerken. De vogel vertoont een grillig gedrag; soms lijkt hij weinig schuw en zoekt onbekommerd voedsel in het open veld of steekt achteloos de weg over, dan weer weet hij opmerkelijk snel te verdwijnen in de begroeiing.

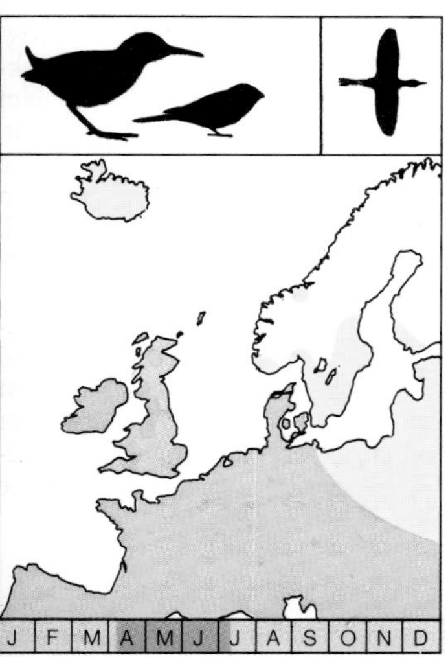

Waterrallen hebben een nerveus en teruggetrokken gedrag en dit bemoeilijkt het waarnemen van deze moerasbewoners aanzienlijk. De vogels vliegen moeizaam met afhangende poten en in het algemeen zetten ze het bij gevaar op een lopen. Niettemin kunnen ze aanzienlijke afstanden vliegen; zo trekken onze vogels naar Groot-Brittannië en Ierland.

Het begin van het broedseizoen valt vroeg in april. De Waterral nestelt in riet- of zeggevegetatie. Ze verraden hun aanwezigheid vaak alleen maar door hun roep. Dit geluid, dat ze het vaakst laten horen in de ochtend- en avondschemering, is een wonderlijk mengsel van grommende en gillende geluiden. Het geluid wordt wel vergeleken met het gegil van een varken dat wordt geslacht. Droge riethalmen zijn het belangrijkste bouwmateriaal voor het nest, dat zeer goed verborgen ligt in riet of biezenkragen. Het legsel bestaat uit zes tot elf eieren en wordt door beide geslachten 19 tot 20 dagen lang bebroed. Jonge Waterrallen verlaten het nest spoedig nadat ze uit het ei zijn gekomen. Ze worden door beide ouders grootgebracht; het vrouwtje houdt ze onder haar hoede en het mannetje zorgt voor voedsel. Na zeven tot acht weken zijn ze vliegvlug. Men heeft waargenomen dat de oude vogels hun jongen en zelfs eieren in hun snavel wegdroegen om ze buiten gevaar te brengen. Het voedsel bestaat onder meer uit zaden en bessen van oeverplanten, insekten, weekdieren, vissen en zelfs vogeltjes.

Roodkeelduiker

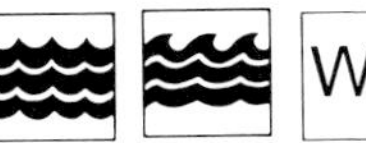

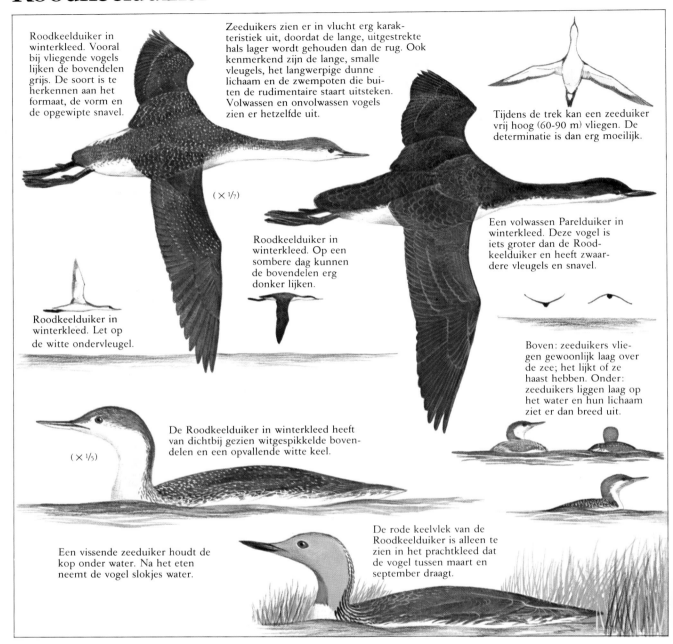

Roodkeelduiker in winterkleed. Vooral bij vliegende vogels lijken de bovendelen grijs. De soort is te herkennen aan het formaat, de vorm en de opgewipte snavel.

Zeeduikers zien er in vlucht erg karakteristiek uit, doordat de lange, uitgestrekte hals lager wordt gehouden dan de rug. Ook kenmerkend zijn de lange, smalle vleugels, het langwerpige dunne lichaam en de zwempoten die buiten de rudimentaire staart uitsteken. Volwassen en onvolwassen vogels zien er hetzelfde uit.

Tijdens de trek kan een zeeduiker vrij hoog (60-90 m) vliegen. De determinatie is dan erg moeilijk.

(× 1/7)

Een volwassen Parelduiker in winterkleed. Deze vogel is iets groter dan de Roodkeelduiker en heeft zwaardere vleugels en snavel.

Roodkeelduiker in winterkleed. Op een sombere dag kunnen de bovendelen erg donker lijken.

Roodkeelduiker in winterkleed. Let op de witte ondervleugel.

Boven: zeeduikers vliegen gewoonlijk laag over de zee; het lijkt of ze haast hebben. Onder: zeeduikers liggen laag op het water en hun lichaam ziet er dan breed uit.

De Roodkeelduiker in winterkleed heeft van dichtbij gezien witgespikkelde bovendelen en een opvallende witte keel.

(× 1/5)

De rode keelvlek van de Roodkeelduiker is alleen te zien in het prachtkleed dat de vogel tussen maart en september draagt.

Een vissende zeeduiker houdt de kop onder water. Na het eten neemt de vogel slokjes water.

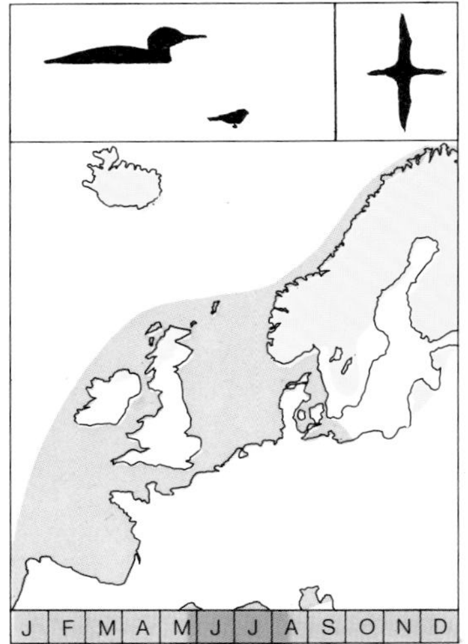

Zeeduikers zijn niet nauw verwant met futen, maar delen met deze vogels wel allerlei lichamelijke aanpassingen die bedoeld zijn voor het zwemmen op en onder water. In beide groepen valt vooral op dat de poten zo ver naar achteren staan geplaatst. Hierdoor kan de vogel zich in het water uiterst doeltreffend voortstuwen, maar is hij op het land onbeholpen.

De Roodkeelduiker is de kleinste zeeduikersoort. Hij broedt langs de oevers van meren en vennen in toendra's en hoogveengebieden. De vogel kiest soms een klein stukje water uit om te nestelen, maar dit ligt altijd dicht bij de zee of bij een groot meer waar de vogel kan vissen. Zeeduikers zijn luidruchtig op hun broedterrein. De balts vindt de hele zomer door plaats; hiertoe behoort het wegduiken, achter elkaar rondzwemmen en het zich oprichten boven de waterspiegel door soms wel vijf vogels tegelijk. Een baltsvlucht naar duizelingwekkende hoogte, waarbij de vogel een kwakend geluid laat horen, wordt alleen vertoond voor het broeden begint.

Het nest varieert van een simpel samenraapseltje aan de oever tot een aanzienlijke hoop plantenmateriaal in ondiep water. Het broedsel bestaat meestal uit twee eieren, die ongewoon lang van vorm zijn. Beide geslachten hebben een taak bij de nestbouw, het broeden en de zorg voor de jongen. Na het leggen van het eerste ei wordt met het broeden begonnen en dit duurt 24 tot 29 dagen. De jongen zijn na acht weken vliegvlug.

IJsduiker/Parelduiker

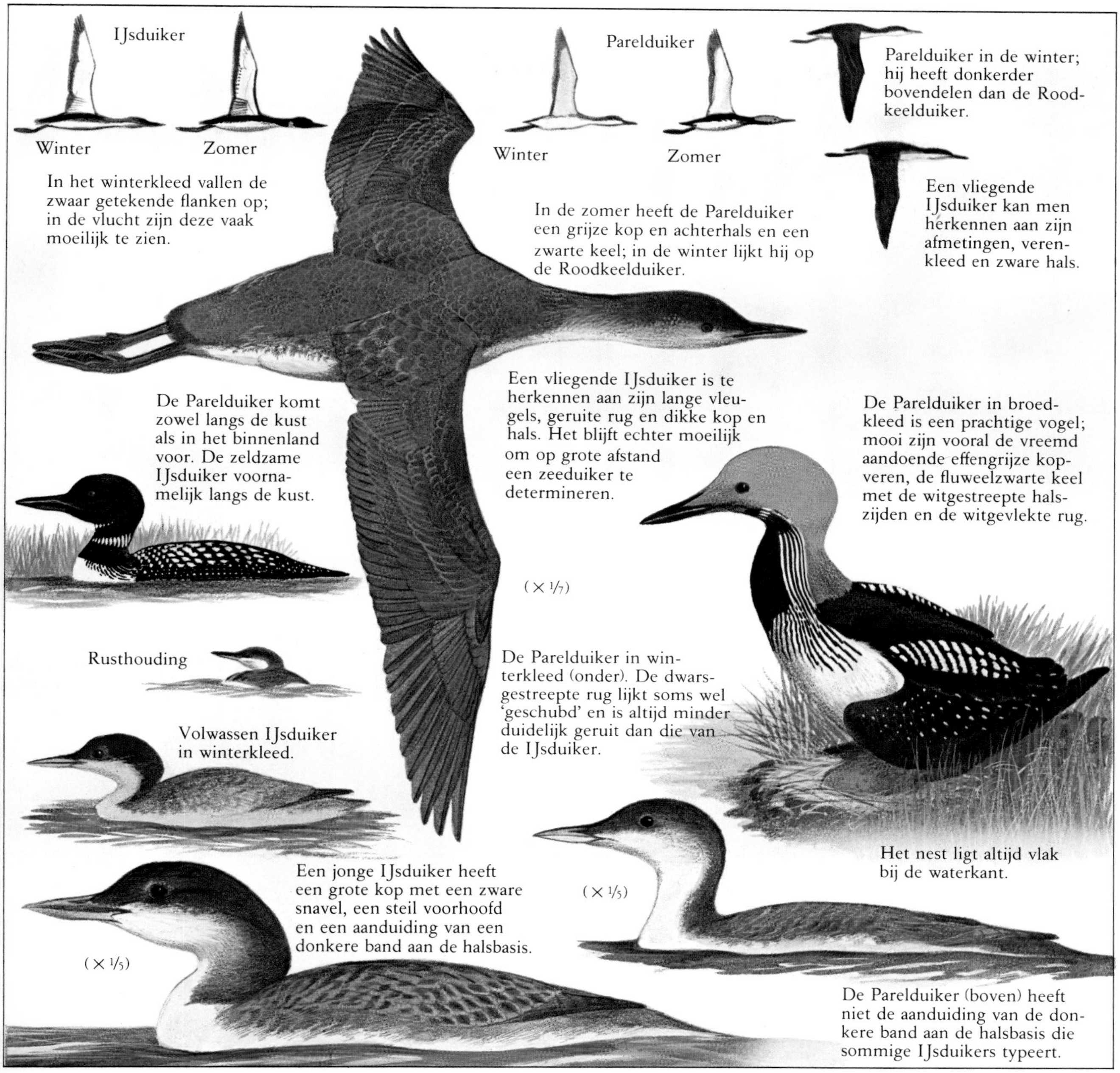

IJsduiker

Winter

Zomer

In het winterkleed vallen de zwaar getekende flanken op; in de vlucht zijn deze vaak moeilijk te zien.

Parelduiker

Winter

Zomer

In de zomer heeft de Parelduiker een grijze kop en achterhals en een zwarte keel; in de winter lijkt hij op de Roodkeelduiker.

Parelduiker in de winter; hij heeft donkerder bovendelen dan de Roodkeelduiker.

Een vliegende IJsduiker kan men herkennen aan zijn afmetingen, verenkleed en zware hals.

Een vliegende IJsduiker is te herkennen aan zijn lange vleugels, geruite rug en dikke kop en hals. Het blijft echter moeilijk om op grote afstand een zeeduiker te determineren.

De Parelduiker komt zowel langs de kust als in het binnenland voor. De zeldzame IJsduiker voornamelijk langs de kust.

De Parelduiker in broedkleed is een prachtige vogel; mooi zijn vooral de vreemd aandoende effengrijze kopveren, de fluweelzwarte keel met de witgestreepte halszijden en de witgevlekte rug.

(× 1/7)

Rusthouding

De Parelduiker in winterkleed (onder). De dwarsgestreepte rug lijkt soms wel 'geschubd' en is altijd minder duidelijk geruit dan die van de IJsduiker.

Volwassen IJsduiker in winterkleed.

Het nest ligt altijd vlak bij de waterkant.

Een jonge IJsduiker heeft een grote kop met een zware snavel, een steil voorhoofd en een aanduiding van een donkere band aan de halsbasis.

(× 1/5)

(× 1/5)

De Parelduiker (boven) heeft niet de aanduiding van de donkere band aan de halsbasis die sommige IJsduikers typeert.

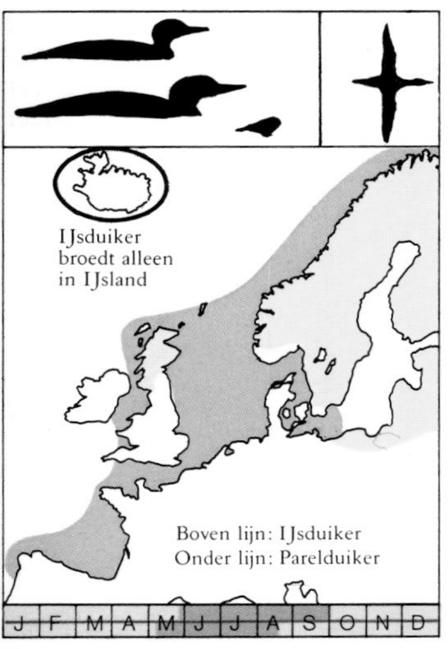

Schotland en Scandinavië herbergen een vaste broedpopulatie Parelduikers. IJsduikers werden tot voor kort aan Europese kusten en binnenwateren slechts in het winterhalfjaar waargenomen. In 1970 werd een paartje IJsduikers met twee jongen gezien op een loch in Schotland en het volgende jaar werden op dezelfde plaats een Parelduiker en een bastaard van een Parelduiker en een IJsduiker en een tamelijk groot jong waargenomen.
Er zijn geen verdere broedgevallen bekend, maar bovengenoemde voorvallen wekken de hoop dat de IJsduiker zich wellicht in Europa gaat vestigen. Dat zou uiterst welkom zijn, want zeeduikers hebben het van de mens zwaar te verduren gehad. IJsduikers worden gejaagd om hun zomerkleed en de nesten van Parelduikers worden soms vernietigd door vissers die bang zijn dat de vogels het forellenbestand schaden. Daarbij worden alle zeeduikers in hun winterkwartieren op de open zee ook nog ernstig bedreigd door de olievervuiling.
Het broedgedrag van beide soorten lijkt sterk op dat van de Roodkeelduiker. Beide soorten zijn in de zomer uiterst luidruchtig en het lang aangehouden vibrerende 'gelach' van de IJsduiker is een van de meest sensationele vogelgeluiden.

Wilde Zwaan/Kleine Zwaan

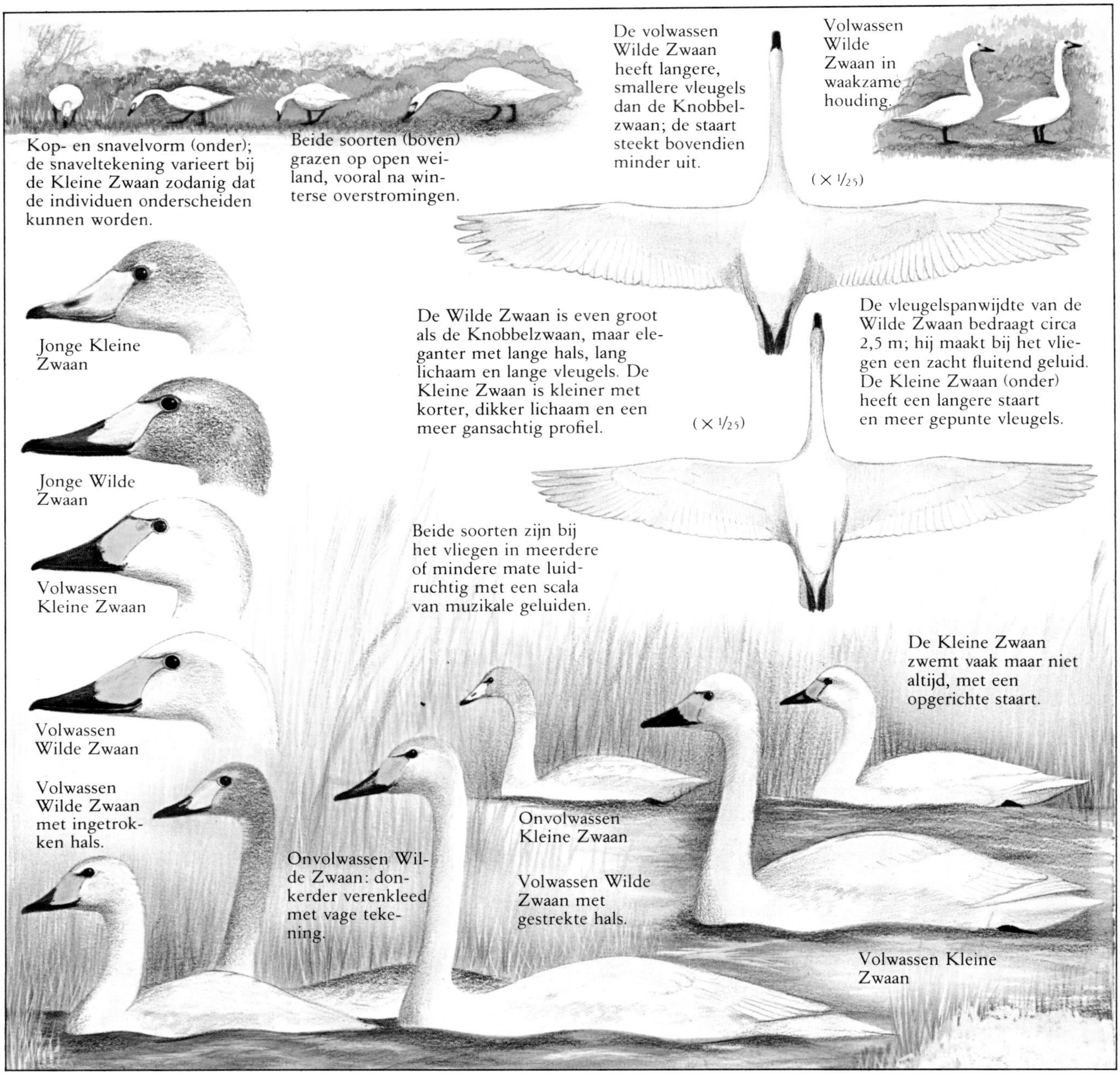

Kop- en snavelvorm (onder); de snaveltekening varieert bij de Kleine Zwaan zodanig dat de individuen onderscheiden kunnen worden.

Beide soorten (boven) grazen op open weiland, vooral na winterse overstromingen.

De volwassen Wilde Zwaan heeft langere, smallere vleugels dan de Knobbelzwaan; de staart steekt bovendien minder uit.

Volwassen Wilde Zwaan in waakzame houding.

(× 1/25)

Jonge Kleine Zwaan

Jonge Wilde Zwaan

Volwassen Kleine Zwaan

Volwassen Wilde Zwaan

Volwassen Wilde Zwaan met ingetrokken hals.

De Wilde Zwaan is even groot als de Knobbelzwaan, maar eleganter met lange hals, lang lichaam en lange vleugels. De Kleine Zwaan is kleiner met korter, dikker lichaam en een meer gansachtig profiel.

(× 1/25)

De vleugelspanwijdte van de Wilde Zwaan bedraagt circa 2,5 m; hij maakt bij het vliegen een zacht fluitend geluid. De Kleine Zwaan (onder) heeft een langere staart en meer gepunte vleugels.

Beide soorten zijn bij het vliegen in meerdere of mindere mate luidruchtig met een scala van muzikale geluiden.

De Kleine Zwaan zwemt vaak maar niet altijd, met een opgerichte staart.

Onvolwassen Kleine Zwaan

Onvolwassen Wilde Zwaan: donkerder verenkleed met vage tekening.

Volwassen Wilde Zwaan met gestrekte hals.

Volwassen Kleine Zwaan

Van de drie in Europa voorkomende zwanen is de Wilde Zwaan de luidruchtigste. In de vlucht laat de Wilde Zwaan een luid trompetachtig, toeterend 'hoe-hoe-hoe' of 'oeng-hu' horen. De roep van de Kleine Zwaan mist het trompetachtige timbre van de Wilde Zwaan en is meer gansachtig. In tegenstelling met de Knobbelzwaan hebben Wilde en Kleine Zwaan een 'geruisloze' vleugelslag.

De Wilde Zwaan broedt in Noord-Eurazië (onder andere IJsland en Lapland). In Nederland is hij een doortrekker en wintergast in klein aantal van half oktober tot begin april; bij strenge vorst is hij talrijker. De Kleine Zwaan broedt op de toendra's van Noord-Siberië. In Nederland is de Kleine Zwaan een doortrekker en wintergast in vrij groot aantal van begin oktober tot in mei.

Geen twee individuen hebben dezelfde snaveltekening en Engelse onderzoekers hebben hiervan gebruik gemaakt bij de bestudering van een in Zuidwest-Engeland overwinterende populatie. Hierbij is gebleken dat jongen van dezelfde ouders gedurende een aantal jaren de neiging hebben bij elkaar te blijven in groepen tot circa 15 exemplaren.

Beide soorten maken een groot nest dat lijkt op dat van de Knobbelzwaan, maar het heeft meer dons van binnen.

Knobbelzwaan

 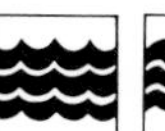  JV

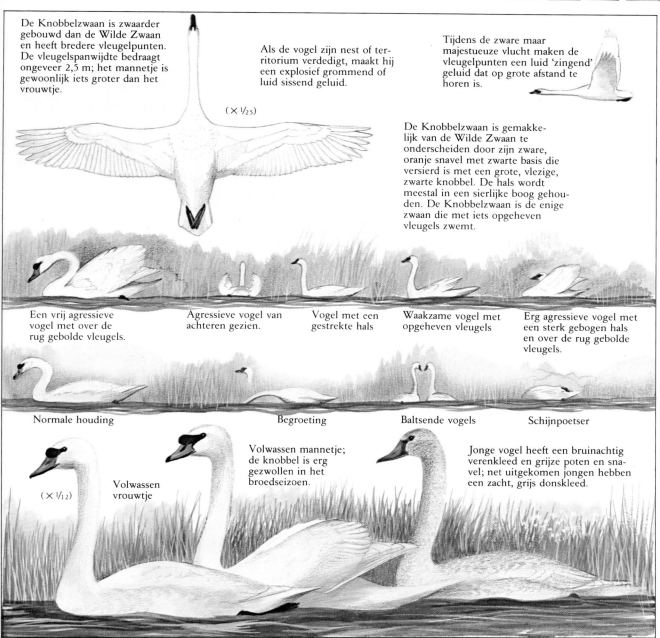

De Knobbelzwaan is zwaarder gebouwd dan de Wilde Zwaan en heeft bredere vleugelpunten. De vleugelspanwijdte bedraagt ongeveer 2,5 m; het mannetje is gewoonlijk iets groter dan het vrouwtje.

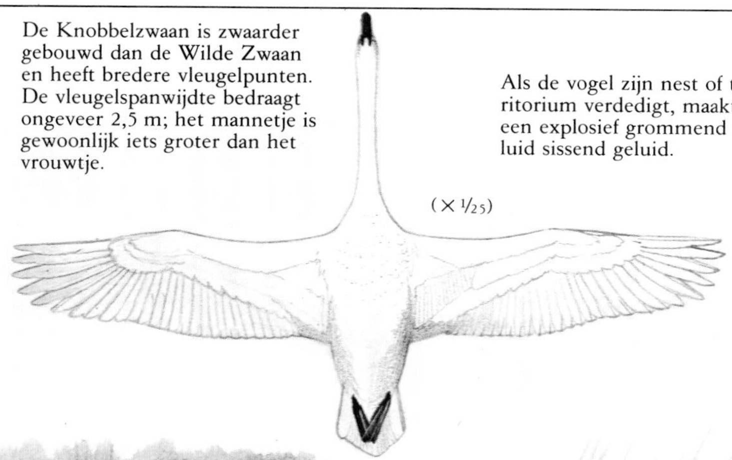

Als de vogel zijn nest of territorium verdedigt, maakt hij een explosief grommend of luid sissend geluid.

Tijdens de zware maar majestueuze vlucht maken de vleugelpunten een luid 'zingend' geluid dat op grote afstand te horen is.

(× 1/25)

De Knobbelzwaan is gemakkelijk van de Wilde Zwaan te onderscheiden door zijn zware, oranje snavel met zwarte basis die versierd is met een grote, vlezige, zwarte knobbel. De hals wordt meestal in een sierlijke boog gehouden. De Knobbelzwaan is de enige zwaan die met iets opgeheven vleugels zwemt.

Een vrij agressieve vogel met over de rug gebolde vleugels.

Agressieve vogel van achteren gezien.

Vogel met een gestrekte hals

Waakzame vogel met opgeheven vleugels

Erg agressieve vogel met een sterk gebogen hals en over de rug gebolde vleugels.

Normale houding

Begroeting

Baltsende vogels

Schijnpoetser

(× 1/12)

Volwassen vrouwtje

Volwassen mannetje; de knobbel is erg gezwollen in het broedseizoen.

Jonge vogel heeft een bruinachtig verenkleed en grijze poten en snavel; net uitgekomen jongen hebben een zacht, grijs donskleed.

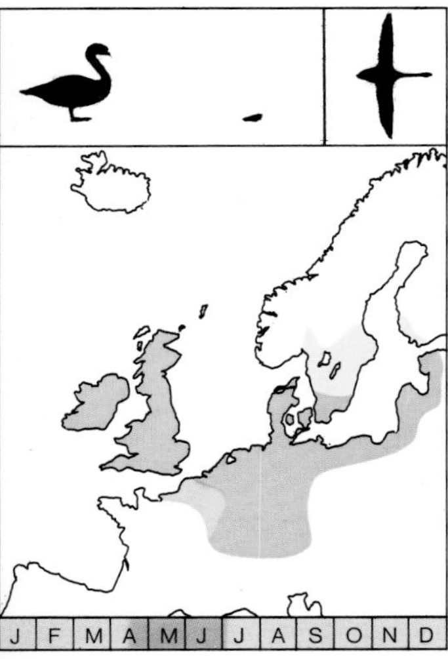

De Knobbelzwaan is veel minder luidruchtig dan de Kleine en vooral de Wilde Zwaan; hij maakt alleen enkele grommende en sissende geluiden. Bij het vliegen maken de vleugels echter een opmerkelijk 'zingend' geluid.

De Knobbelzwaan is de meest talrijke Europese zwaan. Sedert omstreeks 1950 is hij ook broedvogel in Nederland (Zwarte Meer, Makkumerwaard). Daarnaast broeden vele verwilderde tamme vogels.

Het menu bestaat uit diverse waterplanten, maar ook uit enkele lagere dieren. Grote groepen verzamelen zich in bepaalde gebieden en kunnen dan schade aanrichten.

Het broedgebied bestaat uit zoet water en beschutte plaatsen aan de kust. Het grote opvallende nest ligt altijd vlak bij het water. Het wordt door beide partners gebouwd; dit in tegenstelling met eenden en ganzen.

Het agressieve gedrag van het mannetje schrikt de meeste mensen af hoewel beweringen over verwondingen bij aanvallen vaak worden overdreven.

Het uit drie tot acht eieren bestaande legsel wordt circa 35 dagen bebroed. Dit is in hoofdzaak de taak van het vrouwtje, maar als ze gaat eten, vooral 's nachts, neemt het mannetje het over. De jongen zijn na 13 weken vliegvlug.

Brandgans

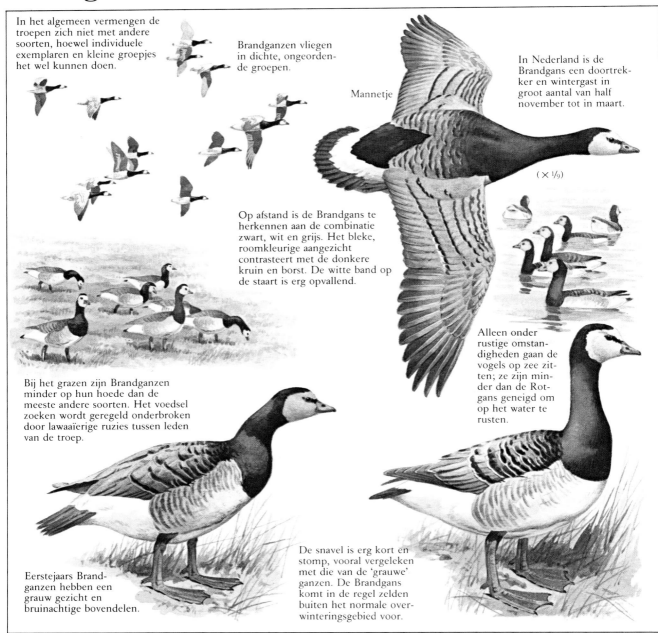

In het algemeen vermengen de troepen zich niet met andere soorten, hoewel individuele exemplaren en kleine groepjes het wel kunnen doen.

Brandganzen vliegen in dichte, ongeordende groepen.

Mannetje

In Nederland is de Brandgans een doortrekker en wintergast in groot aantal van half november tot in maart.

(× 1/9)

Op afstand is de Brandgans te herkennen aan de combinatie zwart, wit en grijs. Het bleke, roomkleurige aangezicht contrasteert met de donkere kruin en borst. De witte band op de staart is erg opvallend.

Alleen onder rustige omstandigheden gaan de vogels op zee zitten; ze zijn minder dan de Rotgans geneigd om op het water te rusten.

Bij het grazen zijn Brandganzen minder op hun hoede dan de meeste andere soorten. Het voedsel zoeken wordt geregeld onderbroken door lawaaïerige ruzies tussen leden van de troep.

Eerstejaars Brandganzen hebben een grauw gezicht en bruinachtige bovendelen.

De snavel is erg kort en stomp, vooral vergeleken met die van de 'grauwe' ganzen. De Brandgans komt in de regel zelden buiten het normale overwinteringsgebied voor.

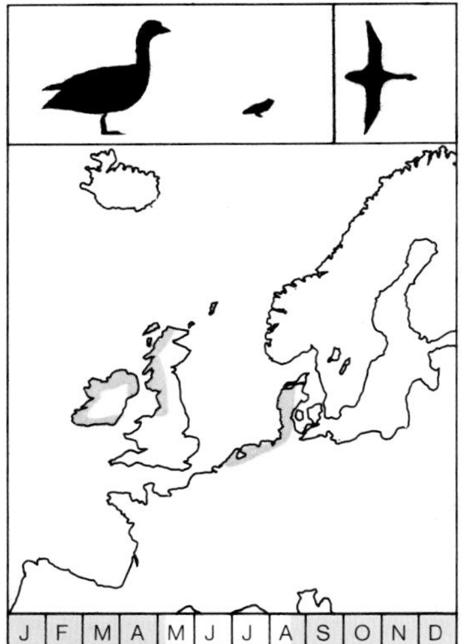

De Brandgans foerageert bij voorkeur in zoutwatermoerassen, graslanden nabij kust of riviermonden, slikken en wadden.
Onderzoek heeft aangetoond dat ze naast gras en zeegras ook veel zaden eten, wat tamelijk ongewoon is bij ganzen. De grootste hoeveelheid is afkomstig van biezen; waarschijnlijk halen ze de trosjes vruchten direct van de stekelige stengel af. Het voedselzoeken vindt bij daglicht plaats; ze bewegen zich bij de dageraad en tegen de schemering van en naar een veilige rustplaats. Bij volle maan kunnen ze het voedselzoeken de hele nacht voortzetten.
De merkwaardige, oude mythe als zouden deze ganzen uit eendemossels komen, mist uiteraard elke grond van waarheid; hun broedgewoonten zijn geheel in overeenstemming met wat in deze onderfamilie te verwachten is.

Brandganzen die in Ierland en de Hebriden overwinteren, broeden in Groenland; die in Solway Firth (Schotland/Engeland) in Spitsbergen, terwijl de in Nederland overwinterende vogels in Noord-Rusland (Nova Zembla) broeden. Hiermee wordt begonnen voor het einde van de Arctische winter. Ze nestelen in kolonies op richels van steile klippen waar ze onbereikbaar zijn voor grondpredatoren als poolvossen. Evenals bij andere ganzen bewaakt het mannetje zijn broedpartner de hele tijd door; beide ouders verzorgen de jongen.

Canadese Gans

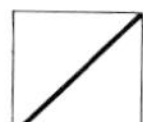

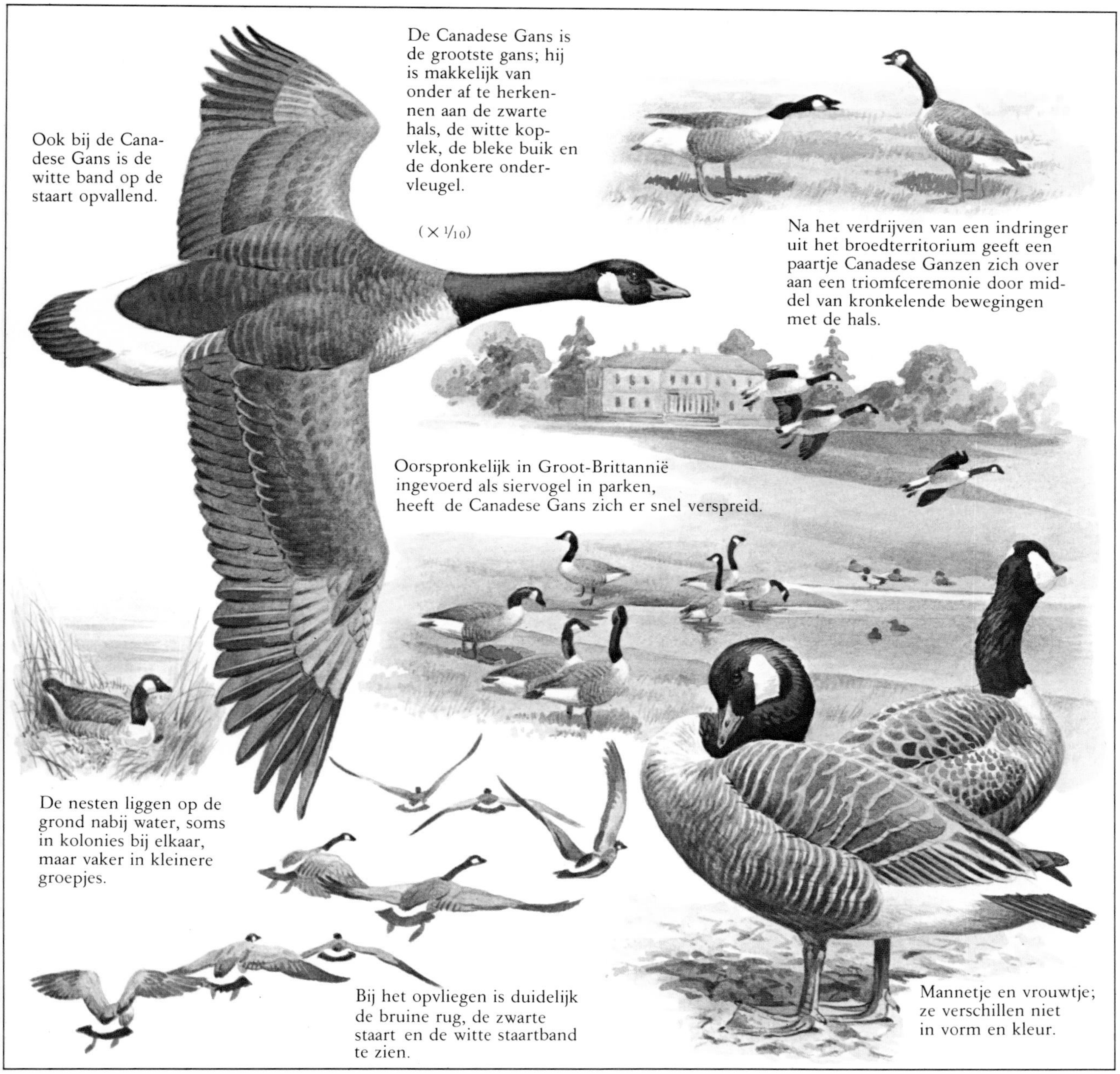

Ook bij de Canadese Gans is de witte band op de staart opvallend.

De Canadese Gans is de grootste gans; hij is makkelijk van onder af te herkennen aan de zwarte hals, de witte kopvlek, de bleke buik en de donkere ondervleugel.

(× 1/10)

Na het verdrijven van een indringer uit het broedterritorium geeft een paartje Canadese Ganzen zich over aan een triomfceremonie door middel van kronkelende bewegingen met de hals.

Oorspronkelijk in Groot-Brittannië ingevoerd als siervogel in parken, heeft de Canadese Gans zich er snel verspreid.

De nesten liggen op de grond nabij water, soms in kolonies bij elkaar, maar vaker in kleinere groepjes.

Bij het opvliegen is duidelijk de bruine rug, de zwarte staart en de witte staartband te zien.

Mannetje en vrouwtje; ze verschillen niet in vorm en kleur.

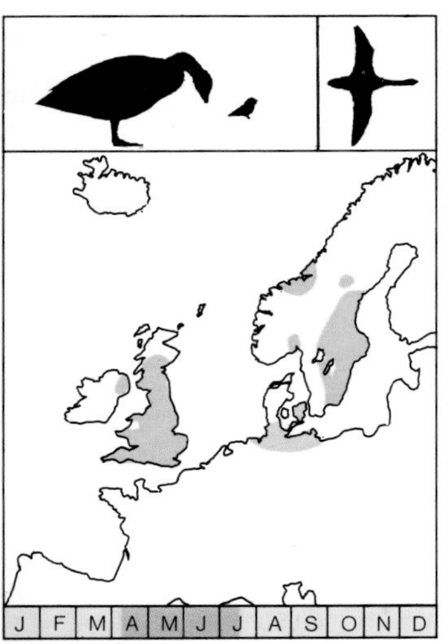

De Canadese Gans is uit Noord-Amerika in Groot-Brittannië en Zweden ingevoerd en leeft daar thans in wilde staat. In Noord-Amerika is het een zeer variabele soort met verschillende ondersoorten, waartussen grote verschillen in afmetingen en kleuren bestaan. De in Europa ingevoerde vogels behoren tot de grote lichte ondersoort die aan de Atlantische kust broeden; vogels van andere ondersoorten, waarschijnlijk onvervalste zwervers uit Noord-Amerika, worden soms in Ierland en Schotland waargenomen tussen troepen Brandganzen of Kolganzen.
Een rapport uit 1953 vermeldt voor Groot-Brittannië 1500 paren en sindsdien is het aantal toegenomen; de Zweedse populatie telt ongeveer 2300 paren. Kortgeleden zijn er broedgevallen geweest in Noorwegen en Denemarken.

In sommige winters bezoeken Zweedse vogels Nederland.
In Europa vormen graslanden nabij water hun levensmilieu; ze nestelen op met struikgewas begroeide eilandjes in meren. Het uit riet en gras bestaande nest wordt bekleed met dons. Meerdere paren kunnen dicht bij elkaar nestelen. Er worden in het algemeen vijf tot zes eieren gelegd en na ruim zes weken zijn de jongen zelfstandig.

Kolgans

De volwassen Kolgans lijkt in vlucht bleker dan een Rietgans.

Van onderen gezien (rechts), kan de vogel sterk of zwak dwarsgestreept zijn; de jongen hebben geen strepen of vlekken op de buik en missen ook de witte vlek ('kol') aan de snavelbasis.

Volwassen

Volwassen

Jong

De Kolgans (links) mist het scherpe contrast tussen de lichte voorvleugel en de donkerder achtervleugel dat zo typisch is voor de Grauwe Gans en de Kleine Rietgans.

(× 1/10)

De Kolgans heeft slankere vleugels en is in vlucht leniger dan de meeste 'grauwe' ganzen, zodat hij de dreiging van een geweer op spectaculaire wijze kan ontduiken.

Meestal grazen meerdere families samen op open weiden en velden, vooral nadat deze overstroomd zijn geweest. Als ze gevangen en geringd zijn, worden ze altijd met families tegelijk vrijgelaten, nooit alleen.

De Groenlandse ondersoort is te herkennen aan de oranje snavel.

De Russische ondersoort die o.a. in Nederland overwintert, heeft een rozerode snavel.

Jonge Kolganzen hebben een grijsgele snavel.

Volwassen Kolganzen hebben een opvallende 'kol' en duidelijk getekende onderdelen.

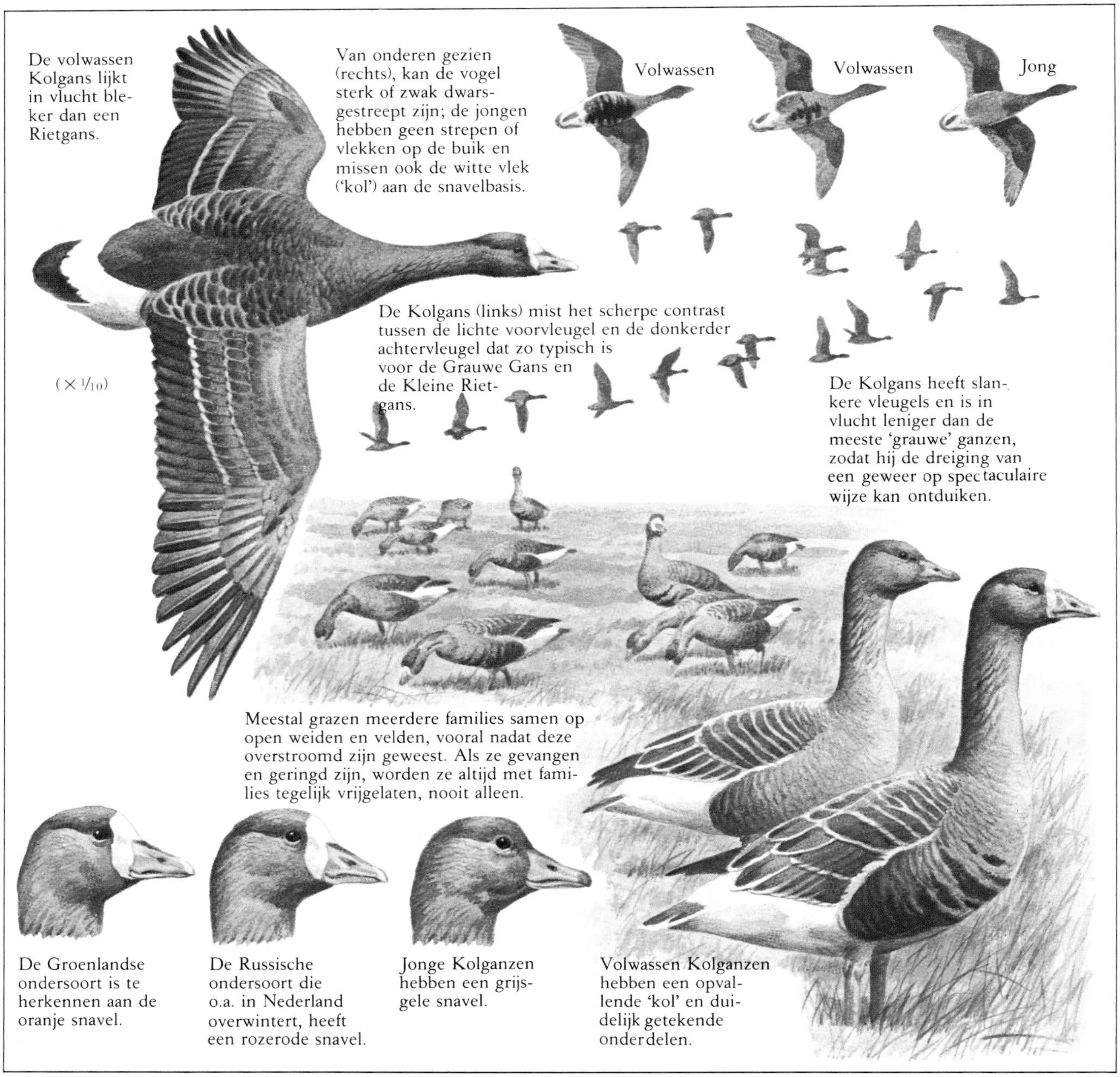

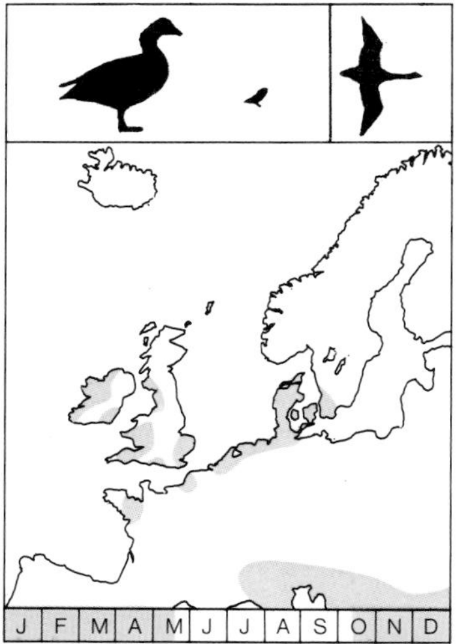

Wilde ganzen hebben een onweerstaanbare, romantische aantrekkingskracht. Vele malen kleinere vogels trekken over grotere afstanden, maar hun reizen blijven meestal onopgemerkt. Ganzen veroorzaken altijd sensatie als ze in linie of in V-formatie langs de hemel trekken. Het geluid van een troep ganzen in vlucht wekt de verbeelding op en onder hen is de Kolgans misschien wel de muzikaalste; de roep heeft een kenmerkend jodelachtig karakter.

Er komen twee ondersoorten voor in Europa: de in Noord-Rusland broedende ondersoort overwintert in Midden- en Noord-Europa. Een donkerder ondersoort met een oranje snavel broedt in Groenland en overwintert in Schotland, Ierland en Wales. De laatste jaren neemt het aantal in Nederland overwinterende Kolganzen sterk toe; naar schatting overwinteren nu meer dan 70 000 exemplaren – de helft van de totale Europese winterbevolking.

Vochtig grasland, zoals ondergelopen weiland, is het gewenste levensmilieu en gras vormt het voornaamste voedsel, maar de Groenlandse ondersoort heeft voorkeur voor moerasachtig gebied en eet de ondergrondse delen van de witte snavelbies.

Kolganzen broeden op de toendra, op eilanden in rivieren of op hogere delen in moerassen. Er is een neiging tot gezamenlijk nestelen, maar iedere mannetje verdedigt rondom het nest een klein territorium. Net als bij de meeste ganzen blijven de families tot het volgend seizoen bij elkaar.

Rotgans

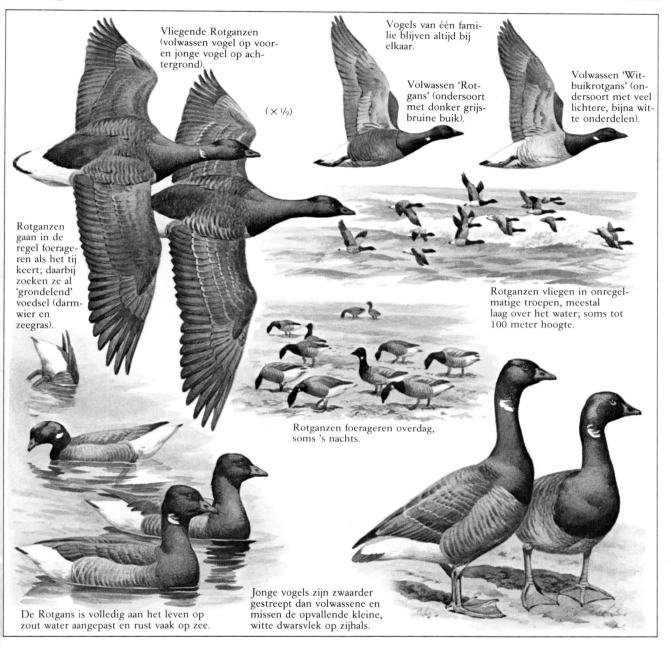

Vliegende Rotganzen (volwassen vogel op voor- en jonge vogel op achtergrond).

(× 1/9)

Vogels van één familie blijven altijd bij elkaar.

Volwassen 'Rotgans' (ondersoort met donker grijsbruine buik).

Volwassen 'Witbuikrotgans' (ondersoort met veel lichtere, bijna witte onderdelen).

Rotganzen gaan in de regel foerageren als het tij keert; daarbij zoeken ze al 'grondelend' voedsel (darmwier en zeegras).

Rotganzen vliegen in onregelmatige troepen, meestal laag over het water; soms tot 100 meter hoogte.

Rotganzen foerageren overdag, soms 's nachts.

De Rotgans is volledig aan het leven op zout water aangepast en rust vaak op zee.

Jonge vogels zijn zwaarder gestreept dan volwassene en missen de opvallende kleine, witte dwarsvlek op zijhals.

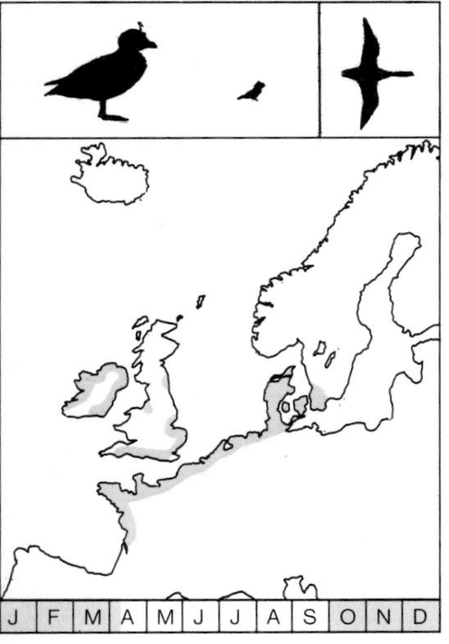

Uitgestrekte slikken langs de kust en riviermondingen vormen het wintermilieu van de Rotgans; alleen bij voedselschaarste willen ze de zeedijk wel eens oversteken om net als 'grauwe' ganzen op akkers te foerageren. Maar anders voeden ze zich bijna geheel met zeegras of darmwier. Eens was een grotere soort zeegras een belangrijke voedselbron, maar in de jaren '30 heeft een geheimzinnige ziekte deze soort aan beide kanten van de Atlantische Oceaan bijna geheel uitgeroeid. Plotseling beroofd van dit voedsel, ging het aantal Rotganzen schrikbarend achteruit. Voor jagers was de Rotgans van oudsher een traditionele buit, maar in de vijftiger jaren werd het duidelijk dat deze soort tegen verder jagen niet opgewassen zou zijn. Verschillende landen troffen beschermende maatregelen en sindsdien is het aantal geleidelijk toegenomen. Nu vormen inpolderingen en dergelijke, nieuwe bedreigingen voor de soort. Rotganzen broeden hoognoordelijk. De 'Witbuikrotgans' (ondersoort van Noord-Canada, Groenland en Spitsbergen) overwintert aan de oostkust van de Verenigde Staten en in Ierland. De in Nederland overwinterende ondersoort heeft een donker grijsbruine buik. Deze vogels zijn afkomstig uit Noord-Siberië. Rotganzen nestelen in kolonies op hoge rotsachtige toendra en eilandjes nabij kusten. Het legsel van drie tot vijf eieren komt na vier weken uit; het vrouwtje broedt alleen.

Rietgans/Kleine Rietgans

Net als andere 'grauwe' ganzen vliegt de Kleine Rietgans in massale troepen of in lange V-formaties.

De snavel van de Rietgans (rechts) is zeer variabel: zwart met oranje of gele vlekken, wat per vogel verschilt.

De snavel van de volwassen Kleine Rietgans is roze en zwart; van de jonge vogel roze of okerkleurig.

Volwassen Rietgans

Volwassen Kleine Rietgans. Let op de donkere kop en lichte voorvleugel.

In het broedgebied nestelt de Kleine Rietgans op richels en rotsuitsteeksels, buiten het bereik van de poolvos; zo nu en dan nestelen vogels ook op de open toendra.

(× 1/6)

Bij helder maanlicht gaan de vogels ook 's nachts foerageren.

Volwassen Kleine Rietgans en Rietgans; bij 'grauwe' ganzen zijn mannetje en vrouwtje gelijk.

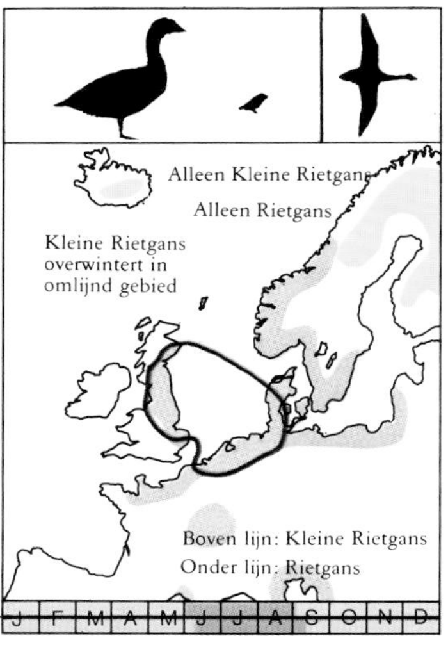

De Rietgans en Kleine Rietgans zijn nauw verwante soorten, maar hun gedrag vertoont diverse verschillen. Zo heeft de Rietgans een minder sterke voorkeur voor bouwland dan de Kleine Rietgans. Verder is de Rietgans minder luidruchtig dan de Kleine Rietgans. Van alle 'grauwe' ganzen is de Rietgans de meest zwijgzame soort. Kleine Rietganzen kunnen vooral luidruchtig zijn als ze van of naar de slaapplaats vliegen. Ze brengen dan een kakofonie van geluid voort waarin de hoge tonen van het mannetje zijn te onderscheiden van die van het vrouwtje, die een octaaf lager roepen.

De Rietgans heeft een veel groter verspreidingsgebied dan de Kleine Rietgans. De laatste decennia is de Rietgans sterk in aantal achteruitgegaan. In hoeverre jacht en veranderde landbouwmethoden daarin een rol hebben gespeeld, is onduidelijk. Hun Engelse naam ('Bean Goose') slaat op de gewoonte zich te voeden met de achtergebleven bonen op een bonenoogst. De toekomst van de op IJsland broedende Kleine Rietganzen wordt bedreigd door plannen om een groot stuwmeer aan te leggen, waardoor het grootste deel van het broedgebied onder water komt te staan.

De Kleine Rietgans nestelt in kolonies op rotsuitsteeksels van kliffen en rivieroevers, maar ook op open toendra. De Rietgans nestelt op open toendra nabij meren, moerassen of rivieren en in meer beboste streken. Beide soorten hebben een uit vier tot zes eieren bestaand legsel dat na circa vier weken uitkomt.

Grauwe Gans

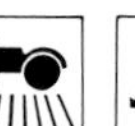

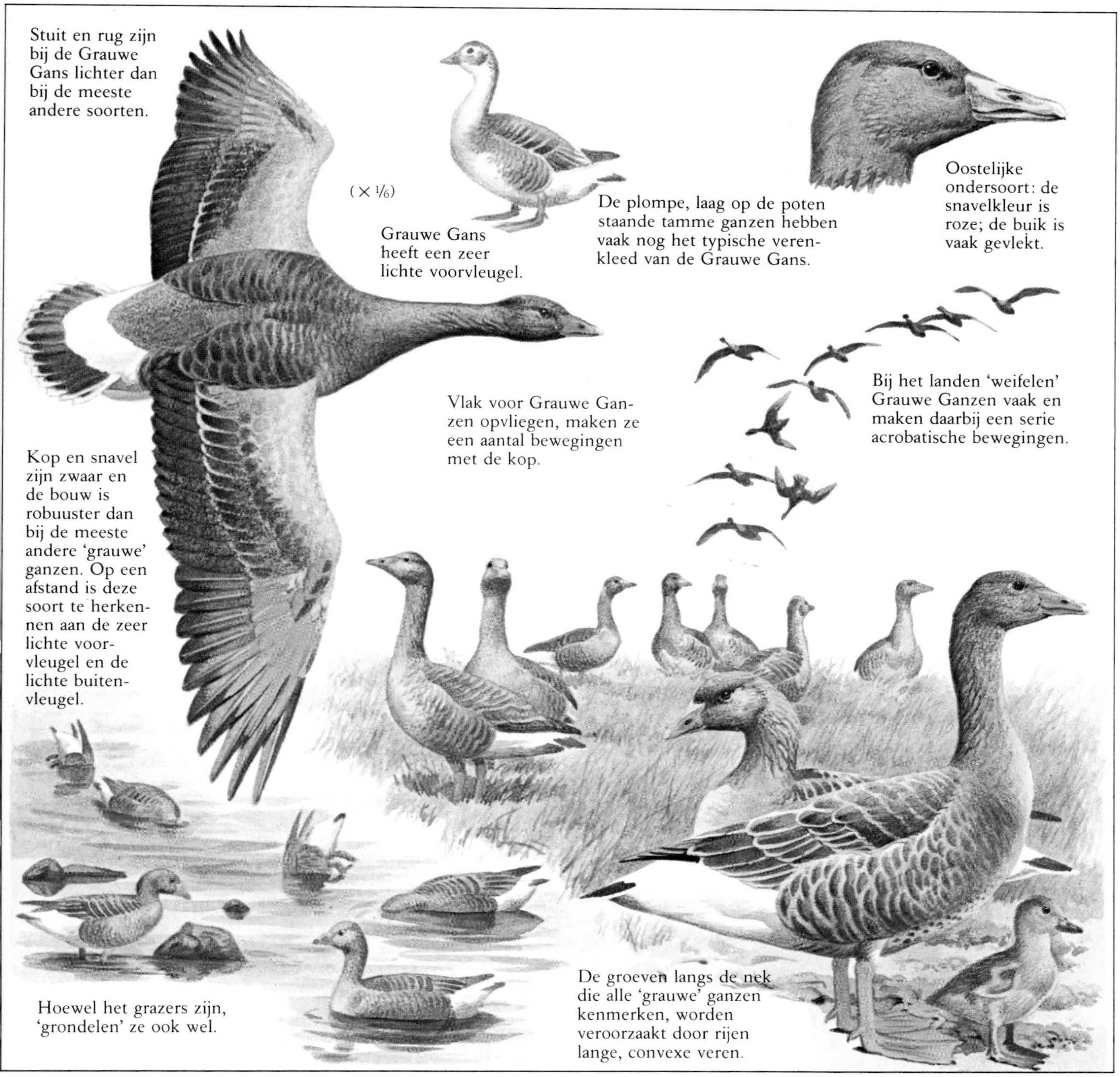

Stuit en rug zijn bij de Grauwe Gans lichter dan bij de meeste andere soorten.

(× 1/6)

Grauwe Gans heeft een zeer lichte voorvleugel.

De plompe, laag op de poten staande tamme ganzen hebben vaak nog het typische verenkleed van de Grauwe Gans.

Oostelijke ondersoort: de snavelkleur is roze; de buik is vaak gevlekt.

Bij het landen 'weifelen' Grauwe Ganzen vaak en maken daarbij een serie acrobatische bewegingen.

Vlak voor Grauwe Ganzen opvliegen, maken ze een aantal bewegingen met de kop.

Kop en snavel zijn zwaar en de bouw is robuuster dan bij de meeste andere 'grauwe' ganzen. Op een afstand is deze soort te herkennen aan de zeer lichte voorvleugel en de lichte buitenvleugel.

Hoewel het grazers zijn, 'grondelen' ze ook wel.

De groeven langs de nek die alle 'grauwe' ganzen kenmerken, worden veroorzaakt door rijen lange, convexe veren.

De Grauwe Gans is de voorvader van alle tamme ganzen, met uitzondering van de Chinese Gans die van de Zwaangans uit Azië afstamt. Het geluid van de tamme gans en zijn uiterlijk herinneren nog steeds sterk aan de Grauwe Gans.

De Grauwe Gans heeft een groot verspreidingsgebied en broedt zuidelijk tot in Irak (Tweestromenland). Met succes heeft men de soort in bepaalde gebieden weten in te voeren.

Het gedrag van deze soort is beter bestudeerd dan van welke andere watervogel ook. Hij heeft, net als andere ganzen, een ingewikkelde sociale organisatie die door middel van een systeem van signalen en houdingen in stand wordt gehouden. Paren blijven gewoonlijk voor het leven bij elkaar en het familieverband wordt de gehele winter gehandhaafd – deze factoren zijn de oorzaak van de bijzonder hechte samenhang van ganzentroepen.

Bij het observeren van ganzen is een fascinerend verschijnsel ontdekt, namelijk dat van 'imprinting' – een proces dat bij alle watervogels en bij vele andere vogels voorkomt, maar het eerst bij de Grauwe Gans werd ontdekt.

Pas uitgekomen ganzen volgen het eerste dier dat ze na hun geboorte zien en hechten zich daaraan. Normaal is dat hun moeder, maar onder experimentele omstandigheden kan het zelfs een mens zijn. In het vervolg richten zij hun gehele sociale gedrag hierop en niet op soortgenoten.

Meerkoet

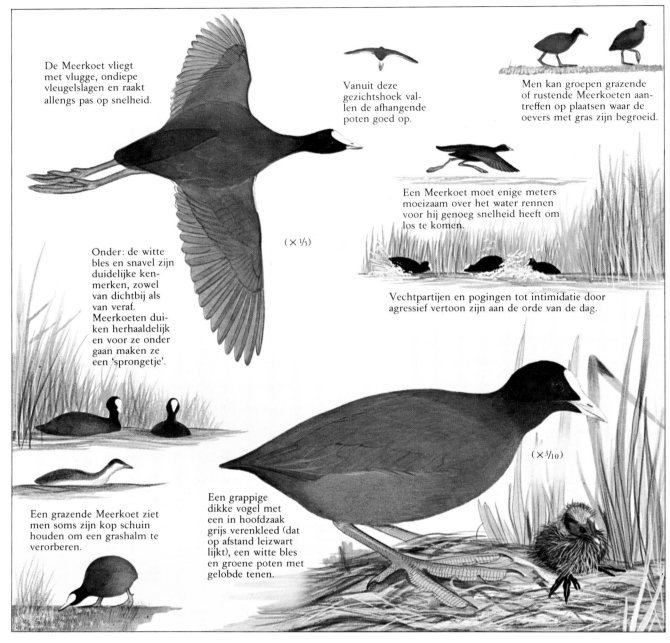

De Meerkoet vliegt met vlugge, ondiepe vleugelslagen en raakt allengs pas op snelheid.

Vanuit deze gezichtshoek vallen de afhangende poten goed op.

Men kan groepen grazende of rustende Meerkoeten aantreffen op plaatsen waar de oevers met gras zijn begroeid.

Een Meerkoet moet enige meters moeizaam over het water rennen voor hij genoeg snelheid heeft om los te komen.

(× 1/5)

Onder: de witte bles en snavel zijn duidelijke kenmerken, zowel van dichtbij als van veraf. Meerkoeten duiken herhaaldelijk en voor ze onder gaan maken ze een 'sprongetje'.

Vechtpartijen en pogingen tot intimidatie door agressief vertoon zijn aan de orde van de dag.

(× 3/10)

Een grazende Meerkoet ziet men soms zijn kop schuin houden om een grashalm te verorberen.

Een grappige dikke vogel met een in hoofdzaak grijs verenkleed (dat op afstand leizwart lijkt), een witte bles en groene poten met gelobde tenen.

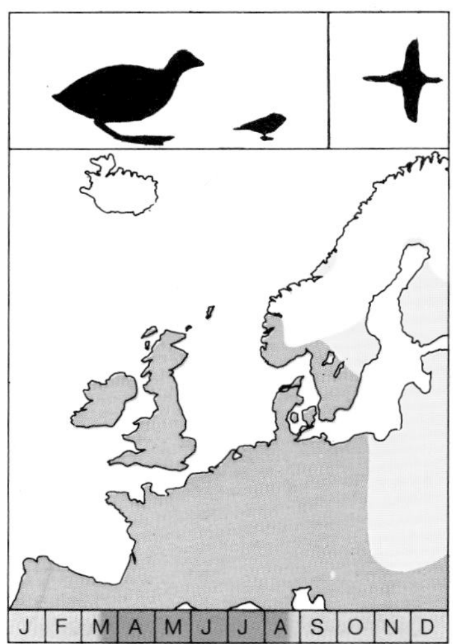

Meerkoeten brengen veel tijd door op het water en zwemmen met hun gelobde tenen al van jongs af aan. Ze duiken vaak naar voedsel. Het menu is in hoofdzaak plantaardig, hoewel er ook visjes, wormen, weekdieren en zelfs jonge eendjes op voorkomen. Meerkoeten komen in het algemeen niet zo ver het land op als Waterhoentjes. Ze verdedigen hun territorium fel tegen indringers en behalve andere Meerkoeten vallen ze soms zelfs eenden en Futen aan. Bij dit treffen laten de vogels luide, metaalachtig klinkende geluiden horen.
Het nest bestaat uit riet en biezen en het heeft een dikkere bekleding dan dat van het Waterhoen. Het ligt gewoonlijk tussen het riet op flinke afstand van de oever. Het wordt bijna alleen door het vrouwtje gebouwd, terwijl het mannetje nestmateriaal verzamelt. Beide geslachten broeden. Het mannetje blijft materiaal aanslepen – ook als de eieren al worden gelegd. Zo kunnen soms per ongeluk een of meer eieren worden begraven in de nestbekleding.
Het legsel bestaat uit vier tot acht eieren en het broeden neemt 21 tot 24 dagen in beslag. De jongen blijven drie tot vier dagen in het nest en komen daarna nog een tijd lang 's nachts terug om door de ouders te worden warmgehouden. In deze tijd zorgt het mannetje voor het voedsel en het vrouwtje voor de warmte. De jongen zijn na ongeveer acht weken zelfstandig. Meestal brengen de ouders twee broedsels groot. Vogels uit Noord- en Midden-Europa trekken in de winter naar het zuidwesten.

Waterhoen

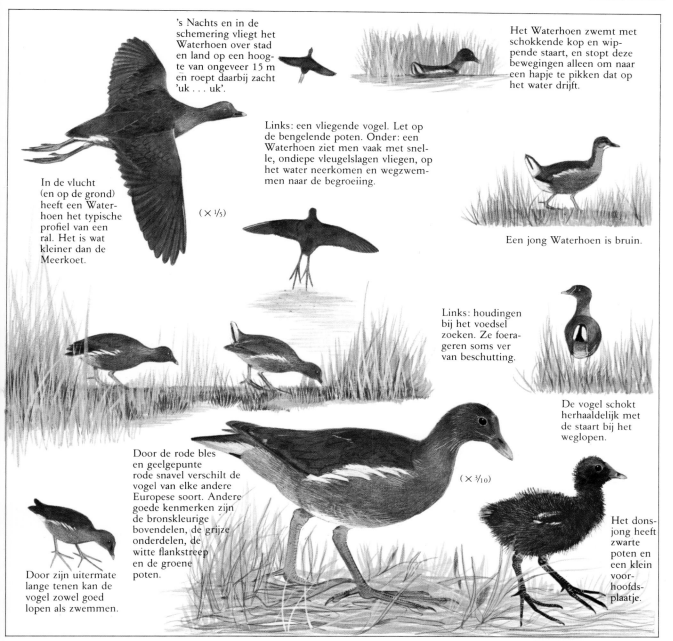

's Nachts en in de schemering vliegt het Waterhoen over stad en land op een hoogte van ongeveer 15 m en roept daarbij zacht 'uk . . . uk'.

Het Waterhoen zwemt met schokkende kop en wippende staart, en stopt deze bewegingen alleen om naar een hapje te pikken dat op het water drijft.

Links: een vliegende vogel. Let op de bengelende poten. Onder: een Waterhoen ziet men vaak met snelle, ondiepe vleugelslagen vliegen, op het water neerkomen en wegzwemmen naar de begroeiing.

In de vlucht (en op de grond) heeft een Waterhoen het typische profiel van een ral. Het is wat kleiner dan de Meerkoet.

(× 1/5)

Een jong Waterhoen is bruin.

Links: houdingen bij het voedsel zoeken. Ze foerageren soms ver van beschutting.

De vogel schokt herhaaldelijk met de staart bij het weglopen.

Door de rode bles en geelgepunte rode snavel verschilt de vogel van elke andere Europese soort. Andere goede kenmerken zijn de bronskleurige bovendelen, de grijze onderdelen, de witte flankstreep en de groene poten.

(× 3/10)

Het donsjong heeft zwarte poten en een klein voorhoofdsplaatje.

Door zijn uitermate lange tenen kan de vogel zowel goed lopen als zwemmen.

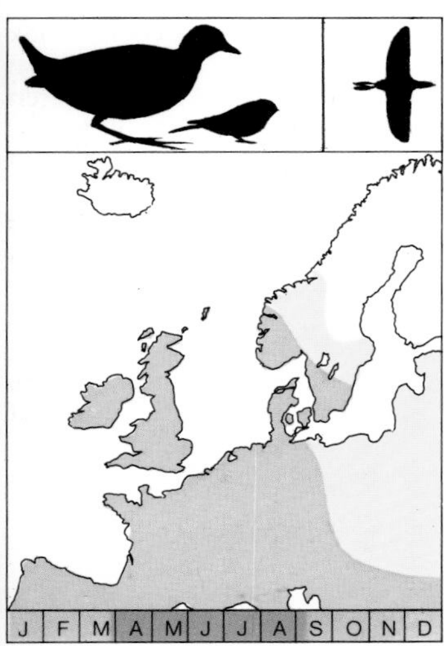

In tegenstelling tot veel leden van de familie der rallen gaat het het Waterhoen goed. Men treft deze vogel in bijna elk deel van de wereld aan, met uitzondering van de poolstreken. Zijn voortbestaan is in hoge mate te danken aan het feit dat het Waterhoen zich kan aanpassen aan een door de mensen gewijzigd milieu. De vogel heeft voldoende aan praktisch ieder plekje water waaromheen planten groeien.

Het Waterhoen ziet men soms openlijk in grasperken foerageren. Bij gevaar schiet het echter snel weg naar de dichtstbijzijnde beschuttende dichte begroeiing. Het Waterhoen is ook een behendig duiker. Ze ontlopen gevaar door bij een overhangende oever op te duiken achter een beschuttend scherm van neerhangend gras en brandnetels. Drijvende plantengroei biedt ook bescherming aan een ondergedoken vogel. Hij kan enige tijd hieronder blijven en ademhalen door zijn snavel steels boven water te steken.

Het nest wordt gemaakt van droog riet en veren. Het bevindt zich vlak boven waterniveau op een modderbank of tussen een bosje planten in een vijver of een sloot. Ook nestelen de vogels in struiken, waarbij ze vaak gebruik maken van oude nesten van andere vogels. Mannetjes verdedigen hun territorium fel; ze schrikken indringers af door agressief vertoon of gaan er daadwerkelijk mee 'op de vuist'. Het legsel van vijf tot elf eieren wordt door beide ouders bebroed. De eieren komen na 18 tot 22 dagen uit. De jongen kunnen na zes tot zeven weken vliegen.

Geoorde Fuut/Kuifduiker

JV WG

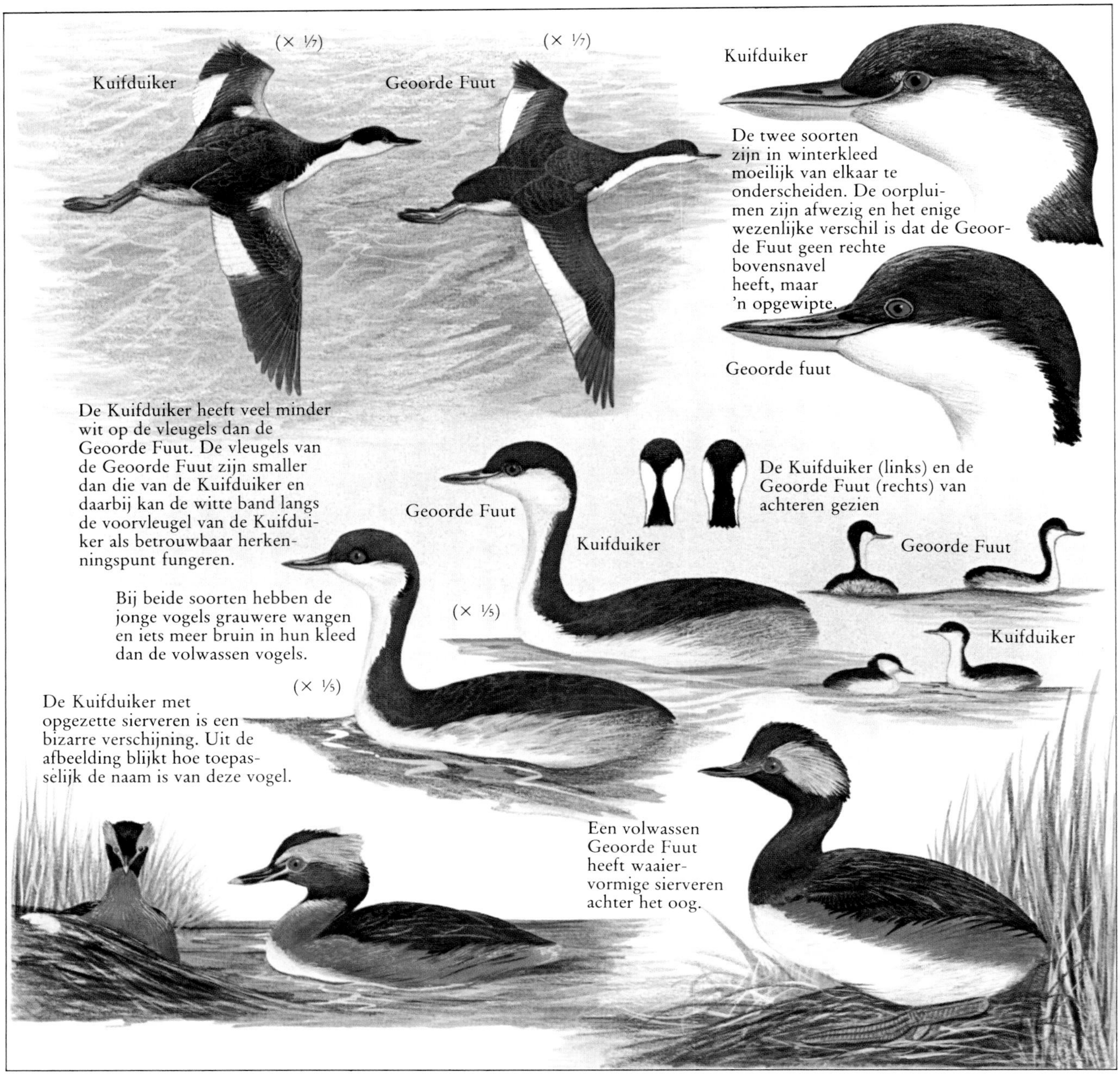

(× 1/7)
Kuifduiker
(× 1/7)
Geoorde Fuut
Kuifduiker
De twee soorten zijn in winterkleed moeilijk van elkaar te onderscheiden. De oorpluimen zijn afwezig en het enige wezenlijke verschil is dat de Geoorde Fuut geen rechte bovensnavel heeft, maar 'n opgewipte.
Geoorde fuut
De Kuifduiker heeft veel minder wit op de vleugels dan de Geoorde Fuut. De vleugels van de Geoorde Fuut zijn smaller dan die van de Kuifduiker en daarbij kan de witte band langs de voorvleugel van de Kuifduiker als betrouwbaar herkenningspunt fungeren.
Geoorde Fuut
De Kuifduiker (links) en de Geoorde Fuut (rechts) van achteren gezien
Kuifduiker
Geoorde Fuut
Bij beide soorten hebben de jonge vogels grauwere wangen en iets meer bruin in hun kleed dan de volwassen vogels.
(× 1/5)
Kuifduiker
(× 1/5)
De Kuifduiker met opgezette sierveren is een bizarre verschijning. Uit de afbeelding blijkt hoe toepasselijk de naam is van deze vogel.
Een volwassen Geoorde Fuut heeft waaiervormige sierveren achter het oog.

Kuifduiker broedt noordelijk van lijn
Boven lijn: Kuifduiker
Onder lijn: Geoorde Fuut
J F M A M J J A S O N D

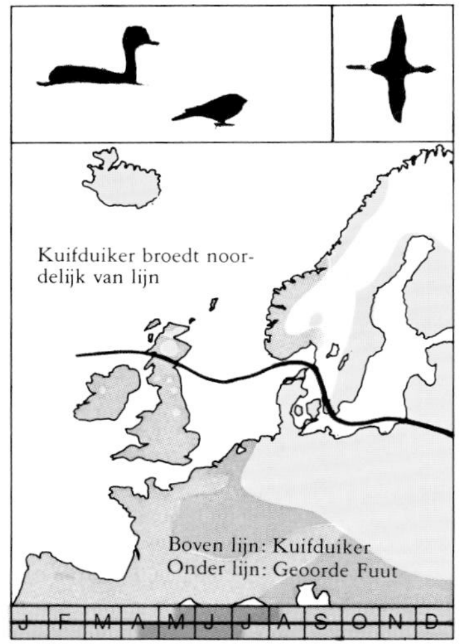

Deze twee mooie kleine futesoorten komen zowel in de Nieuwe als de Oude Wereld voor. De Kuifduiker broedt in het algemeen noordelijker dan de Geoorde Fuut. In de zomer komt de Kuifduiker voor op meren en plassen met flink wat open water. De Geoorde Fuut treft men aan op vennen en meren met meer plantengroei. In de winter bezoekt de Kuifduiker vooral kustgebieden; de Geoorde Fuut treft men meer in het binnenland aan. Vis lijkt een belangrijk bestanddeel te zijn van het menu van de Geoorde Fuut en zeker in zijn wintergebieden duikt hij er onverdroten naar, meer dan elke andere futesoort.

Wat betreft de broedbiologie van deze soorten kan worden gezegd, dat de mannenrol meer verschilt van de vrouwenrol dan bij de Fuut en de Dodaars het geval is. De verdediging van het territorium lijkt in de eerste plaats het werk van de mannetjes te zijn.

Bij de baltsceremonie hoort dat beide geslachten de oorpluimen oprichten en uitspreiden. Het vrouwtje reageert op de toenaderingspogingen van het mannetje door de hals naar voren over het water of het nest uit te strekken. Het nest is een drijvende hoop vochtige vegetatie. Beide soorten nestelen graag in kolonies en soms trekken ze in bij een kolonie meeuwen en sterns. Laatstgenoemde vogels reageren fel op indringers en bieden zo enige bescherming aan inwonende Geoorde Futen en Kuifduikers.

Fuut

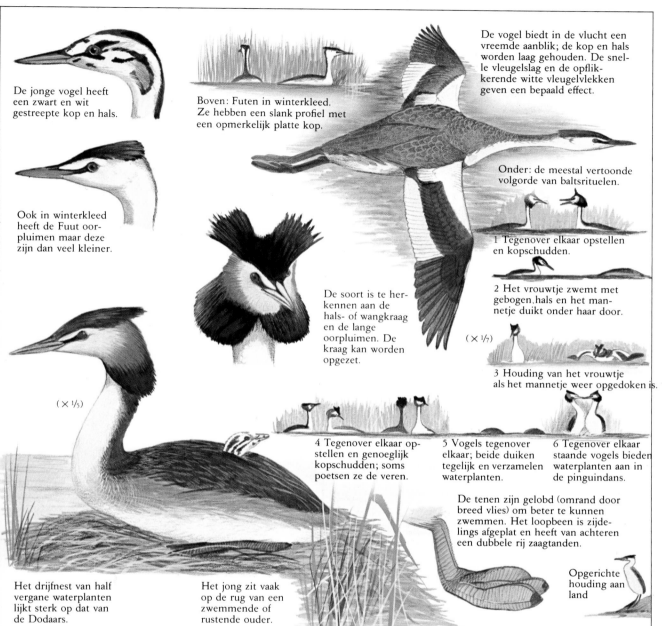

De jonge vogel heeft een zwart en wit gestreepte kop en hals.

Boven: Futen in winterkleed. Ze hebben een slank profiel met een opmerkelijk platte kop.

De vogel biedt in de vlucht een vreemde aanblik; de kop en hals worden laag gehouden. De snelle vleugelslag en de opflikkerende witte vleugelvlekken geven een bepaald effect.

Ook in winterkleed heeft de Fuut oorpluimen maar deze zijn dan veel kleiner.

Onder: de meestal vertoonde volgorde van baltsrituelen.

1 Tegenover elkaar opstellen en kopschudden.

2 Het vrouwtje zwemt met gebogen hals en het mannetje duikt onder haar door.

De soort is te herkennen aan de hals- of wangkraag en de lange oorpluimen. De kraag kan worden opgezet.

(× 1/7)

3 Houding van het vrouwtje als het mannetje weer opgedoken is.

(× 1/5)

4 Tegenover elkaar opstellen en genoeglijk kopschudden; soms poetsen ze de veren.

5 Vogels tegenover elkaar; beide duiken tegelijk en verzamelen waterplanten.

6 Tegenover elkaar staande vogels bieden waterplanten aan in de pinguindans.

De tenen zijn gelobd (omrand door breed vlies) om beter te kunnen zwemmen. Het loopbeen is zijdelings afgeplat en heeft van achteren een dubbele rij zaagtanden.

Het drijfnest van half vergane waterplanten lijkt sterk op dat van de Dodaars.

Het jong zit vaak op de rug van een zwemmende of rustende ouder.

Opgerichte houding aan land

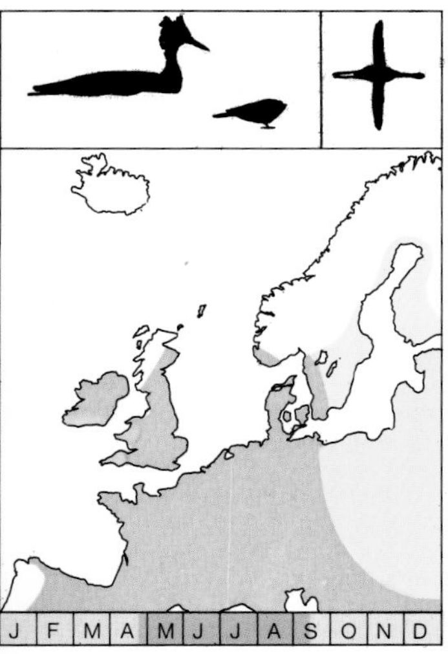

Tot voor kort stond de Fuut aan sterke vervolging bloot omdat men meende dat deze viseter de mens 'beconcurreerde'. Alhoewel deze onjuiste opvatting niet geheel en al is verdwenen is de vervolging door allerlei oorzaken sterk verminderd. Dat de sterke toename van het aantal Futen de laatste jaren alleen hierop is terug te voeren, moet onwaarschijnlijk worden geacht. Het ontbreken van strenge winters heeft zeer waarschijnlijk ook een gunstige invloed gehad.

De balts vindt in hoofdzaak plaats voordat met het leggen van eieren wordt begonnen. De prachtige balts bestaat uit een aantal elementen. Een interessant punt is dat beide geslachten een vrijwel gelijk aandeel hebben in de balts.

In Nederland broeden de Futen van begin april tot september. Het uit half vergane waterplanten bestaande nest drijft in het water en ligt verankerd tussen de vegetatie. Het legsel bestaat gewoonlijk uit drie tot vijf eieren welke door beide partners worden uitgebroed. Na circa vier weken komen de eieren uit. Ze brengen meestal twee of drie broedsels per jaar groot.

Dodaars

JV

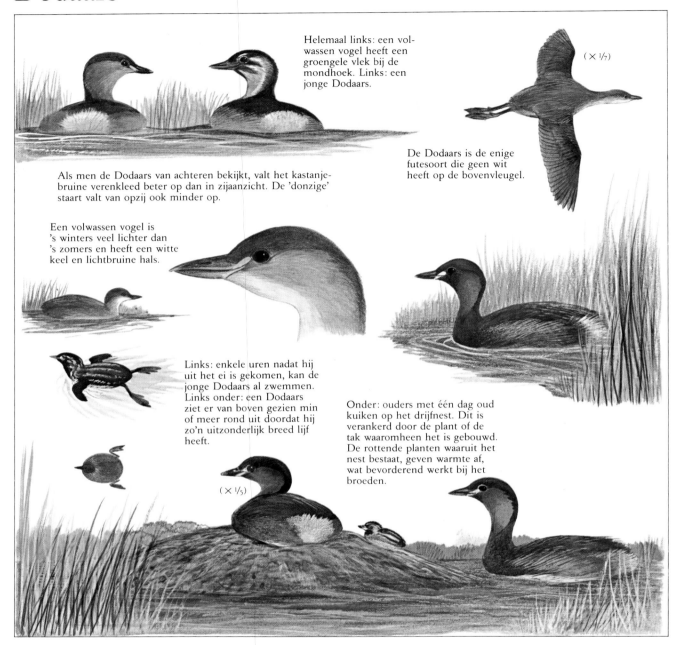

Helemaal links: een volwassen vogel heeft een groengele vlek bij de mondhoek. Links: een jonge Dodaars.

(× 1/7)

Als men de Dodaars van achteren bekijkt, valt het kastanjebruine verenkleed beter op dan in zijaanzicht. De 'donzige' staart valt van opzij ook minder op.

De Dodaars is de enige futesoort die geen wit heeft op de bovenvleugel.

Een volwassen vogel is 's winters veel lichter dan 's zomers en heeft een witte keel en lichtbruine hals.

Links: enkele uren nadat hij uit het ei is gekomen, kan de jonge Dodaars al zwemmen. Links onder: een Dodaars ziet er van boven gezien min of meer rond uit doordat hij zo'n uitzonderlijk breed lijf heeft.

Onder: ouders met één dag oud kuiken op het drijfnest. Dit is verankerd door de plant of de tak waaromheen het is gebouwd. De rottende planten waaruit het nest bestaat, geven warmte af, wat bevorderend werkt bij het broeden.

(× 1/5)

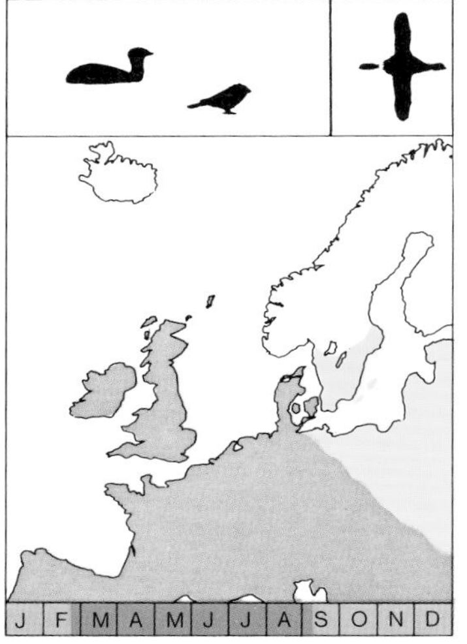

De Dodaars (ook wel Hagelzakje genoemd) krijgt men niet zo vaak te zien als de Fuut, hoewel hij een grotere verspreiding heeft. Dit komt omdat deze vogel grote open watervlakten mijdt en bij gevaar algauw duikt. Hij komt bij voorkeur voor op kleine meren, plassen en brede sloten waar men in het ondiepe water aan de oever een weelderige plantengroei aantreft. Het merkwaardige geluid, een luide hoge en 'hinnikende' triller, is vaak het enige teken dat wijst op de aanwezigheid van deze vogel. Vaak hoort men een paartje een duet zingen. De balts is minder uitgebreid dan bij de andere futesoorten. De Dodaars heeft ook geen oorpluimen of een wangkraag.
Het nest bestaat uit een drijvende hoop rottende vegetatie en lijkt op dat van de Fuut, maar is alleen kleiner. Beide geslachten broeden en bij het aflossen brengt de arriverende vogel een sliert vers groen plantemateriaal mee voor het nest. De Dodaars verdedigt zijn territorium fel en een indringer die in zijn vaarwater komt, wordt teruggedreven met een reeks korte aanvallen met half geheven vleugels. Het legsel van vier tot zes eieren komt na ongeveer 20 dagen uit. Bij het minste of geringste teken van gevaar bedekt de broedende vogel de eieren met wat nestmateriaal en glipt stilletjes weg. Veel jongen worden prooi van predatoren als snoeken en reigers, maar daartegenover staat dat een paartje twee of drie broedsels per jaar grootbrengt.

Wintertaling

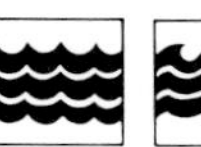

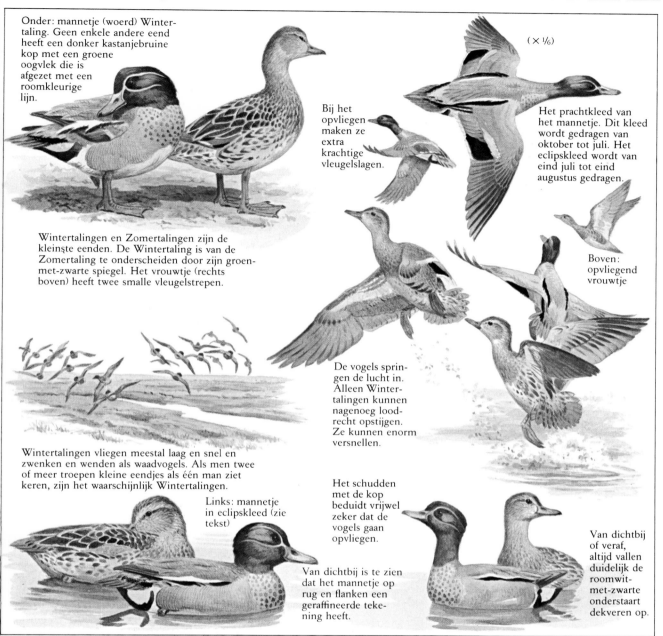

Onder: mannetje (woerd) Wintertaling. Geen enkele andere eend heeft een donker kastanjebruine kop met een groene oogvlek die is afgezet met een roomkleurige lijn.

Bij het opvliegen maken ze extra krachtige vleugelslagen.

(× 1/6)

Het prachtkleed van het mannetje. Dit kleed wordt gedragen van oktober tot juli. Het eclipskleed wordt van eind juli tot eind augustus gedragen.

Wintertalingen en Zomertalingen zijn de kleinste eenden. De Wintertaling is van de Zomertaling te onderscheiden door zijn groen-met-zwarte spiegel. Het vrouwtje (rechts boven) heeft twee smalle vleugelstrepen.

Boven: opvliegend vrouwtje

De vogels springen de lucht in. Alleen Wintertalingen kunnen nagenoeg loodrecht opstijgen. Ze kunnen enorm versnellen.

Wintertalingen vliegen meestal laag en snel en zwenken en wenden als waadvogels. Als men twee of meer troepen kleine eendjes als één man ziet keren, zijn het waarschijnlijk Wintertalingen.

Links: mannetje in eclipskleed (zie tekst)

Het schudden met de kop beduidt vrijwel zeker dat de vogels gaan opvliegen.

Van dichtbij is te zien dat het mannetje op rug en flanken een geraffineerde tekening heeft.

Van dichtbij of veraf, altijd vallen duidelijk de roomwit-met-zwarte onderstaart dekveren op.

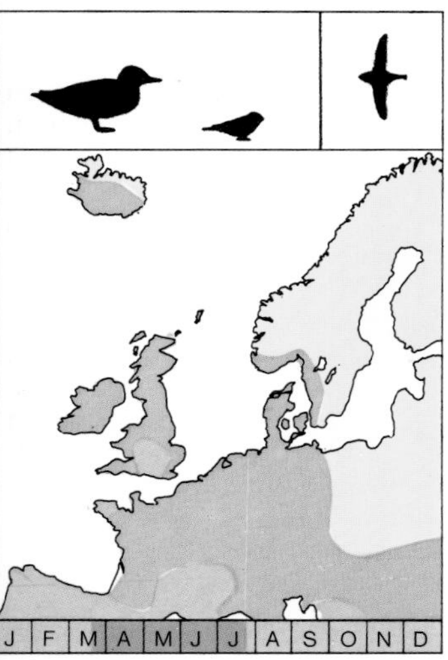

Naar de manier van voedsel zoeken, kan men eenden indelen in twee groepen: zwemeenden en duikeenden. Tot de zwem- of grondeleenden behoren de Wintertaling en de soorten op de volgende vijf bladzijden, evenals de Slobeend. Deze vogels zoeken hun voedsel voornamelijk in ondiep water. Vaak grondelen ze, waarbij alleen hun staart en achterlijf boven water steken en zelfs foerageren ze op het land. Bij zwemeenden staan de poten tamelijk ver naar voren en de meeste soorten, waaronder ook de Wintertaling, hebben een helder gekleurd veld op de achterrand van de vleugels ('spiegel' genoemd).

De Wintertaling komt in het binnenland en aan de kust voor. In zoutwatermoerassen en op plaatsen met brak water is het belangrijkste voedsel de vruchten van zeekraal en fonteinkruid en slakjes. In het binnenland o.a. vruchten van waterbiezen, kruipende boterbloemen en muggelarven.

Ook Wintertalingen voeren een ingewikkelde balts uit die op het water plaatsvindt. Een groep mannetjes zwemt om een vrouwtje heen en spat water naar het vrouwtje, waarna ze in pronkhouding de groene spiegel en kenmerkende koptekening laten zien. Het karakteristieke broedgebied bestaat uit hoogveen met stroompjes en poelen.

Ongeveer een maand na het broeden ondergaat het mannetje een radicale verandering van uiterlijk; hij krijgt het zogenaamde eclipskleed. Hierin ziet hij er net zo uit als de vrouwtjes en de jonge vogels.

Zomertaling

ZV

(× 1/6)

Boven: het vrouwtje Zomertaling dat gewoonlijk in gezelschap van het mannetje is, heeft een lichtere wenkbrauwstreep dan het vrouwtje Wintertaling.

De onmiskenbare kopstreep van het mannetje kan op grotere afstand onduidelijk zijn.

Het mannetje Zomertaling herkent men in de vlucht aan de bleek blauwgrijze voorvleugel en de dubbele vleugelstreep. Deze kenmerken vallen het eerst op. Het mannetje draagt zijn prachtkleed van februari tot augustus.

Zomertalingen 'pompen' met de kop voor ze opvliegen.

Als Zomertalingen (links boven) roepen, wordt de kop achterover en de snavel recht omhoog gehouden. In het voorjaar nemen ze deze houding soms ook aan in de vlucht. Rechts boven: poetsen van het mannetje.

Het vrouwtje in de vlucht. De Zomertaling heeft langere vleugels en een korter lichaam dan de Wintertaling, maar dit verschil valt alleen op aan de ervaren waarnemer.

Tijdens de slagpenrui kan het mannetje niet vliegen. In deze kwetsbare tijd zorgt het onopvallende eclipskleed voor de nodige camouflage.

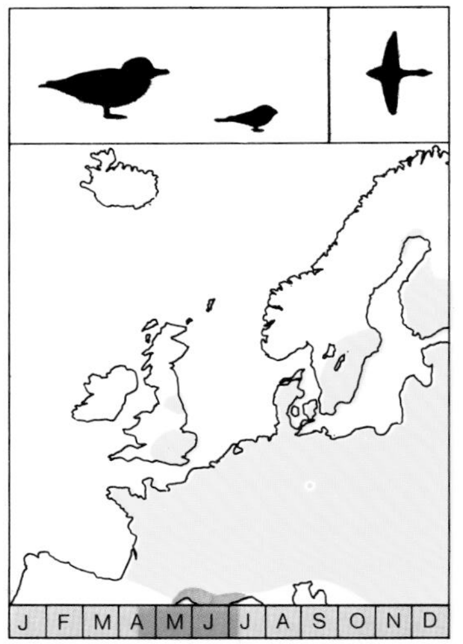

Zomertalingen zijn aardige, sierlijke eendjes, ongeveer zo groot als Wintertalingen, maar ze zijn beslist niet verwant met deze vogels. De nauwst verwante Europese vogel is de Slobeend, die ook een blauwgrijze voorvleugel heeft en zich in veel opzichten gelijk gedraagt. Zo maken beide soorten bijvoorbeeld vóór het opvliegen op en neer gaande, pompende kopbewegingen, terwijl andere zwemeenden met de kop schudden.
Zomertalingen overwinteren in het Middellandse Zeegebied en zuidelijker en zijn in het grootste deel van Europa alleen zomervogels.
Zomertalingen broeden aan ondiepe, zoete wateren waar men ze gewoonlijk in paren of in kleine groepjes aantreft. Grotere concentraties komen voor in het wintergebied. Tijdens de balts uiten de mannetjes een eigenaardig ratelend of krakend geluid dat extra wordt versterkt door de blaasvormige verwijding aan de luchtpijp. Daarbij houden ze gewoonlijk de kop achterover en de snavel recht omhoog. Deze houding neemt een roepend vrouwtje ook aan, maar zij laat een zachter kwakend geluid horen. De nesten liggen meestal in hoog gras bij een plas of in uiterwaarden. Net als andere watervogels voert het vrouwtje het nest met dik dons, dat ze van haar borst plukt. De jonge eendjes zijn in vijf tot zes weken vliegvlug.
Zomertalingen zoeken op dezelfde manier voedsel als andere zwemeenden, maar grondelen minder vaak. Het menu van Zomertalingen is minder goed bekend dan dat van veel andere eenden, maar dierlijk voedsel lijkt belangrijk te zijn.

Pijlstaart

  JV

Van dichtbij springen de lange staartveren van het mannetje in het oog en kan men de Pijlstaart moeilijk met een andere eendesoort verwarren. Verder weg zijn de halsstreep en de witte borst, samen met de grote roomwitte en zwarte blokken aan de achterzijde goede kenmerken.

Het mannetje draagt zijn prachtkleed tussen oktober en eind juni.

De gestroomlijnde Pijlstaart vliegt het snelst van alle eenden en zijn vleugels maken een fluitend geluid.

(× 1/6)

Om bij het grondelen ondersteboven te blijven staan, peddelt de Pijlstaart met de poten en bewaart zijn evenwicht door bewegingen van de staart. Onder: baltsende mannetjes steken de staart omhoog en zwemmen met gestrekte hals.

Van veraf lijken de mannetjes grijs, wit en bruin gekleurd.

Boven: het mannetje doopt zijn snavel in het water en begint te spetteren (rechts boven).

Het mannetje draagt van half juli tot begin september het eclipskleed. Rechts: het vrouwtje.

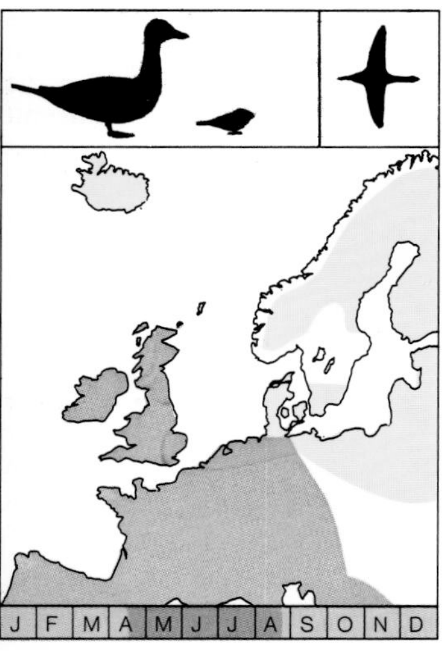

De slanke, sierlijke Pijlstaart met zijn lange, tamelijk smalle snavel is in ieder kleed gemakkelijk te herkennen. Zijn broedgebied ligt hoofdzakelijk in de noordelijke, gematigde streken en in een groot deel van Europa (waaronder Nederland) nestelen ze sporadisch en in klein aantal. Langs de kust treft men 's winters wel een aantal Pijlstaarten aan, maar werkelijk grote concentraties moet men in het binnenland zoeken. De Pijlstaart grondelt gedurig bij het foerageren en hij bemachtigt zo vruchten, wortels en bladeren van zoetwaterplanten en zeegras. In delen van zijn verspreidingsgebied eet de Pijlstaart graan, rijst en zelfs eikels. Dierlijke bestanddelen van het menu zijn insekten, weekdieren, visjes en kikkervisjes. De vogels zoeken zoveel mogelijk 's nachts naar voedsel.

De Pijlstaart heeft een ingewikkelde balts en het mannetje pronkt met zijn witte halsstreep, staart en vleugelspiegel. Ze broeden in moerassen en hoogvenen. De nesten liggen vaak op minder beschutte plaatsen dan die van veel andere eenden. Pijlstaarten nestelen graag bij elkaar in de buurt en vormen soms kleine kolonies op eilandjes in meren. Het mannetje blijft tamelijk dicht bij het nest, terwijl het vrouwtje in 23 tot 24 dagen de zeven tot negen eieren uitbroedt. Als er jonge eendjes zijn blijft het mannetje ook in de buurt. Het vrouwtje spreidt een sterk beschermend gedrag ten toon en verdrijft rustverstoorders of lokt ze weg door het simuleren van letsel.

Smient

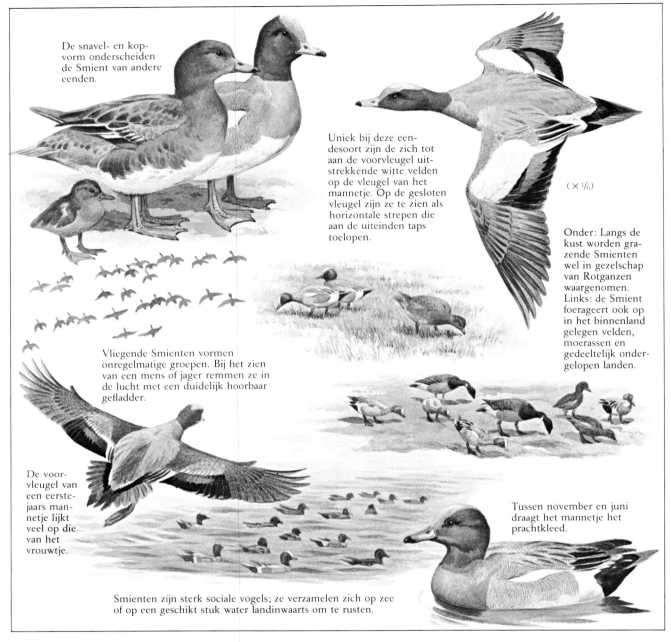

De snavel- en kopvorm onderscheiden de Smient van andere eenden.

Uniek bij deze eendesoort zijn de zich tot aan de voorvleugel uitstrekkende witte velden op de vleugel van het mannetje. Op de gesloten vleugel zijn ze te zien als horizontale strepen die aan de uiteinden taps toelopen.

(× 1/6)

Onder: Langs de kust worden grazende Smienten wel in gezelschap van Rotganzen waargenomen. Links: de Smient foerageert ook op in het binnenland gelegen velden, moerassen en gedeeltelijk ondergelopen landen.

Vliegende Smienten vormen onregelmatige groepen. Bij het zien van een mens of jager remmen ze in de lucht met een duidelijk hoorbaar gefladder.

De voorvleugel van een eerstejaars mannetje lijkt veel op die van het vrouwtje.

Tussen november en juni draagt het mannetje het prachtkleed.

Smienten zijn sterk sociale vogels; ze verzamelen zich op zee of op een geschikt stuk water landinwaarts om te rusten.

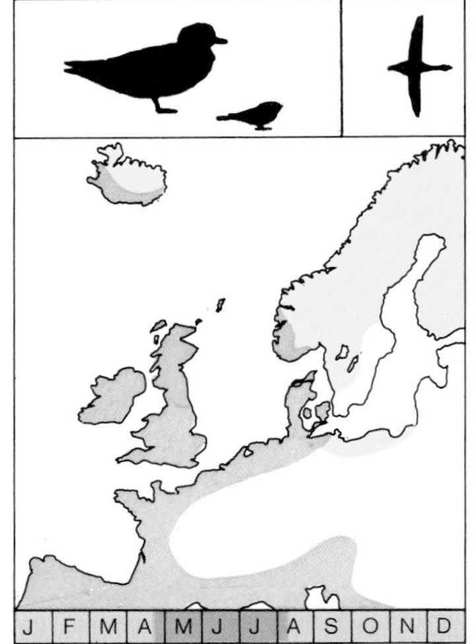

Door zijn korte, dikke snavel en hoge voorhoofd heeft de Smient een heel ander profiel dan de andere zwem- of grondeleenden. Dit verschil hangt samen met de voedselgewoontes. Het zijn grazers die zelden ploeterend of grondelend voedsel zoeken en ze hebben dus geen platte, brede snavel nodig om voedseldeeltjes uit het water te zeven. 's Winters komen ze voornamelijk langs de kust en op de wadden voor. Het voedsel bestaat onder meer uit zeegras en groene zeewieren; een menu dat sterk lijkt op dat van de Rotgans. Men ziet ze dan ook geregeld dicht bij elkaar voedsel zoeken, waarbij de Smient waarschijnlijk profiteert van door Rotganzen achtergelaten voedselresten. Landinwaarts graast de Smient in de buurt van grote plassen of meren.

De roep van het mannetje is onmiskenbaar, een hoog fluitend 'uwieuw', dat jagers lokt omdat Smienten van oudsher een geliefde buit zijn. Zelfs het vrouwtje is aan haar geluid makkelijk te herkennen, omdat het een merkwaardig snorrend karakter heeft. Reeds in het wintergebied worden de paartjes gevormd. Smienten baltsen betrekkelijk weinig en ze zijn meer monogaam dan de meeste zwemeenden. Ze nestelen nabij ondiepe meren (meestal nogal kleine) in toendra's of hoogvenen. In het noordelijk deel van het broedgebied bestaat het legsel meestal uit negen eieren; zuidelijker zeven à acht.

In Nederland is de Smient een toevallige broedvogel en een wintergast en doortrekker in groot aantal.

Krakeend

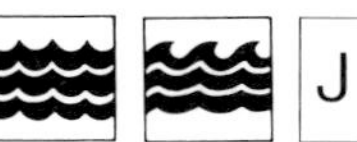

(× 1/7)

Het mannetje draagt van begin juni tot oktober het eclipskleed. Achter hem het vrouwtje.

Het meest opvallend aan een vliegende Krakeend zijn de witte spiegels op de vleugels. Op grotere afstand worden de sombere kleuren teruggebracht tot een eenvoudig grijs en bruin.

In verband met het lopen op land heeft een zwemeend een kleinere achterteen dan een duikeend. De poot is over het geheel genomen ook kleiner.

Onder: het vrouwtje; rechts: het mannetje dat van dichtbij gekenmerkt wordt door fijne streepjes op het grijze verenkleed en van veraf door de zwarte anaalstreek.

Net als alle grondeleenden landen Krakeenden met gestrekte halzen op het water waarbij de schok met de poten opgevangen wordt.

Een grondelende Krakeend is van een Wilde Eend te onderscheiden door de eerder oranjegele dan oranjerode poten.

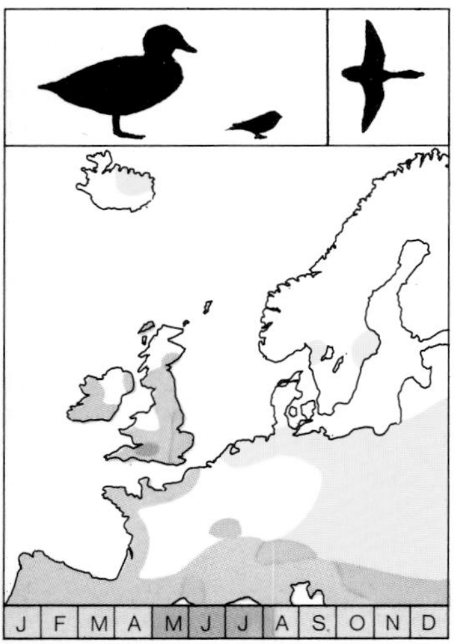

Vergeleken met andere zwemeenden ziet het mannetje Krakeend er onopvallend uit; toch is het verenkleed van dichtbij aantrekkelijk getekend. Alhoewel Krakeend en Wilde eend in een aantal opzichten op elkaar lijken, zijn ze waarschijnlijk niet nauw verwant. Op grond van het gedrag meent men nu dat Krakeend en Smient verwant zijn.
De Krakeend heeft een groot verspreidingsgebied (Eurazië en Noord-Amerika), maar is bijna nergens een algemene vogel. Toch neemt het aantal Krakeenden de laatste jaren toe, zowel in Europa als Noord-Amerika. Ook in Nederland is dit duidelijk waarneembaar; vooral in de duinstreek en het IJsselmeer-gebied. Tot voor kort was de Krakeend nog een zeer schaarse broedvogel.
Het zijn uitgesproken zoetwatereenden die zelden aan riviermonden worden aangetroffen. Verschillende soorten waterplanten vormen het menu, maar ook dierlijk voedsel is van belang, vooral in de tijd van het eieren leggen. Als hij zich met planten voedt, heeft de Krakeend een voorkeur voor de sappige delen en is veel minder dan de meeste andere eenden geïnteresseerd in de zaden.
De nesten liggen meestal goed verscholen tussen de vegetatie, maar soms worden ze op onbeschutte plaatsen gemaakt tussen kolonies van vogels als meeuwen en sterns.
Het meest opvallend aan een vliegende Krakeend zijn de witte spiegels op de vleugels.
Op grotere afstand worden de sombere kleuren teruggebracht tot een eenvoudig grijs en bruin.

Wilde Eend

    J V

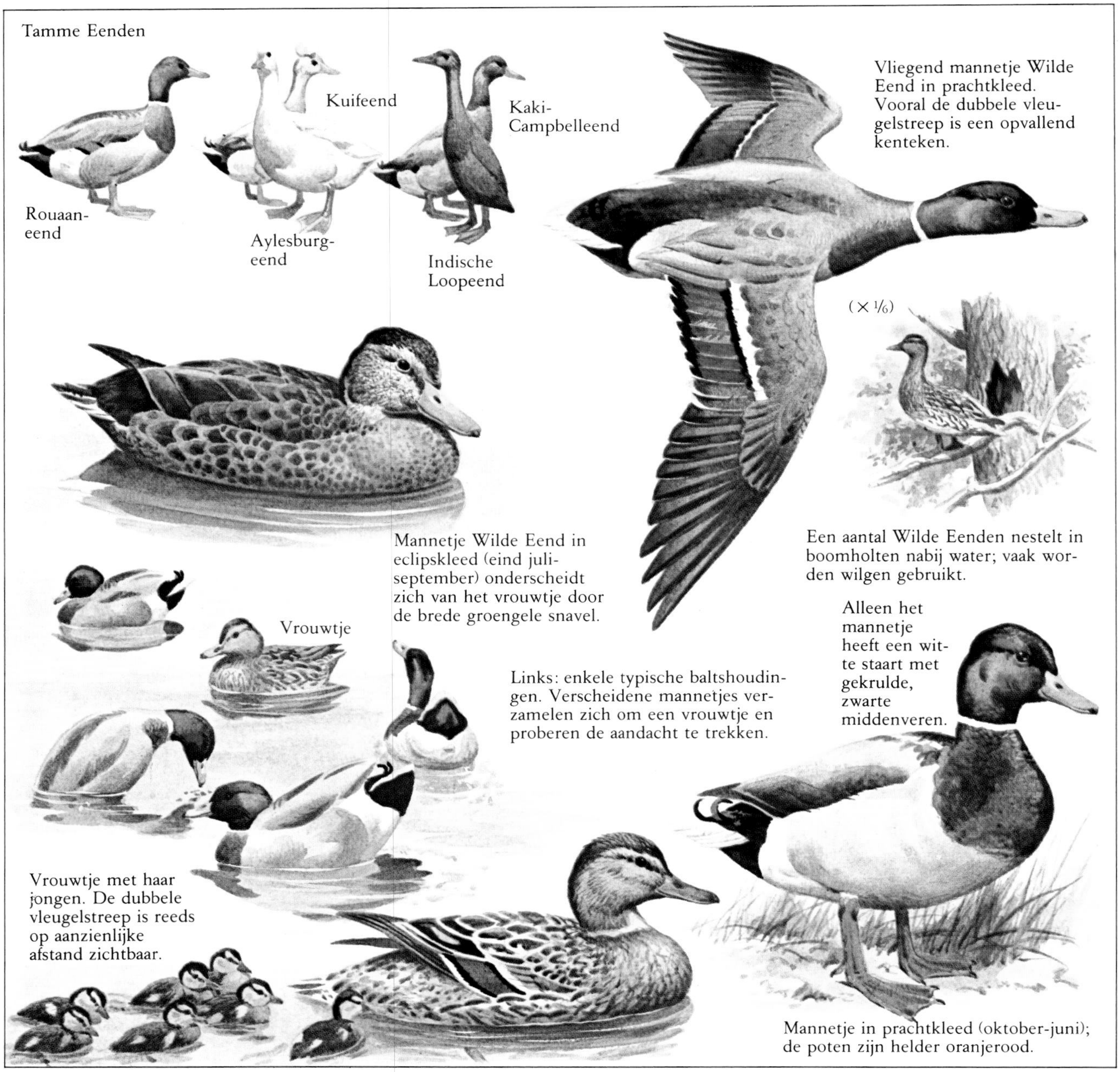

Tamme Eenden

Rouaan-eend

Aylesburg-eend

Kuifeend

Indische Loopeend

Kaki-Campbelleend

Vliegend mannetje Wilde Eend in prachtkleed. Vooral de dubbele vleugelstreep is een opvallend kenteken.

(× 1/6)

Mannetje Wilde Eend in eclipskleed (eind juli-september) onderscheidt zich van het vrouwtje door de brede groengele snavel.

Een aantal Wilde Eenden nestelt in boomholten nabij water; vaak worden wilgen gebruikt.

Vrouwtje

Links: enkele typische baltshoudingen. Verscheidene mannetjes verzamelen zich om een vrouwtje en proberen de aandacht te trekken.

Alleen het mannetje heeft een witte staart met gekrulde, zwarte middenveren.

Vrouwtje met haar jongen. De dubbele vleugelstreep is reeds op aanzienlijke afstand zichtbaar.

Mannetje in prachtkleed (oktober-juni); de poten zijn helder oranjerood.

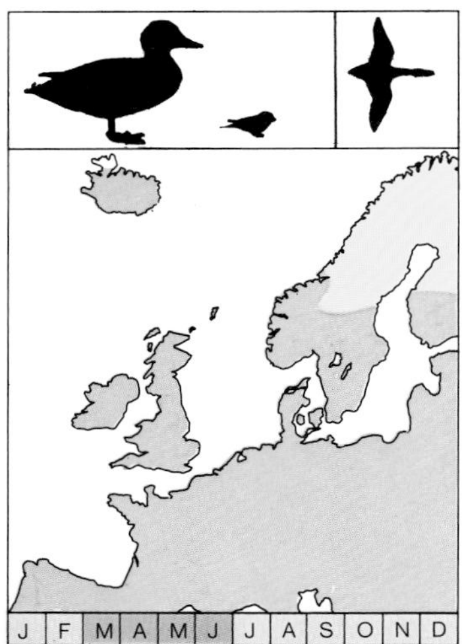

De Wilde Eend komt algemeen voor in Europa en in veel andere delen van de wereld. Hij vertoont dan ook een groot aanpassingsvermogen; wat kenmerkend is voor een succesvolle soort. Dat hij zich gemakkelijk kan handhaven in bijna elke waterige omgeving met inbegrip van de door de mens gemaakte, heeft ongetwijfeld tot zijn domesticatie bijgedragen. Ook de voedselgewoontes van de Wilde Eend kenmerken zich door een grote mate van veelzijdigheid. Door de maaginhoud van geschoten exemplaren te onderzoeken, is men veel te weten gekomen over het menu: het vertoont een grote verscheidenheid aan voedsel dat zowel van jaar tot jaar als in verschillende leefmilieus kan variëren. Zaden vormen de hoofdschotel, meestal van kleine planten, waaronder zegges, fonteinkruiden, biezen en vele andere waterplanten; maar soms worden veel eikels gegeten.

Het gedrag van de Wilde Eend is tot in details onderzocht; het algemene patroon lijkt op dat van andere zwemeenden. Het grootste deel van de balts is eerder gericht op de paring dan op de paarvorming. Het nest van de Wilde Eend kan men op allerlei verschillende plaatsen aantreffen, vaak ver van het water. Nesten in knotwilgen en holle bomen zijn gewoon en ook zijn er geregeld nesten in of bij bouwwerken waargenomen. Het legsel bestaat meestal uit negen tot twaalf eieren; de broedduur bedraagt 28 dagen.

Kuifeend/Toppereend

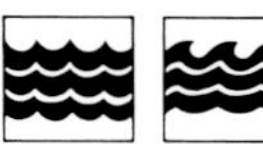

J V WG

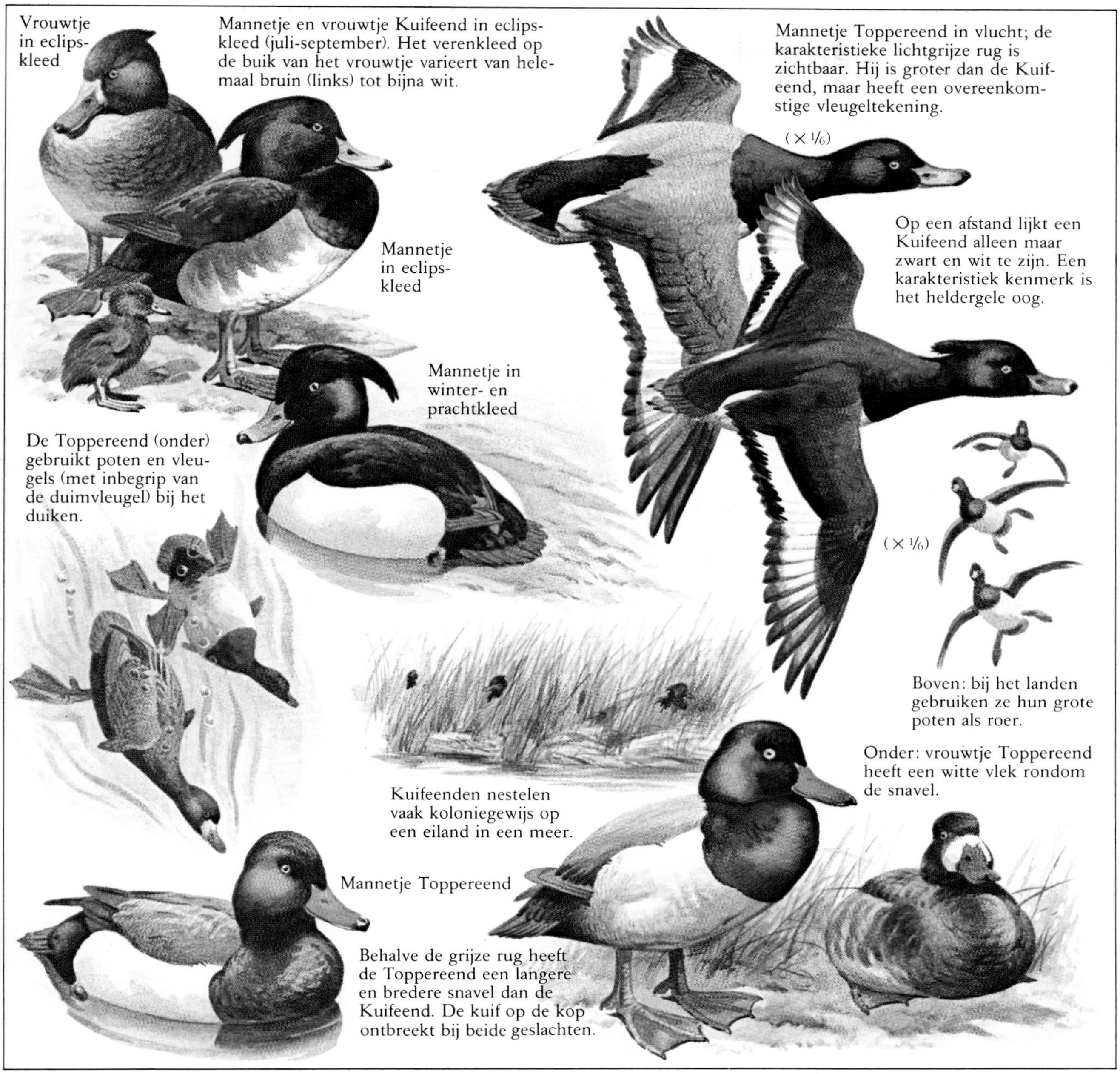

Vrouwtje in eclipskleed

Mannetje en vrouwtje Kuifeend in eclipskleed (juli-september). Het verenkleed op de buik van het vrouwtje varieert van helemaal bruin (links) tot bijna wit.

Mannetje in eclipskleed

Mannetje in winter- en prachtkleed

De Toppereend (onder) gebruikt poten en vleugels (met inbegrip van de duimvleugel) bij het duiken.

Mannetje Toppereend in vlucht; de karakteristieke lichtgrijze rug is zichtbaar. Hij is groter dan de Kuifeend, maar heeft een overeenkomstige vleugeltekening.

(× 1/6)

Op een afstand lijkt een Kuifeend alleen maar zwart en wit te zijn. Een karakteristiek kenmerk is het heldergele oog.

(× 1/6)

Boven: bij het landen gebruiken ze hun grote poten als roer.

Onder: vrouwtje Toppereend heeft een witte vlek rondom de snavel.

Kuifeenden nestelen vaak koloniegewijs op een eiland in een meer.

Mannetje Toppereend

Behalve de grijze rug heeft de Toppereend een langere en bredere snavel dan de Kuifeend. De kuif op de kop ontbreekt bij beide geslachten.

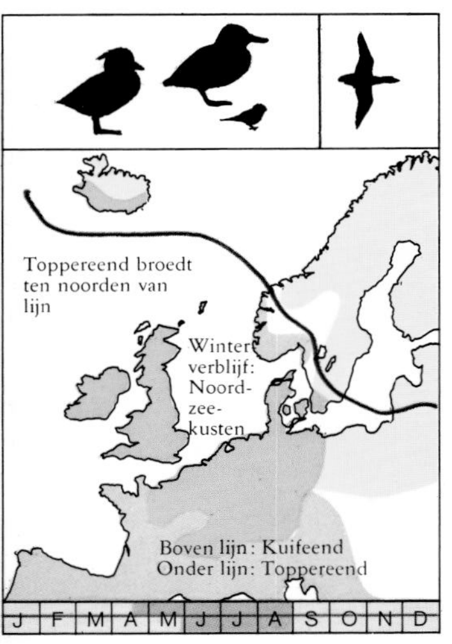

De eisen die de Kuifeend aan zijn leefmilieu stelt, lijken erg op die van de Tafeleend, hoewel hij zelfs nog strikter gebonden is aan zoetwater. Er is echter een basisregel in de ecologie die zegt dat twee soorten met identieke behoeften niet samen kunnen voorkomen; zodat het geen verwondering zal wekken dat de menu's van beide eendesoorten aanzienlijke verschillen vertonen. De Kuifeend neemt op zijn duikpartijen naar de modderige bodems van meren en plassen veel meer dierlijk materiaal tot zich: gewoonlijk insektelarven, week- en schaaldieren; en relatief weinig waterplanten met hun zaden.
Ook de nestelgewoonten verschillen van die van de Tafeleend. Kuifeenden plaatsen hun nest op drogere, door graspollen beschutte plaatsen. Het meer blootgesteld zijn aan gevaar compenseren ze door op kleine eilandjes te nestelen, wat een doeltreffend middel is om bepaalde grondpredatoren te weren. De nesten zijn goed bekleed en bevatten zeven tot twaalf eieren die na 23 tot 27 dagen uitkomen; de jongen zijn na ongeveer zes weken vliegvlug.
Toppereenden zijn buiten het broedseizoen vooral zoutwatervogels die vaak in grote groepen langs de kust en in delta's voorkomen.
Een broedvogel van het noorden van Eurazië en Amerika.

Krooneend

Onder: het mannetje in prachtkleed is een van de opvallendste Europese watervogels.

Door de brede, witte band over bijna de gehele vleugel, de vosrode kop en de zwarte hals is het mannetje in de vlucht onmiskenbaar.

(× 1/7)

Alhoewel Krooneenden tot de duikeenden behoren, zoeken ze ook wel ploeterend en grondelend hun voedsel.

Vrouwtje op het nest

Vrouwtje

Het mannetje heeft een opvallende vermiljoenrode snavel, ook in het eclipskleed.

Als het vrouwtje het nest verlaat, bedekt ze de eieren.

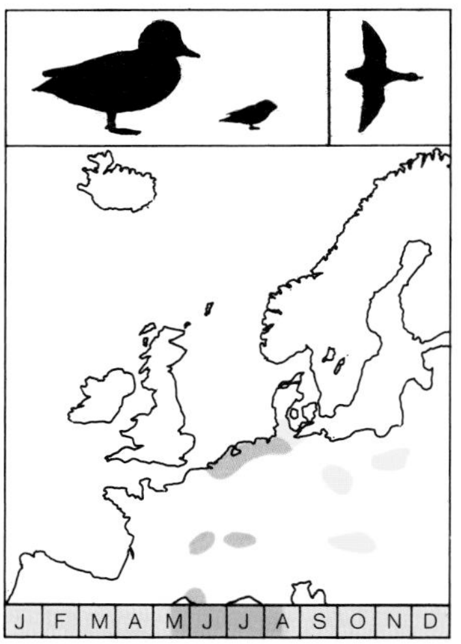

Duikeenden, waartoe de Krooneend ook behoort, verschillen in een aantal opzichten van zwemeenden. Bij duikeenden staan de poten meer naar achteren geplaatst en dit verklaart hun meer opgerichte houding op het land. Ze hebben een meer gedrongen bouw en dit valt vooral in de vlucht op. Duikeenden vliegen niet 'ineens' maar 'watertrappend' op.

Ze zijn in het algemeen nogal zwijgzaam en onopvallend getekend. Het mannetje Krooneend met zijn vosrode kop en vermiljoenrode snavel vormt hierop een uitzondering.

Diepe zoet- of brakwatermeren, bij voorkeur met een rietkraag, vormen het typische leefmilieu van de Krooneend. De nesten liggen goed verborgen tussen de vegetatie dicht bij het water.

Het legsel bestaat gewoonlijk uit zes tot twaalf eieren. Het vrouwtje broedt en na 26 tot 28 dagen komen de eieren uit; ze zorgt alleen voor de jongen. Na zes tot zeven weken zijn ze vliegvlug.

Gedurende de laatste veertig jaren breidt de Krooneend zijn verspreidingsgebied naar het noorden uit en sinds 1942 broedt hij ook in Nederland (Botshol, Vinkeveense Plassen en IJsselmeer). Naar men aanneemt, overwinteren onze vogels in Zuid-Frankrijk (de Camargue). De Krooneend wordt veel in gevangenschap gehouden.

Tafeleend/Witoogeend

Groepje Tafeleenden; vrouwtje in winter- en broedkleed (links), mannetje in winter- en prachtkleed (rechts) en vrouwtje in eclipskleed (op voorgrond).

(× 1/6)

Mannetje Tafeleend is in winter- en prachtkleed te herkennen aan de donker roodbruine kop en hals die contrasteren met de zwarte borst en het lichtgrijze lichaam.

Mannetje Witoogeend (lager links) heeft evenals de Kuifeend een witte vleugelstreep, maar onderscheidt zich door zijn witte oog.

Baltsend mannetje Witoogeend. Let op de witte onderstaartdekveren (anaalstreek).

(× 1/6)

Baltsende Tafeleenden

Vrouwtje in winter- en broedkleed

Mannetje in winter- en prachtkleed

Witoogeenden vliegen 'watertrappend' weg. Let op de witte ondervleugel.

Tafeleenden zoeken bij voorkeur voedsel in water met 1 tot 3 meter diepte.

Mannetje Witoogeend; witte onderstaartdekveren

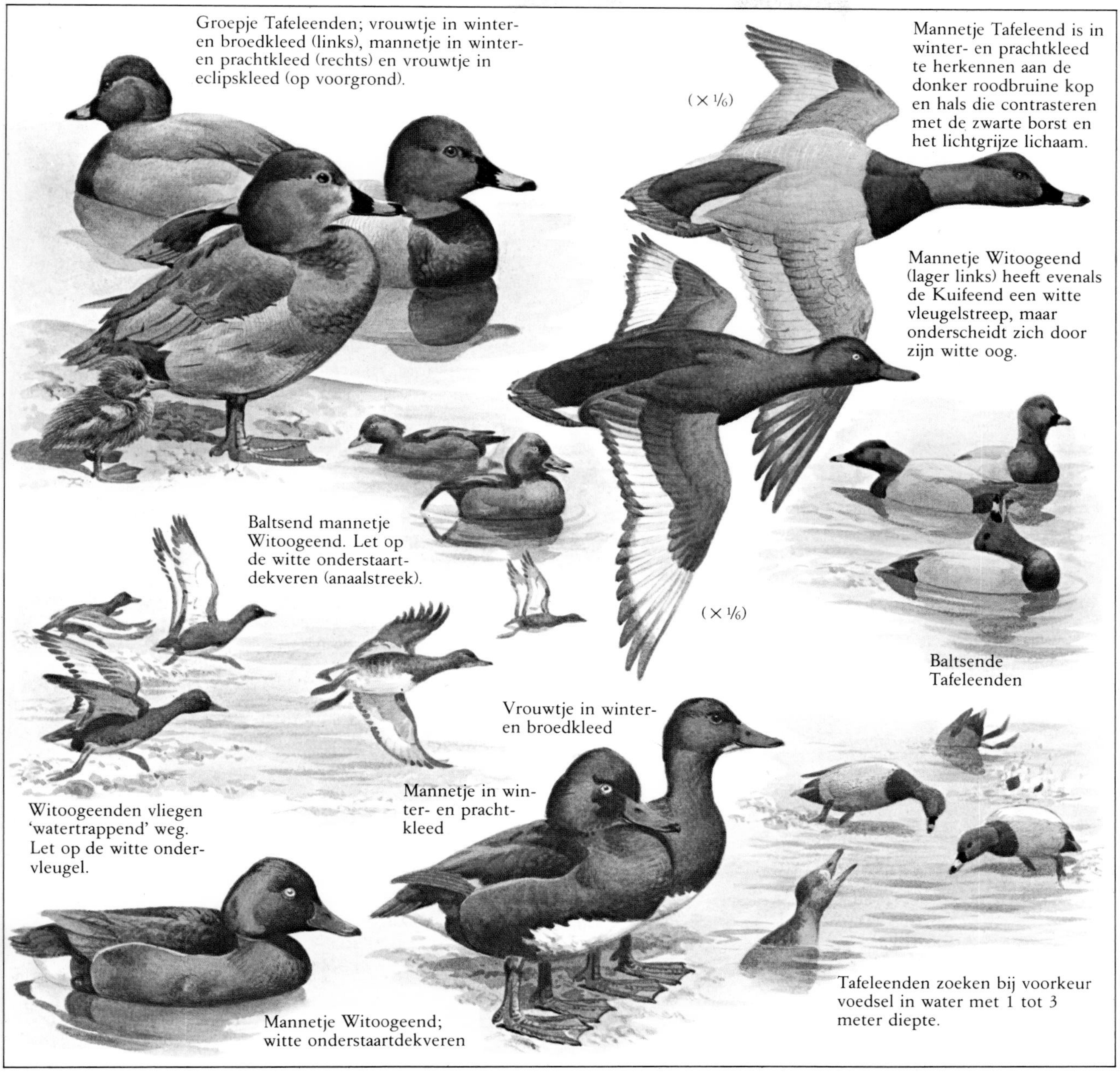

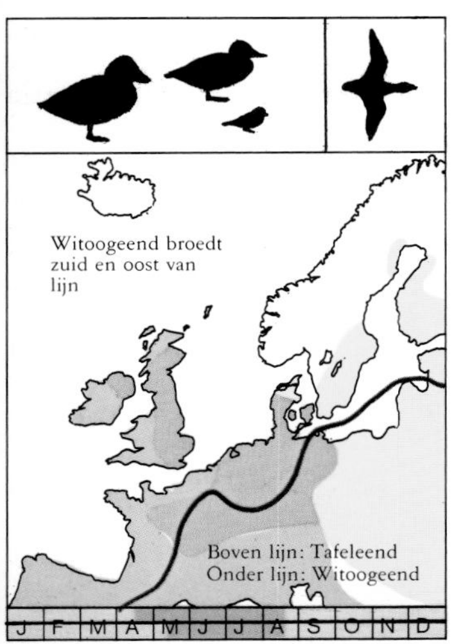

Tafeleenden bevinden zich dikwijls in het gezelschap van Kuifeenden, maar zijn op de meeste plaatsen minder talrijk en schuwer – ze geven er de voorkeur aan om verder van de oever te blijven. Ze zijn ook veeleisender ten aanzien van de broedomstandigheden; een dichte begroeiing van riet en biezen is wel een voorwaarde.
Tafeleenden zoeken hun voedsel voornamelijk in zoet water; het meest door te duiken, maar soms ook door in ondiep water te grondelen. Ze eten vooral kranswier, maar ook verschillende zaden en dierlijk voedsel.
Tijdens de balts kun je een groepje mannetjes rondom een vrouwtje zien zwemmen. Het voornaamste baltsgedrag bestaat uit het langs het water leggen van de kop waarbij de halsveren worden opgezet. Tijdens deze ceremonie maken ze een merkwaardig geluid dat wel eens beschreven is als het geluid van een astmatisch mens die van zijn dokter diep moet ademhalen.
Het nest wordt gewoonlijk tussen biezen gemaakt; hoewel het stevig is en goed verborgen, heeft het vaak maar een spaarzame bekleding.
De Witoogeend is een broedvogel van zoetwaterplassen en meren die vooral in Oost- en Zuidoost-Europa voorkomt. In Nederland is hij een toevallige broedvogel. De Witoogeend is iets minder aan zoet water gebonden dan de Tafeleend.

Brilduiker

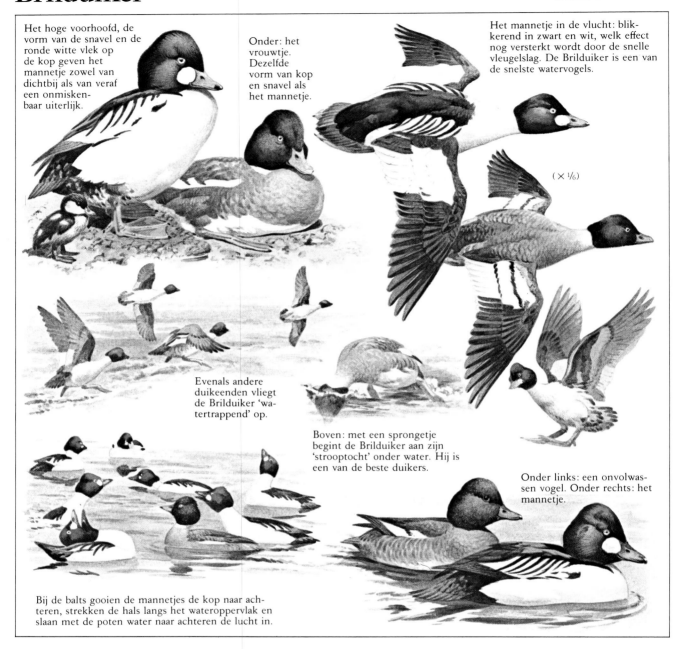

Het hoge voorhoofd, de vorm van de snavel en de ronde witte vlek op de kop geven het mannetje zowel van dichtbij als van veraf een onmiskenbaar uiterlijk.

Onder: het vrouwtje. Dezelfde vorm van kop en snavel als het mannetje.

Het mannetje in de vlucht: blikkerend in zwart en wit, welk effect nog versterkt wordt door de snelle vleugelslag. De Brilduiker is een van de snelste watervogels.

(× 1/6)

Evenals andere duikeenden vliegt de Brilduiker 'watertrappend' op.

Boven: met een sprongetje begint de Brilduiker aan zijn 'strooptocht' onder water. Hij is een van de beste duikers.

Onder links: een onvolwassen vogel. Onder rechts: het mannetje.

Bij de balts gooien de mannetjes de kop naar achteren, strekken de hals langs het wateroppervlak en slaan met de poten water naar achteren de lucht in.

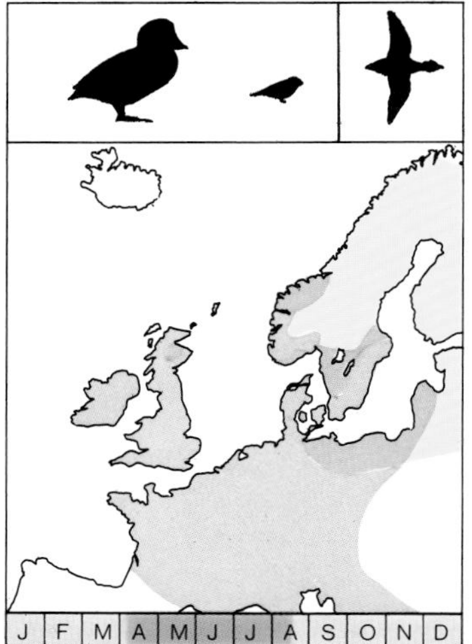

Brilduikers zijn, of ze nu vliegen of zwemmen, makkelijk te herkennen. Bij het vliegen maken ze een eigenaardig, fluitend geluid dat hen direct onderscheidt van andere eenden. Op het water is de karakteristieke vorm van de kop met het hoge voorhoofd en de korte snavel goed zichtbaar.

Brilduikers duiken diep en vinden het grootste deel van hun dierlijk voedsel door op de bodem van meren en riviermonden stenen om te keren. Hiervoor is een korte, stevige snavel geschikter dan een lange.

Het hoge voorhoofd staat luchtruimte in het schedeldak toe. Dat is een ongewoon kenmerk omdat de meeste duikeenden een compacter schedelbouw hebben dan zwemeenden, wat het drijfvermogen vermindert. Misschien dat de 'luchtkamers' in de schedel van de Brilduiker het mogelijk maken dat de vogel langduriger onder water kan vertoeven.

Bosrijke streken met veel water vormen het broedgebied. Voorwaarde is de aanwezigheid van bomen omdat ze meestal in boomholten nestelen. Binnenin voorziet een mengsel van houtschilfers en dons een bedje voor de vijftien eieren die na 26 tot 30 dagen uitkomen. De jongen blijven 24 uur in het nest om op te drogen en worden dan door het vrouwtje naar de grond geroepen. Ze vallen uit het nest waarbij het kleine formaat en het dikke donskleed ze tegen letsel beschermt; na 8 tot 9 weken zijn ze vliegvlug.

Slobeend

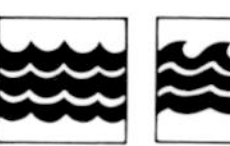

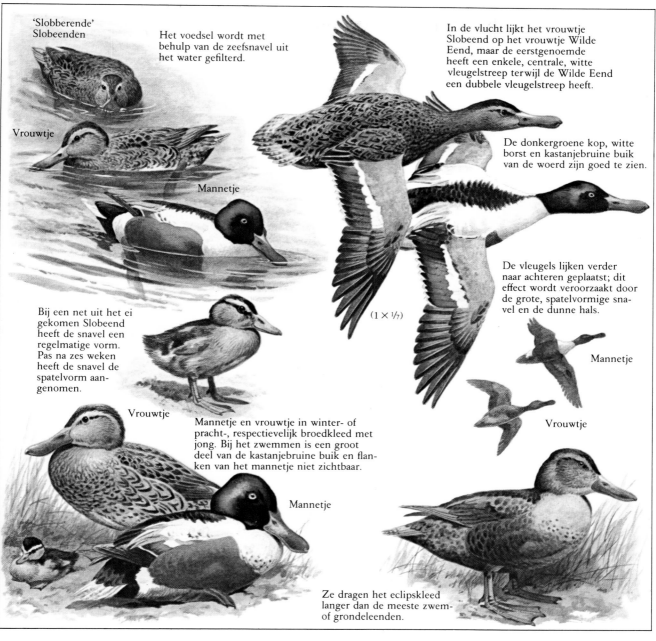

'Slobberende' Slobeenden

Het voedsel wordt met behulp van de zeefsnavel uit het water gefilterd.

In de vlucht lijkt het vrouwtje Slobeend op het vrouwtje Wilde Eend, maar de eerstgenoemde heeft een enkele, centrale, witte vleugelstreep terwijl de Wilde Eend een dubbele vleugelstreep heeft.

Vrouwtje

De donkergroene kop, witte borst en kastanjebruine buik van de woerd zijn goed te zien.

Mannetje

De vleugels lijken verder naar achteren geplaatst; dit effect wordt veroorzaakt door de grote, spatelvormige snavel en de dunne hals.

Bij een net uit het ei gekomen Slobeend heeft de snavel een regelmatige vorm. Pas na zes weken heeft de snavel de spatelvorm aangenomen.

(1 × 1/7)

Mannetje

Vrouwtje

Vrouwtje

Mannetje en vrouwtje in winter- of pracht-, respectievelijk broedkleed met jong. Bij het zwemmen is een groot deel van de kastanjebruine buik en flanken van het mannetje niet zichtbaar.

Mannetje

Ze dragen het eclipskleed langer dan de meeste zwem- of grondeleenden.

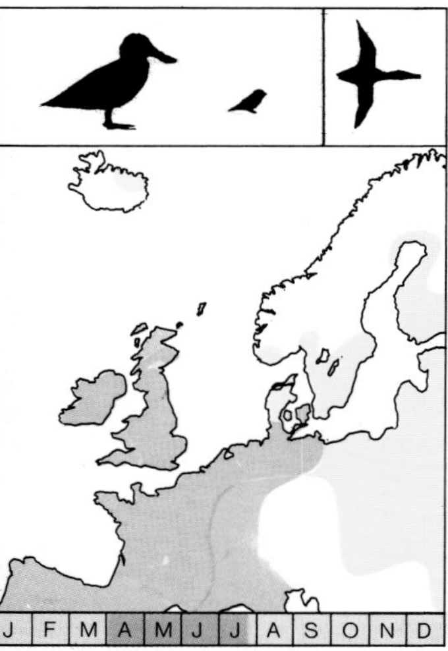

De Slobeend verschilt van alle andere eenden door de grote spatelvormige snavel. Deze ongewone snavelvorm is een aanpassing aan de gespecialiseerde wijze van foerageren. Op de snavelranden zitten fijne uitsteeksels die een zeef vormen. Hiermee worden kleine voedseldeeltjes uit het water gefilterd. Dit doet hij door met de tong water in en uit de snavel te pompen. Een dergelijk, minder volmaakt zeefapparaat treft men overigens bij alle eenden aan. Een ander, direct in het oog springend kenmerk van zowel mannetje als vrouwtje Slobeend zijn de blauwgekleurde voorvleugels. Bij op het water liggende vogels is de vrijwel steeds omlaag gerichte snavel een duidelijk kenmerk, bovendien liggen de vogels erg laag op het water. De vlucht lijkt 'moeizaam' met tamelijk ver naar achteren geplaatste vleugels. In de vlucht laten de vogels regelmatig een laag 'tuk-tuk' horen. Grote groepen Slobeenden zoeken vaak dicht bij elkaar voedsel. Hierdoor wordt het voedsel waarschijnlijk opgewoeld. Slobeenden foerageren vooral in ondiepe en beschutte binnenwateren.

Ondanks zijn specialisatie is de Slobeend een talrijke en wijd verspreide soort.

In afwijking van de meeste zwemeenden kan het nest op verrassend open plaatsen liggen. Het legsel bestaat gewoonlijk uit acht tot twaalf eieren en de broedduur bedraagt 23 tot 25 dagen.

Soms helpt het mannetje bij het verzorgen van de jongen die na zes tot zeven weken zelfstandig zijn.

IJseend

Mannetje IJseend is onmiskenbaar. Het vrouwtje is onder andere te herkennen aan de typische koptekening en snavelvorm.

Mannetje (links) en vrouwtje (onder) in winterkleed (oktober-februari)

De IJseend heeft een kantelende vlucht waarbij hij afwisselend de lichte buik en de donkere bovendelen laat zien. De iets naar achteren gerichte vleugels komen nauwelijks boven het lichaam uit.

(× 1/7)

Onder: een jonge IJseend

Vrouwtje in winterkleed

Mannetje in zomer- (boven) en winterkleed (rechts)

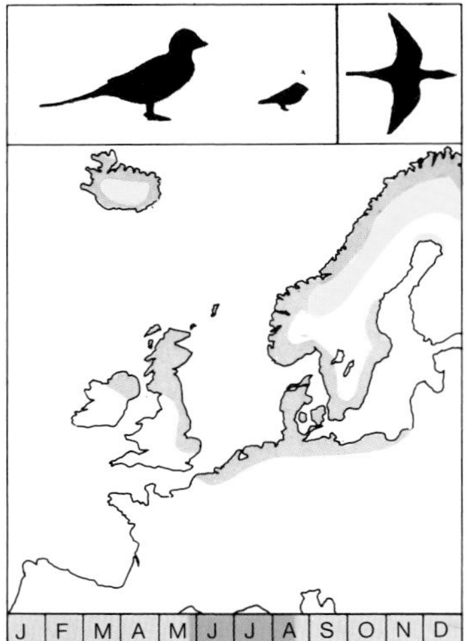

IJseenden hebben een uit vier hoge, nasale tonen bestaande roep die wat lijkt op in de verte roepende ganzen. In het voorjaar kan men deze roep horen, want de balts begint voordat ze hun hoognoordelijke broedgebieden opzoeken. Een heel gezelschap mannetjes verzamelt zich rondom een vrouwtje, waarbij ze baltsen door eerst de staart te heffen en dan het lichaam, terwijl het geroep steeds harder wordt, tot de hele groep voor een wilde achtervolging opvliegt.

Ondiepe zeeën zijn als winterverblijf meer geliefd dan riviermondingen omdat ze graag in helder water foerageren. Op veel plaatsen in de Oostzee zijn geschikte voorwaarden aanwezig zodat ze zich daar bij duizenden verzamelen.

Het feitelijke broedgebied wordt gevormd door met meren en plassen bedekte toendra's. De paren hebben de neiging om verspreid te broeden hoewel ze geregeld nestelen in het gezelschap van de Noordse Stern. De vogels komen vlak voor het eind van de dooi aan en wachten een eind buiten de kust tot de omstandigheden verbeterd zijn. In een dergelijke kale omgeving is weinig nestelmateriaal te vinden; het nest is slechts een simpel kuiltje, bekleed met wat gras en donsveertjes. De vijf tot negen eieren worden net als bij alle eenden alleen door het vrouwtje bebroed; het mannetje blijft aanvankelijk wel dicht bij het nest. Na 23 tot 25 dagen komen de eieren uit; na vijf weken zijn de jongen onafhankelijk. Krabben, alikruiken en tweekleppigen vormen het voornaamste voedsel.

Nonnetje

Mannetje

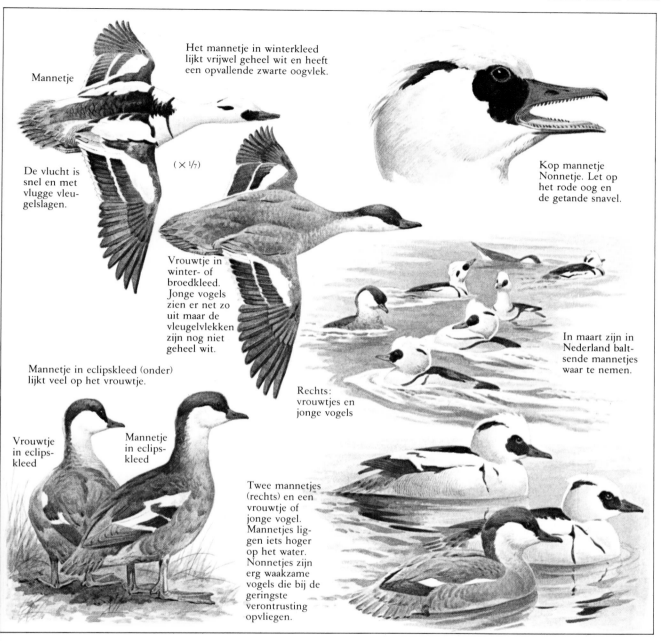

Het mannetje in winterkleed lijkt vrijwel geheel wit en heeft een opvallende zwarte oogvlek.

De vlucht is snel en met vlugge vleugelslagen.

(× 1/7)

Kop mannetje Nonnetje. Let op het rode oog en de getande snavel.

Vrouwtje in winter- of broedkleed. Jonge vogels zien er net zo uit maar de vleugelvlekken zijn nog niet geheel wit.

Mannetje in eclipskleed (onder) lijkt veel op het vrouwtje.

In maart zijn in Nederland baltsende mannetjes waar te nemen.

Rechts: vrouwtjes en jonge vogels

Vrouwtje in eclipskleed

Mannetje in eclipskleed

Twee mannetjes (rechts) en een vrouwtje of jonge vogel. Mannetjes liggen iets hoger op het water. Nonnetjes zijn erg waakzame vogels die bij de geringste verontrusting opvliegen.

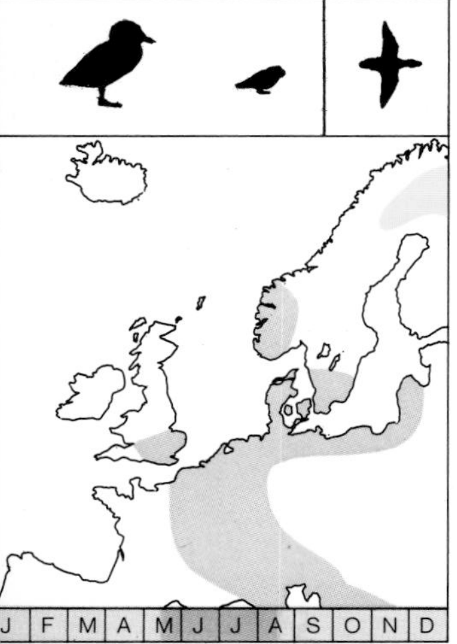

De bijna geheel witte mannetjes zijn onmiskenbare vogels. Vrouwtjes en jonge mannetjes zijn minder opvallend en kunnen verward worden met vrouwtjes Krooneend of Zwarte Zeeëend. Als de lichtomstandigheden slecht zijn, is verwarring met de Geoorde Fuut of Kuifduiker mogelijk.
Samen met de Grote en Middelste Zaagbek behoort het Nonnetje tot de onderfamilie van de zaagbekken. Ze hebben getande snavels welke erg geschikt zijn om vissen te vangen. Vergeleken met de andere zaagbekken is het Nonnetje kleiner en heeft een kortere snavel. Het menu bestaat, behalve uit vis, uit een grote hoeveelheid ander voedsel. Toch is vis 's winters wel het voornaamste voedsel. De dag van een Nonnetje bestaat dan uit periodes van 20 à 25 minuten om intensief te vissen en pauzes van 5 minuten om uit te rusten en de veren glad te strijken. Paartjes duiken gezamenlijk; soms vissen grote groepen in volledige harmonie samen, wat ook bij andere zaagbekken wordt waargenomen.
Verschillende soorten ondiep water, zoals havens en waterbekkens (IJsselmeer), vormen het overwinteringsgebied. 's Zomers komen ze voor langs door bomen omgeven rivieren en meren. Ze nestelen in boomholten en soms in nestkasten; er worden zes tot tien eieren gelegd. Tijdens de 30 dagen durende broedtijd blijft het mannetje in de buurt, maar na het uitkomen van de jongen gaat hij weg om te ruien.

Grote Zaagbek

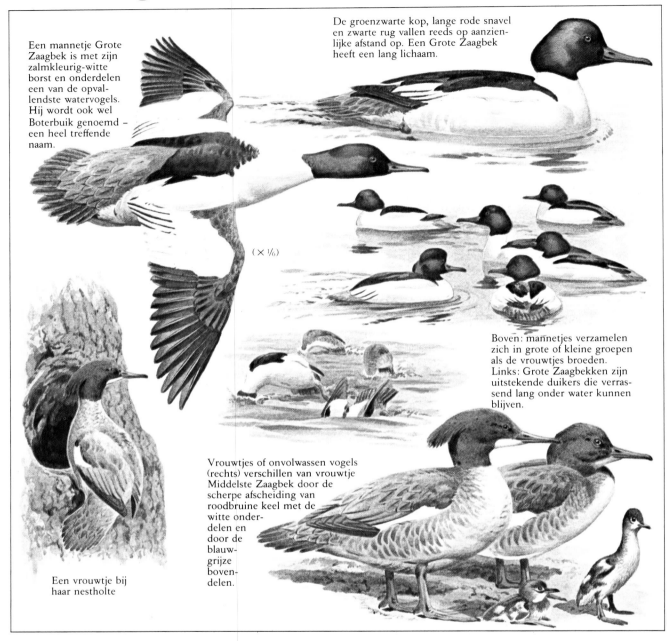

Een mannetje Grote Zaagbek is met zijn zalmkleurig-witte borst en onderdelen een van de opvallendste watervogels. Hij wordt ook wel Boterbuik genoemd – een heel treffende naam.

De groenzwarte kop, lange rode snavel en zwarte rug vallen reeds op aanzienlijke afstand op. Een Grote Zaagbek heeft een lang lichaam.

(× 1/6)

Boven: mannetjes verzamelen zich in grote of kleine groepen als de vrouwtjes broeden.
Links: Grote Zaagbekken zijn uitstekende duikers die verrassend lang onder water kunnen blijven.

Vrouwtjes of onvolwassen vogels (rechts) verschillen van vrouwtje Middelste Zaagbek door de scherpe afscheiding van roodbruine keel met de witte onderdelen en door de blauwgrijze bovendelen.

Een vrouwtje bij haar nestholte

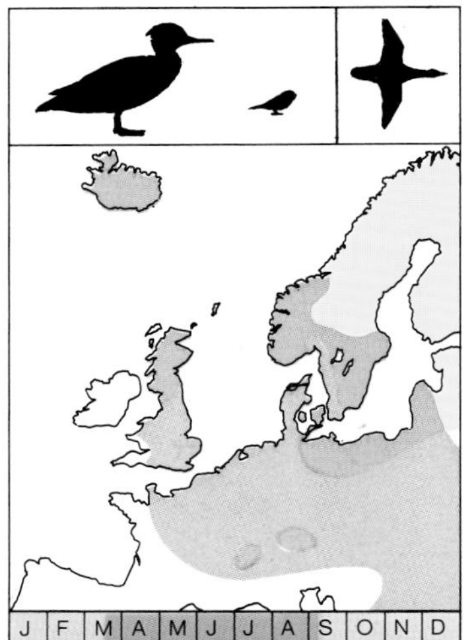

De Grote Zaagbek broedt niet in Nederland, maar is hier wel een vrij algemene doortrekker en wintergast. In Groot-Brittannië heeft hij zijn broedgebied de laatste decennia van Schotland tot in Noord-Engeland uitgebreid.
's Zomers zoekt hij grote meren en rivieren op, bij voorkeur in bosrijke streken. In Midden- en Zuidoost-Europa komt hij ook op bergmeren voor. Ook 's winters heeft hij een sterke voorkeur voor zoet water.
De Grote Zaagbek eet bijna uitsluitend vis. Om deze reden wordt of werd hij in sommige streken helaas vervolgd.
De Grote Zaagbek is als andere zaagbekken een holenbroeder. Op de meeste plaatsen nestelen ze in holle bomen, de holte kan tot negen meter hoogte zitten. Op IJsland moeten ze zich tevreden stellen met rotsspleten en zelfs met veel opener plekken.
Het vrouwtje brengt veel tijd buiten het nest door om te gaan vissen, wat een algemeen kenmerk is van zaagbekken. Om de eieren op temperatuur te houden, worden ze in de dikke bekleding van dons en houtschilfers begraven. Vaak klimmen de nog kleine jongen op moeders rug terwijl ze zwemt. Vijf jongen lijkt ongeveer het maximum te zijn dat ze tegelijkertijd kan herbergen. Na ongeveer vijf weken zijn de jongen zelfstandig.

Middelste Zaagbek

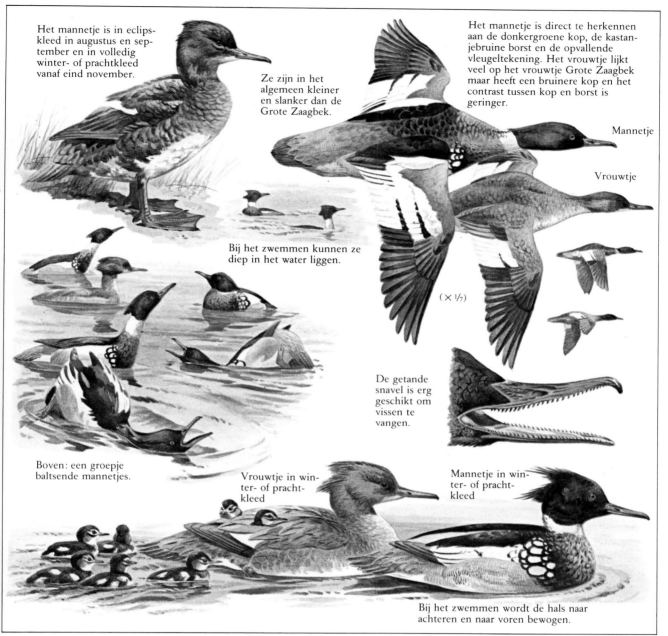

Het mannetje is in eclipskleed in augustus en september en in volledig winter- of prachtkleed vanaf eind november.

Ze zijn in het algemeen kleiner en slanker dan de Grote Zaagbek.

Het mannetje is direct te herkennen aan de donkergroene kop, de kastanjebruine borst en de opvallende vleugeltekening. Het vrouwtje lijkt veel op het vrouwtje Grote Zaagbek maar heeft een bruinere kop en het contrast tussen kop en borst is geringer.

Mannetje

Vrouwtje

Bij het zwemmen kunnen ze diep in het water liggen.

(× 1/7)

De getande snavel is erg geschikt om vissen te vangen.

Boven: een groepje baltsende mannetjes.

Vrouwtje in winter- of prachtkleed

Mannetje in winter- of prachtkleed

Bij het zwemmen wordt de hals naar achteren en naar voren bewogen.

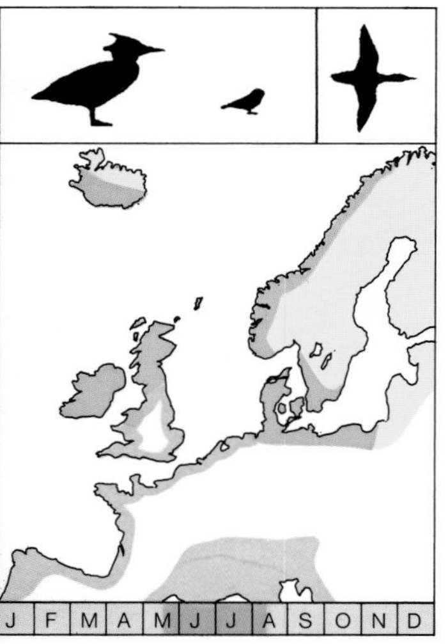

Een langs de kust vliegende Middelste Zaagbek is gemakkelijk te herkennen aan de wijze waarop kop, hals en lichaam in een rechte lijn worden gehouden. De Middelste Zaagbek is in tegenstelling tot de Grote Zaagbek kleiner dan de Wilde Eend en verschilt verder van de Grote Zaagbek vooral door de tamelijk opvallende dubbele kuif, en de twee smalle zwarte strepen die over de witte vleugelvlekken lopen.
In tegenstelling tot de Grote Zaagbek en het Nonnetje komt de Middelste Zaagbek 's winters vrij zelden in het binnenland voor. Zelfs in de broedtijd heeft hij een duidelijke voorkeur voor zout water, hoewel hij grote zoetwatermeren niet mijdt.
Net als de Grote Zaagbek heeft ook de Middelste Zaagbek kort geleden zijn broedgebied in Groot-Brittannië uitgebreid. In Nederland is hij een toevallige broedvogel; tot nu toe zijn drie gevallen bekend geworden (alle uit het Waddengebied).
Ze vissen niet alleen door te duiken, maar ook door met de kop onder water rond te zwemmen. Jonge vogels lijken in ondieper water te vissen. Evenals Grote Zaagbek en Nonnetje baltst de Middelste Zaagbek ook in hun overwinteringsgebied.
De Middelste Zaagbek nestelt niet in boomholten, maar tussen rotsen en vegetatie, zoals heide en helmgras e.d., over het algemeen vlakbij zee maar ook in toendragebieden.

Bergeend

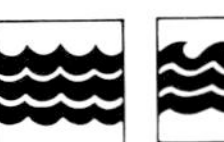

J V

Vlucht is langzamer dan van typische eenden, maar de vleugelslag is sneller dan bij ganzen.

De kastanjebruine band en de karakteristieke rugtekening geven de Bergeend een onmiskenbaar uiterlijk.

Bergeenden vliegen in V-formatie of in een schuine lijn.

In Europa is de Bergeend in hoofdzaak een kustbewoner.

Jongen van verscheidene broedsels kunnen door twee volwassenen (vrouwtje voor, mannetje achter) naar het water worden begeleid.

(× 1/8)

Mannetje

Jonge vogel

Vrouwtje

Mannetjes hebben een opvallende, rode knobbel aan de snavelbasis welke bij vrouwtjes ontbreekt. Jonge vogels hebben geen borstband. Eerste-winter- en eerste-zomer-vogels hebben een groenachtige kop en zijn minder opvallend gekleurd.

De Bergeend nestelt vaak in ongebruikte konijneholen. Het vrouwtje verlaat twee maal per dag het nest om te gaan foerageren.

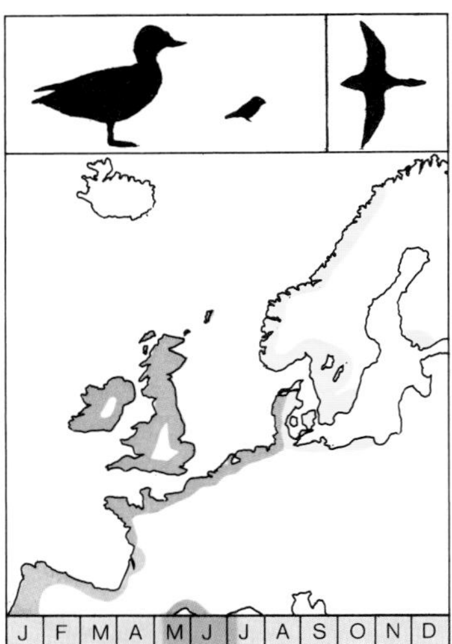

De Bergeend staat in systematisch opzicht tussen de ganzen en de eenden in. Hij verschilt in veel opzichten van de andere Europese eenden en ganzen.

Weekdieren vormen de hoofdschotel van hun menu waarbij het wadslakje *Hydrobia* de voornaamste plaats inneemt; er zijn wel eens 3000 exemplaren in de maag van een Bergeend gevonden. Ook voor vele waadvogels is dit slakje een belangrijke voedselbron, maar in tegenstelling tot deze vogels kan de Bergeend dit voedsel ook duikend bemachtigen. Omdat het wadslakje zich bij eb in de modder terugtrekt, is de Bergeend in het voordeel ten opzichte van de waadvogels.

Bergeenden nestelen in holen, gewoonlijk van konijnen. Hoewel alleen het vrouwtje broedt, is het mannetje nooit ver weg. Vaak laten de beide ouders de jongen in de steek voordat ze zelfstandig zijn; dat zijn ze na circa 8 weken.

De jonge Bergeenden vormen groepen die door een aantal volwassenen ('tantes') verzorgd worden. Waarschijnlijk zijn dit nietbroedende vrouwtjes. Intussen vertrekken de ouders naar gemeenschappelijke ruiplaatsen zoals het Knechtsand in de Duitse Bocht.

De vlucht doet eveneens aan die van de ganzen denken en is langzamer dan die van de meeste eenden. De vogels zijn buiten het broedseizoen tamelijk zwijgzaam, maar kunnen overigens diverse roepen laten horen, zoals een vlug 'ak-ak-ak' en een lager 'ark-ark' door de mannetjes en een weemoedig 'oe-wèk' door de vrouwtjes.

Eider

JV

Het verenkleed van volwassen mannetjes vertoont aanzienlijke individuele verschillen. Tussen november en juni dragen ze het winter- of prachtkleed.

Onder: het volwassen mannetje is makkelijk te herkennen aan het bonte verenkleed en de karakteristieke vorm van de kop. Rechts: de vlucht is zwaar en in het algemeen laag; af en toe glijpauzes.

Jongen (boven) lijken op vrouwtjes; eiders worden langzaam volwassen.

(× ⅐)

Eiders duiken krachtig; daarbij gebruiken ze zowel de poten als de vleugels.

Het nest wordt met donsveren uit de borst van het vrouwtje bekleed. Dikwijls zitten er grote veren tussen.

De Eider is een uitgesproken zeevogel die regelmatig in vrij zware branding naar voedsel duikt. De soort wordt zelden in het binnenland waargenomen.

Vrouwtjes Eider laten zelden het nest onbeheerd achter, zeker niet als het op een open plek ligt.

Boven: let op de typische bevedering aan de snavelbasis. Links: volwassen mannetje.

Eiderdons is lang gebruikt als warmteïsolerend materiaal en nog heeft het enige economische betekenis. Het verschilt overigens niet veel van het dons waarmee andere eenden hun nest bekleden. Op IJsland en in delen van Scandinavië worden Eiders door bescherming en het aanbieden van kunstmatige nestelgelegenheid in half-gedomesticeerde staat tot nestelen gebracht. Dit is één van de meer prijzenswaardige vormen van menselijke exploitatie van dierlijk leven. Ondanks grote sterfte tengevolge van olielozingen op zee neemt het aantal Eiders toe; volgens een telling in 1973 kwamen er alleen al in de Oostzee 600 000 exemplaren voor.

De vogels zoeken hun voedsel in ondiep water met rotsachtige of modderige bodem. Ze hebben in vergelijking met de meeste duikeenden een sterkere neiging om grondelend te foerageren. Een gedegen studie van het voedselgedrag onthulde nog een andere techniek: met de poten wordt in bijna drooggevallen slik een kratervormige kuil gemaakt en die wordt dan met de snavel onderzocht. Als ze gaan duiken, zwemmen ze met half geopende vleugels. Het voornaamste voedsel bestaat uit mossels tussen de 2 en 24 millimeter lang; soms worden ze vermorzeld, maar in het algemeen worden ze heel gegeten.

Het eerste Nederlandse broedgeval van de Eider dateert uit 1906. Thans is hij een vrij talrijke broedvogel van de Waddeneilanden.

Zwarte Zeeëend/Grote Zeeëend

De vleugels van het mannetje zeeëend zijn smaller dan van het vrouwtje.

Het glanzende gitzwarte verenkleed en de prachtige snavel van het mannetje zijn evenals de bruine kruin en lichte wangen van het vrouwtje duidelijke kenmerken van de Zwarte Zeeëend.

Vrouwtje Zwarte Zeeëend

Snavelkleur mannetje: geel tot dieporanje

Mannetje Zwarte Zeeëend

Een op het water zittende zeeëend richt zich dikwijls op en slaat met de vleugels. Bij de Grote Zeeëend vallen dan de witte vleugelspiegels op.

(× 1/7)

Boven: de vlucht is snel en direct – vaak in lange lijnen of V-formatie.

Onder: een groep zeeëenden zittend op de golven.

Mannetje Grote Zeeëend

Vrouwtje Grote Zeeëend

Familie Zwarte Zeeëenden. Het mannetje en het vrouwtje zwemmen; beide zijn in prachtkleed. Het staande exemplaar is een jonge vogel.

De witte vleugelspiegels zijn van ver goed te zien. Jonge mannetjes hebben vage vlekken op de zijkop.

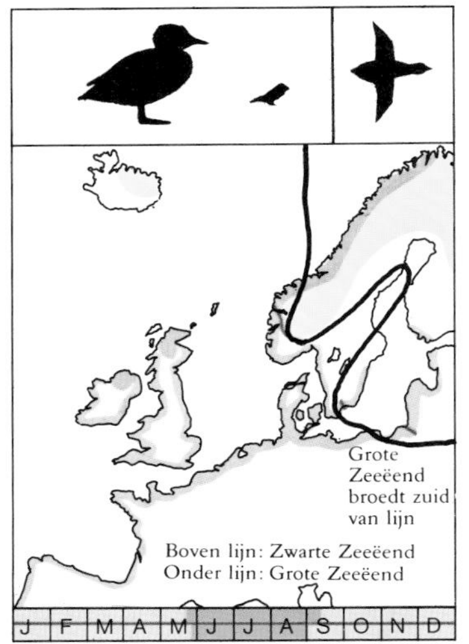

Als men na een storm een strandwandeling maakt, kan men vele met stookolie besmeurde zeeëenden vinden. Het is triest te moeten vaststellen dat vele duizenden zeeëenden op deze wijze de dood vinden.

Zeeëenden foerageren in ondiepe stukken zee waar zandbanken met veel weekdieren dicht aan de oppervlakte liggen. Hier kun je ze bij honderden of zelfs duizenden in dichte groepen bijeen zien; Grote Zeeëenden zijn minder algemeen – men ziet ze zelden in groepen van meer dan honderd; ook zoeken ze gewoonlijk in meer verspreide groepjes naar voedsel. Beide soorten openen bij het onder water zwemmen de vleugels, misschien om bij te sturen. Die gewoonte delen ze met de IJseend en de Eidereend, maar niet met de andere duikeenden

Voor beide soorten vormen noordelijke meren, temidden van bossen het typische zomerverblijf; maar de Zwarte Zeeëend bewoont ook wel boomloze streken en de toendra, terwijl de Grote dan weer voorkeur vertoont voor meer landinwaarts gelegen, bergachtig gebied. Beide soorten nestelen op de grond, tussen vegetatie; de Grote Zeeëend nestelt soms aan de voet van een boom. Het legsel bestaat uit zes tot tien eieren; de broedduur bedraagt ongeveer vier weken. De jongen van de Zwarte Zeeëend zijn na zes tot zeven weken zelfstandig; die van de Grote Zeeëend na vier tot vijf weken.

Papegaaiduiker

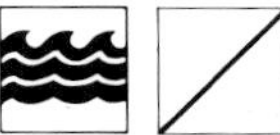

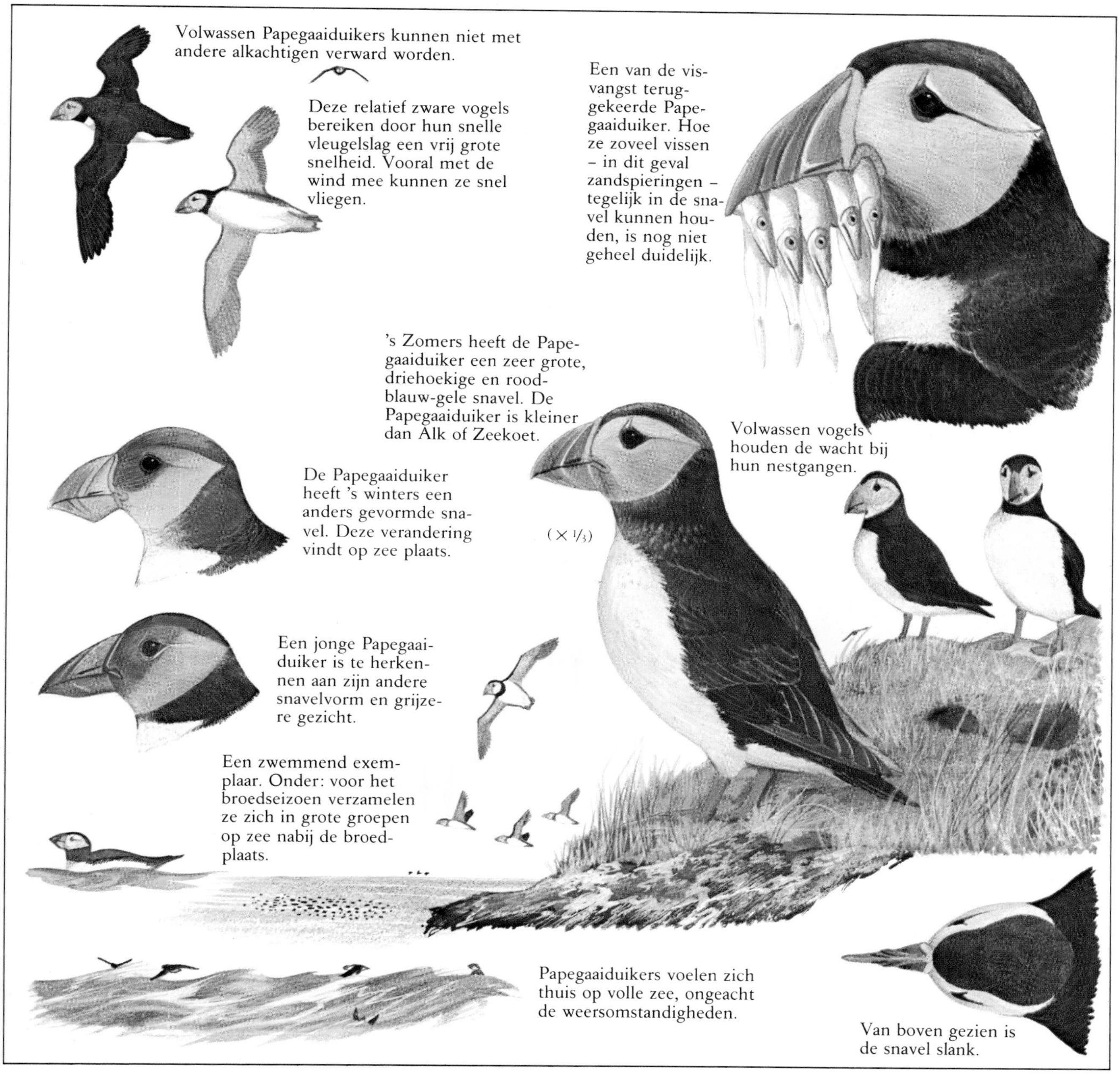

Volwassen Papegaaiduikers kunnen niet met andere alkachtigen verward worden.

Deze relatief zware vogels bereiken door hun snelle vleugelslag een vrij grote snelheid. Vooral met de wind mee kunnen ze snel vliegen.

Een van de visvangst teruggekeerde Papegaaiduiker. Hoe ze zoveel vissen – in dit geval zandspieringen – tegelijk in de snavel kunnen houden, is nog niet geheel duidelijk.

's Zomers heeft de Papegaaiduiker een zeer grote, driehoekige en rood-blauw-gele snavel. De Papegaaiduiker is kleiner dan Alk of Zeekoet.

De Papegaaiduiker heeft 's winters een anders gevormde snavel. Deze verandering vindt op zee plaats.

(× 1/3)

Volwassen vogels houden de wacht bij hun nestgangen.

Een jonge Papegaaiduiker is te herkennen aan zijn andere snavelvorm en grijzere gezicht.

Een zwemmend exemplaar. Onder: voor het broedseizoen verzamelen ze zich in grote groepen op zee nabij de broedplaats.

Papegaaiduikers voelen zich thuis op volle zee, ongeacht de weersomstandigheden.

Van boven gezien is de snavel slank.

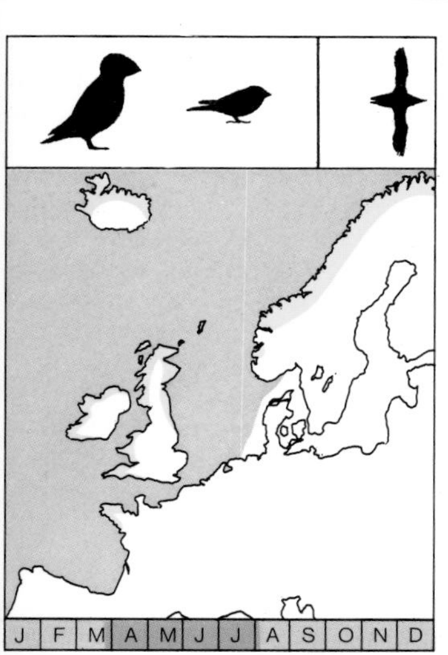

De Papegaaiduiker is wel de meest excentrieke van alle zeevogels. Aan zijn clowneske verschijning dankt hij zijn bekendheid, ook bij wie hem nooit in levende lijve heeft gezien.

Papegaaiduikers nestelen in met droog gras beklede holen in zachte bodem boven op rotseilanden. De vogels arriveren vroeg in het voorjaar, waarbij ze zich voor de kust verzamelen om enkele dagen later 'en masse' aan land te gaan. De hofmakerij gaat gepaard met veel geklepper van de felgekleurde snavel en soms vinden furieuze gevechten plaats. Eén wit ei wordt gelegd en beide ouders bebroeden het om beurten zes weken lang.

Het jong wordt gevoerd met zandspiering, wijting en sprot, die met snavels vol worden binnengebracht. Het jong vast ongeveer een week nadat zijn ouders het met zes weken hebben verlaten, waarbij het op zijn vetreserves teert.

Jongen moeten vrij kunnen vallen om hun eerste vlucht te kunnen maken en gedurende de (soms lange) wandeling naar een goede startplaats zijn ze zeer kwetsbaar voor rovers. Hoewel deze tocht meestal bij schemer wordt gemaakt, heffen veel Grote Mantelmeeuwen en Grote Jagers hun tol. Maar de teruggang van deze soort kan niet hieraan geweten worden. Vervuiling door chemisch afval en olie spelen hierbij waarschijnlijk een belangrijker rol. De oplossing van dit probleem vereist veel meer onderzoek, dat echter bemoeilijkt wordt doordat de vogels in volle zee overwinteren. Wanneer ze sterven, zinken ze.

Zilvermeeuw

 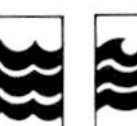   

Ondervleugeltekening van een volwassen vogel.

Hij volgt graag schepen, vooral vissersboten.

Jong

Vogels van alle leeftijden ziet men vaak bij elkaar in de lucht.

's Winters heeft de volwassen vogel een gestreepte kop en hals.

De kop steekt verder uit dan bij de Stormmeeuw.

De Zilvermeeuw is veel zwaarder gebouwd dan de Stormmeeuw en heeft een andere vleugelpunttekening.

(× 1/7)

Vogel in het tweede winterkleed

Onvolwassen Zilvermeeuw

Vogel in onvolwassen kleed

's Zomers heeft de volwassen vogel een witte kop en hals.

De grijze rug is kenmerkend voor het tweede winterkleed.

Zilvermeeuw (onder) bij het uiten van zijn luide baltsroep.

Een bijna volwassen Zilvermeeuw ziet er tijdens de rui vaak erg slordig uit. Bij sommige volwassen vogels verbleekt het zwart van de vleugelpunten tot bruin en slijten de witte vleugelpunten af. Bij een volwassen vogel is de snavel geel; de poten zijn altijd licht vleeskleurig. Zilvermeeuwen uit Finland en het Middellandse-Zeegebied hebben gele poten.

(× 1/5)

De Zilvermeeuw is groot, robuust en agressief; hij verschilt van de Stormmeeuw door zijn formaat, bouw en lichtere bovendelen.

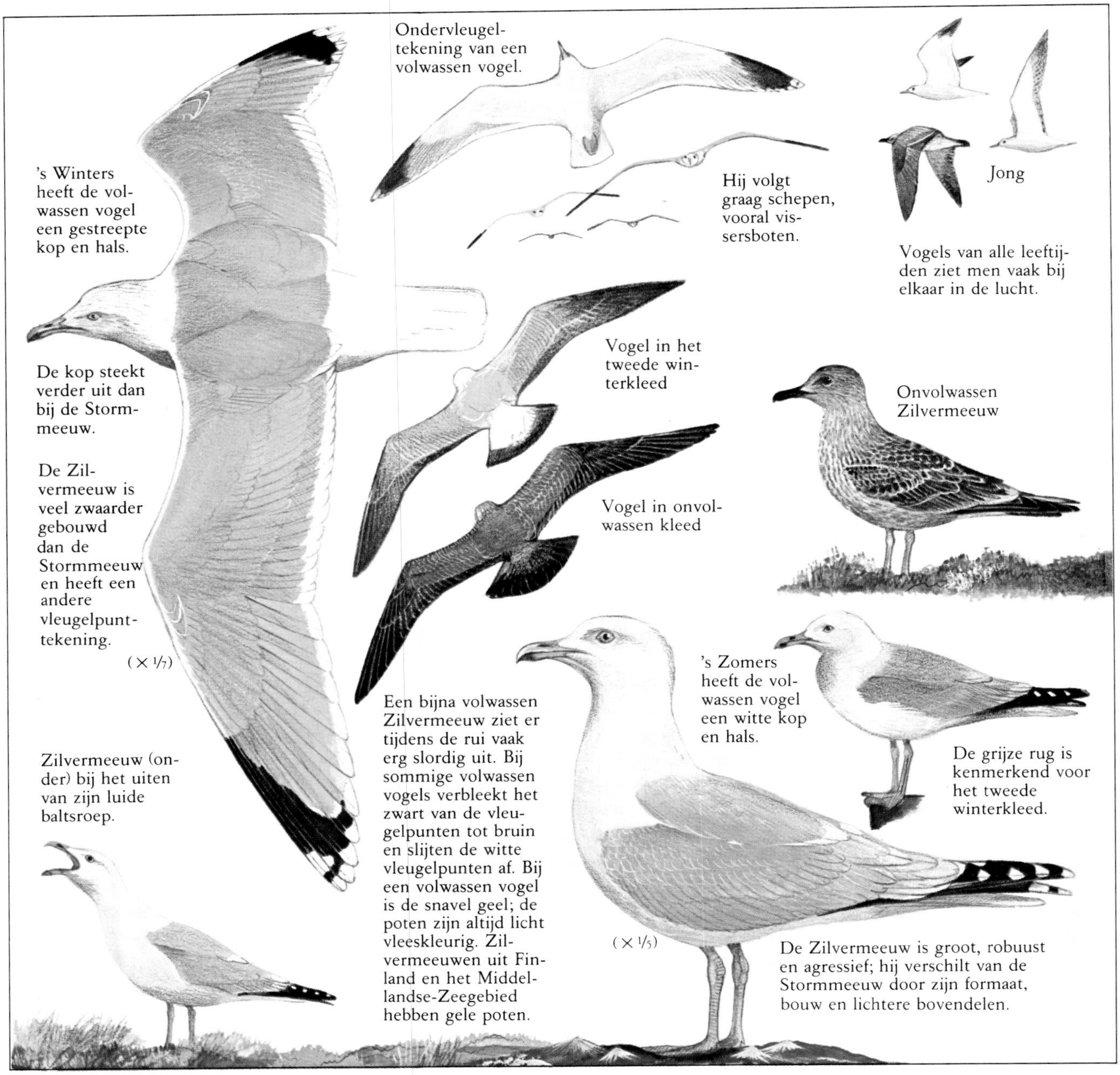

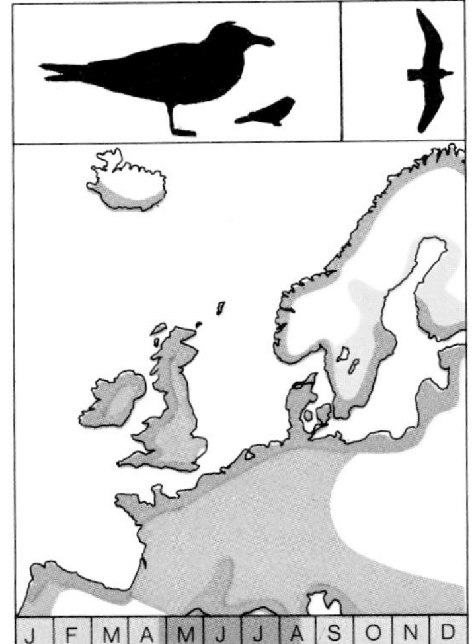

De Zilvermeeuw is de 'zeemeeuw' van het grote publiek. Hij schooiert op vuilstortplaatsen en in havens, volgt schepen voor overboord gegooide hapjes en broedt zelfs op daken en schoorstenen. Hij vormt een gevaar voor vliegtuigen en heeft een alarmerende lijst van schade en ongelukken op zijn naam staan. Hij is talrijk en neemt nog steeds in aantal toe. Maar ondanks dit alles is het een prachtige en fascinerende vogel en de bestudering van zijn gedrag heeft een onschatbare bijdrage geleverd tot de kennis van het diergedrag in het algemeen.

Hij nestelt in kolonies in duinen, op klippen en vooruitstekende punten aan de kust. Het nest is een hoop gras, zeewier en aanspoelsel dat door beide partners verzameld wordt. Er worden twee tot drie eieren gelegd met tussenpozen van twee of drie dagen en er wordt af en toe al gebroed voor het legsel voltallig is. Net als bij andere meeuwen broeden beide partners; de eieren komen na 28 tot 33 dagen uit. Na een paar dagen verlaten de jongen het nest, maar blijven gedurende een periode van zes weken in de buurt van het nest. De jongen die per ongeluk dit gebied verlaten, lopen kans door de buren opgegeten te worden. Het voedsel wordt net als bij andere meeuwen door beide ouders verzameld en het bevat een grote verscheidenheid aan afval. Prooien met een harde schaal zoals krabben en schelpen worden geopend door ze van grote hoogte op een harde bodem te laten vallen.

Stormmeeuw

    J V

Links: een vogel in onvolwassen kleed.

Links: ondervleugeltekening van een onvolwassen vogel. De eindband op de staart is opvallend.

Onvolwassen vogel in winterkleed; let op de staartband, de donkere vleugelpunten en vleugelachterrand. De rug is grijs (bruin tot oktober).

Hij is kleiner dan de Zilvermeeuw: kop en snavel zijn korter en minder fors; vleugels langer. De snavel is geheel geel en mist de rode 'nok'. Poten en tenen zijn geelgroen.

De kop is 's winters gevlekt en gestreept; 's zomers wit.

De rug is over het algemeen meer blauw dan zilvergrijs zoals de Zilvermeeuw.

(× 1/7)

De witte vleugelpunten zijn tegen het eind van de zomer vaak wat afgesleten.

In de vlucht en op de grond lijkt hij oppervlakkig op een Zilvermeeuw maar op kortere afstand vertoont hij kleine maar goed herkenbare verschillen.

(× 1/5)

De Stormmeeuw bevindt zich vaak in parken en op sportvelden waar hij met afgemeten stappen rondstapt. De witte punten aan de grote slagpennen (boven) vormen een goed kenmerk.

De jonge vogel heeft een zwarte punt op de snavel. De poten zijn geel-vleeskleurig en worden de tweede winter blauwgrijs.

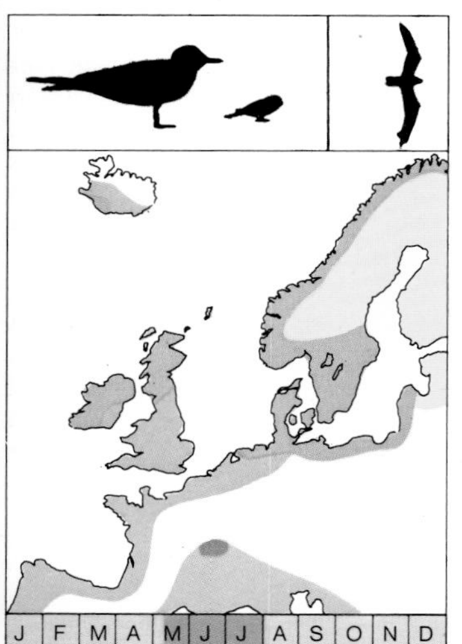

De Stormmeeuw heeft ongeveer de afmetingen van een Kokmeeuw en het uiterlijk van een Zilvermeeuw.
Zijn broedgebied omvat niet alleen noordelijk Eurazië, ook delen van Alaska en Canada. Het is een meeuw van rustig water en hij waagt zich zelden ver op zee om te foerageren. Het grootste deel van zijn voedsel vindt hij langs de kust en in landbouwgebieden; in steden en dorpen bezoekt hij vaak parken en sportvelden. Hij voedt zich niet alleen met afval en aas zoals andere meeuwen, maar hij achtervolgt ook andere meeuwen en berooft hen van het voedsel dat ze bij zich hebben.
Het nest is variabel, soms een eenvoudig, minimaal bekleed kuiltje, soms ook een omvangrijke stapel gras en zeewier. Meestal ligt het op de rotsen of op vegetatie, vaak bij de waterkant, soms wel in bomen en eenmaal zelfs in een roekenest. Ze kunnen zowel solitair als in kolonies broeden, vaak in gezelschap van andere meeuwen- en sternsoorten.
Er worden twee of drie eieren gelegd en beide geslachten broeden; de broedduur bedraagt 22 tot 25 dagen.
Beide ouders voeren ook de jongen, die net als andere meeuwejongen al vroeg beginnen te lopen.

Grote Mantelmeeuw

 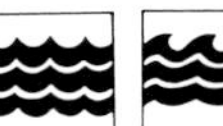   JG

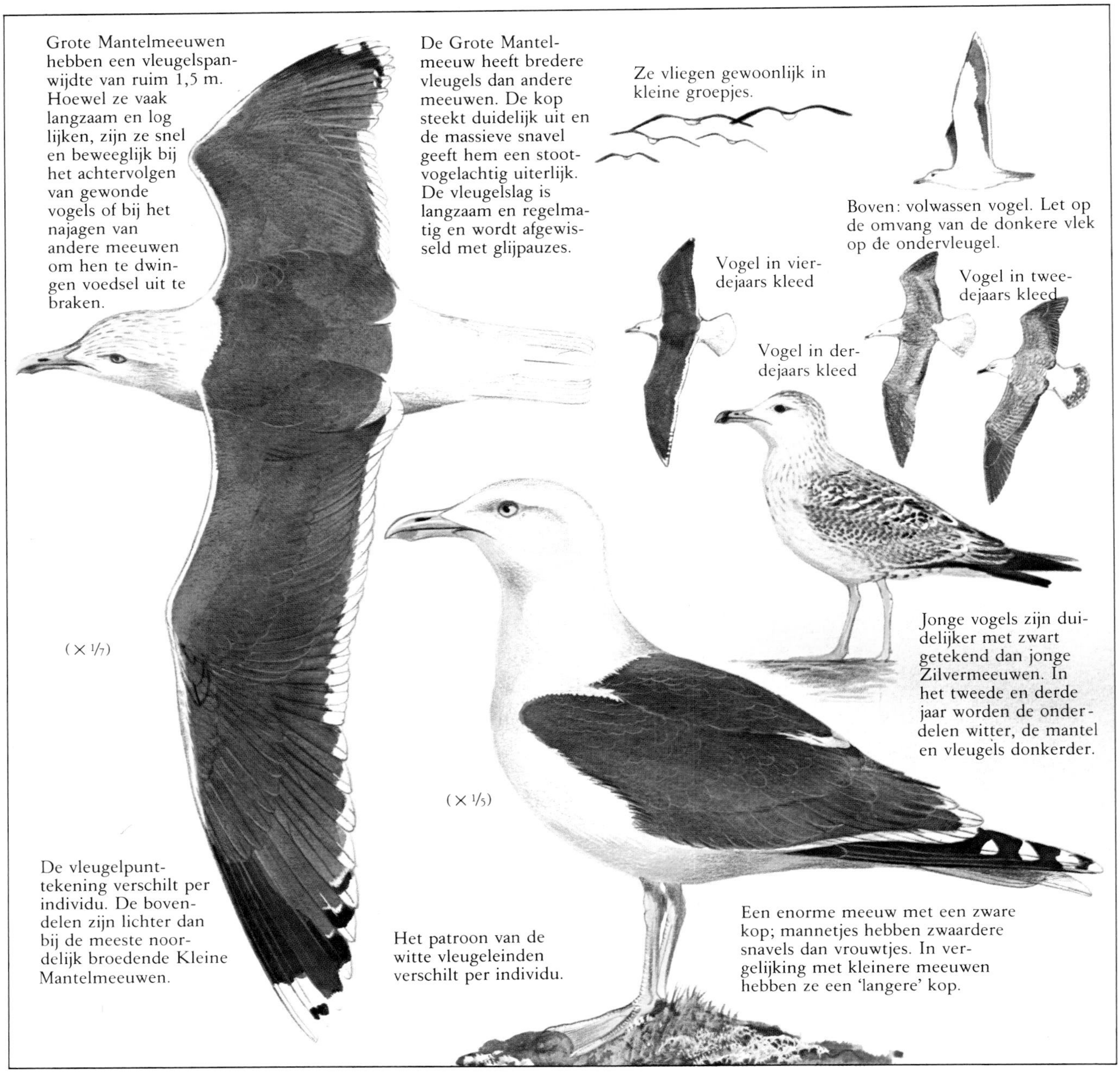

Grote Mantelmeeuwen hebben een vleugelspanwijdte van ruim 1,5 m. Hoewel ze vaak langzaam en log lijken, zijn ze snel en beweeglijk bij het achtervolgen van gewonde vogels of bij het najagen van andere meeuwen om hen te dwingen voedsel uit te braken.

De Grote Mantelmeeuw heeft bredere vleugels dan andere meeuwen. De kop steekt duidelijk uit en de massieve snavel geeft hem een stootvogelachtig uiterlijk. De vleugelslag is langzaam en regelmatig en wordt afgewisseld met glijpauzes.

Ze vliegen gewoonlijk in kleine groepjes.

Boven: volwassen vogel. Let op de omvang van de donkere vlek op de ondervleugel.

Vogel in vierdejaars kleed

Vogel in tweedejaars kleed

Vogel in derdejaars kleed

(× 1/7)

Jonge vogels zijn duidelijker met zwart getekend dan jonge Zilvermeeuwen. In het tweede en derde jaar worden de onderdelen witter, de mantel en vleugels donkerder.

(× 1/5)

De vleugelpunttekening verschilt per individu. De bovendelen zijn lichter dan bij de meeste noordelijk broedende Kleine Mantelmeeuwen.

Het patroon van de witte vleugeleinden verschilt per individu.

Een enorme meeuw met een zware kop; mannetjes hebben zwaardere snavels dan vrouwtjes. In vergelijking met kleinere meeuwen hebben ze een 'langere' kop.

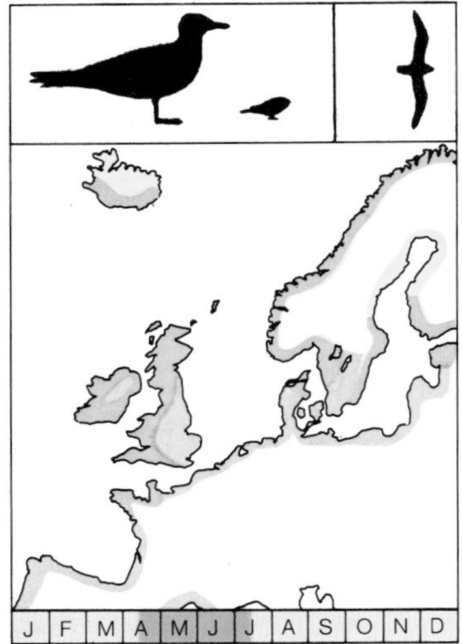

De meeste grotere meeuwesoorten voeden zich hoofdzakelijk met levende prooi, maar deze zeer grote soort is de meest formidabele rover van allemaal. Hij maakt regelmatig andere zeevogels buit, evenals hun jongen en verder konijnen en andere knaagdieren. Grotere prooien worden leeggepikt en de huid wordt ten slotte binnenstebuiten gekeerd. Betrekkelijk kleine slachtoffers zoals meeuwekuikens worden in hun geheel ingeslikt, wat vergemakkelijkt wordt doordat de vogel in staat is de afstand tussen de helften van zijn onderkaak te vergroten – een eigenschap die veel vogels bezitten, maar het verst ontwikkeld is bij meeuwen.
Grote Mantelmeeuwen zijn normaal alleen in het broedseizoen zo roofzuchtig, daarbuiten zijn het in hoofdzaak aaseters en leven ze van afval, bij voorkeur van vissersschepen. Misschien is de toename van de activiteit in de visserij er de oorzaak van dat deze soort de laatste decennia zo toeneemt.
De Grote Mantelmeeuw nestelt vaak solitair; hij stapelt een grote hoop zeewier en ander aanspoelsel op als nest en legt daarin twee of drie eieren. De broedduur bedraagt 26 tot 28 dagen en de jongen zijn na zeven tot acht weken vliegvlug.

Kleine Mantelmeeuw

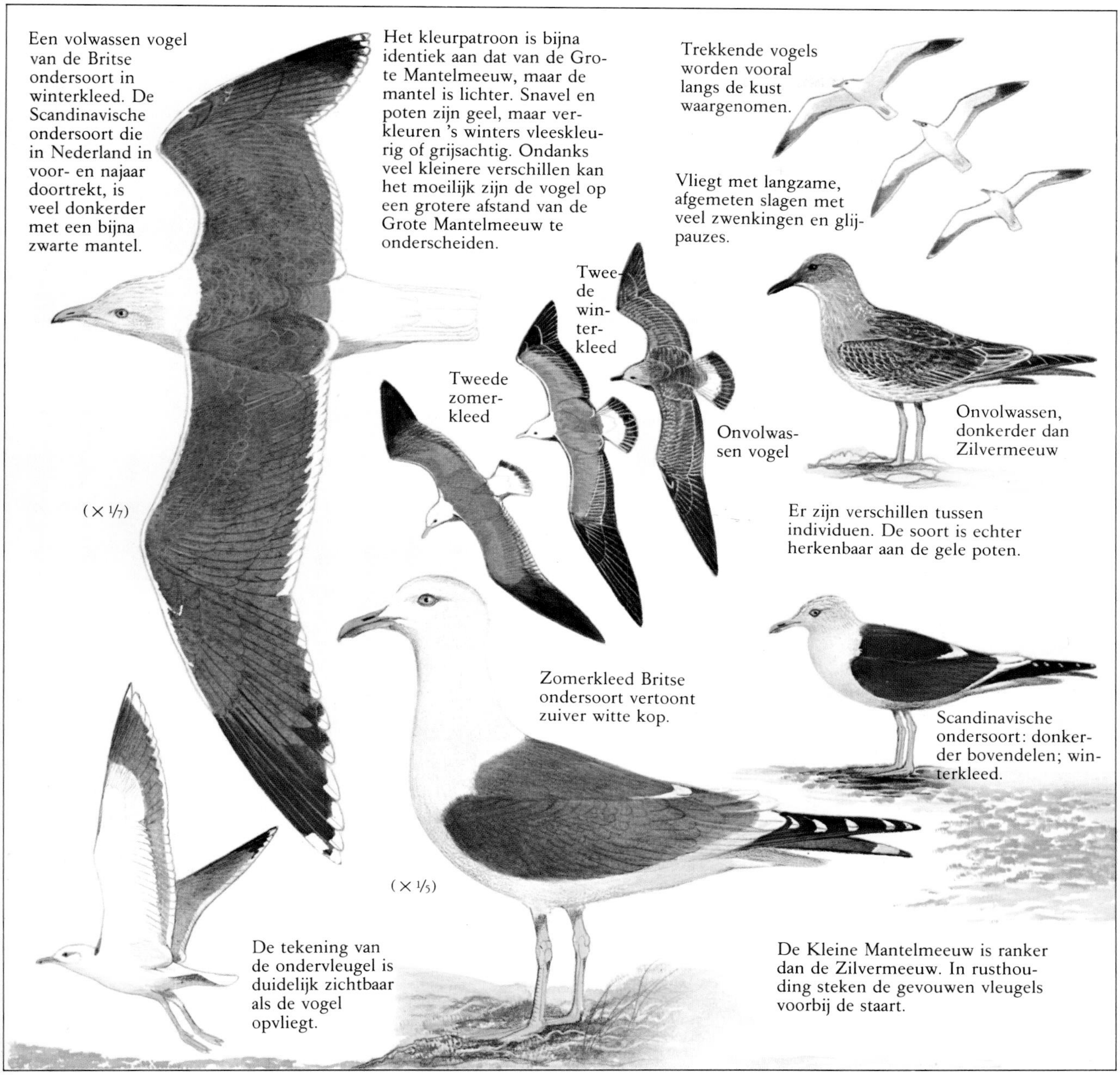

Een volwassen vogel van de Britse ondersoort in winterkleed. De Scandinavische ondersoort die in Nederland in voor- en najaar doortrekt, is veel donkerder met een bijna zwarte mantel.

Het kleurpatroon is bijna identiek aan dat van de Grote Mantelmeeuw, maar de mantel is lichter. Snavel en poten zijn geel, maar verkleuren 's winters vleeskleurig of grijsachtig. Ondanks veel kleinere verschillen kan het moeilijk zijn de vogel op een grotere afstand van de Grote Mantelmeeuw te onderscheiden.

Trekkende vogels worden vooral langs de kust waargenomen.

Vliegt met langzame, afgemeten slagen met veel zwenkingen en glijpauzes.

Tweede winterkleed

Tweede zomerkleed

Onvolwassen vogel

Onvolwassen, donkerder dan Zilvermeeuw

(× 1/7)

Er zijn verschillen tussen individuen. De soort is echter herkenbaar aan de gele poten.

Zomerkleed Britse ondersoort vertoont zuiver witte kop.

Scandinavische ondersoort: donkerder bovendelen; winterkleed.

(× 1/5)

De tekening van de ondervleugel is duidelijk zichtbaar als de vogel opvliegt.

De Kleine Mantelmeeuw is ranker dan de Zilvermeeuw. In rusthouding steken de gevouwen vleugels voorbij de staart.

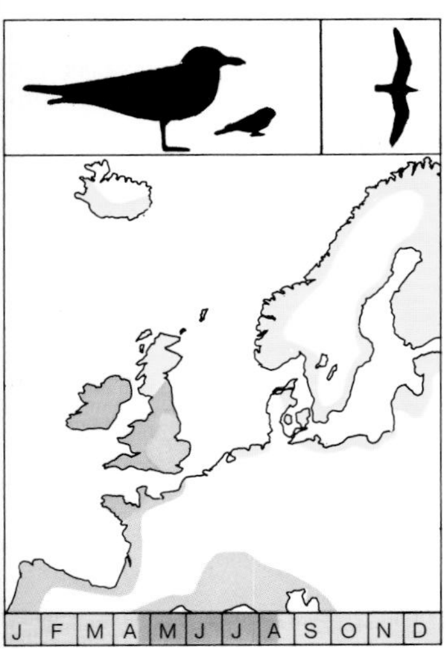

De Kleine Mantelmeeuw is nauw verwant met de Zilvermeeuw. In het verspreidingsgebied van de Zilvermeeuw westwaarts langs de Pool ziet men dat de Zilvermeeuw via een aantal steeds donkerder wordende ondersoorten geleidelijk in de Kleine Mantelmeeuw overgaat. Men kan de twee soorten dus beschouwen als uitersten van een variabele soort die hun eigen identiteit in een overlappingsgebied behouden. In Europa gedragen ze zich namelijk wel als aparte soorten. Ze nestelen zij aan zij en ieder plant zich alleen met zijn eigen soort voort. Toch is de barrière die de beide soorten scheidt labiel; af en toe ontstaan hybriden en men kan dit kunstmatig oproepen door eieren van een Kleine Mantelmeeuw te verwisselen met die van een Zilvermeeuw. De jongen die uit de eieren komen, nemen hun stiefouders als eigen ouders aan. Ze zullen als ze volwassen zijn ook een partner van die ('verkeerde') soort kiezen en hybride nakomelingen produceren. Het is niet verwonderlijk dat beide soorten in hun gedrag veel op elkaar lijken. De Kleine Mantelmeeuw komt niet zo vaak op afvalplaatsen als de Zilvermeeuw. De nestplaats van deze soort is even gevarieerd als die van de Zilvermeeuw, maar waar ze samen op rotsige kusten voorkomen heeft de Kleine Mantelmeeuw een voorkeur voor de vlakke bodem, de Zilvermeeuw voor richels. In Nederland is de Kleine Mantelmeeuw een schaarse broedvogel van de duinstreek en Waddeneilanden. Eerste broedgevallen in 1926 op Terschelling.

Kokmeeuw

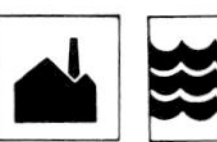    J V

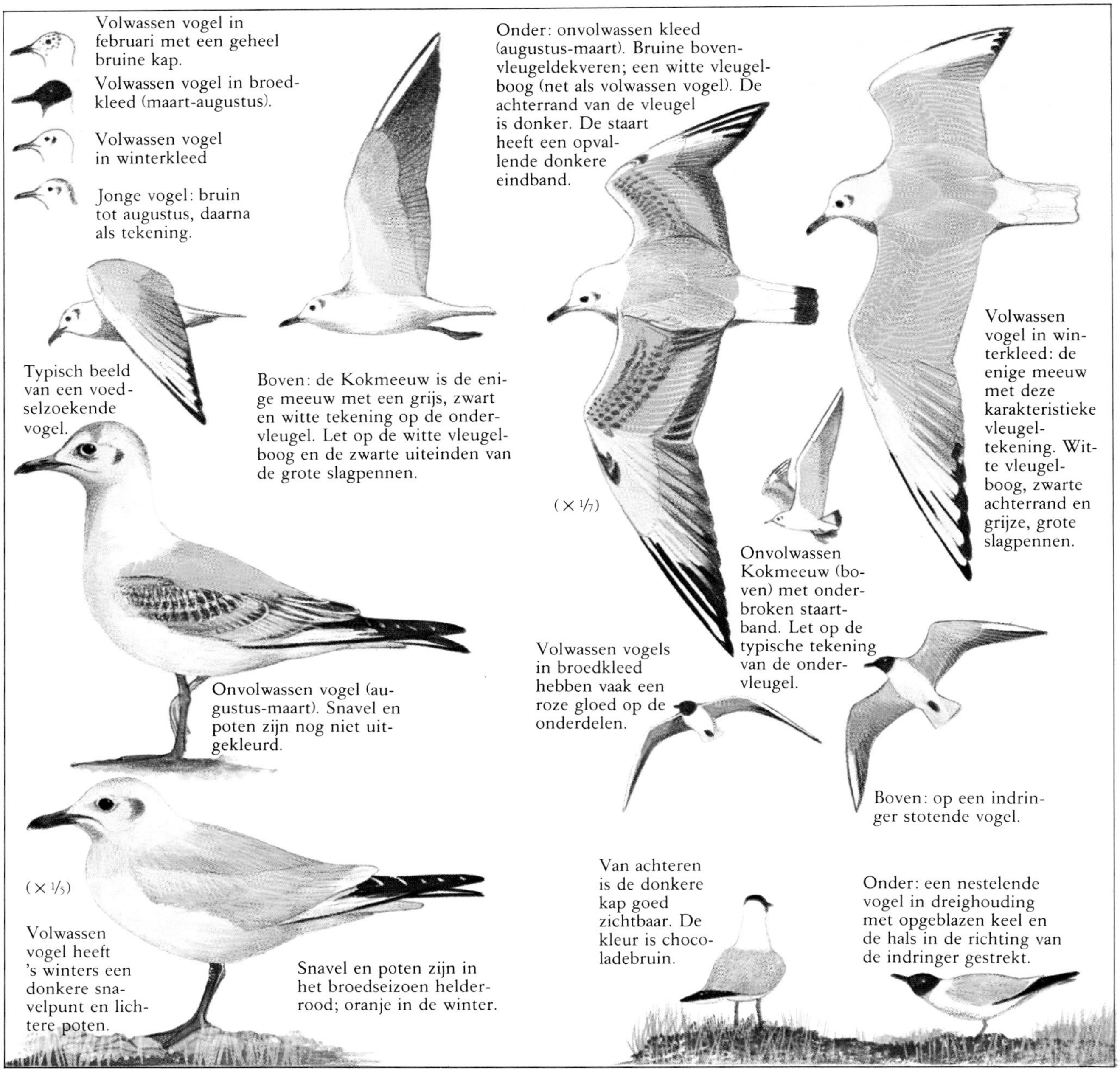

Volwassen vogel in februari met een geheel bruine kap.

Volwassen vogel in broedkleed (maart-augustus).

Volwassen vogel in winterkleed

Jonge vogel: bruin tot augustus, daarna als tekening.

Onder: onvolwassen kleed (augustus-maart). Bruine bovenvleugeldekveren; een witte vleugelboog (net als volwassen vogel). De achterrand van de vleugel is donker. De staart heeft een opvallende donkere eindband.

Typisch beeld van een voedselzoekende vogel.

Boven: de Kokmeeuw is de enige meeuw met een grijs, zwart en witte tekening op de ondervleugel. Let op de witte vleugelboog en de zwarte uiteinden van de grote slagpennen.

Volwassen vogel in winterkleed: de enige meeuw met deze karakteristieke vleugeltekening. Witte vleugelboog, zwarte achterrand en grijze, grote slagpennen.

(× 1/7)

Onvolwassen Kokmeeuw (boven) met onderbroken staartband. Let op de typische tekening van de ondervleugel.

Volwassen vogels in broedkleed hebben vaak een roze gloed op de onderdelen.

Onvolwassen vogel (augustus-maart). Snavel en poten zijn nog niet uitgekleurd.

Boven: op een indringer stotende vogel.

Van achteren is de donkere kap goed zichtbaar. De kleur is chocoladebruin.

Onder: een nestelende vogel in dreighouding met opgeblazen keel en de hals in de richting van de indringer gestrekt.

(× 1/5)

Volwassen vogel heeft 's winters een donkere snavelpunt en lichtere poten.

Snavel en poten zijn in het broedseizoen helderrood; oranje in de winter.

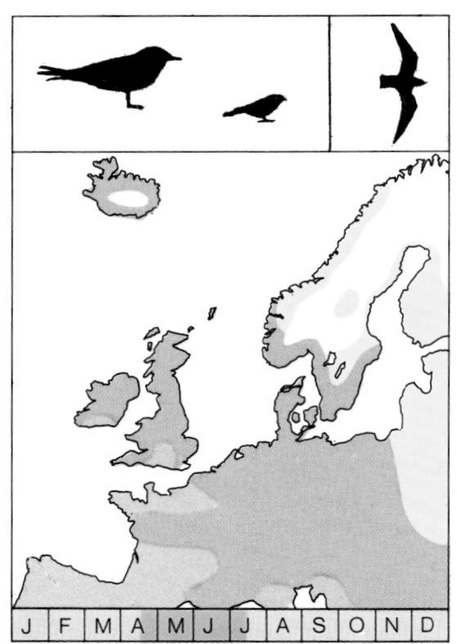

Veel Noordamerikaanse vogelsoorten komen als dwaalgast naar Europa. Het aantal vogelsoorten dat echter tegen de overheersende windrichting in westwaartse richting de Atlantische Oceaan oversteekt, is veel kleiner. De Kokmeeuw is er één die dat regelmatig doet. Het ziet er zelfs naar uit dat deze soort evenals de Dwergmeeuw, ook een zwerver uit Europa, daar vroeg of laat tot broeden zal komen. Dit zou de bekroning zijn van de spectaculaire toename en areaalsuitbreiding die de Kokmeeuw in de afgelopen eeuw heeft laten zien. Sinds 1900 is zijn aantal in Zweden en Finland verhonderdvoudigd en een telling in Engeland en Wales in 1958 toonde aan dat hij in twintig jaar met 27% is toegenomen. Successen van deze aard zijn meestal het gevolg van een snelle aanpassing aan de veranderingen die door de mens zijn geschapen. Dit geldt zeer zeker voor de Kokmeeuw. Het was reeds lang bekend dat hij de boer bij het ploegen volgt, nu profiteert hij ook van sportvelden, vuilnisbelten, parkvijvers en zelfs tuinen, en het daar vergaren van afval en kleine bodemdieren.

De broedkolonies bevinden zich in moerassen, schorren en vloeivelden. De nesten liggen dicht op elkaar, soms meerdere duizenden in een kolonie. Op natte plaatsen zijn sommige nesten een drijvend bouwsel tussen vegetatie. Gewoonlijk worden drie eieren gelegd die 23 tot 24 dagen bebroed worden. De jongen zijn na vijf tot zes weken vliegvlug.

Grote /Kleine Burgemeester

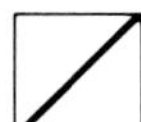

Grote Burgemeester (boven) heeft een langzame en zware vlucht.

De Kleine Burgemeester (rechts) en de Grote Burgemeester (geheel rechts) op dezelfde schaal; de Grote Burgemeester is even groot als de Grote Mantelmeeuw, de Kleine Burgemeester even groot als de Zilvermeeuw. De Kleine Burgemeester heeft een kortere staart, fijnere kop en smallere puntiger vleugels in vergelijking met de Grote Burgemeester.

Volwassen Kleine Burgemeester in de winter

Volwassen Grote Burgemeester in de winter

Volwassen vogels van beide soorten hebben dezelfde vleugeltekening.

Volwassen Grote Burgemeester

Tweede zomer Grote Burgemeester

Grote Burgemeester (klein exemplaar)

(× 1/7)

Vergelijk de snavelgrootte: de Kleine Burgemeester heeft een lichtere en kortere dan de grotere Zilvermeeuw.

Zilvermeeuw

Kleine Burgemeester

Grote Burgemeester (groot exemplaar)

Onvolwassen Grote Burgemeester

(× 1/6)

Onvolwassen Grote Burgemeester

Kleine Burgemeester in het derde winterkleed is lichtgekleurd en heeft een gele snavel met een zwart bandje.

(× 1/6)

Kleine Burgemeester in het eerste winterkleed heeft een fijnere snavel dan de Grote Burgemeester, een rondere kop en langere, verder uitstekende vleugels.

Volwassen Kleine Burgemeester

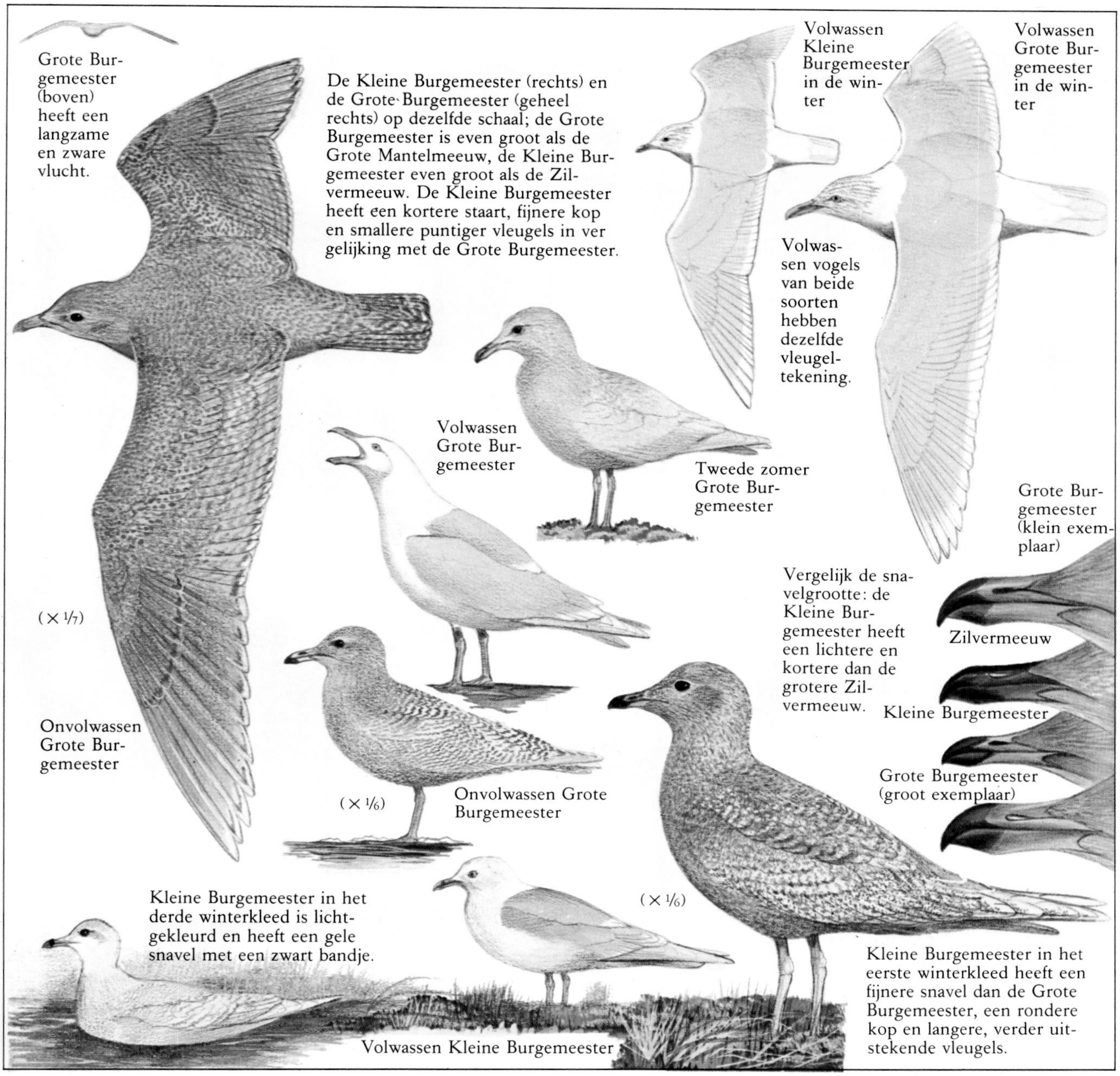

De verwantschappen tussen een aantal Noordatlantische meeuwen zijn nogal raadselachtig. De Kleine Burgemeester bijvoorbeeld is wat betreft uiterlijk een kleinere uitgave van de Grote Burgemeester, maar wat betreft gedrag en biologie lijkt hij op de Zilvermeeuw waarmee hij vermoedelijk meer verwant is.

De Grote Burgemeester is in veel opzichten een lichte uitgave van de Grote Mantelmeeuw. Ze leven zowel van afval als van roof, een combinatie die karakteristiek is voor typische meeuwesoorten; het schooieren naar afval is een specialiteit van Arctische zeevogels. Het meest frequente slachtoffer is wel de Kleine Alk die wordt opgepikt uit één van de dicht opeen gepakte drijvende groepen die vaak de zee rond de kolonies bedekken. Een prooi die uit het water wordt opgepikt, is moeilijk in stukken te scheuren en wordt daarom gewoonlijk in zijn geheel ingeslikt. Ook kuikens van de Noordse Stern vallen vaak ten prooi, hoewel de Grote Burgemeester zelden de kans krijgt diep de kolonie binnen te dringen vanwege de felle verdediging door de ouders. Als een alternatief staan lagere zeedieren, vooral spinkrabben op het menu, alsmede afval dat rond menselijke nederzettingen wordt opgescharreld.

De Kleine Burgemeester broedt alleen in Groenland en Arctisch Canada. Ze overwinteren in klein aantal in West-Europa. Net als hun grote verwant eten ze afval en roofbuit, maar vis vormt een belangrijk bestanddeel van het menu.

Grote Jager/Middelste Jager

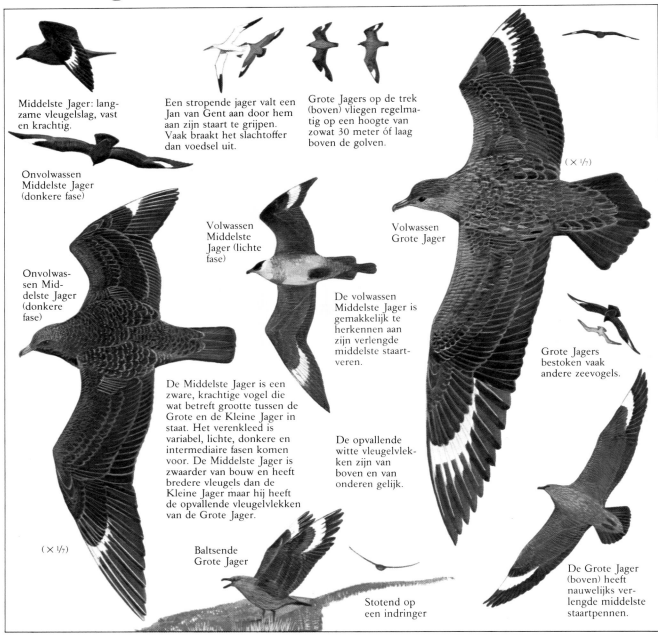

Middelste Jager: langzame vleugelslag, vast en krachtig.

Een stropende jager valt een Jan van Gent aan door hem aan zijn staart te grijpen. Vaak braakt het slachtoffer dan voedsel uit.

Grote Jagers op de trek (boven) vliegen regelmatig op een hoogte van zowat 30 meter óf laag boven de golven.

Onvolwassen Middelste Jager (donkere fase)

(× 1/7)

Volwassen Middelste Jager (lichte fase)

Volwassen Grote Jager

Onvolwassen Middelste Jager (donkere fase)

De volwassen Middelste Jager is gemakkelijk te herkennen aan zijn verlengde middelste staartveren.

Grote Jagers bestoken vaak andere zeevogels.

De Middelste Jager is een zware, krachtige vogel die wat betreft grootte tussen de Grote en de Kleine Jager in staat. Het verenkleed is variabel, lichte, donkere en intermediaire fasen komen voor. De Middelste Jager is zwaarder van bouw en heeft bredere vleugels dan de Kleine Jager maar hij heeft de opvallende vleugelvlekken van de Grote Jager.

De opvallende witte vleugelvlekken zijn van boven en van onderen gelijk.

(× 1/7)

Baltsende Grote Jager

De Grote Jager (boven) heeft nauwelijks verlengde middelste staartpennen.

Stotend op een indringer

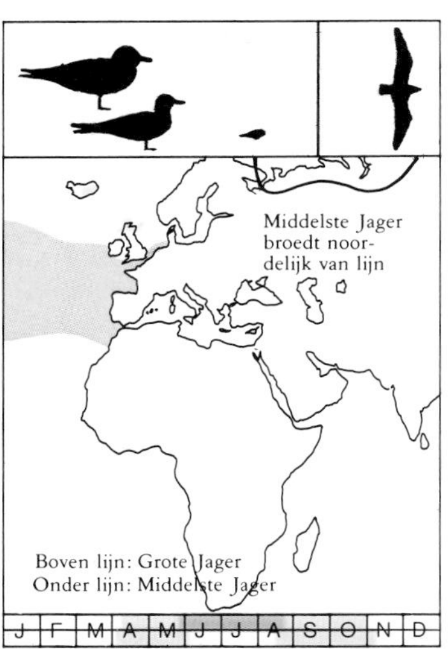

Grote Jagers hebben een voedseltechniek ontwikkeld die biologen aanduiden met de term ‘kleptoparasitisme’. De techniek bestaat uit het achtervolgen van andere zeevogels, net zolang tot ze hun voedsel uitbraken of loslaten. Vogels tot het formaat van Jan van Genten worden op deze manier belaagd.

De Grote Jager voedt zich niet alleen volgens deze techniek, maar hij is eveneens een geduchte rover die eieren, jongen en ook volwassen vogels neemt. Er zijn gevallen bekend waarbij ze zulke formidabele tegenstanders als Blauwe Reigers en Grote Mantelmeeuwen doden. De meeste aanvallen vinden in de lucht plaats en leiden soms tot verwondingen van de aanvaller zelf, die dan op zijn beurt ten prooi valt aan andere Grote Jagers die zo ‘gulzig’ zijn dat ze zich zelfs aan hun soortgenoten vergrijpen. De Papegaaiduiker is ook heel vaak het slachtoffer; hij wordt gegrepen als hij uit zijn hol naar buiten komt.

De Grote Jager nestelt in verspreide kolonies op hoog begroeid terrein nabij zee. Het territorium wordt met grote heftigheid verdedigd en zelfs mensen worden aangevallen. Het nest is een schaars beklede kuil en het legsel bevat meestal twee eieren. Beide geslachten broeden; de niet-broedende partner zit vaak op een verhoging op de uitkijk. Broedduur 28 tot 30 dagen; de jongen zijn na 6 tot 7 weken vliegvlug.

De Middelste Jager wordt in onze contreien tamelijk zelden waargenomen, hetgeen misschien te wijten is aan verwarring met andere jagers. De gedraaide verlengde staartveren en de grootte zijn echter zekere kentekenen. Het gedrag komt overeen met dat van de andere soorten.

Kleine Jager/Kleinste Jager

DT

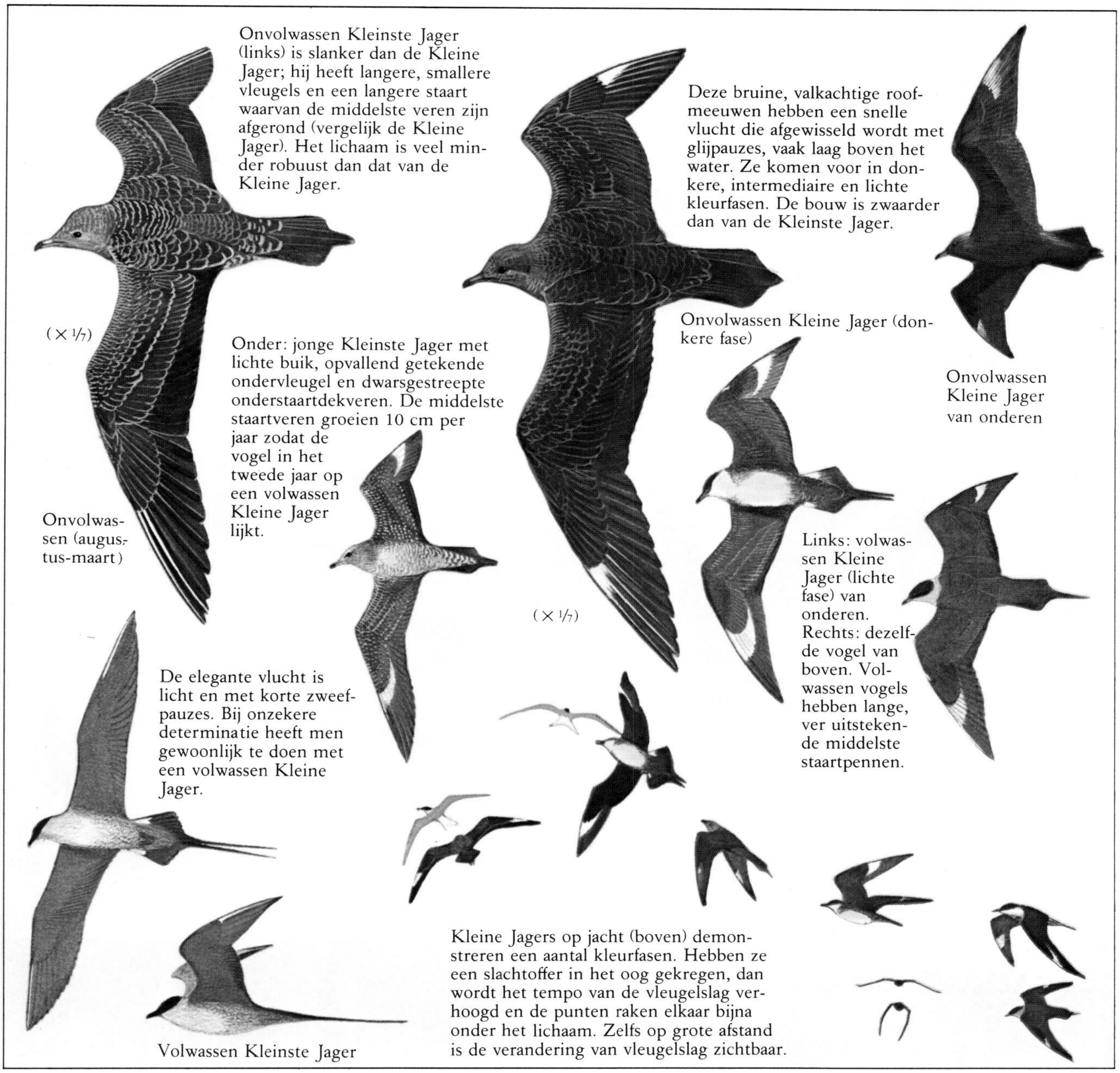

Onvolwassen Kleinste Jager (links) is slanker dan de Kleine Jager; hij heeft langere, smallere vleugels en een langere staart waarvan de middelste veren zijn afgerond (vergelijk de Kleine Jager). Het lichaam is veel minder robuust dan dat van de Kleine Jager.

Deze bruine, valkachtige roofmeeuwen hebben een snelle vlucht die afgewisseld wordt met glijpauzes, vaak laag boven het water. Ze komen voor in donkere, intermediaire en lichte kleurfasen. De bouw is zwaarder dan van de Kleinste Jager.

(× 1/7)

Onvolwassen Kleine Jager (donkere fase)

Onder: jonge Kleinste Jager met lichte buik, opvallend getekende ondervleugel en dwarsgestreepte onderstaartdekveren. De middelste staartveren groeien 10 cm per jaar zodat de vogel in het tweede jaar op een volwassen Kleine Jager lijkt.

Onvolwassen Kleine Jager van onderen

Onvolwassen (augustus-maart)

Links: volwassen Kleine Jager (lichte fase) van onderen. Rechts: dezelfde vogel van boven. Volwassen vogels hebben lange, ver uitstekende middelste staartpennen.

(× 1/7)

De elegante vlucht is licht en met korte zweefpauzes. Bij onzekere determinatie heeft men gewoonlijk te doen met een volwassen Kleine Jager.

Kleine Jagers op jacht (boven) demonstreren een aantal kleurfasen. Hebben ze een slachtoffer in het oog gekregen, dan wordt het tempo van de vleugelslag verhoogd en de punten raken elkaar bijna onder het lichaam. Zelfs op grote afstand is de verandering van vleugelslag zichtbaar.

Volwassen Kleinste Jager

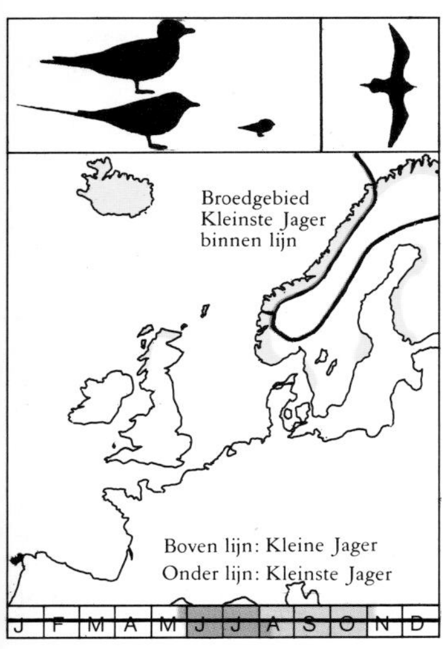

De Kleine Jager komt in een donkere, intermediaire en lichte kleurfase voor. In Zuid-Noorwegen, Oostzee en Botnische Golf zijn de meeste vogels donker, maar het aantal vogels met witte onderdelen neemt naar het noorden toe en bedraagt in Noord-Noorwegen 90% van de populatie. Lichtgekleurde vogels zijn eveneens talrijk in delen van Schotland, vooral in de Outer Hebrides waar ze de helft van de populatie uitmaken. Kleine Jagers hebben een sterkere neiging tot kleptoparasitisme dan de Grote Jager. Ze hebben het vooral voorzien op Drieteenmeeuwen en sterns, maar op de toendra voeden ze zich in hoofdzaak met kleine zoogdieren en vogels.
Net als Grote Jagers nestelen ze gewoonlijk in losse kolonies op de grond in open terrein en doen felle, verbeten aanvallen op indringers. De vogels broeden pas als ze een leeftijd van vier jaar hebben bereikt. De twee eieren komen na 26 dagen uit en de jongen zijn na vier tot vijf weken vliegvlug. De Kleinste Jager is de kleinste en meest elegante vertegenwoordiger van de jagers. Ze komen alleen in de lichte kleurfase voor. De nestel- en broedactiviteiten van deze noordelijke en hoognoordelijke vogels hangen nauw samen met de talrijkheid van de lemming die zijn hoofdvoedsel vormt. Buiten het broedseizoen komen ze hoofdzakelijk midden op de oceaan voor en worden op de trek daarom veel minder waargenomen dan de Kleine Jager.

Drieteenmeeuw

Volwassen vogel in winter. Let op de koptekening.

Onvolwassen vogels (links) zijn bijzonder sterk getekend; ze kunnen verward worden met de kleinere Dwergmeeuw.

De Drieteenmeeuw heeft een zuiver witte ondervleugel en een lange, slanke buitenvleugel met een opvallend rechte voorrand.

(× 1/7)

Met de brede eindband op de staart en de opvallende vleugeltekening is het een bonte vogel, maar tegen het eind van de eerste zomer verzwakt het zwart van de tekening tot een vaal bruin. De vlucht lijkt op die van de Stormmeeuw, maar de vleugelslag is ondieper en sneller.

Een van de meest sociale van alle klifbewoners; ze krioelen letterlijk langs verticale klifwanden; het nest ligt op uiterst smalle richels, soms zo hachelijk dat de vogel zich tegen de wand moet drukken om niet door de wind gegrepen te worden.

Rechts: het voedsel wordt in de vlucht handig van het wateroppervlak opgepikt, of in een serie ondiepe duiken vanaf het wateroppervlak.

(× 1/5)

Jonge volwassen en onvolwassen vogels worden een enkele maal in het binnenland gesignaleerd in het winterhalfjaar. Sinds kort is de vogel in kustplaatsen op richels van gebouwen gaan nestelen.

Een Drieteenmeeuw is onmiddellijk te herkennen aan de gele snavel, zwarte poten en donkere ogen. Het is de enige niet-zeldzame meeuw met korte, geheel zwarte poten.

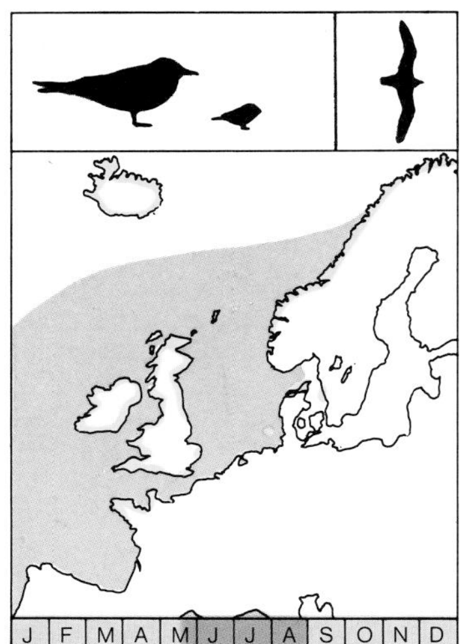

De aanpassingen van deze vogel aan het leven op volle zee en het broeden op richels van kliffen zijn opmerkelijk. Ze komen zelden op het land en de poten zijn relatief kort en missen de achterteen. In het broedseizoen leven ze van vis; tijdens de winterse zwerftochten over de oceaan van kleine oppervlaktedieren.

Evenals sommige andere meeuwesoorten en de Noordse Stormvogel heeft deze soort zich in deze eeuw enorm uitgebreid. Vreemd genoeg merkte men dat pas op in het jaar 1959, toen in Engeland tellingen werden gehouden. Bij het vergelijken met resultaten van vorige tellingen bleek dat de soort zowat iedere tien jaar met 50% in aantal toenam en een telling in 1969 gaf een zelfde toename te zien. Alleen al langs de Britse kust broeden er nu ongeveer een half miljoen paartjes. Deze bevolkingsexplosie is waarschijnlijk niet eerder opgemerkt, omdat tot voor kort de groei was beperkt tot bestaande kolonies en er maar weinig nieuwe vestigingen bijkwamen.

De Drieteenmeeuw dankt zijn toename aan het feit dat de jacht op deze soort is gestaakt en de nesten niet meer worden leeggehaald. Het nest wordt gebouwd op een onderlaag van groen zeewier, met guano tegen de kliprand gecementeerd; in bepaalde Britse en Noorse steden ook tegen de vensterbanken van aan het water staande gebouwen.

Dwergmeeuw

DT

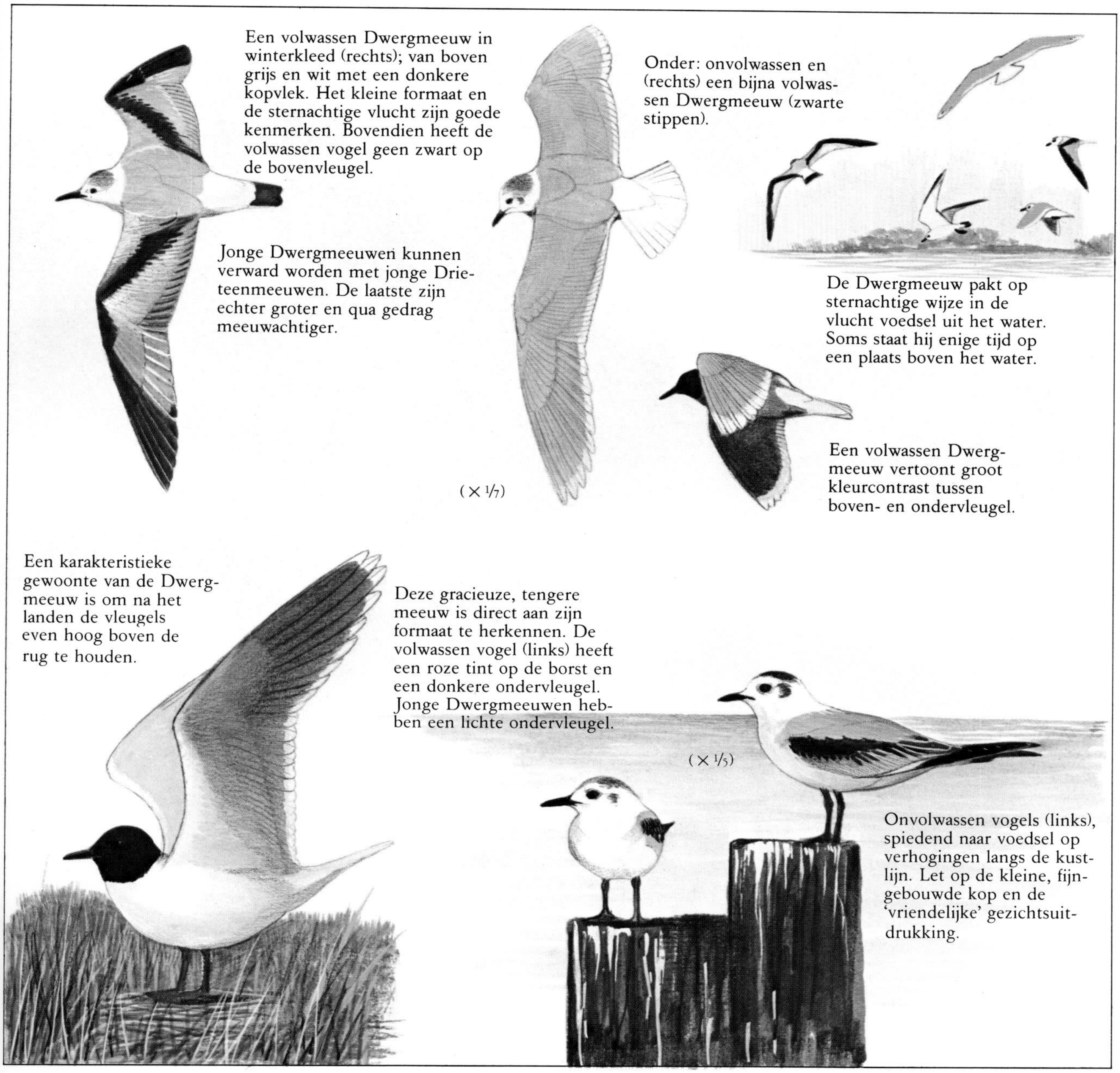

Een volwassen Dwergmeeuw in winterkleed (rechts); van boven grijs en wit met een donkere kopvlek. Het kleine formaat en de sternachtige vlucht zijn goede kenmerken. Bovendien heeft de volwassen vogel geen zwart op de bovenvleugel.

Onder: onvolwassen en (rechts) een bijna volwassen Dwergmeeuw (zwarte stippen).

Jonge Dwergmeeuwen kunnen verward worden met jonge Drieteenmeeuwen. De laatste zijn echter groter en qua gedrag meeuwachtiger.

De Dwergmeeuw pakt op sternachtige wijze in de vlucht voedsel uit het water. Soms staat hij enige tijd op een plaats boven het water.

Een volwassen Dwergmeeuw vertoont groot kleurcontrast tussen boven- en ondervleugel.

(× 1/7)

Een karakteristieke gewoonte van de Dwergmeeuw is om na het landen de vleugels even hoog boven de rug te houden.

Deze gracieuze, tengere meeuw is direct aan zijn formaat te herkennen. De volwassen vogel (links) heeft een roze tint op de borst en een donkere ondervleugel. Jonge Dwergmeeuwen hebben een lichte ondervleugel.

(× 1/5)

Onvolwassen vogels (links), spiedend naar voedsel op verhogingen langs de kustlijn. Let op de kleine, fijngebouwde kop en de 'vriendelijke' gezichtsuitdrukking.

De Dwergmeeuw heeft een sterk verbrokkeld verspreidingsgebied, waarvan het grootste deel in de Sovjet-Unie ligt, verdeeld over drie afzonderlijke gebieden. In Nederland is de Dwergmeeuw een vrij zeldzame broedvogel, die de laatste jaren wat lijkt toe te nemen. De eerste broedgevallen waren in 1942 in Zuidoost-Friesland. Waar de soort overwintert, is nog niet goed bekend. De Dwergmeeuw 'dwaalt' regelmatig naar Noord-Amerika af, waar hij nu in klein aantal broedt.
Zowel in leefwijze als manier van vliegen lijkt de Dwergmeeuw veel op een moerasstern zoals de Zwarte Stern, in wiens gezelschap hij vaak broedt. De broedbiotoop bestaat uit moerassen en drassige graslanden met veel open water, rijk aan de insekten waarvan hij leeft. Buiten het broedseizoen voedt hij zich met kreeftachtigen. De meeste kolonies bestaan uit minder dan 50 paren.
Het nest is gewoonlijk een groot bouwsel van gras en bevindt zich tussen boven het water uitstekende waterplanten. Een legsel van twee tot drie eieren is normaal, maar er zijn wel eens nesten met zeven eieren waargenomen. Jonge vogels verlaten de kolonie in familiegroepjes, die later uiteenvallen.

Visdief

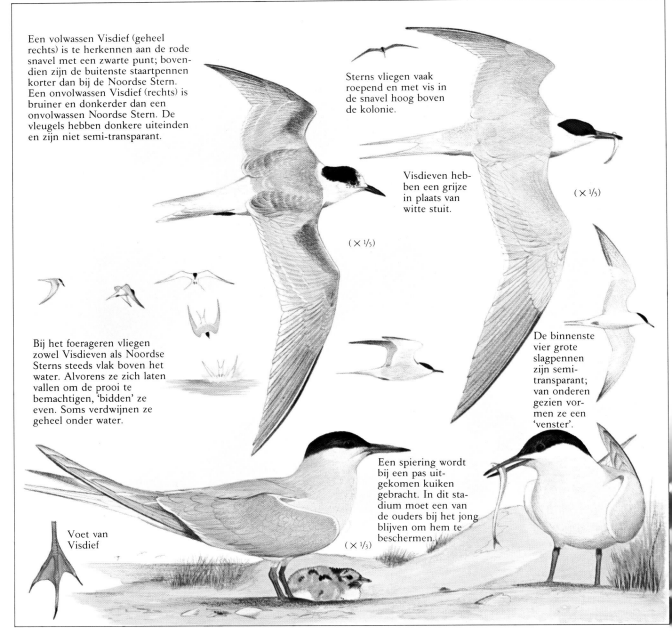

Een volwassen Visdief (geheel rechts) is te herkennen aan de rode snavel met een zwarte punt; bovendien zijn de buitenste staartpennen korter dan bij de Noordse Stern. Een onvolwassen Visdief (rechts) is bruiner en donkerder dan een onvolwassen Noordse Stern. De vleugels hebben donkere uiteinden en zijn niet semi-transparant.

Sterns vliegen vaak roepend en met vis in de snavel hoog boven de kolonie.

Visdieven hebben een grijze in plaats van witte stuit.

(× 1/5)

(× 1/5)

Bij het foerageren vliegen zowel Visdieven als Noordse Sterns steeds vlak boven het water. Alvorens ze zich laten vallen om de prooi te bemachtigen, 'bidden' ze even. Soms verdwijnen ze geheel onder water.

De binnenste vier grote slagpennen zijn semi-transparant; van onderen gezien vormen ze een 'venster'.

Een spiering wordt bij een pas uitgekomen kuiken gebracht. In dit stadium moet een van de ouders bij het jong blijven om hem te beschermen.

Voet van Visdief

(× 1/3)

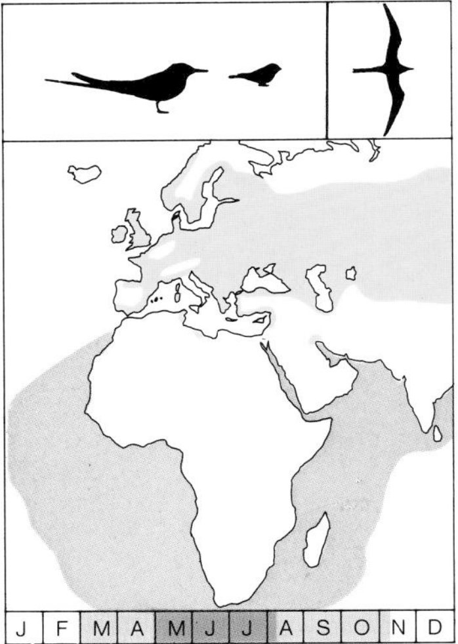

Visdief en Noordse Stern hebben vele kenmerken gemeen: zie ook de volgende bladzijde. Het broedgebied van de Visdief ligt ten zuiden van dat van de Noordse Stern. In het kleine overlappingsgebied komen enkele gemengde kolonies voor. De Visdief broedt zowel aan de kust als in het binnenland – zelfs op bijna 5000 m hoogte in Tibet.

De kolonies zijn meestal klein, met name die in het binnenland. Visdieven zijn in het algemeen minder agressief dan de Noordse Stern. Ze foerageren in zoet water of vlak langs de kust (de Noordse Stern altijd op zee) en voeden zich aldus meer met insekten en schaaldiertjes; ook witvis eten ze graag. De vangtechniek van insekten boven het water lijkt op die van de Zwarte Stern; langpootmuggen worden zelfs boven land gevangen.

Tijdens het hofmaken vliegt het mannetje met een vis in de snavel rond, die aan het uitverkoren vrouwtje wordt aangeboden. Bij beide soorten worden de jongen de eerste dagen in het nest gehouden onder toezicht van een van de ouders. Daarna verlaten ze het nest en verbergen zich in de vegetatie, zodat de ouders voor ze kunnen gaan vissen. In dichte kolonies is het roven van vis gewoon; paartjes die hun jongen verloren hebben, zijn de voornaamste schuldigen. Soms wel 12 vogels belagen een enkele oudervogel en deze mag blij zijn als hij één op de tien vissen aan zijn eigen jong kan toespelen.

Noordse Stern

ZV

De geheel rode snavel en de lange buitenste staartpennen kenmerken de Noordse Stern in de zomer. De onderdelen zijn grijs en niet wit zoals bij de Visdief.

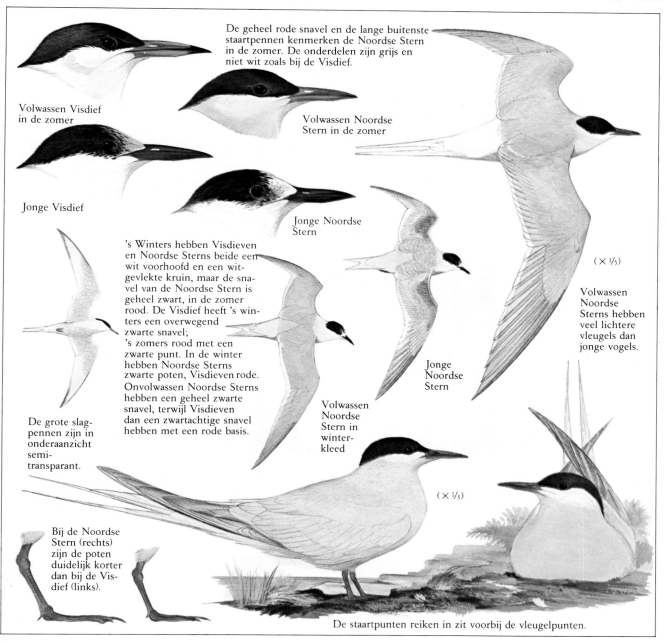

Volwassen Visdief in de zomer

Volwassen Noordse Stern in de zomer

Jonge Visdief

Jonge Noordse Stern

's Winters hebben Visdieven en Noordse Sterns beide een wit voorhoofd en een witgevlekte kruin, maar de snavel van de Noordse Stern is geheel zwart, in de zomer rood. De Visdief heeft 's winters een overwegend zwarte snavel; 's zomers rood met een zwarte punt. In de winter hebben Noordse Sterns zwarte poten, Visdieven rode. Onvolwassen Noordse Sterns hebben een geheel zwarte snavel, terwijl Visdieven dan een zwartachtige snavel hebben met een rode basis.

(× ⅕)

Volwassen Noordse Sterns hebben veel lichtere vleugels dan jonge vogels.

Jonge Noordse Stern

Volwassen Noordse Stern in winterkleed

De grote slagpennen zijn in onderaanzicht semi-transparant.

(× ⅓)

Bij de Noordse Stern (rechts) zijn de poten duidelijk korter dan bij de Visdief (links).

De staartpunten reiken in zit voorbij de vleugelpunten.

Bij het betreden van een kolonie Noordse Sterns stoten de vogels voortdurend op het hoofd van de binnendringer(s), soms tot bloedens toe. De kolonies, die wel uit duizenden paren kunnen bestaan, worden vaak ook door andere vogels bewoond, zoals Eidereenden. Deze profiteren van de veiligheid die ontstaat doordat Noordse Sterns met succes binnendringende meeuwen en vossen weten te verdrijven.

Ze nestelen in kolonies op rotsige eilandjes en stranden, altijd vlak bij zee. Sommige Noordse Sterns hebben vijf jaar nodig om een plaats in de kolonie te verwerven. Van het uit twee tot drie eieren bestaand legsel worden meestal één of twee jongen grootgebracht.

Men heeft berekend dat Noordse Sterns de grootste hoeveelheid daglicht ontvangen van alle diersoorten. Deze hoognoordelijke broedvogels overwinteren namelijk in het Zuidpoolgebied, waar het dan zomer is. In Groot-Brittannië geringde vogels werden uit Australië teruggemeld. Gemiddeld leggen Noordse Sterns alleen al op de trek bijna 30 000 km per jaar af. De oudst bekende vogel werd 27 jaar, zodat deze in zijn leven een afstand heeft afgelegd die in kilometers een retourvlucht naar de maan overtreft.

In Nederland is de Noordse Stern een schaarse broedvogel van de Waddeneilanden, doch soms ook elders.

Dwergstern

Het zeer kleine formaat, de gele poten en de gele snavel met zwarte punt zijn betrouwbare kenmerken. Op afstand is hij van zijn grotere verwanten te onderscheiden door de snellere vlucht.

Winter

Zomer

In de winter wordt de zwarte kruinvlek kleiner en grijsgevlekt. 's Zomers is de Dwergstern de enige Europese stern met een wit voorhoofd.

In gemengde troepen met de Visdief onderscheidt de Dwergstern zich door zijn meer korte en dikke lichaam en weinig gevorkte staart. Karakteristiek voor de Dwergstern is ook de vlucht: veel 'bidden' met snelslaande vleugels en omlaaggerichte kop voor hij duikt.

Boven: in het zomerkleed loopt er een zwarte streep van kruin tot snavel.

Onder: typische haastige vlucht met snelle vleugelslag.

(× 1/3)

Boven: de kop van voren gezien. Midden: een vrouwtje gaat op de eieren zitten. Rechts: een mannetje brengt een spiering naar een jong op het onbeschutte nest.

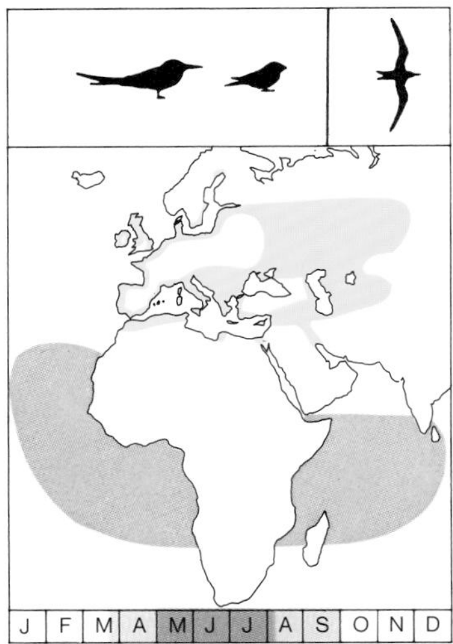

Deze kleinste Europese stern broedt in alle werelddelen. In Nederland is de Dwergstern een schaarse broedvogel van de kuststreek en het IJsselmeergebied.
De Amerikaanse Dwergsterns hebben de vorige eeuw sterk te lijden gehad door afslachtingen ten behoeven van de mode. Een nieuwe bedreiging vormt de recreatie, want de stranden waar de vogels nestelen, worden ook druk door vakantiegangers bezocht. De twee tot drie eieren zijn zo goed gecamoufleerd, dat ze door mensen worden vertrapt, ofwel het nest wordt verlaten vanwege de onrust.
De Dwergstern is veel minder agressief dan zijn grote verwanten en wordt minder snel opgemerkt. De Nederlandse populatie is al teruggelopen tot hooguit enkele honderden paren.
Dwergsterns vissen nooit ver uit de kust, in ondiep water, vaak in kreken en inhammen. Ze 'bidden' meer en hebben een snellere vleugelslag dan andere sternsoorten. Het nest ligt zelden meer dan een paar meter boven de hoogwaterlijn. Het voedsel bestaat onder meer uit kleine schaaldiertjes, wormen, zandspieringen en witvis.

Grote Stern/Lachstern

   ZV DT

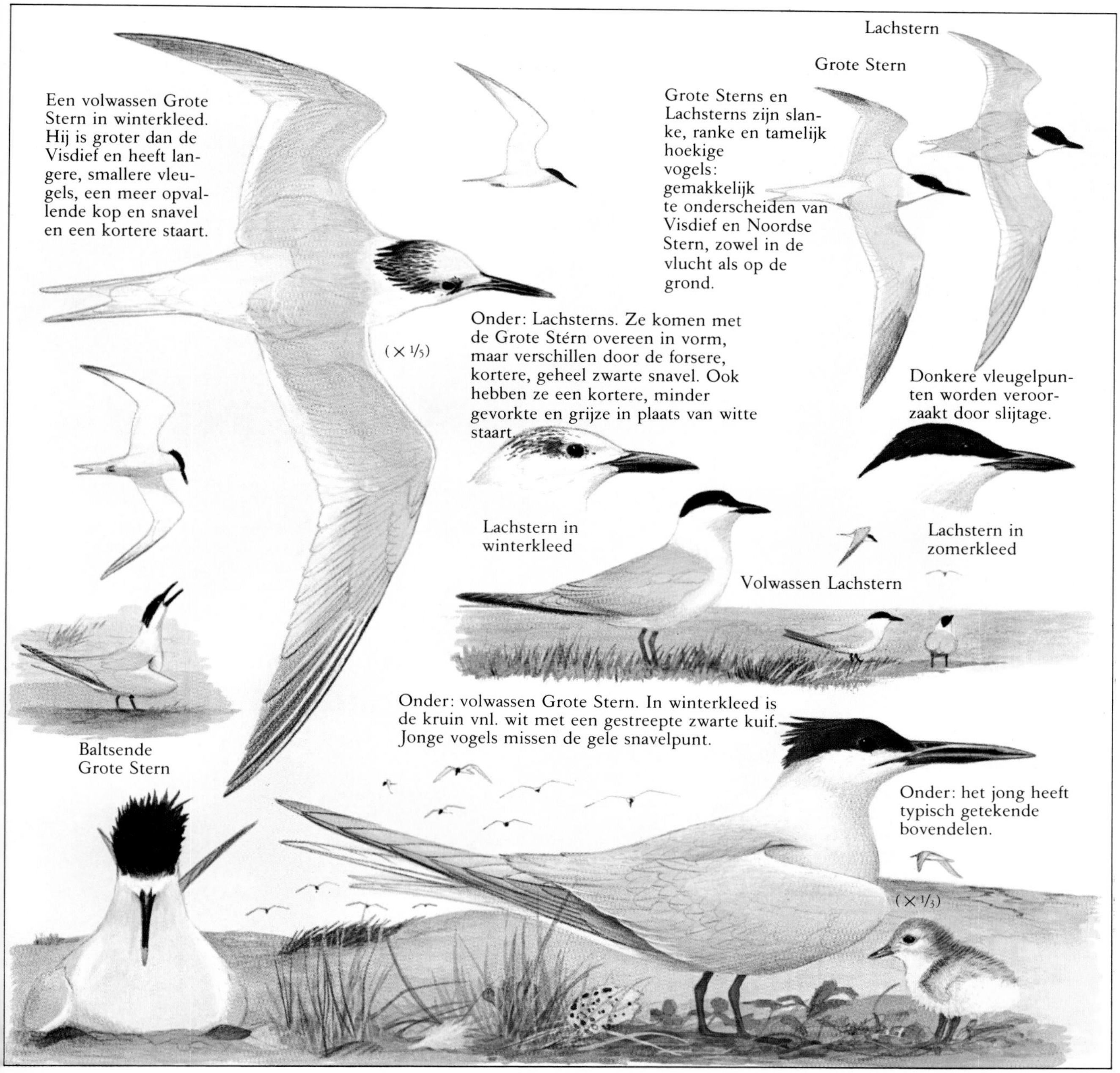

Lachstern

Grote Stern

Een volwassen Grote Stern in winterkleed. Hij is groter dan de Visdief en heeft langere, smallere vleugels, een meer opvallende kop en snavel en een kortere staart.

Grote Sterns en Lachsterns zijn slanke, ranke en tamelijk hoekige vogels: gemakkelijk te onderscheiden van Visdief en Noordse Stern, zowel in de vlucht als op de grond.

(× 1/5)

Onder: Lachsterns. Ze komen met de Grote Stérn overeen in vorm, maar verschillen door de forsere, kortere, geheel zwarte snavel. Ook hebben ze een kortere, minder gevorkte en grijze in plaats van witte staart.

Donkere vleugelpunten worden veroorzaakt door slijtage.

Lachstern in winterkleed

Lachstern in zomerkleed

Volwassen Lachstern

Onder: volwassen Grote Stern. In winterkleed is de kruin vnl. wit met een gestreepte zwarte kuif. Jonge vogels missen de gele snavelpunt.

Baltsende Grote Stern

Onder: het jong heeft typisch getekende bovendelen.

(× 1/3)

Een bezoek aan een kolonie Grote Sterns is een grote belevenis. Men moet dit echter met de grootst mogelijke voorzichtigheid doen, want deze prachtige en luidruchtige vogels zijn gemakkelijk te verstoren. Dit geldt vooral voor het begin van het broedseizoen. De eerst aangekomen vogels bepalen de plaats van de kolonie. Binnen de kolonie vormen zich 'subkolonies', waarvan de leden sterk gesynchroniseerd broeden – een aanpassing die het broedresultaat gunstig beïnvloedt. Grote Sterns zijn niet zo agressief als Visdieven en Noordse Sterns. Ze nestelen vaak in de buurt van deze vogels en Kokmeeuwen om te profiteren van hun vermogen indringers te verjagen.
In het vroege voorjaar voeren Grote Sterns een opvallende baltsvlucht uit. In kleine groepjes vliegen ze tot grote hoogte om vervolgens luid roepend te dalen. Het uit één of twee eieren bestaand legsel wordt drie tot vier weken bebroed. Het hoofdvoedsel voor jongen en volwassen vogels is vis, vooral zandspiering en sprot.
Grote Sterns duiken dieper en van grotere hoogte dan de kleinere soorten. Ze kunnen tot op grote afstand van de kolonie voedsel zoeken. Het zijn weinig plaatsvaste vogels.
Lachsterns lijken op Grote Sterns in grootte en uiterlijk, maar ze hebben een forsere, kortere, geheel zwarte snavel. Het gedrag is als van andere sterns, maar de Lachstern heeft de gewoonte boven land op insekten en jonge vogels te jagen. Hij is in Nederland een zeldzame broedvogel.

Zwarte Stern/Witvleugelstern

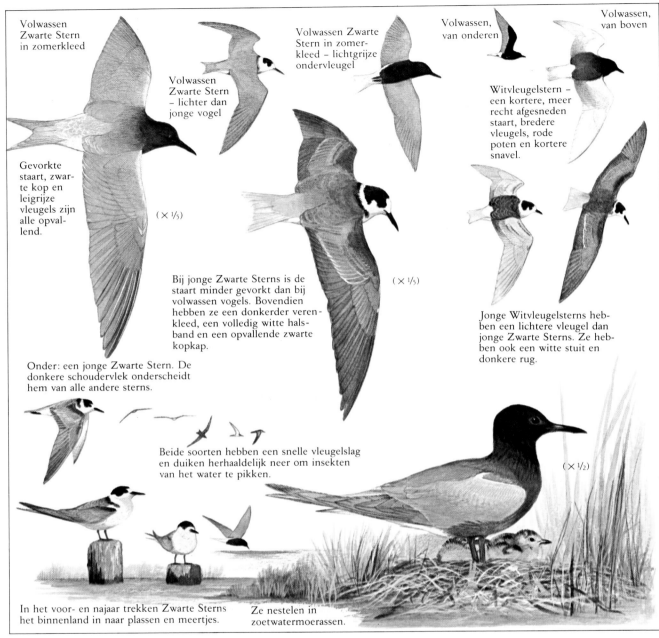

Volwassen Zwarte Stern in zomerkleed

Volwassen Zwarte Stern – lichter dan jonge vogel

Volwassen Zwarte Stern in zomerkleed – lichtgrijze ondervleugel

Volwassen, van onderen

Volwassen, van boven

Witvleugelstern – een kortere, meer recht afgesneden staart, bredere vleugels, rode poten en kortere snavel.

Gevorkte staart, zwarte kop en leigrijze vleugels zijn alle opvallend.

(× 1/5)

(× 1/5)

Bij jonge Zwarte Sterns is de staart minder gevorkt dan bij volwassen vogels. Bovendien hebben ze een donkerder verenkleed, een volledig witte halsband en een opvallende zwarte kopkap.

Jonge Witvleugelsterns hebben een lichtere vleugel dan jonge Zwarte Sterns. Ze hebben ook een witte stuit en donkere rug.

Onder: een jonge Zwarte Stern. De donkere schoudervlek onderscheidt hem van alle andere sterns.

Beide soorten hebben een snelle vleugelslag en duiken herhaaldelijk neer om insekten van het water te pikken.

(× 1/2)

In het voor- en najaar trekken Zwarte Sterns het binnenland in naar plassen en meertjes.

Ze nestelen in zoetwatermoerassen.

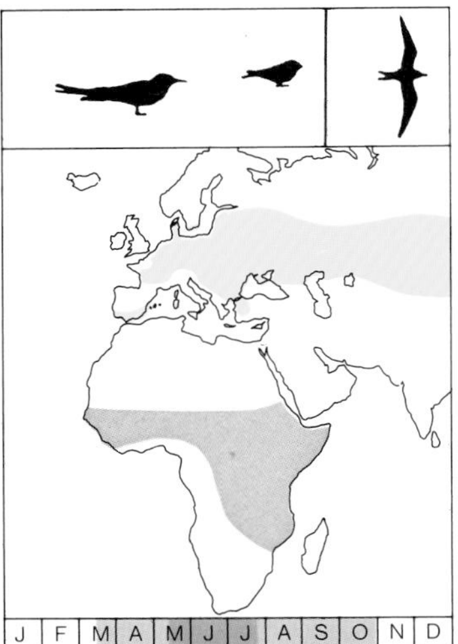

De Zwarte Stern komt zowel in Europa als Noord-Amerika voor waar hij in moerassige streken broedt. Deze stern bemachtigt zijn voedsel (insekten) in de lucht of aan de oppervlakte van het water. Hij plonst zelden of nooit in het water zoals andere sterns.

Zwarte Sterns verkennen in groepjes en onder voortdurend geroep geschikte plassen en meertjes. Een van de baltsvluchten lijkt veel op de 'visvlucht' van de Visdief, maar dan zonder vis. Bij een andere vorm van de baltsvlucht verheffen verschillende vogels zich cirkelend hoog in de lucht, waarna de groep plotseling uiteen valt en de vogels in glijvlucht dalen.

Over het algemeen zijn Zwarte Sterns tamelijk stille vogels.

Het nest is een drijvend vlot van planteresten, soms ligt het op een zeggepol. De twee tot drie eieren worden door beide partners uitgebroed. De broedduur bedraagt twee tot drie weken. De jongen blijven ruim een week op het nest alvorens ze zich in de omringende vegetatie begeven, waar ze nog vier of meer weken worden gevoerd, zelfs nog als ze al vliegvlug zijn. Alle Zwarte Sterns uit Eurazië overwinteren in tropisch Afrika ten noorden van de evenaar.

De verwante en in broedkleed onmiskenbare Witvleugelstern is in Nederland een zeldzame gast gedurende het zomerhalfjaar. Deze soort broedt onder meer in Oost-Europa.

Noordse Pijlstormvogel

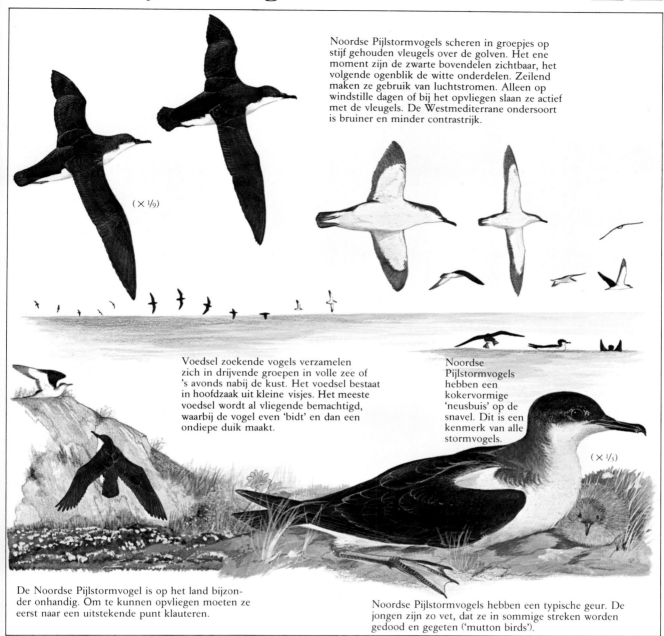

Noordse Pijlstormvogels scheren in groepjes op stijf gehouden vleugels over de golven. Het ene moment zijn de zwarte bovendelen zichtbaar, het volgende ogenblik de witte onderdelen. Zeilend maken ze gebruik van luchtstromen. Alleen op windstille dagen of bij het opvliegen slaan ze actief met de vleugels. De Westmediterrane ondersoort is bruiner en minder contrastrijk.

(× 1/9)

Voedsel zoekende vogels verzamelen zich in drijvende groepen in volle zee of 's avonds nabij de kust. Het voedsel bestaat in hoofdzaak uit kleine visjes. Het meeste voedsel wordt al vliegende bemachtigd, waarbij de vogel even 'bidt' en dan een ondiepe duik maakt.

Noordse Pijlstormvogels hebben een kokervormige 'neusbuis' op de snavel. Dit is een kenmerk van alle stormvogels.

(× 1/3)

De Noordse Pijlstormvogel is op het land bijzonder onhandig. Om te kunnen opvliegen moeten ze eerst naar een uitstekende punt klauteren.

Noordse Pijlstormvogels hebben een typische geur. De jongen zijn zo vet, dat ze in sommige streken worden gedood en gegeten ('mutton birds').

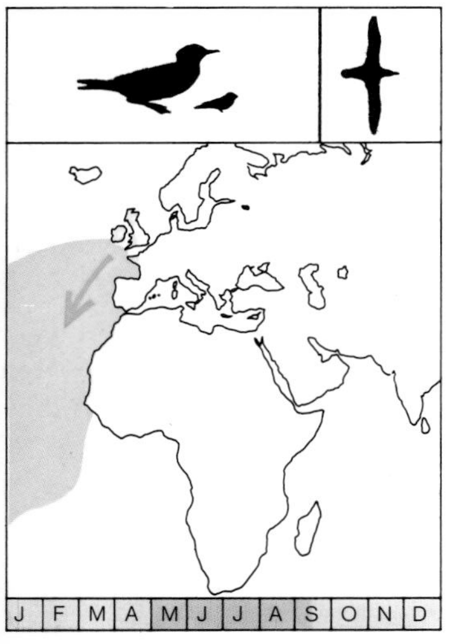

De gemakkelijke toegankelijkheid van de broedkolonies van deze zwerver van de wereldzeeën maakt dat hij een van de best bestudeerde zeevogels is. Hij nestelt in holen op nabij de kust gelegen eilanden en zijn liefdeleven vindt daar 's nachts plaats onder een hels lawaai van kirrende en kraaiende geluiden. Noordse Pijlstormvogels leven van kleine visjes die ze van het zee-oppervlak oppikken. Hun 'homing instinct' is spectaculair: vogels die van het eiland Skokholm (Wales) naar Boston in de V.S. werden overgebracht, waren 12½ dag later weer terug. De ouders verlaten de kolonie voor een ongeveer 10 dagen durende voedseltocht en keren begin mei terug om een ei te leggen, waarop ze om beurten een week onafgebroken broeden. Het witte ei komt na zeven tot acht weken uit. Beide ouders voeren het jong met uitgebraakt voedsel. Een interval van drie dagen tussen de voedingen is normaal. Na twee maanden wordt het jong aan zijn lot overgelaten en zowat een week later zoekt het zijn eigen weg naar zee. De Noordse Pijlstormvogel begint met de voortplanting op een leeftijd van vijf tot zes jaar en leeft dan nog gemiddeld 20 jaar.
De invoering van de bruine rat op de eilanden heeft vele kolonies gedecimeerd of uitgeroeid. Groot-Brittannië (met minstens 175 000 paar) is het bolwerk in West-Europa; andere ondersoorten broeden in de Middellandse Zee en de Grote Oceaan. Noordatlantische vogels overwinteren bij de kust van Rio de Janeiro.

Noordse Stormvogel

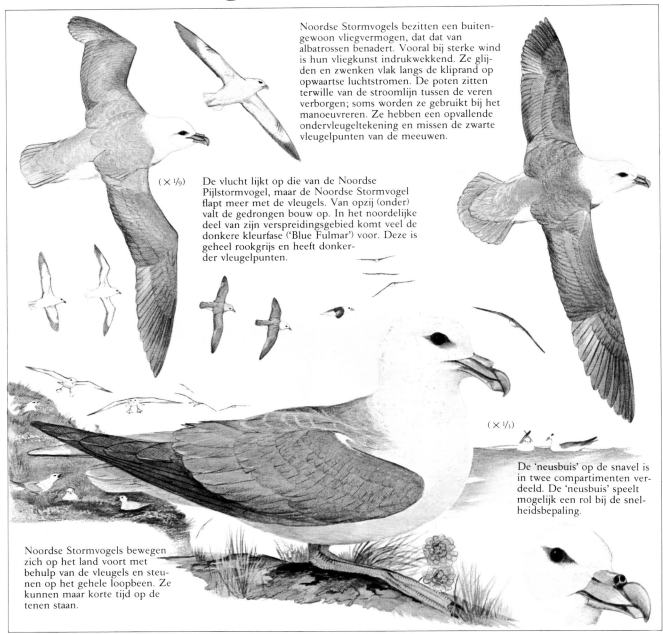

Noordse Stormvogels bezitten een buitengewoon vliegvermogen, dat dat van albatrossen benadert. Vooral bij sterke wind is hun vliegkunst indrukwekkend. Ze glijden en zwenken vlak langs de kliprand op opwaartse luchtstromen. De poten zitten terwille van de stroomlijn tussen de veren verborgen; soms worden ze gebruikt bij het manoeuvreren. Ze hebben een opvallende ondervleugeltekening en missen de zwarte vleugelpunten van de meeuwen.

(× 1/9)

De vlucht lijkt op die van de Noordse Pijlstormvogel, maar de Noordse Stormvogel flapt meer met de vleugels. Van opzij (onder) valt de gedrongen bouw op. In het noordelijke deel van zijn verspreidingsgebied komt veel de donkere kleurfase ('Blue Fulmar') voor. Deze is geheel rookgrijs en heeft donkerder vleugelpunten.

(× 1/3)

De 'neusbuis' op de snavel is in twee compartimenten verdeeld. De 'neusbuis' speelt mogelijk een rol bij de snelheidsbepaling.

Noordse Stormvogels bewegen zich op het land voort met behulp van de vleugels en steunen op het gehele loopbeen. Ze kunnen maar korte tijd op de tenen staan.

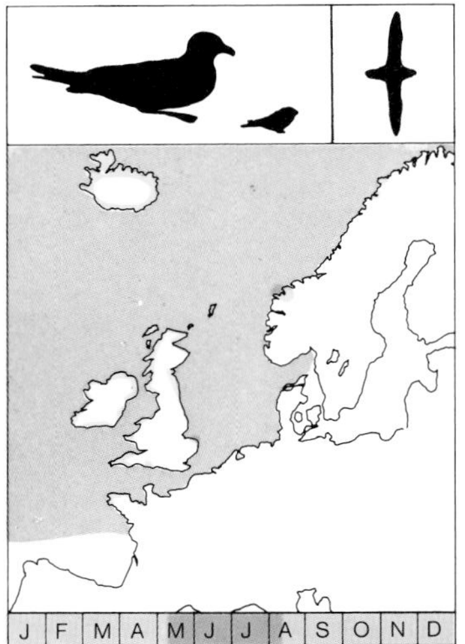

Tot 1878 was de enige Britse kolonie van Noordse Stormvogels die van het afgelegen eilandje St. Kilda (ten westen van Schotland). Vervolgens werden enkele paren op de Shetland Eilanden ontdekt en sindsdien heeft de soort zich rond de Britse Eilanden uitgebreid. Recente tellingen komen op een aantal van 305 000 nesten. Deze uitbreiding hangt waarschijnlijk samen met menselijke activiteiten – de walvisvangst en later de commerciële visserij produceerden veel afval dat de stormvogels eten. De expansie is des te verrassender omdat slechts één ei per jaar wordt gelegd en de voortplanting pas begint op een leeftijd van zeven tot acht jaar. Dit wordt gecompenseerd door een lange levensduur: 25 jaar. Noordse Stormvogels keren naar hun nestplaats op de klippen terug in november of december, na een uitgebreide zwerftocht in het noorden van de Atlantische Oceaan. Vóór het leggen van het ei (in mei) verlaten de paren de kolonie voor een veertiendaagse 'huwelijksreis', teneinde voedselreserves op te bouwen. Het hofmaken omvat gapen en een koor van klokkende geluiden. Het jong wordt gevoed met uitgebraakt voedsel en maagolie. De specifieke muffe geur die alle stormvogels eigen is, hangt zelfs nog om opgezette vogels van 100 jaar oud. Na zeven weken op de richel weegt het jong al meer dan de ouders en is klaar om te vertrekken. De ouders stoppen een paar dagen voor het uitvliegen al met voeren.

Alk

WG

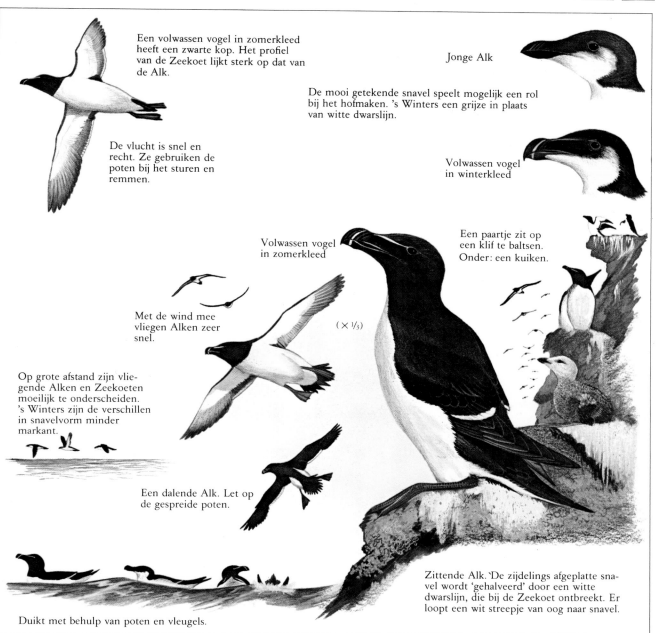

Een volwassen vogel in zomerkleed heeft een zwarte kop. Het profiel van de Zeekoet lijkt sterk op dat van de Alk.

Jonge Alk

De mooi getekende snavel speelt mogelijk een rol bij het hofmaken. 's Winters een grijze in plaats van witte dwarslijn.

De vlucht is snel en recht. Ze gebruiken de poten bij het sturen en remmen.

Volwassen vogel in winterkleed

Volwassen vogel in zomerkleed

Een paartje zit op een klif te baltsen. Onder: een kuiken.

Met de wind mee vliegen Alken zeer snel.

(× ⅓)

Op grote afstand zijn vliegende Alken en Zeekoeten moeilijk te onderscheiden. 's Winters zijn de verschillen in snavelvorm minder markant.

Een dalende Alk. Let op de gespreide poten.

Zittende Alk. De zijdelings afgeplatte snavel wordt 'gehalveerd' door een witte dwarslijn, die bij de Zeekoet ontbreekt. Er loopt een wit streepje van oog naar snavel.

Duikt met behulp van poten en vleugels.

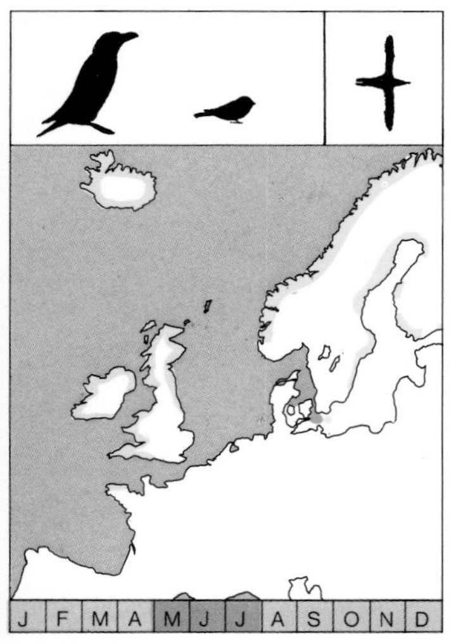

Met zijn hoge, zijdelings afgeplatte snavel lijkt de Alk een kleinere versie van zijn uitgestorven verwant de Reuzenalk. Hij nestelt in holtes op klippen of tussen stenen, meestal op onbewoonde eilandjes. Richelnesten zijn zeldzaam. Het ene ei heeft dezelfde kleur als dat van de Zeekoet, maar het is ronder. Hoewel de nesten minder kwetsbaar zijn, nemen Alken evenals Zeekoeten hun 18 dagen oude jongen tegen schemer mee naar zee. De jongen worden gevoerd met een snavel vol kleine visjes – Zeekoeten brengen maar één grotere vis tegelijk. Het menu bestaat uit zandspiering, sprot, schaal- en weekdieren. Alken keren vanaf januari naar de broedplaats terug. Daarvoor vindt de balts plaats, op zee bij de kolonie. Deze bestaat onder meer uit massaal duiken en paarsgewijs om elkaar heen zwemmen. Kopschudden en 'snavelen' – snavel openen om de gele binnenkant te tonen – ziet men veel op het land en soms dalen ze van de klippen af in een slow motion 'vlindervlucht'. Ze zijn luidruchtig en laten een diep keelgeluid horen dat lijkt op dat van de Zeekoet.

De zeevervuiling (olielozingen!) vormt ook voor Alken een bedreiging, evenals de vissers, die menen dat alkachtigen concurrenten zijn bij de commerciële zeevisvangst. Desalniettemin zijn hun aantallen minder gedaald dan die van de Zeekoet en de Papegaaiduiker. In Nederland is de Alk een wintergast in klein aantal, bijna uitsluitend langs de kust.

Zeekoet/Zwarte Zeekoet

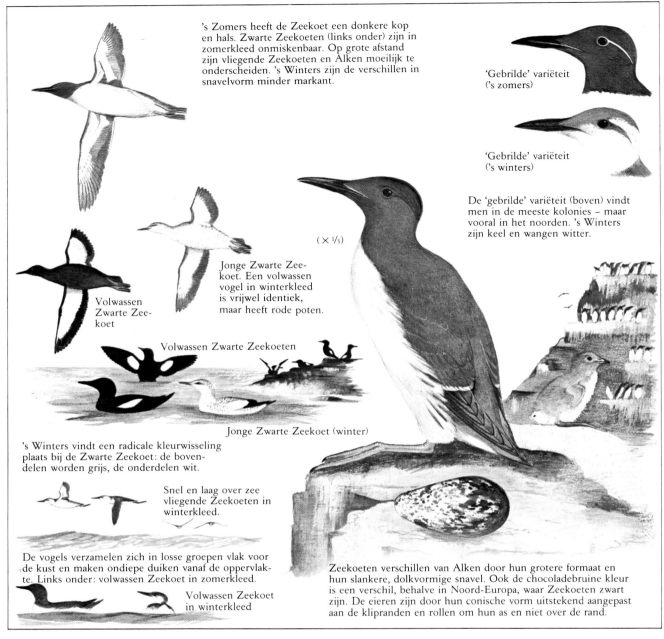

's Zomers heeft de Zeekoet een donkere kop en hals. Zwarte Zeekoeten (links onder) zijn in zomerkleed onmiskenbaar. Op grote afstand zijn vliegende Zeekoeten en Alken moeilijk te onderscheiden. 's Winters zijn de verschillen in snavelvorm minder markant.

'Gebrilde' variëteit ('s zomers)

'Gebrilde' variëteit ('s winters)

De 'gebrilde' variëteit (boven) vindt men in de meeste kolonies – maar vooral in het noorden. 's Winters zijn keel en wangen witter.

(× ⅓)

Jonge Zwarte Zeekoet. Een volwassen vogel in winterkleed is vrijwel identiek, maar heeft rode poten.

Volwassen Zwarte Zeekoet

Volwassen Zwarte Zeekoeten

Jonge Zwarte Zeekoet (winter)

's Winters vindt een radicale kleurwisseling plaats bij de Zwarte Zeekoet: de bovendelen worden grijs, de onderdelen wit.

Snel en laag over zee vliegende Zeekoeten in winterkleed.

De vogels verzamelen zich in losse groepen vlak voor de kust en maken ondiepe duiken vanaf de oppervlakte. Links onder: volwassen Zeekoet in zomerkleed.

Volwassen Zeekoet in winterkleed

Zeekoeten verschillen van Alken door hun grotere formaat en hun slankere, dolkvormige snavel. Ook de chocoladebruine kleur is een verschil, behalve in Noord-Europa, waar Zeekoeten zwart zijn. De eieren zijn door hun conische vorm uitstekend aangepast aan de klipranden en rollen om hun as en niet over de rand.

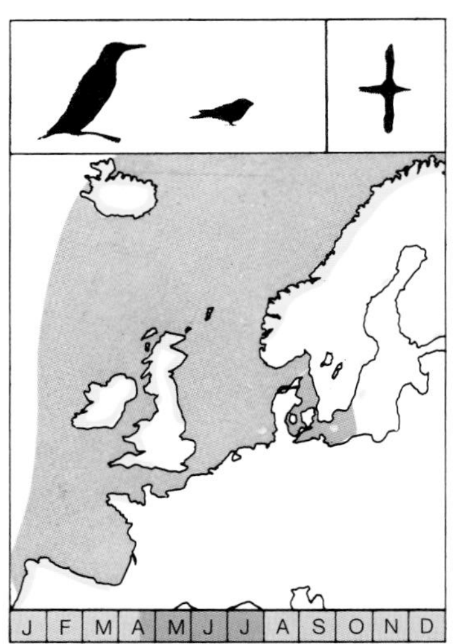

Zeekoeten nestelen in dichte kolonies op steile rotseilandjes of op richels van klippen. Ze lijken onophoudelijk met de kop te knikken en hun gedrag lijkt op dat van de Alk. Een kakofonie van schetterende geluiden stijgt onafgebroken van de kolonie op. Ze komen gauw in paniek en veel jongen gaan verloren in de verwarring die volgt op een storing. De eieren zijn door hun vorm veiliger. Ondanks alles maken rovende meeuwen zich al te vaak meester van onbewaakte eieren of jongen en de sterfte is hoog. De vis wordt stuk voor stuk aan de jongen gevoerd – de kop eerst. Zo onveilig is het leven op de klip dat de jongen deze halfvolgroeid reeds verlaten. Ze laten zich met gespreide poten en snorrende vleugels naar beneden vallen. Ze vertrekken tegen schemer (om rovers te ontwijken) en onder leiding van de ouders bewegen ze zich naar zee. In Nederland is de Zeekoet een wintergast in klein aantal langs de kust.

Zwarte Zeekoeten zijn kleiner en veel minder talrijk. Ze broeden alleen of in kleine groepjes, verspreid rondom rotsige kusten. De balts omvat onder meer achtervolgingen onder water, waarbij de helderrode poten waarschijnlijk een rol spelen. Gewoonlijk nestelen ze in holten tussen rotsblokken of klippen. Het is de enige Europese alk die twee eieren legt. Door de grotere veiligheid op de broedplaats blijft het jong daar langer, meer dan twee maal zo lang als de gewone Alk. In Nederland is de Zwarte Zeekoet een dwaalgast.

Jan van Gent

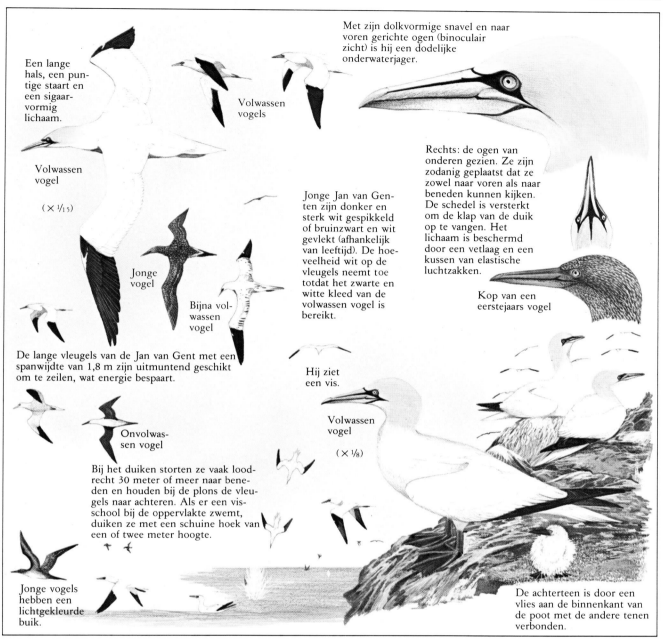

Een lange hals, een puntige staart en een sigaarvormig lichaam.

Volwassen vogels

Met zijn dolkvormige snavel en naar voren gerichte ogen (binoculair zicht) is hij een dodelijke onderwaterjager.

Volwassen vogel

(× 1/15)

Jonge Jan van Genten zijn donker en sterk wit gespikkeld of bruinzwart en wit gevlekt (afhankelijk van leeftijd). De hoeveelheid wit op de vleugels neemt toe totdat het zwarte en witte kleed van de volwassen vogel is bereikt.

Rechts: de ogen van onderen gezien. Ze zijn zodanig geplaatst dat ze zowel naar voren als naar beneden kunnen kijken. De schedel is versterkt om de klap van de duik op te vangen. Het lichaam is beschermd door een vetlaag en een kussen van elastische luchtzakken.

Jonge vogel

Bijna volwassen vogel

Kop van een eerstejaars vogel

De lange vleugels van de Jan van Gent met een spanwijdte van 1,8 m zijn uitmuntend geschikt om te zeilen, wat energie bespaart.

Hij ziet een vis.

Onvolwassen vogel

Volwassen vogel

(× 1/8)

Bij het duiken storten ze vaak loodrecht 30 meter of meer naar beneden en houden bij de plons de vleugels naar achteren. Als er een visschool bij de oppervlakte zwemt, duiken ze met een schuine hoek van een of twee meter hoogte.

Jonge vogels hebben een lichtgekleurde buik.

De achterteen is door een vlies aan de binnenkant van de poot met de andere tenen verbonden.

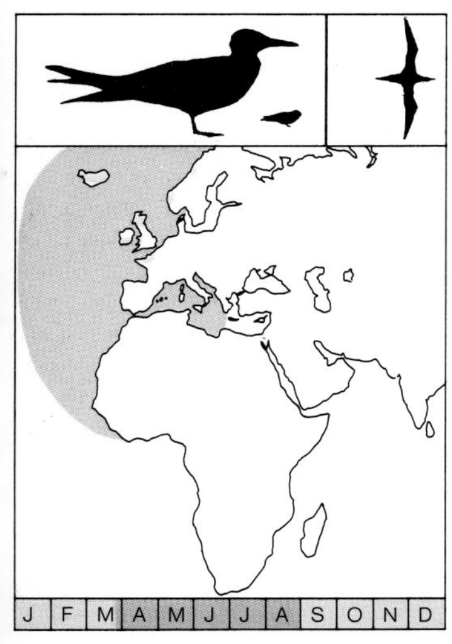

De Jan van Gent is een soort die het voor de wind gaat. Wanneer men bedenkt dat hij maar één ei per jaar legt en dat hij pas na vijf jaar geslachtsrijp is, dan moet zijn succes verbazingwekkend worden genoemd. Mogelijke oorzaken van dit succes zijn de toename van de hoeveelheid visafval van trawlers, en het feit dat het vangen van jonge vogels voor menselijke consumptie vrijwel verleden tijd is.

Het nest is een kegelvormige berg zeewier en aanspoelsel, met guano aaneengekit. Beide ouders broeden, waarbij ze het ei met hun poten bedekken aangezien een broedplek ontbreekt. Het jong blijft ongeveer 15 weken in het nest en wordt met uitgebraakte vis gevoerd. Als het uitvliegt, is het zwaarder dan de ouders, waarbij de vetreserve het door de eerste paar weken van onafhankelijkheid heen helpt. Hun tropische verwanten (de 'boobies') verlaten het nest reeds na 12 weken, maar zij blijven dan nog enkele maanden bij de ouders die hen leren vissen. De kolonies, die op verlaten kleine rotseilandjes voor de kust liggen, zijn vaak zeer groot: Boreray voor de Outer Hebrides (Schotland) omvat meer dan 70 000 paar. Als de jongen wat groter zijn, verbruikt zo'n kolonie dagelijks meer dan 100 ton vis.

De eerstejaars Jan van Genten trekken het verst weg, tot in Westafrikaanse wateren. Onvolwassen en bijna volwassen vogels gaan overwinteren in de Middellandse Zee en de Golf van Biskaje. Volwassen vogels verspreiden zich buiten het broedseizoen in de wateren rond het broedgebied.

Aalscholver

JV

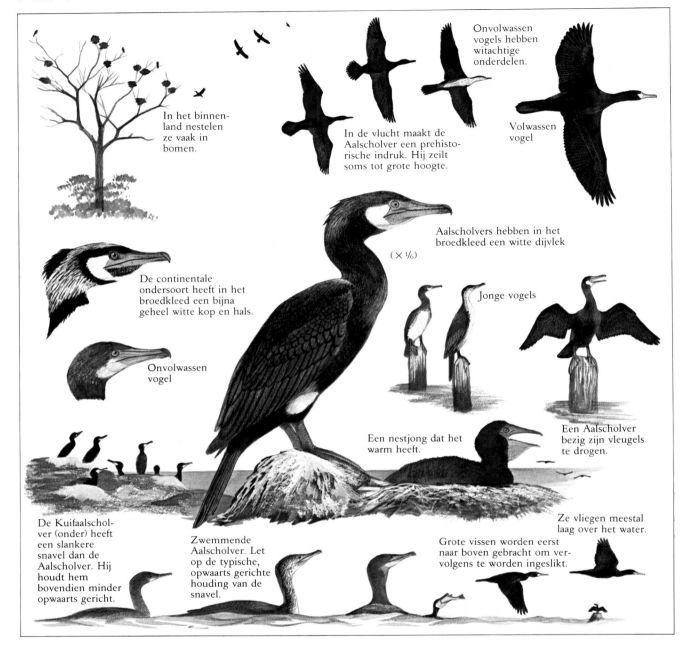

In het binnenland nestelen ze vaak in bomen.

In de vlucht maakt de Aalscholver een prehistorische indruk. Hij zeilt soms tot grote hoogte.

Onvolwassen vogels hebben witachtige onderdelen.

Volwassen vogel

Aalscholvers hebben in het broedkleed een witte dijvlek

(× 1/6)

De continentale ondersoort heeft in het broedkleed een bijna geheel witte kop en hals.

Onvolwassen vogel

Jonge vogels

Een Aalscholver bezig zijn vleugels te drogen.

Een nestjong dat het warm heeft.

De Kuifaalscholver (onder) heeft een slankere snavel dan de Aalscholver. Hij houdt hem bovendien minder opwaarts gericht.

Zwemmende Aalscholver. Let op de typische, opwaarts gerichte houding van de snavel.

Grote vissen worden eerst naar boven gebracht om vervolgens te worden ingeslikt.

Ze vliegen meestal laag over het water.

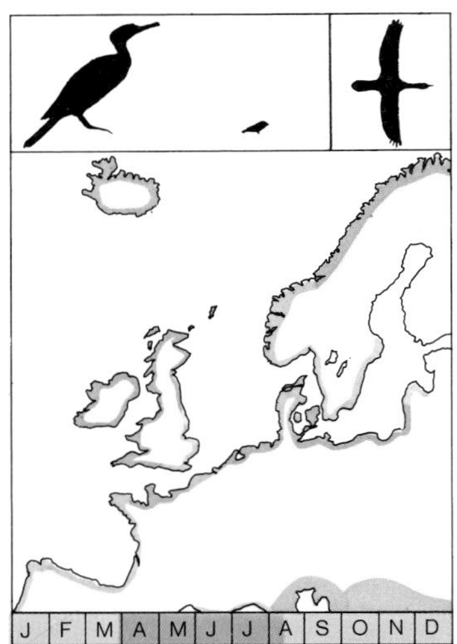

De Aalscholver, die zowel in kust- als binnenwateren voorkomt, heeft een wereldwijde verspreiding. De afbeeldingen hebben op één na alle betrekking op de in Groot-Brittannië en Noorwegen voorkomende ondersoort. De meeste kolonies zijn op lage, rotsige eilandjes, maar in het binnenland nestelen ze vaak in bomen. Het nest bestaat uit zeewier of takken. De drie tot vier blauwe eieren worden ongeveer een maand bebroed. De naakte jongen doen nogal reptielachtig aan. Na twee maanden zijn ze vliegvlug.
Aalscholvers zijn kundige vissers en maken duiken van 20 tot 30 seconden naar de bodem, tot een diepte van wel acht meter. Ze houden de vleugels gesloten tijdens het duiken. Ze zijn belust op platvis en aal en men schat hun vangst op tot een kilo per dag. Hun invloed op de visstand is waarschijnlijk gering, maar op bepaalde plaatsen (zoals visvijvers) kan de schade aanzienlijk zijn – toch beschermen ze in sommige meren de zalm door het eten van vooral de predatoren (roofvissen) van de jonge zalm. In China en Japan wordt de vogel reeds duizend jaar getraind om voor de mens te vissen. De vogels worden daartoe aan een lange lijn gehouden, met een halsband die het inslikken van de vis belet.
In Nederland is de Aalscholver een vrij schaarse broedvogel in slechts twee kolonies (Naardermeer en Wanneperveen). In 1964 bedroeg het aantal broedparen nog 1150. 's Winters komt de Aalscholver slechts in klein aantal voor.

Kuifaalscholver

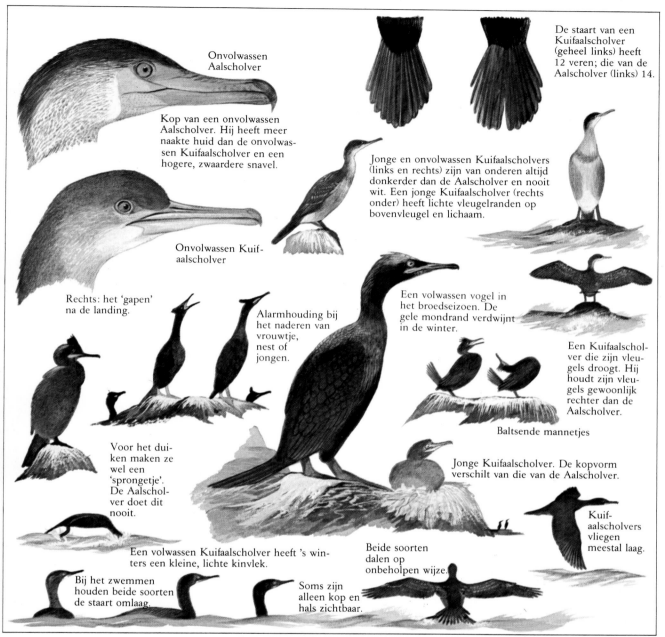

Onvolwassen Aalscholver

Kop van een onvolwassen Aalscholver. Hij heeft meer naakte huid dan de onvolwassen Kuifaalscholver en een hogere, zwaardere snavel.

Onvolwassen Kuifaalscholver

De staart van een Kuifaalscholver (geheel links) heeft 12 veren; die van de Aalscholver (links) 14.

Jonge en onvolwassen Kuifaalscholvers (links en rechts) zijn van onderen altijd donkerder dan de Aalscholver en nooit wit. Een jonge Kuifaalscholver (rechts onder) heeft lichte vleugelranden op bovenvleugel en lichaam.

Rechts: het 'gapen' na de landing.

Alarmhouding bij het naderen van vrouwtje, nest of jongen.

Een volwassen vogel in het broedseizoen. De gele mondrand verdwijnt in de winter.

Een Kuifaalscholver die zijn vleugels droogt. Hij houdt zijn vleugels gewoonlijk rechter dan de Aalscholver.

Baltsende mannetjes

Voor het duiken maken ze wel een 'sprongetje'. De Aalscholver doet dit nooit.

Jonge Kuifaalscholver. De kopvorm verschilt van die van de Aalscholver.

Kuifaalscholvers vliegen meestal laag.

Een volwassen Kuifaalscholver heeft 's winters een kleine, lichte kinvlek.

Beide soorten dalen op onbeholpen wijze.

Bij het zwemmen houden beide soorten de staart omlaag.

Soms zijn alleen kop en hals zichtbaar.

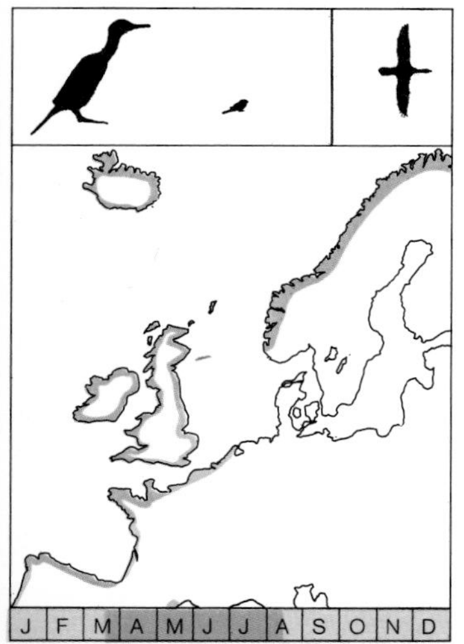

De Kuifaalscholver is kleiner en slanker gebouwd dan de Aalscholver. Hij heeft bovendien een geheel donker verenkleed. Ze zijn, evenals Aalscholvers, nogal zwijgzame vogels; behalve op broed- en slaapplaatsen waar ze luide, schrapende geluiden maken.

De Kuifaalscholver is in tegenstelling met de Aalscholver een typische zeevogel die uitsluitend aan rotsige kusten voorkomt. Alleen na een storm worden wel eens exemplaren in het binnenland aangetroffen. Ze nestelen veelal in kolonies op rotsrichels of tussen steenblokken. Het nest is een stapel rottend zeewier. Er kan zware concurrentie voor nestplaatsen zijn en nesten van onervaren vogels worden vaak weggespoeld. De voortplanting begint gewoonlijk reeds eind februari. Maar er is een broedgeval uit november bekend. Het legsel bestaat meestal uit drie eieren. De jongen komen uit als de voedselrijkdom maximaal is. Het trek- en zwerfgedrag komt overeen met dat van de Aalscholver. Kuifaalscholvers zijn op vele plaatsen in aantal vooruitgegaan. In Nederland is de Kuifaalscholver een zeldzame gast in het winterhalfjaar, voornamelijk langs de kust. De laatste jaren nemen de hier overwinterende Kuifaalscholvers iets in aantal toe.

Vogels van het waterland

Van alle vogelbiotopen worden de 'wetlands', de gebieden op de grenzen van water en land, het meest bedreigd. Door de eeuwen heen zijn steeds meer moerasgebieden in cultuur gebracht en dit proces gaat nog steeds door. De aanleg van kunstmatige meren en plassen en het ontstaan van natuurreservaten kunnen dit proces tot stilstand brengen.

Wetlands herbergen verschillende groepen vogels die vaak een verborgen leven leiden. Voorbeelden hiervan zijn rietzangers, karekieten en rallen. Naast de eenden en ganzen zijn de reigers echter de meest karakteristieke vogels van deze gebieden.

Koereiger: gedrongener dan Kleine Zilverreiger en lichter dan Ralreiger. Zoekt voedsel tussen grazend vee (gaat zelfs op hun rug zitten). Zuidwest-Spanje, Noord-Afrika.

Kleine Zilverreiger: slank gebouwd met sneeuwwit verenkleed en daarbij afstekende zwarte poten met gele tenen. Vroeger vervolgd om de lange veren van zijn broedkleed. Zuid-Europa, Noord-Afrika.

(× 1/6)

(× 1/15)

Kraanvogel: verschilt in vlucht van de reigers door de gestrekte hals. Broedt in Scandinavië, Noord- en Oost-Europa. Trekt door Europa in vaak majestueuze formaties, die een schel trompetachtig geluid laten horen.

(× 1/5)

Roodhalsfuut: lijkt op de Fuut maar is kleiner en mist de lichte wenkbrauwstreep. Broedt in Midden- en Oost-Europa.

Winterkleed op de voorgrond.

Ralreiger: kleinste witte Europese reiger. Lijkt in zit licht isabelkleurig. In broedseizoen een kuif. Zuidwest-Europa, Noordwest-Afrika.

ningo: grote witte vogel opvallend roze poten en grote snavel waarmee hij lsel uit het water zeeft. dt in Zuid-Frankrijk en tselijk in Zuidwest-ıje; wintergebied iets uit-eider.

Kwak: volwassen vogel met zwarte kap, witte onderdelen en grijze vleugels; jongen zijn donkerder gekleurd en licht geelbruin gevlekt. Zit ineengedoken. Grotendeels nachtvogel. Zuid-Europa en Noordwest-Afrika; in Nederland is deze zomervogel een zeer schaarse broedvogel.

Woudaapje: zeer kleine reiger, die gemakkelijk is te herkennen aan het roomkleurige vleugelveld. Schuw gedrag; klimt rond door riet. Neemt bij onraad net als Roerdomp paalstand aan. Vasteland van Europa; in Nederland zomervogel.

Roerdomp: grote, bruine, reigerachtige vogel die zich de meeste tijd in het riet verborgen houdt. Het verenkleed levert een prachtige camouflage als de vogel in 'paalhouding' verstijft. Door Europa en Noordwest- Afrika; in Nederland jaarvogel.

Schaarse en zeldzame waadvogels

Veel vogels komen regelmatig, maar in zeer klein aantal, naar Europa om te broeden of te pauzeren tijdens de doortrek. Andere soorten zijn onregelmatig en zeer zelden voorkomende trekvogels, zoals 16 Noordamerikaanse dwaalgasten. De vogels van deze bladzijde treft men regelmatig aan op voor hen geschikte plaatsen en uitgezonderd de Krombekstrandloper broeden ze allemaal in Europa.

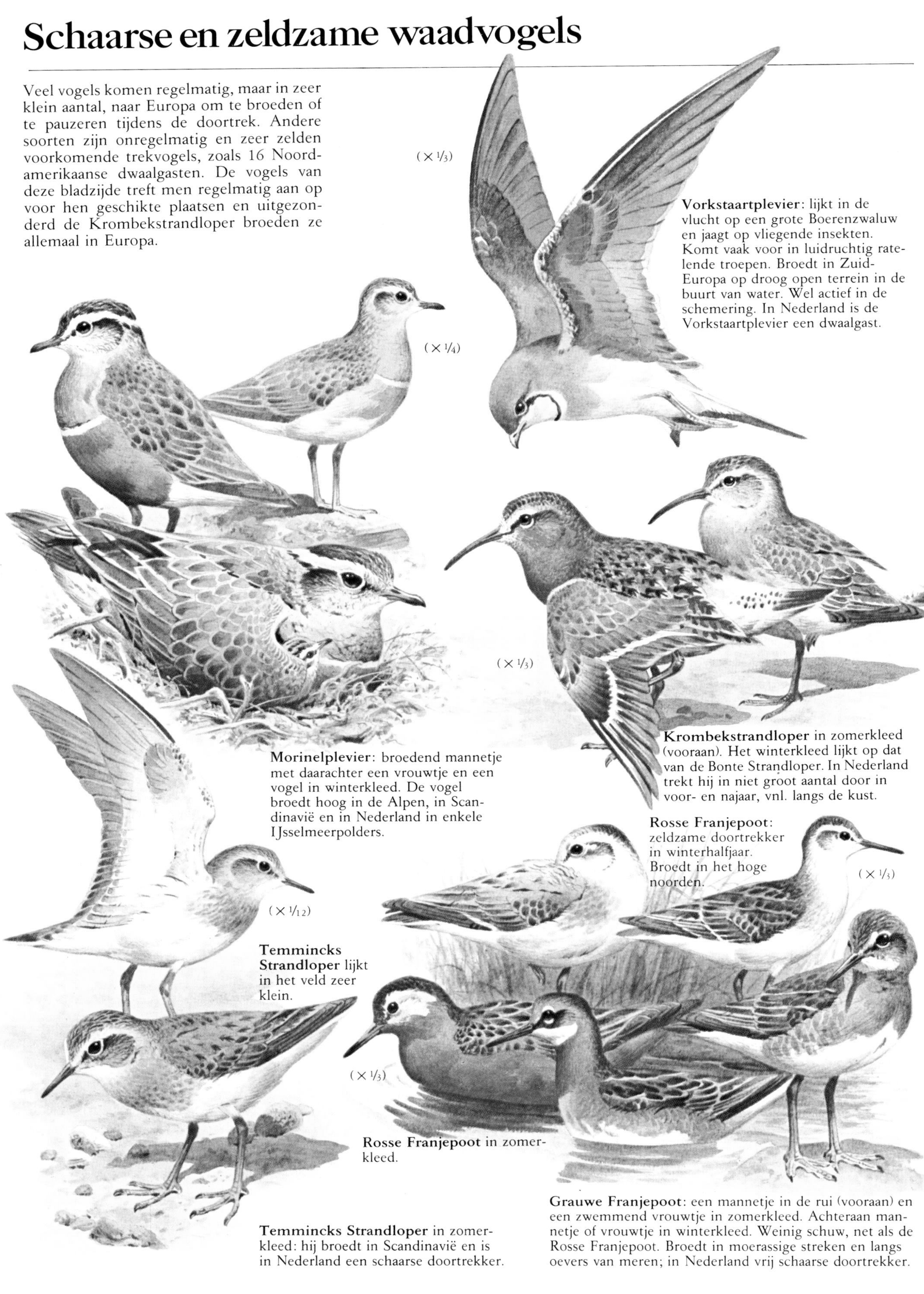

Vorkstaartplevier: lijkt in de vlucht op een grote Boerenzwaluw en jaagt op vliegende insekten. Komt vaak voor in luidruchtig ratelende troepen. Broedt in Zuid-Europa op droog open terrein in de buurt van water. Wel actief in de schemering. In Nederland is de Vorkstaartplevier een dwaalgast.

Morinelplevier: broedend mannetje met daarachter een vrouwtje en een vogel in winterkleed. De vogel broedt hoog in de Alpen, in Scandinavië en in Nederland in enkele IJsselmeerpolders.

Krombekstrandloper in zomerkleed (vooraan). Het winterkleed lijkt op dat van de Bonte Strandloper. In Nederland trekt hij in niet groot aantal door in voor- en najaar, vnl. langs de kust.

Rosse Franjepoot: zeldzame doortrekker in winterhalfjaar. Broedt in het hoge noorden.

Temmincks Strandloper lijkt in het veld zeer klein.

Rosse Franjepoot in zomerkleed.

Temmincks Strandloper in zomerkleed: hij broedt in Scandinavië en is in Nederland een schaarse doortrekker.

Grauwe Franjepoot: een mannetje in de rui (vooraan) en een zwemmend vrouwtje in zomerkleed. Achteraan mannetje of vrouwtje in winterkleed. Weinig schuw, net als de Rosse Franjepoot. Broedt in moerassige streken en langs oevers van meren; in Nederland vrij schaarse doortrekker.

Vogels van de bergen

Sommige van deze vogelsoorten, zoals de Sneeuwvink, komen alleen hoog in de bergen voor. Andere soorten treft men ook in lager gelegen gebieden aan, die bijvoorbeeld net zo rotsachtig zijn of net zo'n koud klimaat hebben als de bergen. Zo wordt de Alpenkraai aangetroffen op rotsachtige kusten en het Alpensneeuwhoen komt ook op zeeniveau voor, maar dan in het Noordpoolgebied. Gieren, waaronder de Lammergier, ziet men hoogstwaarschijnlijk slechts in de vlucht.

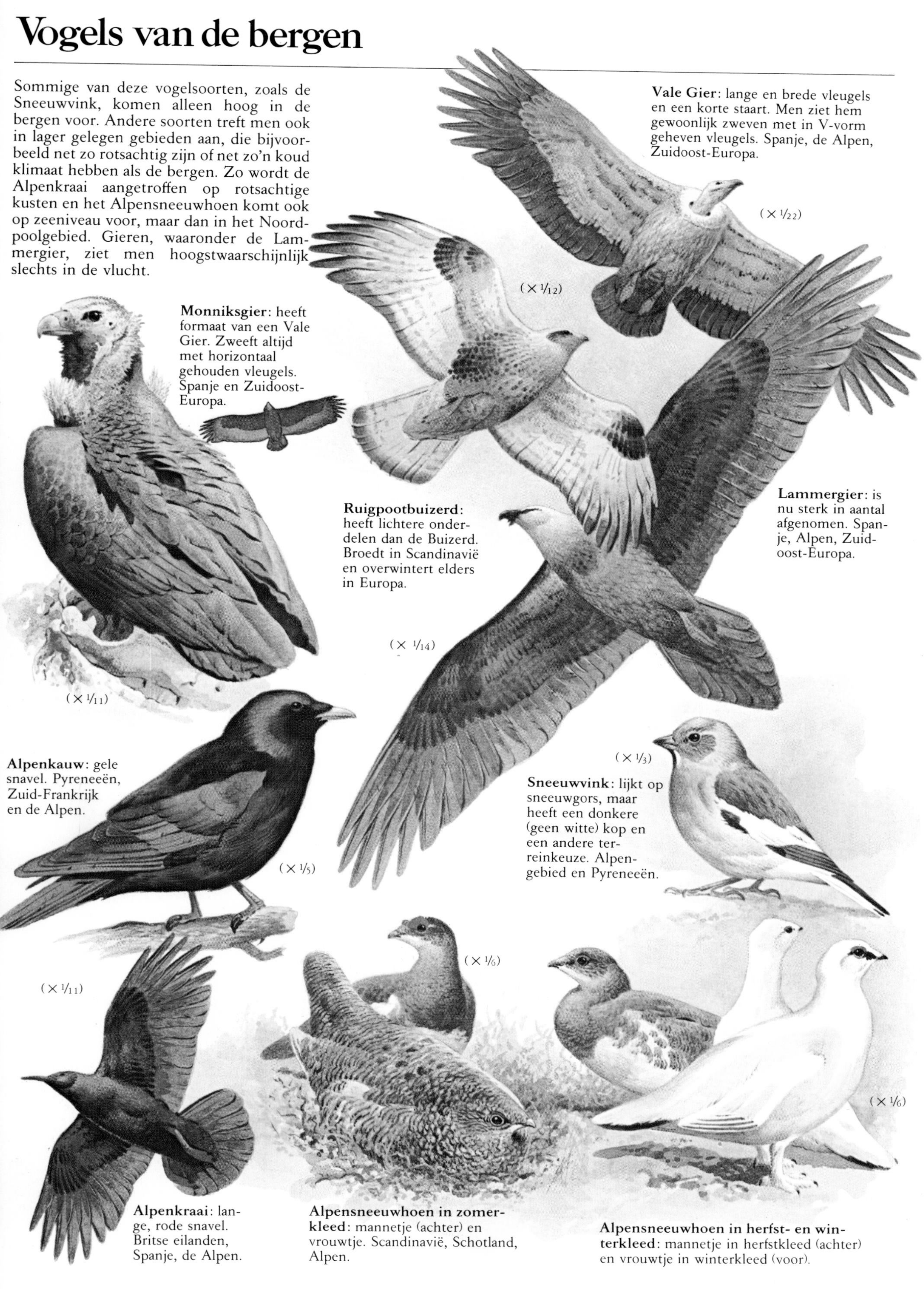

Vale Gier: lange en brede vleugels en een korte staart. Men ziet hem gewoonlijk zweven met in V-vorm geheven vleugels. Spanje, de Alpen, Zuidoost-Europa.

Monniksgier: heeft formaat van een Vale Gier. Zweeft altijd met horizontaal gehouden vleugels. Spanje en Zuidoost-Europa.

Ruigpootbuizerd: heeft lichtere onderdelen dan de Buizerd. Broedt in Scandinavië en overwintert elders in Europa.

Lammergier: is nu sterk in aantal afgenomen. Spanje, Alpen, Zuidoost-Europa.

Alpenkauw: gele snavel. Pyreneeën, Zuid-Frankrijk en de Alpen.

Sneeuwvink: lijkt op sneeuwgors, maar heeft een donkere (geen witte) kop en een andere terreinkeuze. Alpengebied en Pyreneeën.

Alpenkraai: lange, rode snavel. Britse eilanden, Spanje, de Alpen.

Alpensneeuwhoen in zomerkleed: mannetje (achter) en vrouwtje. Scandinavië, Schotland, Alpen.

Alpensneeuwhoen in herfst- en winterkleed: mannetje in herfstkleed (achter) en vrouwtje in winterkleed (voor).

Vogels van Spanje en Portugal

Twee grote barrières, de Middellandse Zee en de Sahara, scheiden Europa van tropisch Afrika. Toch zijn sommige vogels van lagere breedtegraden inheems in Zuid-Europa en nergens treft men een grotere verscheidenheid van soorten aan dan in Spanje en Portugal.

Dwergarend: de lichte fase (links) komt meer algemeen voor dan de donkere (onder). Spanje, Noord-Afrika en Midden-Azië, in bergwouden.

Slangenarend: vogel met lange, brede vleugels. De witte onderdelen en ondervleugels contrasteren gewoonlijk met de donkere bovenborst. Zuid-Europa, Azië oostelijk tot de Oeral, Noordwest-Afrika. Zweeft en bidt boven beboste gebieden.

Keizerarend: ongeveer zo groot als Steenarend, maar heeft witte schouders en lichtgekleurde kruin en nek. Spaanse ondersoort is zeldzaam Jaagt in bossen van laaggebergte, steppen en moerassige gebieden.

Rotszwaluw: lijkt op Overzwaluw, maar heeft geen borstband. Opvallende witte vlekken op gespreide staart. Spanje, Noordwest-Afrika. Broedt op rotsen in binnenland en op kustkliffen.

Roodstuitzwaluw: herkenbaar aan rossige stuit en nekband. Spanje, Noordwest-Afrika, oostelijk Middellandse-Zeegebied. Op kliffen en bouwwerken.

Eleonora's Valk: lichte en donkere fase. Stoot als Slechtvalk op vogels, jaagt als Boomvalk op insekten. Broedt op eilanden in Middellandse Zee.

Zwarte Tapuit (boven): kliffen en ravijnen in Zuidwest-Europa en Noordwest-Afrika.

Aasgier: komt voor in landen rond de Middellandse Zee. Aaseter en opruimer van afval. Open bergachtige streken en laagland.

Blonde Tapuit: Zuid-Europa, oostelijk Middellandse-Zeegebied, Noordwest-Afrika. In droog open land met verspreid staande bomen en struiken.

HET VOGELLEVEN NADER BEKEKEN

Wat is een vogel?

Weinig vogelaars realiseren zich dat de vogels waar zij met zoveel plezier naar kijken waarschijnlijk de overgebleven vertegenwoordigers zijn van kleine warmbloedige dinosaurussen die meer dan 100 miljoen jaar geleden leefden. De eerste die als vogel kan worden beschouwd, *Archaeopteryx*, is bekend door een reeks gedetailleerde afdrukken in kalksteen dat 130 miljoen jaar geleden werd gevormd. Deze oervogel heeft veel eigenschappen van een reptiel, maar reconstructie toont duidelijke afdrukken van veren en andere details die horen bij een echte vogel.

In de periode dat vogels ontstonden vlogen er nog dinosaurussen rond; dit waren *pterosaurussen* die als vleugels vlieghuiden gebruikten. Sommige konden echt vliegen, maar de grootste konden vrijwel zeker alleen maar zweven en zeilen. De allergrootste was *Pteranodon:* een oceanische viseter die zich waarschijnlijk als onze albatros gedroeg. Dit verbazingwekkend reptiel bevond zich echter aan het eind van een evolutielijn, want vogels ontstonden uit dieren met schubben zoals de hedendaagse krokodillen. Deze schubben ontwikkelden zich tot veren. Echte schubben zijn nog te zien op de naakte vogelpoten en vormen de enige zichtbare aanwijzing voor hun afkomst.

De aanpassing van schubben naar veren was van essentieel belang. De pterosaurussen hadden net als de tegenwoordige vleermuizen een nadeel: de achterpoten waren in de vlieghuid opgenomen, zodat zij op de grond volmaakt hulpeloos waren. Dankzij hun veren kunnen vogels echter niet alleen de lucht exploiteren, maar ook de grond en het water. Vogels zijn in deze tijd zó succesvol dat ze in bijna elke uithoek van de wereld voorkomen. Eén soort – de Zuidpooljager – is zelfs op de Zuidpool vastgesteld.

Vogels en pterosaurussen hadden één belangrijke aanpassing gemeen – holle beenderen. Dit maakt ze lichter van gewicht zodat het vliegen minder energie kost. Lang geleden verloren vogels hun tanden, die te zwaar moeten zijn geweest. Daarvoor in de plaats gebruiken zij de kracht van hun nek- en keelspieren, en hard zand en steengruis in hun spiermaag om hun voedsel te vermalen. Zelfs de op het eerste gezicht harde snavel heeft een fijne honingraatstructuur vol luchtruimtes en is erg licht. Desalniettemin moeten in het lichaam van een vogel alle organen aanwezig zijn die nu eenmaal bij hogere dieren horen. De tekening van een 'opengewerkte' Kievit op deze bladzijden toont hoe de belangrijke organen, zoals hart, lever en nieren in een relatief kleine ruimte zo dicht mogelijk bij het zwaartepunt zijn gelegen. Ongeveer de helft van de diepte van het vogellichaam wordt ingenomen door de enorme vliegspieren.

De spierkracht nodig voor het vliegen legt beperkingen op aan grootte en lichaamsvorm van vliegende vogels. De maximale kracht die geproduceerd kan worden neemt in verhouding toe met de dikte van de spieren, maar ook het gewicht van de vogel (en zijn spieren) neemt natuurlijk toe zodat, eenvoudig gezegd, een verdubbeling van de lengte van een vogel zijn gewicht acht keer doet toenemen. Een vogel die met gewone vleugelslagen moet vliegen kan daardoor niet zwaarder zijn dan 20 kg, maar een vogel die alleen maar hoeft te zweven zou wel veel zwaarder kunnen zijn. Het is denkbaar dat in prehistorische tijden de atmosfeer veel dichter was dan thans, zodat het vliegen met vleugelslagen ook mogelijk kan zijn geweest voor zwaardere vogels en pterosaurussen.

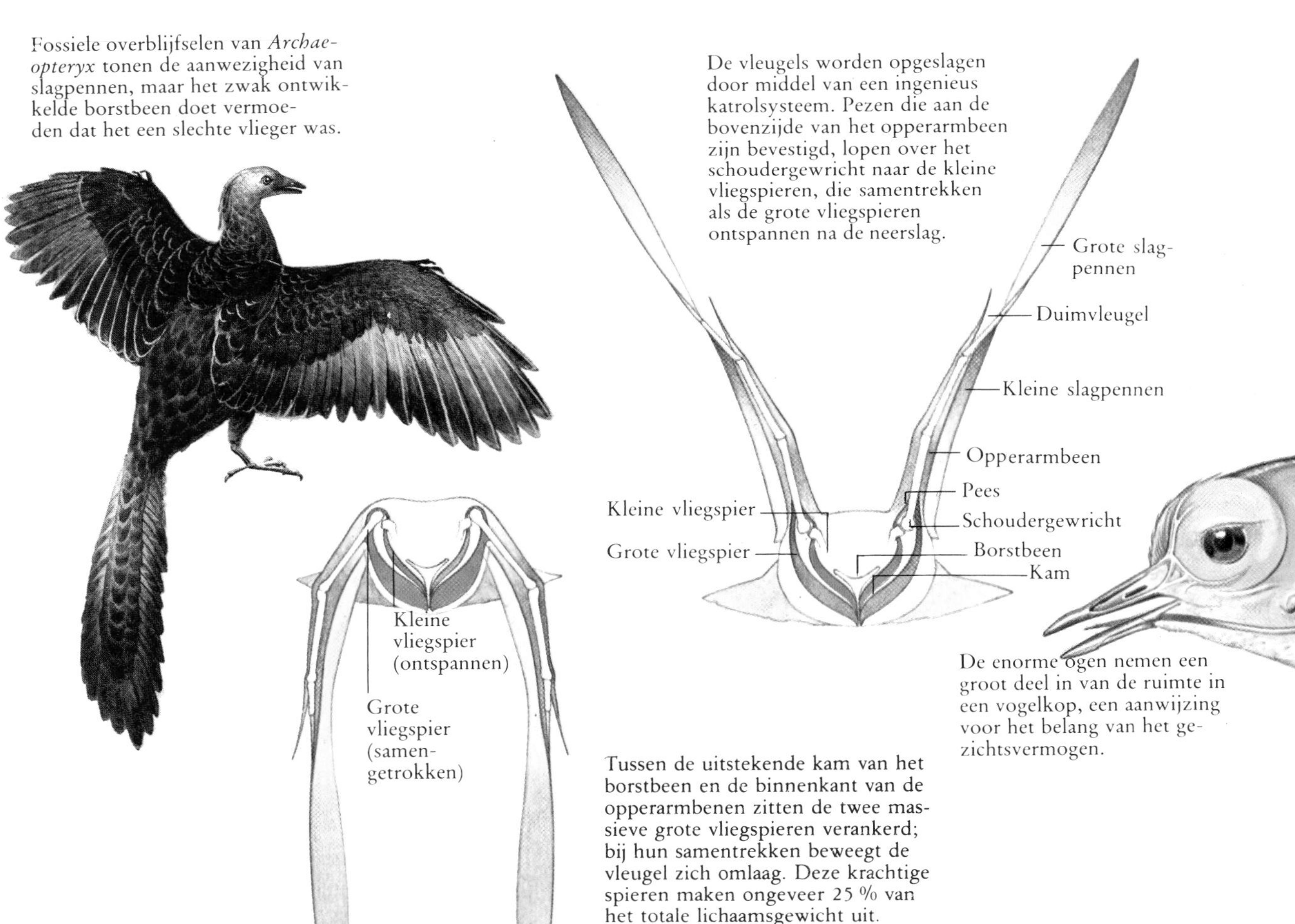

Fossiele overblijfselen van *Archaeopteryx* tonen de aanwezigheid van slagpennen, maar het zwak ontwikkelde borstbeen doet vermoeden dat het een slechte vlieger was.

De vleugels worden opgeslagen door middel van een ingenieus katrolsysteem. Pezen die aan de bovenzijde van het opperarmbeen zijn bevestigd, lopen over het schoudergewricht naar de kleine vliegspieren, die samentrekken als de grote vliegspieren ontspannen na de neerslag.

Tussen de uitstekende kam van het borstbeen en de binnenkant van de opperarmbenen zitten de twee massieve grote vliegspieren verankerd; bij hun samentrekken beweegt de vleugel zich omlaag. Deze krachtige spieren maken ongeveer 25 % van het totale lichaamsgewicht uit.

De enorme ogen nemen een groot deel in van de ruimte in een vogelkop, een aanwijzing voor het belang van het gezichtsvermogen.

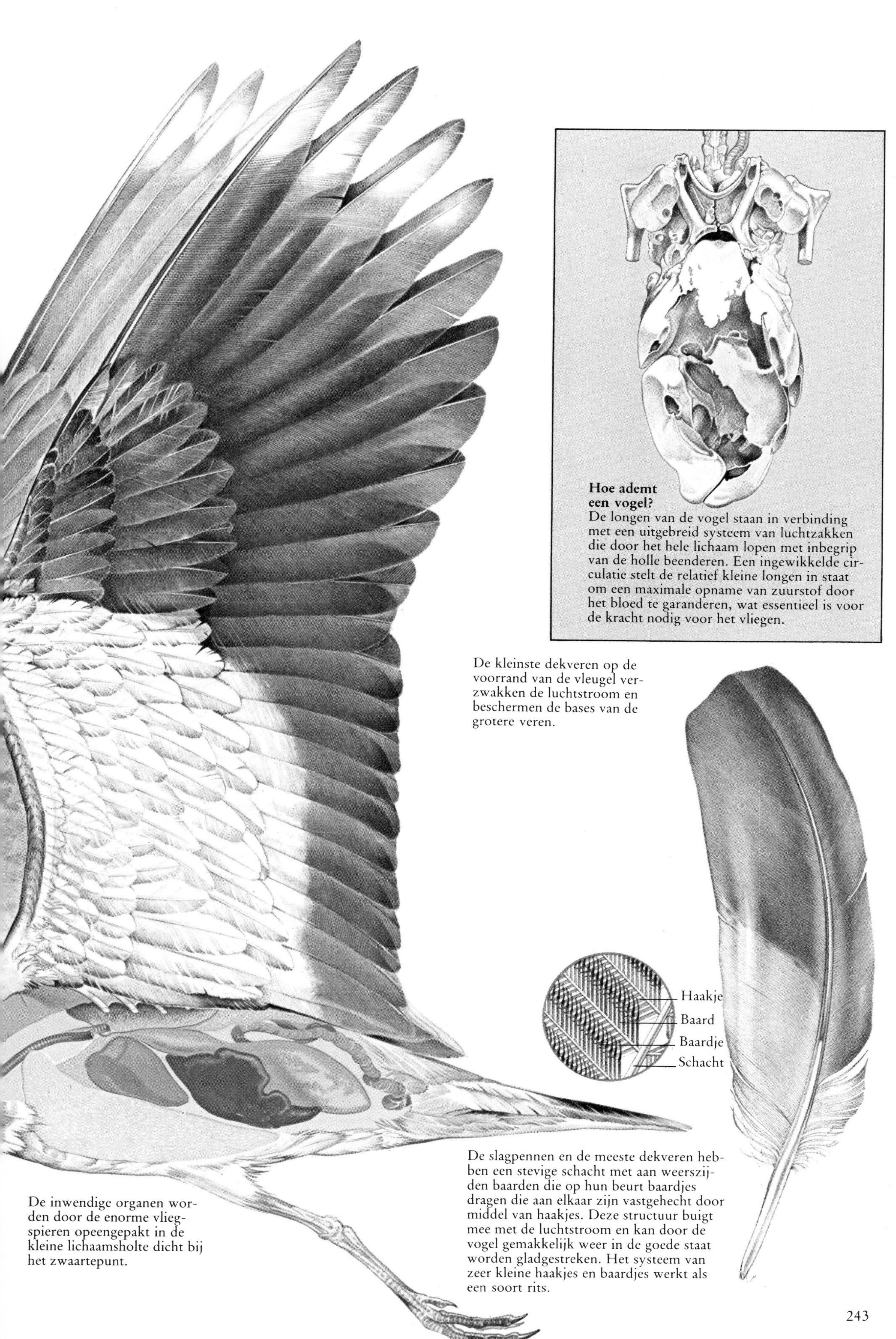

Hoe ademt een vogel?
De longen van de vogel staan in verbinding met een uitgebreid systeem van luchtzakken die door het hele lichaam lopen met inbegrip van de holle beenderen. Een ingewikkelde circulatie stelt de relatief kleine longen in staat om een maximale opname van zuurstof door het bloed te garanderen, wat essentieel is voor de kracht nodig voor het vliegen.

De kleinste dekveren op de voorrand van de vleugel verzwakken de luchtstroom en beschermen de bases van de grotere veren.

De slagpennen en de meeste dekveren hebben een stevige schacht met aan weerszijden baarden die op hun beurt baardjes dragen die aan elkaar zijn vastgehecht door middel van haakjes. Deze structuur buigt mee met de luchtstroom en kan door de vogel gemakkelijk weer in de goede staat worden gladgestreken. Het systeem van zeer kleine haakjes en baardjes werkt als een soort rits.

De inwendige organen worden door de enorme vliegspieren opeengepakt in de kleine lichaamsholte dicht bij het zwaartepunt.

Soort aanpassingen

De verschillende vogelsoorten op de wereld (ongeveer 9600) hebben zich aangepast aan de beschikbare gevarieerde natuurlijke omstandigheden. Ze variëren van kleine kolibries met een gewicht van nog geen 2 g tot de enorme nietvliegende Struisvogels die de weegschaal door laten slaan tot 100 kg.
In Europa komen geen grote nietvliegende vogels meer voor. De grootste vogel in Europa, het mannetje Knobbelzwaan, weegt ongeveer 15 kg terwijl de kleinste, het vrouwtje van het Vuurgoudhaantje net iets minder dan 5 g weegt. Tussen deze twee uitersten zijn er enkele honderden verschillende soorten die regelmatig in Europa te vinden zijn. Ze zijn onmiddellijk als vogel te herkennen en toch zijn ze allemaal verschillend van elkaar. Iedere soort heeft speciale aanpassingen ontwikkeld die hem in staat stellen een eigen manier van leven te leiden. We zullen hier de evolutie bekijken van de kenmerken die te maken hebben met het voedselzoekgedrag. De aanpassing aan de voedselbron is vaak een belangrijke sleutel voor de herkenning van iedere soort in het veld.
Vogels jagen op andere vogels en kleine zoogdieren en doden ze, ze eten aas, vangen en eten amfibieën, reptielen, vis en insekten. Ze eten ook een uitgebreide sortering plantaardig materiaal, vooral voedzame vruchten en zaden. Het dieet van een vogel en zijn lichamelijke aanpassingen staan in nauwe relatie tot elkaar en dit wordt duidelijk gedemonstreerd wanneer men de vorm en het gebruik van de snavel vergelijkt met zijn poten, klauwen, vleugels en staart.
De gemakkelijk te herkennen vogelgroepen hebben eigenschappen die hen in staat stellen hetzelfde type voedsel te eten. Boerenzwaluwen en Huiszwaluwen hebben kleine snaveltjes die ver open gesperd kunnen worden en lange vleugels waardoor ze een grote snelheid kunnen ontwikkelen en gemakkelijk kunnen manoeuvreren zodat ze vliegende insekten kunnen vangen en eten. Er hebben zich gelijke aanpassingen ontwikkeld bij niet-verwante soorten zoals de Nachtzwaluw die op even bekwame wijze vliegende motten vangt.
Zulke oppervlakkige gelijkenissen komen vaak voor. Roofvogels die overdag actief zijn – arenden, haviken en valken – stammen allen van dezelfde voorouder af, maar uilen en klauwieren hebben zich afzonderlijk ontwikkeld. Toch hebben al deze groepen speciaal aangepaste haaksnavels waarmee ze het vlees van hun prooi stuk kunnen scheuren. Deze convergentie gaat zelfs verder bij roofvogels en uilen, die allebei ook krachtige poten en klauwen hebben om te kunnen knijpen en grijpen. Klauwieren hebben sterke poten maar missen de grijpklauwen van de andere groepen.
Zelfs de snavels van verwante soorten kunnen fundamentele verschillen in foerageergewoonten demonstreren. Bij eenden hebben alleseters als de Wilde Eend een snavel van bescheiden afmeting die gebruikt kan worden voor het oppikken van voedsel, grazen en het filteren van water. De aanpassing aan het grazen is verder ontwikkeld bij de Smient die een kleinere snavel heeft dan de Wilde Eend, en de aanpassing aan het filteren van water wordt het meest efficiënt gedemonstreerd door de Slobeend. Andere eenden als de Zwarte Zeeëend die zich voeden met schelpdieren hebben sterke grijpsnavels ontwikkeld om hun prooi los te kunnen wrikken van de zeebodem. De weinige echte viseters onder de eenden, zoals de Grote Zaagbek, hebben snavels met 'tanden' ontwikkeld – geen echte tanden maar ribbels op de snavelranden. Hierdoor zijn ze in staat om glibberige vis te vangen die uit een gladgerande snavel ontsnappen zou.
Aanpassingen van verwante soorten hoeven maar in enkele aspecten te verschillen om ze in staat te stellen gebruik te maken van verschilende voedselbronnen in overlappende habitats. De algemene mezensoorten lijken erg veel op elkaar. Het zijn allemaal behendige, onderzoekende vogels die in bomen voedsel zoeken. De kleinste is de Zwarte Mees die met zijn lange, dunne snavel goed aangepast is om tussen de naalden van naaldbomen te peuteren. De iets grotere Pimpelmees heeft een stompere snavel en mist de voorkeur voor naaldbomen. Hij is veel lichter dan de Koolmees (ongeveer 10 g tegen 19 g) en kan op dunne buitenste twijgjes voedsel zoeken waar de Koolmees niet kan komen. De laatste heeft een zwaardere snavel met meer pikkracht waardoor hij forsere zaden kan openbreken. Hij wordt vaker op de grond gezien en is groot genoeg om zich te verweren bij agressieve ontmoetingen met andere op de grond voedsel zoekende vogels.
In de hele wereld zijn er bij vogels opvallende voorbeelden te vinden van aanpassingen in bouw en gedrag waarmee zij zich specialiseren in bepaalde soorten voedsel. De Lammergier vliegt tot op grote hoogte met botten van karkassen die door andere predatoren schoon gegeten zijn, waarna hij ze op de rotsen stuk laat vallen. Hierdoor kan de vogel het beenmerg opeten. Zilvermeeuwen passen dezelfde techniek toe door krabben stuk te laten vallen. De Schaarbek heeft een sterk verlengde ondersnavel waarmee hij door het wateroppervlak scheert om voedsel uit de bovenste lagen te halen. Bij Europese vogels zijn ook interessante voorbeelden van aanpassingen aan verschillende habitats te vinden.

Bosvogels

De Grote Bonte Specht heeft korte poten met sterke tenen (twee vooruit en twee

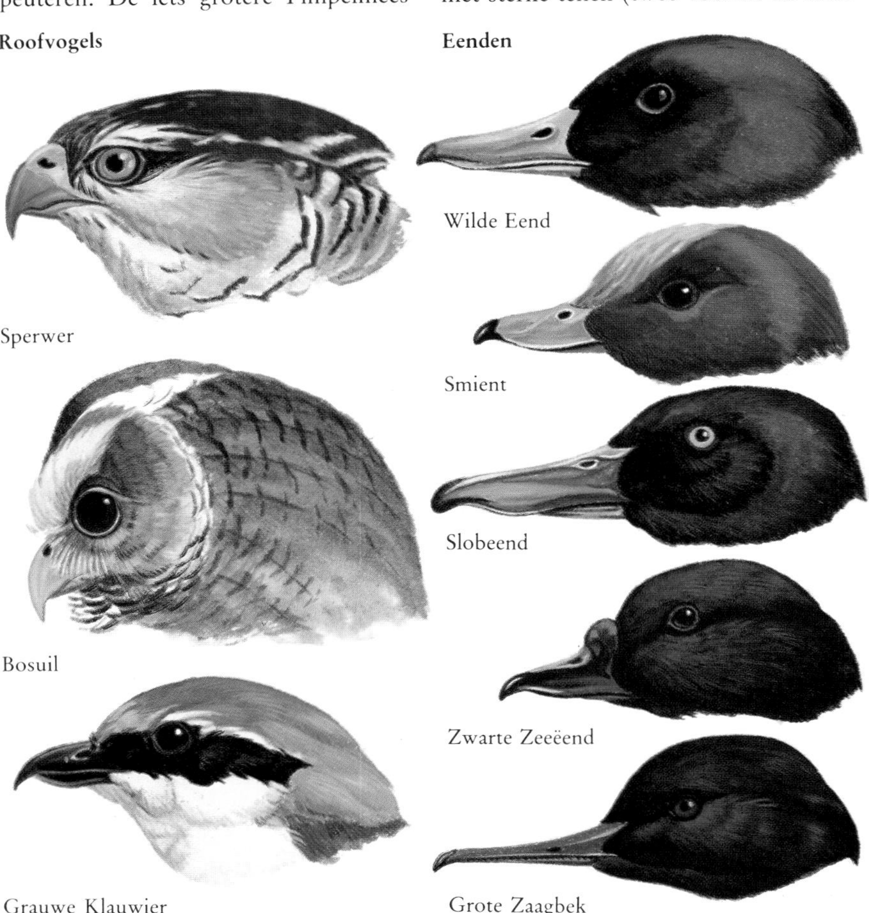

Roofvogels

Sperwer

Bosuil

Grauwe Klauwier

Eenden

Wilde Eend

Smient

Slobeend

Zwarte Zeeëend

Grote Zaagbek

achteruit gericht) om zich vast te grijpen aan de bast en een sterke beitelvormige snavel om te hameren. De vogel heeft schokabsorberend weefsel in zijn kop om hoofdpijn te voorkomen en hij heeft een lange tong die hij in insektengangetjes kan steken welke dankzij het hameren zijn blootgelegd. De Boomkruiper heeft een dunne gebogen snavel waarmee hij voedsel uit spleten in de bast kan halen maar waarmee hij zelf geen gaten in het hout kan maken.
Bij twee vinken zijn speciale aanpassingen van de snavel te zien. Bij de Kruisbek kruisen de snavelpunten elkaar, waardoor hij de zaaddragende kegels van dennen en sparren kan openen. Hij heeft korte poten en sterke tenen om aan de twijgen en kegels te kunnen hangen. De Appelvink heeft een enorme snavel en zeer krachtige kaakspieren ontwikkeld zodat hij de pitten van kersen en zelfs olijven kan kraken. De Appelvink heeft tamelijk zwakke poten en tenen omdat hij zijn voedsel voornamelijk op de grond zoekt.

Plassen en meren

De zachte modderige oevers van zoetwaterplassen, meren en reservoirs wemelen van dierlijk leven en zijn daardoor geliefde voedselplekken voor veel vogels. De Watersnip heeft een lange dunne snavel met een gevoelig uiteinde waarmee hij in de modder peurt om er wormen en andere lekkere hapjes uit te halen. Wat verder van de kant waadt een langpotige Blauwe Reiger op zoek naar voedsel. Deze vogel vist door zijn slachtoffer sluipend te benaderen om hem met een flitsende stoot van zijn dolksnavel te grijpen.
Boven het water van een plas, meer of rivier kan men de IJsvogel met zijn korte ronde vleugels zien bidden voordat hij het water in plonst om een klein visje te vangen met zijn lansvormige snavel. In tegenstelling tot de Blauwe Reiger spiest hij zijn prooi niet maar grijpt hij de vis, de randen van zijn snavel zijn scherp genoeg om te voorkomen dat de vis ontsnapt. De Visarend duikt ook naar vis, maar doet dat met zijn poten vooruitgestrekt om de vis met zijn speciaal aangepaste klauwen te grijpen. De klauwen zijn niet alleen scherp zoals bij alle roofvogels, maar zijn bovendien voorzien van ruwe uitgroeisels op de voetkussentjes om zo te voorkomen dat de vis zich er tussen uit wringt. De Visarend gebruikt zijn snavel alleen bij het eten voor het afscheuren van vlees.

Zee en kust

Op de oevers van delta's en stranden benut een verscheidenheid aan steltlopers de verschillende gebieden. Vogels met lange poten kunnen door het water waden, vogels met lange snavels peuren in de modder en soorten met kortere poten (en meestal ook kortere snavels) rennen over het strand of op rotsen om kleine voedseldeeltjes op te pikken en zelfs steentjes om te keren. Een opvallende steltloper is de Kluut met zijn lange en dunne omhooggerichte snavel en lange poten. Kluten waden door tamelijk diep water en zoeken voedsel door met hun iets geopende snavel heen en weer door het water te maaien, waarbij zij kleine voedseldeeltjes uit het water filteren.
Op zee gebruiken visetende vogels verschillende strategieën. De Kuifaalscholver zwemt op het water en duikt om zijn prooi onder water te achtervolgen. Hij maakt gebruik van zijn krachtige poten en grote zwemvliezen tussen de tenen, waarmee hij snelheid kan maken om met zijn scherpe haaksnavel vis te vangen. De Jan van Gent duikt op spectaculaire wijze van een aanzienlijke hoogte in zee om zijn prooi te pakken of te doorboren. Zowel de Kuifaalscholver als de Jan van Gent vangen normaal slechts één vis per keer. De papegaaiduiker vangt daarentegen vaak verschillende vissen tegelijk. Hij duikt uit zwemmende positie zoals de Kuifaalscholver, maar kan twee of drie visjes in één duik vangen. Hij kan ze dwars in zijn snavel houden omdat de kaken zo geconstrueerd zijn dat boven- en ondersnavel volmaakt gelijk kunnen openen.

Hoe de soorten overleven

Het voortbestaan van iedere vogelsoort is afhankelijk van zijn broedsucces. De broedstrategieën van vogels zijn bijzonder gevarieerd: in de meest simpele vorm werken mannetje en vrouwtje van een paar samen gedurende de gehele broedcyclus. Bij sommige soorten echter neemt óf het mannetje óf het vrouwtje de volledige broedzorg op zich nadat de eieren gelegd zijn. Polygamie komt ook vrij algemeen voor. Het vrouwtje van de Rode Patrijs legt soms twee legsels in aparte nesten, voor ieder van de beide ouders een legsel om voor te zorgen! Bij sommige andere soorten, wordt het broedpaar door verwante vogels geholpen. Voor een Staartmees is het niet ongewoon dat het nest door vier of meer volwassen vogels wordt verzorgd.

Het ei is de belangrijkste factor in het broedsucces en vogeleieren vertonen een enorme variatie van soort tot soort. Sommige vogels produceren een groot legsel, met eieren die in verhouding tot het lichaamsgewicht van het vrouwtje klein zijn: een vrouwtje Pimpelmees kan 12 tot 15 eieren leggen die ieder zeven tot acht procent van haar lichaamsgewicht zijn. In het andere uiterste kan een zeevogel als een Stormvogeltje één enkel ei leggen dat 25 procent of meer van haar lichaamsgewicht weegt. Wat voor strategie er ook wordt gevolgd, de produktie van het ei of de eieren vormt een zware belasting voor het vrouwtje van welke soort dan ook. Niet alleen wordt door de produktie van het ei een aanslag gepleegd op haar fysieke reserves, ook moet er een schaal geproduceerd worden waarvoor het benodigde calcium uit de reserves van haar skelet worden gehaald.

Balts

Bij veel van onze tuinsoorten verdedigen de gevormde paren hun broedterritoria weken, zelfs maanden voordat ze een nest gaan bouwen. Deze periode is erg belangrijk, want wil het broeden tot succes leiden, dan moet er een hechte paarband bestaan. De oudervogels kunnen samen de nestplaats uitkiezen, het nest bouwen, broeden en de jongen voeren. Zelfs voordat het vrouwtje begint met het eieren leggen, kan het mannetje haar voer brengen dat in 30-50 procent van haar voedselbehoefte kan voorzien. Het vrouwtje gebruikt deze periode ook om uit te proberen hoe goed het mannetje later de jongen kan voeden; als hij geen goede indruk maakt, kan ze hem verlaten.

Nest en nestplaatsen

Veel van de vogelnesten zijn ingewikkelde bouwwerken, andere zijn simpele bouwsels. De plaatskeuze is altijd erg belangrijk zowel voor de structurele stabiliteit van het nest als om het te verbergen voor predatoren. Een aantal soorten doet gedurende een jaar regelmatig verschillende pogingen om een nest te bouwen en de daarbij gekozen plaatsen verschillen. De nesten die in het voorjaar zijn gebouwd, bevinden zich vaak in altijdgroene struiken en bomen, maar later in het seizoen worden de nesten in loofhout gebouwd dat dan weer voorzien is van bladeren.

Tussen de individuen van dezelfde soort is er weinig variatie in nestbouw. De nesten van Merel en Zanglijster zien er van buiten hetzelfde uit en zijn beide voorzien van een versteviging met modder. De Merel echter bekleedt zijn nest met zacht gras terwijl de Zanglijster haar eieren direct op de kale modder legt. Het nest van de Goudvink bestaat uit een onbeduidend bouwsel van dunne twijgjes en een met haar bekleed nestkommetje. Huis- en Boerenzwaluwen bekleden hun moddernesten met veertjes. Zoals veel andere soorten gebruiken ze vaak oude nesten of traditionele plaatsen. De horst van een Steenarend is vaak groot genoeg om er een volwassen mens in te laten zitten; en elk jaar wordt er nestmateriaal aan toegevoegd en wordt de horst groter. De nestplaatskeuze weerspiegelt de vernuftige aanpassing van de soort aan zijn habitat, het weer en predatie. Duikers kiezen vaak voor kleine eilandjes in afgelegen meren, roofvogels ontoegankelijke klifranden en vogels als de IJsvogel en Oeverzwaluw graven holen in zandige oevers. Spechten en de Matkop doen hetzelfde in boomstammen. Zulke nestplaatsen kunnen door andere vogels overgenomen worden, zelfs wanneer ze bezet zijn, en door de jaren heen vindt er een frekwente wisseling van eigenaar plaats. Voor vogels in gebieden met commerciële bosbouw vormt het gebrek aan geschikte nestholten in de bomen een groot probleem. Dit beperkt het aantal broedvogels. Om dit tegen te gaan, worden er door veel mensen en vogelwerkgroepen nestkasten opgehangen, vaak met groot succes, vooral bij mezen en Bonte Vliegenvangers. Voor Torenvalken en Bosuilen worden vaak met succes grote kasten gebruikt.

Niet alle vogels vinden het vanzelfsprekend dat zij de verantwoording op zich nemen om hun eigen jongen groot te brengen. De Koekoek is een succesvolle soort die zich gedraagt als een broedparasiet van andere soorten. Hoewel de Koekoek een vrij grote vogel is (ongeveer zo groot als een Merel of een Grote Lijster) is het ei klein en komt het uit na een korte broedperiode. Elk van de acht tot tien eieren die het vrouwtje legt tijdens de zomer komen terecht in het nest van onwetende stiefouders, meestal van dezelfde soort als waardoor zij zelf groot gebracht is. Haar ei lijkt bijna altijd op de eieren van het gastpaar waardoor het minder de kans loopt op te vallen en uit het nest verwijderd te worden. Er bestaat een opmerkelijk verschil tussen de eieren van Koekoeken die door verschillende stiefoudersoorten zijn uitgebroed. Onmiddellijk na het uitkomen, onderneemt de kale en blinde jonge Koekoek energieke en meestal succesvolle pogingen om het nest te ontdoen van de andere eieren of jongen. Daarna kan hij al het voedsel

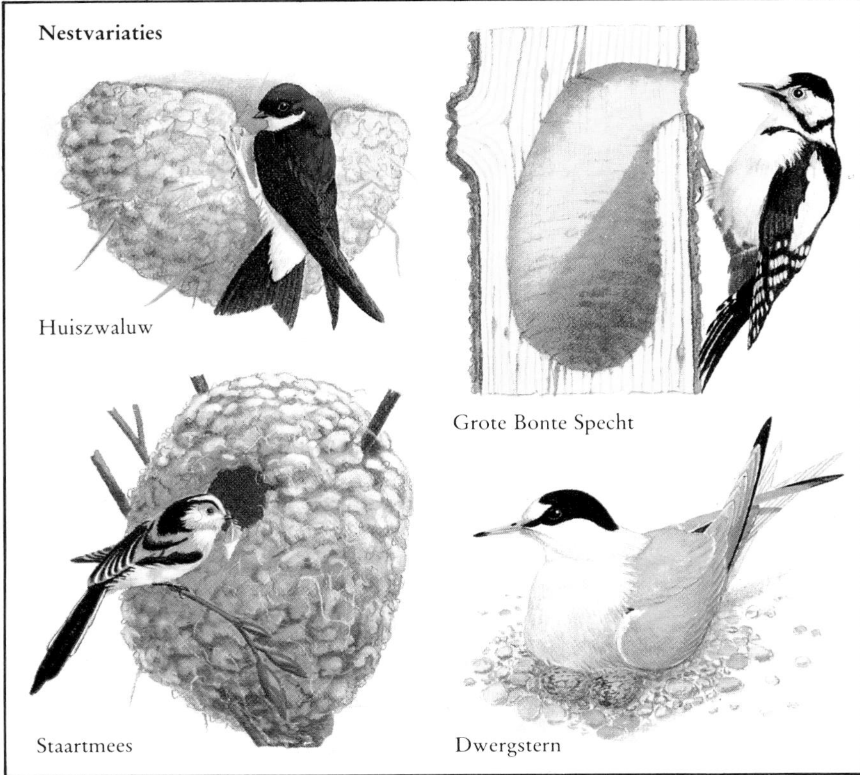
Nestvariaties

Huiszwaluw

Grote Bonte Specht

Staartmees

Dwergstern

opeisen dat door zijn stiefouders naar het nest wordt gebracht. De enorme oranje bek en de luide piepende roep van de jonge Koekoek vormen extra stimuli voor de stiefouders.

Eieren
Vogeleieren zijn prachtige objecten en in het verleden werden ze vaak verzameld, een kwalijke praktijk die men nu probeert uit te bannen. De vormen en patronen van deze eieren zijn in miljoenen jaren ontwikkeld tot wat zij nu zijn en vormen de belangrijkste factor in de overleving van iedere vogelsoort. Ingewikkelde patronen op de eieren stellen de ouders in staat om ze te herkennen en bij kleine zangvogels kan dit soms betekenen dat zij het onwelkome cadeau van de Koekoek opmerken en afwijzen. Andere vogels hebben prachtig gecamoufleerde eieren ontwikkeld zodat open nesten op zand, kiezels of rotsen geen gemakkelijke maaltijd betekenen voor een rondsluipende predator. Zelfs de vorm van de eieren kan grote overlevingswaarde hebben zoals de peervorm van het ei van de Zeekoet die er voor zorgt dat het ei niet van de nestrichel afrolt wanneer hij het per ongeluk aanstoot bij het opvliegen.
De eischaal is niet alleen maar het omhulsel van een belangrijk pakketje. De schaal moet stevig genoeg zijn om niet tijdens het broeden te barsten of te breken en toch ook zwak genoeg zijn om de babyvogel zijn weg naar buiten te laten hakken. Voor dit doel bezit het jong in het ei een klein, benig uitsteeksel op de punt van zijn bovensnavel – de eitand – die kort na het uitkomen verdwijnt. Tijdens de broedperiode diffundeert er gas en water door de poreuze eischaal en de meeste eieren verliezen 10 procent of meer van hun gewicht.

Broeden
Voor het broeden verliezen de vogels veren van een deel van hun buik – de broedplek – zodat de eieren in direct contact komen met de huid voor maximale warmte. Deze plek kan bij sommige vogels een groot deel van de onderzijde innemen, maar bij vogels die altijd een vast aantal eieren leggen kunnen zich meerdere broedplekken ontwikkelen. Wanneer de naakte huid in contact komt met het gladde harde oppervlak van het ei, verwijden de onderhuidse bloedvaten zich zodat de bloedtoevoer en daarmee ook de warmtetoevoer groter wordt. Sommige zeevogelsoorten bebroeden de eieren zelfs met hun zwemvliezen.

Voedsel
De keuze van het juiste tijdstip voor de broedpoging is bijna altijd van doorslaggevend belang. Jonge vogels hebben vanaf het moment dat ze uit het ei komen verbazend grote hoeveelheden voedsel nodig om snel te groeien en veren te krijgen zodat de kans dat ze door een predator gepakt worden kleiner wordt. Vogels die in een veiliger omgeving zoals boomholtes uit het ei komen, kunnen zich langzamer ontwikkelen. Maar zelfs de Pimpelmezen in hun veilige nestkastje moeten in minder dan drie weken voldoende voedsel verzamelen voor elk van de 10 of meer jongen om van minder dan een gram tot 11 of 12 gram te groeien voor het uitvliegen. De oudervogels kunnen dit voor elkaar krijgen doordat de periode tot het uitvliegen van de jonge mezen samenvalt met een overvloedig aanbod van rupsen op bomen in de nabije omgeving. Bij soorten met meerdere legsels per jaar, vertoont de legselgrootte een piek in het midden van het seizoen wanneer de omstandigheden het gunstigst zijn. Aan het begin en het einde van het broedseizoen zijn de legselgroottes niet meer dan tweederde hiervan.
Hoe verder de broedpoging gevorderd is, des te meer raken de oudervogels gemotiveerd. Een nieuw gebouwd nest wordt vaak verlaten als het wordt verstoord. Een nog niet compleet legsel kan ook na lichte verstoring in de steek gelaten worden, maar veel vogels weerstaan vrijwel elke verstoring wanneer de jongen in het nest zich flink hebben ontwikkeld. Wanneer zij al veel in de broedpoging hebben geïnvesteerd, kunnen de vogels alleen door een ramp hun taken uit het oog verliezen.

Voedselaanbieden bij het hofmaken
Het mannetje Roodborst brengt lekkere hapjes voor zijn partner. Dit ritueel heeft daadwerkelijk praktische waarde en wordt vergezeld door een karakteristiek ijl piepend roepje van het vrouwtje.

De juiste vorm om te overleven
Het ei van de Zeekoet is zo gevormd dat het niet van de nestrichel zal afrollen wanneer het per ongeluk door de oudervogel wordt aangestoten bij het wegvliegen.

Een Koekoek in het nest
Eén van de eieren in dit nest van de Kleine Karekiet werd door een Koekoek gelegd, maar het vertoont zo'n sterke gelijkenis met de andere vier eieren dat het niet waarschijnlijk is dat het eruit wordt gegooid.

Het vliegen van vogels

Iedere vliegende vogel die men waarneemt, zal een voorkeur vertonen voor een van de vier voornaamste wijzen van vliegen: glijvlucht, zweefvlucht, slagvlucht en 'bidden'. De meeste soorten gebruiken combinaties van deze basistechnieken in overeenstemming met het milieu en hun voedselmethode.

De glijvlucht vereist een minimum aan energie; de vogel wordt alleen maar gedragen door het drukverschil boven en onder de vleugel. Dit ontstaat doordat de luchtstroom boven langs het gewelfde vleugelprofiel sneller stroomt dan onderlangs. Door wrijving met de lucht neemt de snelheid af en zonder verdere actie zou de vogel neervallen. De snelheid wordt in stand gehouden door gebruik te maken van de zwaartekracht: de vogel glijdt in een dalende baan en handhaaft hoogte door af en toe in slagvlucht over te gaan of een stijgende luchtstroom te benutten.

Zwevende vogels maken uitsluitend gebruik van opwaartse luchtstromingen, meestal van thermische aard, dat wil zeggen, veroorzaakt door een verschillende verwarming van het landoppervlak. Met minieme bewegingen van het lichaam buit de vogel de stromingen uit; horizontaal vliegend of stijgend kan hij uren op de wieken blijven en zeer weinig energie verbruiken. De vogels zweven meestal in stijgende spiralen en blijven in de cilindrische kolom van de thermiekbel; boven aangekomen, verlaten ze hem en glijden af naar een lager punt van een volgende thermiekbel.

De slagvlucht vereist een zeer hoge energieproduktie die ver uitgaat boven de capaciteit van grote zeilende soorten zoals Ooievaars en arenden; Ooievaars moeten, omdat ze zich onderweg niet kunnen voeden, gedurende hun jaarlijkse trektocht energie besparen door zich met de luchtstromingen mee te laten drijven. Slagvlucht heeft twee variaties. De ene wordt gebruikt om bij het wegvliegen snel te stijgen; de andere voor het normale, horizontale vliegen. Bij dit laatste wordt de vleugel als een roeispaan gebruikt: de krachtige neerwaartse slagen wekken voldoende opwaartse ('lift') en voorwaartse kracht op om de vogel te dragen. De opslagen in deze vorm van vliegen zijn passief. Opvliegen en snel stijgen vereisen echter meer 'lift' en de opwaartse kracht wordt zowel bij de op- als neerslag van de vleugel verkregen.

'Bidden' of wiekelen is een hooggespecialiseerde vorm van vliegen, die het sterkst is ontwikkeld bij kolibri's. Bij de Europese vogels wordt dit vooral gedaan door de Torenvalk, hoewel ook andere soorten, zoals sterns, 'bidden' voor ze naar voedsel duiken.

De meeste biddende vogels doen dat tegen de wind in, zodat de opgewekte luchtbeweging en de wind elkaar in evenwicht houden, resulterend in een stilstaan van de vogel.

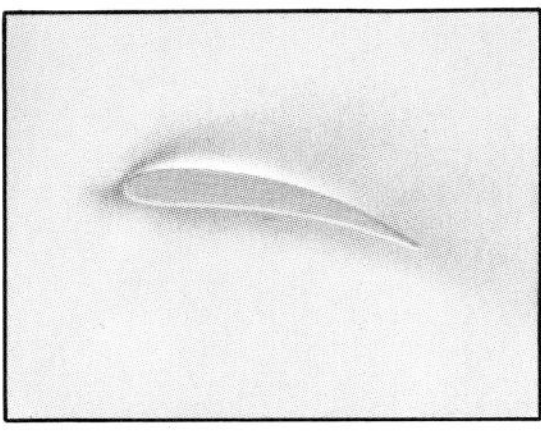

'Normale' luchtstroom

Luchtstroom gaat wervelen

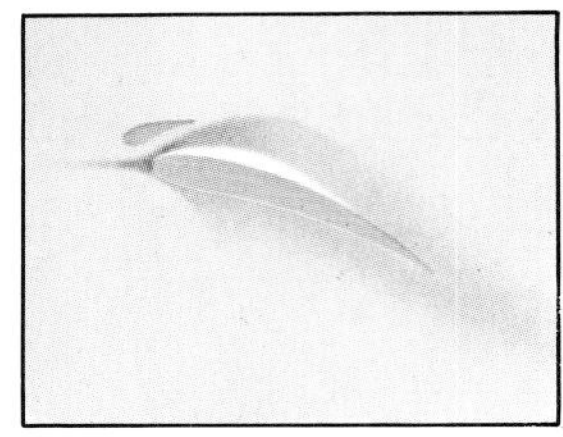

Stabiliteit herwonnen

Om efficiënt te kunnen functioneren, moeten de vogels een gestroomlijnd gewelfd vleugelprofiel hebben dat van onderen iets hol is, zoals boven afgebeeld. Het drukverschil dat in de luchtstroom boven en onder de vleugel ontstaat, verschaft de 'lift' die nodig is om de vogel te dragen. Om langzamer te vliegen, moet de vogel de invalshoek van de vleugel vergroten door de vleugels steiler in de luchtstroom te houden, maar een te grote invalshoek heeft ten gevolge dat de luchtstroom van het profiel 'loslaat' en gaat wervelen: het drukverschil gaat verloren en de vogel valt neer. Bij lage snelheid wordt de duimvleugel (een kleine 'bijvleugel' aan de voorrand van de vleugel) uitgespreid; deze vormt een soort gleuf die het ontstaan van wervelingen belet.

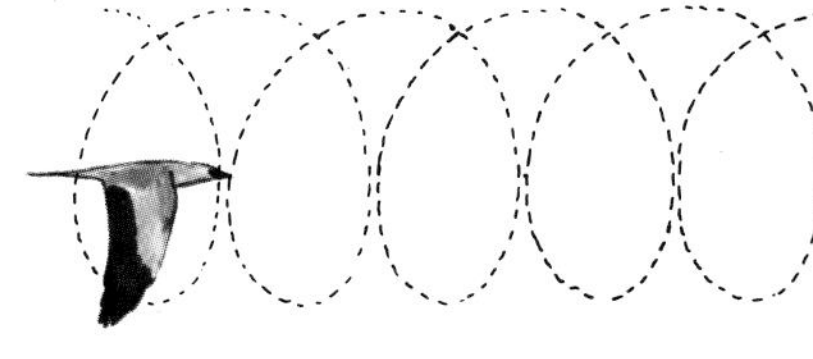

Horizontaal vliegend beschrijft de vleugel een ongeveer cirkelvormige baan ten opzichte van het lichaam en beweegt bij de neerslag naar voren, bij de opslag naar achteren. Bij horizontaal vliegen is deze beweging te vergelijken met een roeibeweging en is bij kleine, snelvliegende soorten moeilijk waar te nemen; bij grote, langzaam bewegende soorten zoals Roeken en ganzen is het wel duidelijk te zien.

De verschillende vliegtechnieken

Veel zwevende vogels maken gebruik van stijgwinden boven obstakels zoals bos, gebouwen en klipwanden. Thermieken zijn plaatselijke, omhoogstijgende kolommen van warme lucht. Stijgende lucht bevindt zich vaak boven omgeploegd land en boven steden, koele lucht daalt boven 'koude', warmte-absorberende oppervlakken zoals bos of water. Trekvogels, zoals Ooievaars en Buizerds, buiten de thermieken uit op hun jaarlijkse trek, en aangezien thermieken vrijwel alleen boven land voorkomen, vermijden deze soorten gewoonlijk lange oversteken over zee.

Zeevogels die over de uitgestrekte oceanen zwerven, sparen met glijvlucht en zweefvlucht veel energie. Boven de golven vliegend krijgt de vogel vaart in de sneller stromende luchtlaag 20-30 meter boven het water en glijdt dan af door geleidelijk langzamer stromende lucht; ten slotte draait hij tegen de wind omhoog. Zwevende Jan van Genten (geheel rechts), verzamelen zich in troepen in de stijgende winden die benedenwinds langs een obstakel gevormd worden.

Stijgwind ontstaan door obstakel

Thermiek

Differentiële stijgwind

Golvende stijgwind

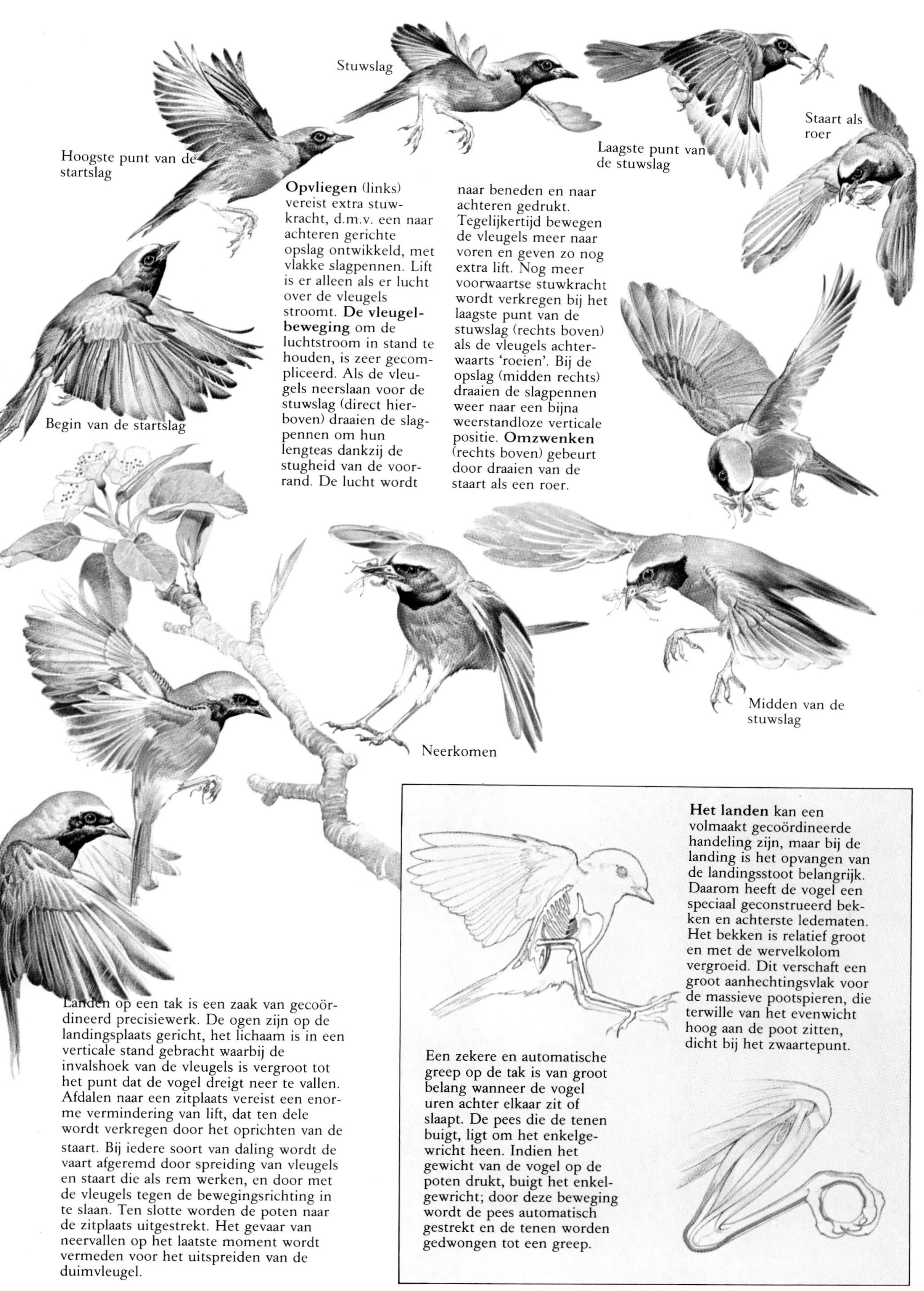

Opvliegen (links) vereist extra stuwkracht, d.m.v. een naar achteren gerichte opslag ontwikkeld, met vlakke slagpennen. Lift is er alleen als er lucht over de vleugels stroomt. **De vleugelbeweging** om de luchtstroom in stand te houden, is zeer gecompliceerd. Als de vleugels neerslaan voor de stuwslag (direct hierboven) draaien de slagpennen om hun lengteas dankzij de stugheid van de voorrand. De lucht wordt naar beneden en naar achteren gedrukt. Tegelijkertijd bewegen de vleugels meer naar voren en geven zo nog extra lift. Nog meer voorwaartse stuwkracht wordt verkregen bij het laagste punt van de stuwslag (rechts boven) als de vleugels achterwaarts 'roeien'. Bij de opslag (midden rechts) draaien de slagpennen weer naar een bijna weerstandloze verticale positie. **Omzwenken** (rechts boven) gebeurt door draaien van de staart als een roer.

Landen op een tak is een zaak van gecoördineerd precisiewerk. De ogen zijn op de landingsplaats gericht, het lichaam is in een verticale stand gebracht waarbij de invalshoek van de vleugels is vergroot tot het punt dat de vogel dreigt neer te vallen. Afdalen naar een zitplaats vereist een enorme vermindering van lift, dat ten dele wordt verkregen door het oprichten van de staart. Bij iedere soort van daling wordt de vaart afgeremd door spreiding van vleugels en staart die als rem werken, en door met de vleugels tegen de bewegingsrichting in te slaan. Ten slotte worden de poten naar de zitplaats uitgestrekt. Het gevaar van neervallen op het laatste moment wordt vermeden voor het uitspreiden van de duimvleugel.

Het landen kan een volmaakt gecoördineerde handeling zijn, maar bij de landing is het opvangen van de landingsstoot belangrijk. Daarom heeft de vogel een speciaal geconstrueerd bekken en achterste ledematen. Het bekken is relatief groot en met de wervelkolom vergroeid. Dit verschaft een groot aanhechtingsvlak voor de massieve pootspieren, die terwille van het evenwicht hoog aan de poot zitten, dicht bij het zwaartepunt.

Een zekere en automatische greep op de tak is van groot belang wanneer de vogel uren achter elkaar zit of slaapt. De pees die de tenen buigt, ligt om het enkelgewricht heen. Indien het gewicht van de vogel op de poten drukt, buigt het enkelgewricht; door deze beweging wordt de pees automatisch gestrekt en de tenen worden gedwongen tot een greep.

Communicatie en gedrag

Communicatie tussen vogels is voornamelijk van twee zintuigen afhankelijk. Omdat bijna geen enkele vogelsoort een goed ontwikkeld reukvermogen bezit, verschaffen het gezichts- en gehoorsvermogen de belangrijkste communicatiemiddelen. Bijna alle vogels kunnen uitstekend zien en sommige roofvogels hebben een veel beter onderscheidingsvermogen dan de mens. Net als mensen kunnen alle vogels kleuren zien. Het gehoor van vogels is erg goed en veel soorten kunnen frekwenties horen die te hoog zijn voor het menselijk oor.

Van groot belang voor iedere vogel is de noodzaak om soortgenoten te herkennen, vooral tijdens het broedseizoen. De meeste vogelsoorten hebben veel verschillen in grootte en verenkleed, maar bovendien bestaan er verschillen in geluid en gedrag. De band die tussen kuiken en ouder ontstaat, dient bij de meeste soorten om het jong voor zijn verdere leven het beeld van zijn eigen soort in te prenten. Zo groeien kuikens afkomstig uit Zilvermeeuweëieren die in Kleine Mantelmeeuwenesten zijn gelegd op in de veronderstelling dat zij Kleine Mantelmeeuwen zijn en geen Zilvermeeuwen. Als zij oud genoeg worden om te gaan broeden, zullen zij zelfs proberen met de verkeerde soort te paren, meestal zonder succes. Anderzijds schijnen jonge Koekoeken een aangeboren besef te hebben dat zij inderdaad Koekoek zijn, want nadat zij uit het ei zijn gekomen duurt het lang voordat zij een soortgenoot zien.

Tussen twee of meer nauw verwante soorten die op elkaar lijken, bestaan vaak duidelijke verschillen in geluid; bovendien bestaat er vaak een verschil in voorkeur voor een bepaald habitat. Zo verschillen onze moeilijk van elkaar te onderscheiden *Phylloscopus* soorten sterk in hun zang en broeden zij bovendien in verschillend terreintype. Fluiters hebben volgroeid open bos nodig, Tjiftjaffen bos met meer ondergroei en Fitissen worden gewoonlijk in struiken of open plekken in bos aangetroffen. Ook de sterk op elkaar gelijkende Gras- en Boompieper verschillen duidelijk in geluid. Zij broeden vaak in de directe nabijheid van elkaar, maar door de verschillen in zang en baltsvluchten paren zij altijd met soortgenoten.

Voor veel kleine vogelsoorten loert altijd het gevaar van roofdieren, predatoren. Voor hun bescherming hebben zij bijvoorbeeld vaak overeenkomstige alarmroepjes en alle soorten reageren op ieder alarm dat zij horen. Sommige soorten hebben zelfs aparte roepjes voor verschillende gevaren – de alarmroepen van een Merel voor mens, kat of Sperwer zijn alle anders. Het samenscholen bij en uitschelden van een slapende uil is een voorbeeld van samenwerking tussen bosvogels bij gevaar. Roepen zijn niet de enige snelle communicatiemiddelen voor vogels. Sommige soorten hebben bijvoorbeeld witte plekken op vleugels of staart die duidelijk zichtbaar zijn wanneer zij wegvliegen van gevaar, zodat zij daarmee ook andere vogels in het gebied kunnen waarschuwen.

Voor het menselijk oor is de zang van een vogel het gemakkelijkst te herkennen. Natuurlijk is de zang ook voor de vogel erg belangrijk aangezien hij zingt om een partner te krijgen, of om duidelijk te maken dat hij er al een heeft, of – zoals in de meeste gevallen – om zijn rechten over zijn territorium te verkondigen. Het verdedigde gebied moet groot genoeg zijn om al het voedsel te verschaffen dat het broedpaar en de jongen nodig hebben, óf betreft slechts de onmiddellijke nabijheid van het nest. Alleen al door de verschijning van de zingende vogel op zijn zangpost durven andere vogels van naburige territoria niet naderbij te komen. De bij vogelliefhebbers zo bekende ochtendzang is eigenlijk gewoon de bevestiging van eigendomsrechten aan het begin van de nieuwe dag.

Een zingende vogel die zijn territorium bewaakt, zal indien nodig aan zijn verba-

Het tonen van zijn rode borst is voor de Roodborst meestal afdoende om zijn territorium tegen indringers te verdedigen. Het bezit van een eigen territorium is voor alle vogels zeer belangrijk, zowel om te broeden als om 's winters voedsel te vinden.

Drieteenmeeuwen spenderen vele uren op hun nest om samen te zitten en elkaars veren glad te strijken. Dit is van groot belang om de paarband te bekrachtigen die belangrijk is om met succes te kunnen broeden. De felrode binnenkant van de snavel speelt een rol bij de geritualiseerde begroetingsceremonie.

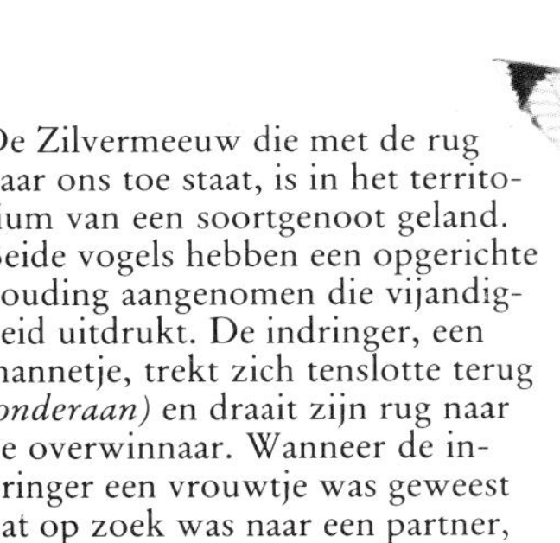

De Zilvermeeuw die met de rug naar ons toe staat, is in het territorium van een soortgenoot geland. Beide vogels hebben een opgerichte houding aangenomen die vijandigheid uitdrukt. De indringer, een mannetje, trekt zich tenslotte terug *(onderaan)* en draait zijn rug naar de overwinnaar. Wanneer de indringer een vrouwtje was geweest dat op zoek was naar een partner, zou zij niet een vijandige opgerichte houding hebben aangenomen, maar zou zij zich onderdanig hebben gedragen en zelfs om voedsel hebben gebedeld zoals een kuiken dat doet.

le geweld fysieke acties koppelen wanneer een indringer verschijnt. De eerste sanctie zal een geritualiseerd gedrag zijn dat meestal genoeg is om een uitdager te verjagen, zodat een echt gevecht niet plaatsvindt. Soms komen echter toch conflicten voor ten gevolge waarvan vogels gekwetst raken of gedood worden.
Het agressieve instinct dat voor het behouden van het territorium onontbeerlijk is, moet worden onderdrukt wanneer vogels gaan paren. Dit is gemakkelijk wanneer het vrouwtje er anders uitziet dan het mannetje, maar voor soorten waarvan de seksen er hetzelfde uitzien is het belangrijk dat het vrouwtje haar bedoelingen duidelijk maakt. Wanneer een goede paarband is bewerkstelligd, wordt deze gedurende enkele weken of maanden bekrachtigd middels samenwerking bij het doorgeven van voedsel en het gladstrijken van elkaars veren. Indien gedurende de broedpoging een verborgen vijandschap naar voren treedt, zou dat rampzalige gevolgen hebben voor de nakomelingen.
Niet bij alle soorten worden twee-ouder gezinnen gevormd. Sommige soorten zoals het Korhoen hebben bolderplaatsen waar de mannetjes samenkomen om hun gemeenschappelijk baltsceremonieel te vertonen. In deze gevallen kiest het vrouwtje een van de mannetjes die zich aan haar presenteren en wordt door hem bevrucht. Het mannetje keert dan terug naar zijn 'lek' of bolderplaats en laat aan haar de zorg om eieren te leggen en de jongen groot te brengen zonder zijn hulp. Veel eenden hebben een zeer sterke paarband tot de tijd dat de eieren gelegd zijn, maar daarna speelt het mannetje geen rol meer bij het broeden en grootbrengen van de jongen. In feite is hij alleen maar aan het chaperonneren, om er zeker van te zijn dat het vrouwtje niet met een andere woerd op stap gaat. Vrouwtjes eenden die laat in het seizoen willen gaan broeden, worden soms door veel van de dan beschikbare mannetjes belaagd en overvallen en lopen gevaar dientengevolge uiteindelijk zelfs te verdrinken.
Zodra de kuikens uit het ei komen, moeten zij direct goed met hun ouders kunnen communiceren. De eerste bewegingen zijn instinctief, zoals bijvoorbeeld de jonge fazanten die naar kleine objecten op de grond pikken of de jonge zangvogels die reikhalzend de bek openen zodra zij hun nest voelen bewegen. Voortdurend blijft de dreiging van predatoren bestaan en soorten waarvan de jongen – nestvlieders – het nest onmiddellijk verlaten, hebben daarom ingewikkelde gedragspatronen ontwikkeld. Een Kievit heeft een roep waarmee de jongen opdracht wordt gegegeven weg te rennen en een roep om ze te laten liggen. Door weg te rennen verspreiden de jongen zich en wordt een roofdier wellicht in verwarring gebracht, en een liggend jong wordt door zijn camouflage moeilijk gevonden.
Communicatie is ook van groot belang binnen groepen adulte vogels. Het aantal ruzies wordt tot een minimum beperkt door een sociale structuur – pikorde – waardoor iedere vogel zijn plaats weet. Over het algemeen is een groep vogels veel meer alert voor predatoren dan ieder individu afzonderlijk zou zijn. Het lijkt soms dat enkele vogels van een groep benoemd zijn tot 'schildwacht' of 'uitkijk'. In groepen vliegende vogels als Spreeuwen of Bonte Strandlopers is de snelheid van communicatie en reactie zo groot dat het bijna lijkt of er sprake is van telepathie. In de bekende V-vormige vluchtgroepen van ganzen en meeuwen zijn de bewegingen daarentegen veel rustiger.

Experimenten hebben laten zien dat Zilvermeeuwekuikens zodra zij uit het ei komen instinctief naar een rode vlek pikken wanneer die zich bevindt op iets dat ook maar een beetje op een meeuwesnavel lijkt. Dit pikgedrag motiveert de oudervogel om het voedsel dat hij voor het jong had verzameld uit te braken.

De V-formatie van een groep Kraanvogels heeft een energiebesparende aerodynamische functie.

In een groep ganzen zorgt een oplettende 'uitkijk' ervoor dat de rest rustig kan grazen. Het gemeenschappelijk voedsel zoeken verhoogt zo de veiligheid van de groep.

Verzorging van het verenkleed
Voor een vogel is er ieder jaar een belangrijke periode die door vogelaars vaak niet wordt opgemerkt: de rui. Gedurende die periode, die bij een kleine wegtrekkende zangvogel vijf weken en bij een grote soort die niet wegtrekt drie tot vier maanden kan duren, vervangt een vogel zijn veren. Bij de grootste soorten zoals arenden geschiedt de rui in jaarlijkse gedeelten en het kan verscheidene jaren duren voordat een ruicyclus is voltooid.
De slagpennen worden meestal in een bepaalde volgorde vervangen zodat de vogel zijn vliegvermogen behoudt, maar sommige soorten (zwanen, ganzen, eenden en hoenders) laten al hun slagpennen tegelijk vallen. Zij kunnen dan niet vliegen tot de nieuwe veren zijn aangegroeid.
In alle perioden van het jaar besteden vogels grote aandacht aan hun verenkleed, waarbij zij vele uren per week hun veren gladstrijken en invetten *(bovenaan)* en iedere veer in de snavel nemen om de 'baardjes aaneen te ritsen'.
Deze Merel reinigt zijn veren van parasieten door te baden in een plas water *(midden)* of door een stofbad te nemen. Een andere manier om het verenkleed goed en gezond te houden is het nemen van een 'zonnebad' *(onderaan)*. Hier geniet een Merel van de zon, met gespreide vleugels en staart en de veren apart gelegd.
Een dergelijke verzorging is van levensbelang want het verenkleed verschaft niet alleen de mogelijkheid om te vliegen, maar ook een bescherming tegen weersinvloeden.

Vogeltrek/1

Vogeltrek heeft ons altijd gefascineerd – waarschijnlijk omdat wij onverbrekelijk met de aardbodem zijn verbonden en, zonder hulpmiddelen, niet het luchtruim kunnen kiezen om de enorme afstanden te overbruggen die miljoenen vogels steeds afleggen. Ieder najaar stromen troepen zwaluwen van Europa, Azië en Noord-Amerika, naar Afrika, India en Zuid-Amerika om daar te overwinteren. Of deze trekkende vogels nu volwassen zijn en de reis al eens eerder hebben gemaakt of dat het jonge vogels betreft die een paar weken daarvoor uit het ei zijn gekomen, de herfsttrek zuidwaarts is geen pleziertochtje: het is bittere noodzaak.

De meeste soorten in Europa hebben trekkende populaties – speciaal in de noordelijke en oostelijke gebieden waar het winterklimaat streng is. Het klimaat is de bepalende factor bij de trek, hierdoor kunnen gebieden benut worden die slechts een bepaalde tijd van het jaar leefbaar zijn. Gebieden die uitermate geschikt zijn in het broedseizoen zijn in de winter vaak te koud om te kunnen overleven.

Hoewel extreme kou dodelijk zou zijn voor de meeste vogels, vormt het voedselgebrek tijdens de winter in deze gebieden het grootste probleem. De arctische woestenij kan een insektenetende vogel niet genoeg voedsel leveren om de winter door te komen. Hetzelfde geldt voor noordelijk Europa. Als voedsel voor de Huis-, Boeren- en Gierzwaluwen, overleven weinig of geen vliegende insekten de vrieskou, en de kale takken van bomen en struiken bieden eveneens geen enkel voedsel voor zangvogels. De insektenetende vogels die overwinteren hebben geleerd – zoals de mezen – om slapende insekten, larven en insekteneitjes te ontdekken of ze kennen de schaarse plekken waar nog wat actieve ongewervelde diertjes te vinden zijn. Een voorbeeld hiervan is het dichte struikgewas waarin het Winterkoninkje en de Heggemus hun voedsel zoeken.

Het is geen toeval dat onze insektenetende vogels zich te goed doen aan de overdadige voedselvoorraden en het warme weer in de Afrikaanse bossen en savannes. Het maakt onderdeel uit van een overlevingsstrategie die zich ontwikkeld heeft toen de natuurkundige omstandigheden op aarde veranderden. Europese trekkende landvogels krijgen te maken met twee barrières op hun vlucht naar Afrika – de Middellandse Zee en de Sahara. De meeste verkiezen daarom een zuidwestelijke route over Spanje en Portugal naar West-Afrika of een zuidoostelijke route over Griekenland en Turkije naar Oost-Afrika. Veel van de Europese soorten die naar Afrika trekken hebben twee verschillende broedpopulaties. In de herfst zullen de vogels die ten westen van 15 °O broeden in zuidwestelijke richting trekken naar West-Afrika, terwijl de vogels die ten oosten van 15 °O broeden in zuidoostelijke richting naar Oost-Afrika trekken. Soorten die dit verschijnsel vertonen, hebben wat men noemt een *migratory divide*. De schaal waarop trek plaatsvindt is duizelingwekkend groot, maar nog veel verbazender is hoe iedere individuele vogel het klaar speelt om zo'n wonderbaarlijke tocht te volbrengen. Hierbij spelen twee factoren een rol: het benodigde lichamelijke uithoudingsvermogen – de spierkracht – en de navigatietechniek – het hersenwerk. Lange afstandstrekkers blijken zich op lange non-stop vluchten voor te bereiden door speciale 'brandstof'-reserves van vet onder de huid en in de lichaamsholte op te bouwen. Bij sommige soorten kunnen deze reserves het gewicht van een normale vogel zonder vet verdubbelen. Stelt u zich eens voor dat een mens zijn gewicht verdubbelt om een continuvlucht te kunnen maken van vier dagen en nachten over een afstand van 2.500 of 3.000 km! Zulke tijden en afstanden zijn normaal voor kleine zangvogels, maar zeevogels kunnen nog grotere afstanden afleggen waarbij zij gebruik maken van luchtstromingen om over de golven te kunnen glijden en zeilen. Zij hoeven hun kostbare energie niet te besteden aan het bewegen van hun vleugels, ze gebruiken alleen energie voor het navigeren.

Sommige zeevogelsoorten behoren tot de meest spectaculaire trekvogels. De Noordse Pijlstormvogel broedt op afgelegen eilandjes voor de kusten van Wales, Schotland en Ierland (slechts enkele broeden er voor de kust van Engeland). In september verlaten de jonge vogels de broedholen, waar ze weken door hun ouders gevoerd werden, om vliegoefeningen te doen. In het begin blijven ze elke dag terug komen bij hun hol om er te schuilen voor predatoren. Na een paar dagen kiezen ze het luchtruim om zelfstandig en alleen direct naar het zuidwesten te vliegen naar hun overwinteringsgebied bij Zuid-Amerika. Deze afstand van duizenden kilometers wordt geheel volbracht op de vetreserves die ze opgebouwd hebben met het voedsel dat hen door de ouders is gebracht. Het is niet waarschijnlijk dat de jonge vogels tijdens de reis eten.

Jarenlang is het onduidelijk gebleven hoe vogels navigeren. Geleidelijk aan is er meer inzicht gekomen in de navigatiemethoden die ze (kunnen) gebruiken. Vaak bleek bij het onderzoek dat dingen die waar bleken te zijn voor de ene soort niet van toepassing waren op de andere. Het is niet te verwonderen dat er door vogels een breed spectrum aan navigatiesystemen gebruikt blijkt te worden. Ze hebben een evolutie van miljoenen jaren gehad om voor iedere soort een passende oplossing te vinden.

Boerenzwaluwen verzamelen zich vaak massaal op telegraafdraden voor ze aan de herfsttrek beginnen. Het kaartje laat de trekroutes van Boerenzwaluwen over de gehele wereld zien.

□ Broedgebieden
■ Overwinteringsgebieden

De voorouders van de Grasmus splitsten zich in twee populaties ten tijde van de eerste ijstijd, ieder aan een kant van de Middellandse Zee. De groep aan de oostkant ontwikkelde zich tot Braamsluiper, en de populatie in het westen tot Grasmus. De laatste was het meest succesvol en breidde zich naar het oosten uit. Aan het einde van de tweede ijstijd bevond zich in West-Europa een populatie Grasmussen die via een zuidwestelijke route naar Afrika trok, terwijl er in het oosten een mengpopulatie van beide soorten voorkwam die via een aparte oostelijke trekroute naar Afrika ging. Tegenwoordig heeft de Braamsluiper zich uitgebreid tot in Groot-Brittannië, maar de populatie volgt nog steeds de zuidoostelijke trekroute.

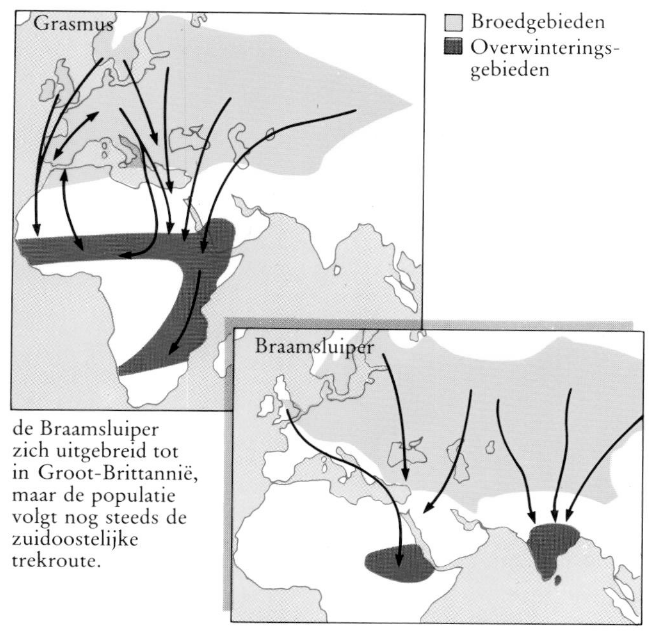

De Noordse Pijlstormvogel is een oceanische wereldreiziger die enorme afstanden kan afleggen, zelfs al is hij maar een paar maanden oud. De pijlstormvogel is bijzonder kundig in het benutten van luchtstromingen bij het vliegen.

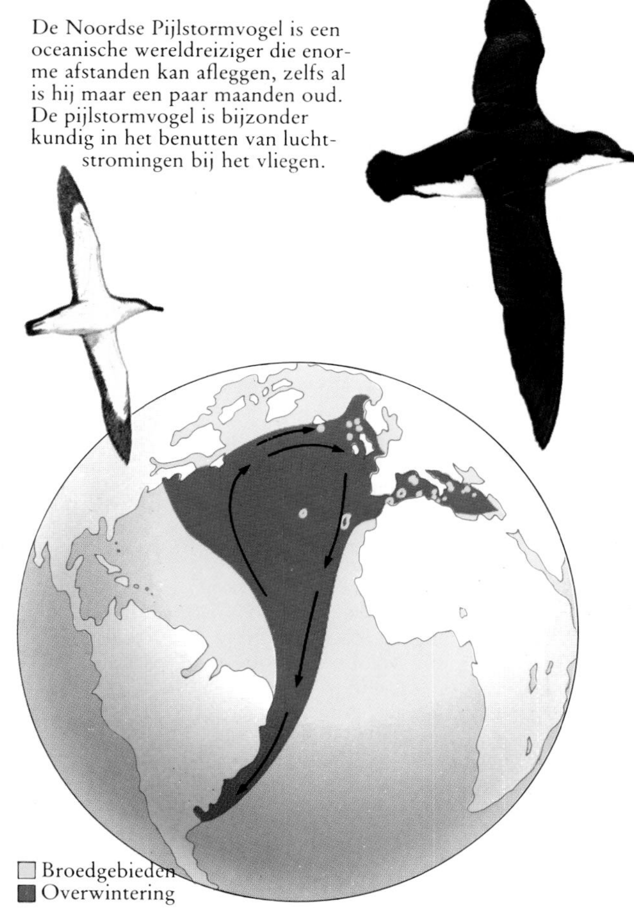

Zo denkt men nu bijvoorbeeld dat de jonge Noordse Pijlstormvogels zich tijdens de vliegoefeningen boven land de stand van de sterren inprenten! Bij experimenten met vogels in een planetarium is namelijk gebleken dat zij niet geboren worden met een ingebouwde sterrenkaart. In plaats daarvan lijkt het erop dat ze 's nachts de lucht moeten bestuderen om het noorden te lokaliseren door het rotatiecentrum van de sterren te bepalen. Bij andere experimenten bleek dat vogels gevoelig zijn voor het aard-magnetische veld. Ze doen dat niet zoals bij het kompas waar de naald naar het noorden wijst, maar ze bepalen de richting van de krachtlijnen als ze bij het aardoppervlak komen. Deze methode is veel effectiever voor de vogels omdat de polariteit – zo werkt een kompas – van het aard-magnetische veld regelmatig verandert. Als de vogels volgens het systeem van het kompas gevlogen hadden dan zouden zij eens in de paar honderdduizend jaar verkeerd gaan vliegen. Voor dagtrekkers is de zon duidelijk het beste oriëntatiepunt. Vogels hebben een goed gevoel voor tijd en kunnen een tijdcorrectie maken voor de stand van de zon op verschillende momenten van de dag. Bovendien blijken sommige soorten op de polarisatie van het licht te reageren en kunnen ze zo de stand van de zon zelfs bij een bewolkte lucht bepalen Experimenten hebben aangetoond dat de reuk een belangrijke rol speelt bij de navigatie van postduiven in sommige delen van de wereld en het is zeker dat vogels lokale landschappelijke structuren kunnen herkennen om zo terug te keren naar hetzelfde territorium of zelfs nesthol.

Door deze verschillende mogelijkheden kunnen trekvogels altijd terugvallen op andere systemen wanneer ze geen gebruik kunnen maken van hun normale navigatiemethoden. Het is aangetoond dat vogels zich al na een paar dagen kunnen oriënteren op onbekende statische sterrenkaarten op voorwaarde dat ze ook blootgesteld worden aan het aard-magnetische veld. Vogels die in een magnetisch geïsoleerde kooi werden gehouden, konden dat niet.

Al deze speciale hulpsystemen zouden waardeloos zijn als de vogels hun trektijd niet juist bepaalden. De bepaling van het juiste tijdstip voor de trek werd bij vogels, die onder standaard condities gehouden werden, geregeld door een jaarlijks ritme dat ontstond onder invloed van hormonen. Bij vogels in de vrije natuur wordt dit ritme heel nauwkeurig gereguleerd door de natuurlijke licht/donker cycli en vooral door het langer en korter worden van de dagen. De cyclus bepaalt het begin van het broedgedrag, de rui, het opbouwen van de vetreserves voor de trek en ook de trekdrang.

Als vogels ver van hun broedgebied overwinteren in een totaal verschillend gebied, hoe vinden ze dan voedsel? Het antwoord is vrij eenvoudig: de vogels zoeken op een bepaalde manier naar plantaardig of dierlijk voedsel, maar zijn niet beperkt tot de keuze van één bepaalde soort. Een steltloper die ver noordelijk in het Noordpoolgebied broedt, door Europa trekt en in Afrika overwintert, eet middelgrote, in de modder levende wormen zonder zich te bekommeren om welke soort worm het gaat. In de verschillende habitats waarin hij leeft zijn genoeg geschikte soorten te vinden die hij kan eten. Bovendien hebben steltlopers een voedselstrategie ontwikkeld die ze overal waar ze komen kunnen gebruiken. Zelfs zaadeters kunnen in ver uit elkaar gelegen gebieden op de aardbol geschikte zaden vinden, vaak van aan elkaar verwante plantensoorten.

Vogeltrek/2

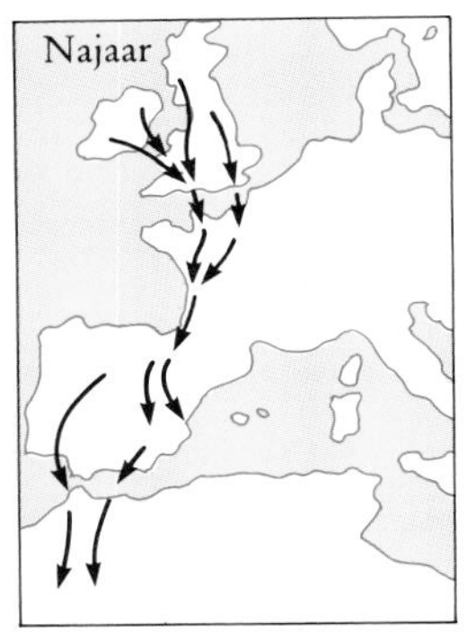

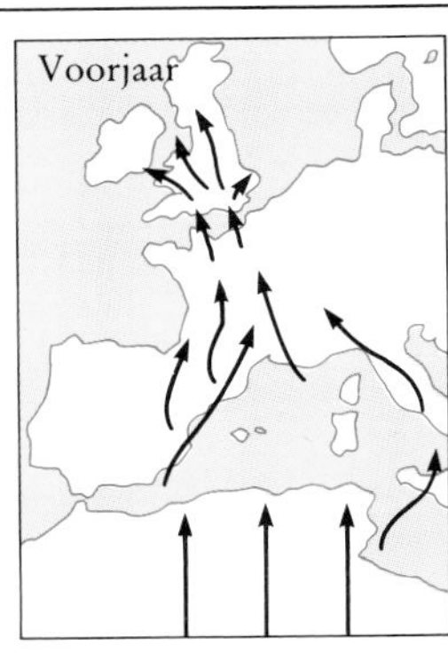

De Oeverzwaluw heeft een wereldwijde verspreiding en alle vogels trekken 's winters naar het zuiden. Door middel van ringgegevens zijn er gedetailleerde trekroutes door Groot-Brittannië en Europa bekend geworden. De gevens laten zien dat Oeverzwaluwen aan de noordwestkant de Pyreneeën passeren en daarna de Ebro-vallei volgen. In het voorjaar keren ze via een oostelijker route terug.

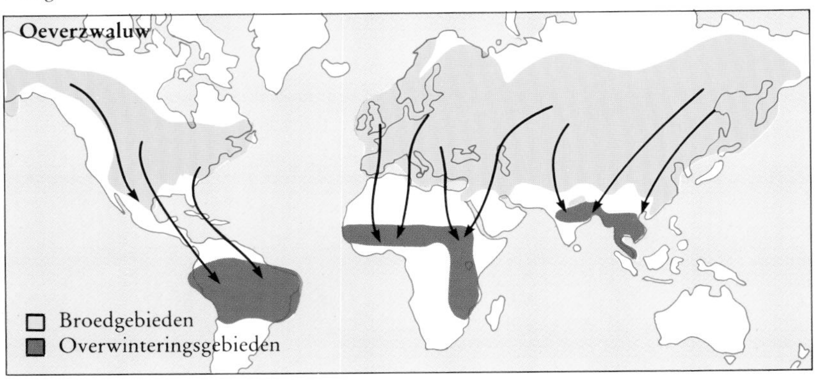

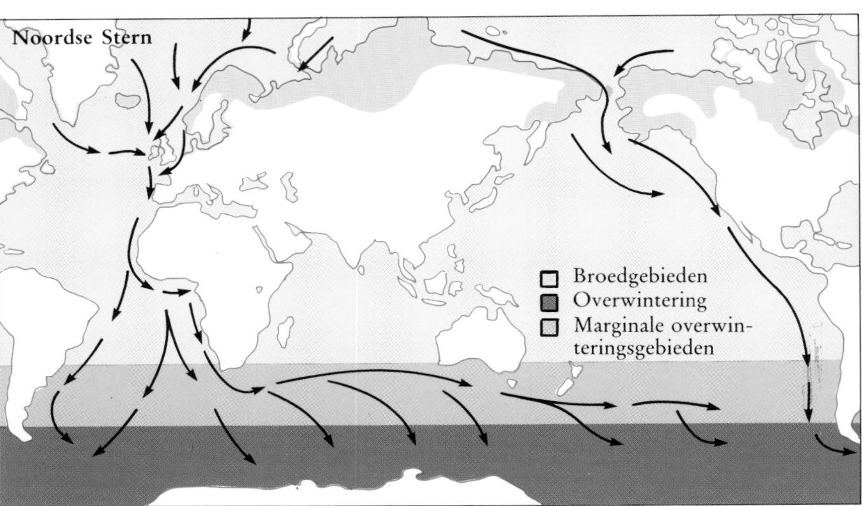

Voordat het principe van de trek volledig werd doorgrond, werden de jaarlijkse veranderingen in de vogelpopulaties verklaard aan de hand van verschillende theorieën. Een van deze theorieën, de zogenaamde *Transmutatie*-theorie, suggereerde dat zomersoorten in wintersoorten veranderden – Gekraagde Roodstaarten veranderden in Roodborsten en Tuinfluiters in Zwartkoppen. Sommigen dachten dat Boerenzwaluwen in de modder van poelen en meren overwinterden of dat zomervogels de winter op de maan doorbrachten! Ongeveer 200 jaar geleden begonnen de natuurvorsers echter in te zien dat vogels wegtrekken.

Een toenemende belangstelling in *taxonomie* – het benoemen van de soorten – was er de oorzaak van dat de eerste verzamelingen van vogels vanuit vele delen van de wereld bijeengebracht werden voor identificatie. Het werd toen duidelijk dat sommige soorten die tijdens de zomer uit Europa verdwenen, tijdens het voor- en najaar algemeen voorkwamen rond de Middellandse Zee en in Noord-Afrika. Pas later, toen de Europeanen Afrika gingen verkennen, werden de overwinteringsgebieden van de vogels bekend. Andere factoren in het doorgronden van het verschijnsel migratie, waren de observaties aan groepen overdag trekkende vogels, vogelgroepen die 's nachts door vuurtorens aangetrokken werden en het neerstrijken van grote groepen trekvogels in gebieden langs de kust en op eilanden.

In onze eeuw heeft het ringen en het vervolgens registreren van gevangen of dood gevonden geringde vogels nauwkeurige informatie opgeleverd over de trekroutes van vogels. Ongelukkigerwijs – voor de onderzoekers – trekken veel vogels naar afgelegen gebieden waar de mens niet met ze in contact komt. Als de mogelijkheden bestaan, organiseren onderzoekers nu hun eigen expedities om geringde vogels te vinden of om vogels in hun wintergebieden te ringen in de hoop deze de volgende zomer weer te kunnen registreren. De technologie speelt hierbij een belangrijke rol. Er wordt nu gebruik gemaakt van speciale radarapparatuur waarmee een individuele vogel of zelfs zijn vleugelslagen geregistreerd kan worden. Bij een van de modernste methoden wordt een klein radiozendertje aan de vogel bevestigd waarna deze door een signaal gevolgd kan worden.

De trekroutes die op de kaartjes staan aangegeven werden met behulp van verschillende technieken achterhaald. Zij laten de trekwegen zien van gewone soorten. De verschillende populaties van een soort hebben vaak een afwijkende route. Een trekvogel waar in Groot-Brittannië veel van bekend is, is de Oeverzwaluw. Tijdens de zomer, kort na het uitvliegen, bezoeken jonge Oeverzwaluwen broedkolonies en slaapplaatsen in het gebied waar ze uitgebroed zijn. Dit is een belangrijke periode waarin ze een vertrouwd gebied, waarnaar ze het volgende voorjaar zullen terugkeren, leren herkennen. Begin augustus beginnen ze zuidwaarts te trekken, ze verzamelen zich in enorme aantallen op slaapplaatsen langs de zuidoost kust van Groot-Brittannië voordat ze de zee oversteken naar Frankrijk. De trekroute loopt dan via de kust van de Golf van Biskaje door Spanje naar Noord-Afrika. Franse ringers hebben Oeverzwaluwen uit Groot-Brittannië gevonden die in Senegal overwinterden. In het voorjaar ligt de trekroute van de Oeverzwaluw meer naar het oosten dan in de herfst, het is niet bekend waarom dat zo is. De volwassen vogels komen drie of meer weken eerder dan de eerstejaars vogels in het broedgebied aan, en kunnen nog te kampen hebben met late voorjaarssneeuw. De jonge vogels vertrekken later en trekken vermoedelijk ook langzamer naar het noorden. Hun late aankomst in het broedgebied beperkt hun kansen op broedsucces.

De trek van de Oeverzwaluw verloopt geleidelijk en de vogels trekken over relatief korte afstanden. Andere soorten trekken 's nachts en leggen daarbij enorme afstanden in één keer af. Zangvogels, tapuiten en vliegenvangers doen dit. De Bonte Vliegenvanger met zijn grote broedpopulaties in noordelijk Europa is hier een goed voorbeeld van. De meeste vliegen naar het noordwesten van het Iberische Schiereiland en maken hier een

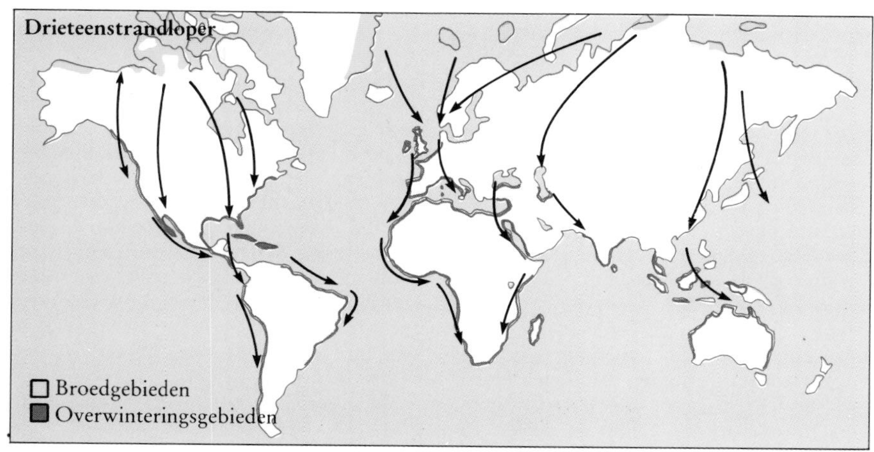

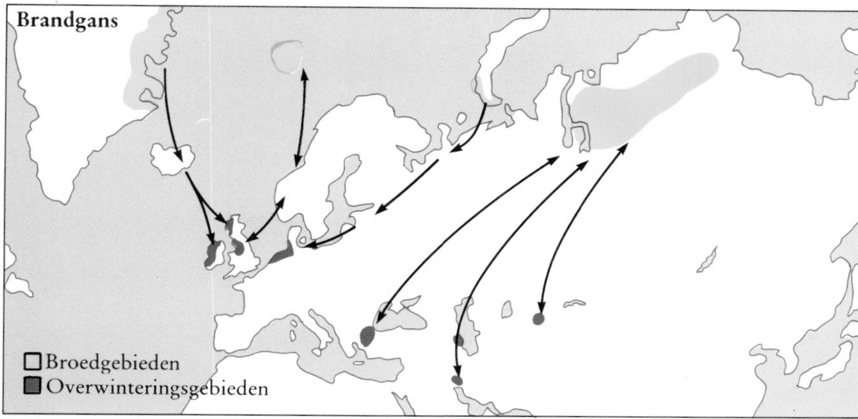

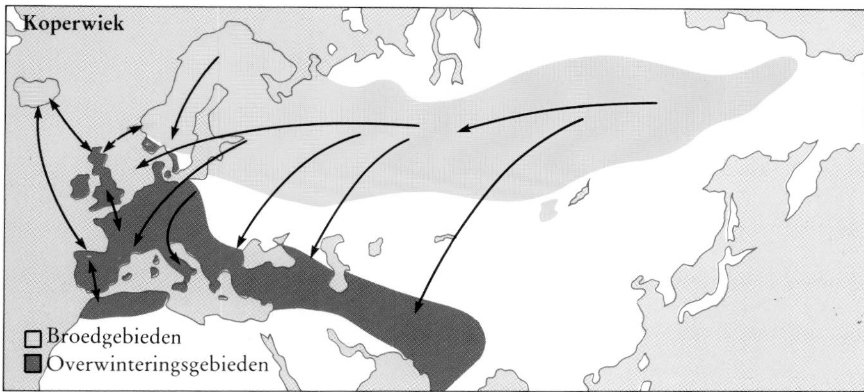

tussenstop op de trek. Als de vogels hier aankomen vullen ze hun vetreserves aan voordat ze aan de drie dagen durende vlucht beginnen over de rest van Spanje, de Middellandse Zee, Noord-Afrika en de Sahara naar hun overwinteringsgebieden in de vochtige bossen aan de kust van West-Afrika. Iedere vogel blijft drie tot zes weken in het Iberische tussenstopgebied en komt ongeveer 6,5 g aan, het gewicht gaat van ongeveer 11,5 g naar 18 g.

Sommige soorten zoals de Boerenzwaluw en de Nachtegaal broeden in het begin van de zomer in Europa en trekken in de herfst naar het zuiden om in Afrika te overwinteren. De Gierzwaluw komt als laatste trekker in de zomer aan en vertrekt als eerste in de herfst.

Zeevogels trekken nog veel verder weg dan zangvogels en onze Noordse Sterns overwinteren zelfs op het pakijs van Antarctica. De doortrek van jonge Noordse Sterns verloopt zeer snel en zij zijn meestal al een maand na het uitvliegen in West-Afrika.

Andere Arctische soorten trekken ook ver naar het zuiden. Vooral steltlopers zijn echte trekvogels. Het is echter mogelijk om het hele jaar door Drieteenstrandlopers aan de Europese kusten te zien omdat niet alle vogels in hun eerste zomer naar het noorden gaan. Het is heel goed mogelijk dat deze jonge vogels afkomstig zijn van populaties die enkele honderden kilometers van de Noordpool broeden, maar bij Kaap de Goede Hoop in Zuid-Afrika overwinteren.

We moeten niet vergeten dat er ook veel vogels van oost naar west heen en weer vliegen en regelmatig in Groot-Brittannië overwinteren om dan terug te keren naar hun broedgebieden in Centraal-Europa en Scandinavië. Elke winter krijgt Groot-Brittannië miljoenen Kokmeeuwen, Merels en Spreeuwen te gast evenals zwanen, ganzen en eenden. De Koperwieken die iedere herfst in Groot-Brittannië arriveren zijn in hoofdzaak afkomstig uit de dichtstbijzijnde Scandinavische en IJslandse broedgebieden. Door middel van ringen is aangetoond dat vogels uit Sovjetpopulaties ten oosten van de Oeral geen ongewone wintergasten zijn. Deze vogels volgen niet altijd dezelfde westelijke trekroute in opeenvolgende winters, want in Groot-Brittannië geringde vogels zijn in volgende winters uit Turkije, Georgië en Iran teruggemeld. Kramsvogels zijn ook doortrekkers en kunnen vaak samen met Koperwieken in stadsparken gezien worden.

Roodborsten worden meestal niet als trekvogel beschouwd, maar de Roodborsten die in Scandinavië broeden leggen grote afstanden af. Deze vogels vliegen in oktober over Groot-Brittannië (speciaal langs de oostkust) en vele van de hier geringde vogels worden later uit Frankrijk, Spanje, Portugal en zelfs Noord-Afrika teruggemeld. Terugmeldingen in de zomer komen uit Noorwegen, Zweden en Finland. Er zijn ook gevallen bekend van inheemse Britse Roodborsten die buiten de Britse eilanden overwinterden. Dit noemt men partiële trek en het is een nuttige aanpassing voor de soort. Het grootste deel van de Britse Roodborsten overleeft een gewone winter, maar tijdens een zeer strenge winter kunnen er grote verliezen optreden. De vogels die dan weggetrokken zijn kunnen de verliezen weer goed maken als ze in het voorjaar terugkomen.

Andere partiële trekkers trekken alleen weg in reactie op het weer. De Zanglijsterpopulaties in Groot-Brittannië zijn normaal gesproken sedentair, maar bij zeer slechte weersomstandigheden verplaatsen de noordelijke vogels zich naar Ierland terwijl de vogels in het zuiden naar het westen gaan óf naar Devon en Cornwall óf over het Kanaal naar Frankrijk. Sommige partiële trekkers zoals de Witte Kwikstaart verplaatsen zich ieder jaar. De Schotse Rouwkwikstaarten die in de bergdalen van de Hooglanden broeden, komen regelmatig tijdens de winter naar het zuiden.

Ringonderzoek

Het ringen van vogels voor wetenschappelijke doeleinden maakt het mogelijk een vogel als individu te herkennen. Iedere metalen ring heeft een eigen nummer met een adres. De ringen zijn zo ontworpen dat vogels niet gehinderd worden in hun normale doen en laten. Wanneer een gebruikte ring wordt gevonden en naar het Vogeltrekstation Arnhem wordt gezonden, worden de gegevens van ringer en vinder samengebracht zodat een idee kan worden verkregen over levensduur en verplaatsingen van de vogel. Sinds het ringen van vogels begin deze eeuw een aanvang nam, zijn miljoenen vogels geringd waarvan 2-3 procent werden teruggemeld. Behalve informatie over vogeltrek, geeft het ringen de meest betrouwbare manier om het overleven en sterven in kaart te brengen.

De oudste terugmeldingen zijn van zeevogels en steltlopers – een in Duitsland geringde Scholekster werd 34 jaar later teruggemeld en er zijn verscheidene gevallen van individuen die tenminste 25 jaar hebben geleefd. De meeste kleine zangvogels leven maar kort ofschoon er Roodborsten, lijsters en mezen bekend zijn die 10 jaar werden. Terugmeldingen van ringen worden ook gebruikt om specifieke mortaliteitsfactoren voor iedere soort te bestuderen. Zo blijkt er bij zeevogels een opmerkelijk verschil in gevoeligheid voor stookolie tussen de verschillende soorten. Noordse Stormvogels worden zelden door olie aangetast, Alken worden vaak olieslachtoffer en Jan van Genten zitten daar tussenin. Door het ringen weten we ook dat veel vogels sterven door katten of auto's, maar deze slachtoffers worden natuurlijk eerder gevonden dan vogels die door andere oorzaken sterven bijvoorbeeld op hun roestplaats midden in een doornige struik.

De meeste ringers zijn amateurs die een vergunning hebben van het Vogeltrekstation. Een deel van de vogels wordt geringd als nestjong, zodat leeftijd en geboorteplaats precies bekend zijn. Andere vogels worden gevangen wanneer zij volgroeid zijn; daarvoor gebruiken ringers verschillende typen vallen en netten en soms worden op goede trekroutes de fuikvormige Helgolandvallen gebruikt. De gevangen vogels worden nauwkeurig bekeken om leeftijd en sekse te bepalen. Wanneer geringde vogels binnen korte tijd worden teruggevangen, kunnen tevens nauwkeurige bepalingen worden verricht aan variaties in gewicht en verloop van rui.

Voor speciale studies worden behalve genummerde ringen ook kleurringen, verf, vleugelmerken en andere middelen gebruikt om vogels op een afstand individueel te herkennen. Zulke studies zijn vooral interessant voor soorten die lang leven. Zo zijn er bij Knobbelzwanen gevallen ontdekt van herhaaldelijk scheiden en hertrouwen waar filmsterren van zouden blozen.

Iedereen die een geringde vogel vindt, behoort dat aan een vogeltrekstation door te geven (in Nederland is dat het Vogeltrekstation Arnhem, Postbus 40, 6666 ZG Heteren) met bijzonderheden over waar, wanneer en hoe hij werd gevonden. Als de vogel dood is, kan de ring het beste worden meegestuurd liefst met plakband aan de brief geplakt tegen het verliezen. Vermeldt er altijd uw naam en adres bij zodat alle ringgegevens naar u kunnen worden teruggestuurd, zoals trouwens ook de ringer de gegevens van de terugmelding ontvangt. Wanneer u graag een vogelringer wilt worden, moet u proberen in uw omgeving contact te zoeken met een ringer die u het vak wil leren.

Hou een kleine vogel vast met de vingers aan weerszijden van de nek en het lichaam losjes in de hand.

Mistnetten zijn van bijna onzichtbaar materiaal gemaakt om vogels in hun vlucht te onderscheppen.

Helgolandvallen staan permanent op de trekroutes. Ringers drijven de gevangen vogels naar een doos aan het eind van de fuik.

Onder, ringen op ware grootte. De kleinste ringen zijn voor Goudhaantjes en andere kleine vogels en de grote voor grote uilen.

Speciaal ontworpen tangen worden gebruikt om er voor te zorgen dat de ring goed sluit zodat hij de vogel niet kan schaden.

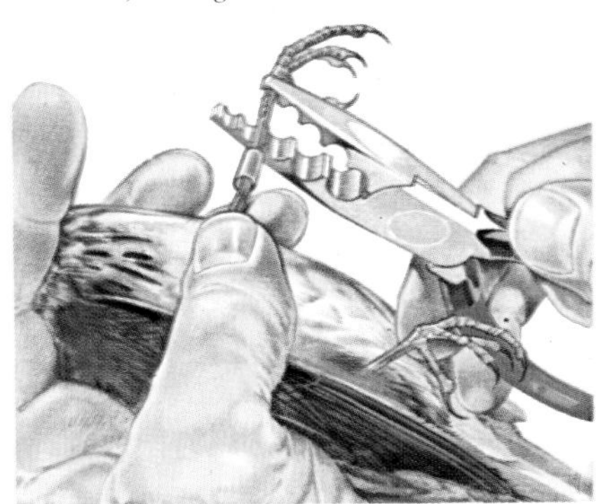

Een ring wordt meestal beneden de 'knie' aangebracht, zodanig dat hij los kan bewegen.

Op zoek naar voedsel

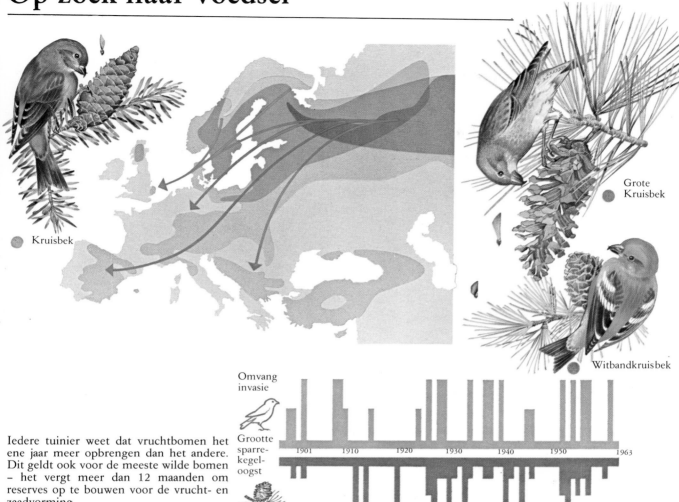

Kruisbek

Grote Kruisbek

Witbandkruisbek

Omvang invasie

Grootte sparrekegeloogst

1901 1910 1920 1930 1940 1950 1963

Iedere tuinier weet dat vruchtbomen het ene jaar meer opbrengen dan het andere. Dit geldt ook voor de meeste wilde bomen – het vergt meer dan 12 maanden om reserves op te bouwen voor de vrucht- en zaadvorming.

Daarentegen produceren kruidachtige planten ieder jaar ongeveer evenveel zaden. Dienovereenkomstig vertonen de broedpopulaties vogels die van de zaden van kruidachtige planten leven, in het algemeen slechts geringe schommelingen in aantal.

Een paar soorten zijn voor hun voedsel sterk afhankelijk van bomen. Hun aantallen vertonen aanzienlijke schommelingen, die direct verband houden met de omvang van de zaadproduktie: Sijsjes en Barmsijsjes bijvoorbeeld kunnen in een jaar tijd in aantal verviervoudigen. Hun antwoord op het sterk wisselende voedselaanbod is dat ze gaan zwerven om nieuwe voedselgebieden te vinden. De toevloed van vogels die hierdoor wordt veroorzaakt, noemt men een invasie.

Behalve bij Sijsjes en Barmsijsjes komen invasies voor bij o.a. Keep, Haakbek, Koperwiek en Pestvogel. Van alle invasiesoorten vertoont de Kruisbek het meest specifieke en opvallende gedrag. Zij verlaten hun broedgebieden slechts in uitzonderlijk magere jaren en zelfs dan trekken ze per jaar maar één bepaalde afstand af.

Links en rechts boven: de Kruisbek, die voornamelijk van sparren leeft, heeft in Europa twee tegenhangers, de Grote Kruisbek (die dennen prefereert) en de Witbandkruisbek (gespecialiseerd op lariks). Alle drie soorten trekken volgens dezelfde routes dezelfde gebieden binnen, met uitzondering van de Scandinavische Kruisbekken die naar Groot-Brittannië trekken. **Boven**: de kolommengrafiek geeft de geschatte omvang van Kruisbekinvasies uit Zweden tussen 1901 en 1963 en de grootte van de sparrekegeloogst. Hoewel grotere bewegingen vaak samenvallen met magere sparrejaren, ontbreekt een absoluut verband. Bovendien beginnen de trekbewegingen vaak al voordat de omvang van de sparappeloogst zich openbaart. Waarschijnlijk is een hoge bevolkingsdichtheid voorwaarde voor het optreden van een invasie. Wanneer de bevolking eenmaal een bepaalde dichtheid heeft bereikt, ontketent de eerste de beste schrale oogst een ware uittocht. **Onder**: na een invasie. Ringproeven in Zwitserland doen vermoeden dat sommige Kruisbekken tenslotte naar hun streek van oorsprong terugkeren, maar pas in het tweede jaar na de invasie. Kruisbekken hebben de voor vogels ongebruikelijke gewoonte om in de nieuw bezette gebieden jongen groot te brengen.

Een inleiding tot het vogelen

Vogelaars raken gefascineerd en geïntrigeerd door de vogels die ze bekijken. Hun plezier vloeit voort uit de simpele daad van het kijken naar elegante en kleurrijke schepsels die, in tegenstelling tot de mens, niet genoodzaakt zijn hun bestaan te beperken tot de twee dimensies van het aardoppervlak, maar die de vleugels kunnen uitslaan en het luchtruim kunnen verkennen. Onderzoekende geesten zullen ook meer te weten willen komen over oecologie, gedrag en fysiologie van de vogels die ze bekijken en bestuderen.

De eerste stap voor iedere beginnende vogelaar is het op naam leren brengen van de verschillende soorten in een bepaald gebied. Dit boek vormt een ideale inwijding in de aardigheden van soortidentificatie en de herkenning van de verschillende verenkleden van volwassen en onvolwassen vogels, resp. mannetjes en vrouwtjes van dezelfde soort. Het verwerven van dergelijke basisvaardigheden doet de interesse verder toenemen. Sommige mensen raken geobsedeerd door het ontdekken van 'nieuwe' soorten en stellen lijsten samen van vogels die men op een bepaalde plek, in verschillende streken, provincies en landen heeft gezien of van nieuwe vogels voor hun *'life list'* of *jaarlijst*. Zulke vogelaars staan bekend als *soortenjagers*. De meest ferventen zijn aangesloten bij het *Dutch Birding*-telefoonsysteem dat het bericht van de ontdekking van een zeldzame vogel als een lopend vuurtje door het land verspreidt.

Er zijn bepaalde 'vogelparadijzen' voor soortenjagers, bv. de Maasvlakte bij zuidoostelijke wind in de trektijd, of de Waddeneilanden – met name als een oostelijke wind in het najaar Aziatische dwaalgasten meevoert. Sommige ornithologen fronsen het voorhoofd over deze groeiende stroming. Echter, veel soortenjagers, enkelingen daargelaten zonder oog voor gedragscodes en anderen, zijn deskundige vogelaars met oprechte betrokkenheid bij de zeldzame vogels waar ze voor op pad gaan. De laatste jaren hebben de absolute zeldzaamheden – eerste of tweede voorkomen in het land – voor krantekoppen gezorgd. Het is vele honderden dan niet onbekend er naartoe te snellen in de hoop een *blijvertje* (een vogel met een meerdaags verblijf) te zien.

Veel mensen genieten van het kijken naar vogels zonder ooit bewust te vogelen, maar een ieder die een serieus begin wil maken met deze hobby moet de goede vogelkijkpunten in zijn omgeving te weten zien te komen en die regelmatig bezoeken. Het is ook een uitstekend idee om contacten te leggen met andere vogelaars, want er is geen betere manier om bekend te raken met de plaatselijke vogels dan deze aangewezen te krijgen door ervaren mensen. De meeste gebieden hebben een plaatselijke vogelwerkgroep – adressen zijn meestal te verkrijgen bij de Nederlandse Vereniging tot Bescherming van Vogels te Zeist. Zie ook pagina 266 en 267 voor details over landelijke organisaties.

De aspirant-vogelaar zal snel ontdekken dat zoiets eenvoudigs als soortherkenning helemaal niet zo simpel is als op het eerste gezicht lijkt. Vogels met zeer goede veldkenmerken op hun gespreide vleugels zullen met vastberaden opgevouwen vleugels postvatten op een eiland middenin een reservaat. Een mees die volgens de literatuur zijn eigen karakteristieke roepjes heeft, zal tot gek wordens toe een eentonige, ook bij sterk gelijkende soorten voorkomende roep laten horen. Gegarandeerd zal vrijwel elke zeldzame vogel in beeld niet alleen wegvliegen, maar ook nog richting zon gaan! Echter, langzamerhand komen de dingen op hun pootjes terecht en honderd of meer soorten kunnen dan per jaar worden waargenomen – de heilige graal van de soortenjager bevat ca. 280 verschillende soorten in een jaar in Nederland.

In (of zelfs vóór) dit stadium zal elke serieuze vogelaar beginnen met het bijhouden van notities van al zijn observaties. Hier komt het *notitieboekje* om de hoek kijken. Traditionele vogelaars schrijven alles op in hun notitieboek, hetgeen van enorme waarde kan zijn voor de toekomst. Het is echter belangrijk geen slaaf te worden van dit notitieboek; als opschrijven een vervelend karwei wordt, beperkt u zich dan tot het noteren van de hoofdzaken.

Als men het vogelen serieus neemt zal er een moment aanbreken waarop men zijn notities ter beschikking zal willen stellen aan de plaatselijke vogelwerkgroep. Deze registraties zullen moeten kloppen met de originele notities over de desbetreffende waarneming. Vooral als iemand claimt een plaatselijke of landelijke zeldzaamheid te hebben gezien, zullen gedetailleerde veldnotities, gemaakt *op het moment van de waarneming*, nodig zijn om de identificatie te staven. Daarom is het een goede zaak om te oefenen door het maken van veldnotities van vrij algemene soorten, ter voorbereiding op de – lang naar uitgekeken – zeldzaamheid die altijd zonder waarschuwing vooraf opduikt. Het indienen van notities is niet verplicht, maar de meeste vogelaars vinden het een prettige gedachte dat de vogels die ze hebben gezien zodanig worden geregistreerd dat toekomstige generaties zich verzekerd weten van betrouwbare gegevens. Op landelijk niveau beoordeelt de Commissie Dwaalgasten Nederlandse Avifauna waarnemingen van zeldzame vogels, met het doel een

Een soortenjager in volledige velduitrusting. De telescoop staat op een statief, die ook gebruikt kan worden voor een verrekijker of camera. Let op de zender, waarmee soortenjagers in het najaar op de Scilly Eilanden in ZW-Engeland elkaar op de hoogte houden van de laatste waarnemingen.

Door een goed bijgehouden notitieboek kan men twijfelachtige determinaties later verifiëren. De aantekeningen leveren ook uitstekende informatie bij de voorbereiding van excursies.

Ook in Groot-Brittannië zijn er enkele projecten waaraan vogelaars kunnen deelnemen. Afgebeeld zijn formulieren voor (v.l.n.r.) onderzoek gericht op een bepaalde soort, onderzoek waarbij iedere deelnemer de ontwikkeling van een aantal nesten bijhoudt en een broedvogel-monitoring-project. Ook is er een commissie die waarnemingen van zeldzame vogels, zoals de afgebeelde bergfluiter, beoordeelt en registreert.

betrouwbaar overzicht te krijgen van de status van dwaalgasten in Nederland. De beoordeling vindt plaats op grond van de documentatie die vogelaars inzenden. Als men een waarneming indient, verplicht men zich het oordeel van de CDNA te accepteren. De commissieleden doen hun uiterste best om tot een zorgvuldige beslissing te komen op basis van wat hun is toegestuurd. Veel vogelaars vinden het prettig iets toe te voegen aan de algemene kennis over vogels. Dit kan op verschillende niveaus gebeuren, variërend van samenwerking met de plaatselijke vogelwerkgroep tot deelname aan lokale en landelijke inventarisaties en vogelbeschermingsprojecten. Meewerken aan inventarisaties is voor de vogelaar een goede manier om al doende zijn vaardigheden te vergroten. In wezen maken dergelijke inventarisaties gebruik van de expertise van veel mensen uit het onderzochte gebied voor het vergaren van een grote hoeveelheid afzonderlijke observaties, waarvan elk op zich bijdraagt tot het begrijpen van het geheel.
De vereniging Samenwerkende Organisaties voor Vogelonderzoek in Nederland organiseert sedert 1984 het Broedvogel-Monitoring-Project. Deelnemers, doorgaans de wat gevorderde vogelaars, stippelen hun eigen looproute uit waarlangs ze 10 tot 12 maal tijdens het broedseizoen alle vogels intekenen op een plattegrond. De ingetekende waarnemingen worden geanalyseerd volgens internationaal overeengekomen regels om op die manier tot een schatting te komen van het aantal broedvogels in dat gebied. Het seizoenresultaat wordt vervolgens vergeleken met de resultaten langs dezelfde route uit voorafgaande jaren. Hierdoor kan een index worden bepaald, waarmee voor- en achteruitgang bij bepaalde vogelsoorten kan worden ingeschat. Hoe langer de reeks seizoenen, hoe waardevoller de gegevens.
SOVON organiseert sinds 1978 ook wintertellingen waaraan enkele honderden vogelaars in het hele land meewerken. Ook hier heeft iedere teller zijn eigen route. Langs de route zijn 20 punten waarop gedurende 5 minuten alle opgemerkte vogels worden genoteerd, de zgn. Punt-Transect-Telling. Ook hier worden de gegevens per jaar naast elkaar gelegd om indexen te berekenen waarmee voor- resp. achteruitgang van vogels kan worden ingeschat.
SOVON werkt met een net van 19 districtscoördinatoren die nauw met de waarnemers in contact staan. Op deze manier zijn in het verleden twee grote projecten met hulp van honderden vogelaars succesvol volbracht, een atlasproject voor broedvogels en een atlasproject voor winter- en trekvogels. Het eerste resulteerde in 1979 in de 'Atlas van de Nederlandse Broedvogels', het tweede zal zeer binnenkort worden afgerond met de publikatie van eveneens een atlas. Naast deze twee projecten bestaat er het Bijzondere-Soorten-Project, waarin aandacht wordt geschonken aan de schaarsere soorten, zowel broed- als niet-broedvogels. Ook zijn er landelijke tellingen van trekvogels in het algemeen, roofvogels en watervogels. De Club van Zeetrekwaarnemers coördineert tellingen van langstrekkende zeevogels aan de Noordzeekust. Vogelwerkgroepen participeren vaak in deze landelijke projecten, maar hebben daarnaast ook hun eigen onderzoeken waaraan iedere vogelaar wel zijn steentje kan bijdragen.
De ontplooiing van dergelijke activiteiten hebben ertoe geleid dat duizenden mensen tot een beter begrip zijn gekomen van het vogelleven in het land, alsmede kennis hebben gemaakt met een bijzonder lonende hobby. Veel andere mensen vinden de hobby even bevredigend zonder betrokken te raken bij specifieke projecten. Toch is hun hulp bij omvangrijke projecten als de broedvogelatlas van onschatbare waarde.
Andere vogelaars raken in de ban van het fotograferen (of filmen) of het maken van geluidsopnamen. Vogels vormen een ideaal onderwerp voor beide doeleinden, die echter duur en tijdrovend kunnen zijn. Acceptabele resultaten kunnen worden verkregen met relatief goedkope apparatuur, maar een *perfect* resultaat zal in het algemeen alleen bereikt worden door de ervaren persoon met de juiste uitrusting.
Ongeacht iemands interessevoorkeur is het goed te onthouden dat het *belang van de vogels* altijd voorop dient te staan. In Nederland is bescherming van de meeste, en bijzondere bescherming voor de meer zeldzame vogelsoorten wettelijk geregeld. Men mag vogels niet doden, verwonden, vangen of opkooien, hun eieren stelen of hun nest vernielen. De speciaal beschermde soorten mogen zelfs niet worden gestoord op of in de buurt van hun nest op straffe van bijzonder hoge boetes. In plaats van de wet te overtreden, behoren vogelaars altijd gepast respect te tonen voor de vogels waar ze van genieten.

Thuis vogelen

Naast iedere persoon die geïnteresseerd is in kritisch, nauwgezet vogelen zijn er anderen die al genieten bij het zien van zoveel mogelijk vogels in de tuin – en hun tuin voor dat doel willen inrichten. Dit is niet moeilijk maar zorgvuldigheid en planning zijn vereist – het gedachteloos plaatsen van vogelvoer in de buurt van de favoriete schuilplaats van de kat van de buren is het lot tarten. De belangrijkste zaken waarmee men vogels kan aantrekken zijn voedsel, water, broed- en schuilplaatsen.

Contoneaster horizontalis is een algemene heester die rijk is aan bessen en een grote aantrekkingskracht heeft op vele vogelsoorten. Andere besdragende struiken zijn onder andere Meidoorn, Hulst en Berberis.

Nestkasten met een kleine, ronde opening of een halfopen voorzijde zijn eenvoudig te maken van losse stukken hout. De eenvoudigste ontwerpen zijn vaak het meest in trek bij de vogels.

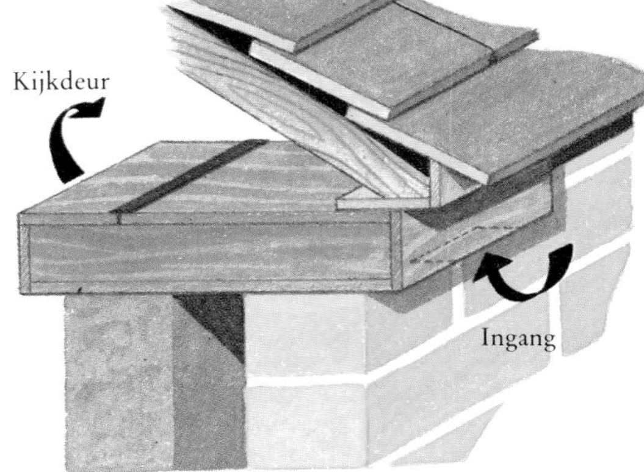

Gierzwaluwnestkast onder de dakrand. Tijdens de baltsvlucht cirkelen schreeuwende Gierzwaluwen rond het huis en maken uitvallen naar de nestkastingang, waarbij ze met hun vleugels tegen de nestkast slaan.

Voedsel

Voor veel vogelliefhebbers, vooral die met een kleine tuin, is de voor de hand liggende gang van zaken nootjes op te hangen of keukenafval op voertafels neer te leggen. Echter, afhankelijk van de beschikbare ruimte, waarom niet ook het natuurlijke voedsel van de vogel *kweken*? Veel heesters en andere planten geven bessen en zaden die in de herfst en winter door vogels worden gegeten. Zij zullen vaak vogels de tuin in lokken die niet aangetrokken worden door onnatuurlijk voedsel. Kaardebollen en distels zullen groepjes Putters aantrekken en zaaddragende berken Sijzen en Barmsijzen. De oranjerode en zwarte besdragende vuurdoorns en cotoneasters zullen lijsters verleiden, evenals vele sierappels – 'John Downie' oogst vaak goed en de soort *Malus robusta* heeft donkere bessen die aan de takken blijven hangen totdat de vorst ze zacht heeft gemaakt. Deze trekt met koud weer Koperwieken en kramsvogels aan en ook Pestvogels tijdens hun periodieke invasies. Ook alledaagse, in de zomer vooral zachte vruchten, kunnen worden gekweekt, waarbij de laatste afgeschermd zullen moeten worden als u alles liever zelf wilt opeten. Als u zich mag verheugen in een grote appeloogst, is het altijd de moeite waard wat voor de vogels te bewaren tot hartje winter.

Het planten van vruchtdragende bomen is een lange-termijn aangelegenheid. Inheemse soorten zijn de moeite waard alhoewel vele ongeschikt zijn voor een kleine tuin. Beuken, eiken en wilde kers kunnen heel groot worden, maar hebben het voordeel dat ze vele insekten herbergen die als voedsel kunnen dienen voor een aantal zomervogels. Alle drie voorzien ook wintervogels van voedsel – beukenoten, eikels, kersepitten (de laatste alleen voor Appelvinken en muizen). Kleinere bomen zoals de lijsterbes, hulst en els zijn ook uitstekend. Elzeproppen zijn het favoriete natuurlijke voedsel voor Sijzen. Sommige eenjarige planten kunnen van nut zijn als ze tenminste de kans krijgen tot zaadvorming over te gaan. Vinkachtigen bijvoorbeeld zullen zich te goed doen aan allerlei zaadjes.

Voor veel mensen zal het voeren van vogels in de winter zich moeten beperken tot het ophangen van pinda's. Dit is in feite ideaal voer voor mezen wat ze vaak op de grond zullen opeten. Noten verpakt in rode plastic netjes lijken erg aantrekkelijk te zijn voor sommige soorten, vooral Sijzen in de jaren dat ze er zijn, mogelijk omdat de vorm lijkt op een grote spar- of denneappel. Ook kunnen verschillende soorten zaden worden opgehangen en allerlei vette hapjes – niervet, botjes of koekkruimels – zullen worden opgegeten. Veel mensen maken *vogelcake* waarbij keukenafval, gedroogd fruit, pinda's en andere geschikte zaken in een bakvorm worden gedaan. Deze ingrediënten worden daarna gebonden met gesmolten vet dat in de vorm wordt gegoten. Zorg daarbij dat er een draadje aan wordt vastgemaakt zodat het geheel aan de voertafel of een tak kan worden opgehangen. Hierdoor zullen de meer acrobatische soorten zoals mezen worden aangetrokken.

Om katten af te weren moet de voertafel hoog zijn, maar ook weer niet zo hoog dat u er niet meer bij kunt komen. Een dak zal, hoewel niet essentieel, het voer droog houden bij nat weer, terwijl een opstaande rand nodig is om te voorkomen dat het voer wordt weggeblazen (maar denk aan openingen voor waterafvoer). De tafel moet altijd open en bloot staan (wederom als bescherming tegen katten) en moet goed zichtbaar zijn vanuit het raam, aangezien bijna iedereen geniet van het kijken naar etende vogels.

Water

Vogels hebben water nodig om te drinken en te baden. Vogelbadjes op een voetstuk zijn tijdverspilling omdat op de grond levende soorten ze niet zullen gebruiken – beter is een bakje in te graven en er een halve baksteen in te plaatsen als zitplaats. Voeg in de winter geen antivries toe aan het water; verwijder eenvoudig het ijs en doe er warm water voor in de plaats. Alle goede tuinen van welke grootte dan ook hebben vaak een vijver, maar vogels zullen de voorkeur geven aan het ingegraven bakje als er geen geschikte zitplaatsen rond de vijver zijn. Vijvers vol vis kunnen zelfs Blauwe Reigers en IJsvogels de tuin in lokken; de eigenaar heeft dan de moeilijke taak te kiezen tussen het beschermen van de vis of het voeren van de bezoekers.

Nestplaatsen

Nestkasten zijn voor de hand liggende broedgelegenheden waarvan men de tuin kan voorzien. Deze hebben echter alleen effect bij een klein aantal soorten en zelfs voor deze zijn soms speciale ontwerpen nodig. De meest succesvolle die algemeen wordt gebruikt, is het kastje voor de holenbroedende mezen. Elke tuin kan een thuis worden voor een paartje Pimpel- of Koolmezen. Beide soorten hebben een kast nodig van 250 mm hoog, ca. 125 mm breed en met een gat van 30 mm in doorsnee. Een dergelijke kast kan

Elzeproppen vormen tijdens de winter een belangrijke voedselbron voor Sijzen. Deze lenige, kleine, vinkachtige vogels zijn zeer bedreven in het met hun poten voedsel naar de snavel te brengen, terwijl ze aan een takje bungelen.

Een half ingegraven bakje gevuld met water en een geïmproviseerde zitplaats in de vorm van een halve baksteen vormt een goed vogelbad voor op de grond foeragerende vogels, zoals deze Spreeuwen.

Een zakje met pinda's, vet of vogelcake hangt onder aan de voertafel. Het trekt vooral de handiger soorten zoals mezen, terwijl de aggressievere soorten de voertafel zelf zullen bezoeken.

worden gemaakt van elke soort hout en dient waterdicht te zijn. Het moet een goede ventilatie hebben, boor in geval van twijfel enkele gaatjes in de bodem. De kast moet niet in het directe zonlicht worden opgehangen en ook niet op het westen – waar de meeste regen vandaan komt. Het moet ook buiten bereik van katten en eekhoorns geplaatst worden. Het is een uitstekend idee om twee of drie hokjes op verschillende plaatsen in de tuin op te hangen, aangezien mensen erg slecht zijn in het kiezen van plekjes die vogels geschikt achten voor het broeden.

Een ongeveer even grote nestkast, maar met een halfopen voorzijde, is geschikt voor Roodborsten, Grauwe Vliegenvangers en andere soorten. Dit soort nestkasten kan het beste geplaatst worden in klimop of andere klimplanten die langs muren of boomstammen groeien. De kast dient tamelijk verscholen te worden opgehangen, maar moet de zittende vogel een goed uitzicht blijven bieden. In het algemeen zullen zulke open kasten minder kans maken op bewoning dan die welke specifiek zijn ontworpen voor mezen.

Twee zomergasten die kunnen worden aangetrokken door nestkastjes zijn de Huiszwaluw en de Gierzwaluw. Voor de Huiszwaluw zijn geprefabriceerde kunstnesten in de handel die kunnen worden geplaatst onder de dakrand. Deze kunnen daadwerkelijk worden bewoond of de aanwezigheid ervan kan vogels stimuleren zelf een nest in de buurt te bouwen. Huiszwaluwen kunnen echter een enorme rommel maken rond en onder de nestplaats; hang dus geen kunstnestjes op als dit een probleem kan geven. Gierzwaluwen hebben een nogal bijzondere kastconstructie nodig. Het is mogelijk dat ze kasten gaan bewonen die tegen het huis zijn opgehangen, maar waarschijnlijk zullen ze de voorkeur geven aan kastjes die in de muur onder de dakrand zijn ingemetseld. Deze zijn gemakkelijk zodanig te construeren dat ze precies passen in het gat dat ontstaat door het weghalen van een baksteen. Laat u niet ontmoedigen door het uitblijven van directe resultaten. Gierzwaluwen doen er enkele jaren over voor ze dergelijke kastjes gaan bewonen, zelfs wanneer er andere vogels in de buurt broeden. Het wachten is lonend, want Gierzwaluwen zijn waarschijnlijk de spectaculairste vogels die men rond het huis zal kunnen aantreffen, vooral als in de loop der jaren een kolonie zich weet te vestigen en uit te breiden.

Sommige soorten die niet overgehaald kunnen worden tot het gebruiken van kastjes, kunnen worden aangemoedigd te gaan broeden door het planten van heesters en klimplanten die een beschutting vormen voor het nest. Andere soorten vinden het prettig om in schuurtjes of garages te broeden. Door een deur of venster op een kier te laten staan, kan men deze soorten lokken. Sommige vogels kunnen te kampen hebben met een tekort aan nestmateriaal en een voorraad gebruiksklare modder tijdens droog weer zal gewaardeerd worden door Huiszwaluwen, Merels en Zanglijsters. Als u een hond hebt, zullen de achtergebleven haren na het borstelen van zijn vacht door de vogels worden geconfisqueerd en verwerkt in de bekleding van het nest. Hetzelfde geldt natuurlijk voor het haar van uw eigen borstel als het gelegd wordt op een plek waar de vogels het kunnen vinden.

Beschutting

De meeste vogels wennen aan de alledaagse menselijke activiteiten, maar het is een kwestie van gezond verstand geen barbecue te houden in de lente met discomuziek onder een kastje bewoond door een broedend paartje Pimpelmezen, aangezien de ouders zeer waarschijnlijk zullen vertrekken. In een grotere tuin zal de meest gebruikte beschutting vast en zeker een bladhoudende heester zijn waarin diverse soorten kunnen huizen. De beschutting wordt des te groter als men dichte doornstruiken laat gedijen. De dichte begroeiing beschermt de vogels tegen de wind bij koud weer en de doorns helpen jagende roofdieren verre te houden.

De beruchtste van deze roofdieren is ongetwijfeld de huiskat. In woonwijken is het vrijwel onmogelijk een tuin katvrij te houden zonder onevenredig grote uitgaven. Een oplossing is een hond of een eigen kat te houden. Een tuin zonder eigen huisdieren wordt het gemeenschapelijke domein van de plaatselijke kattenpopulatie, maar een eigen kat (bij voorkeur een gecastreerde kater) is in het algemeen in staat zijn territorium te verdedigen tegen alle bezoekers en kan tot op zekere hoogte in de gaten worden gehouden. Als hij een halsband met een belletje draagt zal dit de vogels waarschuwen dat hij in de buurt is, maar in feite zijn veel gecastreerde kàters die een luizeleventje leiden geen fanatieke jagers.

Tot slot, als u uw vogelparadijs heeft ontworpen en gerealiseerd, ga dan op uw gemak zitten genieten van het genieten van de vogels. In de jaren daarna zult u er moeite mee hebben zich te herinneren wat er allemaal is gebeurd en een notitieboekje waarin is bijgehouden wanneer planten geplant zijn, nestkastjes opgehangen en in gebruik genomen zijn, en soorten de voertafel hebben bezocht, zal een toekomstige bron van zowel plezier als informatie zijn.

De uitrusting van vogelaars

Een van de voornaamste attracties van het vogelen is dat iedereen het kan doen, overal en met een minimum aan uitrusting. De enthousiaste vogelaars willen zich voor hun hobby echter uitrusten met een scala aan hulpmiddelen. Een eerste en essentieel vereiste voor een ieder is natuurlijk een verrekijker.

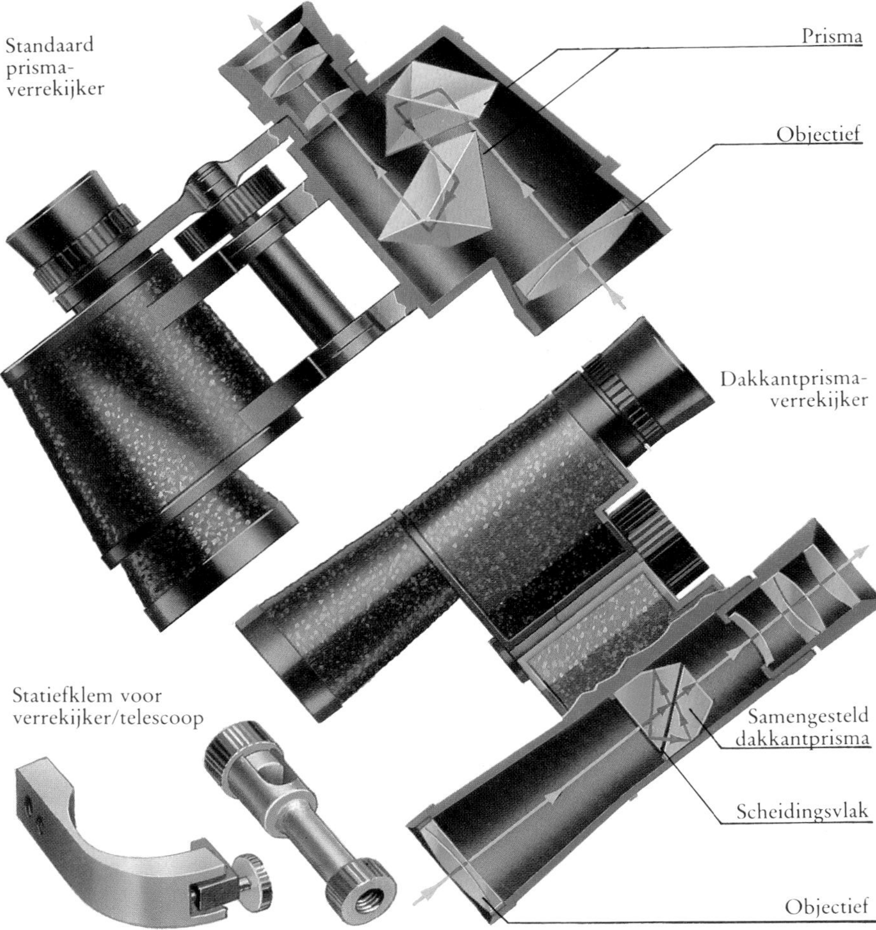

Verrekijkers

De eerste stap bij het kopen van een verrekijker is het bepalen van de benodigde vergroting (sterkte). Goedkope toneelkijkers zijn onbruikbaar voor serieus vogelen want zij vergroten slechts 2 of 3 maal. Geschikte prismaverrekijkers beginnen met een vergrotingsfactor van 7 maal en nemen toe tot ongeveer 12 maal. Een grotere sterkte is niet zinvol aangezien het vrijwel onmogelijk is de verrekijker stil te houden en de beelden zijn zo schemerig dat zo'n kijker alleen te gebruiken is bij bijzonder zonnig weer.
Elke verrekijker heeft een *specificatie* gebaseerd op zijn sterkte en de diameter in mm van een van de objectieven (de grote lenzen die het verst van het oog af staan). Bijvoorbeeld een specificatie van 8 × 30 wijst op een vergrotingsfactor van 8 en een objectiefdiameter van 30 mm. Dit is belangrijk bij afwegingen over helderheid van het beeld. In feite is het zo dat hoe groter de objectieven, hoe meer licht de verrekijker zal binnenlaten, wat een helderder beeld zal opleveren. Er zijn echter grenzen, aangegeven door het menselijk oog welke normaliter een pupildiameter van 6 mm of minder heeft. Dientengevolge zijn verrekijkers met een *uittreepupil* van meer dan 6 mm (te berekenen door het verdelen van de *vergrotingsfactor* door de *diameter van het objectief*) voor de meeste mensen ongeschikt. Onder dit voorbehoud is de algemene regel dat hoe hoger de sterkte en hoe groter het objectief, des te beter de helderheid van het beeld. De kwaliteit van het instrument speelt echter ook een rol en de beste kwaliteit is nooit het goedkoopst.
De beste verrekijkers die op het moment verkrijgbaar zijn, zijn dakkantprismakijkers uit Duitsland, die compact en licht zijn met sublieme, scherpe beelden, hoewel ze zeer nabije objecten (op minder dan ca. 5 m afstand) niet scherp kunnen krijgen. Deze kijkers kosten bijna drie keer zoveel als goede conventionele verrekijkers.
Probeer diverse modellen uit alvorens tot koop over te gaan. Soms ligt een overigens goede verrekijker niet goed in de hand. Als hij echter goed aanvoelt, test dan zijn beeldkwaliteit op een punt aan de horizon. Dit is belangrijk voor bijziende mensen die geen bril dragen bij gebruik van een verrekijker. Zij kunnen door een overigens goede kijker vaak niet scherp zien op oneindig. Als alles in orde is probeer dan iets van dichtbij te bekijken; hoe dichterbij men scherp kan zien hoe beter, alhoewel men zelden vogels zal kunnen bekijken op een afstand van minder dan drie of vier meter. De volgende test is richten op een op enige afstand verwijderd voorwerp met een rechte verticale rand, zoals een gebouw of een lantaarnpaal. Kijk door het centrum van de lens. Draai langzaam naar links of rechts en als de rand recht blijft tot kort voor het uit beeld verdwijnen, dan hebt u een goede verrekijker gevonden.
Controleer vervolgens de *chromatische aberratie*. Zijn er tamelijk hinderlijke kleurringen verschenen rond de buitenrand van het beeld? Zo ja, dan kunt u beter niet tot koop overgaan. Tot slot is het *gezichtsveld* aan de beurt, het uiteindelijke gebied dat bestreken wordt wanneer men door de lenzen kijkt. Vergelijk verschillende verrekijkers met dezelfde sterkte. Als, na dit alles, de verrekijker goed aanvoelt en u voelt zich blij, koop hem dan.
Doorgewinterde vogelaars dienen verrekijkers in overweging te nemen die gebruikt kunnen worden bij erg koud weer. Deze hebben in het midden een snelscherpinstelling in plaats van een schroef en ze kunnen gebruikt worden met dikke handschoenen. Andere verrekijkers hebben zoomlenzen.
Gebruik uw nieuwe verrekijker voortdurend tot u gewend bent een vliegende vogel in beeld te houden. Houd bij het vogelen nooit uw verrekijker in de hoes. Als u dat doet zal de vogel die u wilt bekijken zijn verdwenen, voordat u goed en wel de kijker hebt bevrijd en gericht.
Wees bij het schoonmaken voorzichtig dat u de lenzen niet beschadigt en probeer de altijd aanwezige zandkorrels uit de buurt van het scherpstelmechanisme te houden. Als u hoofdpijn begint te krijgen kan uw verrekijker wel eens scheel zijn: wanneer de twee objectieven in feite verschillende richtingen uit wijzen. Gebruik de verrekijker in dit geval niet. Een goede dealer kan hem eenvoudig corrigeren, of adviseren bij de aanschaf van een nieuwe.
Gespecialiseerde vogelaars hebben een type verrekijker nodig die toegespitst is op hun interesse. Zo hebben zij die doorgaans in bossen rondkijken een breed gezichtsveld nodig maar een kleine sterkte aangezien de vogels die zij observeren gewoonlijk heel dichtbij zitten. Zeetrektellers geven meestal de voorkeur aan heldere beelden met een grote sterkte om vogels op grote afstand te kunnen identificeren.

Statief

Camera met telescoop adaptor

Camera/telescoop steun

Uitschuifbare telescoop

Telescopen
Een goede telescoop is van onschatbare waarde voor het nauwkeurig bekijken van een zeldzaamheid of om zeevogels of roofvogels op grote afstand te observeren. Goed gebruik ervan vereist oefening en een statief (eventueel met een bevestigingsmogelijkheid voor een verrekijker) is essentieel. Moderne instrumenten hebben hooguit één of helemaal geen uitschuifbare elementen. Vele hebben zoommogelijkheden of een keuze uit oculairen. Een vergroting tussen 25-40 maal verdient in het algemeen de voorkeur, maar er zijn uitstekende (en dure) spiegellenstelescopen op de markt die 80 of 100 maal, te bieden hebben. Test voor het kopen diverse modellen; andere vogelaars zullen u graag door hun telescoop laten bekijken. Denk er altijd aan dat u waar naar geld krijgt. Het heeft geen zin een erg goedkope telescoop te kopen.

Fotocamera's
Degenen die serieus geïnteresseerd zijn in het fotograferen van vogels zouden specialistische boeken over het onderwerp kunnen lezen, maar een ieder die vaardig genoeg is de vogels dicht te naderen, kan mooie resultaten krijgen. Het gebruikelijke formaat is 35 mm, waarbij zelfs relatief goedkope apparatuur niet meer zal kosten dan een prima verrekijker. Voor serieus gebruik wordt een éénoogspiegelreflex camera met telelens aangeraden omdat het beeld in de zoeker overeenkomt met wat er op de film wordt vastgelegd. Sommige moderne telescopen kunnen worden vastgeschroefd aan een camera door middel van een adaptor waardoor kwalitatief goede telelensfoto's met indrukwekkende uitvergrotingen kunnen worden verkregen.

Tape recorders
De kwaliteit van het opgenomen geluid is recht evenredig met de prijs van de uitrusting. Kwalitatief goede recorders kunnen klein, licht en makkelijk draagbaar zijn of onhandig en zwaar; ze zijn allemaal duur. Veel zal afhangen van de gebruikte microfoon en van verkrijgbare systemen die de achtergrondruis onderdrukken.
Er kunnen echter acceptabele opnamen worden gemaakt met relatief goedkope apparatuur. Opname van ver verwijderde onderwerpen vereist aanzienlijke investering in de juiste uitrusting, maar het is mogelijk een minder dure microfoon en recorder te plaatsen op de plek waarvan bekend is dat er vogels zitten te zingen. Probeer een apparaat met afstandsbediening te bemachtigen zodat de recorder niet onnodig hoeft te lopen wanneer hij buiten bereik is opgesteld.
Recorders die het signaal tijdens het opnemen kunnen weergeven, zijn iets duurder maar wel hun prijs waard. Veel recent werk richt zich op stereo-opnamen, ook een onderzoeksgebied dat de moeite waard is. De meeste cassetterecorders hebben maar één opnamesnelheid, maar hoe groter de snelheid hoe beter de kwaliteit van het geluid omdat de frekwenties van vogelzang boven en onder de gehoorgrens van de mens uitkomen. Dictafoons in zakformaat geven geen goede opnamen, omdat hun frekwentiebereik te beperkt is. Echter 'Walkman'-achtige recorders kunnen uitstekende opnamen maken door het gebruik van een stereomicrofoon met plastic windkap om geruis van de wind te verminderen.

Schuilhutten
Vroegere ornithologen brachten veel tijd door in zelfgemaakte schuilhutten om zich aan het oog van de vogels te onttrekken teneinde ze op die manier met hun zwak vergrotende verrekijkers en camera's te bestuderen en te fotograferen. De ontwikkelingen in de optiek hebben ertoe geleid dat schuilhutten nu in het algmeen niet meer nodig zijn. Ironisch genoeg hebben de meeste vogelaars een buitengewoon goede en mobiele schuilmogelijkheid – hun auto. Sommige reservaten hebben een strategisch opgestelde schuilhut.

Kleding
Bij slecht weer moeten vogelaars natuurlijk altijd regenbestendige kleding dragen zonder felle, opvallende kleuren. De beste oplossing is een geïmpregneerd katoenen jack proberen met vele, diepe zakken en een maatje groter dan gewoonlijk zodat de verrekijker *onder* het jack kan worden gedragen – maar let op het probleem van beslagen lenzen. Waterdichte regenbroeken zijn ook goed voor het moreel bij slecht weer – geïmpregneerd katoen is ook hier beter dan plastic dat plakkerig wordt en de neiging heeft te kraken op de verkeerde momenten.
In de zomer of tijdens vakanties in warmere gebieden is een hoofddeksel altijd aan te bevelen; de vogelaar zal meer zien van wat er gebeurt als er geen licht in zijn ogen schijnt. Onthoud ook dat hoe minder kleren men aan heeft, hoe minder zakken men tot zijn beschikking heeft en een rugzak of cameratas kan dan heel nuttig zijn. Een laatste tip: de draagriem van uw verrekijker kan pijnlijk insnoeren in uw nek, overweeg dan ook over te stappen op een bredere cameradraagriem.

Vogels kijken in Europa

Als vogel- en natuurliefhebber bieden buitenlandse reizen, hetzij voor vakantie, hetzij voor zaken, een niet te missen buitenkans voor waarnemingen en studie. Elk land heeft zijn eigen vogels, waarvan vele nieuw zijn voor de bezoeker. Zelfs stadscentra herbergen vaak nieuwe soorten die gemakkelijk te zien zijn vanuit de hotelkamer zoals bijvoorbeeld Vale Gierzwaluwen en Europese Kanaries in de steden van Zuid-Europa. Het is mogelijk een hele vakantie te organiseren rond de vogels, maar veel mensen geven de voorkeur aan zwemmen, zonnebaden en sightseeing waarbij het plaatselijke vogelleven slechts een bijkomstige attractie is. Probeer altijd voor de vakantie begint achter het potentieel van vogelgebieden te komen, want het is om van uit je vel te springen op de laatste dag te ontdekken dat er een geweldig vogelgebied bestaat op korte loopafstand van het hotel. Veel van de gewone vogels die men in een nieuw land kan zien zullen onbekend en van groot belang zijn, terwijl officiële natuurreservaten gewoonlijk bijzonder fraaie gebieden zijn met zeldzame en spectaculaire vogelsoorten. De opgegeven adressen zijn voornamelijk van vrijwilligersorganisaties die mogelijk suggesties kunnen geven voor goede centra voor vogelvakanties of dagtochten vanuit de gebruikelijke vakantieplaatsen. Boekjes die vogelaars tips geven over vogelen en gegevens over vele gebieden in Europa zijn eveneens beschikbaar. Deze kunnen worden verkregen bij de boekhandel en enkele reisorganisaties. De meeste landen hebben ook een departementale afdeling die zich bezighoudt met het beheer van natuurreservaten en nationale parken. Aantrekkelijke en soms informatieve brochures over deze gebieden zijn vaak voorhanden in uw plaats van bestemming of bij VVV's in het vakantieland.
Veel reisorganisaties die in Europa opereren zijn nu gespecialiseerd in excursies voor vogelaars. Deze hebben het grote voordeel dat ze worden geleid door experts die u naar de beste vogelkijkpunten brengen en assisteren bij het identificeren. Zulke reizen kunnen zeer de moeite waard zijn.
Wat u verder ook doet in het buitenland, zorg ervoor dat het reisbureau, de hotelmanager en de plaatselijke VVV weten dat u geïnteresseerd bent in vogels en wat van uw kostbare tijd spendeert/hebt gespendeerd aan het kijken ernaar. Hoe meer bezoekers hun interesse op deze manier duidelijk maken, hoe meer de lokale bevolking zich zal realiseren dat hun vogels worden gewaardeerd door veel van de mensen die geld inbrengen als toerist. Dit is een uiterst praktische manier om de boodschap van natuurbehoud door te geven.

VOGELBESCHERMING IN EUROPA

BELGIE
Institut Royal des Sciences Naturelles de Belgique, Rue Vautier 31, Bruxelles 4.

BRD
Deutscher Bund für Vogelschutz,
705 Waiblingen, Lange Strasse 34.

DENEMARKEN
Dansk Ornithologisk Forening,
Faelledvej 9 Mezz, Dk 2200, Copenhagen N.

FINLAND
Societas pro Fauna et Flora Fennica, Zoological Museum of the University,
Novra Järnvagsgaten 13, Helsinski 10.

FRANKRIJK
Ligue pour la Protection des Oiseaux,
57 Rue Cuvier, BP505, 75005 Paris.

GROOT-BRITTANNIE
British Trust for Ornithology,
Beech Grove, Tring, Herts. HP23 5NR.

Royal Society for the Protection of Birds,
The Lodge, Sandy, Beds. SG19 2DL.

Scottish Ornithologists Club,
21 Regent Terrace, Edinburgh, EH7 5BT.

IERLAND
Irish Society for the Protection of Birds,
Dept. of Lands, 24 Upper Merrien Street,
Dublin 2.

ITALIE
La Lega Italiana per la Protezione degli Uccelli, Lungano Guicciardina 9, 50125 Firenze.

LUXEMBURG
Ligue Luxembourgeoise pour L'Etude et la Protection des Oiseaux,
32 Rue de la Forêt, Luxembourg.

NEDERLAND
Nederlandse Vereniging Tot Bescherming Van Vogels, Driebergseweg 16C, 3708 JB Zeist.

NOORWEGEN
Zoologisk Museum, Sarsgatan 1, Oslo 5.

OOSTENRIJK
Östereichische Gesellschaft für Vogel Kunde,
Naturhistorisches Museum,
A-1014 Vienna 1.

PORTUGAL
Soiciedada Portuguesa de Ornitologia, Seccâo de Zoologica,
Faeuldade Ciencas, Oporto.

SPANJE
Sociedad Española de Ornitologica,
Castellana 80, Madrid.

ZWEDEN
Svenska Naturskyddsföreningen,
Kungsholms Strand 125,
112 34 Stockholm.

Sveriges Ornitologiska Förening,
Runebergsgatan 8,
114 29 Stockholm.

ZWITSERLAND
Schweizerische Vogelwarte,
6204 Sempach, Lucerne.

BELANGRIJKE VOGELGEBIEDEN

Denemarken
1 Skagen
2 Rold Skov
3 Noord-Seeland
4 Kopenhagen
5 West-Seeland
6 Lolland – Falster – M
7 Langeland
8 Zuid-Jutland
9 Blåvands Huk
10 Ringkøbing Fjord
11 Limfjorden

Groot-Brittannië
1 Shetland – Fair Eiland
2 Speyside
3 Foulsheugh
4 Firth of Forth
5 Farne Eilanden
6 The Wash en Noord-Norfolk
7 Minsmere
8 Thames – Medway
9 London Reservoirs
10 Portland – Weymouth
11 Slimbridge
12 Skokholm – Skomer
13 Dee monding
14 De Hebriden

Ierland
1 Malin Head
2 Lough Neagh
3 Strangford Lc
4 Dublin – Nor Bull Eiland
5 Wexford Slob
6 Cape Clear E
7 Kerry Eiland
8 Lough Akeag
9 Lough Erne

Nederland
1 Zwartemeer
2 Flevopolders
3 De Hoge Veluwe
4 Naardermeer
5 Nieuwkoopse Plassen
6 Deltagebied
7 Alkmaardermeer
8 Zwanenwater
9 Texel

België
1 Kalmthout
2 De Kempen
3 Genk
4 Hautes Fagnes
5 Harchies
6 Blankaart
7 Monding van d
8 Het Zwin

Frankrijk
1 Sologne
2 Brenne
3 Dombes
4 Lac du Bourget
5 Vanoise Nationaal Park
6 Camargue
7 Languedoc
8 Gorges du Tarn
9 St. Flour
10 Port du Gava
11 Les Landes
12 Ile d'Olonne
13 Baie de Bour
14 Lac de Grand
15 Golfe du Mo
16 Sept Iles
17 St. Malo
18 Baie de Veys

Spanje
1 Montana de Covadonga
2 Pyreneeën
3 Andorra
4 La Escala
5 Ebro Delta
6 Majorca
7 Sierra Nevada
8 Ronda
9 Zuid-Andalu
10 Cota Donana
11 Huelva
12 Badajoz
13 Sierra Guada

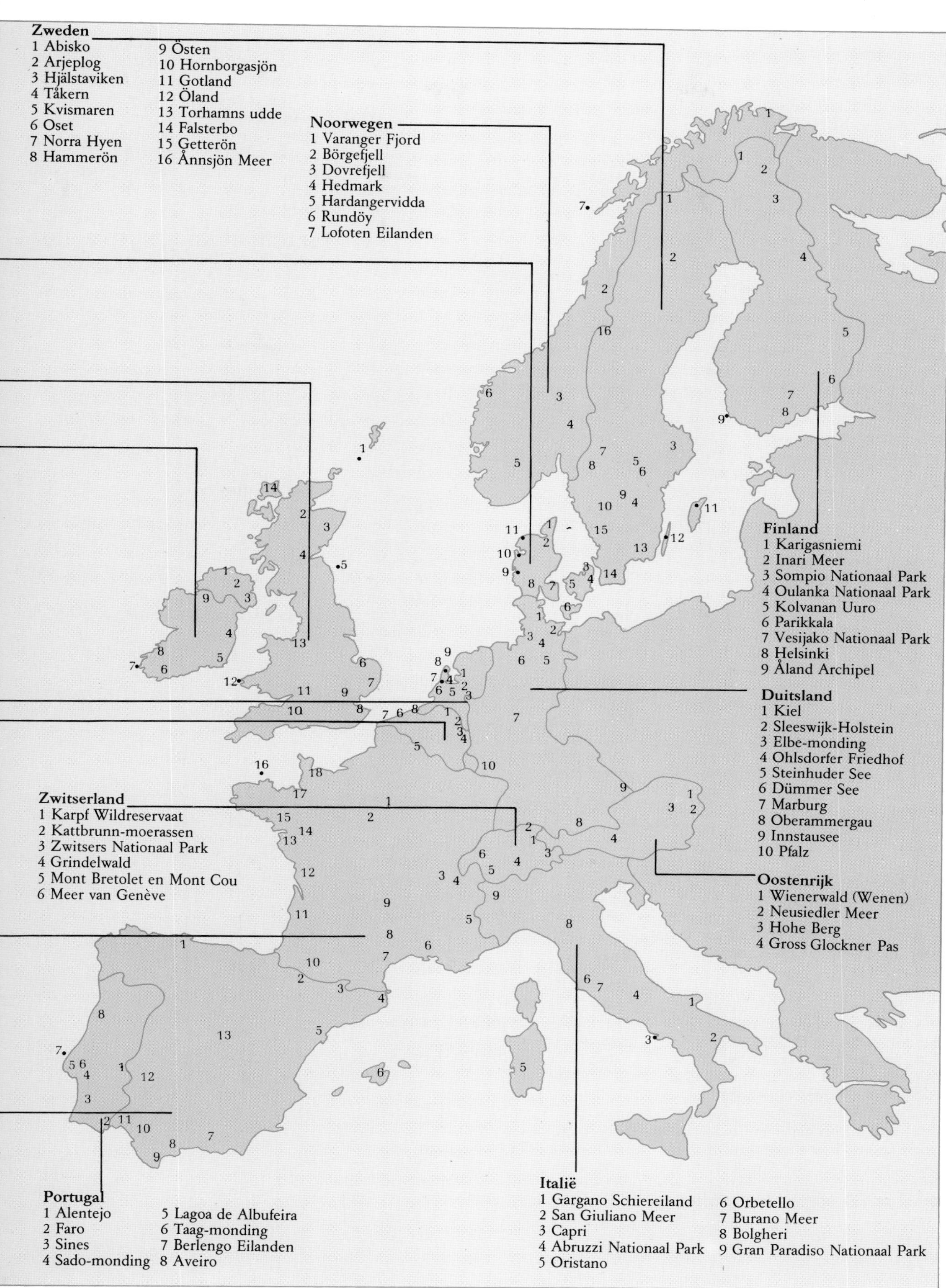
Zweden
1 Abisko
2 Arjeplog
3 Hjälstaviken
4 Tåkern
5 Kvismaren
6 Oset
7 Norra Hyen
8 Hammerön
9 Östen
10 Hornborgasjön
11 Gotland
12 Öland
13 Torhamns udde
14 Falsterbo
15 Getterön
16 Ånnsjön Meer
Noorwegen
1 Varanger Fjord
2 Börgefjell
3 Dovrefjell
4 Hedmark
5 Hardangervidda
6 Rundöy
7 Lofoten Eilanden
Finland
1 Karigasniemi
2 Inari Meer
3 Sompio Nationaal Park
4 Oulanka Nationaal Park
5 Kolvanan Uuro
6 Parikkala
7 Vesijako Nationaal Park
8 Helsinki
9 Åland Archipel
Duitsland
1 Kiel
2 Sleeswijk-Holstein
3 Elbe-monding
4 Ohlsdorfer Friedhof
5 Steinhuder See
6 Dümmer See
7 Marburg
8 Oberammergau
9 Innstausee
10 Pfalz
Oostenrijk
1 Wienerwald (Wenen)
2 Neusiedler Meer
3 Hohe Berg
4 Gross Glockner Pas
Zwitserland
1 Karpf Wildreservaat
2 Kattbrunn-moerassen
3 Zwitsers Nationaal Park
4 Grindelwald
5 Mont Bretolet en Mont Cou
6 Meer van Genève
Portugal
1 Alentejo
2 Faro
3 Sines
4 Sado-monding
5 Lagoa de Albufeira
6 Taag-monding
7 Berlengo Eilanden
8 Aveiro
Italië
1 Gargano Schiereiland
2 San Giuliano Meer
3 Capri
4 Abruzzi Nationaal Park
5 Oristano
6 Orbetello
7 Burano Meer
8 Bolgheri
9 Gran Paradiso Nationaal Park

Nuttige adressen en informatie

Verenigingen, stichtingen en tijdschriften

NEDERLANDSE VERENIGING TOT BESCHERMING VAN VOGELS, Driebergseweg 16C, 3708 JB Zeist. Iedere vogelaar zou lid moeten zijn van deze vereniging, die wel de stem van de Nederlandse vogels wordt genoemd. Vogelbescherming heeft onder meer het beheer over een aantal vogelreservaten, voert beschermingscampagnes en tracht ook via radio en televisie een zo'n groot mogelijk publiek voor vogels te interesseren, met als uiteindelijk doel de bescherming van vogels welke behoren tot één der in het wild levende soorten. Alle leden ontvangen zes maal per jaar het tijdschrift *Vogels;* jeugdleden hebben hun eigen tijdschrift, *'t Vogelaartje.*

COÖRDINATIE COMITÉ VOOR DE BESCHERMING VAN DE VOGELS en BELGISCH VERBOND VOOR DE BESCHERMING VAN VOGELS, Durentijdlei 14, 2130 Brasschaat. De Belgische vogelbescherming publiceert vier maal per jaar de informatiebladen voor studie en bescherming van de Europese avifauna *Mens en vogel* en *L'Homme et l'Oiseau.*

KONINKLIJKE VERENIGING VOOR VOGEL- EN NATUURSTUDIE DE WIELEWAAL, Graatakker 11, 2300 Turnhout. Deze in 1933 opgerichte vereniging stelt zich ten doel de kennis en de bescherming van de natuur en in het bijzonder de vogels in Vlaanderen te bevorderen. Hiertoe richt zij onder meer plaatselijke afdelingen en natuurreservaten op. Vier maal per jaar wordt het ornithologisch tijdschrift *Oriolus* en zes maal per jaar het natuurtijdschrift *Wielewaal* uitgegeven.

AVES, Société d'études ornithologiques, p/a Institut de Zoologie, quai Van Beneden 22, 4000 Luik. Deze vereniging is de Waalse tegenhanger van De Wielewaal. Zij publiceert het Franstalige tijdschrift *Aves.*

STICHTING DUTCH BIRDING ASSOCIATION, Postbus 75611, 1070 AP Amsterdam. De DBA geeft zes maal per jaar het tweetalig tijdschrift *Dutch Birding* uit met avifaunistische publicaties over gedrag, herkenning en voorkomen van met name zeldzame soorten in Nederland en Vlaanderen en elders in het West-Palearctisch gebied. De stichting stelt zich ten doel interessante waarnemingen en kennis aan een breed publiek beschikbaar te stellen.

NEDERLANDSE ORNITHOLOGISCHE UNIE, p/a Postbus 9201, 6800 HB Arnhem. De NOU publiceert twee maal per jaar het Engelstalig wetenschappelijke tijdschrift *Ardea.* De NOU heeft een bibliotheek voor tijdschriften die is gevestigd in het Instituut voor Taxonomische Zoölogie, Amsterdam. Onder de NOU ressorteert een aantal secties, zoals de Club van Zeetrekwaarnemers en de Nederlandse Steltloper Werkgroep.

SAMENWERKENDE ORGANISATIES VOGELONDERZOEK NEDERLAND, p/a Postbus 81, 6573 ZH Beek-Ubbergen. De SOVON stelt zich ten doel het stimuleren van veldonderzoek aan vogels door amateurornithologen middels het organiseren van grootschalige landelijke onderzoeksprojecten, meestal tellingen en inventarisaties zoals voor de broedvogelatlas. Het tijdschrift *Limosa* is het orgaan van NOU en SOVON en verschijnt vier maal per jaar.

PLAATSELIJKE VOGELWERKGROEPEN. In bijna elk deel van het land is wel een plaatselijke vogelwerkgroep actief. Deze organisaties zijn ideaal om contacten te leggen met vogelaars en om plaatselijke vogelgebieden te leren kennen. Voor adressen kan men zich wenden tot Vogelbescherming.

BELGISCHE NATUUR- EN VOGELRESERVATEN, Vautierstraat 29, 1040 Brussel. Deze vereniging stelt zich ten doel in belangrijke Belgische natuurgebieden reservaten op te richten en die te beheren.

VERENIGING TOT BEHOUD VAN NATUURMONUMENTEN IN NEDERLAND, Schaep en Burgh, 1243 JJ 's-Graveland. Natuurmonumenten is een van de belangrijkse natuurbeherende instanties in Nederland en heeft het beheer over een groot aantal belangrijke vogelgebieden.

LANDELIJKE VERENIGING TOT BEHOUD VAN DE WADDENZEE, Postbus 90, 8860 AB Harlingen. Deze vereniging heeft als doel het behoud van het mooiste vogelgebied in Nederland, de Waddenzee, en heeft als orgaan *Waddenbulletin.*

STICHTING KRITISCH FAUNABEHEER, p/a Postbus 76, 1243 ZH 's-Graveland. Het SKF is een landelijke organisatie die met als doel een moreel en wetenschappelijk verantwoord faunabeheer, wetten en beheersmaatregelen tracht te verbeteren. De stichting geeft vier maal per jaar het tijdschrift *Argus* uit.

COMMISSIE DWAALGASTEN NEDERLANDSE AVIFAUNA, Postbus 45, 2080 AA Santpoort-Zuid. De CDNA is landelijk erkend en verzamelt, beoordeelt en registreert waarnemingen en vondsten van zeldzame en een aantal schaarse soorten in Nederland. Jaarverslagen worden gepubliceerd in de tijdschriften *Dutch Birding* en *Limosa.*

BELGISCH AVIFAUNISTISCH HOMOLOGATIE-COMITÉ, p/a Keizer Leopoldstraat 4, 9000 Gent. Deze commissie is het equivalent van de CDNA voor Nederlandstaligen in België. Jaarverslagen worden gepubliceerd in *Oriolus.*

NATUUR 2000, Bervoetstraat 33, 2000 Antwerpen. Dit is de Vlaamse Jeugdbond voor Natuurstudie en Milieubehoud.

Andere tijdschriften

Giervalk, Vautierstraat 29, 1040 Brussel;
Graspieper, La Reinelaan 50, 1611 ZE Bovenkarspel;
Vanellus, Woudvaartkade 52, 8606 XV Sneek;
Vogeljaar, Laan van Altena 30, 2613 AJ Delft.

Wat te doen bij het vinden van...

EEN ZELDZAME VOGEL. Noteer eerst een zo uitvoerig mogelijke beschrijving in uw aantekenboekje, liefst op het moment dat u de vogel nog kunt bekijken. Probeer dan zoveel mogelijk goede medewaarnemers te krijgen; ga naar de dichtstbijzijnde telefoon om iemand van het *Dutch Birding*-telefoonsysteem te informeren (voor informatie over dit systeem kan men zich wenden tot DBA, Postbus 75611, 1070 AP Amsterdam). Zeer zeldzame vogels kunnen soms veel belangstellenden aantrekken. Vermeldt daarom bij het doorgeven van de waarneming eventueel te verwachten problemen in verband met overlast voor derden. Wees vooral in de broedtijd voorzichtig en overleg de situatie met mensen die het gebied goed kennen. Leg de situatie uit aan eventuele landeigenaren of omwonenden; meestal zult u positieve reacties krijgen. Stuur tenslotte uw beschrijving van de vogel en van de vindomstandigheden naar de CDNA.

ZIEKE OF GEWONDE VOGELS. Vaak zal een versufte vogel herstellen als u hem in een doos bij laat komen. Laat jonge vogels altijd met rust omdat hun ouders vaak nog in de buurt zijn om voor ze te zorgen. Gewonde vogels kunt u naar een plaatselijk vogelasiel brengen. De politie kan u meestal wel verwijzen naar een opvangadres bij u in de regio.

OLIESLACHTOFFERS. Indien u met olie besmeurde vogels op het strand aantreft, waarschuw dan de plaatselijke politie en wanneer het er veel zijn Vogelbescherming. Indien u er geen ervaring in heeft, probeer dan niet de vogels te reinigen. Meestal is de meest humane behandeling de slachtoffers snel en pijnloos te doden.

EEN GERINGDE VOGEL. Stuur behalve het adres en nummer van de ring bijzonderheden over de vondst met plaats, datum en soort naar het Vogeltrekstation Arnhem, Postbus 40, 6666 ZG Heteren (in België: Koninklijk Belgisch Instituut voor Natuurwetenschappen, Dienst Belgisch Ringwerk, Vautierstraat 29, 1040 Brussel). Stuur ook uw eigen adres zodat de ringgegevens u toegezonden kunnen worden. Als de vogel dood is, haal dan de ring van zijn poot, strijk de ring plat en plak hem op uw brief. Als de vogel leeft, lees dan de ring zorgvuldig af en laat de vogel weer los met zijn ring.

De boekenlijst van een vogelaar

In de loop der jaren zijn vele boeken over vogels verschenen. Sommige zijn nog steeds de moeite waard en andere hebben antiquarische waarde. Hier volgt een korte lijst van aanbevolen titels.

Campbell, B. en Lack, E. 1985. A dictionary of birds. Calton.
Cramp, S. 1977-1988. Handbook of the birds of Europe, the Middle East and North Africa 1-5. Oxford.
Dutch Birding. 1990. Vogels nieuw in Nederland. Ede/Antwerpen.
Ferguson-Lees, J. & Willis, I. A. 1987. Tirions vogelgids. Baarn.
Glutz von Blotzheim, U.N. & Bauer, K. 1966-1988. Handbuch der Vögel Mitteleuropas 1-11.
Gooders, J. & van den Berg, A.B. 1989. De belangrijkste vogelgebieden in Europa. Ede/Antwerpen.
Grant, P.J. 1986. Gulls: a guide to identification. Calton.
Harrison, P. 1985. Seabirds: an identification guide. Londen.
Hayman, P. 1986. Vogels (zakgids). Ede/Antwerpen.
Marchant, J., Prater, T. & Hayman, P. 1986. Shorebirds: an identification guide to the waders of the world. Londen & Sidney.
Osieck, E.R. 1986. Bedreigde en karakteristieke vogels in Nederland. Zeist.
Perrins, C. 1988. Vogels van Europa. Baarn.
Peterson, R., Mountfort, G. & Hollom, P.A.D. Petersons vogelgids. Amsterdam.
Porter, R.F. et al. 1981. Flight identification of European raptors. Calton.
Sovon. 1987. Atlas van de Nederlandse vogels. Arnhem.
Svensson, L. 1984. Identification guide to European passerines. Stockholm.
Teixeira, R.M. 1979. Atlas van de Nederlandse broedvogels. 's-Graveland.

Geluidsopnamen

Er bestaan tevens vele cassettes en grammofoonplaten met geluidsopnamen van vogels. Voor Nederland zijn speciaal aanbevelenswaardig de zes door Kees Hazevoet voor Vogelbescherming te Zeist samengestelde cassettes 'Nederlandse vogels' (1981-1985). Op deze unieke cassettes zijn uitsluitend geluidsopnamen uit Nederland opgenomen, waaronder een aantal zeldzame vogels.

Nederlandse en wetenschappelijke vogelnamen

Aalscholver, Britse en Noordse ondersoort	*Phalacrocorax carbo*
–, ondersoort van vasteland van Europa (excl. Noorwegen)	*Phalacrocorax carbo sinensis*
Aasgier	*Neophron percnopterus*
Alk	*Alca torda*
Alpengierzwaluw	*Alpus melba*
Alpenkauw	*Pyrrhocorax graculus*
Alpenkraai	*Pyrrhocorax pyrrhocorax*
Alpensneeuwhoen	*Lagopus mutus*
Appelvink	*Coccothraustes coccothraustes*
Auerhaan	*Tetrao urogallus*
Baardmannetje	*Panurus biarmicus*
Barmsijs	*Acanthus flammea*
–, Britse en Alpenvorm	*Acanthus flammea cabaret*
Beflijster, Britse en Scandinavische ondersoort	*Turdus torquatus torquatus*
–, Middeneuropese ondersoort	*Turdus torquatus alpestris*
Bergeend	*Tadorna tadorna*
Bergfluiter	*Phylloscopus bonelli*
Blauwborst, Midden- en Zuideuropese ondersoort	*Luscinia svecica cyanecula*
–, Scandinavische ondersoort	*Luscinia svecica svecica*
Boerenzwaluw	*Hirundo rustica*
Bokje	*Lymnocryptes minimus*
Bontbekplevier	*Charadrius hiaticula*
Boomklever	*Sitta europaea*
Boompieper	*Anthus trivialis*
Boomvalk	*Falco subbuteo*
Bosruiter	*Tringa glareola*
Bosuil	*Strix aluco*
Brandgans	*Branta leucopsis*
Brilduiker	*Bucephala clangula*
Buizerd	*Buteo buteo*
Burgemeester, Grote	*Larus hyperboreus*
–, Kleine	*Larus glaucoides*
Bijeneter	*Merops apiaster*
Cetti's Zanger	*Cettia cetti*
Cirlgors	*Emberiza cirlus*
Dodaars	*Tachybaptus ruficollis*
Drieteenmeeuw	*Rissa tridactyla*
Drieteenstrandloper	*Calidris alba*
Duif, tamme	*Columba livia*
Duinpieper	*Anthus campestris*
Dwergarend	*Hieraletus pennatus*
Dwergmeeuw	*Larus minutus*
Dwergooruil	*Otus scops*
Dwergstern	*Sterna albifrons*
Eend, Wilde	*Anas platyrhynchos*
Eider	*Somateria mollissima*
Ekster	*Pica pica*
Fazant	*Phasianus colchicus*
Flamingo	*Phoenicopterus ruber*
Franjepoot, Grauwe	*Phalaropus lobatus*
–, Rosse	*Phalaropus fulicarius*
Frater	*Acanthis flavirostris*
Fuut	*Podiceps cristatus*
–, Geoorde	*Podiceps nigricollis*
Gans, Canadese	*Branta canadensis*
–, Grauwe	*Anser anser*
Gierzwaluw	*Apus apus*
Glanskop	*Parus palustris*
Gors, Grauwe	*Emberiza calandra*
–, Grijze	*Emberiza cia*
Goudhaantje	*Regulus regulus*
Goudplevier	*Pluvialis apricaria apricaria*
–, Noordelijke ondersoort	*Pluvialis apricaria albifrons*
Goudvink	*Pyrrhula pyrrhula*
Graspieper	*Anthus pratensis*
Grauwe Klauwier	*Lanius collurio*
Groenling	*Carduelis chloris*
Groenpootruiter	*Tringa nebularia*
Grutto	*Limosa limosa*
–, Rosse	*Limosa lapponica*
Havik	*Accipiter gentilis*
Heggemus	*Prunella modularis*
Holenduif	*Columba oenas*
Hop	*Upupa epops*
Houtduif	*Columba palumbus*
Huismus	*Passer domesticus*
Huiszwaluw	*Delichon urbica*
Jager, Grote	*Stercorarius skua*
–, Kleine	*Stercorarius parasiticus*
–, Kleinste	*Stercorarius longicaudus*
–, Middelste	*Stercorarius pomarinus*
Jan van Gent	*Sula bassana*
Kanarie, Europese	*Serinus serinus*
Kanoetstrandloper	*Calidris canutus*
Karekiet, Grote	*Acrocephalus arundinaceus*
–, Kleine	*Acrocephalus scirpaceus*
Kauw	*Corvus Monedula*
Keep	*Fringilla montifringilla*
Keizerarend, Spaanse ondersoort	*Aquila beliaca adalberti*
Kemphaan	*Philomachus pugnax*
Kerkuil, Noord- en Oosteuropese ondersoort	*Tyto alba guttata*
–, Zuid- en Westeuropese ondersoort	*Tyto alba alba*
Kiekendief, Blauwe	*Circus cyaneus*
–, Bruine	*Circus aeruginosus*
–, Grauwe	*Circus pygargus*
Kievit	*Vanellus vanellus*
Klapekster	*Lanius excubitor*
–, Kleine	*Lanius minor*
Kluut	*Recurvirostra avosetta*
Kneu	*Acanthis cannabina*
Knobbelzwaan	*Cygnus olor*
Koekoek	*Cuculus canorus*
Koereiger	*Bubulcus ibis*
Kokmeeuw	*Larus ridibundus*
Kolgans	*Anser albifrons*
–, Groenlandse ondersoort	*Anser albifrons-flavirostris*
Koolmees	*Parus major*
–, Britse ondersoort	*Parus ater brittannicus*
–, ondersoort v.h. Europese vasteland	*Parus ater ater*
–, Ierse ondersoort	*Parus ater hibernicus*
Koperwiek	*Turdus iliacus*
Korhoen	*Lyrurus tetrix*
Kraai, Zwarte	*Corvus corone corone*
–, Bonte	*Corvus corone cornix*
Kraanvogel	*Grus grus*
Krakeend	*Anas strepera*
Kramsvogel	*Turdus pilaris*
Krombekstrandloper	*Calidris ferruginea*
Krooneend	*Netta rufina*
Kruisbek	*Loxia curvirostra*
Kuifaalscholver	*Phalacrocorax aristotelis*
Kuifduiker	*Podiceps auritus*
Kuifeend	*Aythya fuligula*
Kuifleeuwerik	*Galerida cristata*
Kuifmees	*Parus cristatus*
Kwak	*Nycticorax nycticorax*
Kwartel	*Coturnix coturnix*
Kwartelkoning	*Crex crex*
Kwikstaart, Engelse Gele	*Motacilla flava flavissima*
–, Gele	*Motacilla flava flava*
–, Grote Gele	*Motacilla cinerea*
–, Iberische Gele	*Motacilla flava iberiae*
–, Noordse Gele	*Motacilla flava thunbergi*
–, Witte	*Motacilla alba alba*
Lachstern	*Gelochelidon nilotica*
Lammergier	*Gypaetus barbatus*
Lepelaar	*Platalea leucorodia*
Mantelmeeuw, Grote	*Larus marinus*
–, Kleine, Baltische ondersoort	*Larus fuscus fuscus*
–, Kleine, Britse ondersoort	*Larus fuscus graellsii*
Matkop, Britse ondersoort	*Parus montanus*
–, Noordeuropese ondersoort	*Parus montanus borealis*
Matkop, Westeuropese ondersoort	*Parus montanus rhenanus*

Meerkoet	*Fulica atra*
Merel	*Turdus merula*
Moerassneeuwhoen, Noordeuropese ondersoort	*Lagopus lagopus lagopus*
–, Schots sneeuwhoen	*Lagopus lagopus scoticus*
Monniksgier	*Aegypius monachus*
Morinelplevier	*Eudromias morinellus*
Nachtegaal	*Luscinia megarhynchos*
Nachtzwaluw	*Caprimulgus europaeus*
Nonnetje	*Mergus albellus*
Notekraker	*Nucifraga caryocatactes*
Oeverloper	*Tringa hypoleucos*
Oeverpieper	*Anthus spinoletta littoralis*
Oeverzwaluw	*Riparia riparia*
Ooievaar	*Ciconia ciconia*
Ortolaan	*Emberiza hortulana*
Papegaaiduiker	*Fratercula arctica*
Parelduiker	*Gavia arctica*
Patrijs	*Perdix perdix*
–, Rode	*Alectoris rufa*
Pimpelmees	*Parus caeruleus*
Plevier, Kleine	*Charadrius dubius*
Provençaalse Grasmus	*Sylvia undata*
Purperreiger	*Ardea purpurea*
Putter	*Carduelis carduelis*
Pijlstaart	*Anas acuta*
Pijlstormvogel, Noordse	*Puffinus puffinus*
Raaf	*Corvus corax*
Ralreiger	*Ardeola ralloides*
Ransuil	*Asio otus*
Reiger, Blauwe	*Ardea cinerea*
Rietgans, Kleine	*Anser brachyrhynchus*
Rietgors	*Emberiza schoeniclus*
Ringmus	*Passer montanus*
Roek	*Corvus frugilegus*
Roerdomp	*Botaurus stellaris*
Roodborst	*Erithacus rubecula*
Roodborsttapuit	*Saxicola torquata*
Roodhalsfuut	*Podiceps griseigena*
Roodkeelduiker	*Gavia stellata*
Roodkopklauwier	*Lanius senator*
Roodstaart, Gekraagde	*Phoenicurus phoenicurus*
–, Zwarte	*Phoenicurus ochruros*
Roodstuitzwaluw	*Hirundo daurica*
Rotgans	*Branta bernicla bernicla*
Rotsduif	*Columba livia*
Rotslijster, Blauwe	*Turdus viscivorus*
–, Rode	*Monticola saxatilis*
Rotspieper	*Anthus spinoletta petrosus*
Rotszwaluw	*Hirundo rupestris*
Rouwkwikstaart	*Montacilla alba yarrelli*
Ruigpootbuizerd	*Bureo lagopus*
Scharrelaar	*Coracias garrulus*
Scholekster	*Haematopus ostralegus*
Slangenarend	*Circaetus gallicus*
Slechtvalk	*Falco peregrinus*
Slobeend	*Anas dypeata*
Smelleken	*Falco columbarius*
Sneeuwgors	*Plectrophenax nivalis*
Sneeuwvink	*Montifringilla nivalis*
Sperwer	*Accipiter nisus*
Sperwergrasmus	*Sylvia nisoria*
Spreeuw	*Sturnus vulgaris*
Sprinkhaanrietzanger	*Locustella naevia*
Staartmees, Britse ondersoort	*Aegithalos caudatus rosaceus*
–, Noordeuropese ondersoort	*Aegithalos caudatus caudatus*
–, West- en Zuideuropese ondersoort	*Aegithalos caudatus Europaeus*
Steenarend	*Aquita chrysaetos*
Steenloper	*Arenaria interpres*
Steenuil	*Athene noctua*
Steltkluut	*Himantopus himantopus*
Stern, Grote	*Sterna sandvicensis*
–, Noordse	*Sterna paradisaea*
–, Zwarte	*Chlidonias niger*
Stormmeeuw	*Larus canus*
Stormvogel, Noordse	*Fulmarus glacialis*
Strandloper	*Calidris temminckii*
–, Bonte, Noordelijke ondersoort	*Calidris alpina alpina*
–, Bonte, Zuidelijke ondersoort	*Calidris alpina schinzii*
–, Kleine	*Calidris minuta*
–, Paarse	*Calidris maritima*
Strandplevier	*Charadrius alexandrinus*
Sijs	*Carduelis spinus*
Tafeleend	*Aythya ferina*
Taigaboomkruiper	*Certhia familiaris*
Taigarietgans	*Anser fabalis fabalis*
Tjiftjaf, Midden- en Westeuropese ondersoort	*Phylloscopus collybita collybita*
–, Scandinavische ondersoort	*Phylloscopus collybita abietinus*
Toendrarietgans	*Fabilis fossicus*
Toppereend	*Aythya marila*
Torenvalk	*Falco tinnunculus*
Tortel	*Streptopelia turtur*
Tuinfluiter	*Sylvia borin*
Tureluur	*Tringa totanus*
Turkse tortel	*Streptopelia decaoto*
Vale Gier	*Gyps fulvus*
Veldleeuwerik	*Alauda arvensis*
Velduil	*Asio Flammeus*
Vink	*Fringilla coelebs*
Visarend	*Pandrion haliaetus*
Visdief	*Sterna hirundo*
Vlaamse Gaai	*Garrulus glandarius*
Vliegenvanger, Bonte	*Ficedula hypoleuca*
–, Grauwe	*Muscicapa striata*
Vorkstaartplevier	*Glareola pratincola*
Vuurgoudhaantje	*Regulus ignicapillus*
Waaierstaartrietzanger	*Cisticola juncidis*
Waterhoen	*Gallinula chloropus*
Waterpieper	*Anthus spinoletta spinoletta*
Waterral	*Rallus aquaticus*
Watersnip	*Gallinago gallinago*
Waterspreeuw, Britse ondersoort	*Cinclus cinclus gularis*
–, Middeneuropese ondersoort	*Cinclus cinclus aquaticus*
–, Noordeuropese ondersoort	*Cinclus cinclus cinclus*
Wespendief	*Pernis apivorus*
Wielewaal	*Oriolus oriolus*
Wintertaling	*Anas crecca*
Witbuikrotgans	*Branta bernicla brota*
Witgatje	*Tringa ochropus*
Withalsvliegenvanger	*Ficedula albicollis*
Witoogeend	*Aythya nyroca*
Witstuitbarmsijs	*Acanthis hornemanni*
Woudaapje	*Ixobrychus minutus*
Wouw, Rode	*Milvus milvus*
–, Zwarte	*Milvus migrans*
Wulp	*Numenius arquata*
IJsduiker	*Gavia immer*
IJseend	*Clangula hyemalis*
IJsvogel	*Alcedo atthis*
Zaagbek, Grote	*Mergus merganser*
–, Middelste	*Mergus senator*
Zanglijster	*Turdus philomelos*
Zeeëend, Grote	*Melanitta fusca*
–, Zwarte	*Melanitta nigra*
Zeekoet	*Uria aalge*
–, Zwarte	*Cepphus grylle*
Zilvermeeuw	*Larus argentatus*
Zilverplevier	*Pluvialis squatarola*
Zilverreiger	*Egretta garzetta*
Zomertaling	*Anas querquedula*
Zwaan, Kleine	*Cygnus bewickii*
–, Wilde	*Cygnus cygnus*
Zwartkop	*Sylvia atricapilla*

Verklarende woordenlijst

Balts: alle gedragingen die gericht zijn op de paarvorming en de vestiging van het territorium.
Bidden: het stilstaan van vogels in de lucht; wordt ook 'wiekelen' genoemd.
Biotoop: een gebied waarin alle voor een soort noodzakelijke levensvoorwaarden aanwezig zijn.
Bles: opvallende plek aan het voorhoofd.
Broedduur: de periode tussen het begin van het broeden en het uitkomen van de eieren. Uilen en stootvogels beginnen reeds na het leggen van het eerste ei te broeden.
Broedkleed: het verenkleed dat een soort in de voortplantingsperiode draagt en dat gewoonlijk kleurrijker is dan het verenkleed in de rest van het jaar.
Broedtijd: periode tussen het vestigen van het territorium en het uitvliegen van de jongen.

Contourveren: het gehele verenkleed met uitzondering van de slag- of staartpennen.

Dekveren: contourveren op boven- en ondervleugel en staart.
Doortrekker: regelmatige, in Nederland doortrekkende vogel die buiten zijn trektijden in de zomer en de winter niet of slechts incidenteel voorkomt.
Dwaalgast: zie **Onregelmatige gast**.

Eclipskleed: onopvallend kleed in de nazomer bij mannetjes eenden (woerden) dat veel lijkt op dat van vrouwtjes (eenden) en jonge vogels.

Familie: taxonomische term; verzameling van verwante geslachten of genera.
Foerageren: voedsel zoeken.

Geslacht of **Genus**: taxonomische term; verzameling van min of meer verwante soorten.
Glijvlucht: directe voorwaartse vlucht waarbij de vleugels niet of nauwelijks worden bewogen.
Grondelen: het in ondiep water 'op de kop staand' afzoeken van de bodem naar voedsel.
Guano: vogelmest. In sommige gevallen – vooral bij afzetting door kolonievogels en indien dit proces voldoende lang heeft geduurd – is exploitatie van de mestlagen voor toepassing als landbouwmeststof ter hand genomen.

Invasievogels: vogels die soms enkele jaren achtereen in plotseling grote aantallen kunnen verschijnen in gebieden waar ze anders niet of nauwelijks worden waargenomen.

Jaargast: regelmatige, gedurende het gehele jaar voorkomende vogel die niet of slechts incidenteel in Nederland broedt.
Jaarvogel: regelmatige broedvogel die als soort gedurende het gehele jaar in Nederland voorkomt.
Jeugdkleed: het eerste verenkleed dat volgt op het donskleed van het nestjong.

Kam:
1. plat benig uitsteeksel op het borstbeen waaraan de vliegspieren zijn gehecht.
2. vlezig uitsteeksel op de kop, speciaal bij hoenders.

Kleptoparasitisme: het stelen van voedsel van andere soorten (o.a. een opvallend gedragskenmerk van de familie van de Jagers).
Kleurfase of **Fase**: opvallende variant van een verenkleed binnen één soort, niet gekoppeld aan leeftijd en geslacht en zonder dat er sprake is van geografische variatie.
Kolonie: een verzameling vogels, meestal van dezelfde soort, die in elkaars nabijheid nestelen.

Lek: gemeenschappelijke baltsplaats; zie Kemphaan en Korhoen.

Marien of **Oceanisch**: levenswijze van soorten die, behalve in de broedtijd, het gehele jaar op (volle) zee verblijven.
Metabolisme: het totaal aan stofwisselingsprocessen.
Milieu: het totaal aan biologische en niet-biologische factoren die het leven van een organisme beïnvloeden.

Niche: (letterlijk: nis) de plaats die de vogel in het milieu inneemt.

Onregelmatige gast en **Dwaalgast**: in Nederland niet regelmatig voorkomende of broedende vogel.

Poetsen: onderhoud van het verenkleed; toilet maken.
Polygamie: het verschijnsel dat een mannetje of vrouwtje meer dan één partner heeft.
Prachtkleed: zie **Broedkleed**.
Predatoren: roofvijanden.
Promiscueus: voortplantingsgedrag waarbij mannetjes of vrouwtjes niet zijn aangewezen op één seksuele partner.

Roesten: rusten, meestal slapen van vogels.
Roffelen: het hameren door spechten op dode takken in de broedtijd; een zeer verdragend geluid.
Ruien: het verwisselen van verenkleed. Bij de meeste vogels vindt een volledige rui aan het eind van het broedseizoen plaats maar bij een aantal trekvogels pas in het winterkwartier. Dit proces neemt geruime tijd in beslag, maar bij een aantal soorten zoals ganzen, eenden en rallen worden de slagpennen alle tijdelijk afgeworpen zodat de vogels enige tijd niet kunnen vliegen.
Rushes: massale verplaatsingen van vogels, die onder meer door plotseling invallende koude en sneeuwval kunnen optreden.

Slagpennen: **grote slagpennen** of **handpennen**: alle veren die ingeplant zijn op de 'hand' van de vogel.
kleine slagpennen: alle veren, ingeplant op de achterrand van de ellepijp.

Sluier: min of meer cirkelvormige bevedering van de kop rond de ogen, zoals bij uilen, waardoor de indruk van een 'gezicht' ontstaat.
Spiegel: opvallend gekleurde vlek op de kleine slagpennen bij eendesoorten.
Standvogels: vogels die ook buiten de broedtijd in hetzelfde gebied verblijven waar ze hun jongen hebben grootgebracht.
Stootvogels: roofvogels.
Systematiek: de wetenschap die zich bezig houdt met de wetenschappelijke rangschikking van planten en dieren en hun naamgeving; vaak worden systematiek en taxonomie als synoniemen van elkaar gebruikt.

Taxonomie: de wetenschap die zich bezig houdt met de wetenschappelijke naamgeving, in deze context van vogels. Zie **Systematiek**.
Territorium: actief door een vogel verdedigd gebied, in het algemeen rond het nest.
Trekvogels: vogels die een verschillend zomer- en winterkwartier hebben en zich daartussen op regelmatige tijden verplaatsen.

Wiekelen: zie **Bidden**.
Wintergast: regelmatige, in Nederland doortrekkende en overwinterende vogel die buiten zijn trektijden in de zomer niet of slechts incidenteel voorkomt.

Zeilvlucht: wijze van vliegen waarbij de vleugels slechts in geringe mate worden bewogen en waarbij gebruik gemaakt wordt van thermiek en van andere luchtstromingen.
Zomerkleed: zie **Broedkleed**.
Zomervogel: regelmatige broedvogel die in de winter niet of slechts incidenteel in Nederland voorkomt.

Register van Nederlandse vogelnamen